風水原理講論

第4卷 原理講論 別冊附錄

황영웅 黃英雄

1970 한양대학교 공과대학 전기공학 전공
1979 한양대학교 산업경영대학원 국토개발 전공
1989 College of Buddhist Studies L.A. Buddhism 전공(B.A)
1991 College of Buddhist Studies L.A. Buddhism 전공(M.A)
1993 동국대학교 불교대학원 선(禪)학 전공
2021 대구한의대학교 명예철학박사

1988 비봉풍수지리연구학회 설립
2003 경기대학교 국제문화대학원 풍수지리학과 대우교수
2009 영남대학교 환경보건대학원 환경설계학과 객원교수

前 김대중 대통령 묘역 조성 위원장
前 김영삼 대통령 묘역 조성 위원장

風水原理講論

第4卷 原理講論 別冊附錄

초판 발행 2002년 02월 25일 (비매품)
증보판 발행 2019년 05월 30일 (비매품)
개정판 발행 2021년 03월 19일 (550세트 한정판)

지은이 비봉산인 황영웅 | **펴낸이** 이찬규 | **펴낸곳** 북코리아
등록번호 제03-01240호 | **전화** 02-704-7840 | **팩스** 02-704-7848
이메일 sunhaksa@korea.com | **홈페이지** www.북코리아.kr
주소 13209 경기도 성남시 중원구 사기막골로 45번길 14 우림2차 A동 1007호
ISBN 978-89-6324-734-2 (93180)
978-89-6324-736-6 (세트)

값 100,000원

風水原理講論

"人間生命의再創造를 爲하여"

第4卷
原理講論 別冊附錄

飛鳳山人 黃英雄 著

북코리아

後學에게 드리는 글

萬物의 영장인 우리네 人類는 이 地球上에 생겨남 以來로 오늘에 이르기까지, 한량없는 文化의 發展과 가공할 利益文明의 發達 속에서, 그 끝 가는 곳은 예측조차 못하는 채, 쉬임 없는 역사의 수레에 이끌려 思量 없는 어제를 지세우고, 分別없는 來日을 向해 덧없이 걸어가고 있다.

無知와 자만과 貪慾과 어리석음은 날이 갈수록 그 度를 더해 가는데, 人生內面에 간직된 밝은 智慧와 善吉의 品性들은 外面世界의 物質的 價值構造 틀에 빠져 그 빛을 잃은 지 오래이다.

自然의 不確實性 속에서 반드시 살아남지 않으면 아니 되는 우리 人類의 至高한 生存價值는 이제 人間自身이 만들어 놓은 文明과 文化라는 커다란 덫에 걸려, 그 本來의 目的價值를 상실하게 되었고, 급기야는 文明의 노예가 되고, 文化의 꼭두각시가 되어, 人間의 本性마저 유린당하고 마는 地境에까지 다다르게 되었는도다.

오호라!

地球라는 限定된 空間環境과 消滅進行이라는 時間的 存在秩序 앞에서 不確實한 自然과 人間事의 허다한 難題들은 과연 얼마나 밝혀지고 해결될 수 있을 것인가?

과연 어떻게 하면 우리 人類가 滅亡하지 아니하고 永續하면서 새로운 人類種族을 再創造 發展시키고 지혜로운 번영을 도모할 수가 있을 것인가?

無邊廣大한 우주 바다와 티끌만 한 太陽界의 生命環境!

그 울 속에서, 다람쥐 쳇바퀴 맴을 돌 듯 덧없이 왔다가는 덧없이 또 가야만 하는,

何 많은 무릇 生靈들의 허망한 因緣輪廻!

숨 한번 내쉰 것이 다시 들지 못하면
영원히 그 목숨은 끊겨져야 하고,
어젯밤 감은 눈이 아침나절 다시 못 뜨면
그 생명 영원한 죽음일지니,
한 움큼 한 모금의 산소덩이가 그것이 곧 人間의 본모습이요,
목을 타고 드나드는 숨결소리가 그것이 곧 生命의 現顯일러라.

이 茫然한 現實 앞에서 人類의 보다 밝고, 지혜로운 來日을 設計할 者, 과연 어디에서 찾을 것이며, 至高한 人間의 거룩한 生命들을 安樂과 安寧으로 이끌어 갈 용기 있는 善知識은 과연 얼마나 고대하고 기다려야 하는가?

東西古今을 통하여
至高至善한 길을 찾아
한 줄기 햇살이 되어, 온 누리 밝혀 보려는 이름 모를 先覺者들이야 어찌 機數였으리요마는,

世上을 救援하고 人類를 弘益케 할 위대한 소망과 간절한 바람은 아직도 다함이 없어 애절키만 하구나!

後學이여!
우리도 이제 깨어나 보자!
眞理를 바로 보고 使命을 찾자!
넓고 푸른 창공에 한 점 티 없이 맑은 마음처럼,
어제를 돌아보고 내일을 살피면서
오늘의 진실됨을 거짓 없이 바로보자!
眞理의 천사가 나를 부르고,
깨달음의 여신이 나를 감싸 안을 때,
내 한 몸 햇살이 되어
온 누리 밝힐 聖者가 될 때까지,
後學이여! 精進하자! 使命으로 살자!

人類의 興亡이 그대에게 매달리고,
十方의 榮枯盛衰가 그대 왔기를 기다리나니,
그대 가슴에 흘러넘치는 맑고 고운 智慧의 甘露水로,
世世永永 無窮할 眞理의 塔을 씻자.
子孫萬代 이어갈 새 生命을 創造하자.
거룩한 三昧에 드넓은 天地에서,
우리 先祖 子孫들이 한데 어울려
두둥실 춤을 추고 노래 부르는 平和의 極樂圓을 함께 가꾸자.
永遠의 安樂土를 함께 일구자.

後學이여!

하나의 生命體가 무수한 生命들과 이 땅에서 함께 共存하고 있는 現實은 時空을 超越한 過·現·未의 三世 고리가 不可分의 緣分이 되어 묶여 있음을 말함이며, 人類가 지닌 現象의 幸·不幸이 나와 함께 자리하고 있음은 모두의 幸·不幸 씨앗이 나와의 因緣고리에 이끌려 싹이 터온 所以 일러라.

어찌 우연하게 생겨나 나 여기 왔다한들,

前生의 業報 탓하고 無心할 수만 있겠는가?

三世의 因緣 탓하고 無情할 수가 있겠는가?

무릇 人間의 수많은 갈등과 고통을 지켜만 보면서, 나약한 人間으로 태어나 황망하게 이대로 가야 할 宿命임을 통탄하고 있기보다는

미력이나마 人類生存에 보탬이 될 수 있는 보다 밝은 智慧를 터득케 하고 실천케 하기 위해,

더 넓고 더 높은 眞理의 光明을 찾아,

窮究하고,

發見하며,

廻向精進해 나아가려는 것이

그것이 오히려 오늘을 살아가는 賢者의 보람이요, 참길이 되리로다.

後學이여!

이제 감히 그대들의 양어깨 위에 人類의 큰 등불을 짊어지라고 권하고 싶노라.

그대들의 양손에

世上을 救援하고 열어갈 大寶劍을 쥐어주고 싶노라.

그리하여 그대들의 이어짐이

人類의 大救援이 되고,

大創造가 되어 질 것을

기도하고 또 기도하고 싶노라.

弘益人間과 順天의 難題 앞에서 반드시 숨겨야 할 하늘의 機密됨을 오늘 이렇게 두려움으로 吐露코저 하는 것은 보다 큰 救援과 보다 높은 創造의 使命에선

後學에게 智慧와 勇氣와 光明을 주기 위함이며, 後日 後學에게 지워질 天機漏洩의 罪를 오늘 앞당기어 代身 罰받고자 함이로다.

後學이여!

이 한 권의 機密은 天神과 地神의 일러줌을 옮긴 것이로다.

까닭에 그 해석과 사용이 잘못됨은 결단코 용서받지 못할 것이며, 종래는 神의 노여움을 얻을 것이 분명한즉, 寤寐不忘 窮究하며 터득하여 正直하게 善用할 것을 당부하고 또 당부하노라.

올바른 깨우침과 광명한 실천으로

참人間, 밝은 社會, 복된 人類가 再創造되기를 고대하면서,

天機漏洩로 順天을 거역하고 三業으로 지은 惡業의 罪를 天神과 地神에게 엄숙히 엎드려 용서받고자 하노라.

佛紀 2535年 立春

安養 飛鳳山 普德寺에서

飛鳳山人 黃 英 雄

成道辯

宇宙天地 萬物之間 正法正道 무엇인가?
하늘道는 무엇이고 땅의道는 무엇이고
사람道는 무엇이고 風水道는 무엇인가?
하늘세계 운행원리 天體天道 運行秩序
十方世界 運行원리 十干秩序 同調法則
陰陽配位 三合原理 相生相剋 運行法則
宇宙秩序 天體運行 運行秩序 運勢作用
本體意志 平等따라 現象意志 廻向하고
天體運勢 땅에내려 人間生命 길러낸다.
땅에서린 天體運勢 地氣道理 秩序낳고
열두마당 地勢地氣 地道秩序 法則낳고
열두마당 地道法則 人間生命 이어받아
五氣五德 具足尊命 人間道를 열어갈제
善生善死 生滅道는 風水道가 열어가고
興亡盛衰 生命道는 穴場道가 열어가니
天地人道 風水道는 穴場道를 完結하고
穴場道理 人間道理 善生善死 生滅道는
智慧光明 눈뜬子孫 吉福人이 열어간다.

※ 하늘의 道는 고요히 生覺하는 道理요(靈魂再創造)
땅의 道는 포근히 안아 주는 道理요(Energy再創造)
사람의 道는 다정히 나눔하는 道理요(生命再創造)
衆生의 道는 언제나 善生善死 道理다(生氣再創造).

目 次

後學에게 드리는 글 5
成道辯 10

1. 風水地理 基礎用語 解說 15

2. 風水 및 砂格諸說論 133
- [1] 穴星論 諸說 135
- [2] 砂水論 諸說 180
- [3] 怪穴論 諸說 262

3. 風水 인테리어 : 成功과 幸運이 오는 風水 know how 275
- [1] 風水란? 277
- [2] 좋은 人格을 만드는 風水 인테리어 know how(絶對方位槪念) 295
- [3] 健康이 좋아지는 風水 인테리어 know how(絶對方位槪念) 301
- [4] 成功을 保障받는 風水 인테리어 know how(絶對方位槪念) 324
- [5] 좋은 집과 室內 꾸미기 風水 인테리어 know how(絶對方位槪念) 380
- [6] 자녀들에게 좋은 風水 인테리어 know how(絶對方位槪念) 411
- [7] 金錢運과 寶石, 戀愛 風水 인테리어 know how(絶對方位槪念) 427

4. 學術 세미나 및 강의자료 459
- [1] 韓半島의 自生的 風水思想과 그 文化 461
- [2] 東西 舍宅論의 虛와 實 586
- [3] 生死 文化의 風水地理學的 재조명 596
- [4] 東九陵의 풍수지리적 특이성에 관한 고찰 645

⑤ 穴場核 Energy Field의 형성 원리와 그 Circuit에 관한 연구 685
⑥ 穴場 Energy Field(E · F)와 穴核 同調凝縮 理論에 관한 연구 747

5. 역대 대통령 묘역 조성 자료 797
① 故 金大中 大統領 국장 묘역선정 및 조성작업 결과보고서 799
② 故 김영삼 대통령 묘역의 지리환경적 에너지장 배경 및 설계 847

『風水原理講論』 全體 目次

第1卷 總論 및 風水 原理論

第1篇 總論

第1章 存在의 窮究와 人間 創造 原理의 理解
第2章 Energy場 存在와 그 變易 秩序
第3章 韓半島의 自生的 風水思想과 東아시아 風水思想
第4章 風水原理 講論의 背景과 目的
第5章 風水地理學의 研究 課題
第6章 因緣和合法

第2篇 風水 原理論

第1章 風水地理의 理論 概要
第2章 山脈論
第3章 局論
第4章 穴場論
第5章 風水論
第6章 陰陽論

第2卷 應用論 및 風易 原理論

第3篇 原理 應用論

第1章 地理環境 Energy 特性의 評價分析
第2章 人間 Energy 特性의 評價 分析
第3章 綜合評價를 爲한 諸 原則과 原理

第3卷 陽基論 및 風水 因果論

第4篇 陽基論

第1章 陽基總論
第2章 陽基 各論
第3章 風水理論的 建築物 設計

第5篇 風水地理 因果論

第1章 風水地理 因果論
第2章 風水 性理 氣勢 因果論
第3章 風水地理 因果 總論

第4卷 原理講論 別冊附錄

第1章 風水地理 基礎用語 解說
第2章 風水 및 砂格諸說論
第3章 風水 인테리어 : 成功과 幸運이 오는 風水 know how
第4章 學術 세미나 및 강의자료
第5章 역대 대통령 묘역 조성 자료

第5卷 風水圖版

1. 風水地理 基礎用語 解說

본 용어해설은 풍수원리강론에서 본 저자가 원리를 설명키 위해 사용하는 용어들이 주된 것이므로, 본론을 읽기 전에 먼저 이를 숙지하기 바란다.

ㄱ

가상(家相)~길흉사(吉凶砂)

가상(家相) 가상이란 집에 살아가는 인간의 길흉과 관계가 있는 것으로 집의 위치, 방위, 구조 따위, 또는 그 관계상을 보고 집의 길흉을 판단하는 일이다. 가상(家相)은 주택이 놓인 방위와 주택의 모양, 주택의 구조를 말한다. 그리고 또 가상학(家相學)에서 중요하게 여기는 것은 주택의 대문(門), 안방(主), 부엌(灶), 화장실(側) 등을 비롯하여 거실, 우물, 정원, 담 등의 내부 구조이다. 사람의 신체 구조에서도 이목구비(耳目口鼻)가 중요하듯 가택에서도 문주조측(門主灶側)의 4요소가 중요한데 이 중에서도 대문, 안방, 부엌을 양택삼요(陽宅三要)라 하여 매우 중요시하였다.

가묘(假墓) 나중에 묘를 쓰기 위해 실제 묘처럼 봉분을 만들어 놓은 묘

가룡(假龍) 용이 생룡과 같으나 살아가지 못하는 용

가천(嘉泉) 감천(甘泉)이라고도 하며 물이 달고 향기롭다. 인자수지(人子須知)에 나오는 말로서 물의 양이 일정하면 부귀장수 한다고 한다.

가혈(假穴) 혈장사과(穴場四果, 입수두뇌, 양 선익, 전순, 명당)가 없거나 파괴된 혈. 응축질서가 원만치 않으므로 비혈처(非穴處)이다. 허화(虛花)라고도 한다.

각(脚) 다리모양의 산가지. 특히 지각(支脚)과 지각(止脚) 및 지각(枝脚)을 일컫는다.

각장(各葬) 부부(夫婦)를 각각 다른 자리에 장사함 ↔ 합장(合葬)

간룡(幹龍) 사람의 척추와 같이 산맥의 큰 산에서 혈을 향해 뻗어 내린 산줄기의 중심 용맥을 말한다. 용(龍)이란 산줄기를 가리키며, 일어섰다 엎드렸다 하는 산줄기를 용이 꿈틀거리며 달려가는 모습으로 본 것이다. 산맥의 분벽(分擘)이 중출맥(中出脈)을 이어올 때 좌우 지룡(枝龍)을 거느리는 중심용맥을 일컫는다.

간룡법(看龍法) 산의 용맥을 살피는 것으로서 래룡(來龍)의 출신(太祖山, 中祖山, 小祖山, 主山, 玄武, 入首)을 살핀 후에 다시 용의 강약(强弱), 선악미추(善惡美醜), 대소강약(大小强弱), 고저장단(高低長短), 정사평준(正射平準), 후박비수(厚薄肥瘦) 등을 살펴 용세(龍勢)의 길흉(吉凶)과 변위정격(變位正格)을 판단하는 것

간문(桿門) 수구(水口)의 양측에 대치하여 문호를 지키는 산으로 관쇄특성(關鎖特性)이 필수(必須)다.

간부사(奸夫砂) 백호(白虎)가 조그만 산을 안으면 간부(姦夫) 있는 여자가 생김

간산(看山) 용(龍), 사(砂), 수(水), 혈(穴), 방위 등을 눈으로 살피는 것. 관산(觀山)을 마음의 눈으로 살피는 것이라면, 간산은 원칠근삼(遠七近三)하여 눈으로 살펴봄을 말한다.

간섭(干涉) 어떤 존재의 특성을 형충파해(刑沖破害)하여 사멸시키고 이산시키며, 분산, 축소시키는 방해 작용이다. 반의어는 동조(同調)이다. 간섭은 용맥을 노사(老死) 소멸(消滅)케 한다.

감결(鑑訣) '감(鑑)'이란 감록의 준말로서 풍수적 길흉을 적은 책이다.

감실(龕室) 사당 안에 신주를 모시어 두는 장(欌)

감여(堪輿) 천지인의 모든 존재를 자연이란 개념으로 파악하는 낱말로서 오늘날의 풍수지리를 의미한다.

감응(感應) 동기감응의 준말로서 땅의 생기와 인간기(人間氣)가 함께 상호 동조하는 형태를 말한다.

강(岡) 산강(山岡)으로서 평평한 고지를 가리킨다. 평평한 언덕산

강룡(强龍) 웅강(雄强)하고, 기세(氣勢)가 장대(長大)한 용을 일컫는다.

강룡(降龍) 용맥이 조종산에서 혈장으로 힘 있게 내려오는 것. 항룡이라고도 함

강부(岡阜) 평양지(平壤地)에 있는 높은 밭이나 흙이 쌓인 둔덕으로 미미한 융기(隆起)를 이루면서 진행하는 용맥(龍脈)

강신(降神) 제사 때 초헌(初獻)하기 전에 향을 피우고 술을 잔에 따라 모사위에 붓는 일

개(蓋) 덮개모습

개구(開口) 혈장을 형성하는 청백사의 벌려 다문 모습

개법(蓋法) 장사지낼 때 얕게 파고 객토로 봉분함

개장(開帳) 장막을 열다. 천심출맥(穿心出脈)을 위한 회합의지(會合意志)를 지닌 좌우 펼침 → 개장(開張)과 다름

개장천심(開帳穿心) 개장이란 용이 용세를 펼치고 나아갈 때 산의 형태가 마치 새가 양쪽 날개를 펼치고 날듯이 혹은 병풍을 펼친 듯이 좌우로 뻗어 내린 형세를 말하고, 천심(穿心)이란 용맥이 산의 가운데에서 화살같이 그 중심을 앞으로 뚫고 나가는 것을 말하는데 주로 소조산 이하에서 볼 수 있다.

개체 존재계(個體 存在界) 현상(現象)으로 나타나는 개별적 상(相)의 모습들

개체의지(個體意志) 개별상(個別相)이 지니고 있는 존재적 의지

개체인간 종성(個體人間 種性) 개별상을 지닌 인간 본연의 종자 특성

개체인간 종성종자(個體人間 種性種子) 개별상을 지닌 인간 본성의 종자인자

개체인간 종자(個體人間 種子) 개체인간 종성의 상속자

개체인간 종자인자(個體人間 種子因子) 개체인간 종성 종자의 상속인자

개체인자(個體因子) 개체적 종자씨앗 인자. 근원적 소자(素子)

개체존재(個體存在) 개체존재계의 요소. 개별체의 독립적 존재

개체종성(個體種性) 개체인자의 종자적 특성. 개별체의 독립적 종성

개체종자(個體種子) 개체적 종자 씨알. 개별체의 독립적 종자

개체종자인자(個體種子因子) 개체현상 존재의 기본 종자인자. 개별체의 독립적 종자가 되는 인자

개체현상(個體現象) 개체존재의 변역현상. 개별체의 나타난 모습

개체현상 종자(個體現象 種子) 개별체가 드러낸 모습의 종자 씨알. 개별체의 나타난 종자 모습

객룡(客龍) 중출 래룡맥이 아닌 객산 래룡을 일컫는다. 주인산과 빈객산을 가려 쓸 때 이르는 말. 빈객산은 서로 응기 다정함을 길로 본다.

객사사(客死砂) 누워있는 시체격과 관형(棺形)의 사(砂)가 수구(水口)에 있으면 객사(客死)한다.

객수(客水) 원진수(元辰水)를 제외한 명당 바깥의 물을 말한다.

거(踞) 준(蹲)과 같은 뜻으로서 걸터 앉아있는 모습

거(去) 산수(山水)의 흘러감

거문(巨門) 9성(九星)의 성질로 천의제왕(天醫帝王)의 궁(宮). 좌우의 보필이 있어서 도우며 총명, 귀(貴), 수(壽), 재물을 관장한다. 이기형상학의 용어이다.

거산국(去山局) 국(局)을 이루고 있는 산들이 물을 따라 흘러가는 국(局). 거수국(去水局)과 동일

거수(去水) 물이 산을 등지고 빠져 나가는 것을 가리킨다.

거수국(據水局) 물을 거두어들이는 국세. 혈전(穴前)에 모든 물이 사방에서 모여 못이 되는 것처럼 용이 결혈(結穴)키 위해 큰 호수나 못을 임(臨)하는 모양새의 국세를 말한다.

거수룡(拒水龍) 용맥이 흘러가는 물을 거슬러 물과 역(逆)하는 용맥

검살사(劍殺砂) 산이나 계곡의 끝이 칼날처럼 생겨 혈(穴)을 찌르려는 듯 보이는 것을 말한다.

검척사(劍脊砂) 용맥이나 입수맥에 칼과 같이 뾰족한 흉석이 서 있는 것. 작두나

칼등 같은 모습의 산으로, 이런 산이 혈장 가까이 있으면 자손들의 성질이 흉포해져서 남을 해치거나 흉기에 의해 죽임을 당한다. 검사형(劍砂形)이라 불리기도 한다.

겁룡(劫龍) 용이 가지가 많아서 주종(主從)이 분명하지 않은 사나운 용으로서 이런 용이 혈장(穴場) 가까이 있으면 자손들이 살육(殺肉) 파멸(破滅)한다.

겁살룡(劫殺龍) 겁룡(劫龍)이나 살룡(殺龍) 등의 흉한 모습의 산을 말한다.

견인연행(牽引蓮行) 서로 끌어당기고 끌리며 나아감

견정혈(肩井穴) 인간의 어깨부위 혈처와 같은 곳의 혈장. 좌우의 어깨혈은 반드시 팔과 팔목의 감겨안김을 요한다.

결인(結咽) 용맥을 잘록하게 묶었다는 말. 속기처(束氣處)를 말함.

결인속기(結咽束氣) 결인과 속기를 함께 이르는 말

결항사(結項砂) 혈장의 래룡맥(來龍脈)이나 혈장 주변의 산맥이 자루를 동여맨 모습의 용맥(龍脈)이며 잘록한 부분이 파손된 산을 결항사(結項砂)라 한다. 결항사(結項砂)가 있으면 목을 매죽는 자손이나 교수형을 받는 자손이 나온다.

결혈(結穴) 혈을 맺혔다는 뜻. 응축 혈장

겸구(鉗口) 삼태기 모양

겸혈(鉗穴) 음혈(陰穴 : ㊀)로서 지각(枝脚)이 양쪽에서 혈장을 받쳐 들고 있다. 그 모양은 두 다리를 벌리고 서 있는 모습이나 손가락 두 개를 펴고 벌린 모양과도 같다. 양 지각(枝脚) 사이로 반드시 대(臺)를 이룬 튼튼한 전순이 있어야 혈(穴)이 된다. 대(帶)를 이룬 전순이 없으면 호구(虎口 : 호랑이 입)가 되어 사용할 수 없다. 겸혈에는 양 지각이 곧은 것(직겸, 直鉗), 안으로 굽은 것(곡겸, 曲鉗), 지각이 각각 두 개씩 나간 것(쌍겸, 雙鉗), 또 긴 것(장겸, 長鉗), 짧은 것(단겸, 短鉗), 어느 한쪽이 길거나 짧은 것 등이 있다. 그러나 어떤 경우를 막론하고 혈장의 평형이 이루어져야 한다. 두 개의 지각(枝脚)이 다리를 벌리고 다리 사이에 혈장(穴場)을 받쳐 든 형상이지만 끝이 꼭 안으로 굽어야 하며 전순(氈脣, 순전(脣氈))이 없는 것은 겸합곡(鉗合谷)이 아니므로 주의해야 한다. 혈(穴) 상부(上部) 중심에서 분기

되는 변위 각도는 30°이며 이른바 겸 다리 즉 선익(蟬翼)은 그 길이의 장단을 불문하고 혈장을 응축하도록 모으고 있어야 한다. 겸혈(鉗穴)의 경사가 심할수록 또는 그 다리가 길수록 안산이 가까워야 한다. 겸혈이 형성될 가능성이 많은 곳은 지룡(枝龍)이 진행하다가 취기분벽(聚起分擘)하는 지점의 바로 아래인데 이런 곳의 겸혈은 그 형성구조상 입수(入首) 쪽의 기운이 강하다. 겸혈 중에는 직입수(直入首)를 가진 것이 많은데 이런 경우에는 입수(入首) 쪽에 붙어 있어야 할 귀성(鬼星)의 존재 여부로 입수맥의 생사를 판가름한다. 거짓 겸혈은 양 다리에 혈을 응축할 만한 힘이 없을 뿐 아니라 다리를 벌린 그 자체가 호구(虎口)로 매우 흉(凶)하다. 청백 전호가 긴밀하즉 혈재상위(穴在上位)요 청백 전호가 부실한즉 혈재겸중(穴在鉗中)이다.

겸혈(鉗穴) 혈의 모양이 방아다리와 같이 생긴 형으로 직(直), 곡(曲), 장(長), 단(短), 쌍겸(雙鉗)의 오격(五格)이 있다. 반드시 유정근안(有情近案)을 요한다. 인자수지 참조.

경대(鏡臺) 산봉우리가 머리를 내밀고 거울 모양을 한 것

경사(驚蛇) 뱀이 놀라서 도망가는 형. 무안정(無安定)이면 무혈(無穴)이다.

계간수(溪澗水) 산, 계곡 사이에서 흘러내리는 물. 맑고 조용하면 길하다.

계명(界明) 입수두뇌가 밝고 계수(界水)가 분명한 것. 입혈맥(入穴脈)의 광명한 모습. 분계가 명료한 것.

계명취당(界明聚堂) 계수가 분명한 입혈맥과 혈장 좌우 합수 회당(會堂)처의 준말을 명당이라 일컫는다.

계수즉지(界水則止) 생기가 용맥을 따라 계속 흐르다가 수계(水界)를 만나 멈추는 것. 성혈(成穴)의 증거이나 필히 지각(止脚)을 동반해야 진(眞)이다.

계와(鷄窩) 닭의 둥우리와 같은 혈장 모습

계체(繼體) 조상의 뒤를 이음

고맥(高脈) 높이 솟은 맥으로 바람에 노출되면 위험하다. 산봉우리의 이마를 구슬을 꿰듯(관주(串珠)) 뚫고 나오는 출맥(出脈) 현상

고봉(孤峰) 외따로 떨어져 있는 산봉우리. 종속사(從屬砂)이다.

고석(鼓石) 혼유석의 대석(臺石)이며 4개임

고애자(孤哀子) 부모를 다 여의고 상제가 된 사람의 자칭(自稱)

곡겸(曲鉗) 겸혈(鉗穴)의 일종으로 좌우 두 다리가 구부러져 내당(內堂)을 안은 것으로 두 다리가 소뿔모양으로 되어 활같이 혈장(穴場)을 안으면 길하다.

곡맥(曲脈) 산 래룡맥이 구불구불하여 활동적이다. 짧으면 길하고 너무 크게 굽은 것은 역동적이지 못하다.

곡장(曲墻) 무덤 뒤에 쌓은 나지막한 담장으로 풍수의 침입을 막는 방법

곡지혈(曲池穴) 인간 신체의 곡지혈 부분과 같은 혈처

공과(空窠) 가혈(假穴)로서 집이 빈 것과 같이 혈핵(穴核)이 없다.

공결(空缺) 혈 주변을 감싸고 있는 전후좌우 어느 부분이 함몰되거나 끊어지고 패인 것

공망(空亡) 혈 주변이 우묵하게 패여서 함정같이 되어있거나 비어있는 것

공읍(拱揖) 두 손을 공손히 맞잡고 절하듯 수그리고 서 있는 모습

과산(過山) 행룡 과정으로서 래룡(來龍)을 타고 흐르는 생기(生氣)가 멈추어 응결되지 못한 채 그냥 흘러 지나가는 산을 말한다.

과협(過峽) 입체산과 입체산을 잇는 과정의 산줄기 부분에 벌의 허리와 학의 무릎처럼 잘록한 부분을 가리키는 곳이다. 과협(過峽)은 산과 산 사이의 생기를 이어주므로 과협이 좋아야 래룡의 생기(生氣)가 충만하다고 본다. 과협은 래룡맥이 생기를 한껏 응결시킨 후 잠시 쉬며 지나가는 곳으로, 마치 수도관의 경우 한곳에 물을 모았다가 다음 관으로 보내는 곳과 같다. 따라서 이곳은 물이 전단에서 후단으로 나누어지게 되는 분계점(分界點)이 되므로 그의 허실에 따라 용맥의 성혈의지(成穴意志) 역량이 달라진다.

곽(槨) 관을 넣는 궤. 외관(外棺)

관(棺) 시체를 넣는 궤. 관구(棺柩), 널이라고도 한다.

관(關) 수구를 좌우 호종사가 사귀어 둘러싸이는 것으로 방의 문지방과 같은 뜻

관(官) 관사(官砂) 혹은 관성(官星)의 준말로 혈전에서 응축 반(反) 에너지를

공급한다. 안산 후면의 관산(官山)과 구별해야 하나 그 원리는 동일(同一)하다.

관곽(棺槨) 관(棺)과 곽(槨)을 동시에 일컫는 말

관사(官砂) 안산의 뒤편에서 요도(橈棹) 에너지체 형태로 청백 혈장을 응축케 하는 사(砂)

관성(官星) 전순 응축을 위해 붙어 있는 관 에너지체로서 정관(正官), 좌관(左官), 우관(右官)이 있다. 관(官)이란 혈전(穴前) 전순의 반에너지 공급 사(砂) 또는 안산 너머에 있는 산을 말하고, 귀(鬼)란 혈후(穴後) 즉 주산의 배후에 있는 산을 말한다. 혈장의 전순 바깥 부분에 위치하는 뿔이나 혹과 같은 사(砂)로서 혈심방향으로 안산(案山) 주작(朱雀) 또는 전순 에너지를 재공급, 재응축하는 산가지이다. 역수(逆水)가 $\theta=\angle 90°$ 방향으로 위치하면 상품(上品)이다. 전순의 기능을 배가하며 견고한 조직이어야 한다.

관쇄(關鎖) 문에 빗장을 걸어 자물쇠를 잠근다는 뜻으로, 관쇄는 청룡과 백호의 끝 부분이 빗장걸이를 한 것처럼 엇갈려 겹쳐있는 모습으로 청백 좌우에서 서로 끝 부분을 맞잡거나 한쪽이 다른 쪽을 감싸 안아 물이 빠지는 곳이 마치 문지방같이 문턱이 있어 감싸고 좁아진 상태를 말한다. 청룡과 백호가 혈장을 그렇게 관쇄해야 하며, 용호(龍虎)가 두 겹으로 관쇄되면(二重關鎖) 매우 좋고 여러 겹으로 관쇄될수록 좋다. 또한 관쇄는 옷을 겹겹이 입고 그 옷깃을 여미어 몸을 감싸듯이 해야 한다. 용호의 관쇄는 물이 유정(有情)하게 합수(合水)되어 혈장을 감싸 보호하고, 수기(水氣)에너지를 축적시키면서 유정하게 흘러 나가게 한다. 그뿐만 아니라 앞쪽에서 불어오는 바람이 혈장을 바로 부딪치지(直射風) 못하게 하고, 나가는 물길을 따라 거슬러 돌아 들어오게 함으로써 안온하고 부드러운 바람(순풍, 順風)이 혈장의 조윤한 공기를 안정적으로 순환 조절 공급케 한다. 관쇄되는 곳이 있어야 장풍, 득수가 동시에 이루어지고 땅의 생기가 보호 응축되어 좋은 혈(穴)자리가 형성된다. 다만 외수(外水)의 좌우선 특성에 따른 청백의 선후도(先後到)가 합격여부를 결정한다.

광(廣) 넓게 포용(包容)하는 것. 후부함을 의미한다.

광룡(狂龍) 산의 행지가 분별과 절도 없이 미친 듯 흘러가는 용

광중(壙中) 시신을 묻는 구덩이를 가리키며, 보통은 무덤 속을 말한다. 외광, 내광이 있다.

광천(磺泉) 밑에 광(磺)이 있고 위에 천(泉)이 있으며 빛이 붉으면 홍천(紅泉)이라고도 한다.

광협(廣狹) 넓고 좁은 것

괘등혈(掛燈穴) 물형론에서 말하는 등잔을 걸어 놓은 형상의 혈로서 높은 곳에 위치해 취풍(吹風)이 두렵다.

괴혈(怪穴) 일반적 혈성(穴星) 구조가 아닌 변화된 혈(穴). 명당이 갖추어야 할 제반 자연조건을 정상적으로 명확히 갖추지는 못한 듯 숨어있으면서 괴이하게 완성되어 생기가 응결된 장소이다. 주로 돌로 이루어진 악산에 사람 한 구를 묻을 만한 흙이 있거나, 깊은 산속에 물이 고인 늪이 있으면 그 위에 꼭 괴혈이 있다고 한다. 또한 괴혈은 대간룡에서 기룡 형태로 크게 만들어지기도 한다. 교혈(巧穴)이라고도 하며 반드시 혈증이 존재하므로 깊이 세심하게 살펴야 한다.

교검(交劍) 물과 산의 사귐이, 칼이 서로 뾰족하고 날카롭게 서로 찌르는 형상

교쇄(交鎖) 관쇄와 달리 쓰는 말로서 산 또는 물이 서로 만나 부딪히듯 하는 것. 주로 교쇄수(交鎖水)를 일컫는 말. 청백의 교쇄를 의미하기도 한다.

교전사(交剪砂) 좌우의 물이 가위처럼 교차하여 흘러감

교혈(巧穴) 일반적인 혈과 다르게 매우 교묘(巧妙)한 혈성을 가진 혈. 교묘괴혈(巧妙怪穴)이라고도 한다.

구(龜) 거북이와 같은 형상의 혈장

구곡(九曲) 여러 겹의 좌우 산이 서로 사귀어 물길의 흐름이 굽이굽이 흐르는 모습

구곡수(九曲水) 아홉 번 구불구불한 것이나, 구곡(九谷)에서 나온 물

구궁(九宮) 낙서에 헤아리는 구성의 중궁과 건(乾), 감(坎), 간(艮), 진(震), 손(巽), 이(離), 곤(坤), 태(兌)의 후천(後天) 8괘의 체(體), 사(死), 상(傷), 두(杜), 문(開), 경(驚), 생(生), 경(景)의 8문을 배합하여 운행하는

자리

구룡(丘龍) 산언덕, 조상의 산소

구사(龜蛇) 거북이나 뱀과 같은 사로서 뱀은 거북을 보면 멈춘다 하여 음양의 조화로 이루어진 산수가 모이면 혈을 찾으라는 말이다.

구성(九星) 風水에서 길흉을 점치는 아홉 가지 산형. 탐랑(貪狼), 거문(巨門), 녹존(祿存), 문곡(文曲), 염정(廉貞), 무곡(武曲), 파군(破軍), 좌보(左輔), 우필(右弼)을 정체로 함. 성질은 탐랑(貪狼)은 귀신이며 생기(生氣), 생룡(生龍), 총명(聰明), 문필(文筆), 인구(人口), 관직(官職)을, 문곡(文曲)은 유혼(遊魂), 유탕(遊蕩), 질액(疾厄), 음사(淫事)를, 무곡(武曲)은 고장성(庫莊星)으로 부와 왕기(旺氣)가 성하며, 거문(巨門)은 천의제왕궁(天醫帝王宮)으로 귀수재(貴壽財)를, 좌보(左輔)와 우필(右弼)은 거문을 좌우에서 보필하고, 염정(廉貞)은 오귀(惡鬼), 탕혈(湯穴), 파군(破軍)은 절명(絶命), 사룡(死龍), 악질(惡疾)을 주재한다.

구천(九天) 하늘을 9개의 방위로 나누어 부르는 것. 조천(鈞天)-中央, 창천(蒼天)-東, 변천(變天)-北東, 현천(玄天)-北, 유천(幽天)-西北, 뢰천(瀨天)-西, 주천(朱天)-南西, 재천(災天)-南, 양천(陽天)-南東, 신령(神靈) 이름이다.

구혁수(構洫水) 밭고랑의 물

구첨(毬簷) 선익(蟬翼)의 내측 가장자리

국(局) 혈장 주변의 산들이 둘러쳐진 안쪽 사신사(四神砂) Energy場 Form을 말한다. 혈장 주변의 산세들이 둥그렇게 감싸는 원형이 좋고, 사신사가 혈장을 등지고 사방이 확 트이면 좋지 않다. 다른 말로 국(局) 에너지장 또는 국세라고도 한다. 동서남북을 단위별로 부를 때 쓰이기도 한다.

국세(局勢) 혈장의 주변을 둘러싸며 보호하고 있는 용맥과 사격(砂格)들의 짜임새와 그 세력(勢力)을 말한다. 즉 혈장을 중심으로 주변사(周邊砂)의 대소(大小), 강약(强弱), 근원(近遠), 위치(位置), 허(虛)와 실(實)의 정도(程度)를 나타내는 말로서 국세를 이루고 있는 사격들로서는 현무(玄武)·청룡(靑龍)·백호(白虎)·안산(案山)·조산(祖山)·락산(樂山)·탁산

(托山) 등 국내(局內) 보조사(補助砂)가 모두 해당된다.

군왕사(君王砂) 군왕을 나오게 한다는 토체(土體)의 산이다. 그 생김새가 십자(十字), 왕자(王字)와 같은 산으로 혈장에 보내 주는 에너지의 역량이 모든 사(砂) 중에서 가장 강건함을 뜻한다. 십자맥(十字脈)으로서, 자(子)·오(午)·묘(卯)·유(酉)의 사귀절(四貴節)이 되면 임금이 난다고 해서 군왕사(君王砂)라고 한다. 그러나 래룡(來龍)에 따라서 진(辰)·술(戌)·축(丑)·미(未)의 사부절(四富節)이 되면 국부(國富)가 나고, 인(寅)·신(申)·사(巳)·해(亥)의 사손절(四孫節)이 되면 자손이 홍성한다고 본다. 명료함을 길로 본다.

굴곡(屈曲) 이리저리 굽어지다. 상하 좌우로 굽어지다(풍수에서는 山이나 水가 굴곡함을 가장 길하게 여긴다. 굴곡함은 생동함에 비유된다).

권렴수(捲簾水) 혈 앞을 급하게 흘러나가는 물

귀(鬼) 귀성(鬼星) 혹은 귀 에너지체의 준말이다. 귀(鬼)는 주산 또는 혈장 배후에서 반(反) 에너지를 공급해주는 것으로 귀성이 있어야 할 곳에 없으면 천한 혈이 된다. 귀신이 숨어서 돕는 듯함을 의미한다.

귀사(鬼砂), 귀성(鬼星) 귀(鬼)란 혈후(穴後) 또는 주산의 배후에 있는 산을 말한다. 현무정이나 혈장(穴場) 바로 뒤인 입수두뇌(入首頭腦) 뒤쪽 측면에 붙어있는 뿔이나 혹과 같은 사(砂)로서 혈장의 입혈(入穴) 에너지를 보호하고 재육성 응축한다. 다른 말로 귀사, 귀성이라 하는데, 그 기능은 입수두뇌의 반 에너지 공급 장치로 입수두뇌의 용량을 배가(倍加)시키고 혈심으로 입력(入力) 에너지를 재공급, 재응축한다. 귀(鬼)는 횡룡(橫龍) 입수(入首)에는 절대적으로 있어야 하며 반드시 짧아야 하는데, 길면 혈장의 에너지를 빼앗긴다. 견고한 조직이어야 한다. 혈(穴)의 뒤쪽에서 베개와 같은 역할을 하는 귀성(鬼星)은 입수두뇌로부터 1절 이내에 위치함이 길하다.

귀(鬼) 에너지체, 요(曜) 에너지체, 관(官) 에너지체 ① 귀(鬼) 에너지체, 요(曜) 에너지체, 관(官) 에너지체는 혈판으로부터 1절 이내에 붙어서 주위 사(砂) 반(反) 에너지 원(源)에 의한 반작용에너지를 공급한다. 혈을 보다 조밀(稠密)하게 응축시킴으로 그 역량을 배가(倍加)시키는 역할을 한다. 이러한 귀(鬼) 에너지체, 요(曜) 에너지체, 관(官) 에너지체의 토질은 그 성분이 흙(土)일 때보다 암석일 때가 그 역량이 3배 정도 더 크다. ② 귀 에너지체는 입수두뇌 입력에너지의 역량을 배가시키는데 입수로부터 1절 이내에 위치한다. ③ 요 에너지체는 좌우 선익에 붙어 청룡, 백호를 반 에너지원으로 삼아 선익의 응축력을 배가시킨다. ④ 관 에너지체는 혈 하부의 전순에 붙어 안산을 반 에너지원으로 삼아 전순의 응축력을 배가시킨다. ⑤ 주산, 청룡, 백호, 안산의 뒷부분에 붙은 것도 귀성, 요성, 관성이라고 한다.

귀룡(貴龍) 중출맥의 특성을 잃지 않는 진룡을 말한다.

귀룡(鬼龍) 가늘게 흩어지는 맥을 말한다.

귀인(貴人) 목성(木星)을 말하며 2개가 있을 경우 쌍위귀인(雙爲貴人), 3개일 때에는 삼태귀인(三台貴人)이라 함. - 인자수지 사법(砂法) 참조

귀천(貴賤) 중출 진룡은 귀룡(貴龍)이라 하고 지룡의 특성으로 혈장을 보호치 않는 것을 천룡(賤龍)이라 한다.

규봉(窺峯) 혈장을 중심으로 보호국(局)을 이루는 데 방해가 되는 주변사(周邊砂), 사신사(四神砂) 너머에서 혈장을 향해 비스듬한 자세(측면이나 뒷면을 보이는 형세)로 그 모습을 확실히 나타내지 않고 엿보듯 하는 날카롭거나 험상궂어 보이는 산봉우리를 말한다. 일명 도적봉(盜賊峯), 적봉(賊峯)이라 한다. 혈장에서 이러한 산봉우리가 보이면 그 터의 자손은 도적질을 하거나 도적을 맞게 된다.

극훈수(極暈水) 혈장 계수로 혈핵을 둘러싸는 태극훈의 경계수, 혈핵 보호수

근본인자(根本因子) 근원되는 본래 인자

금(禽) 금(禽)은 청룡과 백호의 안쪽 끝부분이나 수구(水口) 앞에 동물 또는 날짐승 같은 모습을 하고 있는 바위나 자그마한 사(砂)로써 혈핵(穴核) 에너지의 이탈을 방지한다. 특히 청룡의 안쪽 끝부분에 이 금(禽)이 있으면 귀(貴)가 크다고 한다.

금(金) 백호 특성을 나타내는 오행의 하나. 가을, 서쪽, 흰색을 나타낸다.

금계포란형(金鷄抱卵形) 닭이 알을 품고 있는 형상. 금계는 천계(天鷄)이며 천계가 한밤중에 새벽을 알린 후 지상의 닭이 따라 운다. 이는 상길(上吉)로서 닭은 한번 알을 품으면 이십여 마리의 병아리를 부화시키기 때문에 대길

(大吉). 대대로 많은 호걸 자손을 번식한다.

금구몰니형(金龜沒泥形) 금구는 천구(天龜)이며 기(氣)를 잘 합하여 사물을 만든다. 이 형은 음택보다 양택으로서 더 좋다.

금낭경(錦囊經) 당(唐) 현종이 비단주머니에 넣어 보관하였던 장서로 곽박(郭璞)이 저술한 중국 지형에 합당한 풍수서

금사(禽砂) 파구내의 주작사로서 짐승모양을 한 것

금상(金箱) 흙이 낮고 평평한 것. 정사각형이고 평평하며 둥근 것이 좋다.

금성(禽星) 금의 다른 말로 수구처에 있는 조그만 산이나 바위를 말하며, 수구부분에 날 짐승의 모양을 한 바위들이 막고 선 것을 가리킨다. 금성이 수구를 막아 서 있으면 문관(文官)이나 문인(文人)이 나고 식복이 온다.

금신(金神) 음양가(陰陽家)가 제사지내는 귀신(貴紳). 이 귀신이 있는 쪽으로 향해서는 토지를 움직이거나 이주를 하거나 멀리 집을 나서거나 장가드는 일, 시집가는 일을 꺼린다. 신의 성냄을 입어 재앙을 받는다고 한다. 백호신을 이르기도 함. 숙살지신.

금장(禁葬) 이미 설치된 묘지에는 함부로 손을 대서는 안 되는 것. 어느 지역 외에는 장례를 지낼 수 없다고 하는 것.

금체(金體) 솥을 엎어 놓은 형상과 흡사하다. 금체산에서의 혈(穴)은 산의 위쪽이나 8부 능선 쪽의 산 중심부에서 입체 혈장으로 되어 있는바 청룡과 백호의 응기점도 그에 걸맞을 정도로 높아야 할 것이다. 안산도 금체인 경우 주산이 안산 아래쪽을 향하고 있으면 성혈은 어렵다 할 것이다.

금형산(金形山) 금체(金體)라고도 한다. 금형산은 마치 쇠로 만든 가마솥이나 종을 엎어 놓은 것 같다고 하여 금형산이라고 하며, 또는 재물과 곡식을 쌓아둔 모습과 같다고 하여 부봉사(富峯砂)라고도 한다. 금형산은 산의 에너지가 충만하여 원정(圓正)하고 아름다운 산이며, 주로 부(富)를 주관한다.

기(氣) 천지간에 존재하는 일체 에너지 및 그 에너지장으로서 음·양·무기의 삼기(三氣)를 이르며 주로 풍수에서는 지기(地氣), 수기(水氣), 풍기(風氣), 천기(天氣)로 본다. 용과 맥이 흐르다가 보통 물을 만나면 멈춘다고 한다. 이때 멈춘 자리가 곧 기가 모여 있는 곳이다. 기(氣)에는 숨 쉬듯 활발

하게 살아 있는 생기(生氣)와 이미 늙고 병들고 죽은 사기(死氣), 무기기(無記氣)가 있다. 양택이나 음택은 바로 이 생기처(혈)에 자리를 잡아야 한다. 풍수란 이 생명 기(氣)를 올바르게 찾아내는 학문이다.

※ 기(氣)의 종류(以下 諸 Energy場 合成이 地氣이다.)
- 지기(地氣) 에너지장 → 핵력장, 중력장, 인력장, 척력장, 강력장, 약력장, 전기장, 자기장
- 풍수기(風水氣) 에너지장 → 열력장, 풍력장, 수력장
- 천기(天氣) 에너지장 → 태양력장, 우주 천체 에너지장

기두점(基頭點) 땅이나 건물의 중심점. 혈장의 Energy 중심점을 말한다.

기룡혈(騎龍穴) 괴혈(怪穴)의 한 종류로서 용마루상에서 사신사를 거느린다. 기룡은 역량(力量)이 큰 것으로 기맥이 왕성하여 결혈(結穴)한 후에도 여기(餘氣)가 다시 나아가 결작(結作)할 수 있다(반드시 來八去八을 살피라).

기복(起伏) 용의 상하(上下) 변화를 말하는 것으로 마치 용이 일어섰다가 엎드렸다 하는 것에 비유하여 일컫는다. 수변역(垂變易)에서 기복은 용의 생사 여부를 가름하는 결정적인 증거이다. 용의 변역질서 형태인 좌우종횡변역과 상하기복변역의 하나.

긴속(緊束) 바짝 죄어 묶음

길기(吉氣) 좋은 기가 있는 것. 종류에는 생기(生氣), 영기(靈氣), 덕기(德氣), 온기(溫氣), 담기(痰氣)가 있다.

길사(吉砂) 혈장(묘터나 집터) 주변의 산, 바위 등의 물체들이 혈장에 좋은 동조 에너지장을 공급해줄 때 일반적으로 이를 길사(吉砂)라고 한다.

길산(吉山) 보산(保山), 보국(保局)이 좋고 모두 살기(殺氣)를 벗어 위엄과 서기(瑞氣)가 나타나며 산과 물과 바람이 서로 동조하여 안정된 자세를 이루는 산

길수(吉水) 맑고 깨끗한 생수, 청계수(淸溪水). 장강수. 만호수

길암(吉岩) 깨어짐이 없는 보기 좋은 뿌리가 있는 바위. 원만 단정함이 최길.

길토(吉土) 생기가 있고 여물고 윤기가 있어 풍수의 응집조화가 잘되어 있는 흙.

담황색의 비석비토

길풍(吉風) 맑고 순한 바람. 정풍(靜風), 훈풍(薰風), 온풍(溫風) 등이 있음. 고요바람, 실바람, 남실바람, 산들바람 이하

길흉사(吉凶砂) 길흉사에 관해서는 형세론과 이기론에서 주장하는 내용이 조금씩 다르다. 반듯하고 아름다운 모습은 좋은 사(砂), 추하고 험한 것을 나쁜 것으로 판단한다. 첨(尖), 원(圓), 방(方), 정(正)을 길(吉)로 보고, 파(破), 쇄(碎), 사(斜), 측(側)한 것을 흉(凶)이라 한다. 주변사의 연분 에너지장이 선길하면 길사가 되고, 그 연분들이 흉추(凶醜)하면 흉사가 된다. 산수배합, 둥근 것과 모난 것, 단단함과 연한 것에도 그 길흉이 있다.

ㄴ

나경(羅經)~뇌락살(磊落煞)

나경(羅經) 천지기의 상호 동조관계를 요약해서 그려놓은 것으로 패철이라고도 한다. 나침반(羅針盤)이 경전(經典)과 같다는 데서 나경(羅經)이라는 이름이 나왔다. 주로 상대방위를 측정하는 데 사용한다.

나성(羅星) 혈장 주위를 둘러싼 산. 수구사의 하나로 사변(砂邊)에 물이 흐르는 작은 산 또는 봉우리를 뜻한다. 흙이나 돌이 쌓여서 이루어진다. 서울의 경우 반포 여의도가 곧 나성이다.

나성(羅城) 안산 밖의 산들과 현무정 뒤의 산들이 혈장을 중심에 두고 마치 성처럼 빙 둘러싸고 있는 모습을 두고 나성 또는 원국(垣局)이라고 한다.

나장(裸葬) 관(棺) 없이 시체만을 땅에 묻음. 장사(葬事)지낼 때 관을 쓰지 않거나 또는 관을 쓰기는 하나 하관할 때 관은 묻지 않고 시신만을 묻는 것

나투이다 나타내 보이다

낙(樂) 혈장 뒤에서 혈장을 응축하는 환포사(砂)

낙맥(樂脈) 맥이 혈장 뒤에서 에워싸고 두르는 모습이 아름다운 것

낙맥(落脈) 낙맥은 태조산(太祖山)에서 중조산(中祖山)으로, 중조산(中祖山)에서 소조산(小祖山)으로, 소조산(小祖山)에서 부봉(父峰)으로 내려와 떨어져 본신(本身) 출맥이 시작되는 용맥 흐름을 의미한다.

낙봉사(落峰砂) 산이 높은 곳에서 떨어져 나와 홀로 서 있는 모습

낙사형(落死形) 매달려 있던 것이 땅바닥에 뚝 떨어져서 퍼지는 모습의 산형이다. 이 낙사형에서는 자손이 추락사를 당하게 된다.

낙산(樂山) 혈장 뒤편에서 혈장을 보호하되 혈장과 직접 연결되지 않은 별도의 산을 말한다. 횡입수 혈에서는 반드시 있어야 하는 산이다. 래룡(來龍)이 방향을 90°로 바꾸는 회룡입수(回龍入首)일 때에 래룡의 뒤쪽에서 래룡의 생기를 받쳐주는 낙산(樂山)이 반드시 있어야 한다. 낙산은 횡입수(橫入首) 혈장 뒤에서 혈장 에너지를 보호하며 그 에너지장을 공급하는 산이다. 낙산의 모습은 혈장을 등지고 돌아앉아 있지 않고 유정하게 혈장 뒤를 감싸고 있는 것이 좋다. 또한 너무 높고 크고 웅장하거나 험상궂지 않으면 문제되지 않는다. 특히 후면(後面) 오목 횡입수와 측뇌 횡입수에서는 반드시 선길(善吉)한 낙산이 있어야 한다.

낙산정혈법(樂山定穴法) 정혈법의 하나로서 낙산(樂山)을 기준으로 의지하며 혈을 정하는 방법이다. ① 현수중심(玄水中心) 정혈, ② 입수중심(入首中心) 정혈, ③ 귀락중심(鬼樂中心) 정혈.

납골당(納骨堂) 화장한 유해나 육탈된 유골을 안치하는 건물. 유골이 침습, 부패하기 쉽고 관리가 불가능하다.

납골묘(納骨墓) 화장한 유골을 항아리에 담아 땅에 묻은 묘. 항아리를 회단이하여 묻는 것이 가장 이상적이다.

내광(內壙) 천광을 할 때 일정한 깊이까지는 넓게 파내려 가다가 혈심처(穴心處)에 이르러서는 관이 들어갈 정도로 좁게 판 것을 말 한다. 보통 폭이 약 45~60cm, 깊이 약 50cm, 길이 약 2m 정도가 된다. 이 부분은 내광에서 나온 흙으로 충광한다.

내기(內氣) 땅속의 기(氣)

내득수(內得水) 내명당수 또는 계명수를 혈장 내득수라 하며, 분계수가 원훈을 감싸고 안으면서 명당에 모인다. 또 현무 이하에서 생긴 물이 수계(水界)로 분(分)을 이루어, 청룡과 백호 안에서 본신룡과 혈장을 조윤(調潤)케 하며 감싸 흐르는 물을 외명당수라고도 한다.

내명당(內明堂) 혈장속의 혈핵과 전순 간에 발달된 마당으로 계명회당처(界明

會堂處)를 말한다. 혈핵원훈 바로 앞 평평한 곳을 말하기도 하고 묘지에서는 당판제절이라는 곳이다. 집터인 양기(陽基)에 있어서는 주건물(主建物)의 앞뜰을 일컫는다.

내백호(內白虎) 혈장에서 보았을 때 가장 가까이서 혈장을 감싸 안은 백호. 우측으로 뻗어나간 여러 갈래의 산줄기에서 맨 안쪽에 있는 줄기

내수(內水) 내명당 계수를 말하며 혈(穴)에서 가까운 것으로 내청룡(內靑龍), 내백호(內白虎) 안에 있는 것을 내수라 하기도 한다. 명당수와 같은 개념이다.

냉천(冷泉) 맑고 차디찬 물로 각종 질병에 걸리거나 땅의 지기가 새어나가 가산을 탕진함. 극음지기(極陰地氣)를 받으며 융결(隆結)의 조화가 없는 물

노눈(老嫩) 노룡(老龍)과 눈룡(嫩龍)을 말하며 늙거나 어린용을 일컬어 비교한 말

노사(奴砂) 노복사(奴僕砂)를 일컬음. 주룡이 비천하고 객룡이 고대(高大)한 것

노장(路葬) 길 복판이나 길가에 매장하는 장사. 미혼인 처녀나 고독하던 청춘과부가 죽었을 때 노장을 하는 경우가 있다. 화려한 혼인, 단란한 살림을 꿈꾸던 처녀가 소원을 이루지 못하고 죽은 영(靈)을 위로하고자 남성들이 왕래하는 길에 묻어 간접적으로 접촉을 하게 하는 것임

노태(露胎) 마치 임산부의 태가 제자리에 있지 않고 밖으로 빠져나온 것과 같은 상태. 혈장이 좌우의 보호산인 청룡과 백호맥에 의해 잘 감싸져 보호받지 못하고 오히려 더 길게 빠져 나와 산의 생기가 응축되지 않고 혈기가 빠져나간 것

녹저수(祿儲水) 혈 가까이 있는 물웅덩이가 자연적으로 형성된 것

녹존성(祿存星) 구성(九星)의 하나로서 오성(五星) 중 토성(土星)에 배속된다.

누조(漏槽) 밑 없는 구수

누조수(漏槽水) (인자수지의 수세(水勢)편 참조) 혈 아래 심루(深漏)가 되어 곧게 물이 새어나가는 것으로 말구유통과 같이 생긴 것을 말한다. 물의 유무(有無)에 상관없이 누조(漏槽)가 된다. 진룡(眞龍)에서 채겸혈(釵鉗穴)과

비슷하나 채겸혈은 누조가 된 것 같으나 그 아래에 순전대(脣氈帶)의 증거가 있으니 누조와 다르다.

누천(漏泉) 물이 새어 나오는 것으로 용기(龍氣)가 약하여 성혈치 못함

눈용(嫩龍) 예쁘고 부드럽고 자그마한 용(龍)

늑장(勒葬) 권세 있는 자가 다른 사람의 소유지에 강제로 묘를 쓰는 것

능(陵) 임금이나 왕후의 무덤. 능묘(陵墓), 능상(陵上), 능침(陵寢), 선침(仙寢)이라고도 한다.

니전(泥田) 진흙밭

뇌락(磊落) 떨어진 듯한 돌무더기 수가 많음

뇌락살(磊落煞) 혈장 전후좌우 어느 곳에 자잘하게 산재한 돌

ㄷ

다비(荼毘)~등루(騰漏)

다비(荼毘) 망자(亡者)를 불에 태운다는 뜻으로 불교에서 스님들이 열반 후 화장(火葬)하는 일을 이르는 말

단격수(湍激水) 사시사철 들리는 물 우는 소리. 흉지이다.

단겸(短鉗) 겸혈(鉗穴)의 일종으로 두 다리가 모두 짧은 것이며 너무 짧으면 혈(穴)을 보호하지 못한다.

단룡(短龍) 짧은 용맥으로 결혈(結穴) 의지가 빠르다.

단맥(斷脈) 용맥(龍脈)이 끊어지고, 높은 산이 꺼져 끊기거나 칼로 베어 뚝 잘라진 것 같으며 혹은 인위적으로 끊어 버린 맥을 말한다. 불길(不吉)하다.

단맥(短脈) 맥이 아주 짧은 것으로서 짧으면 에너지의 응축 진행이 좋으며, 속기(束氣)가 되든지 가늘고 연한 것이 길하다. 응축사가 없는 짧은 것이 너무 크면 좋지 않다.

단산(斷山) 산의 입력 에너지가 단절되듯 끊어진 것. 산줄기가 이어지지 않고 도로나 공사 등으로 끊어진 산을 말한다. 생기가 이어지지 않아 흉(凶)하다.

단취(團聚) 화목하게 취집(聚集)된 모습

단한(單寒) 고립된 산으로 사면에 따르는 산이 없고 고로(孤露)하여 장취(藏聚)하지 않은 것

당문파(堂門破) 혈의 앞부분. 즉 전순이 함몰하거나 파괴되어 마치 문이 열려 있는 형태. 파구(破口)가 혈전(穴前)에서 무관(無關)한 것

당법(撞法) 양균송의 도장법(倒杖法)에 나오는 맥의 완급곡직(緩急曲直)에 따른 장법(葬法) 8가지 중 하나이다. 당(撞)이란 중심을 치고 들어간다는 뜻이다. 맥이 평평하고 연하게 내려와 중심 또는 하부에 기(氣)가 강하게 모여 있는 곳에서는 당법을 사용한다.

당배귀사(撞背鬼砂) 횡입수혈(橫入首穴)의 입수두뇌 정후면에 붙은 사(砂)

당배수(撞背水) 혈(穴) 뒤를 물이 감는 현상으로 혈 후면을 파괴하지 않아야 한다.

대(帶) 허리띠와 같은 안대사 또는 전순사의 한 형태로서 만포(彎抱)한 것이어야 한다. 특히 와겸혈(窩鉗穴)에서는 필수적인 전순사이다.

대간룡(大幹龍) 흔히 신령한 기를 지닌 높은 산에서 시작된 용을 뜻한다. 태백산맥이나 소백산맥 등이 이에 해당한다. 용의 큰 줄기

대관란(大關瀾) 크게 감은 청백(靑白)이나 안산(案山)의 관쇄(關鎖)

대궁진처(大窮盡處) 산맥이 크게 마감한 것

대돌형(大突形) 돌혈(突穴) 중 높고 큰 것으로 평지나 고산(高山)을 막론하고 너무 크면 거칠고, 너무 작으면 역소(力小)하여 좋지 않다. 적당히 커서 돌(突)의 면이 빛나고 둥글고 형체가 분명해야 길함

대맥(大脈) 맥이 굵고 큰 것으로서 맥의 중간에 초사회선(草蛇灰線)이 반드시 있어야 살아 있는 용이다.

대유(大乳) 유돌(乳突)의 종류로서 양팔 중간에 늘어진 큰 유방. 거칠고 완만하고 부스럼 같으면 불길(不吉)하다.

대진처(大盡處) 용맥의 기운이 끝나는 지점

대취국(大聚局) 크게 국(局)을 형성하여 대도시(大都市)를 형성한 것

도두(倒頭) 지리정종의 산룡어류 편에서 입수두뇌와 도두를 같은 개념으로 보았으며, 혈 입력 에너지를 결정하는 혈장두뇌 에너지 1차 취기점이다.

도래솔 무덤 근처에 둘러선 소나무

도배사(徒配砂) 수구(水口) 쪽에 뒤집혀 도망가는 배주사(背走砂). 귀양살이가 나옴

도선국사(道詵國師, 827~898) 827년 전남 영암에서 출생했으며 호가 옥룡자(玉龍子)이다. 고려 왕건(王建)의 탄생과 고려건국을 예언했으며 중국의 일행선사(一行禪師) 풍수지리설을 참고한 한국 풍수지리설의 시조(始祖)이다. 속성 김(金). 호 옥룡자(玉龍子). 15세에 지리산 서봉인 월류봉(月留峰) 화엄사(華嚴寺)에 들어가 승려가 되어 불경을 공부하고 4년 만인 846년(문성왕8) 대의(大義)를 통달, 신승(神僧)으로 추앙받았다. 이때부터 수도행각에 나서 동리산(桐裡山)의 혜철(惠徹)을 찾아가 무설설무법법(無說說無法法)을 배웠으며, 23세에 천도사(穿道寺)에서 구족계를 받았다. 운봉산(雲峰山)의 굴 속에서 참선삼매(參禪三昧)한 후 태백산(太白山) 움막에서 고행하였으며, 전라도 희양현(曦陽縣) 백계산(白鷄山) 옥룡사(玉龍寺)에 머물다가 죽었다. 헌강왕의 초빙으로 궁중에 들어가 왕에게도 많은 영향을 끼쳤다. 그의 음양지리설(陰陽地理說), 풍수상지법(風水相地法)은 고려, 조선 시대를 통하여 우리 민족의 가치관에 큰 영향을 끼친 학설이다. 죽은 후 효공왕이 요공국사(了空國師)라는 시호를, 고려 현종은 대선사(大禪師), 숙종은 왕사(王師)를 추증했고, 인종은 선각국사(先覺國師)라는 시호를 내렸으며, 의종은 비를 세웠다. 도선에 관한 설화가 옥룡사 비문 등에 실려 있다. 저서에《도선비기(道詵秘記)》《도선답산가(道詵踏山歌)》외에도《송악명당기(松岳明堂記)》등이 전한다.

도시혈(逃屍穴) 시체가 도망가는 자리라는 의미에서 도시혈이라고 한다. 혈장하(下)에 지층 이동이 발생하는 곳이다. 현대 지리학에서는 암반 층 위에 연약지층이 형성된 경우 표토(表土)는 나무나 잡초뿌리와 풍화작용으로 단단하나 그 중간에 있는 연약지층은 암반의 경사에 따라 이동하는 것으로 설명하고 있다.

도장(倒葬) 조상의 묘지 윗자리에 묘지를 씀

도적봉(盜賊峯) 규봉(窺峰)과 같은 뜻이다. 규봉은 산의 모습을 취한 이름이고, 도적봉은 산 작용의 발현 측면에서 이름한 것이다. 줄여서 적봉이라 한다.

도주사(逃走砂) 본신룡을 배역(背逆)하고 다른 곳으로 도망치는 모습의 산으

로, 혈장 가까이에 그런 산이 있으면 그 터의 자손들은 재물을 잃고 파산하여 야간도주하게 되는 등 나쁜 일을 당한다.

도참사상(圖讖思想) 인간사를 주로 세운(世運)과 풍수를 결합하여 미래를 예언하는 것을 말한다. 한반도에서 도참설은 삼국사기 최치원열전(崔致遠列傳)에 나타나며 조선 후기에 풍수와 도참을 결부시켜 새 왕조의 출현을 예언한 책으로 현재 전해지는 정감록(鄭鑑錄)이 있다.

독봉사(獨峰砂) 홀로 떨어져 있는 산이라 해서 붙여진 이름인데, 산이 풍만하고 수려하면서 혈장을 향해 유정하게 조응(朝應)하면 그 혈장의 자손은 부귀를 누린다. 주로 수구에서 조응함이 더욱 길하다.

독산(獨山) 산맥줄기가 이어지지 않고 홀로 떨어져 나와 솟은 산이다. 주위에 대치하는 산이 낮고 적은데 홀로 크게 우뚝 솟은 것은 자웅(雌雄)이 맞지 않고 외롭다. 이런 산은 생기가 면면히 흘러 뭉치지 않고 지기 자체도 생겨나지 않아 성혈의지의 산으로 적합하지 않다. 이곳에 산소를 쓰면 자손이 끊기고 망한다. 지기(地氣)는 후강전응(뒤는 언덕, 앞은 물)하고 중산환합(무리를 이은 산이 둘러쌈)하는 곳에 뭉쳐 있는데 홀로 있는 산은 지기가 있을 리가 없다는 것이다. 불가장지이다.

독산(禿山) 산에 풀이나 나무가 없는 산

독양(獨陽) 산이 크고 물이 작은 것. 양(陽) 태과>음(陰) 불급 → 불길

독음(獨陰) 산이 작고 물이 큰 것. 양(陽) 불급<음(陰) 태과 → 불길

돈부(墩埠) 약간 높직하고 평평한 땅과 언덕

돌(바위) 여기에서 논하는 돌은 인력으로 갖다 놓은 것이 아닌 자연 상태의 바위를 뜻한다. 이러한 돌은 원형에 가까울수록 색이 선명하고 광택을 띨수록 길상(吉象)에 가까워진다. 반면에 흉한 돌은 원형이 파괴되고 회색과 같이 무채색에 가깝거나 무광(無光)의 거무칙칙한 험상한 모습을 한 것들이다.

돌의 길흉(吉凶) 용맥 흐름의 중심선상에 돌이 자리 잡고 있으면 길하나 그에 벗어나 있으면 흉하다. 입수(入首) 쪽의 돌이 선익(蟬翼) 쪽과 상호 연결 동조함이 길하다. 만약 이와 반대로 입수(入首) 쪽의 돌이 선익(蟬翼) 쪽보다 크거나 넓게 분포해 있으면 입맥(入脈)을 방해하며 심할 경우에는 당판(堂

板)의 광중으로까지 암반(岩盤)을 이루어 천광(穿壙)시 석골(石骨)이 나오거나 아예 천광 불능의 흉(凶)이 되기 쉽다. 돌의 크기가 작을수록 박힌 것이 좋고, 클수록 뜬 것이 좋다. 선바위는 좋다고 하겠다. 바위 위에 얹힌 채 선바위는 지기(地氣)가 충만함을 나타내므로 좋으며 한편 땅 위에 선바위도 좋으나 단 흉석(凶石)이 아니어야 한다. 전순(纏脣)이나 선익(蟬翼)이 아닌 쪽에 지나치게 분포된 바위는 태과(太過)로 인하여 당판이 불균형을 이루므로 바람직하지 못하다. 천지 운기가 조화로운 돌은 원만단정 선미(善美)하다.

돌로(突露) 혈처가 드러나듯 솟아 오른 것을 말하며 취풍(吹風)을 조심해야 한다.

돌혈(突穴) 양혈(陽穴 : ⊕)로서 평지로 떨어져 나온 용(龍)이 불쑥 솟은 곳에서 생기며, 그 모습은 닭의 염통, 오리알, 용의 구슬 등에 비유한다. 혈장에 관성(官星), 요성(曜星)과 귀성(鬼星)이 있어야 진혈(眞穴)이다. 돌혈에는 높고 큰 것(대돌혈, 大突穴), 작은 것(소돌혈, 小突穴), 두 개가 나란히 솟은 것(쌍돌혈, 雙突穴) 등이 있다. 돌혈은 마치 솥을 엎어 놓은 듯한 형상을 한 혈(穴)로 주위 사(砂)에 의한 에너지의 집중력이 강하고 귀(鬼), 요(曜), 관성(官星)의 발달도 좋아 혈판(穴板)의 역량이 크다. 돌혈에 묘를 쓸 때는 주로 당법(撞法)을 많이 적용한다.

동기감응(同氣感應) 기운의 특성이 같은 것으로 주로 지기(地氣)와 인간기(人間氣) 간에 상호 동조하는 에너지장 감응. 존재물 간에 서로 교류할 수 있는 기운을 말한다. 일반적 생기 에너지장 감응(지기→인간)(형제人氣→형제人氣)

동기감응(同期感應) 유전인자(遺傳因子)와 유전형질이 같을 경우 동등 에너지체 간에는 동일 주파수 파장을 일으켜 상호 동조 반응하는 에너지체 감응현상을 나타낸다(사체는 ⊖에너지장을 형성하고 생체는 ⊕에너지장을 형성한다). → 동조작용 또는 친자감응이라고도 한다. 조손(祖孫) 동질의 생명 Energy는 서로 감응한다는 것으로 명당(明堂)과 발복(發福) 간 인과관계의 증빙이 되고 있다. 즉 명당에 유해를 묻게 되면 유골에 생기가 동기감응(同氣感應)되고 동질의 에너지파장인 자손과 동조되어 자손의 건강 부귀 번성에 영향을 주게 된다. 시신 유골의 환원될 때 발하는 에너지 파장이 동일한 주파수를 지닌 후손의 에너지 파장과 서로 동조 감응을 일으키는 현상

(現象)을 말한다. (부모→자손)(조상→후손). 풍수에서의 동기감응이란 궁극적으로 동기감응(同期感應)을 주(主) 발응이라 일컫는다. 사후 조손 간의 생체에너지 주파수 동조이다.

동기 및 동기감응론(同氣 및 同期感應論) 묘의 좋고 나쁜 기운이 후손들에게 끼치는 영향을 발음(發蔭), 발복(發福) 또는 동기 및 동기감응(同氣 및 同期感應)이라고 한다. 조상과 후손은 같은 혈통관계로 같은 유전인자를 가지고 있기 때문에 서로 동조하는 감응을 일으킨다는 이론이다. 동양철학에서 기(氣)는 우주의 본원으로 어느 곳이든 없는 곳이 없고(무소부재, 無所不在), 새로 생기지 않고 없어지지도 않으며(불생불멸, 不生不滅), 시작도 끝도 없는 것으로(무시무종, 無始無終)하여 불변형질(不變形質)이라고 하였다. 존재하는 모든 사물은 존재를 위한 에너지(氣)를 가지고 있으며, 이 에너지는 고유의 파장을 가지고 동일한 파장과 반응하려는 특성이 있다. 비록 유골이라 할지라도 존재하는 한 에너지를 가지고 있으며 파장을 일으키고 상호 동조 반응하려는 의지작용을 하는데 그 상대는 자신과 유전인자가 동일한 자손이다. 여기에서 생존하는 자손은 줄곧 생명 에너지를 집합 흡수하여 살아가지만 조상 유골은 움직임을 멈추었기에 그 에너지가 집합이 필요한 자손에게만 동조주파수 파장으로 작용하는 것이다. 유골이 좋은 환경에서 좋은 생기를 발산하면 자손이 좋은 기를 공급받을 것이고, 나쁜 환경에서 나쁜 기를 발산하면 자손도 나쁜 기를 받는다는 것이 동기 및 동기감응론(同氣 및 同期感應論)이다. 동기감응을 받아들이는 속도와 역량은 어릴수록 강하고 나이가 들수록 약하다. 감수성 예민한 어린이들이 어른들보다 사물을 받아들이는 속도와 양이 많듯이 신생 염색체인 정자나 난자는 거의 100% 조상에너지를 받아들이고, 나이가 들수록 보다 적게 받아들이는 것이 동기감응 특성론이다.

동사택(東四宅) 집의 동쪽. 反=서사택(西四宅)

동사택서사택이론(東四宅西四宅理論) 주역과 음양배위론(陰陽配位論)을 바탕으로 한 팔괘오행 이론으로 그 원리가 상호 배치되면서 일관성이 없고 12배합절 산맥이론 및 풍수(風水) 에너지 입출 이론과 부합하지 못한다(동서 사택론의 허와 실 참조).

동산(童山) 독산(禿山)과 동일하며 돌과 암석으로 이루어져 초목이 자라지 않는 황폐한 산을 말한다. 이런 산에서는 음양이 화합하지 않으니 지기가 생겨나지 않는 법이다. 이런 황폐한 산에 묘지를 쓰면 집안이 빈곤하고 생계가 대대로 어려워진다는 것이다. 독산(禿山)이라고도 하며 민둥 벌거숭이 산을 말한다.

동조(同調) 동일 에너지장 특성과 동일 에너지체 주파수 특성에 의해 상호존재의 특성을 생성시키고 집합시키며, 육성, 증대시키는 데 도움을 주는 작용을 말한다. ↔ 간섭(干涉)

두뇌(頭腦) 래룡맥과 연결된 혈장(집터와 묘터 에너지 입력)의 첫째 취기 부분인데, 래룡맥을 타고 온 생기가 모인 곳이기 때문에 자연적으로 불룩하게 솟아 있다. 사람의 머리에 비유하여 두뇌라는 말을 썼다. 다른 말로 입수두뇌, 만두(巒頭)라 하기도 한다. 일명 만두(巒頭) 혹은 도두라 하며, 무덤의 뒤쪽 상부 중앙을 가리킨다. 입수(入首)와 혈(穴)과의 접합점(接合點)에서 좀 높게 솟아난 곳으로 마치 용의 이마에 해당한다고 하여 두뇌(頭腦)라 한다. 혈장이 맺어지려면 크게 래룡맥 에너지를 공급할 수 있는 에너지 집합 취기처가 있어야 한다.

두풍사(頭風砂) 술건해(戌乾亥) 방향에 공풍(空風)이 들어오면 두풍(頭風)이 있음

득(得) 혈장사과(穴場四果), 내명당(內明堂)의 양측으로부터 흘러내리는 수류(水流)의 발원처를 득(得)이라 한다. 득(得)이 빠져나가는 곳을 파(破), 혹은 수구(水口)라 한다. 득과 파에도 내/외득(內/外得)과 내/외수구(內/外水口)가 있게 된다. 혈 혹은 내명당(內明堂)의 양쪽 선익으로부터 시작하여 흐르는 수류(水流)의 발원처를 음득이라 하고, 양 선익을 포함한 양 귀・요・관사를 양득이라 한다.

득수(得水) 혈에서 물이 처음 보이는 곳. 내득수와 외득수가 있다. 풍수지리에서 물의 에너지는 그 선악길흉의 특성 비중이 매우 크다. 그러므로 악성(惡性)이 아닌 선성(善性)의 물을 얻음이 중요하다고 하여 득수(得水)를 강조한다. 너무 많거나(太過) 너무 모자라지(不及) 않는 평형성(平衡性)과 난폭하지 않는 안정성(安定性)이 중요한 요체이다. 혈심(穴心)에도 수기(水氣)가 있어야 한다. 혈심에 수기가 모자라면 혈심이 메말라서 에너지 응축

이 불량해지기 때문이다. 득수(得水)란 혈심(穴心)에 수기(水氣)에너지 공급을 위해 물을 얻는 것을 말한다. 혈판이 있는 래룡(來龍)이 좌선룡(左旋龍)(래룡이 좌측에서 우측으로 구부러져 온 것)일 때 우선원진수(右旋元辰水)가 득(得)이 되고 우선룡(右旋龍)(혈판이 있는 래룡이 우측에서 시작하여 좌측으로 선회)일 때는 좌선원진수(左旋元辰水)가 득수(得水)가 된다. 청룡, 백호, 안산, 주산 근처에서 혈이나 혈 앞의 소(小)·중(中)·대(大) 명당으로 모여드는 물을 일반적으로 득수(得水)라고도 한다. 그러나 득수의 지리적 구조는 장풍구조를 완성해야 하고, 장풍의 구조적 안정은 득수의 완성 없이는 불가능하다.

득수국(得水局) 장풍국(藏風局)과 대조되는 용어로서 득수국은 장풍국과 달리 혈장 삼면이 큰물로 둘러싸인 곳을 말한다. 촌산지순(村山智順)의 조선의 풍수에서는 대표적인 곳으로 서울과 평양을 꼽았다. 안동의 하회마을이나 행주형(行舟形)의 마을이나 도시가 모두 여기에 속한다고는 하나 득수만으로 성혈국이 될 수는 없는 것을 일반 속사들이 일컫는 잘못된 용어이다.

득파(得破) 혈장(穴場, 보통 상석자리)에서 청룡선익(青龍蟬翼), 백호선익(白虎蟬翼) 내측(內側) 또는 청룡 백호 내에서 발원하여 흐르는 수류(水流)의 발원지를 득(得)이라 하며 혈장 내(內)의 득(得)을 내득(內得), 외명당 원진수(元辰水)를 외득(外得)이라 한다. 명당 앞을 지나 흘러가는 물이 마지막 보이는 곳을 파(破)라고 한다. 예외도 물론 있다. 득(得)은 대개 좌향의 생왕처(生旺處)에서 보이는 것이 최상이고 파(破)는 사고(死庫)의 방향에서 나가는 것이 역시 좋다고도 하여 이기득파를 논하기도 한다. 이는 원칙적인 것은 아니다. 무엇보다 산득·수득·풍득, 산파·수파·풍파의 득파 개념이 확고해야 한다.

ㄹ

래룡(來龍)~루(漏)

래룡(來龍) 산 에너지체가 국(局) 혹은 혈(穴)에 도달할 때까지의 진행과정을 일컫는 말. 용맥의 진행하는 모습을 말한다. 래룡은 성혈을 위해 내려오는 산줄기로 생기를 품고 있다. 혈장에 입수(入首)하기 전까지의 산줄기를 말한다. 태조산과 중조산, 중조산과 현무, 현무와 입수의 사이에 각각 그 에너지를 이동시켜 주는 중간 용맥(龍脈)으로 단절된 부분이나 파손된 부분이 없어야 하고, 튼튼하고 깨끗하며 법칙에 맞는 질서 있는 변화가 유지되어야 한다. 가장 중요한 점은 래룡의 변화 각도가 안정 변역각도(安定 變易角度)인 $\theta=\angle 30°\times n$의 법칙 질서에 맞는 변역각(變易角)을 유지해야 한다.

래룡맥(來龍脈) 묘터나 집터 혈장에 입력되는 산맥을 말한다. 줄여서 래맥이라고도 한다. 래룡맥 형성의 조건은 취기, 분벽, 지룡, 지각(支脚), 요도, 지각(止脚)을 갖춘 것만이 래룡맥이라 할 수 있다. 본신생룡(本身生龍)을 일컫는다.

래팔거팔(來八去八) 혈장(穴場) 진행하는 용의 능선(稜線)인 기룡(騎龍)에서 형성된 혈장으로서 오는 용(來龍)이 혈장의 청룡과 백호선익이 되어, 거팔(去八)을 이루고 그 중심 봉우리가 전순 안산이 되어 혈장을 래팔(來八)로 보호함으로써, 래팔거팔(來八去八) 혈장이라고 한다. 반드시 단일 파구로서 풍수입력처에 관쇄가 안정되어야 한다.

ㅁ

마적(馬跡)~미사(眉砂)

마적(馬跡) 말발굽자국. 중국에서는 맥이 끊어질 듯 이어지는 것을 거미줄(蛛絲)과 말굽 흔적으로 지기 흐름을 표현하였다.

막외귀인(幕外貴人) 목성이 여러 겹의 수성 산밖에 있는 것. 승조(陞朝)의 귀(貴)를 관장함. 사격론(砂格論) 참조.

만두(巒頭) 도두(到頭). 입수두뇌를 이르는 말로 혈후산의 가장 가까운 높고 큰 봉우리

망제(望祭) 먼 곳에 조상의 무덤이 있는 쪽을 향하여 지내는 제사

망주석(望柱石) 무덤 앞 양 옆에 하나씩 세우는 돌기둥으로서 망두석(望頭石)이라고도 한다.

매장(埋葬) 시체나 유골을 땅에 묻어 장사 지내는 것

맥(脈) 지맥이나 산맥의 기복을 용이라 한다면 용을 몸체로 하여 산의 생기(生氣, Energy)가 흐르는 통로(通路)를 맥(脈)이라 말하는데, 사람에 비유하면 기(氣), 혈(血)의 통로 즉 근골조직과 혈맥과도 같다. 즉 용(龍)이 산이나 구릉의 외형적 모습에서 붙여진 이름이라면, 맥(脈)은 땅 속으로 흐르는 생기의 움직임을 가리킨다. 맥의 흐름은 눈으로 볼 수 없지만 산이나 언덕에서 물이 갈라지는 곳은 대개 맥이 지나는 곳이다. 맥(脈)은 용(龍)의 능선을 따라 이동하고, 용의 선악(善惡), 강약(强弱), 미추(美醜)를 나타내며 용맥(龍脈) 에너지의 특성을 판단케 한다. 용신의 움직임에 따라 음양의 생

기가 변하는 것이 인체의 맥과 같기 때문에 산에서의 생기 에너지 흐름을 맥기 또는 맥이라 한다.

맥골층(脈骨層) 용맥 형성을 위해 땅속 깊은 곳으로부터 산 골격을 이루는 암반층(岩盤層) ① 표피토층(表皮土層) ② 토맥근층(土脈筋層) ③ 맥골충(脈骨層)

맥의 8병(脈의 八病) ① 호로(葫蘆) 생강(生薑)같으면 유(乳)가 아님 ② 어포(魚泡) 같으면 포(泡)가 아님 ③ 이마를 꾄 것이 죽과 같이 일어나지 않으면 절(節)이 아님 ④ 이마를 뚫어 출맥(出脈)하면 경(硬)이 아님 ⑤ 둥글고 등마루가 있으면 괴(塊)가 아님 ⑥ 꾄 것이 분명치 않으면 주(珠)가 아님 ⑦ 동(動)하여 출맥하면 전피(轉皮)가 아님 ⑧ 거칠고 크면 기운(氣運)이 아님

맥절(脈節) 용에는 생기가 유행(流行)하는바 인신(人身)의 맥락(脈絡)에 기(氣), 혈(血)이 운행하여 마치 움직이는 사람의 신체절과 같음

면례(緬禮) 무덤을 옮겨서 다시 장사 지내는 것으로 면봉(緬奉)이라고도 함

명당(明堂) 혈이나 혈장보다는 좀 더 넓은 혈판 개념으로 묘지인 경우에는 무덤 앞, 집터인 경우에는 주건물(主建物) 앞에 해당되는 땅으로 청룡, 백호에 둘러싸인 혈전(穴前) 평탄처를 말한다. 혈전과 청룡선익, 백호선익 하단 내측부(內側部)에서 전순에 이르는 평탄한 곳을 내명당(內明堂)이라 하고, 청룡과 백호로 에워싸인 혈장 앞의 평탄한 곳을 외명당(外明堂)이라 한다. 천자가 군신의 배하(拜賀)를 받는 곳이라 해서 명당이라고도 하고 계수(界水)가 모이는 취명회당(聚明會堂)이라 해서 명당이라고도 한다. 정령신(精靈神)의 거처(居處) 마당

명당의지(明堂意志) 주령신(主靈神)의 주처의지(主處意志). 동조주인(同調主人)을 선택할 뿐 선택받지 않는다.

명당정혈법(明堂定穴法) 명당을 기준으로 혈을 정할 때는 혈의 대·중·소에 따라 결정한다. 명당은 넓고 평탄하며 원만해야 하고 공결(空缺)이거나 허(虛)한 곳이 없어야 길격이다. 대명당은 대취국으로 안산과 물에 의지하여 혈을 정한다. 중명당은 중취국으로 청룡 백호 내에 서로 사귀어 모인 곳에 혈을 정한다. 소명당은 소취국으로 평정(平正)하여 사람이 횡으로 누울 만

한 곳에 혈을 정한다.

명부전(冥府殿) 불교 사찰(寺刹)에 명부의 십왕(十王)을 안치하는 전각이며 십왕전(十王殿)이라 함. 염라대왕(閻羅大王), 지장(地藏)보살을 주로 하여 진광(秦廣)대왕, 초강(初江)대왕, 송제(宋帝)대왕, 오관(俉官)대왕, 변성(變成)대왕, 태산(泰山)대왕, 평등(平等)대왕, 도시(都市)대왕, 오도전륜(五道轉輪)대왕을 봉안하였다.

명산(明山) 산수풍이 서로 상생, 상합하여 모두 길하게 보이는 곳. 밝은 산

명정(銘旌) 죽은 사람의 관직, 성명을 기록한 조기

모염(毛炎) 털실 같은 생물체가 유골에 피해를 주는 것으로 이런 생물체들은 보통 무덤 속에서 자생한다. 유골이 모염 피해을 입으면 자손들은 여러 가지 질병을 앓게 되며 재패(財敗) 및 음행자(淫行子)가 생긴다.

모토(母土) 무덤의 구덩이를 만들 때 바닥에 관이 들어가 놓일 자리를 깎아 내는 흙

목(木) 오행의 하나. 동쪽, 봄(春), 청색(靑色), 인(仁), 덕(德) 등을 나타냄. 청목(靑木)이라고도 함

목렴(木廉) 유골이 나무뿌리의 침입을 받아 소실되는 현상

목성(木星) 산을 음양 구별하는 형태로서 오성(五星) 가운데 하나이다. 곧고 모나지 않으며 정연하게 우뚝 솟아 기울어지지 않아야 길격이다.

목염(木炎) 나무나 초목의 뿌리가 무덤 속으로 침입하여 유골을 칭칭 감거나 뼈 속을 뚫고 들어가 피해를 주는 것으로 이로 인해 자손은 정신질환, 골수염, 신경통, 디스크, 자살충동, 교통사고 등을 일으킨다.

목형산(木形山) 목체(木體) 또는 목형산이라고도 한다. 봉우리가 청수(淸水)하게 솟고 나뭇가지가 붙은 것처럼 되어 있는 산이다. 목형산은 주로 귀(貴)를 주관한다.

몰니혈(沒泥穴) 괴혈(怪穴)의 한 종류로서 물에 잠긴 듯하나 혈핵은 완전하다.

몰천(沒泉) 물이 아래로 스며남. 밑에 빈 구멍이 있어 다른 곳과 연결되어 고인 물이 샘이 된 것. 일명 황천(黃泉). 물이 땅으로 잠입하여 용기(龍氣)가 헛

되이 소모됨으로 음택에 나쁘다.

묘탑(墓塔) 화장한 신체의 유골을 간직하는 탑. 회신탑(灰身塔)이라고도 함

무곡(武曲) 구성(九星)의 성질로 고장(庫臟)의 별. 부를 관장

무기룡(無記龍) 선룡으로도 악룡으로도 구별할 수 없는 용(龍)인데 분명한 것은 선(善)이 아니면 악(惡)이 되기 쉽다. 변위각 $\theta = \angle 30° \times n$ 질서가 무너진 용맥으로 생무기와 사무기가 있다.

무기존재(無記存在) 무기기존재(無記氣存在)로서 생기(生氣)와 사기(死氣)의 특성이 아닌 중간과정의 존재. 주로 생기가 사기로 변하는 과정의 존재가 많다.

무맥사지(無脈死地) 용맥도 없고 생기도 없는 땅. 직평(直平) 또는 광활하여 용척(龍脊)이 없는 땅이다.

무상적 존재(無常的 存在) 현상세계의 일체존재를 일컬음(현상존재 또는 유위법(有爲法)의 존재)

무시무종(無始無終) 시작도 끝도 없다는 본성의 특성을 일컬음(적멸적(寂滅的) 무시무종과 무상적(無常的) 무시무종을 함께 일컫는 말)

무석(武石) 무장한 석상

무수국(無水局) 혈전에 물이 없음을 말함

무원(無源) 원류(源流)가 길고 먼 곳

무정(無情) 상대를 위하지 않은 작용으로, 산등을 보이는 자세이다. 유정(有情)의 반대 개념이다. 요도 발생처는 무정이요, 요도 발생 반대처는 유정이다.

문곡(文曲) 구성(九星)의 성질로 유혼(遊昏), 음질(淫疾), 유탕(遊蕩), 질액(疾厄)을 관장함

문석(文石) 금관조복(金冠朝服)한 문신상(文身象)이며 제2단 좌우에 선다.

문신(門神) 대문을 담당하는 신(神). 수문신(守門神)이라고도 함. 이 문은 집안에 드나드는 관문(關文)으로 길흉화복도 이곳을 통하여 드나들게 됨으로 길복(吉福)은 들어오고 흉화(凶禍)는 밖으로 내보내는 역할을 한다. 좌우

로 나뉜다.

문필사(文筆砂) 붓끝처럼 생겼다 하여 일컫는 말인데 산체의 생김이 크고 수려하여, 아름답고 선하면 대문장가(大文章家)를 배출한다. 오행산형 중 목형산과 같은 모습이다.

물(水) 지기(地氣)에너지와 천기(天氣)에너지의 조화작용으로 발현하여 산과 만물에 작용하는 에너지다. 물은 땅의 에너지를 조윤(調潤)·취융(聚融)·운반(運搬)·보호(保護)하며, 용맥(龍脈)과 혈장(穴場)에 생명에너지를 생육(生育), 보완(補完)하는 생기적 동조작용(生起的 同調作用)을 한다. 또한 물은 지나치게 많으면, 용맥(龍脈)과 혈장(穴場)이 형(刑)·충(沖)·파(破)·해(害)·살(殺)의 사멸적 간섭작용을 받아 파괴된다. 또한 물이 부족하면 땅이 윤기가 없고 메말라서 파괴되고, 에너지 응축이 형성되지 않으며 산기(散氣)되어 용맥과 혈장을 사멸(死滅)케 한다. 물의 에너지는 변화가 많으며 주인(主因)인 산에 대하여 조연분적(助緣分的) 작용을 한다. 성질(性質)상 물은 재물(財物)인데 맑고 깨끗할수록 길(吉)하다. 유량(流量)측면에서 물 흐름이 많고 적음에 따라 재물 또한 그러하며 혈의 위치도 결정된다. 유속(流速)관점에서 물 흐름의 완급(緩急)에 따라 재물이 오는 때가 늦거나 빠르게 된다. 유속이 빠르고 유량도 많으면 혈은 산의 위쪽에 있고 유속이 느리고 유량도 적으면 혈은 산의 아래쪽에 있다. 산과 물은 음양표리의 관계 중 조상과 자손과의 관계라 하겠다. 물을 보고 그 길흉을 헤아리는 데 있어 육안으로 보이는 강이나 개울 등과 같은 직접 적용할 수 있는 물이 있는 경우에는 이들을 기준으로 삼으면 되고 물이 없으면 주위 지형의 원근과 고저를 잘 살피어 물의 흐름을 짐작하여 길흉 판단의 기준으로 삼는다. 한자만 낮아도 물이요, 한자만 높아도 음양은 존재한다.

물아(物我) 물질과 정신. 주관과 객관

물형론(物形論) 산천형상을 짐승이나 기타 물건에 비유하는 논리

미사(眉砂) 입수두뇌에서 혈장 좌우로 생기를 공급하는 맥(脈)으로 나지막한 언덕을 이루며 그 형태가 나방눈썹 또는 초생달 같다 해서 아미사(蛾眉砂), 월미사(月眉砂), 팔자미사(八字眉砂)라고도 한다. 이것은 묘분(墓墳)에 물이 흘러들지 않고 또한 혈에 생기를 모으기 위한 것이다. 일종의 입수두뇌를 포함한 선익사(蟬翼砂)가 이에 속한다.

ㅂ

바람(風)~빙부(憑富)

바람(風) 지기(地氣)에너지와 천기(天氣)에너지의 변화와 조화로써 발현하여 산과 만물에 작용하는 에너지다. 바람은 지기를 순환 및 조절하여 생기적 동조(同調)작용으로 혈장의 에너지를 육성하고 보완한다. 또한 바람이 심하면 형(刑)·충(沖)·파(破)·해(害)·살(殺)의 사멸적(死滅的) 간섭(干涉)작용으로 용맥(龍脈)과 혈장을 파괴하기도 하고, 그 에너지를 설기(泄氣) 또는 산기(散氣)시키기도 한다. 바람의 에너지는 변화가 많으며 주인(主因)인 산에 대하여 조연분적(助緣分的) 작용을 한다. 혈판의 바람은 잔잔하게 부는 온화(溫和)한 것이 길(吉)하고 차거나(寒冷) 드센(强) 바람은 흉(凶)하다. 혈장 입구에서 불을 조금 피워 그 연기(煙氣)의 흐름을 육안으로 측정했을 때 연기가 당판을 돌아 나오면 가장 좋다. 고속도로와 같이 자동차의 주행 속도가 빠른 차도(車道)에서는 살풍(殺風)이 일므로 좋지 않다. 이런 경우에는 방풍림을 조성해 바람을 막아주면 좋다. 이렇게 나무를 심을 때는 지나치게 크게 자라는 나무를 피하도록 하고 옆으로 넓게 퍼지는 나무로 측백이나 향나무 같은 것이 좋다.

박환(剝換) 형세를 바꾸어 변화되는 것을 말하는데 거칠고 험악한 용맥이 곱고 순한 부드러운 토맥 모습으로 탈바꿈하는 것이다. 높은 봉우리에서 굴곡(屈曲) 낙맥(落脈)하거나 과협(過峽) 천전도수(穿田渡水) 주사(蛛絲) 마적(馬跡) 등으로 악산(惡山)이 조잡한 살기를 벗고 길한 기운으로 변모 환출하는 것을 박환(剝換)이라 한다. 또한 박환은 억세고 나쁜 용이 좋은 용으로 변하거나 반대로 좋은 용이 나쁜 용으로 변하는 것을 말하기도 한다.

반(反) 산과 물이 기울어지고 거꾸러져 바르지 못한 것. 활 끝과 같음. 오역(五逆)을 관장

반궁수(反弓水) 물이 둥글게 혈을 향해 들어와 혈 또는 좌우 청백을 때리고 가는 물

반역룡(反逆龍) 래룡의 용호가 안으로 감아 순종하지 못하고 역으로 휘어 배역배주한 용으로 역적이 난다 하여 흉으로 본다.

발산(發散) 지표의 기운이나 열기가 외부로 흩어지는 것을 말한다.

발음(發蔭) 조상의 묘터가 좋거나, 조상의 선행으로 인해 후손들이 복을 받는 것을 말한다.

발현(發顯) 보이지 않은 관계 작용이 겉으로 드러남을 일컫는다.

방룡(傍龍) 본룡 중출맥보다 열악하게 분벽된 곁가지용을 말한다.

방위(方位) 혈장을 만들 때까지의 주룡(主龍)에너지의 역량(力量)과 천기(天氣) 및 보호사(保護砂)에너지의 동조작용에 의하여 이미 그 혈핵 에너지의 방향(方向) 특성은 결정되어 있다. 현무와 혈장 에너지의 흐름을 안정되게 맺어 주고 주작(朱雀)과의 상호 에너지 공응점(供應點)을 맞추어 혈장의 핵에너지 응축을 도와주는 응축 동조선을 말한다. 방위는 주인(主因)인 혈장에 대하여 연분적(緣分的) 동조작용을 하는 중요 에너지장의 상호관계 작용선이다(절대방위와 상대방위).

배면(背面) 혈장에서만 논의하는 것으로 산의 요도 발생처를 등이라 하고 반대편면인 혈장 응기처를 면이라 한다. 진행맥에서는 배면을 논할 수 없다.

배산임수(背山臨水) 집 뒤로 산을 업고 집 앞으로 물을 품어야 한다. 만약 이와 반대의 경우이면 터 자체가 역성(逆性)을 띠어 좋지 않다. 한편 분지(盆地)와 같이 넓은 지형에서는 집의 앞과 뒤쪽 모두 트인 채 산이 아주 멀리 있기 쉬운데 이러한 경우 배산처가 어느 쪽인지 혼돈할 수도 있으나 그 판단은 물이 흘러나가는 것을 기준으로 판단하면 된다. 배산을 배주산(背走山)으로 오해할 수 있으므로 후산임수(後山臨水)라 이해함이 적절하다.

배역(背逆) 어떤 중심 존재나 상대를 거역하고 배반하는 것을 말한다.

배역주(背逆走) 본신룡을 기준으로 뒷산과 앞산 및 좌우의 산이 등져 있는 곳을 말한다. 반드시 요도 에너지체에 의지해서 배주함이 배역이라 하고, 분벽에 의한 배주는 크게 흉이 된다기보다 무정하다고 볼 것이다.

배주(背走) 산 특히 안산(案山)이나 조산(朝山)이나 사(砂), 용맥(龍脈)이 혈을 감싸지 않고 반배(反背)하여 바깥으로 뻗어간 경우를 말한다.

배토장(培土葬) 괴혈(怪穴)의 장법으로 혈심이 얕으므로 깊은 천광을 피하고 타처의 깊은 곳 흙으로 보토 충광하는 장법

배합(配合) 래룡이 뻗어 온 방향을 패철로 결정할 때, 래룡의 중심선이 간지(干支)의 중심선 상에 놓인 것을 말한다. 예를 들어 래룡의 중심선이 임(壬)과 자(子) 자(字) 사이(甲子丙子)에 놓이면 배합되었다고 말한다. 천간 ⊕에너지장과 地支 ⊖에너지장과의 음양 합성절을 말함. 지기는 12방위 에너지장 단위 형성원리이므로 12음양배합이 그 기본질서이다.

백호(白虎) 사신사 중 우측 사(砂)를 일컫는다. 혈장의 입수에서 묘를 내려다보았을 때 혈장의 우측(右側) 지룡(枝龍)을 말하며 본신룡(本身龍)을 보호하고, 혈장의 우측에서 혈핵을 보호 육성 응축하는 산맥으로 혈장의 생기가 새어나가는 것을 방지한다. 백호가 여러 겹이 있으면, 혈장 가까이 안쪽에 있는 백호를 내백호(內白虎), 그 밖의 것은 외백호(外白虎)라고 한다. 백호도 여러 겹이 각각 있을수록 좋고 부드럽고 아름다우며, 여자가 다소곳하게 앉아 있는 모습(준거, 遵居)으로, 혈장에 그 에너지 응기각도가 유지되어야 한다. 백호가 좋으면 집안의 여자들 건강이 좋고 정숙·현모·양처·효부하고, 또한 자손의 재운(財運)이 좋다(白金 에너지체 및 白金 에너지장이라고도 한다).

백호살(白虎殺) 산풍수살이 백호측에서 90° 방향으로 혈장을 치는 것

백두대간(白頭大幹) 국토를 산줄기와 물줄기의 근간 질서체계로 해석한 한국 고유의 지리사상이다. 백두산에서 뻗어내려 우리국토의 근간을 이루는 산줄기로서 동해안·서해안으로 흘러드는 강을 양분하는 큰 산줄기를 대간·정간이라 하고, 그로부터 갈라져 각각의 강을 경계 짓는 분수산맥(分水山脈)을 정맥이라 하였다. 백두대간은 백두산에서 시작되어 동쪽 해안선을 끼고

남쪽으로 흐르다가 태백산부근에서 서쪽으로 기울어 남쪽 내륙의 지리산(智異山)까지 이르는 거대한 국토의 근골(根骨)이다.

백호선익(白虎蟬翼) 입수에서 묘를 바라다보면 묘의 오른쪽에 있는 선익(蟬翼), 즉 혈장의 소백호(小白虎) 부분으로서 혈장 백호 쪽의 에너지 보호장치 역할을 한다. 자손에게는 금기(金氣, 탄소, C)에너지의 공급처로서, 자손의 오장육부 중에 폐(肺)와 대장(大腸)의 역할을 관장하고 또한 자손의 재운과 의(義)를 관장한다. 백호선익이 강하고 양호하면 주로 집안 여자들(며느리, 딸)이 건강하고 정숙하여 현모양처・효부(賢母良妻・孝婦)가 된다. 또 자손의 재운이 좋으며 의리 있는 정의로운 자손이 된다. 백호선익이 좋지 못하면 집안 여자들의 건강이 좋지 못하고 자손에게 재운이 따르지 않는다. 백호선익이 배역주(背逆走)를 하거나 불량(不良)하면 집안 여자들이 부정・부도덕하거나 불효・불경스럽고 배신을 당하거나 재산상의 문제가 많다. 백호선익은 전체 자손에게 영향을 주지만 특히 짝수 자손의 강약(强弱)에 영향을 준다.

변단변쌍겸(邊單邊雙鉗) 겸혈(鉗穴)의 종류로서 한쪽은 단각(單脚)이고 한쪽은 쌍각(雙脚)인 것

변역성(變易性) 변화하는 현상계의 본성

변위(變位) '물체가 위치를 바꾼다'는 뜻으로 정(正)변위, 부정(不正)변위, 무기(無記)변위와 역(逆)변위가 있으나 정변위에서만 건강한 생룡이 형성된다. 정(正)변위는 배합(配合) 용맥이 되는데 패철의 방위로는 임자(壬子), 계축(癸丑), 간인(艮寅) 등이다. 부정(不正)변위는 불배합(不配合) 용맥이 되는데 패철의 방위로는 자계(子癸), 축간(丑艮) 등이다. 무기(無記)변위는 삼자(三字) 용맥이 되는데 패철의 방위로는 임자계(壬子癸), 축간인(丑艮寅) 등이다. 변위각이 $\theta = \angle 30° \times n$배 원칙을 유지하면 정변위 그렇지 못하면 무기변위가 된다.

별(鱉) 자라와 같은 형상의 혈장

병룡(病龍) 정상적인 변화를 한 것 같아도 어떤 한 부분이 기울거나 무너지거나 한 용으로서, 기(氣)가 순수치 않고 지각이 한쪽은 있고 한쪽은 없으며 호종함이 주밀치 못하다. 화복(禍福)이 상반(相反)되어 점혈(點穴)하면 흉질

(凶疾)로 패망하고, 불구자와 환자가 연달아 나오고 단명하며 고아와 과부가 많이 난다. 용이 형충파해원진살을 입어 병이 든 것이다.

병사사(兵死砂) 경유신(庚酉申) 방향에 칼날을 마주하면 주로 전쟁에서 사망

보국(保國) 혈장을 보호하기 위하여 면을 향한 주변사

복룡(伏龍) 용이 엎드린 것

복룡(福龍) 조종(祖宗)이 귀하고 호위하는 산이 많고 전후가 상응함. 부귀유원(富貴悠遠)에 수복강녕(壽福康寧)과 태평세월(太平歲月)을 발응하는 $\theta = \angle 30° \times n$배 질서를 지닌 선길(善吉) 용(龍)이다.

복류(伏流) 땅속으로 스며들어 흐르는 물

복부(覆釜) 엎어놓은 가마솥

본신(本身) 혈을 만들기 위하여 나오는 중출용맥. 혈을 만든 주체적인 중심 용

본신룡(本身龍) 중출맥으로 입수(入首)하여 용의 핵(核)과 과실(果室)인 혈장(묘터나 집터)을 형성하기 위한 산 또는 산맥을 말하며, 사신사(四神砂)인 현무, 청룡, 백호, 안산의 보호를 받아 주인(主因)의 입장에 있는 용이다. 래룡맥(來龍脈)과 같은 의미이다.

본신용호(本身龍虎) 청룡(青龍)과 백호(白虎)가 주산(主山) 또는 현무정(玄武丁)에서 래룡맥 본신과 함께 좌우로 뻗어 나온 것을 말한다.

본성 회향특성(本性 廻向特性) 본질로 돌아가고자 하는 회귀성

본해(本骸) 조상이나 부모의 뼈

봉만(峰巒) 산봉우리

봉분(封墳) 흙을 올려 덮어서 무덤을 만듦

봉요(蜂腰) 벌의 허리와 같이 잘록한 형상

봉축(封築) 무덤을 만들기 위하여 하는 흙 일

부(阜) 토산무석(土山無石)으로 돌출한 언덕

부도(浮屠) 소형탑의 일종으로 부도(浮圖)라고도 한다. 주로 돌로 만들었는데

탑은 부처 등의 사리를 모시고 부도는 중의 사리를 묻는다고 한다. 부도는 고려시대에 발달되었으며 그 종류로는 층탑(層塔)형식, 석종(石鐘)형식, 석등(石燈)형식, 특수형식의 네 종류가 있다. 도를 깨달은 대선사의 일멸 후 그의 유골을 밑에 넣고 세운다.

부모산(父母山) 혈을 맺은 산(혈성)의 바로 뒤에 있는 산. 현무정(玄武丁) 또는 입수산(入首山)이라고도 한다. 부모가 자식에게 영향을 끼치듯 혈에 미치는 영향력이 크다.

부봉사(富峯砂) 산의 모습이 가마솥을 엎어 놓은 것과 같고 곡식을 쌓아 놓은 노적가리 같은 것이다. 부자를 나게 하는 산이다. 오행산형 중 금형산체의 모습이다.

부척(浮尺) 묘지의 거리를 잴 때 높고 낮은 땅에 줄을 대지 않고 일직선으로 척수를 헤아리는 일

북신(北辰) 수구사 중에서 특이한 산을 가리킨다. 사람이 보았을 때 두려움을 느끼게 된다. 혈장에서는 보이지 않아야 하며 이런 것이 있는 경우, 보통 군왕지지의 좋은 혈이 만들어진다고 한다. 수구 사이에서 산이나 바위가 험하고 가파르게 솟아올라 혈장을 지킨다.

분벽(分擘) 분지(分枝)와 벽맥(擘脈)을 합친 말로 용맥을 안정시키고 그 세력을 확장하기 위한 본신의 에너지 안정작용이다. 분벽(分擘)은 하나의 용맥이 진행하다가 거의 같은 크기와 힘으로 둘로 나뉘어져서 계속 진행하는 현상으로서, 이는 산맥 기운(生氣)이 안정과 균형을 취하기 위함이다. 이때 둘로 나누어짐은 60°(합 120°)나 30°(합 60°)의 분벽이 안정적이다. 90°를 넘는 분벽은 용맥(龍脈)의 힘을 약화시키고 분벽(分擘)의 각도가 45°이면 산기(散氣)될 가능성이 많다. 30°의 분벽은 좌우가 좁은 만큼 응축(凝縮)도 강하여 분벽 후 바로 혈(穴)을 맺을 가능성이 있는데 이러한 분벽은 자신이 살려는 것보다는 용을 보호하려는 성향이 강하다. 60°의 분벽은 좌우가 균등한 선천성 분벽과 그렇지 않고 좌우의 어느 한쪽으로 치우친 후천성 분벽으로 구분할 수 있는데, 후천성 분벽의 경우 반 에너지원(源)에 의해 좌우 어느 한쪽이 요도성(橈棹性)을 띠며 각도가 변화하기도 한다. 분벽용은 반드시 회합의지(會合意志)를 지녔을 때 청백분벽(靑白分擘)의 정격(定格)이 될 수 있다.

분토(墳土) 무덤의 흙

분찬(奔竄) 달아남

분합(分合, 물의 분합) 래룡맥이나 혈장 선익이 안정을 유지 확보하기 위해 맥기를 나누었다 합하는 모습

분합증혈(分合證穴) 혈에서 가장 가까운 주위의 지맥과 수맥에 의해 결혈의 장소와 진위를 판단하는 증혈법(界明聚堂의 明堂이 穴證이다.)

불급(不及) 어떤 존재의 힘이 상대에게 미치지 못함을 말한다. 양이나 힘이 상대와의 관계에 비해 너무 적거나 약하면 서로간의 균형과 안정을 깨뜨리는 것을 말한다. 입력기운이 약하거나 안산의 조응이 부족한 것을 말하기도 한다.

불배합(不配合) 래룡이 뻗어 온 방향을 패철로 결정할 때, 래룡의 중심선이 간지(干支)의 중심선 상에 놓이지 않은 상태이다. 예를 들어 래룡의 중심선이 해(亥)와 임(壬), 혹은 자(子)와 계(癸) 사이에 놓이면 불배합으로 무기룡(無記龍)이라 한다. 향(向)도 이와 동일하다. 천운지기의 불합이다.

불축(不蓄) 음양이 사귀지 않고 계수(界水)와 합수(合水)가 분명치 않은 것이다. 주변사에 의한 응축이 없는 것

붕면(繃面) 얼킨 곳. 용호가 없고 면이 찌그러져 부서진 것

비룡입수(飛龍入首) 날아 들어온 입수 즉 혈판 뒤가 너무 낮아서 은변역으로 혈판까지 날아 들어온 듯 용맥이 입수하면서 머리를 번쩍 들고 그 에너지가 위로 솟아오른 것. 그 형세가 높으므로 사방 응기하는 사격(砂格)들도 그 균형이 유지되고 있어야 진결(眞結)이 된 혈장이 된다. 혈장에 좌우선익 전순의 격식(格式)이 갖추어져야 하고, 반드시 청룡과 백호의 관쇄(關鎖)를 받아야 한다. 정격(定格) 비룡혈(飛龍穴)은 귀(貴)를 주관한다.

비보(裨補) 완벽한 혈은 없다고 한다. 용혈이 좋아도 주위 사(砂)가 부족하거나 물의 흐름이 빠를 수도 있다. 이 경우 부족한 곳을 인위적으로 보충할 수 있는데 이를 비보라 한다. 지형을 바꾸거나 나무를 심고 또는 탑을 세워 허한 곳이나 불길한 곳을 보충하는 비법이다.

비봉귀소형(飛鳳歸巢形) 봉황은 영조(靈鳥)이며 이 새가 나오면 인간에게는 군자(君子), 성인(聖人)이 나온다고 하였다. 대단히 좋은 땅이다.

비석(碑石) 분묘를 향해 우측에 세움. 정삼품(正三品) 이상의 신하에 한하며 일반인은 표석만을 사용.

비석비토(非石非土) 보기에는 돌 같으나 깨어서 손으로 문질러 보면 고운 흙이 되는 돌 같은 흙을 말하며, 진혈(眞穴)이면 반드시 나오는 혈증(穴證)의 하나다.

ㅅ

사(砂)~쌍천귀(雙天貴)

사(砂) 혈장(穴場)의 전후좌우에 있는 산과 물을 뜻한다. 청룡, 백호도 사에 해당하고 안산, 조산도 역시 이와 같다. 보통 사신사(四神砂)라고 할 때 좌청룡, 우백호와 안산(주작), 부모산(현무)이 이에 속한다. 본래 사(砂)란 옛사람들이 풍수를 가르칠 때 모래소반 위에 여러 가지 모형을 만들어 설명한 데서 유래되었다. 대개 길흉화복은 주위의 사를 보고 판단한다.

사기(死氣) 생기의 반대되는 개념으로 어떤 존재물을 사멸 파괴하는 간섭적 소멸 에너지장을 말한다.

사룡(死龍) 상하 좌우의 움직임이 없는 소멸과정의 용으로 절손된다.

사멸(死滅) 죽어 없어짐

사병패절(四病敗節) 축간(丑艮), 진손(辰巽), 미곤(未坤), 술건(戌乾)

사부절(四富節) 계축(癸丑), 을진(乙辰), 정미(丁未), 신술(辛戌)

사비(四備) 전후좌우에 있는 주작(朱雀), 현무(玄武), 청룡(靑龍), 백호(白虎)가 단정하게 둘러싸인 것. 성국(成局)을 이룸

사비출수(斜飛出水) 물이 감싸돌지 않고 비껴서 고개를 틀고 가는 형상

사상(四象) 일월성신(日月星辰), 태양(太陽), 태음(太陰), 소양(少陽), 소음(少陰)의 총칭. 물, 불, 흙, 돌을 총칭하나 이를 주로 와겸유돌(窩鉗乳突)의 4가지 형태로 분류해 일컫기도 한다.

사성(砂城) 입수두뇌에서 입혈 소맥(小脈)을 일으켜 혈심(穴心)을 보호 육성 응축하는 사로서 혈심 주변을 둘러 싸안는 양(兩) 선익사 즉 혈장의 작은 사신사를 말한다. 설한풍(雪寒風)에 혈심을 보호하는데 그 부족함을 보완하기 위해 인위적으로 조성하기도 한다.

사세(四勢) 혈(穴)을 중심으로 둘러싼 전후좌우 산세를 말한다. 이의 선악미추 대소강약에 따라 길흉선악(吉凶善惡)이 달라진다.

사손절(四孫節) 간인(艮寅), 손사(巽巳), 곤신(坤申), 건해(乾亥)

사신(四神) 북쪽의 현무(玄水神), 남쪽의 주작(朱火神), 동쪽의 청룡(靑木神), 서쪽의 백호(白金神)로 네 방위를 맡은 신

사신사(四神砂) 혈장을 중심으로 전후좌우에 위치하면서 혈장에 동조 응축 에너지장을 공급하는 산을 일컫는 말이며, 현무(玄武), 안산(案山), 청룡(靑龍), 백호(白虎)를 합해서 사신사라 한다. 혈에 생기를 만들어 주는 청룡, 백호, 주작, 현무 등의 사신사는 각각의 생기를 갖고 있다. 현무는 혈에 지기를 직접 전달하고 있어서 사신사 중에서 가장 큰 영향력을 지닌다. 따라서 산세의 규모나 기상이 청룡이나 백호, 주작보다 크고 힘차야 한다. 한 집안이나 개인에게 특별한 능력을 만들어 주는 생기를 갖고 있어, 현무의 지세가 좋은 지역에서는 능력이 출중한 인물이 배출된다. 주작은 재산과 사회적 지위, 평판 등의 기운과 연관된다. 청룡에서 발생하는 생기는 대표적으로 자손번창의 기운, 권력과 지도자의 기운, 재산의 기운을 갖는다. 백호의 기운은 재(財)테크 능력과 여성의 생명력을 갖고 있다. 사신선도(四神先到) 혈장후착(穴場後着)

사요건(四要件) 장사시 필요한 4가지 요건을 말한다. ① 진룡(眞龍)이어야 한다. ② 진혈(眞穴)이어야 한다. ③ 장법(葬法)이 정확해야 한다. ④ 시운(時運)이 맞아야 한다.

사인패절(四人敗節) 해임(亥壬), 인갑(寅甲), 사병(巳丙), 신경(申庚)

사장(四葬) 옛날 중국에서 장사지내는 4가지 방식. 수장(水葬), 화장(火葬), 토장(土葬), 조장(鳥葬)

사재패절(四財敗節) 자계(子癸), 묘을(卯乙), 오정(午丁), 유신(酉辛)

사진(四眞) 간룡, 정혈, 장풍, 득수의 기본으로 진룡(眞龍), 진사(眞砂), 진혈(眞穴), 진수(眞水)를 일컫는다.

사초(莎草) 무덤에 흙을 덧씌우고 잔디를 다시 입히거나, 비석, 상석 등을 설치하면서 묘터를 개수하는 일로 흔히 윤달이나 한식(寒食) 날에 많이 한다.

사충(斜沖) 물이나 바람이 측면에서 비스듬하게 부딪힘

산(山) 풍수에서의 산의 개념은 지형학적인 개념에서의 산과 꼭 일치하지는 않는다. 산의 기준은 경우에 따라서는 평지의 경우 일척(一尺)만 높아도 산이 될 수 있고 일척만 낮아도 수(水)로 취급되기도 하기 때문이다. 산은 지기(地氣) 에너지의 근원체(根源體)로서 그 지기에너지를 이동시키고 생성, 유지시킨다. 또한 다른 연분(緣分)들과 그 에너지를 주고받으며(에너지 수수작용(援受作用)), 스스로의 역량과 다른 연분들의 에너지 응기(應氣)로써 혈장을 만들고 그 혈장에 생명에너지를 응축시키는 본체다. 그러므로 풍수지리의 5대 원리 중 가장 근본이 되는 주체로서 그 역할은 에너지 공급의 주인(主因)이 된다. 또한 주인(主因)의 산에너지체 과실인 혈장은 참주인(主因)이 되고, 그 혈장을 둘러싸고 보호하면서 생기 에너지를 혈장에 응기하는 다른 산(보호사격)들은 혈장에 대한 연분(緣分)들이다. 생명에너지 근원처이다.

산기(散氣) 기운(氣運)이 모이지 못하고 흩어지거나 흩어지게 하는 기운을 말한다. 횡(橫)으로 흩어짐을 산기라 하고 종(縱)으로 흩어짐을 설기(洩氣)라 한다.

산사사(散死砂) 바람이 곤(坤)방향과 간(艮)방향으로 드나들면 산망(散亡)함

산수(山囚) 산용의 래세(來勢)가 급박하여 명당이 좁고 급한 것

산수동거(山水同去) 물이 용맥이 가는 방향과 같이 흘러 나가는 것으로 수(水)가 직(直)이면 산(山)도 직(直)이고, 수(水)가 곡(曲)이면 산도 곡(曲)이 되는 경우가 되어 혈이 맺힐 수 없다.

산수배역(山水背逆) 훈요십조(訓要十條)에서 산과 물이 반궁처럼 배역하면 인정도 배역한다 하였다.

산수융결(山水融結) 산수가 서로 어울려 음양이 화합하고 생명에너지가 동조순

화됨

산신(山神) 산의 에너지장 형태를 산을 지키고 담당하는 신으로 일컬었다. 산신의 신체(身體)는 신선상(神仙象)으로 하여 나타났으며 산신에게 제사하는 일을 산제 또는 산신제(山神祭)라고 한다. 산(山) 생명의 주체 의지(意志)이다.

산태극수태극(山太極水太極) 산과 물이 함께 음양이 되어 태극모양을 이루는 지형지세를 말한다. 음양화합함을 길로 보았다. 그러나 완벽하지 못하면 오히려 흉지가 된다. 주산 안산이 역수함을 최길로 본다.

산형사(散形砂) 산의 가지맥들이 여러 갈래로 나누어져 무질서하게 흩어진 모습을 한 산으로, 이런 산에 묘를 쓰면 자손들은 가산을 탕진하고 서로 불화불목하며 각종 질병으로 우환을 면치 못하는 해를 입는다.

산화(酸化) 유골이 바람이나 물의 피해를 받거나 하여, 환원(처음 원소 상태로 되돌아 감)되지 않고 제3의 물질로 변해 버리는 것(썩는 것)을 말한다. 염기성이나 산성산화 방식으로 변하는 것. 조상유골 원소가 산성 또는 염기성으로 화학적 결합이 되면 산화 즉 썩는 것이고, 본래의 원소로 그대로 남게 되면 환원 즉 이상적 돌아감이 되어 자손의 유전형질 에너지와 상호 동조한다.

살(殺, 煞) 직첨사사(直尖射砂)의 극(剋)으로 기맥과 혈성을 파괴한다. 사람이나 물건 등을 해치는 독한 기운을 말한다. 살(殺)은 어쩔 수 없이 죽어야 하는 것이고, 살(煞)은 어떤 방도를 강구하면 피할 수도 있는 것이다. 지리(地理)에서 말하는 일반적인 살(殺/煞)은 그 쓰임에 따라 서로 다른 의미도 있다.

살룡(殺龍) 용의 좌우(左右)가 예리하고 날카롭게 생긴 것으로 난폭하고 급격하여 상호 간에 시비와 살상을 일삼는다.

삼공사(三公砂) 길사(吉砂)로서 주산에 천갑(天甲)이 있고 안대와 청룡에 삼태(三台)가 있으면 삼공(三公) 정승의 격(格)이다.

삼길(三吉) 신자진(申子辰) 해묘미(亥卯未)의 합성 국(局) 에너지장 동조인 해진경(亥震庚) 조화를 삼길로 본다. 수목(水木) 동조 혈장의 길조

삼덕(三德) ① 정직, 강극, 유극 ② 지(知), 인(仁), 용(勇) ③ 천(天), 지(地), 인(人)의 덕. 법신 반야 해탈덕

삼락(三落) 초락, 중락, 말락의 결혈의지를 지닌 용세의 위상론적(位相論的) 구분

삼불장(三不葬) 3가지 장사하지 못함. ① 용은 있고 혈은 없음 ② 혈은 있고 덕이 없음 ③ 덕은 있고 년월(時)이 불길함. 장사의 조건론적 구분

삼수유(三垂乳) 유돌(乳突)의 종류로서 양팔 중간에 유방이 3개 늘어진 것. 세 개의 유(乳)가 가지런히 있으며 대소장단(大小長短)과 여위고 살찐 것이 비슷해야 길하다. 성혈(成穴)의 특이성(特異性)

삼세정혈법(三勢定穴法) 천인지 삼세혈법으로 입세(立勢), 좌세(坐勢), 면세(眠勢)로 구분하여 정혈한다(지핵 응축의 위상과 형태 질서).

① 천혈(天穴) : 7, 8부 능선 위에서 결작된 입체 하(下) 혈장으로 산정상에 앙고혈(仰高穴), 성두(星頭) 하(下)에 빙고혈(凭高穴), 산척간(山脊間)에 기형혈(騎形穴)의 삼혈이 있다. 모두 상취혈(上聚穴)로 입세(立勢) 안정지다.

② 인혈(人穴) : 5부 능선 전후에서 결작된 단정중후한 혈장으로 좌세(坐勢) 안정지다.

③ 지혈(地穴) : 평지 래룡맥에 누운 듯 엎드려 결작된 수변(水邊) 취돌처(聚突處)다. 주로 수세 안정지다.

삼태(三台) 삼봉(三峯) 형태의 주변사로서 금체(金體), 목체(木體), 토체(土體)별 품격이 각각 다르다. 융기 특성의 조화

삼합수(三合水) 입수두뇌, 청백선익에서 발생된 혈장계수가 명당에서 합수하는 것. 계명(界明)의 특성 안정

삼헌(三獻) 제사 때 술잔을 세 번 올리는 일. 초헌(初獻), 아헌(亞獻), 종헌(終獻)

상극(相剋) 음과 양이 서로 극하고 불배합이 생긴다. 산과 산의 상극, 산과 수의 상극, 수와 수의 상극이 있다. 상생의 필수조건

상대성(相對性) 음양 변역성의 현상특성

상대좌향 패철 방위 좌향 ↔ 절대좌향(근본좌향)

상대향(相對向) 현수(玄水) ↔ 주화(朱火)의 주 중심관계작용선으로 에너지장 동조선이 된다. 상대방위좌향과는 다른 절대방위좌향이다.

상무(翔舞) 단정하고 수려한 조산(朝山)이 혈을 향해 다정하게 조배(朝拜)하고 물을 맑게 조영(朝迎)함

상부(相符) 무정용호(無情龍虎)의 독립적 성혈의지 현상. 혈장 좌, 우측에 있는 청룡맥과 백호맥이 혈장 앞에서 혈을 관쇄 보호하지 않고, 서로 시기하듯이 빗대어 진행하는 것을 말하는데, 구불구불하여 혈장에서 보면 관쇄된 것 같아도 관쇄는 아니다. 물이 청룡 백호 사이를 빠져나가는 힘에 혈장 에너지가 설기(泄氣)되고 그 역량이 약해진다. 이런 곳의 터는 땅의 기운이 갈무리되지 못하고 빠져나가 흉지가 될 뿐만 아니라 물길을 거슬러 골바람(협곡풍(峽谷風))이 들게 되고 자생 수구풍(自生 水口風)으로 전순과 혈장이 무너진다. 용호의 상부는 자손끼리의 쟁투(爭鬪)가 끊이지 않고, 남녀 할 것 없이 불효 불충하며 결국은 자손이 서서히 무너진다.

상속영혼의지(相續靈魂意志) 우주 영혼의지 → 태양 영혼의지 → 지구 영혼의지 → 인간 등 제(諸) 생명체 영혼의지 등으로 조상 영혼의지가 그 후대로 이어짐을 말함

상속유전(相續遺傳) 물질 또는 영혼이 상속성을 지닌 채 유전하는 것

상속의지(相續意志) 상속성을 지닌 영혼의 뜻

상속인자(相續因子) 상속의지를 지닌 영적 또는 육체적 인자

상속종성(相續種性) 상속의지를 지닌 종자 본성

상속종자(相續種子) 상속 유전하는 근본 씨앗

상속주체(相續主體) 상속의지를 지닌 주된 본체. 즉 영혼·자율의지

상생(相生) 오행은 나무에서 불, 불에서 흙, 흙에서 쇠, 쇠에서 물, 물에서 나무가 생한다. 천지가 서로 응함에 음과 양이 생하고 배합이 생긴다는 원리(상극의 필수조건)

상생극(相生剋) 혈핵 형성을 위한 혈장 오행의 상생과 상극이 함께 존재하는 모습(원리강론 참조)

상석(床石) 왕릉에서는 혼유석이라고도 하며 봉분 앞에 놓인 사각형의 돌이다. 일반 무덤에서는 이곳에 제물을 진설하기도 한다.

상수(相水) 혈장에서 물이 분합을 잘 이루는 것으로 혈핵토를 형성하기 위한 계명수(界明水)의 당전(堂前) 상생상합(相生相合)을 의미한다.

상지(相地) 땅의 길흉화복을 보는 것

상지관(相地官) 지관, 지사 등으로 조선시대 지리학에 합격한 관상감 소속 풍수지리 전문직 관원을 일컫는다.

생기(生氣) 스스로 존재물을 생성시키고 육성시키거나 상호 합성하여 생명의 동조적 작용을 일으키는 기운을 말한다. 우주와 자연을 변화시키고, 천지만물을 창조하고 생육하는 천지기, 빛, 산소, 물, 영양분, 온도 등의 복합성 지표 에너지 기운이다. 자연의 상태에선 흙 속에 머문다. 지기의 핵력장, 강력장, 중력장, 인력장, 척력장, 전기장, 자기장, 약력장, 열력장, 풍력장, 수력장 등 합성생명 에너지장이 지표면을 이동하며 만물을 생성케 하는 것

생기감응(生氣感應) 사자(死者)의 골체(骨體)가 땅에 묻히면 그 땅속에 흐르는 생기가 유골에 감응되어 살아있는 그의 자손에게 전달되는 현상. 또 집터나 좋은 땅에서 발생하는 지기에 의해 순화 감응되는 생명 에너지장의 현상

생룡(生龍) 기복(起伏 : 솟아나고 엎드리고)이 크고 꿈틀꿈틀하며 부귀(富貴)한다. $\theta=\angle 30° \times n$배 질서에 의해 변화 안정 질서를 유지하는 용

생명에너지(Vital-Energy) 생기라고도 하며 생명 재창조 에너지이다.

서사택(西四宅) 집의 서쪽, 패철에서 건곤간태(乾坤艮兌) 방향

서파(鋤破) 혈판 입혈맥과 선익을 호미로 파서 깨트림. 혈장을 다룰 때 조심하지 않으면 아니 된다는 뜻

석골(石骨) 석맥질로 형성된 산

석산(石山) 돌산으로 생기가 흐르지 못함. 흙이 없는 산으로 흉룡(凶龍)이다.

석중혈(石中穴) 석산에서 혈을 구할 때에 반드시 살펴야 하는 성혈조건이다.

선교(仙橋) 수성(水星)의 양 모서리가 화체(火體) 또는 목체(木體)를 동반한 것. 신선을 관장

선구조(線構造) 한반도 산세의 대표적 구조로서 선과 같이 쭉 이어진 산맥 구조

조직체의 지표를 말한다. 수평조직 → 선구조, 수직구조 → 입체구조, 합성 구조가 있다. $\theta = \angle 30° \times$n배 원리에 따라 입체 정지 에너지체가 아닌 이동하는 에너지체 조직을 말한다(원리강론 - 지구 표면 에너지체의 구조원리 참조).

선도후착(先到后着) 주산과 객산 중 객산의 종착점이 주산의 종착점보다 먼저 도달하여 주산을 기다리고 있는 혈핵 형성의 절대적 질서를 말한다. 선도후착은 반드시 주작선도 현무후착, 청백후착 주작선도, 청룡선도 백호후착이 되어야 한다. 백호가 선도될 때는 왕성하면 좋지 않고 특히 좌측의 청룡선익을 깨뜨릴 정도면 더욱 피해야 할 것이다. 선도후착에서도 반드시 물의 흐름과 대기현상(待期現象)을 함께 같이 보아야 한다.

선룡(善龍) 생룡(生龍), 복룡(福龍), 강룡(强龍), 순룡(順龍), 진룡(進龍) 등이 있는데, 선성(善性)의 에너지를 발현하는 까닭에 수(壽), 부(富), 귀(貴)의 길복(吉福) 현상이 나타난다.

선산(先山) 조상의 무덤이 있는 산. 선영(先塋), 종산(宗山)이라고도 한다.

선익(蟬翼) 혈을 감싸고 있는 혈핵 보호의 필수적 꽃받침. 혈장의 좌우에 붙어 있는 조금 높은 부분으로, 그 모습이 매미 날개와 비슷하게 생겼다 하여 매미 선(蟬)자와 날개 익(翼)자를 썼다. 선익과 같이 입수맥의 좌우에서 혈장을 보호하는 연익(燕翼 〈제비 연(燕), 날개 익(翼)〉)이라는 것도 있다. 입수로부터 나와 혈장 좌우에 있는 사(砂)로써 혈심을 보호하고 생기 에너지를 공급하여 혈핵을 횡응축(橫凝縮)시키는 장치로 조직이 견고 할수록 좋다. 특히 청룡선익은 자손을 이어가는 데 절대적인 역할을 한다. 청룡이 아무리 좋아보여도 청룡선익이 없으면 자손을 이어가기가 어렵게 된다.

선인(仙人) 오성의 유형으로 목성대화(木星帶火)를 말한다. 그 나부낌이 마치 선인과 유사하다.

선인무신(仙人舞神) 주산을 목성으로 하고 전면에 금안(琴案)이 가로 놓인 것

선인취회형(仙人聚會形) 신선이 모여 있는 형

선천영혼(先天靈魂) 상속의지를 지닌 이전 본체 영혼

선천인자(先天因子) 상속의지를 지닌 이전 근본 종자

설기(洩氣) 추족이나 노태와 같은 형태의 용맥에는 생기적 Energy가 모여 응결되지 않고 앞으로 쭉 빠져 나가는데, 그 빠져 나가는 기운의 상태를 설기라고 한다. 즉 기운이 머물지 못하고 기운이 흘러나가는 것을 말한다. 종적(縱的) 불안정 누기(漏氣) 상태를 말한다. 산수동거 형세에서 주로 일어난다.

설심부(雪心賦) 당(唐)의 소문관(昭文館)학사를 지낸 장공(章貢) 복칙위(卜則巍)의 저술 책. 복응천의 형기론적 경전이다.

섬용작혈(閃龍作穴) 래룡맥이 옆으로 건너뛰어 내려와 맺힌 혈로 일종의 측혈(側穴)과 비슷하나 그 결혈 형태가 서로 다르다.

섬유(閃乳) 유혈 중 유(乳)가 한쪽으로 치우쳐서 띄어 있는 것

섬질(閃跌) 미끄러지다.

성국(成局) 혈장 국(局)을 이루는 형태, 즉 사신사(四神砂)를 이루는 것

성빈(成殯) 빈소를 만드는 것

성진(星辰) 주로 하늘에 무수한 별 중 28숙(宿)으로 청룡, 백호, 주작, 현무 등이 있고 12년 만에 한번 나타나는 세성(歲星) 등이 있음. 산봉의 무리

세(歲) 지구가 태양을 한 바퀴 도는 기간. 수효는 연(年)으로 표시, 1년은 12개월, 365일 소요

세(勢) 산 에너지 흐름의 성상작용을 의미한다.

소간룡(小幹龍) 대간룡에서 가지 쳐 나온 용을 뜻한다. 대간룡이 나누어질 때 주로 주체적 에너지체가 되는 산을 태조산이라 하고 보통 그 길이는 2백, 3백리가 되거나 짧으면 2, 3리가 된다. 이 과정에서 발달하는 것이 소간룡인데 소간룡에서 대지룡(大技龍), 소지룡(小技龍)이 갈라져 나온다.

소돌형(小突形) 돌혈 중 돌(突)이 작고 약간 솟아있다. 그러나 너무 작으면 진(眞)이 아니고 적당히 작고 면이 빛나며 살찌고 부드러워야 길하다.

소맥(小脈) 용이 크면서 맥이 작은 것은 매우 좋으나 소룡 소맥은 약룡(弱龍)이다.

소유(小乳) 유돌(乳突)의 종류로서 양팔 중앙에 늘어져 있는 작은 유방. 유형의 크기가 아주 작은 것으로 역량과 기(氣)가 약하다.

소응(所應) 풍수에서 실증적 사실을 말함

소장(消長) 쇠하여 줄어들고 성하여 늘어난다.

소조산(小祖山) 중조산을 출발한 후에 형성된 산으로서, 혈장(묘터나 집터) 가까이에 있는 혈후(穴後) 큰 산을 말하며, 현무정, 진산(鎭山) 또는 주산(主山)이라고 부르기도 한다. 혈장에서 가까운 조상산이란 의미로 소(小)자를 썼으며 혈장 에너지의 중간 집합처(集合處)인 조정지(調整池) 역할을 한다. 입수하기 전의 에너지가 집합된 산으로서 혈장에 미치는 역량이 가장 크다. 혈장에 가까울수록 좋고, 입수로부터 5절 내지 7절 이내에서 수려(秀麗)하게 혈장을 향해 머리를 드리우고 수두(垂頭) 있으면 최길하다.

소취국(小聚局) 가장 작게 모인 국(局)으로서 적은 집터나 음택지(陰宅地)가 된다. 용의 결국 중 하나로서 향촌의 양택(陽宅)이 되는 곳으로 범위가 긴축견고할수록 아름다운 것이며 음택(陰宅)에서는 더욱 긴밀할수록 길하다.

속기(束氣) 본신룡(本身龍)과 주변사(周邊砂)의 관계작용으로 혈장을 생성하기 전 래맥을 움켜쥔 것처럼 잘록한 형상을 말함. 봉요처(蜂腰處)라고도 한다.

속기입수(束氣入首) 혈후(穴後)가 결인(結咽)되어 모든 맥기(脈氣)가 묶여서 혈(穴)로 들어오는 매우 좋은 입수다.

속맥(續脈) 속맥이란 맥이 끊어졌다가 다시 이어져 진행하는 맥이므로, 반드시 맥이 이어져 나가는 증거가 있어야 한다.

속발(速發) 발복(發福)이 빠름

수(水) '수(水)'는 말 그대로 물을 의미하는 경우도 있지만 풍수에서는 조금이라도 낮은 곳이면 물이 되는 경우가 있으니, 평지의 경우 일척만 낮아도 물이 될 수 있으며 도로도 물로 보는 경우가 있다. 음양의 기가 뭉쳐 산이 되기도 하고 물이 되기도 하는데 산은 동(動)코저 하기 때문에 양(陽)으로 보고, 물은 정(靜)코저 하기 때문에 음(陰)으로 보아 산수 음양이 서로 만나는 곳이 길지(吉地)가 되는 것이다. 山 → 부모, 물 → 자손

수구(水口) 수구는 명당 앞에 모인 물이 흘러나가는 곳을 총칭해서 부르는 용어다. 즉, 물의 출구(出口)인 셈이다. 풍수에서 물은 필수적이다. 물이 없으면 기(氣)가 모이지 않는다. 따라서 용이 오는 곳도 물의 흐름을 더듬어 가면

찾을 수 있다. 산의 방향과 물의 방향은 대개 일치하게 마련이나 진혈처의 수구는 반드시 외수의 진행과 역수하여야 길하다(辰巽巳 未坤申).

수구사(水口砂) 혈장에서는 보이지 않는 산으로, 물이 흘러가는 파구의 한가운데에서 물의 흐름을 막아서는 바위섬이나 양쪽에 위치해 물과 혈장기운의 누설 흐름을 더디게 하는 사(砂)를 말한다.

수두(垂頭) 주산이 혈장을 끌어안듯 보호하며 완만한 경사를 이루고 있는 모습

수렴(水廉) 시신이 물에 차 있거나 습에 의한 상해가 발생한 것

수맥(水脈) 물이 지나가는 맥

수법(水法) 물에 의한 풍수적 제(諸) 논리

수변역(垂變易) 정변역(正變易)처럼 지각의 지탱을 받으면서 직진(直進)하지만, 지각(枝脚)이 짧으면서 불룩불룩 솟은 포(泡)가 있다(정변역 에너지 부족현상).

수성(水城) 물이 성같이 에워쌈. 5성산과 같이 5성수로도 나눈다. 수목화토금성에 따라 길흉을 본다.

수성(水星) 오체산 중 수체산(水體山)을 말한다.

수성혈(水星穴) 혈성의 머리가 평하고 몸이 굽은 것

수세(水勢) 물의 성상작용을 나타낸 것

수세정혈법(水勢定穴法) 물 흐름의 성상을 보고 혈을 정하거나 진혈(眞穴) 여부를 판단하는 방법이다.

수염(水炎) 매장되어 있는 유골이 지하수나 지표수로 인해 피해를 입는 것으로, 이로 인해 자손은 비위병 암(癌) 등 물로 인한 병을 앓게 된다. 수렴(水廉)이라고도 함

수의(壽衣) 시체에 입히는 옷으로 깨끗하게 잘 삭는 것이 좋다.

수장(水葬) 시체를 강물이나 바다에 던져 넣어 버리는 장사로 좋은 것이 아니다.

수형산(水形山) 수체(水體)라고도 한다. 산이 연이어 있는 모습이 물결이 흘러가는 모습과 같다고 하여 수형산이라고 한다. 수형산은 주로 예재(藝才)를

주관한다.

수회(水回) 물이 혈을 다정하게 감싸고 조영(朝迎)을 이루면서 명당 앞을 굽이 굽이 흘러감는 것

순룡(順龍) 산이 수려하고 둥글게 모여들면서 차츰차츰 낮게 진행하고, 사격(砂格)들이 유정(有情)하며 충효하고 수강(壽康)을 누린다. 성봉(星峰)이 나오고 지각도 순이 펼치고 행도가 둥글게 모였음. 귀격(貴格)으로 부귀면면(富貴綿綿)하고 백자천손(百子千孫)이 효순화목(孝順和睦)하다.

순역(順逆) 음양질서에 맞는 것은 순, 불합리한 것을 역이라 한다.

순전(脣氈) 혈 아래 남은 기운이 발로(發露)한 것. 큰 것이 전(氈)이며 작은 것이 순(脣)이다. 명당의 회합수가 외환포수와 역진하는 래팔거팔 파구를 형성해야 진(眞)이다(전(纏) → 청백선익의 여기가 전순이 된 것 / 전(氈) → 혈핵 여기가 전순이 된 것)).

순화(醇化) 사념(邪念)이 없어짐. 그와 같이 교화(敎化)함. 에너지장 동조에 의해 서서히 동질화하는 것

순환(循環) 사람의 피가 혈관을 통해서 돌고 돎을 반복하듯이 같은 길을 되풀이해서 이동하는 것을 말한다. 지구의 핵 Energy는 순환과 발산작용으로 지구표면을 변역 이동하고 있다.

술사사(術士砂) 길사로서 수구에 무리사가 사귀어 무더기가 되고 무기(戊己) 쪽에 봉우리가 높으면 술객(術客)이 나옴(戊戌 戊辰 己未 己丑)(乾 巽 坤 艮)

슬공(膝拱) 기맥이 거칠고 좌우가 포위되지 않음. 무릎을 끼고 불 없는 화로 앞에 앉은 모습

승금(乘金) 혈장에서 혈핵 토기(土氣)를 완성하기 위한 혈장 금기(金氣)의 승기(乘氣) 구조를 의미한다. 혈장이 금성(金星)으로 이루어진 입수(入首) 래룡을 받는 것 → 먼저 금기를 타야 한다는 말. 인목 상수와 더불어 혈토를 형성하는 혈장 요인

시조산(始祖山) 산맥의 맨 처음 근원이 되는 산으로, 크기와 모습이 웅장하고 수려한 것을 말한다. 한반도의 영산인 백두산과 같은 산을 말한다.

신동사(神童砂) 길사(吉砂)로서 미곤(未坤)방향에 엎드려 사양하는 봉우리가 있거나 입수두뇌가 원만한 층층 암석으로 있으면 장원급제하는 신동(神童)이 나옴.

신사(神祀) 신을 모시는 사당

신영귀피(神迎鬼避) 취길피흉(取吉避凶)으로 좋은 것은 취하고 나쁜 것은 피하는 것

심령(心靈) 육체와 따로 떨어져 있다고 생각되는 마음의 주체

심와(深窩) 와혈 중에서 깊이 들어간 혈

심혈(尋穴) 혈을 찾는 것

십간(十干) 갑을병정무기경신임계(甲乙丙丁戊己庚辛壬癸). 천체 에너지장을 십등분하여 구분한 것으로 천체 에너지장 129,600 위상 특성을 십진법으로 분석한 것이다.

십승지(十勝地) 도참풍수에서 말하는 풍수적 길지 10곳을 일컫는다.

십이지(十二支) 자축인묘진사오미신유술해(子丑寅卯辰巳午未申酉戌亥). 천체 에너지장 동조에 의해 형성된 지기 에너지체를 12마당 에너지장 특성으로 분해하여 구분한 것

십이룡(十二龍) 생룡(生龍), 왕룡(旺龍), 반룡(盤龍), 은룡(隱龍), 독룡(獨龍), 고룡(孤龍), 사룡(死龍), 애룡(哀龍), 산룡(散龍), 광룡(狂龍), 천룡(賤龍), 편룡(片龍)으로 나눈 것. — 임자(壬子), 계축(癸丑), 간인(艮寅), 갑묘(甲卯), 을진(乙辰), 손사(巽巳), 병오(丙午), 정미(丁未), 곤신(坤申), 경유(庚酉), 신술(辛戌), 건해(乾亥)의 12특성룡(特性龍)

십이운성(十二運星) 포태법(胞胎法)을 말한다. 포태양생욕대관왕쇠병사묘(胞胎養生浴帶官旺衰病死墓). 만물의 생장 소멸을 12질서로 구별 해석한 것

십이윤회(十二輪廻) 포(胞), 태(胎), 양(養), 장생(長生), 목욕(沐浴), 관대(冠帶), 임관(臨官), 제왕(帝王), 쇠(衰), 병(病), 사(死), 묘(墓) / 무명(無明), 행(行), 식(識), 명색(名色), 육입(六入), 촉(觸), 수(受), 애(愛), 취(取), 유(有), 생(生), 노사(老死)

쌍검살(雙劍殺) 사(砂) 또는 풍수(風水)가 엇갈려 만나는 것. 이기론(理氣論)에서 술건룡(戌乾龍)에 신기(辛氣), 미곤룡(未坤龍)에 정기(丁氣), 진손룡(辰巽龍)에 을기(乙氣)는 살기(殺氣)로 본다. 지룡이나 요도가 이중으로 찌르는 것.

쌍겸(雙鉗) 두 다리의 좌우가 쌍지(雙枝)로 갈라진 것으로 삼각(三脚), 사각(四脚)으로 된 혈도 있다. 다리 끝이 뾰족하여 서로 찌르는 것은 좋지 않다.

쌍돌(雙突) 돌혈(突穴)의 종류로서 두 개의 돌기가 가지런한 곳. 균형됨이 중요하다.

쌍돌형(雙突形) 돌혈의 변형으로 돌이 양쪽에 있으며 대소(大小), 고저(高低), 살찌고 마른 것. 돌면(突面), 형세가 균형 잡히고 아름다워야 한다. 쌍유(雙乳)도 동일하다.

쌍산사(雙産砂) 주산 또는 안산에 봉우리가 쌍봉으로 뿔같이 있으면 쌍태(雙胎)한다. 태정방(兌丁方)에 우물이 함께 보일 때는 더욱 그러하다.

쌍수유(雙垂乳) 유형의 격이 대소와 장단이 고르게 된 곳에 정성(定星)하면 복덕(福德)이 있음. 유혈(乳血)의 최상격(最上格).

쌍유(雙乳) 유돌의 종류로서 마치 어미의 젖무덤과 같이 균등하고 아름다워야 한다.

쌍천귀(雙天貴) 두 개의 천귀봉(天貴峰). 현수봉에나 안산봉에 크게 수려한 두 봉이 장엄하게 함께 있는 것

ㅇ

아미사(蛾眉砂)~입혈맥(入穴脈)

아미사(蛾眉砂) 반달모양 같고 아름다운 여인의 눈썹같이 생겼다 하여 이르는 말로서, 혈장과 아미사 사이에는 내나 강물이 유정하게 흐른다. 아미사는 절세미인을 배출하는 기운이 서려 있다. 물이 적으면 옥대사라 한다.

악룡(惡龍) 사룡(死龍), 병룡(病龍), 약룡(弱龍), 역룡(逆龍), 퇴룡(退龍), 겁룡(刦龍), 살룡(殺龍), 절룡(絶龍) 등이 있고, 악성적 에너지를 발산하여 흉화(凶禍)가 발현된다. 형충파해살을 띠면 악룡이 된다.

안맹사(眼盲砂) 명당에 나성(羅城)이 길게 꾸부러져 반배(反背)하면 맹인이 나온다. 좌우에 바위가 돌출하여 찌르면 더욱 그러하다.

안대(案對) 혈 앞의 안산(案山)이 가까이 마주보는 것을 의미하는 것. 반드시 선도(先到)함을 요한다.

안산(案山, 주작(朱雀)) 안산(案山)은 혈장 앞의 가장 가까운 산으로 혈장 앞쪽에서 혈장을 보호 육성 응축하는 산을 말하는데, 사람에 비유하면 주인 앞에 놓여 있는 책상과 같다 하여 책상 안(案)자를 썼다. 사신사 중 주작과 같은 뜻으로 안산을 주작(朱雀) 또는 주화(朱火)라고도 한다. 안산은 혈장과 가까울수록 좋고, 크기와 높이가 혈장과 균형이 유지되고 또한 혈장을 향해 선도한 에너지 응기각도가 충분히 유지되고 있어야 한다. 안산이 유정(有情)하고 아름다우면 자손의 예(禮)가 두텁고, 사회의 신망과 도움을 받아서 사회적인 인물로 출세하게 된다. 안산이 등을 돌리고 앉아 있거나 달아나면 사회의 배신을 당하고 또한 배신하는 자손도 나온다. 안산이 험상궂으면 난폭한 자손이나 여인이 난다.

암공수(暗拱水) 물이 보이지 않게 감싸 돌아 면전에서 유정하게 머물다 감추는 것

암굴분묘(巖屈墳墓) BC. 3000~200년경 근동지방에서 행하여진 분묘 형태. 암굴을 파서 만든 것으로 굴 안에 관을 안치하고 벽에는 사자(死者)의 영세(永世)를 신봉하는 경문(經文), 그림 등이 있다.

암석입수(岩石入首) 이것은 순암석(純岩石)은 불가(不可)하고 겹겹이 쌓여 뿌리를 지닌(꺼풀을 벗는) 응축된 바위라야 하는데 개안(開眼)이 필요하며 함부로 선택 재혈(裁穴)할 수 없다. 혈장후착을 위한 대기특성의 암석(巖石)일 것.

압혈(壓穴) 안산이나 조산이 혈보다 지나치게 높고 가까이 있으면서 반배(反背)하여 혈을 누르는 것을 압혈이라 한다.

앙와(仰瓦) 암기와처럼 하늘을 보고 누운 형상

야자형(也字形) 야자형(也字形)의 혈 뒤에 호(乎)자형의 사(砂)가 있고 혈 앞에 천(天)자형의 사가 있음을 요하며 이것이 구비되면 대단한 길지로서 가문에 뛰어난 사람을 배출한다고 전한다.

약룡(弱龍) 용이 형충파해살을 당해 허약하고 무력(無力)하며 축 늘어져 보이고 흐늘흐늘하다. 빈천하고 고독하고 병약해진다.

양기(陽基) 사람이 사는 주택지(대지) 또는 마을이나 부락 또는 도회가 형성된 기지(基地)를 뜻한다. 서울의 경우 4대문 안이 양기에 해당한다. 개인집의 경우는 울타리 안이 이에 속한다.

양래음수(陽來陰水) 음래양수(陰來陽水)와 동일용어로서 음양성상의 배합조화를 이르는 말이다. 래룡맥세, 국세, 혈장세, 풍수세, 방위세 등에 두루 적용된다.

양비(兩臂) 두 팔. 혈장4과와 사신사를 두견비주완슬(頭肩臂肘腕膝)로 구분 표현한다.

양산(陽山) 음산(陰山)과 함께 쓰는 용어. 강건 양돌한 산

양수(陽水) 지표상에 흐르는 물 ↔ 음수(陰水, 지하수)

양수구(陽水口) 백호가 짧고 청룡이 길어서 청룡이 백호를 둘러싼 듯한 수구 ↔ 음수구

양수양파(兩水兩破) 내득수에서 선익 또는 용호의 물이 합수되지 못하고 갈라져서, 각각 다른 방향으로 흘러가 버리는 것을 양수양파(兩水兩破)라고 하며 아주 흉한 것이다.

양시(養尸) 생전의 몸이 그대로인 채 환원되지 않은 것

양양유유(揚揚悠悠) 물이 굽이굽이 길고 천천히 흐르는 모양

양요(兩曜) 청백 양쪽에 광채가 나는 성진(星辰)의 요사(曜砂). 혈장 좌우에 붙어있어 혈책을 응축한다.

양의(兩儀) 태극(太極)에서 생성되어 음과 양이 서로 대립한 상태로 우주의 활동이 개시(開始)되는 것이다. 음양무기(陰陽無記)의 3성리(性理) 중 무기성(無記性)을 생략한 양의론이므로 풍수원리상 불가론적(不可論的) 이치(理致)이다.

양의정혈법(兩儀定穴法) 양균송의 장법 중 '혈처가 꺼져있는 것은 음혈(陰穴)이고 볼록한 것은 양혈(陽穴)인데, 이 둘을 일러서 양의(兩儀)라고 한다'고 하였다. 인자수지에서는 '양의(兩儀)란 곧 음양이며, 산수(山水)로서 각각의 음양 가운데 다시 음양이 있다. 용의 음양과 혈의 음양이 있어 태극 원훈 속에서 살찌고 일어나는 것은 양이 되고 여위고 함(陷)한 것은 음이 되니, 이것이 혈법(穴法)의 양의(兩儀)이다'라고 하였다. 즉, 음룡(陰龍)이면 양혈(陽穴)을, 양룡(陽龍)이면 음혈(陰穴)을 낳는다고 하였다. 역시 무기논리가 빠져있다.

양자사(養子砂) 청룡이 작은 봉우리를 안으면 양자가 나온다. 외산청룡이면 양자를 받는다.

양택(陽宅) 돌아가신 분의 묘터(음택, 陰宅)와 반대되는 말. 살아 있는 사람이 주거하는 곳으로 주택. 도성, 읍촌의 기지(基地)를 말한다. 즉 살아 있는 사람은 양(陽)이 되고, 돌아가신 분은 음(陰)이 된다.

양풍(陽風) 산자락에서 자연적으로 부는 맑은 바람

양혈(陽穴) 혈(穴) 가운데가 약간 볼록한가 오목한가에 따라 양혈과 음혈로 구분한다. 음래양수(陰來陽水)하고 양래음수(陽來陰水)하여 음룡에서는 양혈이, 양룡에서는 음혈이 맺힘으로 용과 혈이 음양의 조화를 이룬다고 하였다.

어대(御臺) 토금목성의 수려한 사신사

어병사(御倂砂) 개장(開帳)을 한 좌우의 청룡(靑龍) 백호(白虎)가 혈장 뒤에서 병풍을 두른 것 같다고 해서 어병사라고 하며, 이러한 어병사가 혈장 뒤를 두르고 혈장을 응기하면 그 터의 자손은 왕이나 왕비와 같은 극귀인(極貴人)이 난다고 한다.

에너지(Energy) 일체의 자연현상을 생성(生成)과 괴멸(壞滅)의 법칙에 따라 생성 도태시키기도 하고 유지시키기도 하는 힘의 근원이다. 에너지는 삼라만상(森羅萬象)의 일체존재(一切存在)들의 원소(元素) 물질에 두루 존재한다. 물질 즉 에너지 $E = MC^2$의 물질이 지닌 힘의 작용력이다. 즉 존재불멸적 근원이다.

에너지장(Energy場) 혈장 주변의 산, 물, 바람, 日, 月 등이 주고받는 에너지가 미치는 작용 범위로, 국(局)이나 국세(局勢)의 현대적 표현이라고 할 수 있다.(어떤 砂의 에너지가 미치는 범위) $E_O = MC^2 \fallingdotseq E_O$ Energy Field

여기(餘氣) 행룡(行龍)하던 용이 내려가다가 혈장을 만들고도 용세가 완전히 끝나지 않고 더 달려가는 힘을 여기라 한다. 큰 혈장에서는 용세가 완전히 그치지 않고 나머지 힘으로 지각을 뻗어 내려감이 보통이다. 혈을 맺고도 일부분 남은 용의 기운이 행도(行度)를 계속하여 작은 혈을 낳거나 청백 또는 수구사가 되기도 한다.

역룡(逆龍) 용의 지룡이 본신룡을 보호하지 않고 오히려 거꾸로 날아가는 새처럼 보인다. 가장 흉한 용(龍)으로서 흉폭한 불효자나 반역자 등 도둑이 나오고, 귀양 또는 감옥살이를 면치 못한다.

역리사(逆理砂) 혈장 전후좌우의 사신사가 혈장을 유정하게 감싸지 않고 등지고 달아나듯이 진행하는 배역주(背逆走)하는 산을 말하는데, 이런 터의 자손들은 불효 불충하고 자손 간에도 불화불목(不和不睦)하게 된다. 안산 백호가 역리(逆理)하면 며느리와 딸이 불효・부정하여 배신을 하고 재물도 도망간다. 현무와 청룡이 역리(逆理)하면 자손이 불효 불충 배신하고 단명 자손이거나 불목(不睦)한다.

역석(礫石) 자갈, 조약돌

역수(逆水) 용맥이 진행하는 방향과 반대방향으로 흘러오는 물, 즉 물이 거슬러 흐르는 형태로 역수가 되어있어야 진혈이 생긴다. 물길이 혈을 향해 들어오는 형상으로 풍수에서는 재물이 몰려온다고 해석하여 귀하게 본다. 명당수라고도 한다.

연기 변역의지(緣起 變易意志) 연분에 의지하여 변화하는 무상성의 본성. 변역코자 하는 자율의지

연기 변역현상(緣起 變易現象) 연분에 의지하여 변역하는 무상존재 현상

연기 주체의지(緣起 主體意志) 인연화합이 일어나는 주체적 의지 즉 능인(能因)

연기변역체(緣起變易體) 인연화합으로 형성되는 현상체. 연기하여 변역된 실체

연기본체(緣起本體) 연기인연하는 당체(當體)

연기성(緣起性) 연기화합하여 일어나는 존재특성. 인연하여 변역하는 본성

연기영혼(緣起靈魂) 연기화합하려는 본성의지. 인연화합된 영혼

연기영혼인자(緣起靈魂因子) 연기화합하려는 주체인자(영혼주체인자)

연기영혼주체(緣起靈魂主體) 연기화합하려는 인자와 연자의 본체의지

연기종자(緣起種子) 연기화합하려는 근본 씨앗

연기주체인자(緣起主體因子) 연기화합하려는 주체인자(能因)

연기현상(緣起現象) 연하여 일어나는 모습. 연기화합하는 모습

연면(蓮綿) 잇달아 끊이지 않음

연분(緣分) 능인자(能因子) 씨앗이 자라서 열매 맺고 시들어 죽는 데 영향을 주는 주변의 환경적 관계이다. 토질, 물, 바람, 햇빛 등이 연분 역할을 한다. 인자의 특성을 작용화하는 실 연자적(實 緣子的) 요소

연분인자(緣分因子) 연분적 요소

연소(燕巢) 제비집

연익(燕翼) 선익(蟬翼)에 비교하여 두텁고 크다고 하여 붙여진 제비날개. 입수맥의 좌우를 끼고 흐르는 보호사. $\theta = \angle 30°$ 분벽지(分擘枝)

염(炎) 묘터가 좋지 않거나 관리 소홀로 물이나, 바람, 나무뿌리, 벌레 등에 의해 유골이 해를 입는 것으로 자손에게 나쁜 영향을 준다.

염(殮), 염습(殮襲) 죽은 이의 몸을 씻은 후에 수의를 입히고 염포(殮布)로 묶는 일로 단단히 묶을수록 좋다.

염정(廉貞) 구성(九星)의 성질로 오귀(五鬼), 독화(獨火), 왕용(枉龍), 형살흉독(刑殺凶毒)을 관장함

영(迎) 혈장 앞에 조(朝), 안(案), 응(應), 대(對) 모습의 산을 영(迎)이라 한다. 과협 전후단의 송(送)영(迎)사(砂)도 이에 속함.

영계(靈界) 영혼 본성의 세계

영고(靈告) 신령의 계시(啓示)

영기(靈氣) 영묘한 기운

영봉(靈峰) 높고 웅장하여 신령스러운 산. 영산(靈山)

영상사(領相砂) 산의 양끝이 솟고 중심 정상이 평평하여 일자형(一字形)의 토체형산(土體形山)으로 된 모습을 말한다. 이러한 산의 기운을 이상적으로 동조받는 터에서는 영상급(현재의 국무총리급) 자손을 배출한다고 한다.

영송(迎送) 맞이하고 보내는 것

영위(靈位) 혼백(魂魄)이나 가주(假主)의 신위(神位)

영천(靈泉) 맛이 달고 맑으며 향기로운 물. 혈이 맺힌 곳에서 사계절 내내 물의 양이 일정하며, 더울 때에는 시원하고 추울 때에는 따뜻하게 나오는 진응수를 말한다.

영혼(靈魂) 이성을 지닌 자율의지. 육체를 떠나서도 존재하며 감각, 사고, 의욕 등 인간 활동의 원동력으로 생각되는 정신적 실체. 육체와 공존하는 생명령(生命靈), 기아령(氣兒靈) 등의 영질(靈質)과 시체에서 유리하여 남아있는

사령(死靈), 정령(精靈), 영혼(靈魂)으로 분리됨. 주령(精靈), 객령(客神), 혼령(青木神), 백령(白金神), 주체의지(絶對靈魂)

영혼불멸(靈魂不滅) 육체는 멸한다 할지라도 영혼만은 존재하여 미래의 생활을 계속한다고 하는 주체적 불멸 의지 관념. 자율의지 불멸성

예천(醴泉) 물맛이 식혜와 같으며 성스러운 물로 장수케 한다.

오기(五紀) 세(勢), 일(日), 월(月), 성진(星辰), 역수(歷數)를 말함. 1기(紀)를 12년으로 하여 60년을 말하기도 한다.

오동지(梧桐枝) 용신(龍身)의 지각(枝脚)과 지룡의 마디가 균형을 이루어 발생하는 형태

오렴(五廉) 시신과 광중 속에 발생하는 다섯 가지의 흉한 현상
- 목렴(木廉) 나무뿌리가 유골을 감거나 광중 속에 찬 것
- 수렴(水廉) 광중에 물이 차거나 습한 상태
- 충렴(蟲廉) 벌레들이 봉분 속에서 유골을 감싸거나 파먹는 현상
- 풍렴(風廉) 봉분 속에 바람이 들거나 관통하여 유골이 검고 푸석푸석 상하는 것
- 화렴(火廉) 시신이 새까맣게 타며 녹아 가루가 되는 현상
- 빙렴(氷廉) 광중이 얼어있거나 고드름이 맺혀 있는 경우
- 석렴(石廉) 자갈이나 돌바닥이 되어 마치 냉혈처럼 시신이 굳거나 녹는 현상
- 토렴(土廉) 진흙이나 모래처럼 되어 시신이 굳거나 녹는 현상

오방신장(五方神將) 동서남북과 중앙의 5방위. 동은 청제(青帝), 서는 백제(白帝), 남은 적제(赤帝), 북은 흑제(黑帝), 중앙은 황제(皇帝)이다.

오복(五福) ① 수(壽), 부(富), 강녕(康寧), 유호덕(攸好德), 고종명(考終命) ② 장수(長壽), 부유(富裕), 무병(無病), 식재(息災), 도덕(道德) ③ 수(壽), 부(富), 귀(貴), 강녕(康寧), 다남(多男)

오불장(五不葬) 다섯 군데에 장사하지 못함. 동산(童山), 단산(斷山), 석산(石山), 과산(過山), 독산(禿山). 원리강론에서는 무기산(無記山), 무기(無記) 풍수방위(風水方位)를 합쳐 칠불장(七不葬)이라 한다.

오산(五山) 오행을 바탕으로 하여 목화토금수형 산

오성귀원격(五星歸垣格) 인자수지에서 다루는 내용으로, 귀격의 성국(星局)을 말한다. 수성(水星)은 북(北)에서 벌리고, 화성(火星)은 남(南)에 솟고, 목성(木星)은 동(東)에서 빼어나고, 금성(金星)은 서(西)에서 앉아있고, 토성(土星)은 중앙에서 융결(融結)한 것을 말한다. 사면(四面)이 상등(相等)한 국(局)을 지니므로 백세(百世)에 남는 극귀인(極貴人)이 나오고 신동장원(神童壯元)이 나온다고 한다.

오성삼격(五星三格) 인자수지에서 오성의 산을 청(淸), 탁(濁), 흉(凶)의 3가지로 나누어 오성삼격(五星三格)이라 하였다. 수려하고 광채를 띄는 것을 청(淸), 후덕하고 단정한 것을 탁(濁), 추악하고 살기를 띤 것을 흉(凶)으로 평가하여 목화토금수 오성(五星)에 각각 배속시키고 각 성(星)의 길흉화복을 논하였다.

오성연주격(五星連珠格) 인자수지에서 다루는 내용으로, 목화토금수 오성이 구슬을 꿴 것처럼 간격이 없이 연결된 것을 말한다.

오성의 정체(五星의 正體) 목(木)=직(直), 화(火)=첨(尖), 토(土)=횡(橫)돌(突), 금(金)=원(圓), 수(水)=곡(曲)이며 산형은 목성(木星), 화성(火星), 토성(土星), 금성(金星), 수성(水星)으로 나눈다.

오음(五音) 소리를 오행으로 구분하는 것이다. 목음(木音)-㉠㉪, 화음(火音)-㉡㉢㉣㉫, 토음(土音)-㉧㉭, 금음(金音)-㉦㉨㉩, 수음(水音)-㉤㉥㉬

오전지(五箭地) 서유구의 임원경제지 상택지에 나오는 용어로서 풍수에서 꺼려야 할 전지(箭地)를 다섯 가지로 구분하였다.

- 풍전(風箭) 골바람을 맞는 곳
- 수전(水箭) 물소리가 크게 들리거나 치는 곳
- 토전(土箭) 초목이 자라지 않고, 독충이 서식하며 윤택치 않고 땅이 여러 갈래로 깨져있는 곳
- 석전(石箭) 험한 바위들이 있는 곳
- 목전(木箭) 고목과 잡목 넝쿨이 우거진 곳

오해(五害) 다섯 가지 해악이 많은 동산(童山), 단산(斷山), 석산(石山), 과산(過山), 독산(禿山)에서 나타나는 해(害) 즉, 손(孫), 귀(貴), 재(財), 명

(命), 운(運) 등의 인간품성이 쇠락하는 것. 오불가장지(五不可葬地)의 해살이라고도 한다.

오행(五行)의 개념 오행(五行)이란 태초 본체의지에 따라 태극이라고 불리는 무형의 자율의지가 생멸무기의 현상의지를 나타내면서 음과 양으로 그 기운이 갈라지게 되었는데 그 음양은 또다시 각각 분합작용을 일으키면서 다섯 가지(水火木金土)의 새로운 성질로 변역하게 된다. 이것을 오행(五行) 특성 변역작용이라고 한다.

오행산(五行山) 산의 종류로서 수형산(水形山), 화형산(火形山), 금형산(金形山), 목형산(木形山), 토형산(土形山)이 있다.

오행생왕사절(五行生旺死絶) 오행이 서로 만날 때 상생, 상극관계를 형성하는데 그것을 생, 왕, 사, 절로 표기한다. 오행생왕사절은 포태법의 근거가 된다.

오행수(五行水) 수(水) 북수(北水)=한수(寒水), 화(火) 남수(南水)=열수(熱水), 금(金) 서수(西水)=냉수(冷水), 목(木) 동수(東水)=온수(溫水), 토(土) 중앙수(中央水)=중수(重水)

오행풍(五行風) 북풍(水)=한풍(寒風), 남풍(火)=열풍(熱風), 서풍(金)=냉풍(冷風), 동풍(木)=온풍(溫風), 중앙풍(土)=중풍(重風)

옥(獄) 패이고 깊어서 우물 속과 같은 것. 주로 관송, 교통사고, 옥사

옥대(玉帶) 오성의 유형으로 수성(水星)이 만포(灣包)하는 것. 손(巽) 곤(坤) 방향으로 대(帶)와 같다는 사(砂)

옥대사(玉帶砂) 임금님의 허리띠 모습을 한 산이 혈장을 유정하게 감싸 안는 형국(形局)으로 혈장과 옥대사 사이에는 물이 적다. 물이 크면 아미사라 한다.

옥병(玉屛) 오성의 유형으로 단정한 토산(土山)의 벽(壁)과 같이 서 있는 형태

옥척(玉尺) 고대의 혈의 크기와 깊이를 축정하는 기구

옹종(擁腫) 부스럼과 같이 흉하게 튀어나옴. 바위가 무질서한 것도 이에 속함.

와검(臥劍) 눕혀 놓은 칼

와룡(臥龍) 엎드려 있는 용

와시(臥尸) 부스럼 같고 단단하고 시체가 누운 것 같은 것

와우(臥牛) 소가 누워있는 것과 같은 형상을 한 것으로 횡혈(橫穴)을 이른다.

와혈(窩穴) 음혈(陰穴, ⊖)로서 겉모양은 소쿠리와 같으며, 중앙의 혈심에 오목한 요(凹)가 있다. 구조적으로는 입을 꼭 다물어 혈심을 감춘 장구혈(藏口穴)이 있고, 입을 벌리고 있는 장구혈(張口穴)이 있다. 와(窩)의 종류로는 깊은 것(심와, 深窩), 얕은 것(천와, 淺窩), 넓은 것(활와, 闊窩), 좁은 것(협와, 狹窩) 등이 있다. 모두 선익에 요가 있어야 진혈이다. 텅 빈 것 같고 무너져 움푹 파인 것은 가와(假窩)나 허와(虛窩)로서 대흉(大凶)하다. 와형에는 사격(四格)이 있는데, 심와(深窩), 천와(淺窩), 협와(狹窩), 활와(濶窩)가 있다.

완경(頑硬) 산의 형체가 곧게 뻗어 활동이 없고 거칠고 완만하고 급하고 단단하여 억센 것

완연(蜿蜒) 용이 길게 뻗쳐 있는 모양이 상하좌우로 구불구불한 형상. 청룡사의 대표적 모습

완위(宛委) 래룡의 형세가 구불구불하게 진행된 것

왕룡(枉龍) 늙고 힘이 없어 구부러진 모습을 한 용맥

왕비사(王妃砂) 길사로서 태음성(太陰星)이 높고 봉우리와 물이 우소(扜昭)하고 손(巽)방에 나비 눈썹 같은 산이 있으면 왕비가 나온다고도 하였다. 사오미(巳午未)를 중심으로 한 180°의 환포사

외기(外氣) 혈장밖에 형성된 기(氣). 내기(內氣)-혈장기(穴場氣) / 외기(外氣)-국세기(局勢氣, 風水氣)

외득수(外得水) 현무정의 바깥쪽 청백 호종수이거나 안산・조산 등에서 혈장 앞으로 흘러모여 혈장을 감싸고 흘러가는 물을 모두 외득수(外得水)라고 한다.

외명당(外明堂) 내청백 밖에서 외청룡, 외백호의 관쇄에 의해서 형성되는 내부공간을 외명당이라 한다.

외손봉사혈장(外孫奉祀穴場) 용맥의 에너지가 혈장으로는 극히 적게 들어오고 대부분이 백호로 가버리는 산맥으로, 결과적으로 입수도 미약하고 청룡선

익도 없으며 청룡도 단절이 됐으므로 본손(本孫)이 절손(絶孫)된다.

외수(外水) 혈판수와 원진수를 제외한 내청백 밖의 물

요(曜) 청백 또는 혈장의 좌우 선익 바깥쪽에서 요도 반(反) 에너지를 공급받아 혈핵 응축을 일으키는 요도 사(砂)의 일종

요감(饒減) 혈장에서 음양의 조화를 고려하여 부족한 것을 보태고 지나친 것을 감하여 혈장을 다듬는 법으로서, 청룡이 먼저 이르면 청룡을 감하고 백호를 넉넉하게 하여 그 혈을 좌편에 당겨 세우고, 백호가 먼저 이르면 백호를 감하고 청룡을 넉넉하게 하여 혈을 우편에 당겨 세워 혈을 잡는 것이다. 이를 요감정혈법(饒減定穴法)이라 한다.

요권(遙拳) 혈성이 단단하고 주먹을 흔드는 것 같이 외롭고 바람을 받음

요대수(腰帶水) 인자수지의 득수법에서 다루는 물길의 형세 중 하나로서 물이 혈장을 허리띠처럼 감싸 안는 모습이다.

요도(橈棹) 본신룡(本身龍)(來龍脈, 主龍脈, 來脈)이건 지룡(枝龍)이건 간에 진행하는 용(龍)의 진행 방향을 변화시켜주는 역할을 하며, 진행방향 안정 변위와 본신룡의 생기를 증가시켜 주는 반(反) 에너지 공급사(供給砂)를 요도(橈棹)라고 한다. 주위 사(砂)의 반 에너지원(源)에 의한 힘의 반작용을 직접 수행하는 산으로 그 자체가 에너지 덩어리로 온전한 역성(逆性)이어서 자체적 래룡맥 주 특성은 전무하나 용맥 진행상의 각도($\theta=\angle 30°\times n$배 질서)를 변화시켜 용맥을 굴곡(屈曲), 생동(生動)하게 하는 변역적 의의로서 풍수지리에서 차지하는 비중이 매우 크다. 모든 용의 변역 각도 변화는 이 요도의 반작용(反作用) 에너지에 의하여 이루어진다. 너무 약하거나 길면 허(虛)하고, 짧고 견고한 조직이면 충실하다. 역량(力量)이 분명한 요도(橈棹)는 본신룡(本身龍)을 $\theta=\angle 30°\times n$의 각도를 확실하게 변화시켜 주고 본신룡에 그 에너지를 공급한다. 요도의 역량이 미약하면, 용의 변화 각도가 변화 법칙 질서인 $\theta=\angle 30°\times n$을 유지하지 못하여 무기룡(無記龍)이 된다. 또한 요도가 너무 강하면 오히려 본신룡이 약화된다. 요도는 일반인이나 초심자들이 눈속임 당하기 쉬운데 즉 겉으로 보기에는 마치 맥이 내려오는 산으로 오인하기 좋게 현혹하나 실제는 에너지의 역작용이므로 요도에 대한 분별은 매우 중요하다. 요도에 조상이 들어가면 자손은 3년~7

년 후 뇌졸 중풍이거나 사망(死亡)한다.

요성(曜星), 요(曜) 에너지 요(曜)는 청룡·백호 양변의 배후면에서 청백 에너지체의 혈 응축 반(反) 에너지를 재응축 공급하는 소산 암석 형질을 일컫는 말로 혈장의 좌우 선익 바깥쪽에 붙어서 혈심에 청룡과 백호 에너지를 재공급 재응축해주는 일종의 요도성 산가지이다. 요성(曜星)은 좌우 선익에 붙어 청룡, 백호를 반 에너지원(源)으로 삼아 선익의 응축력을 배가시키므로 혈장의 역량을 극대화한다. 견고한 조직일수록 좋다. 대부분 90° 입체면(立體面) 암질(岩質) 조직이다.

요풍(凹風) V자형의 산골짜기 혹은 산과 산 사이 고개가 되는 부분이나 혈장 주변의 함결된 곳으로부터 불어오는 바람을 말한다. 요풍은 일종의 높새바람으로서 집이나 무덤에서는 수분 증발이 빨라 건조해지고 화재가 빈번하게 발생하여 인체의 피를 말리는 질병을 가져온다.

용(龍) 일반적으로 굴곡이 있는 산맥이나 능선을 뜻한다. 산을 용(龍)이라고 부르는 것은, 산의 무궁무진한 변화와 예측하기 어려운 조화가 마치 용의 움직이는 모습을 닮았다고 하여 용(龍)이라고 부른다. 그러나 풍수에서는 단순히 산의 흐름을 용이라고 하지 않고 성혈할 수 있는 생기용맥 본신과 지룡 가지들이 흘러온 능선만을 용이라고 한다. 평지에도 용의 흐름이 있다. 용은 그 고저(高低)를 기준으로 농룡(壟龍)과 지룡(支龍), 대소를 기준으로 간룡(幹龍)과 지룡(枝龍), 용의 모습에 따라 정룡(正龍)과 방룡(傍龍), 진룡(眞龍)과 가룡(假龍), 귀룡(貴龍)과 천룡(賤龍)으로 용의 종류가 나누어진다. 용의 세력(勢力)에 따라 생룡(生龍)·사룡(死龍)·강룡(强龍)·약룡(弱龍)·순룡(順龍)·역룡(逆龍)·진룡(眞龍)·퇴룡(退龍)·복룡(福龍)·병룡(病龍)·겁룡(刦龍)·살룡(殺龍) 등 12가지로 나눌 수 있는데 이 중에서 생룡·강룡·순룡·진룡·복룡 등 5개는 길하고 나머지 7개는 흉하다.

용맥(龍脈) 용과 맥을 함께 이르는 말로서 곧 산맥을 일컫는다. 용(龍)이란 산줄기를 가리키며 일어섰다 엎드렸다 하는 산줄기를 용이 꿈틀거리며 달려가는 모습으로 본 것이다. 맥이란 사람의 몸 안으로부터 기맥이나 혈류(血流)가 나누어져 표피까지 흐르는 것과 같이 땅속의 용의 생기흐름이 나뉘어 지표면 부근에서 흐르는 것을 말하며, 그 성상을 보아 길흉을 판단한다.

용미(龍尾) 무덤의 분상 뒤를 꼬리같이 만든 것

용세(龍勢) 산의 세력 즉 힘을 나타내는 것으로, 산의 대소강약, 선악미추, 원방곡직, 고저장단, 정사평준, 후박비수 등의 정도를 나타내는 말. 태조산에서 출맥(出脈)한 래룡이 변화를 거듭하면서 중조산과 현무를 형성하고, 혈장을 만들기 위한 입수(入首) 직전까지의 태조・중조・소조 및 입수래룡의 세력(勢力) 강약(强弱) 등 그 성상의 흐름 특성을 의미한다.

용세12격 고서 설천기(泄天機)와 명산론, 인자수지 등에서는 산세를 생룡(生龍), 사룡(死龍), 강룡(强龍), 약룡(弱龍), 순룡(順龍), 역룡(逆龍), 진룡(進龍), 퇴룡(退龍), 복룡(福龍), 겁룡(怯龍), 병룡(病龍), 살룡(殺龍)의 12가지로 분류하였고, 또 생룡(生龍), 복룡(福龍), 응룡(應龍), 읍룡(揖龍), 왕룡(枉龍), 살룡(殺龍), 귀룡(鬼龍), 유룡(遊龍), 병룡(病龍), 사룡(死龍), 절룡(絶龍)의 12가지 등 그 세(勢)를 특성별로 다시 구분하기도 하였다.

용결혈5국(龍結穴五局) 인자수지에서 분류한 5국세이다.

- 조수국(朝水局) : 물이 혈처 앞으로 와서 문안인사를 하는 것처럼 이루어진 국세
- 횡수국(橫水局) : 물이 가로로 둘러싸서 환포한 국세
- 거수국(據水局) : 여러 물들이 혈 앞에 모여 호수를 이루는 국세. 매우 귀한 국세이다.
- 거수국(去水局) : 순수국(順水局). 흘러가는 물을 산이 관쇄하여 막아주고 수구가 막혀있어야 한다. 거수국은 선흉후길 자수성가 국세이다.
- 무수국(無水局) : 혈이 높은 곳에 있어 혈전에 물이 없으나 장풍으로 성혈된 국세

용진처(龍盡處) 태조산에서 출발한 래룡맥이 더 이상 진행을 멈춘 곳으로 물을 만나 성혈한다.

용호(龍虎) 혈장을 보호・육성・응축하는 3대 역할의무를 지닌 주변 좌우사로서 청룡백호의 준말이다.

용호길류10격(龍虎吉類十格) 청룡백호의 10가지를 인자수지에서 다음과 같이 정리하고 있다.

- 제1 용호항복(龍虎降伏)격 : 청룡백호가 낮게 엎드린 형상
- 제2 용호비화(龍虎比和)격 : 청룡백호가 상호 균등한 형상
- 제3 용호손양(龍虎遜讓)격 : 청룡백호가 서로 양보하는 형상
- 제4 용호배아(龍虎排衙)격 : 청룡백호가 나열하여 서 있는 듯한 형상. 원진수(元辰水)의 직거(直去)를 기(忌)한다.
- 제5 용호대인(龍虎帶印)격 : 청룡백호가 둥근 인요대(印曜帶)를 띤 형상
- 제6 용호대아도(龍虎帶牙刀)격 : 청룡백호가 칼날 끝처럼 뾰족한 요대(曜帶)를 띤 형상
- 제7 용호대홀인(龍虎帶笏印)격 : 청룡백호가 홀과 같은 작은 요대(曜帶) 언덕을 하고 있는 형상
- 제8 용호대검(龍虎帶劍)격 : 청룡백호가 검과 같은 작은 요대(曜帶)를 띤 형상
- 제9 용호교회(龍虎交會)격 : 청룡백호가 서로 교차 관쇄하는 형상
- 제10 용호개쟁(龍虎開睜)격 : 청룡백호가 어깨를 벌리면서 혈처를 감싸 안은 형상

용호정혈법(龍虎定穴法) 분벽 용호의 상호균형과 고저장단, 대소강약에 따라 혈을 정하는 법이다.

용호증혈(龍虎證穴) 청룡과 백호의 전호・육성・응축 증거에 따라 혈이 결정된다.

용호(龍虎)의 충(沖) 청룡과 백호가 관쇄는 한 것 같으나 청룡의 끝이 백호의 끝부분을 찔러서 충(沖)을 하거나 반대로 백호의 끝부분이 청룡의 끝부분을 찔러서 충(沖)을 하는 것을 일컫는다. 전자의 경우는 백호 쪽의 자손이 요절(夭折)을 하거나 화(禍)를 당하며, 후자의 경우는 청룡 쪽의 자손이 요절(夭折)을 하거나 화(禍)를 당한다.

용호흉류10격(龍虎凶類十格) 인자수지의 흉격 용호에 대해 다음과 같이 10가지를 재해석 정리하였다.

- 제1 용호상투(龍虎相鬪)격 : 용호가 선도 후착질서를 유지하지 못하고 서로 주먹질하듯 부딪혀 싸우는 것. 형제 불화(不和)
- 제2 용호상쟁(龍虎相爭)격 : 용호 사이에 지각(止脚)이 질서가 없이 작은 사(砂)를 두고 서로 다투는 것
- 제3 용호상사(龍虎相射)격 : 주화응축 에너지장 부족으로 좌우가 첨리

(尖利)하여 서로 찌르며 싸우는 것. 형제 살상(殺傷)

- 제4 용호비정(龍虎飛廷)격 : 용호의 끝이 밖으로 배주(背走)하여 뻗으면 형제 부자가 동서남북으로 흩어지고 부부는 이별한다.
- 제5 용호추거(龍虎推車)격 : 용호가 전호・육성・응축 의지를 포기하고 수레를 밀듯이 곧게 뻗으니 손재(孫財)가 탕진한다.
- 제6 용호절비(龍虎折臂)격 : 용호의 Energy 불급으로 중간이 꺾이니 불구가 난다.
- 제7 용호반배(龍虎反背)격 : 용호가 반배(反背)하니 역성의 도망자가 난다.
- 제8 용호단축(龍虎短縮)격 : 용호가 짧아 혈이 노출되니 손재(孫財)가 곤고(困苦)하다.
- 제9 용호순수(龍虎順水)격 : 용호가 산수동거하니 손재(孫財)가 서서히 무너진다.
- 제10 용호교로(龍虎交路)격 : 용호를 끊은 도로가 나면 손재(孫財)가 급격히 파괴된다.

용척(龍脊) 용맥의 석질이 중심 척추를 일으킨 상태와 같다는 말

용천(湧泉) 샘이 땅속이나 암석 속에서 나와 거품이 나기도 하는데 지기(地氣)가 누설됨으로 음택에는 나쁘다. 혈(穴)은 불가(不可)하다.

용회(龍會) 좌우전후 사방이 잘 둘러싸여 있음. 특히 청룡의 회합 전호가 긴밀한 것

우각(牛角) 소뿔처럼 뾰족하게 노출되어있는 귀사(鬼砂) 에너지체

우단사련(藕斷絲蓮) 평지룡맥이 겉으로는 끊어져 있으나 중심은 연실처럼 이어져 있음을 말함

우선(右旋) 용맥이나 수류(水流)가 오른팔이 안으로 감듯이 오른쪽에서 왼쪽으로 도는 것을 말하며, 즉 시계 반대 방향으로 도는 것을 말한다.

우선국(右旋局) 입혈래맥 또는 수류(水流)가 우선(右旋)이거나 백호가 청룡을 감싸 안은 국(局). 산수동거혈은 우선국이 될 수 없다.

우선룡(右旋龍) 주산에서 혈장으로 이어지는 래룡이 우선(右旋)하는 것

우선수(右旋水) 물의 흐름이 오른쪽에서 시작해 왼쪽으로 흘러가는 경우를 말한다.

우선혈장(右旋穴場) 오른쪽에서 선회하면서 형성된 혈장을 우선혈장이라고 한다. 우선혈장에서는 좌선(左旋) 응축 사수(砂水)가, 좌선혈장에서는 우선(右旋) 응축 사수가 있으면 더욱 길하다.

우음사(愚音砂) 인묘진(寅卯辰) 방향에 험악한 흉석(凶石)이 있으면 언어장애자가 나온다고 하는 것. 수구불명 시에도 그와 같다.

우출맥(右出脈) 입체 취기점에서 분벽된 중출맥, 좌출맥, 우출맥 중 하나. 우출맥은 우선(右旋)함이 본(本)이요, 좌출맥은 좌선(左旋)함이 본이며, 중출맥은 천심(穿心)이 본이다.

원국(垣局) 혈장 주변을 담장처럼 사방을 감싸고 있는 산을 말하는 것이며 나성(羅城)이라고도 한다.

원근사격(遠近砂格) 주산(主山), 래룡(來龍), 혈판(穴版), 보국(保局)이 멀고 가까운 것

원진(元辰) 혈장 발원처. 청룡과 백호 내수가 안쪽으로 감싸며 혈 앞 명당에서 동정이 합해지는 것

원진수(元辰水) 본신 용호(龍虎) 안쪽 겨드랑이에서 시작하여 혈장을 감고 돌아 나가는 물을 말한다. 본룡을 따라 내려오는 어머니 젖줄과 같은 물이다.

원훈(圓暈) 혈장 중심부 태극모양의 둥근 부분을 말함(음양의 合一處)

월봉(越峰) 혈장을 중심으로 국(局)을 이루는 주변사(周邊砂) 너머에서 혈장을 넘보는 산을 가리키는 용어로서 엿보듯이 측면만 살짝 내보이는 산은 규봉사(窺峰砂)이고 정대(正對)하게 살며시 넘보는 것은 월봉(越峰)이다. 그 모습이 예쁘거나 유정하게 보이면 담 너머로 구경하는 월봉(越峯)으로서 흉악(凶惡)이 아니다.

월견수(越見水) 청백 중간이 굴함(屈陷)하여 너머 물이 보이는 것. 조래(朝來)는 길이나 거수(去水)는 흉하다.

위이굴곡(逶迤屈曲) 위이(逶迤)는 뱀이 앞으로 나아가듯 비스듬히 굽이쳐 나가는 모양이고 굴곡(屈曲)은 급하게 꺾어짐을 뜻하는데, 생룡이 진행하는 과정에서 용맥이 좌우로 굴곡하여 나아가는 모양을 위이굴곡이라 부른다.

위패(位牌) 단(壇), 묘(廟), 원(院), 사(寺)에 모시는 신주의 이름을 적은 패

유냉(幽冷) 땅이 차고 깊으면서 음한 땅. 이 땅에 장사하면 시체가 썩지 않고 색이 변하지 않으므로 시신을 모시지 못함

유룡(遊龍) 래룡 분벽이 어지럽게 흩어진 용이다. 인자수지에서는 사룡(死龍), 퇴룡(退龍), 약룡(弱龍), 광룡(狂龍)으로 보았다. 자손이 이향객지한다.

유산록(遊山錄) 풍수학인들이 산을 답산하면서 기록한 결록들을 말함. 진가를 살필 것

유수(流水) 흘러가는 물

유정(有情) 상대를 유익하게 해주는 동조작용으로 산면을 보이면서 감싸주고 보호하는 자세를 말한다.

유정수(有情水) 조래 또는 환포하여 혈장을 동조하는 물

유택(幽宅) 무덤

유혈(乳穴) 유혈은 형상이 마치 유방처럼 융기(隆起)된 모습을 한 혈로 돌혈과 함께 양혈(陽穴, ⊕)에 속하나 돌혈에 비해 귀, 요, 관성이 약하며 전체적 역량도 떨어진다. 유혈은 그 형성 과정에 따라 오변역(五變易) 과정 중 귀성에 의해 좌 또는 우선하며 형성된 것과 그리고 진행 용맥이 마디(節)를 이루며 취기한 후에 직입(直入)하여 형성된 것 등으로 분류할 수 있다. 유혈에서 안산의 응축력은 래룡맥의 힘과 균형을 이루어야 하는데 만약 안산이 제대로 응축을 해주지 못하는 곳이면 주 에너지가 설기(洩氣)되어 혈성을 유지하기 어렵게 된다. 유혈에는 길게 생긴 것(장유혈, 長乳穴), 짧게 붙은 것(단유혈, 短乳穴), 아주 큰 것(대유혈, 大乳穴), 두 개가 붙은 것(쌍유혈, 雙乳穴) 등이 있다.

육건(六健) 해(亥)는 천건(天健), 간(艮)은 지건(地健), 정(丁)은 인건(人健)이며 묘(卯)는 재건(財健)이고 손(巽)은 복건(福健), 병(丙)은 마건(馬健)이다.

육계(六戒) ① 물이 전부 빠져나감 ② 칼등 같은 곳 ③ 혈에 골바람 닿는 곳 ④ 안산이 없는 곳 ⑤ 명당이 기울어짐 ⑥ 용호가 배주하는 것의 6가지를 꺼리는 것(제설론 참조)

육극(六剋) 천지와 사방, 흉한 일로는 단절(短折), 질(疾), 우(憂), 빈(貧), 악(惡), 약(弱)

육성(育成) 청백 에너지체가 혈장을 보호한 후 동조 응기 에너지장으로 변화시키는 과정. 즉 입혈맥과 동일한 진행각을 응축각으로 변화시키는 질서를 말함. 래룡맥 또는 혈장의 역량(力量)을 키워주고, 기운을 보태주는 작용을 한다. 청목(靑木) 백금(白金) 에너지의 3대 역할의무인 전호・육성・응축 中 하나이다.

육수(六秀) 혈장 주변 여섯 방위의 빼어난 산으로 간병신손정태(艮丙辛巽丁兌)의 6방위산이 수려하면 귀한 인물이 난다고 함.

육탈(肉脫) 시신의 육질이 환원되고 유골만 남은 상태

육흉장(六凶葬) 장사 시 고려해야 할 여섯 가지 흉격
① 산혈 음양이 불합리한 것 ② 년운이 불리한 것 ③ 넘치는 혈의 역량인 것 ④ 세력에 의지하여 구산하는 것 ⑤ 자기 분수를 모르고 흉내 내어 장사지내는 것 ⑥ 장법원리에 따르지 않는 것

융(隆) 융기(隆起)로서 돌출(突出)된 것. 지표 마그마 융기구조(隆起構造).

융저수(融瀦水) 인자수지 수(水)의 형세(形勢) 분류 중에서 설명한 혈전 물이 모여들어 고인 것을 말함. 길로 본다.

은(隱) 은복(隱伏)으로서 숨어서 잘 나타나지 않음

은변역(隱變易) 용(龍)이 평지(平地)로 숨어 와서 갑자기 불쑥 솟아, 혈장의 구조 조건(四相 : 입수두뇌, 좌우선익, 명당 전순)을 형성하는 래룡맥 5변역 중 하나(성혈이 드물다).

음곡자생풍(陰谷自生風) 산의 골짜기가 깊고 긴 계곡 중에서 자연히 발생하는 차가운 골바람을 말한다.

음녀사(淫女砂) 안산에 거울이 있고 백호 안에 단독으로 나가는 긴 사(砂)가 있으면 주로 음녀가 나온다.

음맥(陰脈) 맥의 경사가 급하거나 약하게 흐르는 은변역의 맥 또는 척이 낮은 맥
→ 양돌맥과 상대비교

음산(陰山) 산의 골짜기와 음굴(陰屈)이 많은 산 또는 그늘진 산(陰平陽突)

음수(陰水) 지하에 흐르는 물 또는 색을 지닌 물

음수구(陰水口) 청룡이 짧고 백호가 길며 청룡을 안은 듯한 수구 ↔ 양수구

음양(陰陽) 음굴양돌(陰屈陽突)의 상대양의적(相對兩儀的) 표현. 태극 → 음양 → 사상의 만물 성상 분류개념

음양풍(陰陽風) 사방 왕래풍은 양풍(陽風), 음곡 자생풍(自生風)은 음풍(陰風)

음양합수구(陰陽合水口) 청룡과 백호의 크기와 길이가 균등하게 상대하는 경우의 수구

음택(陰宅) 보통 시신이 묻힌 혈장 즉 묘지를 가리킨다.

음풍(陰風) 음곡자생풍. 냉풍, 빌딩풍, 함곡풍(陷谷風)

음혈(陰穴) 혈의 성상으로 볼록하면 양혈, 오목하면 음혈이라 한다. 양룡이 음혈을 낳고, 음룡이 양혈을 낳으면 길하다.

읍룡(揖龍) 사신사에서 공읍하는 모습의 용을 말함

응기(應氣) 물체들이 서로 주고받는 기운의 작용으로 기운이 동조(同調)하여 더욱 배가(倍加)시킴을 말하며, 물체의 응기 각도는 면의 직각이다. 즉 혈장 주변의 산들이 혈장을 향해 기운을 보태 주는 작용을 말한다. 에너지장의 동조

응기(凝氣) 기운(氣運)을 압축(壓縮)하여 밀도를 증대(增大)시킴을 말한다. 에너지체의 동조

응룡(應龍) 사신사가 혈장을 조응하는 용

응축(凝縮) 어떤 물질들이 외적 동조작용으로 에너지체 및 에너지장이 한데 엉켜 고밀도(高密度)화되는 것. 주변 산들에 의해서 혈심 에너지가 응축(凝縮)될수록 묘터나 집터는 좋은 혈이 될 수 있다. 즉 응축 동조 에너지가 형성됨

의법(倚法) 기대어 쓴다는 뜻 -인자수지 참조-

이기(理氣) 이성(理性)과 기상(氣相)의 준말로 좌향 및 오행팔괘(五行八卦)의

상생상극(相生相剋) 원리를 이론화한 것

이산(離散) 어떤 존재의 구성 성분들이 자체의 분산 작용이나 다른 존재의 간섭작용에 의해서 분리되어 흩어지는 것으로, 모여 뭉쳐 있던 것들이 각기 흩어짐을 말한다. 이산특성(離散特性)은 소멸적 음(陰, 네가티브적) 특성이다.

이십사방위(二十四方位) 임자(壬子), 계축(癸丑), 간인(艮寅), 갑묘(甲卯), 을진(乙辰), 손사(巽巳), 병오(丙午), 정미(丁未), 곤신(坤申), 경유(庚酉), 신술(辛戌), 건해(乾亥)의 배합 방위를 각각 분리하여 논한 것으로써 산의 음양질서를 혼란케 한다.

이장(移葬) 묘터를 다른 곳으로 옮겨 장사 지내는 것으로 면례(緬禮), 개장(改葬), 천장(遷葬)이라고도 한다. 오불상이 아니면 이장이 불가하다.

- 오불상(五不祥) : 무덤이 가라앉을 때. 풀들이 말라죽을 때. 음탕한 일들이 생기거나 소년이 죽고, 고아, 과부가 생길 때. 패역무도하거나 형벌, 전염병 등의 우환이 있을 때. 사람이 죽고, 가산이 없어지고 재판이 계속될 때.

이향(離鄕) 좌우의 산이 멀리 분산되어 순수(順水)해 나가는 곳으로 이향객지손이 출(出)한다.

인걸지령(人傑地靈) 좋은 인물이 태어남은 땅의 정령이 깃든 혈처의 영험이라는 말

인맥(人脈) 조종산(祖宗山)의 중부(中部 : 허리)를 뚫고 출맥하는 맥(脈)을 말한다. 인맥은 천맥보다 그 역량이 절반으로 감소된다.

인목(印木) 혈장 형성을 위한 목기(木氣)의 결정적 응축 증거를 의미하므로 관, 귀, 요사의 에너지체 증거를 말한다. 상수(相水) : 수기(水氣)를 상의(相依)함, 승금(乘金) : 금기(金氣)를 올라탐, 혈토(穴土) : 혈핵 중 토기(土氣). 승금상수인목혈토(乘金相水印木穴土)의 뜻으로 혈장구성요건을 설명함이다.

인자(因子) 발생의 근본이 되는 종자적 원인자(原因子)이다. 주로 능인(能因)을 말한다.

인자수지(人子須知) 명나라 서선술, 서선계 형제가 저술한 책으로 용법(龍法),

공법(貢法), 사법(砂法), 수법(水法), 천성(天星) 등을 논하였다.

인혈(人穴) 산세가 앉은 것 같고 성진(星辰)의 머리가 부(俯), 앙(仰)됨이 없고 출맥(出脈), 결혈(結穴), 원훈(圓暈)이 모두 높지도 얕지도 않고 조응(朝應), 용호, 사세가 서로 비등함. 천(天)·인(人)·지(地) 혈(穴)의 하나.

일(日) 지상의 생명력은 모두 태양 힘의 직접적인 영향을 받아 의존함. 아침 태양은 목성(木星)으로 만물을 일으키고, 한낮의 태양은 화성(火星)으로 확산, 저녁 태양은 떨어지는 금성(金星), 밤 태양은 수성(水星)으로 감추며 차갑다.

일월상조(日月相照) 둥글게 솟은 산. 태양 태음과 같이 서로 비추는 것

일자문성사(一字文星砂) 산의 모습이 한일(一)字와 같이 생겼다 하여 일컫는 말이다. 오행산형 중 역량이 가장 큰 토체산(土體山)을 말한다.

일체 특성장(一切 特性場) 현상계의 전체적 특성 즉 무상성(無常性)의 가득한 기운을 말함

임두수(淋頭水) 혈장 뒤 골을 따라 저며 들어 혈맥을 상하게 하는 물. 인자수지 참조.

입수(入首) 내룡맥의 생기가 혈로 들어가는 머리로서 현무정(혈 뒤에 솟은 봉우리)에서 혈(穴)의 바로 뒤까지를 말한다. 특히 맥(脈)이 혈판(穴坂)으로 들어오는 가장 가까운 수절 내외의 래룡(來龍)을 말한다. 혈을 만들기 위해 최종적으로 생기 에너지를 공급하는 곳으로 좌우선익과 혈장을 만들기 직전에 에너지가 취기(聚氣)토록 한다. 입수는 혈장의 혈심(穴心)에 직접 그 에너지를 공급하는 에너지 공급처로서 그 모습은 정평균등(正平均等)하고 반듯해야 한다. 정돌(正突)한 입수가 되지 못하는 원인은 현무, 래맥, 입력, 청룡, 백호, 안산 등의 불균형 때문이며, 입수가 허약하면 두뇌와 좌우선익이 형성되지 않으므로 혈장 또한 형성되지 않는다. 입수는 자손의 종성, 수명, 관직, 건강 등 길흉화복 장단을 결정한다.
- 직룡입수(直龍入首) : 정변역 래맥 입수
- 횡룡입수(橫龍入首) : 횡변역 래맥 입수
- 비룡입수(飛龍入首) : 수변역 래맥 입수
- 잠룡입수(潛龍入首) : 은변역 래맥 입수

- 회룡입수(回龍入首) : 횡변역 및 종변역 래맥 입수

입수도두(入首倒頭) 입수두뇌

입수두뇌(入首頭腦) 혈핵의 바로 뒤에서 입수래룡의 기운이 취기하여 응결된 곳으로서 혈장에 산의 기운을 공급하는 곳이다. 입수와 두뇌를 하나로 합친 말인데, 보통 두뇌 하나만을 지칭하기도 한다. 입수두뇌가 백호 쪽이 높고 청룡 쪽이 낮아서 경사가 생기면, 청룡선익이 없거나 미약하게 되니 남자가 단명하여 과부가 많이 생긴다. 이와 반대로 청룡 쪽이 높고 백호 쪽이 낮아서 경사가 생기면 백호선익이 없거나 미약하게 되어 여자가 단명하며 홀아비가 많이 생긴다. 자손의 수기(水氣 : 수소 : H)에너지 공급처로서 자손 건강과 수명을 주관하고 오장육부(五臟六腑) 중에 신장(腎臟)과 방광(膀胱)의 역할을 관장한다. 또 자손의 지혜와 명예를 주관한다. 입수두뇌가 단절되거나 없으면 장손(長孫)이 절손(純孫)될 뿐만 아니라 전체적으로 자손을 이어가기가 어렵게 된다. 머리에 도달한다는 의미로 도두(到頭)라고 하기도 한다.

입수맥(入首脈) 혈장의 두뇌에 연결된 가장 가까운 용맥으로, 용맥 중 가장 중요한 최종단(最終端) 맥이라고 할 수 있겠다.

입체구조(立體構造) 지표 중 우뚝 솟은 산체(山體)와 같은 수직조직의 구조를 지닌 산 에너지체. 산의 조직이 원형으로 서 있는 구조를 말하며 세로 또는 가로로 누워 된 진행구조를 선구조라 한다.

입혈맥(入穴脈) 입수두뇌(入首頭腦)에서 혈심(穴心)으로 산 에너지가 공급되는 통로이다. 입수(入首)가 혈장에 들어가는 맥기 상태를 설명하는 것이라면 입혈맥(入穴脈)은 그와 같은 맥기가 혈핵에 들어가는 상태를 설명하는 것이다.

ㅈ

자미원(紫薇垣)~집합특성(集合特性)

자미원(紫薇垣) 하늘의 별무리 중 자미원(紫薇垣), 태미원(太微垣), 천시원(天市垣)의 세 무리를 천성삼원(天星三垣)이라 이른다.

자생풍수(自生風水) 한반도 지형지세와 적합한 풍수학 이론으로 전통적 고유 자생풍수사상을 기초로 한 풍수학문

자웅정혈법(雌雄定穴法) 음양을 보아 혈을 정하는 법

작혈(作穴) 결혈(結穴) 또는 정혈(定穴)의 의미

잠룡입수(潛龍入首) 용이 뚜렷이 나타나 있지 않고 밭이나 논으로 들어오거나 하천이나 강을 건너 들어오는 아주 분별(分別)하기 어려운 입수형태이다. 넓게 펼쳐지고 흩어져서 그 맥을 관찰하기가 어려우나 반드시 용맥이 지나가는 척주(脊柱)가 있다. 한 치가 높으면 산이요 한 치가 낮으면 물이 되므로(高一寸爲山, 低一寸爲水) 잘 관찰해서 척주(脊柱)가 있으면 살아 있는 용맥이 된다. 이 잠룡입수의 혈장은 평지에 돌요(突凹)가 있거나 와(窩) 또는 겸구(鉗口)를 벌리고 수세(水勢)가 감아 도는 것이 길하다.

장겸(長鉗) 이 혈은 좌우 두 다리가 모두 긴 것이며 곧고 단단하면 길하며 너무 긴 것은 좋지 않다.

장경(長頸) 현무가 드리우나 목이 길고 입수목이 양쪽으로 형충파해를 받아 생기가 없고 흉하다.

장구와혈(藏口窩穴) 입을 감추듯 오목한 혈. 입을 벌린 것은 장구와혈(張口窩穴)이다.

장군사(將軍砂) 목체(木體)에 금대(金帶)를 한 장군이 입좌한 모습

장대(粧臺) 성봉(星峰)이 첩첩이 둘러싸여 장대의 모습을 이룬다. 비빈(妃嬪)을 내며 집안이 여자에 의해 번성한다.

장맥(長脈) 긴 맥으로 기맥이 노쇠하거나 변화가 없으므로 반드시 절(節)이 있어 기운을 이끌어 나가면 길하나 그렇지 않다면 퍼지거나 늘어져 무기맥이나 사맥이 되기 쉽다.

장명등(長明燈) 분묘(墳墓) 앞에 불을 켜기 위해 세우는 석조물

장법(葬法) 사람이 죽었을 때 치르는 장사에 관한 일체 법으로 재혈(截穴, 혈장 내 혈핵처를 사용키 위해 점혈하는 일), 천광(穿壙, 혈핵 내에 장사하기 위해 광중을 뚫는 일), 하관(下官, 천광내에 관을 내려놓는 것) 등을 말하는데, 장법(葬法)은 혈을 찾는 것만큼 중요하다. 장법은 혈의 실제적, 직접적 그리고 최종적인 적용이다. 즉 시신을 혈에 넣어 체백의 기운과 혈장의 지기가 어우러지게 되면 동기감응이 시작되어 혈로서의 역할과 역량이 발휘되게 되는 것이다. 다음은 장법을 그 순서에 따라 설명한 것이다. ① 피토를 걷어낸다. ② 천광(穿壙) 작업을 한다(외광 1.5m × 2.2m / 내광 0.5m × 2m). 포크레인 장비 등을 사용하면 지층이 손상되므로 사용을 자제한다. ③ 천광 작업 중 파낸 흙을 300kg 정도의 석회와 골고루 배합한다(물을 약간 섞어 가며). ④ 하관한다. 탈관하되 만약 관장의 경우에는 관의 밑 구멍을 뚫어 준다(수분의 배출을 용이하게). 석관은 가급적 쓰는 일이 없도록 한다. ⑤ 하관 후 내광의 빈곳은 내광 중에서 나온 혈토로서 충광하고 횡대를 덮은 후 석회와 배합한 흙으로 외천광을 메운다. 이때 중간 중간마다 다지기를 한다. 천광의 외(外)표면보다 약간 높게 메운다. ⑥ 걷어 놓았던 피토로 봉분을 만든다(약간의 회를 7 : 1로 섞는다.).

장사(葬事) 사체(死體)를 묻거나 화장하는 일

장신(藏神) 지기(地氣)가 모이는 곳

장심혈(掌心穴) 손바닥 중심 모양의 혈이다.

장유(長乳) 유돌(乳突)의 종류로서 양팔의 중간에 유방이 길게 늘어진 것이다. 혈 응축이 부족하다.

장자승생기야(葬子乘生氣也) 죽은 자는 생기(生氣)를 타야 한다. 풍수사상의 근본 요체로서 지기로부터의 생기감응을 의미한다. 또 생기 응축점을 적합시키라는 의미

장택(葬擇) 장사(葬事)를 지냄에 있어서 좋은 곳과 좋은 때를 정하는 것

장풍(藏風) 풍수지리에서 바람에너지의 선용을 장풍(藏風)이라 일컫는데, 순한 바람을 받아들여서 공기가 순환 조절되어 혈심(穴心)에 생명에너지가 육성되게 하는 것이다. 바람을 막아 버리는 방풍(防風)과는 그 뜻이 다르다. 방풍을 하여 바람이 드나들지 못하게 되면 혈장 공기는 순환 조절이 되지 못하므로 그 기가 폐색(閉塞)되어 버린다. 장풍이 지속되려면 득수가 원만해져야 하고 또한 득수가 지속적 효과를 지니려면 장풍의 구조가 안정되지 않으면 아니 된다.

장풍국(藏風局) 득수국(得水局)과 함께 혈장이 형성되기 위한 기본적 국세를 의미한다.

재실(齋室) 무덤이나 사당의 옆에 제사를 지내려고 지은 집. 재각(齋閣)

재혈(截穴) 혈장 내 혈핵처를 사용키 위해 점혈(點穴)하는 일을 말한다. 비록 혈을 구하였더라도 묘를 쓸 때 재혈을 잘못하게 되면 주어진 혈의 역량을 온전히 활용하지 못하고 반감시키고 말아 혈을 찾느라 애쓴 보람이 무색하게 될 뿐 아니라 잘못된 재혈로 화(禍)를 불러일으킨다. 재혈을 함에 있어서는 자연이 제공한 혈의 역량을 최대한 살려 명당으로 손색이 없게끔 화룡점정(畵龍點睛)의 마음가짐으로 임해야 한다.

- 좌(坐)의 요점 ① 현무 또는 입수두뇌 취기 중심점 ② 래룡맥 개장(開帳) 중심점 ③ 행룡(行龍)의 정지점 ④ 행룡의 내맥 변환점. 귀사의 시발점. 락사의 중심점.
- 재혈 ① 현무 또는 입수두뇌를 보고 재혈한다. ② 귀 또는 낙을 보고 재혈한다. ③ 좌우 요성의 균형 상태를 살피어 태과 불급을 관찰, 균형지점을 찾아 재혈한다(단, 입수의 영향권을 벗어나지 않아야 됨). ④ 전순의 응기점을 보고 재혈한다. ⑤ 안산의 응기점을 보고 재혈한다. 단, 좌향의 변환

점은 $\theta=\angle 30°$의 범위 내에서 가능하다.

저맥(低脈) 나직하게 다리를 좇아 들어오는 맥 분수가 명백하면 끊어진 것이 아니요, 만일 분명치 않으면 이는 단절된 것으로 불길하다.

저여수(沮洳水) 인자수지의 수론(水論)에서 언급한 축축하게 젖은 혈장수로 흉하다.

적첩(積疊) 차곡차곡 쌓임

전(巓) 정상(頂上)

전(纏) 혈장 좌우의 선익이 포옹하며 혈핵 명당 앞을 지나 전순이 되는 것을 전(纏)이라 한다. 혈핵 명당 여기에 의한 전순을 전순(氈脣)이라 한다.

전(巓) 산정의 오목한 곳

전(箭) 혈장 앞을 물길이 나쁘게 흘러가는 '천할전사(穿割箭射)' 중 하나로서 화살처럼 쏘는 듯한 물이다.

전기(全氣) 전후좌우상하 6합(合)의 기(氣)가 결집된 것. 용과 혈이 모두 길(吉)함

전순(氈脣, 纏脣) 혈장의 혈심 앞부분을 말하는데, 혈장의 앞쪽에서 혈장을 보호하고 응축에너지를 공급하는 안산 반에너지 재응축 장치이다. 반드시 매듭이 지어져야 하고 두터울수록 좋다. 전순은 관성이 붙어 있어 매듭을 짓든지 회전을 해야 한다. 15° 회전하면 길흉이 무기(無記)이고, 30° 회전하면 길하고, 60° 회전하면 길(吉)이 배가 된다. 전순은 혈심(穴心)의 생기(生氣)를 종응축(縱凝縮)시키는 역할을 하며 견고한 조직이어야 한다. 전순은 자손에게는 화기(火氣, 산소, O)에너지의 공급처로서, 자손의 오장육부 중 심장(心腸)과 소장(小腸)의 역할을 관장하고, 자손의 재물과 예(禮)와 경(敬)을 관장한다. 전순은 전체 자손이 모두 영향을 받지만, 특히 말손(末孫)의 길흉에 영향을 준다. 전순이 원만(圓滿) 풍후(豊厚)하고 튼튼하고 두터우면 자손이 재물을 축적할 수 있고, 예의가 바르고 공경심이 두터운 자손이 된다. 반면에 전순이 없거나 전순에 깊은 골이 패이거나 무너지면 당문(堂門)이 파한 것이 되어 자손과 재산에 큰 해가 있게 된다.

❶**전순(氈脣)** 그 생김이 담요와 닮았다 해서 담요 전(氈) 자를 쓰는데, 이때 생기

의 흐름 통로는 입수(頭腦) → 입혈맥(入穴脈) → 혈심(穴心) → 전순(氈脣)으로 이어진다. 혈핵 여기(餘氣)로 형성.

❷**전순(纏脣)** 청백의 어느 한쪽 선익으로부터 좌 또는 우선으로 회전하면서 감겨 있는 전순을 전순(纏(얽을 전)脣)이라 한다. '纏脣'으로 표기할 때는 그 작용하는 모습이 어미가 새끼를 한쪽 팔로 감아 안는 모습과 비슷하다 해서 감을 전(纏)자를 썼다. 이때 전순으로 연결되는 생기의 통로는 두뇌 → 청룡선익 혹은 백호선익 → 전순(纏脣)이 된다. 선익 여기(餘氣)로 형성

전응후조(前應後照) 안산을 전응(前應)이라 하고 현무(玄武) 봉우리 산을 후조(後照)라 한다.

전호(纏護) 감고 호위한다는 뜻으로 본신 래룡맥의 좌(青龍), 우(白虎)에서 본신 래룡맥을 유정하게 감싸고 호위하듯이 보호하는 것을 말한다. 청룡과 백호의 주요 기능 중 하나이다. 사신사 에너지체의 전호 육성 응축 작용인 3대 역할의무 중 하나이다. 입력(入力) 에너지 보호 기능

절(節) 용맥이 일기일복(一起一伏, 나오고 들어간 곳) 좌절우곡(左折右曲, 좌우로 굽이치는 곳)의 변화를 하는 곳으로 마치 나무줄기가 가지를 치는 곳 또는 대나무의 마디와 같은 곳을 절(節)이라고 한다. 보통 혈은 소조산 아래 5~10절 이내에서 맺는 것이 좋다. 현수와 주화의 상호 동조 단위 에너지장 마디

절각살(切角煞) 자신의 주택이 주위에 있는 담 또는 벽에 의해 절단되는 형국

절단사(絶斷砂) 본신룡이나 본신룡맥에 붙은 가지 산맥의 생기통로가 끊어짐으로 해서 장사(葬事)의 근본인 생기가 흐르지 않게 된 산으로, 이런 산에 묘를 쓰면 자손이 나약해지고 자손도 낳지 못해 대(代)가 끊어지게 된다.

절대본성(絶對本性) 절대존재의 본질이 지닌 근원적 성품 - 불가설적(不可說的) 특성

절대영혼(絶對靈魂) 절대본성이 지닌 영적 자율의지(自律意志)로 절대의지를 표현함

절대영혼의지(絶對靈魂意志) 절대 자율적 영혼의지

절대자유의지(絶對自由意志) 절대영혼의 자율적 의지형태를 형이상학적으로

표현하는 말

절대좌향 혈장을 형성한 근본좌향(북(坐)현수, 남(前)주작, 동(左)청목, 서(右)백금, 중(中)황토)

절대존재(絶對存在) 견줄 수 없는 일체적 자율의지의 본질적 존재

절대주체(絶對主體) 절대본성을 지닌 존재 당체(當體) 또는 본체(本體)

절대주체본성(絶對主體本性) 절대주체가 지닌 본성

절대주체의지(絶對主體意志) 절대주체의 자율의지

절대평등계(絶對平等界) 절대본성의 평등적 특성형태를 형이상학적으로 표현한 것으로 본질계를 의미한다.

절대평등의지(絶對平等意志) 본질계의 평등성을 나타내는 자율의지

절대평등회향(絶對平等廻向) 본질계의 평등의지가 지닌 평등지향적 특성

절대필요조건(絶對必要條件) 절대적으로 갖추어야 할 조건

절대필요존재(絶對必要存在) 절대적으로 있어야 할 존재를 형이상학적으로 표현한 것

절대항상의지(絶對恒常意志) 절대영혼, 절대 자율의지가 지닌 항상성

절대회향의지(絶對廻向意志) 절대본성을 유지 회복하려는 자율의지 - 절대영혼의지

절룡(絶龍) 용의 한쪽이 절벽처럼 패였거나, 용의 중간이 절벽처럼 끊어져 있는 용맥으로, 본신룡맥은 다른 방향으로 가고 그 곁에서 용맥이 끊어져 따로 떨어져 나와 래룡맥이 단절되었다. 이러한 절산형 래룡맥에서는 혈장에 에너지 공급이 없으므로 무후절손(無後絶孫)이 된다.

절맥(絶脈) 맥이 끊어짐

절손(絶孫) 후세가 끊어짐

정맥(正脈) 맥이 중앙으로부터 나와 변화하면서, 양변(兩邊)의 산세(山勢)가 고르고 단정(端正)하며 극히 길(吉)하다. 정변역(正變易) 중출맥이 최길

(最吉)이다.

정변역(正變易) 진행하는 용이 지룡의 가지를 뻗으면서 각도의 변화 없이 곧바로 나아가는(直進), 기본적인 정변역의 용(龍)이다. 위에서 보면 왕(王)자와 같고, 측면에서 멀리 보면 일(一)자로 보인다. 마디와 마디 사이가 정분벽을 일으키며 진행한다(30°, 60°, 90° 분벽각).

정자각(丁字閣) 능원의 묘 앞 아래쪽에 정자(丁字) 모양으로 지은 각(閣)(이곳에서 제사를 지냄)

정체(正體) 혈성(穴星) 삼대격(三大格)의 하나로 성신(星辰)의 두(頭)나 면(面)이 단정하고 규모가 존중(尊重)한 것

정침(正針) 패철나경 12방위의 정침(正針 : 地盤), 봉침(縫針 : 天盤), 중침(中針 : 人盤) 3개 천지기동조 특성장을 자북(磁北)과 진북(眞北)으로 나누어 설명한 것

정혈법(定穴法) 인자수지에서 정리한 혈증(穴證)에 따른 재혈법(裁穴法)
- 태극정혈(太極定穴) 태극원훈을 살펴 점혈하는 법 → 양의음양점혈 → 사상점혈 → 오행점혈 등으로 살펴 성상 특성에 따라 점혈한다(인자수지 참조).

제중(臍中) 중앙에서 깊게 형성된 배꼽 같은 와요혈(窩凹穴). 금(金)체산의 혈처

조(照) 혈장의 전후좌우에서 은은히 비추는 산들을 말한다.

조대산(朝對山) 혈 앞에 사(砂)로 주인이 빈객을 접대하는 것 같은 모양

조래수(朝來水) 안산(案山)이나 조산(朝山) 쪽에서 명당을 향해 흘러오는 물을 뜻한다. 조래수가 곧바로 명당을 향해 사수(射水)처럼 흘러오는 것은 좋지 않지만 골곡을 보이며 흐르는 것은 길하다. 일반적으로 사회나 재물과 직접적인 관련이 있다.

조룡수(朝龍水) 멀리 조룡(朝龍)주산에서 내려와 혈전에서 겹겹이 겹쳐 모이는 물. 즉 조안산(朝案山)을 따라 혈전으로 흘러들어오는 물. 길하다.

조산(朝山) 안산 뒤에서 혈장을 보호하는 크고 수려한 안조산(案祖山)들을 모두 조산(朝山)이라 부른다. 조산(朝山)은 안산(案山)의 후면(後面)에서,

안산을 보호하고 국세(局勢)의 전호 응축을 강화(强化)하면서 혈장을 보호하고 에너지를 공급 응기(應氣)한다. 안산과 조산을 합쳐 조안산(朝案山)이라고도 부른다.

조산(祖山) 래룡맥의 근본이 되는 조종산(祖宗山)으로, 태조산(太祖山)과 중조산(中祖山), 소조산(小祖山), 주산(主山)으로 구분한다.

조산증혈(祖山證穴) 조산(祖山)의 원근, 고저장단, 정사평준에 따른 좌, 중, 우의 구분된 진혈을 살피는 것

조상의 환원생명 에너지 돌아가신 조상 모두의 유골에서 이산과 환원이란 에너지 순환 특성에 의해 발생되는 조상의 에너지를 말한다. 조상의 환원 에너지는 자손이 태어나서 죽을 때까지, 자손의 의지와는 전혀 상관없이 동조 또는 간섭작용을 하게 된다. 동일 유전형질의 환원 에너지는 동일 유전형질의 자손 생명 에너지와 동기동조(同期同調)하여 재창조된다.

조수(朝水) 앞산 멀리서부터 혈 앞에 당도하여 조공하듯 흐르는 물

조악(粗惡) 거칠고 악함

조안사(朝案砂) 조산과 안산을 함께 부르는 말

조윤(調潤) 사신사 래룡맥이나 혈심에 수기(水氣)가 적당한 상태의 현상을 말한다. 좋은 터가 되려면 너무 건조하여 흙이 푸석푸석해도 안 되고 너무 물기가 많아 땅이 질퍽질퍽해도 좋은 터가 되지 못한다. 적절한 지질 공극을 수기(水氣)가 적셔줄 때 조윤한 혈장이 유지 보존된다.

조응(照應) 혈장을 보호하고 비추어 응기하는 것

조장(鳥葬) 시체를 들에 두고 새들이 먹게 하는 장사(티베트인이나 배화교도들에게 이 풍습이 있음)

조종산(祖宗山) 산맥의 형성적 근원이 되는 조종산(祖上山)으로 태조산(太祖山), 중조산(中祖山), 소조산(小祖山)을 합쳐서 일컫는다. 사람도 조상을 근원으로 하여 태어나듯이 산도 그 근원처로부터 이어져 내려온다고 해서 조종산이라고 했다.

조토분모(胙土分茅) 복을 나누어 받음

조회수(朝懷水) 인자수지에서 설명하는 조회수는 혈전(穴前)으로 특조(特朝)하며 구곡(九曲)이 품 안으로 들어오는 물이다. 이 수(水)는 속발(速發)하는 것으로, 아침에 곤궁이 저녁에 부귀로 바뀐다고 한다.

존재 일체장(存在 一切場) 본질과 현상을 통칭하여 이르는 말

존재계(存在界) 본질과 현상 존재의 일체계를 일컫는 말

종(鍾) 부(釜)라고 하며 금성(金星)체의 산형을 이르는 말

종변역(縱變易) 종변역(縱變易)은 용이 진행을 하면서 요도를 뻗어, 그 요도의 에너지 반작용으로 진행각도를 바꾸면서 갈지(之)자형으로 변역함을 말한다. 그 변화각도는 $\theta=\angle 30°\times n$배를 유지해야 안정적 변역각(變易角)을 지닌 배합룡(配合龍)이 된다. $\theta=\angle 30°\times$정수배의 변역은 안정적 변역각으로서 $\angle +60°$ 변역시는 두 번의 에너지 반작용(두 개의 요도)이 있어야 하고, $\angle +90°$ 변역시에는 세 번의 에너지 반작용(세 개의 요도)이 있어야 한다. 용의 변역각도가 +30°, +60°, +90°, +120°는 안정적 변역이므로 배합룡이 나오고, +15°, +35°, +45°, +75°, +105° 등의 변역각은 불안정 변역각(變易角)으로서 무기룡(無記龍)이 된다.

종성(種性) 씨앗 본성을 말하며 근본 에너지 인자 특성이다.

종성개조(種性改造) 혈통 개선, 종자 본성 개선

종성연분(種性緣分) 절대본성이 종자 종성화하는 과정의 인연 연분

종성인자(種性因子) 종자본성이 지닌 근본인자, 존재본성이 그 근본인자임

종성인자주체(種性因子主體) 종자의 본성 본체

종성종자(種性種子) 종성을 지닌 종자

종성종자인자(種性種子因子) 종자화된 종성인자

종성주체(種性主體) 종성 종자의 본체

종성주체의지(種性主體意志) 종성인자의 본체적 자율의지

종응력(縱應力. 前後에너지) 현수(玄水) 에너지 및 그 에너지장과 주화(朱火) 에너지 및 그 에너지장의 상호관계 작용력

종응축(縱凝縮) 혈심의 뒤와 앞에 있는 양쪽 산(현무와 주작(안산), 두뇌와 전순)들이 혈심을 중심으로 서로 조이는 현상. 세로 응축, 전후 즉 앞뒤 응축이라고도 표현할 수 있다. 종응력 에너지장의 작용력보다 종응축 에너지체의 응축작용력이 더 크다.

종자 연기영혼(種子 緣起靈魂) 종자화 과정에서 인연된 연분영혼 자율의지

종자 환경인자(種子 環境因子) 종자화 과정의 환경 연분인자

종자생명인자(種子生命因子) 종자가 지닌 생기(生氣/生起) 에너지 인자

종자영혼(種子靈魂) 종자 당체의 자율의지

종자인자(種子因子) 종자 종성이 지닌 근본인자, 종자영혼

좌공우결(左空右缺) 좌우의 사(砂)인 청룡과 백호가 허공인 것

좌단제(左單堤) 왼쪽 다리가 굽어 나간 것

좌서우섬(左捿右閃) 번득번득 보이다 안 보이다 하는 것

좌선(左旋) 왼팔이 안으로 감듯이 왼쪽에서 오른쪽으로 도는 것을 말하며 시계방향으로 도는 것이다. 지구의 일체 에너지는 좌선의지 현상이다.

좌선국(左旋局) 좌출맥에서 혈장이 만들어지는 국(局)을 말함

좌선룡(左旋龍) 좌출래맥 용이 왼쪽에서 오른쪽으로 휘어지면서 나아가 성혈하는 것을 말한다. 좌선룡은 우선수를, 우선룡은 좌선수를 만나면 좋은데(음양배합이라 한다) 이러한 경우에 용과 물이 역수가 되고 음양의 조화가 이루어진다.

좌선수(左旋水) 물의 흐름이 왼쪽에서 시작하여 혈(穴) 앞을 지나 오른쪽으로 감아 도는 것을 말한다.

좌출맥(左出脈) 래룡맥의 분벽점으로부터 좌측에서 용의 출신(出身)이 시작하여 뻗어 내려온 것을 말한다. 주로 청목(靑木) 에너지 및 그 에너지장 특성을 지니고 있다.

좌선혈장(左旋穴場) 왼쪽에서 선회하면서 우선익의 받침에 의해 형성된 혈장을 좌선혈장(左旋穴場)이라고 한다. 좌선혈장에서는 청룡선익(靑龍蟬翼)에

의한 선악(善惡) 강약이 혈 역량을 결정한다.

좌향(坐向) 용의 맥이 온 방향 또는 현수(玄水) 에너지나 입수두뇌 에너지 중심점과 앞 주화(朱火) 에너지 및 전순 에너지 중심점을 향한 방위를 뜻한다. 보통 묘지의 경우 좌는 시신의 머리 부분으로 맥이 들어온 방향이고, 향은 다리 쪽 앞의 방위를 가리킨다. 즉 혈의 뒤쪽 방향이 좌이고 혈의 앞쪽 방향이 향이다. 좌향의 중요성은 생기가 모여 응축 동조 되고 있는 정확한 위치를 보여주는 것으로 하나의 혈성에는 반드시 하나의 좌와 향이 있을 뿐이라고 한다. 그런 점에서 향은 풍수사(지관)의 마음대로 정해지는 것은 아니다. ① 래룡맥 좌 ② 귀, 락, 탁 좌 ③ 입수두뇌 좌 ④ 주작 중심 향 ⑤ 조안(朝案) 중심 향 ⑥ 수세 중심 향

주객(主客) 주령산과 객령산, 현수산(玄水山), 주화산(朱火山)을 말함

주룡(主龍) 중출맥 용맥으로 성혈의지가 있는 것

주룡맥(主龍脈) 집터나 묘터를 형성한 주(主)된 산 또는 산맥으로 래룡맥, 본신룡과 같은 의미로 사용한다. 또한 주룡맥은 혈을 만들어 주는 산으로 주변 산들을 주관하고 혈의 주인이 되는 산이며, 높고 힘이 있어야 좋다. 조산(祖山)이나 현무 또는 현무정을 일으키기도 한다. 마을이나 도읍지를 보는 양기론 풍수에서는 진산(鎭山)이라 부른다.

주비(肘臂) 팔이 안으로 구부러진 모양. 팔과 팔꿈치

주사(蛛絲) 거미줄. 실같이 이어진 가는 맥 → 맥이 이어지는 특수한 형태

주산(主山) 혈장을 형성시킨 주된 산으로 혈장 뒤쪽에 위치하며, 진산(鎭山)이나 후산(後山) 또는 현무정(玄武頂)이라고도 한다.

주세(主勢) 본신룡의 기형세(氣形勢)로써 변화 질서와 연분사(緣分砂)의 도움으로 형성되는 본신룡의 진행모습 또는 그 세력

주작(朱雀) 혈장(집터나 묘터) 앞에서 혈장을 보호하는 모든 산으로 혈의 의안(倚案)이 된다고 하는 뜻에서 보통 조산(朝山)과 안산(案山)을 통칭하여 부르는 개념이다. 현무가 주인 격인 산이라면 주작은 손님 격으로 혈 응축 에너지를 공급한다. 모양은 마치 새가 날개를 펼치고 날아가듯이 우아하고 수려한 것을 제일로 친다. 혈전(穴前)에서 제일 근봉(第一 近峰)을 내안(內

案)이라 하고 내안 밖으로 있는 산을 외안(外案)이라고 하며 또 조산(朝山) 또는 조산(照山)이라고 부르기도 한다. 주화(朱火) 에너지체 또는 주화 에너지장 및 주화신(朱火神), 객신사(客神砂)라고도 함

주작수(朱雀水) 혈의 전면을 감아 돌며 흐르는 물

주체인자(主體因子) 주(主)가 되는 당체적 근본인자

주필산(駐驆山) 태조산에서 출맥한 용이 먼 거리를 행룡하면서 중간에 잠시 쉬어 가는 것 같은 간룡이 행룡을 멈추면서 주위에 다시 새로운 용을 새끼 친 산이다.

주합용호(湊合龍虎) 청룡(青龍)과 백호(白虎) 중 한쪽은 본신(本身)에서 나오고, 한쪽은 다른 산에서 다가와 혈(穴)을 감싸는 것을 말한다.

준거(蹲踞) 호랑이가 걸터앉아 혈을 지키는 모습이다.

준봉(峻峰) 험하고 가파른 봉우리

준험(峻險) 산이 높고 험악함

중강(重岡) 중첩(重疊)을 이루고 있는 평양룡(平洋龍)

중수조당(衆水朝堂) 여러 물이 혈전에 모여드는 모습

중옥(重屋) 많은 집을 겹쳐놓은 것과 같은 안산을 말함 → 대길(大吉)

중조산(中祖山) 태조산(太祖山)에서 뻗어 내린 산줄기가 혈장으로 내려오면서 중간에 다시 큰 기운이 모아져서 태조산에 버금갈 정도의 큰 산을 이루게 되는데, 혈장에너지의 중간 집합처(集合處)인 조정지(調整池) 역할을 한다. 이런 산을 중조산이라 한다. 국립공원이 들어선 명산은 대개가 중조산에 해당한다. 크게 보면 우리나라의 설악산, 오대산, 태백산, 소백산, 속리산, 덕유산, 지리산 등이 해당되며, 일국의 수도나 도의 태조산이 되는 것이다. 또 가까이 살필 때는 소조산 뒤의 중간 조상산을 말하기도 한다.

중척(中脊) 가운데 등성마루

중출맥(中出脈) 간룡맥이 개장하여 천심 출맥하는 것. 좌우로 보호하는 용을 두고 중심용으로 분지출맥(分枝出脈)하여 성혈의지를 지닌 래룡맥(來龍脈)

이다.

중취국(中聚局) 대취국보다 작은 국을 형성하여 중소도시(中小都市)가 형성된다.

중흉(重凶) 용(龍)과 혈(穴)이 모두 흉할 때 쓰는 말

지(止) 맥(脈)과 기(氣)가 멈춤

지(支) 래룡맥의 진행안정을 위해 균형유지 목적의 지탱 특성을 지닌 지각맥(支脚脈)을 말함. 장서의 군룡중지(群龍衆支)에 대한 규장각본 주에서는 '지(支)는 용에서 갈라져 나온 것이니, 용이 내려와 지(支)로 되고, 지(支)가 내려와 강(岡)으로 되며, 강(岡)이 내려와 부(阜)로 된다'라고 개념정의를 하고 있으나 이는 그 형성질서와 생성목적이 전혀 다르게 설명되었다.

지각(支脚) 본신룡(혹은 본신룡맥)이나 보조적인 산가지의 진행 방향을 변위시키지 않고, 안정이나 균형을 유지시켜 주는 산가지로, 지각(支脚)은 용맥을 지탱하고 기복(起伏)하게 하여 용맥의 흐름을 생동(生動)하게 한다. 지각(支脚) 그 자체는 용맥이라 할 수 없음에도 불구하고 이를 용맥으로 착각하여 묘를 쓰는 사례가 허다한데 이런 경우 입맥(入脈)이 전혀 되지 않으므로 대흉(大凶)이라 할 것이니 지각(支脚)에 대한 분별을 소홀히 해서는 아니 된다.

지각(止脚) 본신룡이나 지룡 요도, 지각(支脚) 등 귀・관・요 에너지체의 마지막 산자락 부분에서 진행을 정지시켜 주고 안정을 유지시켜주는 정지안정사(砂) 에너지체를 일컫는다. 주로 정지안정각은 ∠90°가 이상적이나 경우에 따라 ∠60°와 ∠120°의 형태가 있다. 산맥 내룡의 생사를 확인시킨다.

지각(枝脚) 진행하는 용(龍)의 각도를 변화시키지 못하고 용(龍)의 행도(行道)를 지탱만 해서 용신(龍身)의 에너지를 보호하는 역할을 하는 가지 용(龍)을 지각(枝脚)이라고 한다. 래룡의 몸체에 지각(支脚)의 합성형태로 붙어서 래룡이나 지룡의 경사진 몸체를 지탱한다. 행룡하는 용의 균형을 지탱하고 전진을 보조하며 요도 에너지체를 보조하는 역할을 하는 것으로 형성되기도 하는데 이를 혹자는 요도(橈棹) 지각(枝脚)이라고도 한다. 지룡(支龍)이 한 절(一節)이상 길게 뻗어나갈 때는 지각이 없으면 지룡신(支龍身)이 보호되지 못하며 기울어지거나 허물어진다. 즉 지각룡(支脚龍)의 형태만이 안정을 도모한다.

지당수(池塘水) 혈전에서 지세가 움푹 파인 곳에 여러 물줄기가 모이는 곳, 연못과 같이 고여 있는 물이다.

지룡(枝龍) 본신룡이나 간룡(幹龍)에서 분벽(分擘)되어 나간 가지 산맥을 말한다. 마치 나무의 줄기에서 다시 뻗어 나간 작은 가지와 같은 것이다. 본신룡(本身龍)을 보호하기도 하고 따로 뻗어나가서 작은 혈장을 만들거나 중출맥을 보호하는 가지 용(龍)을 지룡(枝龍)이라고도 한다. 지룡(枝龍)이 뻗어나가면, 본신룡의 역량(力量)은 그만큼 감소된다. 래룡보다 적은 규모로 본신간룡에서 갈라져 나와 가지처럼 뻗어 내려가는 작은 산줄기를 말한다. 선지룡(善枝龍)은 반드시 회합의지(會合意志)를 지닌다.

지리신법(地理新法) 중국 송(宋)나라의 풍수학자 호순신(胡舜申)이 지은 책으로 양균송의 "청낭오어(青囊奥語)"를 조(祖)로 하고 곽박(郭璞)의 "장경(葬經)"을 종(宗)으로 삼아 종래의 풍수지리 서적을 널리 참고하여 요긴한 내용만 뽑아 간추린 풍수지리서로서 조선시대 음양과의 수험서였으며, 12포태법(十二胞胎法)을 도입하여 이기론의 기틀을 마련하였다. 내용을 보면 오산도식(五山圖式), 오행론(五行論), 산론(山論), 수론(水論) 등 수십 개의 논을 설명하였다. 예를 들면 오산도식에서는 산의 형국을 오행에 대비하여 금국, 수국, 목국, 화국으로 도시(圖示) 설명하였고, 용호론(龍虎論)에서는 좌청룡 우백호를, 기혈론(基穴論)에서는 혈(穴)의 기본이론을, 좌향론(坐向論)에서는 아무리 혈이 좋아도 방향이 맞지 않으면 길(吉)이 흉(凶)으로 바뀐다는 이론을 설명했다. 특이한 점은 오행론(五行論)에서 일반적으로 널리 쓰는 정오행(正五行)을 써서 자(子)・인(寅)・갑(甲)・진(辰)・손(巽)・신(申)・술(戌)은 수(水)에, 을(乙)・병(丙)・오(午)・임(壬)은 화(火)에, 간(艮)・묘(卯)・사(巳)・정(丁)・유(酉)・건(乾)・해(亥)는 금(金)에, 미(未)・곤(坤)・경(庚)・계(癸)・축(丑)은 토(土)에 각각 배속한 점이다.

지리오결(地理五訣) 청(淸)의 조정동(趙廷棟) 옥재씨(玉材氏)가 쓰고 백몽린(白夢麟)이 교정했고, 왕용필(王庸弼) 몽정씨(夢亭氏)와 장함장(張含章) 응태씨(應泰氏)의 저작(著作)을 참고 1책(43장), 32.2×21.7cm의 철활자본. 1866년(고종3) 왕명으로 간행된 것이다. 용혈사수(龍穴砂水)에 향법(向法)을 추가 강조하여 오결(五訣)을 만들고 산의 형상보다는 용혈사수향(龍穴砂水向)의 이기(理氣)에 비중을 두고 있다. 이기론의 체계를 완성한 책이다.

지맥(地脈) 일반적으로 지구표면 에너지체의 표피 하부(下部)를 뚫고 순환이동 출맥하는 지기의 맥(脈)을 말한다. 또 천인지 3맥 중의 하나로 지맥은 인맥보다 더 낮은 평강룡맥을 말하기도 한다.

지사사(知事砂) 전형적인 토금체형산(土金體形山)으로서 도지사(道知事)급의 귀(貴)가 난다고 하여 지사사라고 한다.

지석(誌石) 죽은 사람의 이름, 생졸 연월일, 행적, 무덤의 방향 따위를 적어서 무덤 앞에 묻는 돌

지석묘(誌石墓) 사람의 시체를 묻고 돌을 얹어 놓은 개인 묘로서 무게가 70톤에 이르는 거대한 개석(蓋石)도 있다.

지세(地勢) 땅의 생성 형태와 세력

지장정혈법(指掌定穴法) 인자수지에서 논하는 장심(掌心)을 중심으로 한 몇 개의 혈을 가리키는 정혈법의 하나로서 신중히 살펴야 한다.

지현(之玄) 래룡이 옮겨가는 형태가 지(之)나 현(玄)처럼 변하여 움직이는 것. 용의 진행이 구불구불한 모양

지혈(地穴) 천지인(天地人) 삼세혈 중 하나. 산세가 누운 것 같고 성진(星辰)이 엎드린 듯 출맥(出脈) 결혈(結穴). 원운(圓暈)이 얕으며 조응(朝應)과 용호 및 사방의 형세가 서로 비등하게 낮다.

직겸(直鉗) 겸혈의 일종으로 좌우 양각(兩脚)이 모두 곧으며 다리가 길고 단단하면 불가하다. 반드시 아름답고 단소(短小)한 것이 길함

직룡입수(直龍入首) 주로 정변역 래맥 입수로서 아무 곡굴(曲屈)이 없이 곧바로 내려온 것. 입수룡이 진행하는 방향의 중앙으로 등을 밀면서(당배, 撞背) 쫓아나와, 좌우선익을 형성하면서 혈장을 형성하고 남은 기운으로 전순을 형성한다. 직입수(直入首)에는 반드시 전순(氈(담요전)脣)이 있어야 길하며, 전순이 없으면 입수가 무너져 결함이 있는 것이니 주의해야 한다.

직맥(直脈) 직맥은 곧으면서 길면 사맥(死脈)이므로 반드시 짧아야 한다. 정변

역에서만 생룡이 가능해진다.

직입수혈장(直入首穴場) 선회하지 않고 곧바로 혈장이 형성된 것을 직입수혈장이라 한다. 정변역 직입수혈장(直入首穴場)에서만 선성의 혈핵과가 형성된다.

진가(眞假) 진룡과 가룡, 진혈과 가혈을 가릴 때 쓰는 말

진룡(進龍) 용의 진행과 기상이 매우 활발히 전진하면 부귀창성하고 급제(及第)가 연출(連出)한다.

진룡수(鎭龍水) 청백 원진득이 내수구로 들어와 묘 앞에 이르는 물. 좌측에서 오면 남자가 출세, 우측에서 오면 여자가 이득이다.

진룡진혈(眞龍眞穴) 진룡에는 진혈이 완성된다는 말

진산(鎭山) 마을 뒤편에 위치하면서 마을을 보호하는 주산(主山)의 의미를 담고 있다. 주로 양택(陽宅)에서 쓰는 혈후 조산을 말한다.

진응수(眞應水) 조래국(朝來局) 지하수가 혈 앞에서 흘러넘치는 샘물로서 영천(靈泉)이라고도 한다. 극귀부 출(出)

집합(集合) 흩어져 있던 구성 성분들이 한데 모이는 것으로 이산(離散)의 반대 개념이다.

집합특성(集合特性) 모이는 성질로 양(陽) 특성임. 취돌(聚突) 취기(聚氣) 입체 에너지체를 형성한다. 생기룡맥 특성으로 성혈의지를 지녔다.

ㅊ

참암(巉巖)~칠성판(七星板)

참암(巉巖) 바위로 뭉치고 절벽이 되어 낭떠러지가 높다. 혈에서 돌이 나오고 아득히 높아서 무서운 형상이다. 이런 곳에 점혈하면 흉살(凶殺)이 있다.

창두(瘡頭) 삐죽한 것

창판수(倉板水) 인자수지에서 논하는 물의 종류로서 주화(朱火) 조래수가 넓게 분포되어 혈전을 향해 흐르는 물 → 극귀부 출(出)

천(穿) 물이 명당을 뚫고 나가는 혈장 누설 풍수

천관(天關) 입수래맥 좌우측에서 체(體) 에너지 응축을 일으키는 사(砂)(戌乾亥 丑艮寅) → 지축(辰巽巳 未坤申)

천광(穿壙) 혈핵 내에 장사키 위해 시신을 묻을 무덤 자리를 파는 것으로 즉 광중을 파는 것을 말하며 개혈(開穴)이라고도 한다. 외광, 내광이 있으며 외광은 주로 1.5m 깊이로, 내광은 외광 하부에서 0.5m 깊이로 더 판다.

천교(天橋) 금성이 연결되는 산 모양

천룡(賤龍) 래룡맥의 격(格)을 빈천귀(貧賤貴)로 나누어 논한 것 중 하나

천마(天馬) 오성의 유형으로 금산(金山)이 연이어지고 화산(火山)에 대(帶)를 두른 것

천맥(天脈, 천심맥) 조종산(祖宗山)의 상부, 곧 산정(山頂 : 이마)을 뚫고 출맥

하는 맥(脈)을 말한다. 천맥, 즉 천심맥(天心脈)은 정출맥(正出脈)으로서 그 역량이 강하다. 그러나 천맥은 그 출맥점이 반드시 좌우의 보호를 받는 개장 천심(開帳 穿心)이라야 하고, 출맥 지점이 보호를 받지 못하거나 골이 져 있으면 좋지 못하다.

천묘(遷墓) 무덤을 다른 곳으로 옮김. 이장

천문(天門) 천문은 득수처, 지호는 파구처를 일컫는 말

천승(千乘) 많은 산이 둘러싸여 조배를 이루고 있는 것

천심(穿心) 개장의 중심을 뚫고 흐르는 산줄기이다. 산봉우리 아래에서 맥이 좌우출맥을 거느리고 중심으로 시작하여 뚫고 나오는 모양. 개장천심. 입혈맥 에너지를 공급하기 위한 결혈의지의 중출 에너지 입력 형태

천심십도(天心十道) 전후좌우 산이 십자(十字)로 응(應)하는 사신사 에너지장 응축 동조 중심점. 혈증 사과(四果)가 분명해야 진(眞)이다.

천옥(天獄) 혈장보다 주변에 둘러싸인 산들이 등을 보이며 더 높고 험협(險狹)하여 감옥과 같은 자리를 말한다.

천와(淺窩) 용의 와혈(窩穴) 중에서 얕고 낮게 들어간 혈

천을태을(天乙太乙) 혈장 후룡(後龍)의 좌우에 빼어나 있으며 쭈뼛하게 선 목형(木形) 입체 응축 에너지체

천장지비(天藏地祕) 하늘이 감추고 땅이 비밀히 숨긴다는 뜻으로 진혈을 만나기가 어렵다는 것을 의미한다.

천지수(天池水) 래룡맥상에 자연히 형성된 연못 물. 귀격이다.

천천(濺泉) 구멍 속에서 쏘는 것과 같이 나오는 물로 너무 차서 초목이 말라죽는 흉한 샘이다. 혈(穴)이 상한다.

천혈(天穴) 산세가 선 것 같이 높으며 머리는 구부린 것 같은 출맥(出脈) 혈장으로 원훈(圓暈)이 높고 넓어서, 안대 및 사신사의 형세가 균형 잡히게 놓여 있어야 길하다.

첩부(疊阜) 중첩을 이루고 있는 것

청오경(靑烏經) 한(漢)의 청오자(靑烏子)가 저술한 후 당(唐)의 양균송(楊筠松)이 해석판을 펴냈다. 중국 풍수의 교과서적 고서이다.

청룡(靑龍) 혈장의 입수에서 묘를 내려다보았을 때 혈장의 좌측 지룡(枝龍)을 말하며, 본신용을 보호하고 혈장의 좌측에서 혈장을 보호 육성 응축하여 혈장의 생기가 새어나가는 것을 방지한다. 청룡이 여러 겹 있으면 혈장 가까이 있는 안쪽의 청룡을 내청룡(內靑龍), 그 밖의 것들은 외청룡(外靑龍)이라고 한다. 청룡은 여러 겹이 독립하여 있을수록 좋고, 단절된 부분이나 배역(背逆)한 부분이 없고, 힘차게 구불구불(완연(蜿蜒))하고, 혈장과 그 높이의 균형이 유지되고 또한 에너지 응기각도가 유지되면서 혈장을 많이 감을수록 좋다. 또한 청룡이 백호를 안으면서 관쇄(關鎖)되거나 혈장과 그 거리가 가까울수록 더욱 좋다. 청룡이 양호할수록 자손의 명예와 관운(官運)이 좋고, 덕과 인을 갖추며 충효하고, 형제의 우애(友愛)가 두텁다. 청목(靑木) 에너지체 및 청목 에너지장이라고도 하며 청백 에너지체가 상호 균형되게 시립(侍立)하는 것을 길로 본다.

청룡선익(靑龍蟬翼) 입수에서 묘를 바라보면 묘의 왼쪽에 있는 선익 즉 혈장의 소청룡(小靑龍) 부분으로서 혈장 청룡 쪽의 혈핵 에너지 보호 육성 응축장치의 역할을 한다. 자손에게는 목기(木氣, 질소, N)에너지의 공급처로서, 주로 오장육부 중 간장(肝臟)과 담낭(膽囊 : 쓸개)의 역할을 관장하고, 또한 자손의 관운과 덕과 인을 관장한다. 청룡선익이 강하고 양호하면 자손의 건강과 관운이 좋고, 또한 어질고 덕망 있는 자손이 되며 창성한다. 청룡선익이 없으면 자손이 관직에 나아갈 수 없고, 손세 또한 서서히 소멸되어 버린다. 청룡선익이 끊어져 있으면 자손이 관직에서 도중하마(途中下馬)를 하게 되고 요절(夭折)하는 자손이 생긴다. 청룡선익은 전체 자손을 관장하지만, 특히 홀수 자손의 강약(强弱)에 그 영향이 크다.

체백(體魄) 육체와 영혼의 집, 즉 죽은 자의 몸체와 혼백을 말함

초사회선(草蛇灰線) 여러 산들 가운데 구불구불한 맥으로 요도(橈棹)와 지각(枝脚)이 밖으로 드러남이 없이 넓은 평맥이나 은맥 중심을 달려 나오는 작은 용맥의 중심 흔적을 말한다. 등척을 이르는 말

추길피흉(趨吉避凶) 취길피흉(取吉避凶)과 같은 말로 선길한 것을 찾아 점혈한

다는 뜻. 주변사나 혈장 주변에 흉사가 있으면 좌나 향 또는 점혈 자체를 피하여야 한다.

추조(麤粗) 거칠다.

추족(墜足) 혈장(집터나 묘터) 터의 용맥이 좌우측에서 보호하는 청룡이나 백호 맥보다 더 길게 빠져 나간 상태를 말한다. 이런 곳은 전후응기 즉 종응력의 부족으로 에너지가 응축되지 않고 빠져나간다. 다른 말로는 노태(露胎)라고도 한다.

출맥(出脈) 분벽 또는 입체봉에서 성혈(成穴)을 위해 흘러가는 모습. 중출, 좌출, 우출맥

출신(出身) 조산(祖山)으로부터 맥을 나뉘어 가는 곳이다.

충(衝) 산이나 바람 또는 물이 혈장을 치는 것. ⊕衝

충(沖) 산이나 물 또는 바람이 혈장의 기운을 뽑아내는 것. ⊖沖

충렴(蟲廉) 시신이나 광중에 벌레가 기생하는 것

충신사(忠臣砂) 길사(吉砂)로서 혈 앞에 절하는 산이 있고 사오미정(巳午未丁) 방향의 산봉우리가 현수 쪽으로 공읍(拱揖)하며 서로 양보하면 충신이 나온다.

충양화음(沖陽和陰) 음양의 조화가 잘 이루어지는 것

취기(聚氣) 지기가 모이는 것을 뜻하며, 생기가 주변사 에너지체 및 에너지장의 응축을 받아 집중되는 것을 말한다. 현상적으로는 응축 동조 응기하는 형태대로 부풀어 오르듯 조그마한 봉(峰)을 만든다. 입체조직을 형성하는 래룡맥의 일시정지 취돌 현상이다.

취기입수(聚氣入首) 사신사 에너지체 및 에너지장 응축동조가 시작되는 지점으로 입혈맥과 양선익 전순 에너지를 공급한다.

취면수(聚面水) 혈전 융취수로 최길하다.

취명(聚明) 입수두뇌가 모이고 밝은 것을 말함 / 계명(界明) 입혈맥이 밝은 것

취산(聚散) 모이고 흩어짐을 말한다.

취수(聚水) 여러 갈래가 모인 물

측뇌(側腦) 혈성삼대격(穴星三大格)의 하나로 혈장 성신(星辰)의 두뇌(頭腦)가 기울어진 것

친자감응(親子感應) 유전인자가 동일한 친부(親父) 친자(親子) 간의 동기동조감응(同期同調感應)을 말한다.

칠성판(七星板) 시신 바닥에 까는 얇은 판으로 칠성보호를 구하는 의식이다.

ㅌ

탁락(托樂)~특조산(特朝山)

탁락(托樂) 혈후(穴後)에서 혈장을 체(體) 에너지 또는 장(場) 에너지로서 밀어주거나 감싸주는 산. 락산은 선(線) 구조 Energy체

탁산(托山) 혈장 좌, 우측, 청룡, 백호 밖에서 혈장을 간접적으로 보호 응축하는 산이다. 탁산은 입체(立體) 구조 Energy체

탈사(脫卸) 벗어남

탈신공개천명(奪神功改天命) 신의 능력을 뛰어넘어 천명을 바꿀 수 있다는 적극적 풍수관을 일컫는 말. 풍수의 진리를 확연히 깨우치고 실천하는 일

탕천(湯泉) 온천을 말한다. 비혈처(非穴處)이다.

탕흉수(盪胸水) 혈전으로 물이 모여 마치 주머니에 고인 듯 혈장을 적셔주는 선길수(善吉水)

태과(太過) 과하여 균형이 깨져있는 상태. 불균형 불안정

태극(太極) 우주 생성 시 무극(無極)에서 태어난 음양의 대립적 활동이 아직 발현되지 않은 음양미발 본원의 상태를 말한다.

태극정혈법(太極定穴法) 태극음양의 정혈법(定穴法)으로 태극원훈을 찾아 정혈한다. 태극원훈의 내부구조. 上(양) 下(음) 左(양) 右(음). 음양합일점 → 혈핵심

태을(太乙) 혈후의 높은 입체봉

태조산(太祖山) 용과 맥이 시작되는 산으로 혈장에너지의 근원처(根源處)가 된다. 사람에게 있어 시조와 같다. 혈 에너지의 발원이 되며, 혈에서 가장 멀리 떨어져서 위용이 빼어난 산이다.

택(澤) 물이 고여서 저수(貯水)가 됨

토규(土圭) 고대의 혈장과 방위를 측정하는 기구

토색(土色) 오색이 갖추어진 중앙 혈토의 색깔. 황토(黃土). 황갈색

토성(土星) 일자형을 지닌 가장 강력한 입체 에너지체의 산

토성혈(土星穴) 왕자형(王字形)의 혈. 정변혈장.

토지신(土地神) 땅이 지닌 에너지체가 발하는 에너지장 기운

토형산(土形山) 토체(土體)라고도 한다. 토형산은 산의 에너지가 충만을 이루게 되면 산의 정상이 단정(端正) 방평(方平)하게 된다. 산을 전후좌우상에서 보면 일자(一字)와 같이 보여 일자문성(一字文星)이라고도 한다. 크고 풍만할수록 부귀(富貴)가 크다.

퇴룡(退龍) 앞으로 진행하는 용이 오히려 뒤로 물러가는 것처럼 보이거나, 오는 것인지 가는 것인지 분별없이 보이는 대단히 흉한 용이다.

투루(透漏) 보일 듯 말 듯 갈리어 새어 나감

투산(投算) 이리저리 흩어놓은 산가지

특조산(特朝山) 먼 곳에서 양쪽으로 물을 끼고 와서 엎드려 절하는 듯한 모습으로 혈장을 특조하는 산이다.

ㅍ

파(破)~피흉(避凶)

파(破) 혈장 혹은 내명당(內明堂)의 양쪽으로 또는 용호(龍虎)내로부터 시작한 수류(水流)가 용호의 사이를 흘러나가는 것을 말함. 풍수에너지를 얻어 득을 이룬 후 소멸되어 가는 것(양득파, 음득파)

파(破) 간섭 E, $\theta=\angle 90°$의 상호 간섭 에너지가 부딪혀 깨어지는 것

파구(破口) 혈판에 바람과 물이 드나드는 입구 공간. 혈장에서 물 바람이 흘러나가는 마지막 문. 혈(穴)을 중심으로 좌우의 내득수 물이 혈장 앞의 전순 또는 용호가 관쇄된 지점에서 서로 합하여 흘러가기 시작하는 지점을 파구(破口)라 한다. 수구(水口)라고도 한다. 혈장파구, 청백관쇄파구, 주작파구 등으로 구별한다.

파면(破面) 당혈(當穴)된 곳으로 혈성(穴星)의 머리나 면(面)이 움푹 패이고, 부서지고 흙과 돌이 섞였거나 토산으로만 되었거나 혈성이 온전치 못한 것. 혈판 사신사의 부서진 면

파묘(破墓) 개장하기 위하여 본래의 무덤을 파냄

판구조(板構造) 지표구조가 넓은 판자와 같은 형태를 취하고 있다고 해서 명명한 용어이다. 지각의 3대 분류 구조형태(판구조, 입체구조, 선구조) 중 하나인데, 평야와 같은 들판을 말한다. 마그마가 지표에서 지각화하는 1차 과정의 지표면 구조체

팔괘(八卦) 태초에 우주는 무극(無極)에서 태극(太極)이 생기고 태극에서 음(陰)과 양(陽)이 나뉘었는데, 다시 음에서는 태음(太陰)과 소양(少陽)으로 나누어지고 양에서는 태양(太陽)과 소음(少陰)으로 나뉜다. 여기서 다시 태음은 곤(坤)과 간(艮)으로, 소양은 감(坎)과 손(巽)으로 나누어지고, 소음은 진(震)과 이(離)로, 태양은 태(兌)와 건(乾)으로 나누어지며, 곤(坤)은 모(母)와 지(地), 간(艮)은 삼남(三男)과 산(山), 감(坎)은 이남(二男)과 수(水), 손(巽)은 장녀(長女)와 풍(風), 진(辰)은 장남(長男)과 뢰(雷), 이(離)는 이녀와(二女)와 화(火), 태(兌)는 삼녀(三女)와 택(澤), 건(乾)은 부(父)와 천(天)으로 각각 변역하여 곤, 간, 감, 손, 진, 이, 태, 건의 8괘가 된다. 천체에너지장 구조

팔방(八方) 건(乾), 감(坎), 간(艮), 진(震), 손(巽), 이(離), 곤(坤), 태(兌)

팔불상(八不象) ① 거칠고 완만함 ② 고단한 용두(龍頭) ③ 사당 앞이나 절 뒤 ④ 파묘(破墓)터 ⑤ 산세가 달아나고 어지러움 ⑥ 바람과 물이 거칠고 아름답지 못한 것 ⑦ 주산의 기(氣)가 나직하고 연하여 기맥(氣脈)이 없는 것 ⑧ 용호의 머리가 뾰족한 것(풍수제설론 참조)

팔요풍(八曜風) 묘의 광중(壙中) 양 어깨를 통해 침입하는 입수두뇌 좌우 양국(兩局) 골의 바람을 말한다. 팔요풍은 음곡자생풍(陰谷自生風)인 음풍(陰風)과 지상(地上)을 왕래하는 바람인 양풍(陽風)으로 구분한다. 패철 2층 또는 3층에 8방위가 표시되어 있으며, 살을 받는 방위가 표시되어 있다. 풍살(風殺)이라고도 한다. 혈장 요(曜) 에너지체 발생점에 굴(屈)이 지면 팔요풍의 침해를 받게 된다.

팔자수(八字水) 혈장 좌우에서 명당으로 흐르는 물. 界明水

팔정도(八正道) 불교에서 말하는 8가지 수행과정. 정견(正見), 정사(正思), 정어(正語), 정업(正業), 정명(正命), 정정진(正精進), 정념(正念), 정정(正定)

팔택가상법(八宅家相法) 동사택(東四宅)-남, 동, 동남, 북 / 서사택(西四宅)-서북, 서, 동북, 서남

팔풍(八風) 팔방(八方)에서 불어오는 바람. 염풍(炎風), 조풍(條風), 혜풍(惠風), 거풍(巨風), 량풍(凉風), 요풍(飂風), 려풍(麗風), 한풍(寒風). 수행의 8가지 마음 경계. 이(利), 쇠(衰), 훼(毁), 예(譽), 칭(稱), 기(譏), 고

(苦), 낙(樂)

패륜사(悖倫砂) 청룡백호가 빗겨나가며 뾰족하면 인륜을 어기는 자가 나옴

패철(佩鐵) 중국 주(周)나라 성왕(成王) 때부터 통용된 주역(周易)의 후천팔괘(后天八卦)를 응용하여 사용했다고 전해오고 있다. 오랜 역사를 통하여 이 방면의 훌륭한 학자들이 꾸준히 연구하여 조금씩 변화 발전시켰으며, 오늘날 우리들이 사용하기에 편리하도록 만들어졌다. 제1선은 황천수(黃泉水)를 측정하고 제2선은 팔요풍(八曜風)을 측정하며, 제3선은 오행(五行)을 보며 제4선은 음양(陰陽)으로써 배합·불배합 무기룡 및 요도·지각·입수·선익의 각도와 좌향을 측정한다. 제5선은 맥기분금(脈氣分金)으로 에너지 흐름선을 측정한다.

편맥(偏脈) 맥의 중심이 좌편이나 우편의 어느 한쪽으로 나타나 변화하기 때문에 한쪽은 형충파해살이 되어 편맥이 된다. 양변의 전호 산세가 고르지 못해서 그 역량이 감소하거나 흉살이 된 래룡맥에서 주로 나타난다.

평(平) 평탄한 것. 자손의 신(信)을 관장

평강룡(平崗龍) 평평한 산등성이로 내려온 용

평등의지(平等意志) 절대본성의 평등성을 유지하려는 의지

평등회향(平等廻向) 절대평등성으로 회복하려는 것

평면(平面)혈성 혈성 삼대격(三大格)의 하나로 성진(星辰)이 평지로 거꾸러져 형체가 평탄한 것. 천지인(天地人) 삼세혈(三勢穴) 중 지혈(地穴)에 준(準)한다.

평면금성(平面金星) 면이 위를 향하고 둥근 것

평면목성(平面木星) 면이 위를 향하고 몸체가 편편하게 길고 견고함

평면수성(平面水星) 면이 위를 향하고 몸이 굽었으며 땅에 쓰러진 것

평면토성(平面土星) 토성의 일종으로 면을 위로 향하고 몸이 네모지며 땅에 쓰러진 것, 꼭대기에 혈을 맺음

평사낙안(平砂落雁) 기러기가 모래밭에 내려앉는 모양

평전수(平田水) 물이 들(田)에서 모여 평평하고 완만한 것

평지혈(平地穴) 은변역 래룡맥에서 형성된 평지 돌혈(突穴)

포(抱) 대(帶)를 두른 것 같이 감싸 안은 것. 자손의 효(孝)를 관장(胞)

포(苞) 풀포기 무더기와 같은 모양의 입체마디(泡)

포태법(胞胎法) 명운(命運)을 살피거나 좌향을 결정하는 데 쓰며 용(龍)과 물이 어우러지는 산수풍의 12인연 질서관계를 나타냄. 물이 들고 나가는 길흉을 살필 때도 쓰인다. 양국(陽局)은 인신사해(寅申巳亥), 음국(陰局)은 자오묘유(子午卯酉)가 생(生)궁이다. 또 양국은 자오묘유에서 왕(旺)하고, 음국은 인신사해에서 왕(旺)한다. 만물의 생로병사 생장수장을 12인연 운성으로 관찰하는 것.

푸대 없는 본체(本體)자루 인간의 인식구조로서 붙잡아 담아둘 수 없는 본체모습. 부대 본원

풍렴(風廉) 산소나 유골이 풍해를 당한 모습. 주로 검게 변한다.

풍수(風水) 지기(地氣)를 생성 소멸시키는 중요 요소로 인식되면서 지리학의 대명사로 쓰였다. 천지동조 생명기운이 풍수환경 질서에 어떤 변화를 일으키는가를 관찰하는 학문.

풍수탑(風水塔) 풍수를 위해 축조된 탑. 일명 비보소(裨補所) 또는 비보사탑(裨補寺塔)이라고 함

풍염(風炎) 매장되어 있는 유골이 바람의 침투로 인해 피해를 입는 것을 일컬으며, 이로 인해 자손은 중풍, 신경통 같은 병을 앓게 된다. 풍렴과 동일한 용어이다.

풍장(風葬) 시체를 산이나 들에 내버려 두어 비, 바람 또는 짐승에 의해 자연히 피육(皮肉)이 소멸되게 한 후 뼈를 간추려 묻는 장사 방식

풍취수겁(風吹水劫) 바람이 혈장을 뚫고 물이 혈판을 때리는 것

피흉(避凶) 흉사를 피하는 것

ㅎ

하관(下官)~흙(土)

하관(下官) 내려놓는 것

하락지수(河落之數) 오행에 배정하여 북(北)의 1・6, 동(東)의 3・8, 남(南)의 2・7, 서(西)의 4・9, 중앙(中央)의 5・10을 나눈 수

※ 중국 복희 시절 용마와 하우 시절 거북의 등에 새겨진 천지생성 질서의 오묘한 수리를 설명한 것.

1. 천지동조 창조원리(만물핵과 창조과정)
   - 선천질서(先天秩序)(25) : 1, 3, 5, 7, 9의 수리 특성에 의거 생기(生起)
   - 후천질서(後天秩序)(30) : 2, 4, 6, 8, 10의 수리 특성에 의거 성주(成住)
2. 혈장핵과 창조원리(穴場核果創造原理) 원리강론 참조
   - 선천질서(先天秩序) : 1(⊕), 2(⊖), 3(⊕), 4(⊖), 5(⊕). 근본 생기(生起) 동조(同調)
   - 후천질서(後天秩序) : 6(⊖), 7(⊕), 8(⊖), 9(⊕), 10(⊖). 성주(成住) 재창조 동조
3. 4정(四正) 4유(四維)의 형성(形成) 원리
   - 선천질서(先天秩序)(근본창조) : 1(壬)(子), 2(丙)(午), 3(甲)(卯), 4(庚)(酉), 5(戊)(土) → 기초 순질서

- 후천질서(後天秩序) : 6, 7, 8, 9, 10 → 성주(成住) 순질서(順秩序)
(재창조)
(癸)(丁)(乙)(辛)(己)
(亥)(巳)(辰)(戌)(土)
(丑)(未)

4. 선도후착대기원리(先到後着待期原理) (천지음양오행의 상호동조 간섭원리)
   - 선천질서(先天秩序) : 선천하도(先天河圖) 수리
   - 후천질서(後天秩序) : 후천낙서(後天落書) 수리
   - 대기질서(待期秩序) : 음양, 팔괘, 오행 합성 → 하락수리변역

5. 인연순응(因緣順應)의 질서원리(秩序原理)
   선후천(先後天) 공(共)히 창조 인연 질서에 순응(順應)하는 변역상(變易象)

하수(下手) 물이 빠져나가는 끝부분 - 하수사(下手砂), 하관(下關)

하수사(下手砂) 명당 앞 주작 전순 또는 청백 하부에서 흘러나가는 물을 거두어 주는 역할을 맡은 산들을 가리킨다. 대개 명당에는 필수적으로 있어야 한다.

하수수(蝦鬚水) 새우수염처럼 휘면서 아래로 감아 흐르는 물. 혈 주위에서 작은 물 몇 가닥이 혈을 둘러싼 것

학슬(鶴膝) 학의 무릎처럼 생긴 과협 또는 입수맥(束氣脈의 표현)

한문(捍門) 수구에 마치 문의 설주와 같이 쌍(雙)으로 양쪽에 대치 관쇄하고 있는 산으로 그 모양은 보통 해와 달(日月), 거북과 뱀(龜蛇), 기와 북(旗鼓), 사자와 코끼리(獅象) 등으로 불린다.

함시(啣屍) 시신을 삼키는 것. 백호사가 머리를 들고 혈을 겁박하는 것

합금(合襟) 위쪽에서 나뉜 물(상수)이 혈 앞에서 다시 합수(合水)하여 융취하게 관쇄하는 것을 합금(合襟- 한복 저고리의 깃이 만나는 곳)이라 한다.

합금수(合襟水) 혈장 계수(界水)가 상분하합(上分下合)하는 명당수를 말함. 파구수를 의미하기도 함.

합기혈(合氣穴) 합기혈은 두 입수룡 이상이 합쳐져 취기점을 형성한 후 혈장을 만드는 것으로 반드시 합기점 이후에 형성되는 합룡 합기의 생룡 증거를 찾

아야 한다. 취기, 입출맥, 응축사, 합기 응진수 등

합삭(合朔) 장경(葬經)에 나오는 말로, 천기(天氣)와 지기(地氣)가 조화롭게 배합(配合)되는 시기를 말하며 이는 길일양시(吉日良時)를 가리킨다.

합장(合葬) 부부를 같은 묘에 매장하는 것

합장사(合掌砂) 두 산이 합장한 것과 같은 모양. 길사와 흉사가 있다.

해(害) 사산의 압박. 반(反), 배(背), 도할(徒割)로 기산(氣散)함

핵심(核心) 산의 정령(精靈). 혈장의 핵심, 산의 열매.

행지(行止) 용의 진행($\theta=\angle 30°\times n$) 질서와 지각(止脚) 발생에 의한 정지질서를 말한다.

향배정혈법(向背定穴法) 현수(玄水) 주화(朱火) 에너지장 중심점을 에너지 응축선으로 보고 정혈하는 법

허실(虛實) 혈장이나 래룡맥 및 사신사의 허하고 실한 것을 논하는 것으로 태과와 불급을 논할 때 나타나는 현상이다.

헌화(獻花) 양다리가 중비개(中飛開)해서 중간 구덩이를 연 것. 여인을 음란하게 함. 꽃을 바치는 모습

현공풍수(玄空風水) 대만에서 발생된 판 응축 입체구조에서 적용하는 풍수이론이다. 산맥질서가 불비한 곳에서 사용한다. 나침반에 주로 의지하므로 한반도에서의 적용은 합당함이 부족하다. 현공풍수에서 삼원(三元)이라는 용어를 사용하여, 공간(수평)적으로는 천원(天元), 지원(地元), 인원(人元)을 말하고, 시간(수직)적으로는 상원(上元), 중원(中元), 하원(下元)을 두고, 천원(天元)을 1,2,3운(運)으로 20년씩 합계 60년, 지원(地元) 4,5,6운으로 60년, 인원(人元) 7,8,9운을 60년으로 하여 총 180년을 주기로 삼원구운(三元九運)이 반복된다. 현공풍수는 음, 양택 모두 24방위를 그대로 쓰고 있다. 혈핵 형성 원리가 다소 부족하다.

현군사(懸裙砂) 산의 골이 패이거나 하여 그 모습이 마치 여인의 주름치마같이 여러 가닥으로 갈라진 형상이다. 이러한 산형에서는 산의 기운이 흉하게 되어 여자들의 음란으로 패가망신하게 되고, 안아주는 것이 길하여 아름다우

면 여복이 있기도 하다. 즉 형충파해가 없는 현군사는 길(吉)하다.

현무(玄武, 主山, 小祖山) 현무는 용맥이 입수(入首)하기 전의 가장 가까운 특출한 산으로서 용맥의 에너지가 집합되어, 입수에 에너지를 공급하기 위한 중간 에너지 취집(聚集) 역할을 하는 곳이다. 현무는 입수에 가까이 있을수록 에너지 공급역량이 강력하며, 입수두뇌로부터 10절 이내에 있으면 최길(最吉)이다. 그 모습이 웅대하고 수려할수록 좋으며, 혈장을 향해 머리(山頭)를 드리우고(수두(垂頭)) 있어야 한다. 반대로 현무가 입수두뇌에서 멀리 있을수록, 또한 약소(弱少)할수록 역량은 미약하다. 머리가 혈장을 향하지 않고 뒤로 젖혀져 있고 그 모습이 추악하면 입력 에너지 특성이 좋지 않고 자손이 역(逆)한다. 수두성과 반배성을 구분하라.

※ 현무(玄武) 북쪽의 7별인 두(斗), 우(牛), 여(女), 허(虛), 위(危), 실(室), 벽(壁)의 총칭하기도 한다. 북쪽 방위의 수(水)기운을 맡은 태음신(太陰神)을 상징한 거북신으로서 예부터 무덤 속에 뒷벽과 관의 뒤쪽에 그림을 그려 넣었다고 한다.

현무벽립(玄武壁立) 현무가 머리를 드리우지 않은 것 → 자손불리. 심하면 단산(斷山)이 된다.

현무불수두(玄武不垂頭) 혈의 뒤쪽에 있는 현무의 끝이 마치 거북이가 고개를 높이 쳐들고 있는 형상과 같음 → 자손에 불리하다.

현무정(玄武頂) 현무정은 혈장 뒤에서 혈장에 산 래맥 에너지를 공급하기 위해 취기된 용맥이 연결되어 있으며, 혈장을 보호하는 사신사의 하나인 현무의 입체 에너지체 정상부를 말한다. 현무봉이라고도 한다. 원만 수려함이 길하다.

현부사(賢婦砂) 길사(吉砂)로서 안대(案帶)에 둥근 거울이 있으면 현철(賢哲)한 여자가 나옴

현상 개체종자 인자(現象 個體種子 因子) 존재 종성이 현상화하여 개별체 존재로 형성된 인자요소

현상 개체종자종성(現象 個體種子種性) 현상화된 개체종자의 본질성

현상 종자 인자(現象 種子 因子) 현상화된 종자존재의 근본소자(根本素子)

현상의지(現象意志) 현상화된 무상성의 자율의지 - 현상영혼

현상인연(現象因緣) 현상세계에서 나타나는 인연관계

현상인자(現象因子) 현상화된 존재의 근본소자

현상적 특성(現象的 特性) 현상화상태의 무상성적 특성

현상존재(現象存在) 현상화된 존재

현상종성(現象種性) 현상존재의 종자본성

현상종자 인자(現象種子 因子) 현상화된 종자적 근본소자

현침(懸針) 큰 용이 내려가서 부리와 다리를 늘어뜨린 곳

현침사(懸針砂) 바늘을 매달아 놓은 듯 혈장의 사방에 작은 요, 관, 지각이 마치 바늘처럼 뻗어나가는 사(砂)를 말한다.

혈(穴) 천심 용맥 중에서 가장 생기가 뭉쳐 응축되어 있는 핵심적인 곳이다. 이것은 침구학상(鍼炎學上) 인체의 요처 즉 침을 놓는 곳을 「혈」이라고 하는 것과 같은 개념에서 유래된 것이다. 혈(穴)은 생명 기운이 응집된 곳으로 주변 객 산세의 중심이 되며 주인이 되는 정령(精靈)이 깃든 곳이다. 풍수학에서의 혈이란 산수(山水)의 음양 오기(五氣)가 배합된 생명 에너지의 정기(精氣) 응결처를 말한다. 이 혈이 응결된 곳을 결혈처(結穴處) 혹은 혈장(穴場)이라고 한다.

혈기(穴忌) 혈을 정할 때 선택해서는 안 되는 것들을 말한다. 인자수지가 설명하기를 정혈(定穴)할 때에 꺼려야 할 혈처(穴處)와 주변의 산세는, 조악(粗惡), 준급(峻急), 단한(單寒), 옹종(臃腫), 허모(虛耗), 요결(凹缺), 수삭(瘦削), 돌로(突露), 파면(破面), 흘두(疙頭), 산만(散漫), 유냉(幽冷), 첨세(尖細), 탕연(蕩軟), 완경(頑硬), 참암(巉巖) 등을 가려야 한다고 하였다.

혈맥(穴脈) 지맥을 따라와 혈장에 들어가는 입혈맥을 이른다.

혈성(穴星) 혈을 맺은 산의 모양으로 오행의 분류에 따라 금형산(金形山), 수형산(水形山), 목형산(木形山), 화형산(火形山), 토형산(土形山) 등 오성으로 나누기도 하고 이를 더욱 세분화하여 구성으로 나누기도 한다. 가령 목

성(木星)은 목형산과 동의어이고 탐랑성과도 같은 뜻이다. 입수두뇌를 포함한 혈장 4과(果)를 의미하기도 함.

혈심(穴心) 혈장의 핵심 부분으로 음택(陰宅)에서는 시신이 안치되는 곳이며, 양탁(陽宅)에서는 주된 건물의 중심 지점이다. 혈심은 묘의 광중(土氣에너지)으로 시신이 안장되는 곳, 곧 혈장의 중심인 중앙토기(中央土氣)가 융결된 곳이다. 수기(水氣), 목기(木氣), 금기(金氣), 화기(火氣)의 합성에너지(Total E=H, N, C, O) 동조 응축처로서 입수두뇌・청룡선익・백호선익・전순의 혈장 특성에너지에 의해 응축된 핵과(核果)이며 전체 자손에게 그 특성을 나타낸다. 혈심의 특성은 자손의 오장육부 전 기관을 관장하면서도 특히 위장(胃腸)과 비장(脾腸)의 역할을 관장하고, 자손의 신(信)과 의지(意志), 정령(精靈)의 양부특성(良否特性)을 다스린다. 산의 주령의지(主靈意志). 산주신령(山主神靈). 정령(精靈)의 주처(主處)이다.

혈응축동조장(穴凝縮同調場) 혈핵응축의지를 지닌 사신사의 동조 에너지장

혈장(穴場) 묘터 중앙의 혈심(시신을 안장하는 곳)을 담고 있는 그릇이다. 혈장을 당판(堂板)이라고도 한다. 살아있는 사람이 사용하는 건물의 중심 터나, 시신을 안치하는 묘터를 말한다. 혈을 중심으로 입수두뇌, 청룡선익, 백호선익, 전순이 구성되는데, 이것을 혈장 사신사(四神砂)라고도 한다. 태양(太陽)에너지와 우주의 천체(天體)에너지 및 혈장 주변의 사격(砂格, 山), 바람, 물 등 모든 자연 연분(自然 緣分)들의 에너지 동조작용에 의하여 생성(生成)된 곳이다. 다시 말해 산에너지(地氣)와 태양에너지(天氣 : 모든 천체 에너지 포함) 및 환경적 바람에너지(風氣)와 물에너지(水氣)의 조화작용에 의하여 만들어진(生成) 산의 핵이며 과실이다. 이러한 산의 과실인 혈장에 지기(地氣)에너지의 흐름 방향 및 천기(天氣)에너지의 유전 방향과 다른 연분들의 에너지 응기(應氣) 방향이 고려됨으로써 산(地氣), 화(天氣), 풍(風氣), 수(水氣)의 4대 원소에너지와 방위(方位) 상호 간 관계 특성에너지 즉 '풍수지리적 5대 원리'가 작용하여 혈핵 에너지가 형성된다.

혈토(穴土) 혈장 광중 내부에서 오색담황의 색을 띤 혈핵의 토질을 말함

혈판(穴坂) 천광(穿壙)자리로서 위에는 입수두뇌와 선익(蟬翼)이 있고 바로 아래에는 하수(蝦鬚)나 순전(脣氈)이 있어 원형(圓形) 또는 방정형(方正形)

을 이룬 원훈처를 포함한 명당판을 혈판(穴坂)이라 한다. 주로 혈장 4과(四果)를 담고 있는 판을 이름한다.

혈핵(穴核) 산의 정령(精靈). 혈장의 핵. 응축동조 에너지핵

혈핵의지(穴核意志) 혈심(穴心) 주정령의지(主精靈意志)
※ 혈심(穴心)은 인간을 선택할 뿐 선택받지 아니한다.

형국(形局) 부모산 아래 혈을 감싸고 있는 주위의 사(砂)와 수(水)의 범위를 가리킨다. 즉 혈장 형성의 영향이 미치는 범위를 말한다. 또 형국은 혈을 중심하여 주위의 사(砂)나 수(水)를 하나의 물형(物形, 類形)으로 이름붙인 것을 말하는데, 형국을 판별하는 법은 용의 모습이나 혈성의 생김새, 그리고 주위의 사(砂)를 보고 결정하되 오판의 우려가 크므로 심안으로 신중히 살펴야 한다.

형세(形勢) 형(形)은 주로 입체구조 산 에너지체의 안정 모습을 말하고, 세(勢)는 주로 선구조 지기(地氣) 에너지의 이동 모습을 말하는데, 입체구조 특성과 선구조 특성의 관계성을 함께 관(觀)하여 그 역량을 평가할 때 형세라 한다.

호송(護送) 래룡맥 전후좌우에서 보내고 맞이하며 보호하는 것. 영송(迎送)과 호종(護從)을 함께 이르는 말

혼백(魂魄) 인간의 혼과 육체를 다스리는 비물질적 존재로서 이를 분리해 설명한 것. 혼령, 백령, 주령, 객령 중 청백신령을 일컫는다.

혼유석(魂遊石) 왕릉이나 묘 앞에 놓은 사각형의 돌 상석이라고도 한다. 영혼이 노는 돌이라는 뜻에서 생긴 말

화(火) 태양에너지가 주(主)된 발현체(發顯體)로, 12항성과 모든 천체에서 발현되어 산에 응기(應氣)되는 천기(天氣)에너지와 지기(地氣)중에 발생하는 화기(火氣)에너지의 합성체다. 화기(火氣)는 산에 온화한 기운을 주고 지기(地氣)를 보온(補溫)해 준다. 또한 천체의 운행으로 인한 천기에너지의 변화에 따라 사계절의 화(火) 에너지 변화가 오고, 산에너지의 방향변역(方向變易)에 작용하여 변역각도(變易角度)에 연분작용(緣分作用)을 한다. 천체에너지의 응기량(應氣量)은 거의 일정하며 그 변화량도 적어서 거

의 고정적으로 결정되어 있으므로 주인(主因)인 산에 대하여 조연분적(助緣分的) 작용을 한다.

화염(火炎) 열기(熱氣)로 인해 유골이 새까맣게 피해를 입는 것으로, 주로 묘터의 땅이 매우 건조하거나 땅기운이 불안정한 곳에서 유골에 검은 그을음처럼 발생한다. 유골이 화염을 입으면 자손들은 기운이 빠지거나 갑작스럽게 현기증 또는 쇼크를 일으킨다.

화장(火葬) 시체나 유골을 불로 태워 뼛가루만 수거하여 납골당에 보관하거나 납골묘지 또는 산야에 묻어 장사 지내는 것을 일컫는다. 올바른 화장은 유골을 항아리에 담고 약 1m 정도의 깊이에 회단이를 하여 묻는 것이 가장 이상적인 장법이다.

화표(華表) 수구사의 하나로 수구처에 높고 특이하게 생긴 산을 일컫는다. 빼어난 관쇄 특성을 지닌다.

화형산(火形山) 화체(火體)라고도 한다. 산봉우리의 끝이 타오르는 불꽃 같다고 하여 화형산이라고 하고, 붓끝처럼 뾰족하다고 하여 문필봉(文筆峯)이라고도 한다. 화형산은 주로 명필(名筆) 문장을 관장한다. 목체(木體)의 집합 → 진화체(眞火體), 파목(破木)의 집합 → 가화체(假火體)

환경인자(環境因子) 주인자의 주변 연분인자. 지기를 주인자로 볼 때 풍수, 열, 공기질, 인공구조물 등의 환경요인을 말함

환경인자 연분(環境因子 緣分) 환경인자가 주관하는 연분

환경인자의 종자(環境因子의 種子) 환경인자의 기본, 씨알, 바탕

환멸연기변역(還滅緣起變易) 생성연기변역의 반대과정으로서 소멸적 변역의 환원의지를 일컬음

환원(還元) 처음 상태로 되돌아가는 것. 본래의 자리로 되돌아감 ↔ 산화

환포(環抱) 산 또는 물이 혈장 앞 180° 지점을 좌선 또는 우선하여 혈장 좌우 60° 지점 이상을 감아 도는 것

활와(濶窩) 넓은 와혈(窩穴)로서 와중유(窩中乳)가 있어야 진혈이다.

황골(黃骨) 좋은 혈장 무덤 속의 시신이 황토색의 건강한 상태를 보존 유지하

는 것

황금분할(黃金分割) 어떤 사물은 그를 구성하는 각 부분과 부분이 상호 일정한 질서를 가지고 있는데, 이를 합법적 관계라고 한다. 전체와 부분의 양(量)쪽 비율이 1 : 0.618의 비율로 나누어질 때 가장 아름다운 조화를 가지며 이 비율을 황금분할(Golden Section)이라 부른다. 이는 이상적 음양 존재 활동 비율인 1 : 0.577과 전체와 우성 개체비율인 1 : 0.866의 이상적 안정율이다(1 : 0.866과 1 : 0.577과 1 : 0.5의 최적안정비). 즉, {(1 : 0.866)+(1 : 0.577)+(1 : 0.5)}÷3=0.64766(존재안정특성율) 존재 생명의 가장 이상적 안정비율로서 황금분할비인 전체와 개체안정의 최적비인 1 : 0.618과 그 안정원리가 동일하다.

① (0.866+0.5)÷2=0.683 → (전체와 우성 E 비율)과 (전체와 열성 E 비율)의 이상적 안정율
② (0.866+0.577)÷2=0.7215 → (전체와 우성 E 비율)과 (열성과 우성 E 비율)의 이상적 안정율
③ (0.577+0.5)÷2=0.5385 → (우성과 열성 E 비율)과 (전체와 열성 E 비율)의 이상적 안정율
④ (0.683+0.7215)÷2=0.70225 → ①+②의 안정율
⑤ (0.683+0.7215+0.5385)÷3=0.6476666 → (전체와 개체 및 음양비)와의 합성 안정율
⑥ (0.683+0.5385)÷2=0.61075 → (전체 우성율)과 (음양비율)과의 안정율
⑦ (④+⑤)÷2=(0.6476666+0.61075)÷2 → 0.629208
⑧ (0.6476666+0.5385)÷2=0.593083 → 합성안정율과 ③과의 안정율
⑨ (⑧+⑤)÷2=0.6203745
⑩ (⑥+⑦)÷2=0.601915
⑪ (⑩+⑦)÷2=0.615579
⑫ (⑤+0.577)÷2=0.612333
⑬ (⑪+⑨)÷2=0.617976(약 0.618)

황천(黃泉) 인자수지의 천론(泉論)에서 소개되었다. 황천이란 땅속으로 스며드는 물을 말한다. 봄, 여름에 비가 많이 오면 물이 잠깐 불어 오르고, 비가 그치면 땅속으로 금방 없어진다. 이곳은 음택뿐만 아니라 양택지로도 적합하

지 않다.

황천살(黃泉煞) 혈의 좌(左) 진손사(辰巽巳), 우(右) 미곤신(未坤申) 방향에서 물길이나 바람이 드는 현상이다.

황천수(黃泉水) 묘(墓)의 광중(壙中)에 침입하는 물을 황천수라고 하는데, 지하수맥(地下水脈)을 통하여 광중에 침입하는 물을 황천음수(黃泉陰水)라고 하고, 지상으로부터 광중으로 스며드는 물을 황천양수(黃泉陽水)라고 한다. 패철상에 지정된 공식방위인 진(辰), 인(寅), 신(申), 유(酉), 해(亥), 묘(卯), 사(巳), 오(午)의 8방위는 황천양수(黃泉陽水)가 침입하는 공식지정 방위라고는 하나 황천수는 양수(陽水)든 음수(陰水)든 일단 광중으로 물이 침입하면 자손들이 암, 고혈압, 당뇨 등 온갖 수병(水病)으로 막대한 피해를 당하므로 지정된 방위뿐만 아니라 혈장 주변, 24방위의 어디서든지 물이 스며들지 않도록 해야 한다.

회룡고조(回龍顧祖) 혈장이 조상을 보고 형성된 것을 말한다.

회룡입수(廻龍入首, 회룡고조(廻龍顧祖)) 용이 진행을 하다가 좌 또는 우로 회전을 하여 조, 종산을 향하고 입수해서 혈장을 형성한 것이다. 회룡고조에 의한 혈도 횡룡 못지않게 그 형성 과정이 비정형적(非定型的)이다. 회룡고조의 경우 용맥의 흐름이 여러 개의 요도의 연속적인 회전력에 의해 거의 180° 가깝게 돌아 용맥의 시발점을 쳐다보는 곳에 혈을 형성한다. 회룡고조는 용맥의 흐름이 요도 회전력에 의해 강력한 힘을 지니게 된다. 좌선혈에는 백측(白側) 보호거수사, 우선혈에는 청측(靑側) 보호거수사가 필요하다.

회선(灰線) 잿불에 실줄 지나가듯 맥이 이어져 가며 있는 듯 없는 듯 그 형체를 알아보기 어려울 정도인 것. 맥의 흐름이 불에 탄 재 위에 실줄을 탱긴 것처럼 희미하다 하여 회선이라고도 함

횡대(橫帶) 시신을 보호하기 위해 관 위에 가로로 덮는 널판으로 보통 일곱 개를 사용한다.

횡룡(橫龍) 주로 국(局) 확장을 위한 개장(開帳) 과정의 용. 횡룡에서 발원된 혈은 일반적 의미의 혈과 그 형성 과정을 달리한다. 멀리는 태・중조산에서 시작되어 우여곡절로 이어진 용맥의 흐름이 현무 아래로 흘러 내려 입수에서 취기한 후 혈장을 펼치기까지가 통상적인 혈의 형성 과정이다. 이러한

정석적 형성 과정과는 달리 횡룡은 본맥이 종(從)이 아닌 횡(橫)으로 흐르는데 그 흐름이 낙산(樂山)이나 귀성(鬼星)과 같은 요인들로 인해 맥의 본류에서 거의 직각에 가까운 방향 전환을 일으켜 취기하고 입수를 이루어 혈을 형성한다. 한편 횡룡이 혈을 형성하면서 청백이 완성된 이후에는 그 흐름이 혈 아래로 곧바로 뚝 떨어져야 되는데 만약 그렇지 않고 계속 길게 뻗어 나간다든지 또는 머리를 들며 나간다면 혈의 기운이 빠져 좋지 않다. 그리고 선익은 좌우 모두 분명하면 좋지만 횡룡으로 형성된 혈에서는 양 선익 중 입력(入力) 측보다는 출력(出力) 측의 선익이 더 분명해야 한다. 전순은 든든해야 마땅한 것이고 비록 혈판이 높은 곳에 있더라도 그 고도(高度)를 느끼지 못할 정도의 원만 평활한 형태를 하는 것이 바람직하다.

횡룡입수(橫龍入首) 용이 진행을 하는 도중에 행룡(行龍)의 곁을 쫓아 떨어져 90°로 돌아들어 횡(橫)으로 입수하며 혈장을 형성한다. 좌우선익・전순・귀(鬼)・낙산 등의 구비조건이 갖춰져 있어야 하며, 높아서 앞이 낭떠러지처럼 되어 있을지라도 혈장에서는 앉아 있으나 서 있으나 평탄하여 안정감이 든다. 뒤에 있는 양쪽의 효순귀(孝順鬼)는 둘 다 있으면 더욱 좋고 한쪽만 있을 때는 용의 진행방향, 곧 입수가 끝나는 쪽에서 거두면서 에너지의 흐름이 차단되어야 역량이 좋다. 중앙의 당배귀(撞背鬼)는 크고 두터울수록 혈장에 에너지가 많이 공급된다.

횡변역(橫變易) 횡변역(橫變易)은 근본이 개장분벽의 원리에 의한 변역질서이며 이후 종변역(縱變易)처럼 요도(橈棹)의 에너지 반작용(反作用)을 받아서 횡(橫)으로 진행한다. 개장룡(開帳龍)과 안대사(案帶砂)와 지룡(枝龍) 맥을 형성할 때 대체적으로 횡변역 질서형태를 따른다.

횡사(橫斜) 산 특히 안산(案山)이나 조산(朝山)이나 사(砂)가 똑바르지 못하고 옆으로 비스듬히 기울어진 것을 말한다.

횡응력(橫應力, 左右에너지) 청 ↔ 백 간의 동조작용에 의해서 발생하는 응기 에너지. 종응력(⊕)+횡응력(⊖)=원형응력 → 혈장 형성

횡응축(橫凝縮) 혈심의 왼쪽과 오른쪽에 있는 사(양쪽 선익과 청룡, 백호)들이 혈심을 중심으로 서로 긴축하는 응기 현상. 가로응축, 좌우응축 형태를 말한다. 종응축(⊕)+횡응축(⊖)=원형응축 → 혈핵 형성

횡조맥(橫組脈) 래룡맥이나 입혈맥에서 가로로 긴 조직이 형성되어 래맥 생기를 차단하는 것(가혈로서 절손지이다.)

횡조산(橫朝山) 가로로 장막(帳幕)을 열고 다정하게 혈을 보호하며 바라보는 안조산(案朝山)이다.

효순귀(孝順鬼) 횡룡 혈장의 후귀(後鬼)로써 후락 에너지와 진행 에너지를 ∠90°의 반대 방향 혈장으로 재공급 응축하는 사(砂)로써 본신용이 진행방향으로 직진하다가 변화점(變化点)을 형성하면서 ∠90° 방향으로 역수(逆水)하는 형태의 사(砂). 횡혈의 좌우 귀사(鬼砂)

후산(後山) 혈후(穴後) 진산(鎭山)

후조(後照) 현무 뒤의 조응산(照應山)

후천종자(後天種子) 선천종자의 상속종자

흉방(凶方) 산수풍화(山水風火)의 흉기(凶氣)가 있는 방위(형충파해살이 있는 방향)

흉사(凶砂) 혈장에 나쁜 영향을 주는 산. 혈심에 직접적이든 간접적이든 형충파해살(形沖破害殺)을 가함으로써 나쁜 영향을 주는 모든 사(砂)를 통칭한다.

흉살(凶殺) 산수풍화(山水風火)의 혈장 형충파해원진살

흙(土) 혈장 길토(吉土)로는 담황색의 황토, 비석비토(非石非土)와 오색토(五色土)를 들 수 있는데 윤기가 흐르고 알갱이가 작으며 단단한 것일수록 좋다. 흉토(凶土)는 이와 반대로 알갱이가 거칠고 석질이거나 연질이다. 토란(土卵)은 비록 견고하나 비석 비토이다.

2. 風水 및 砂格諸說論

風水 및 砂格諸說論은 그 論旨가 여러 갈래로 분분하여 왔으나 이를 한데 묶어 Energy場論的 原理로 再說明하였다.

1 穴星論 諸說

제1절 穴格 諸說

1. 穴星의 三勢 六格說

1) 三勢(穴場 氣勢 에너지 흐름을 살피라)

(1) 立勢 : 身이 聳한 것(氣上昇 故로 天穴)
(2) 眼勢 : 身이 仰한 것(氣下墜 故로 地穴)
(3) 坐勢 : 身이 氣屈한 것(中藏 故로 人穴)

2) 六格(點穴에 살펴라) (穴場 構造形態를 살피라)

(1) 大 : 濶開는 不要狹
(2) 小 : 小穴은 外殺을 忌
(3) 高 : 高穴은 吹風이 嫌忌
(4) 低 : 低穴은 浸濕을 嫌忌
(5) 瘐 : 瘐弱은 深下가 吉
(6) 肥 : 肥厚는 浮上이 善

2. 來脈別 穴星 四殺說(來脈과 穴星을 함께 살피라)

(1) 藏殺穴

來脈 緩和悠揚하고 尖直急이 없으며, 穴星兩邊이 圓淨하면 穴이 中에 居, 故 用撞法(神殺 藏伏穴)

(2) 壓殺穴

來脈 下尖利하고 急硬 吐出이며 穴星左右와 脚下가 尖直(兩龍虎山 同一)하면, 穴在高. 故 用蓋法(神殺 出 現穴)(董氏云 高則群凶降伏 故 騎形破殺穴과 同一 挨金法)

(3) 脫殺穴

來脈 峻急 四應 下會하며 穴星 峻急 左右 下低면 穴 在低므로 用粘法(神殺 奔竄穴)(綴穴 → 粘穴 → 接穴 → 抛穴의 下位順으로 四體)

(4) 閃殺穴

來脈 頭直尖 粘脫 不可며 四勢 中會이고 穴星과 龍虎가 左 또는 右側에 尖直하나 한쪽이 圓淨하면 用倚法(神殺 偏露穴)

3. 一行禪師 龍身穴星 禍福論(동조 에너지장 응축점을 살피라)

(1) 穴座 其脣 : 人口 遭逆
(2) 穴座(居) 其臍 : 萬事成立
(3) 穴座 其目 : 禍來心速
(4) 穴座 其尾 : 流移不已
(5) 穴座 其額 : 富貴 興旺
(6) 穴座 其腹 : 珠珍 滿目
(7) 穴座 其角 : 人物 鎖鑠 消滅

(8) 穴座 其耳 : 佐明 天子
(9) 穴座 其腰 : 人難 物消
(10) 穴居 其足 : 貧賤 碌碌
(11) 穴座 其鼻 : 名登 上弟 宰同也
(12) 穴座 其腸 : 必過 災殃

4. 一行禪師 開穴論(최단시간을 요한다)

開穴 一日次 : 大吉
開穴 二日次 : 次吉
開穴 三日次 : 再次吉
開穴 四日次 : 不吉(凶)
穴內(中)氣(춧불) : 오래 타면 飜棺 轉尸(大凶)하고 바로 꺼져도 不吉하고, 적당할 것

5. 眞穴의 證據 諸說(상호 동조관계를 살피라)

(1) 穴場 앞에 朝案이 善性일 것(美醜, 遠近, 高低, 有情)
(2) 穴場內外의 明堂이 반듯할 것(正, 聚, 斜, 傾)
(3) 穴前에 聚勢의 水가 있을 것(衆水, 聚會, 朝入, 善惡)
(4) 穴場 後面에 樂山 峠. 鬼星이 掌握할 것
(5) 左右龍虎가 有情하고 關鎖함이 있을 것
(6) 左右 纏護砂가 拱來 有情할 것
(7) 穴下 氈脣이 坪坪 圓滿할 것
(8) 四神砂의 拱應이 均衡일 것
(9) 界水 分合이 明白할 것
(10) 周邊砂와 穴場의 Energy Balance가 維持될 것

6. 穴場의 嫌忌 諸說

(1) 粗惡한 것 : 嫩媚, 細巧, 光彩함은 貴하고, 粗惡, 醜陋 嫌忌

(2) 峻急한 것 : 平坦, 柔緩은 吉하고, 峻急, 硬直은 忌

(3) 單寒한 것 : 單露, 孤寒은 孤寡出로 漸次 絶滅

(4) 臃腫한 것 : 穴面 光彩 眉光 明白은 貴吉하며, 星辰이 臃腫, 粗飽, 瀰漫, 蠻醜면 凶惡

(5) 虛耗한 것 : 生氣 融聚地는 堅實强固함(吉), 龍氣 虛弱하여 傷耗되면 (凶)

(6) 凹陷, 低缺한 것 : 賊風 射入하면 人丁 絶滅

(7) 瘦削한 것 : 弱瘦 薄削하여 神棲地

(8) 突露된 것 : 孤露 單寒하여 孤寡 小亡, 僧道 緇流 多

(9) 破面된 것 : 顔面 破碎 氣脈 漏洩, 一穴板中에 多數 下葬은 破碎와 같다.

(10) 疙頭한 것 : 黑白 砂石 混合됨. 皮膚脈 不活, 石骨山은 氣脈 完固, 沙骨山은 氣脈 枯竭. 融結 不能

(11) 散漫한 것 : 無界水 無突窩 故 凶 懶坦 濶蕩 점차 絶人

(12) 尖細한 것 : 尖銳 微細하여 生氣 不聚

(13) 幽冷한 것 : 極히 陰幽한 寒冷地로 養尸가 된다

(14) 蕩軟한 것 : 牛皮와 같이 蕩曠(壙)하고 게으른 것 凶

(15) 頑硬한 것 : 無活動. 死直粗頑急硬 凶. 倒地直急故 無融結

(16) 巉巖한 것 : 臨穴處에 돌이 있어 崢嶸하고 억누른다.

(17) 破한 것 : 깨어지고 무너지고 미끄러져 문지러진 곳

(18) 反한 것 : 背走하듯 뒤집어진 것

(19) 流한 것 : 흘러 빠진 것

(20) 射한 것 : 곧고 뾰족함이 射하는 것

(21) 反回한 것 : 돌아오는 듯 돌아간 것

(22) 伏한 것 : 누운 듯 엎어진 것

(23) 太圓한 것 : 지나치게 크고 둥근 것

(24) 太巧한 것 : 지나치게 巧한 것

(25) 暗한 것 : 모호하게 어두운 것
(26) 難한 것 : 어지럽고 분주한 것
(27) 醜石인 것 : 추하고 부서진 것

7. 殺 穴 諸說(刑沖衝 破害怨嗔殺을 살피라)

1) 八砂 殺穴

(1) 砂가 穴을 沖殺한 것
(2) 砂가 穴을 破殺한 것
(3) 砂가 穴을 探殺한 것
(4) 砂가 穴을 射殺한 것
(5) 砂가 穴을 斷殺한 것
(6) 砂가 穴을 走殺한 것
(7) 砂가 穴을 反殺한 것
(8) 砂가 穴을 壓殺한 것

2) 八水 殺穴

(1) 水가 穴을 沖殺한 것
(2) 水가 穴을 破殺한 것
(3) 水가 穴을 刑殺한 것
(4) 水가 穴을 克殺한 것
(5) 水가 穴을 箭殺한 것
(6) 水가 穴을 穿殺한 것
(7) 水가 穴을 割殺한 것
(8) 水가 穴을 射殺한 것

3) 十二 明堂 殺穴

(1) 明堂 衝이 殺穴한 것
(2) 明堂 射가 殺穴한 것
(3) 明堂 斜가 殺穴한 것
(4) 明堂 傾이 殺穴한 것
(5) 明堂 崩이 殺穴한 것
(6) 明堂 瀉가 殺穴한 것
(7) 明堂 缺이 殺穴한 것
(8) 明堂 逼이 殺穴한 것
(9) 明堂 陷이 殺穴한 것
(10) 明堂 分이 殺穴한 것
(11) 明堂 側이 殺穴한 것
(12) 明堂 狹이 殺穴한 것

4) 七凶 殺穴

(1) 貫頂 串脈 殺穴(無頭殺)
(2) 露胎 殺穴(短縮殺)
(3) 死鱉背 殺穴(頑硬殺)
(4) 斷如斬 殺穴(斷脈殺)
(5) 繃面 破碎 殺穴
(6) 大小 不分 受散 殺穴
(7) 直長 吐 殺穴

제2절 點穴論 諸說

1. 點穴 要點(陰陽을 살피라)

(1) 主山으로 決定하며 陽來하면 陰受하고, 陰來하면 陽受한다.
(2) 入首來脈 斜來하면 穴點을 正으로 하고, 正來하면 點穴은 斜로한다.
(3) 入首脈이 直來하면 點穴은 曲으로 하고, 曲來하면 直으로 點穴함.
(4) 入穴脈이 急來하면 點穴은 緩하게 하고, 緩來하면 點穴은 急하게 한다.
(5) 入穴脈이 硬來하면 點穴은 軟케 하고, 軟來하면 點穴은 硬케 한다.
(6) 星辰이 높으면 點穴은 낮고 평평하게 하고, 低平하면 點穴은 높게 한다.
(7) 가까이는 穴場 몸에서 證據를 取하고, 멀리는 몸 밖의 砂物에서 證據를 取할 것

2. 點穴 方法(17가지)

(1) 太極 點穴(氣運의 生成秩序를 살피라)

穴場中에 微茫隱顯하는 圓暈이 太極暈으로서 그 中心部에 點穴正座함이 最善이다. 圓暈上部에는 分水가 圓暈下部에는 合水가 聚氣한다. 太極이 動하면 靜에 下하고 太極이 靜하면 動에 下하되, 그 圓暈의 鋤破됨을 두려워하고 조심해야 한다.

(2) 兩儀 點穴(氣運의 陰陽 變化를 살피라)

穴中暈間이 肥起하면 陽, 瘦陷하면 陰으로 한다. 肥瘦中正은 陰陽의 聚合處로 이곳이 點穴處다.

(3) 三勢 定穴(氣運의 大小强弱을 살피라)

太高則 傷龍, 太低則 傷穴.

① 天(立勢)穴 : 氣上浮

仰高穴 → 撞法

騎龍(刑)穴 → 撞法

凭高穴 → 蓋法

※ 註. 貴地 (高明)

② 地(眼勢)穴 : 氣下墜

乳頭穴(顯乳穴) → 粘法

脫殺穴 → 粘法

藏龜穴 → 撞法

※ 註. 富地 (沈暗)

③ 人(坐勢)穴 : 氣中藏

藏殺穴 → 來脈緩 則 用撞法, 來脈急 則 用倚法

※ 註. 富貴地

〈표 1〉 富貴地

天 立勢 穴	地 眼勢 穴	人 坐勢 穴
↓ 氣上 浮 仰高穴 ↓ 撞法 騎刑穴 ↓ 撞法 凭高穴 ↓ 盖法	↓ 氣下 墜 乳頭穴(懸乳穴) ↓ 粘法 脫殺穴 ↓ 粘法 藏龜穴 ↓ 撞法	↓ 氣中 藏 藏殺穴 ⇒ ○ 來脈緩則用撞法 ○ 來脈急則用倚法
※ 主 貴地 青明	※ 主 富地 沈暗	※ 主 富地 貴地

(4) 三停 點穴(穴板의 高低 長短을 살피라)

穴當 高則高, 穴當低則低, 穴當中則中

① 天穴 : 左右應案이 높고 커서 前山을 가리우면
前山이 分明히 보이는 곳으로 높여 點穴

② 人穴 : 左右應案山이 적당한 곳에 財祿를 取(就)해 點穴

③ 地穴 : 左右應案이 낮으면 財祿을 取(就)해 點穴

※ "高則 들어나고 低則 잠긴다."

"높으면 吹風키 쉽고, 낮으면 脈을 잃기 쉬우니 조심하라."

- 上停 : 天穴로 窩穴 藏聚要. 藏風而 下葬
- 中停 : 人穴로 上緩 下平要. 避風而 下葬
- 下停 : 地穴로 四山低. 來勢勇猛要. 就水而 下葬

〔주의〕 一星辰에 一穴이라 正穴은 한곳이니
二, 三 個穴이 있는 줄 알고 현혹됨도 조심하라.

(5) 四殺 點穴(氣運의 善惡을 살피라)

① 來脈 四殺 : 脈殺(脈의 善惡)

㉠ 撞法 點穴 : 來脈 緩和 悠揚하고 直急 硬峻치 않는 것. 藏殺穴로 下葬
㉡ 蓋法 點穴 : 來脈尖利 急硬을 避하려면 壓殺穴로 下葬
㉢ 倚法 點穴 : 來脈直, 頭尖, 故 粘脫 不可地. 閃殺穴로 下葬
㉣ 粘法 點穴 : 來脈急, 山勢峻, 四應下聚, 脫殺穴로 下葬

② 穴星 龍虎 四殺 : 刑殺(局의 善惡)

㉠ 藏殺穴 點法 : 圓淨平坦 故 神殺藏伏穴. 中聚면 撞法으로 下葬
㉡ 壓殺穴 點法 : 穴星左右, 脚下, 尖直 故 神殺出現. 高處에 騎龍(刑) 破殺穴이 되니 蓋法을 쓴다.
㉢ 閃殺穴 點法 : 左右 한쪽이 尖直. 神殺偏露穴. 倚法 下葬
㉣ 脫殺穴 點法 : 穴星形勢峻急. 左右下陷의 神殺 奔竄穴. 粘法으로 下葬

(6) 雌雄 點穴(穴板의 對稱均衡을 살피라)

① 雌穴 點穴 : 星辰 上氣가 散함으로써 正氣는 아래에서 聚氣 故 低處 下葬
② 雄穴 點穴 : 星辰 下氣가 散함으로써 正氣는 上에서 聚氣 故 高處 下葬

(7) 饒減 點穴(蟬翼의 長短 高低를 살피라)

① 饒 : 後着 龍虎 順水. 적은 것을 넉넉하게 할 것

② 減 : 先到 龍虎, 穴在 減山, 關處 逆水. 넉넉한 것을 적게 減할 것

(8) 聚散 點穴(氣運의 모이고 흩어짐을 살피라)

① 大勢 聚散(局勢) : 衆山 團聚, 衆水相滙, 羅城周密, 風氣融結, 補缺障空, 不陷不跌. 內堂 또는 明堂 曠을 忌.

② 穴場 聚散(穴勢) : 氣脈上聚則 穴在高, 氣脈下聚則 穴在低, 氣脈中聚則 穴在中, 氣脈左聚則 穴在左, 氣脈右聚則 穴在右.

(9) 向背 點穴(前後左右의 有 無情을 살피라)

向背則 山川性情. 向의 有情이 最吉.

(10) 張山 食水 點穴

① 左畔 山水 到則 右畔穴

② 右畔 山水 到則 左畔穴

③ 正中 山水 到則 中心穴

(11) 枕龍 耳角 點穴(穴場의 鬼·曜·樂을 區別하라)

① 坐後의 穿樂이 귀 옆에 있음(耳 ⇒ 穴과 相停(貴子))

② 登對치 못하는 應樂이 귀 뒤에 있음(角 ⇒ 穴과 相脫(家業, 消爍))

(12) 趨吉避凶 藏神伏殺 點穴(穴의 吉凶을 살피라)

① 尖曜 尖射하는 氣는 穴中에서 보이지 않게 避하거나 堆埠을 만듦.

② 立向으로 官을 맞고 祿을 就함. 作穴은 趨吉避凶.

③ 神殺을 穴前 明堂內에 破碎된 山이나 凶惡한 門(水)으로 避向.

(13) 近取 諸身 點穴(穴星의 主特性과 特徵을 살펴라)

頂門百會穴. 咽喉穴. 肩井穴. 心胸穴. 乳穴. 臍穴. 丹田穴.
膀胱穴. 懷抱穴. 曲池穴. 垂頭穴. 腰穴. 指掌穴. 手穴.

(14) 指掌 點穴(穴心의 所在를 把握하라)

① 七穴 點法

㉠ 毬穴 : 拇指와 食指中間 虎口穴(吉) (合谷穴)
㉡ 大富穴 : 拇指一節에 있음(吉)
㉢ 紅旗穴 : 第二指 一節에 있음(吉)
㉣ 曲池穴 : 第二指 二節에 있음(吉)
㉤ 絶 穴 : 大指 表頭에 있음(絶凶)
㉥ 掃蕩穴 : 위에 頂이 없이 下散氣(凶)
㉦ 燥火穴 : 위에 頂이 없이 下尖(凶)

② 其他 點法

㉠ 掌心穴 : 掌心 正中에 立穴(小指는 大富穴, 大指根은 貴穴)
㉡ 仙人 咬蝨穴 : 紐會穴로 仙宮의 變格이다.
㉢ 側掌穴 : 左側掌穴, 右側掌穴이 있다. 樂山, 案山, 水城이 明白해야 함

(16) 遠取 諸物 點穴(周邊과 形理를 살피라)

形則眞이므로 眞星(理)을 보되 지나치지 말라.

(17) 流星 點穴(穴星과 來脈의 看과 五星의 구성을 보라)

龍身과 星體를 觀察하여 結穴을 點한다.

(18) 八卦 點穴(穴星 調和와 最善의 均衡安定이 法度의 證이다)

來山形勢, 水神曲直, 龍虎有情, 賓主相應을 살핀 후 天星 法度로서 證明한다.

3. 正穴處 諸論(四神 Energy場의 中心點을 求하라)

(1) 丘壟 → 平夷處

(2) 平夷 → 언덕 隆起峯

(3) 平正龍 → 忌 攲側

(4) 充滿實龍 → 嫌 空缺(空虛)

(5) 相對山 遠(局廣) → 入穴 狹

(6) 相對山 近 → 入穴 低

(7) 勢 散 → 入穴 聚

(8) 勢 洩 → 入穴 高

(9) 斜 → 入穴 正

(10) 峻 → 入穴 平

(11) 窄 → 入穴 寬(여유 있게)

(12) 朝山 高 → 穴 高(朝山의 眉에 나란히 함)

(13) 朝山 低 → 穴 低(朝山의 中心에 應함)

(14) 朝山 遠 → 穴 地穴

(15) 朝山 近 → 穴 天穴

(16) 朝山 在左 → 穴 向左

(17) 朝山 在右 → 穴 向右

(18) 朝山 在正 → 穴 向正

4. 朝對 高低 穴法(玄一朱 에너지장의 균형처를 찾으라)

(1) 中央 朝山 : 最緊 禍福의 基準. 諧和 有情이 貴

(2) 朝山 高則 : 齊肩

(3) 朝山 低則 : 應心

(4) 朝山의 遠仰 近侍 : 羅列 있으면 不可缺

5. 定穴 諸說(균형안정점을 定하라)

(1) 朝山 正中線 定穴
(2) 明堂 正中線 定穴
(3) 後樂 正中線 定穴
(4) 鬼星 正中線 定穴
(5) 龍虎 均等線 定穴
(6) 纒脣 中心線 定穴
(7) 天心十道 正中 定穴
(8) 上分下合 正中 定穴

6. 定穴 三十六 怕 說(砂水 不安과 凶惡를 살피라)

(1) 鬪殺에 直扦하는 定穴
(2) 臃腫 頑堅의 定穴
(3) 孤露 單寒의 定穴
(4) 惡石 巉巖의 定穴
(5) 坐下 低軟의 定穴
(6) 懶坦 平洋의 定穴
(7) 卑濕 瀝泉의 定穴
(8) 崩破 鑿傷의 定穴
(9) 前高 後低의 定穴
(10) 四山 壓欺의 定穴
(11) 左空 右缺의 定穴
(12) 明堂 傾跌의 定穴
(13) 鎗頭 鼠尾의 定穴
(14) 鵝頭 鴨嘴의 定穴
(15) 高山 峻嶺의 定法
(16) 面牆 坐井의 定穴
(17) 水走 沙飛의 定穴
(18) 燒窯 築陂의 定穴
(19) 捲簾 水現의 定穴
(20) 刼砂 當面의 定穴
(21) 凹風 吹射의 定穴
(22) 元辰 直射의 定穴
(23) 堂氣 不收의 定穴
(24) 箭水 直流의 定穴
(25) 界水 淋頭의 定穴
(26) 牽動 土牛의 定穴
(27) 明堂 空曠의 定穴
(28) 界水 塞暗의 定穴
(29) 八風 交吹의 定穴
(30) 劒水 衝摧의 定穴
(31) 全無 餘氣의 定穴
(32) 路行 穿臂의 定穴
(33) 穴前 深坑의 定穴
(34) 穴前 反城의 定穴
(35) 穴後 仰亙의 定穴
(36) 穴後 高掛의 定穴

제3절 來龍脈과 穴相圖

1. 來龍脈, 入首와 穴相圖

1) 五行山形圖

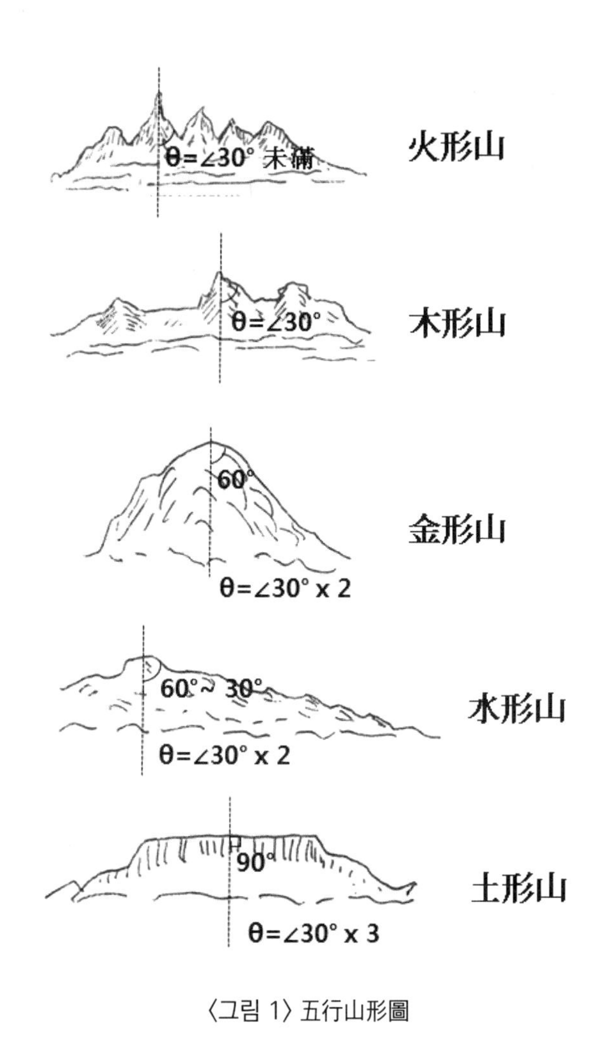

〈그림 1〉 五行山形圖

2) 來龍脈圖(인자수지 산형 참조도)

(1) 生龍圖	(2) 死龍圖
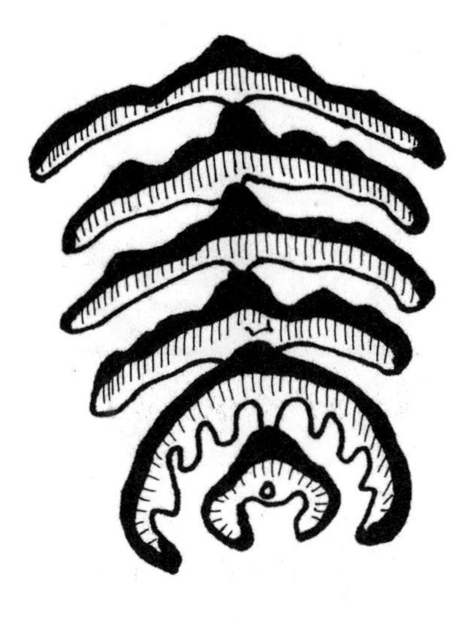 祖山으로부터 發足하다. 급히 솟고 엎드리며 산뱀이 물을 건는 것 같은 富貴의 最高吉地.	 본체가 곧고 굳음. 死絶地. $\theta = \angle 30° \times n$의 秩序가 존재하지 못함. 變易秩序가 없음.
(3) 强龍圖	**(4) 弱龍圖**
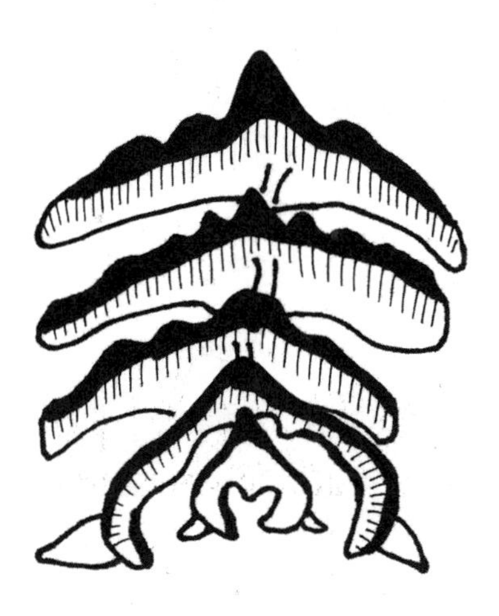 橈棹 및 枝脚이 서로 잡고 튕기는 形. 富貴가 따르고 威名을 떨치며 功業이 强盛함. 聚氣와 變易秩序가 分明함.	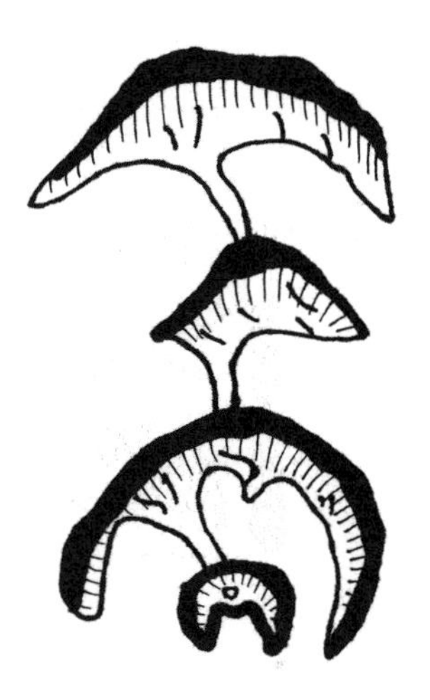 星峰이 마르고 橈棹 및 枝脚이 짧으며 本體가 약하고 게으름. 縱變易秩序의 一種으로 龍身이 虛弱함.

(5) 順龍圖	(6) 逆龍圖

星峰이 순하고 橈棹 및 枝脚이 곧게 뻗고 尊卑의 秩序가 있고 富貴가 오래감. 正變易秩序가 優秀함.	星峰이 옆으로 섣고, 橈棹 및 枝脚이 逆으로 뻗었음. 長幼多凶임.
(7) 進龍圖	(8) 退龍圖

枝脈이 고르며 行度가 차례가 있음. 發福이 김. 正變易 及 垂變易 龍	星辰의 순서가 없고 橈棹 및 枝脚이 고르지 못함. 發福不均, 垂變易 龍脈 特性

(9) 福龍圖	(10) 病龍圖
 祖宗이 귀하고 從違함이 많음. 和睦 康寧하고 福祿이 많음. 正變易 龍脈 特性	 허리와 목이 꺾인 龍. 少年夭折. 隱變易 龍脈 特性
(11) 病龍圖	(12) 劫龍圖
 결함이 있는 龍으로 不吉. 疾病連綿. 縱變易의 不實	 龍身이 殺을 띠고 있는 것. 脫한 것. 즉 거치지 아니한 것은 用砂하나 劫殺임. 非同調 干涉支脚龍

(13) 殺龍圖	(14) 中出脈圖

殺氣가 있어 보이고 無頭息을 면치 못함. 凶惡人出, 非同調 干涉支脚龍	落脈 및 過峽, 入首 등이 中出한 것. 吉人吉事, 正變易 特性

3) 來龍과 枝龍圖

(1) 脈穿心圖	(2) 停均之圖

節節히 正脈이 穿心하니 左右 長短이 같지 않아도 交鎖 貴龍. 縱變易 來脈 特性	龍身은 枝龍의 對節은 아니며 交互 停均함.

(3) 枝脚偏枯圖	(4) 枝脚全偏圖

枝龍이 한쪽은 길고 한쪽은 짧아 한쪽은 富, 多子이나 한쪽은 廢疾, 絶嗣임	한쪽은 枝龍이 있으나 한쪽이 없어 奴龍이 結作을 못함.

(5) 枝龍不均圖

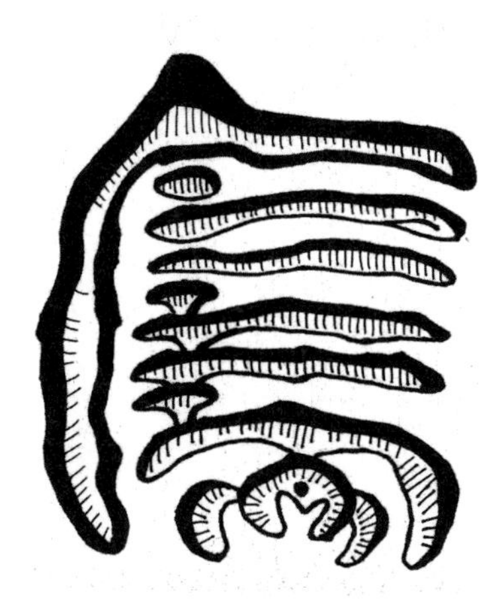

枝龍의 길이가 均衡이 안 됨. 偏斜 하나 及第가 나온다. 縱變易의 變格

枝龍이 不均衡임(閃脈 特性)

(6) 枝龍美惡不均圖

枝龍이 한쪽은 예쁘고, 한쪽은 추악하여 不吉

(7) 枝龍短圖

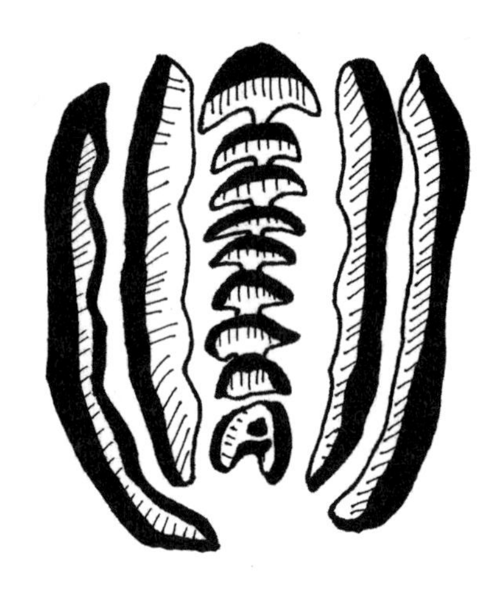

枝龍이 짧으며 不葬地

(8) 無枝龍圖

龍이 玄으로 뻗었으며 頂에서 起하고
結作하여 吉하며, 神童壯元이 나올 吉地.
垂變易의 合成特性

4) 入首 左 · 右旋圖(명당론 참조)

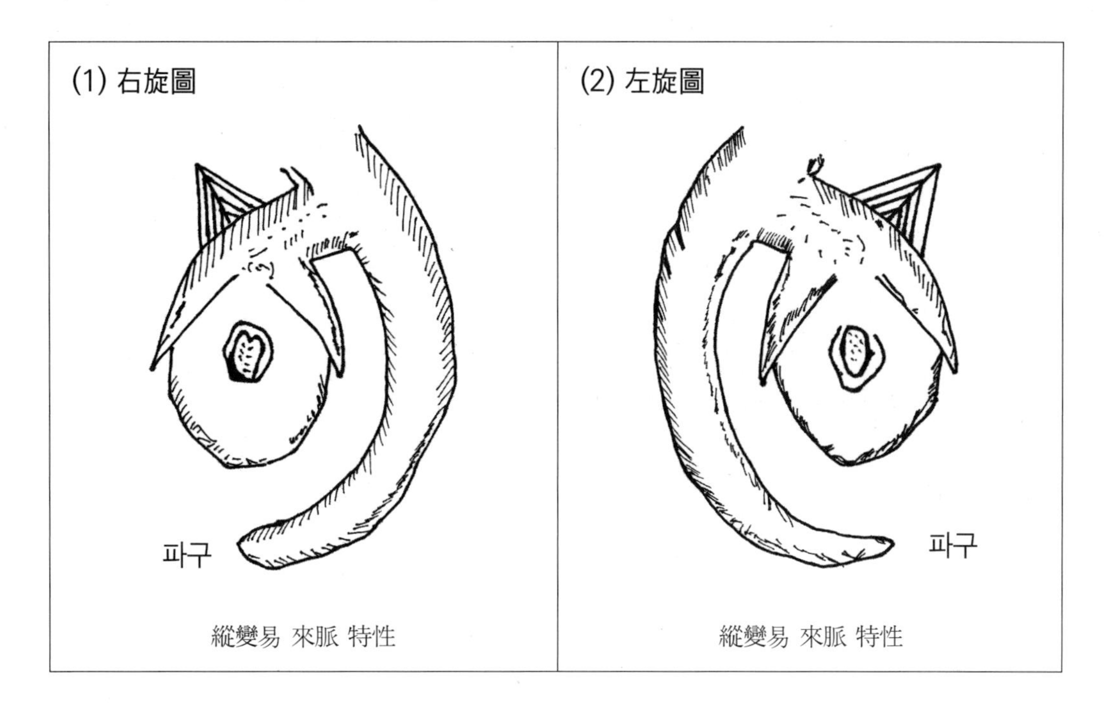

5) 穴相圖

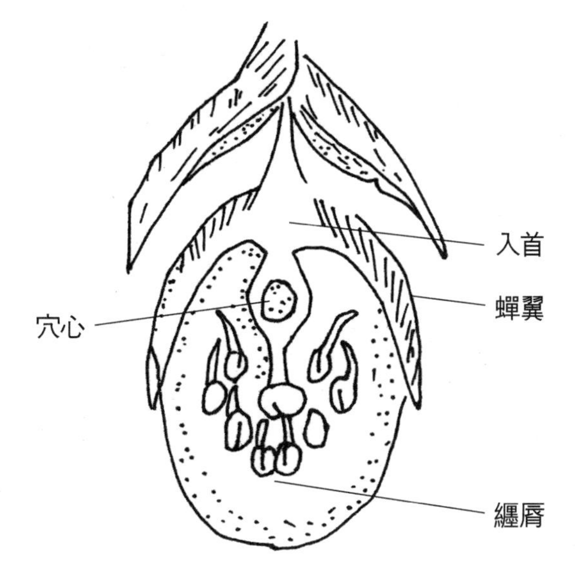

- 力量이 光明正大함
- 正變易 또는 垂變易 來脈 穴

(1) 窩相圖

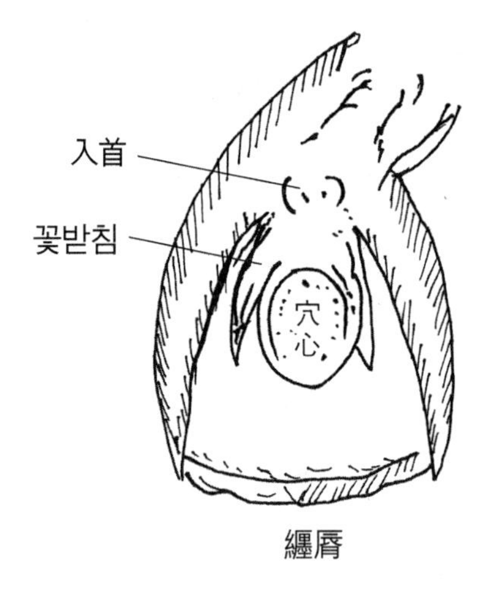

縱變易 來脈 穴

(2) 鉗相圖

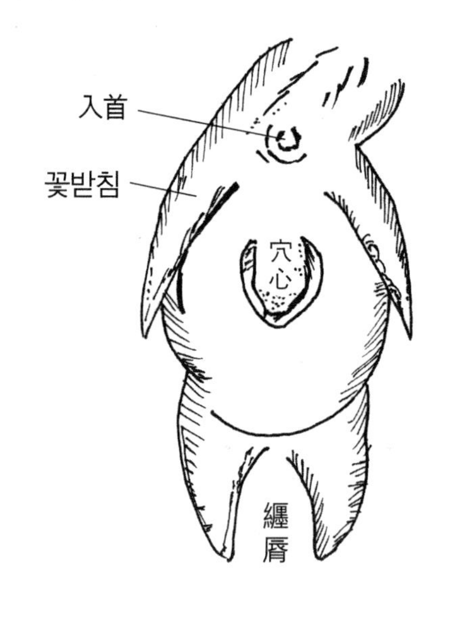

縱變易 來脈 穴

(3) 乳相圖

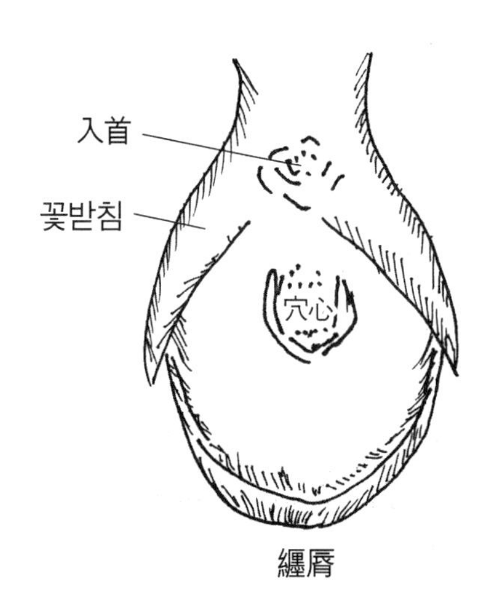

正變易 또는 垂變易 來脈 穴

(4) 突相圖

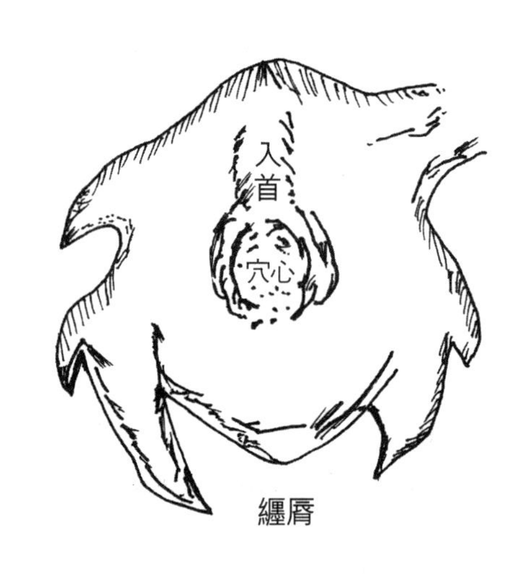

正變易 來脈 穴

6) 入首圖

(1) 힘찬 入首圖	(2) 힘없는 入首圖
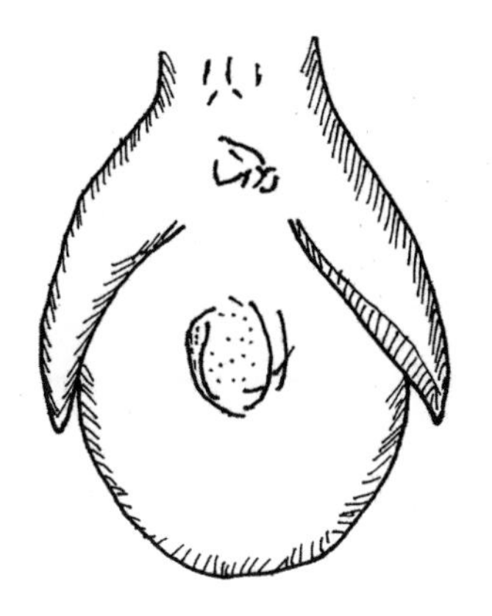 入首가 취기하고 正突하여 벼슬이 난다. 正變易 來脈 特性	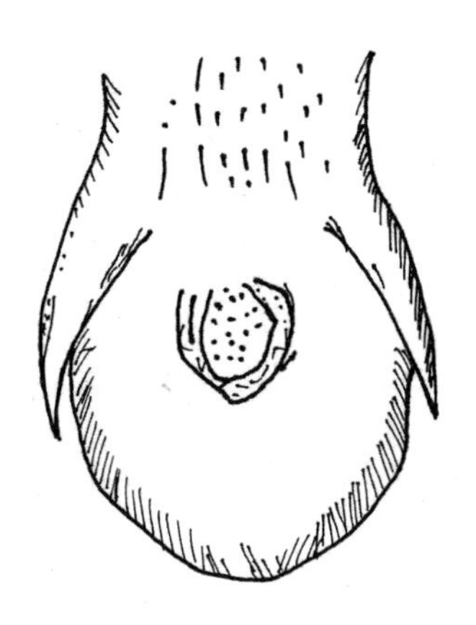 入首가 넓으며 기운이 흐트러지니 천하고 희미한 자손을 낳는다. 垂變易 또는 隱變易 來脈 特性. 左右 凝縮이 不實
(3) 힘이 백호 쪽으로 旺한 入首圖	**(4) 脈이 통하지 않는 入首圖**
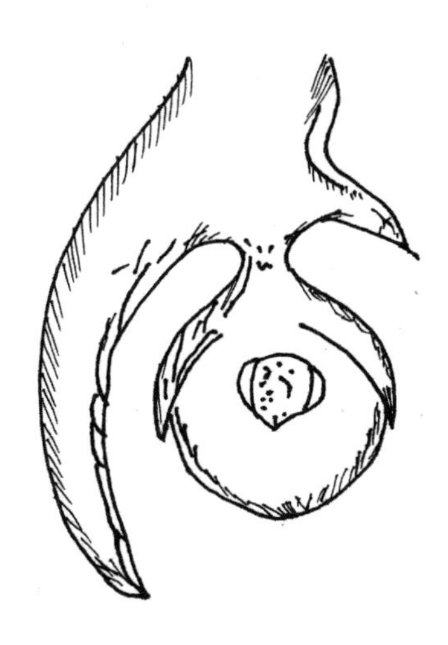 入首기운이 오른편 꽃받침으로 가는 힘이 혈심으로 통하는 힘보다 旺하니 庶子가 得勢한다. 縱變易 偏脈 特性	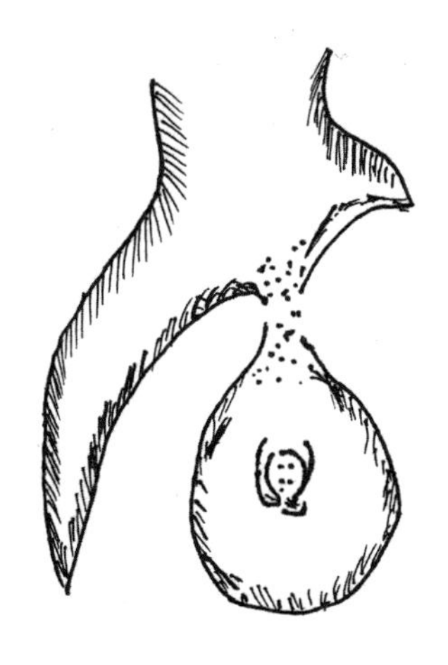 入首기운이 전부 오른편으로 가버리고 혈심으로 통하지 아니하니 絶孫된다. 縱變易 支脚性 側脈 特性

(5) 入首龍吉地圖	(6) 入首龍凶山圖
	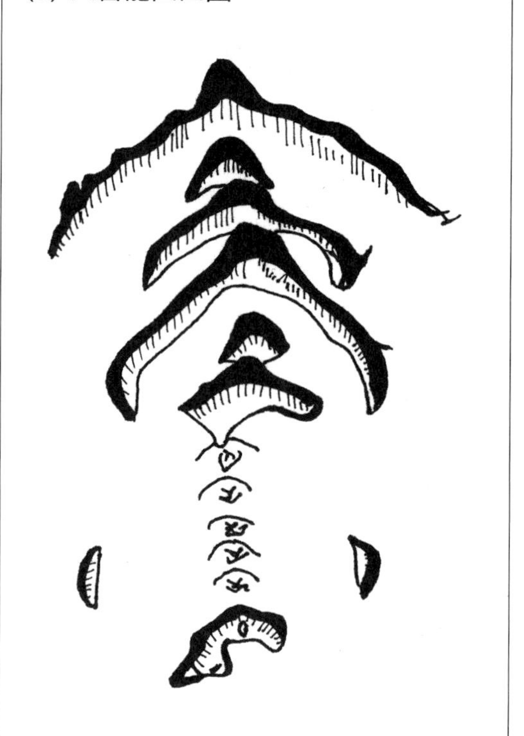
遠龍이 흉하다가 穴에 이르러 好龍이 되어 吉地. 垂變易 以後 朱火 E場에 의한 正變易 來脈 變易 特性	穴 가까이 入首가 흉하므로 遠龍이 아무리 좋아도 葬 不可. 祖宗山 E體 因子 特性은 良好하나 朱火 緣分 E場 不實에 의한 不良穴

2. 山의 類型

(1) 嫡子, 庶子가 나는 山

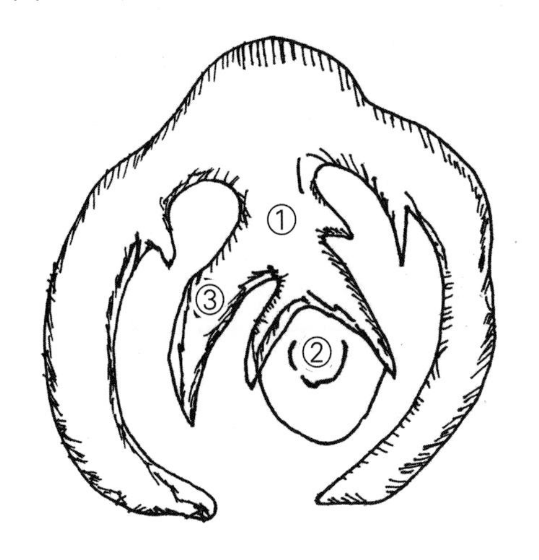

① 입수기운 ② 혈심
③ 선익으로 나누어서 가기 때문에 적자, 서자가 나옴
縱變易 及 橫變易 來脈 特性의 變格

(2) 獨子, 養子가 나는 山

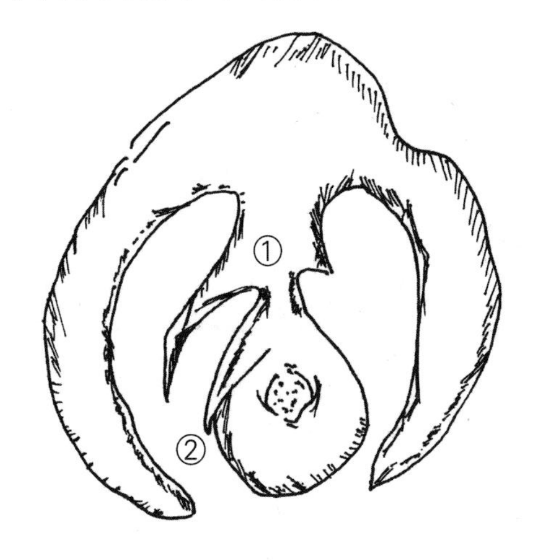

①번 지점이 끊어지면 양자
②번 지점이 약하면 독자
垂變易 及 隱變易 來脈 特性의 變格

(3) 雙胎兒가 나는 山

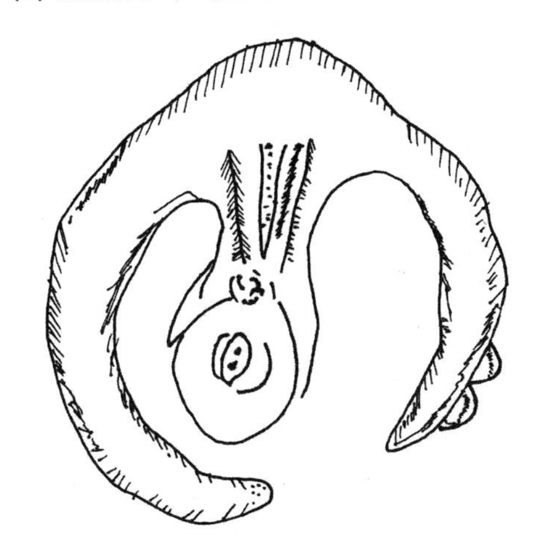

入首가 雙이어서 雙胎兒가 난다.
廣脈 入首 來脈 特性

(4) 側子 出産圖

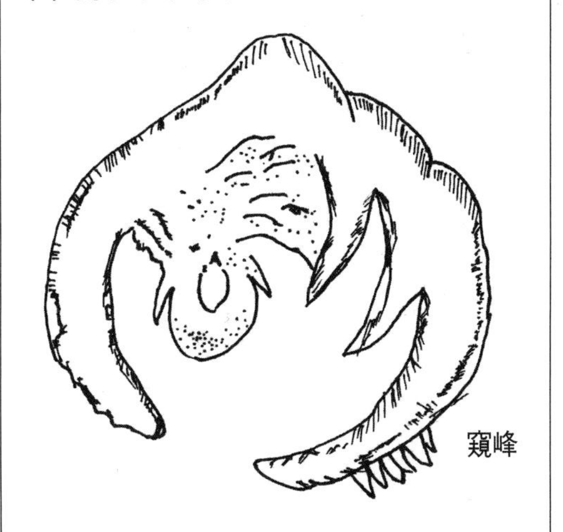

원래의 入首가 없는 듯하면서도 側入首가 旺하고 窺峰이 있다.
支脚性 縱變 特性의 偏脈 入首

(5) 외손봉사

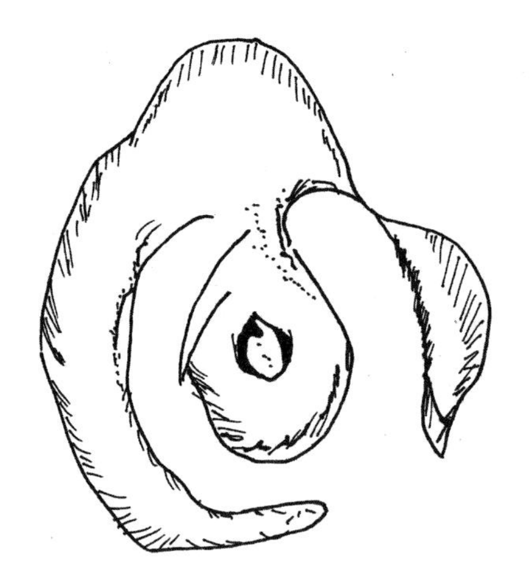

백호가 왕성하고 청룡은 끊어졌고, 패철상 불배합이며 꽃받침이 없다. 青木 E場의 不實

(6) 六指가 나는 山

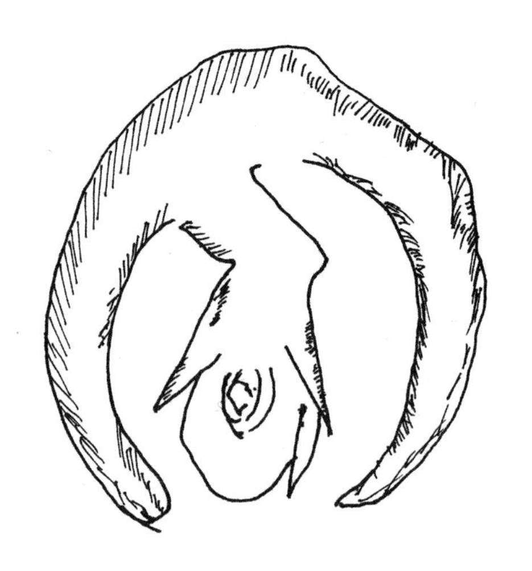

胎脈節에 금이 갔으며, 자손 중 6손가락이나 6발가락이 난다. 금간 곳의 위치에 따라 좌우 수족을 분별하고 남녀의 분별 절수는 음양으로 정한다. 來龍脈 不良과 護從砂의 變格

(7) 盲者가 나는 山

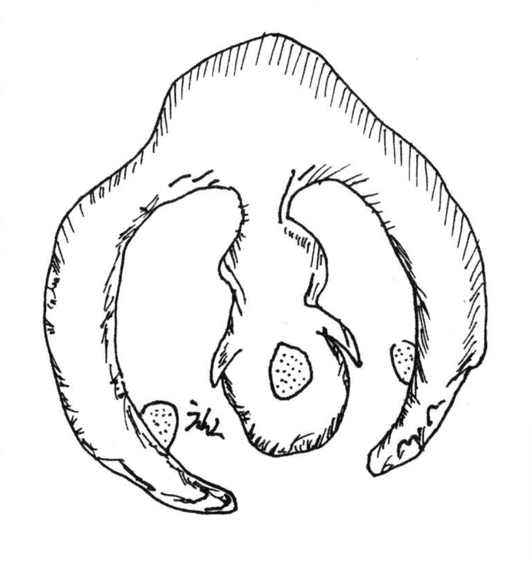

순음 丑艮坐 또는 辛酉坐로서 立石이 있다. 돌의 左右로서 좌우 눈을 가름하고 左右旋으로 남녀 分別

(8) 聾兒 出産圖

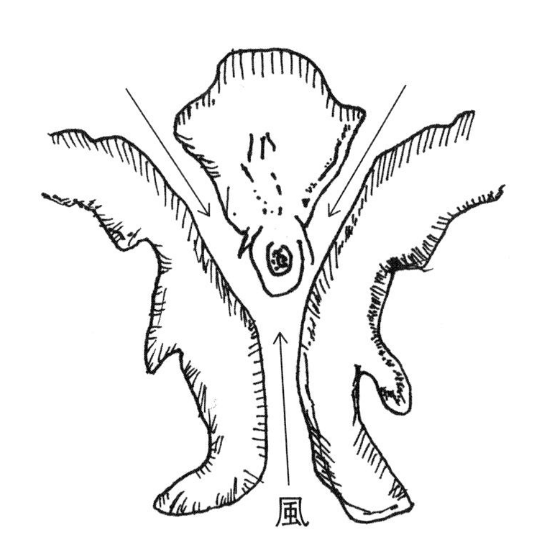

三谷風이 충돌하고 山形은 配合穴 같으나 패철상 不配合이다.

(9) 언청이 出産圖	(10) 꼽추 出産
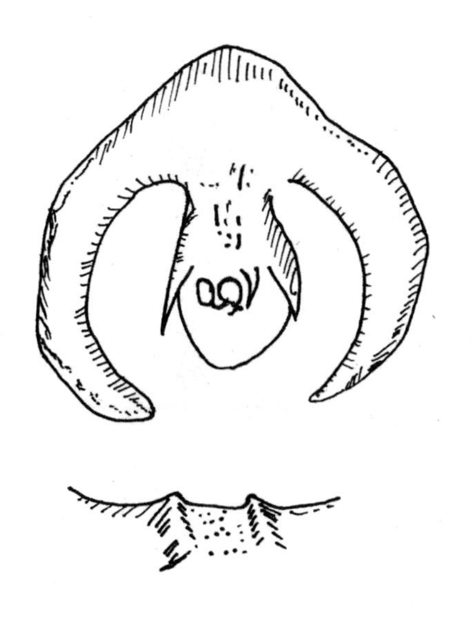	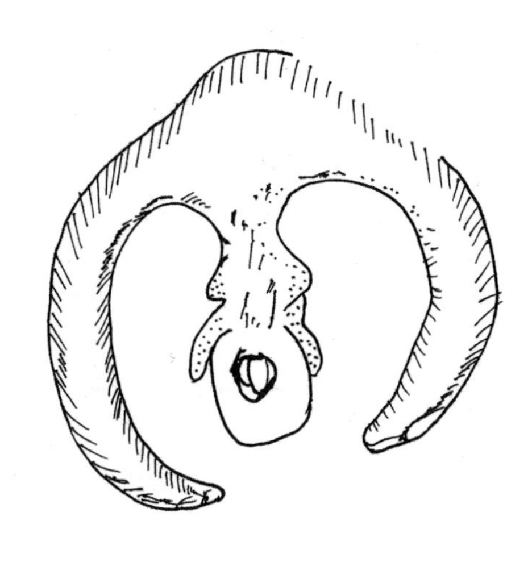
入首가 넓고 胎脈節로서 案山이 언청이 모양임. 案山 凝縮 E場의 不良	入首와 穴의 뭉치가 곁붙은 것같이 보이는 山. 來脈 E體 特性의 不良
(11) 無少祖山圖	(12) 重枳少祖山圖
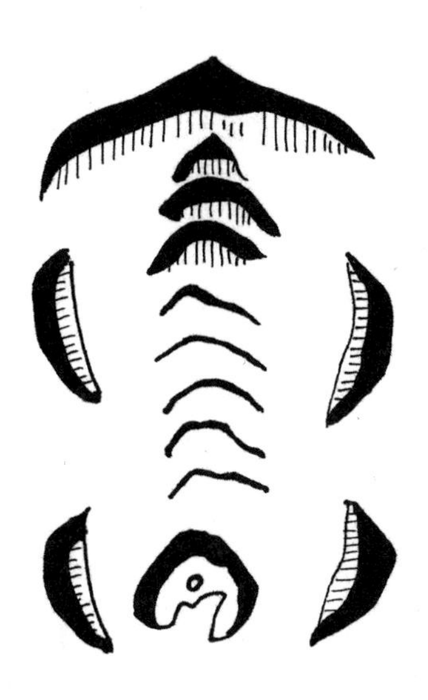	
小祖山을 일으키지 않았으므로 힘은 약하고 氣는 輕하므로 주위는 사랑스러워도 凶地임. 祖宗山 E體의 不實	소조산을 일으키고 교절을 내려와 다시 소조산을 일으켰으며, 一節 아래로 作穴하였으니 大福이 長厚한 極吉地임. 過峽聚氣의 正變易 特性

(13) 穴近少祖山圖	(14) 少祖不吉山圖
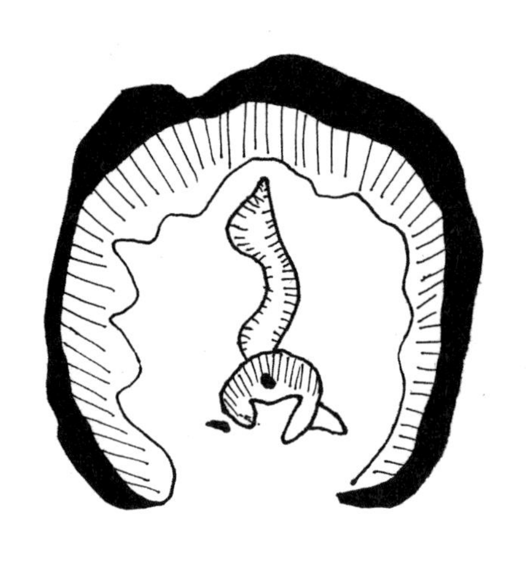	
小祖山으로부터 아래로 산뱀이 入首하여 結穴되니 吉地. 入首脈의 短凝縮 特性	小祖山이 醜惡하고 성체를 이루지 못하여 不吉. 祖宗山 E體의 不良

3. 峽의 種類(인자수지 峽形 참조)

(1) 陽峽	(2) 陰峽
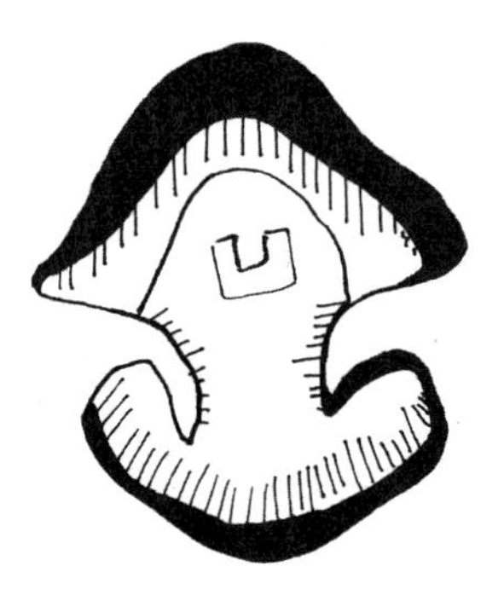	
凹 중에서 出脈하나 凹의 腦壇에서도 출맥한다. 正變易의 强健力量	脈이 頂으로부터 등성이로 나온다. 正變易의 不實力量

(3) 曲峽

脈이 屈曲하고 활동하는 貴格 (縱變易의 强健力量)

(4) 直峽

死脈. 左右 凝縮 不實

(5) 長峽

死脈으로 不吉

(6) 短峽

바람을 받지 않으나 모호하면 협이 아님.

(7) 闊峽

흩어지고 모이지 않아 草蛇가 있어야 吉하고 아름다우면 富貴

(8) 高峽

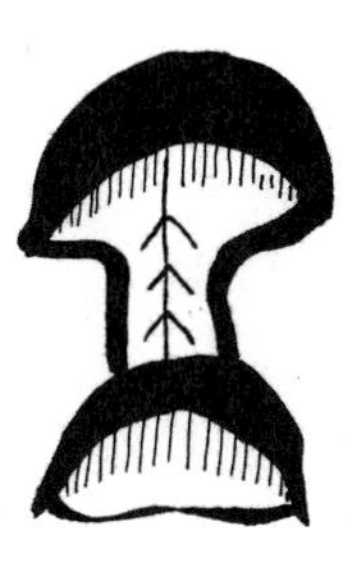

사람이 많이 다니는 嶺으로 護山이 周密하여야 함.

(9) 遠峽

大龍峽이 수십리 지난 것.
無脊凶峽

(10) 穿田峽

양면이 낮고 중앙에 과맥이 밭인 것.
有脊大吉

(11) 蜂腰

(12) 鶴膝

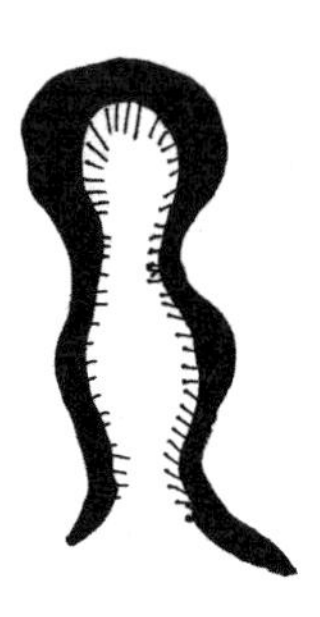

石脈인 경우에 龍이 結作함. 垂變易 또는 隱變易 來龍脈 特性

(13) 也字崩洪

石梁이 也字形으로 돌아서 싼 것.
隱變易 特性 來脈

(14) 斷續崩洪

석량이 끊어진 것처럼 따로따로 되어 계속된 것. 隱變易 特性 來脈

(15) 摸石崩洪	(16) 節目崩洪

석량이 散亂하게 수면에 작은 것이 깔려있음. 隱變易 特性 來脈	석량이 서로 끌고 연결되어 수중에 넝쿨과 같이 깔림. 隱變易 特性 來脈
(17) 長跡崩洪	(18) 螺蜆崩洪

石梁이 수중에 말발굽같이 깔림. 隱變易 特性 來脈	석량이 조개와 같이 수중에 깔림. 隱變易 特性 來脈
(19) 交角崩洪	(20) 川字崩洪

석량이 서로 물린 톱니나 이빨처럼 생긴 모양. 隱變易 特性 來脈	석량이 세 개가 川字形으로 됨. 隱變易 特性 來脈

(21) 之字崩洪	(22) 十字崩洪
 石梁이 꾸부러져 之字나玄字같이 됨. 縱變易 E體 不實	 석량이 十字모양으로 가로세로로 됨. 正變易 隱脈 E體 變格 特性
(23) 送迎  龍이 양 팔뚝과 같이 생김. 正變易 E體 特性	(24) 雙送迎  龍이 送脈 또는 迎脈으로 極貴格. 正變易 鬼 E體 特性

(25) 送脈

送脈은 있으나 迎脈이 없음. 迎送을 交互하며 吉凶이 半半임.
正變易 E體 不實

(26) 送迎

正變易 來脈의 變格

縱變易 來脈의 變格

送脈은 없고 迎脈이 있어 산이 周密하면 귀함.
迎送을 交互하여 力量이 크고 貴格임.

(27) 欲渡

本山이 紅峽이며 貴格(베틀)
左右 護從의 善美 凝縮

外山이 물에 막혀 紅峽이 되어 最吉格
左右 護從의 善美 凝縮

(28) 雙魚峽

正出脈으로 吉格
正變易의 變格

偏出脈으로 凶格
支脚脈 特性

(29) 雙魚峽

偏出한 脈으로 峽이 아님.

峽이 아니며 凶格

(30) 欲渡峽

偏出脈으로 凶格

(31) 垂珠峽

正出한 脈으로 峽을 이루었으니 吉格

(32) 垂珠峽

偏出脈으로 凶格

偏寒한 脈으로 凶格

(33) 垂珠峽

偏出한 脈으로 凶格

峽은 되었으나 偏斜와 不正으로 邪險함.

(34) 蓮花心峽

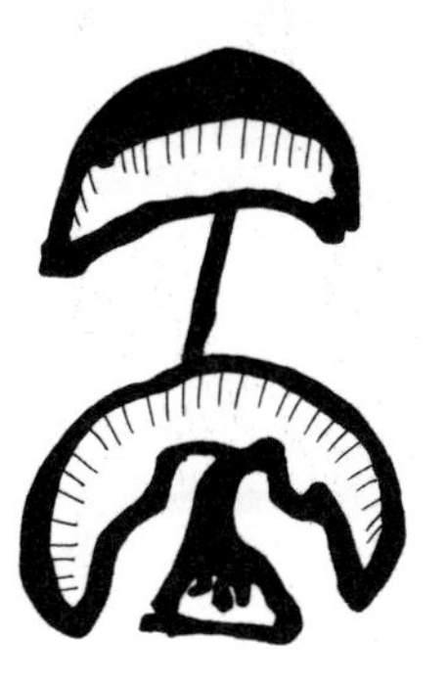

참된 蓮花心峽 貴格
束氣脈 特性

眞峽으로 極貴格
束氣脈 特性

(35) 蓮花心峽

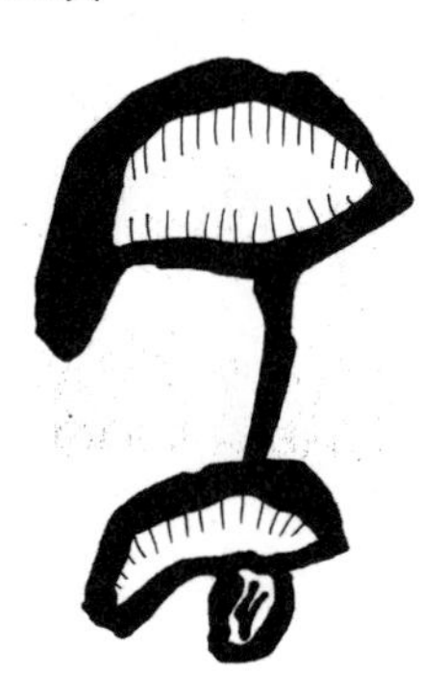

약간 偏高하나 吉凶이 半半

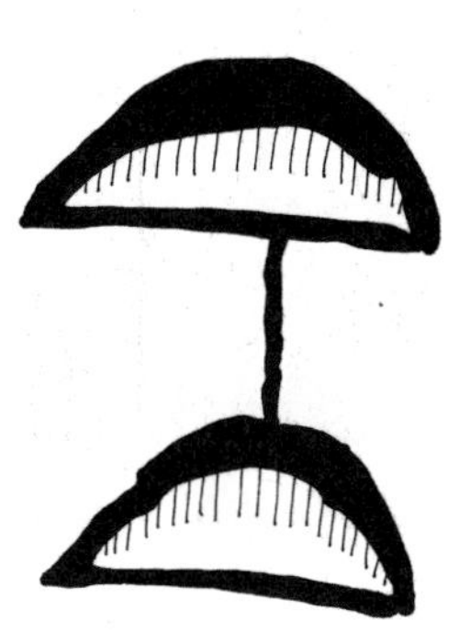

峽이 성립되어 吉格

(36) 蓮花心峽

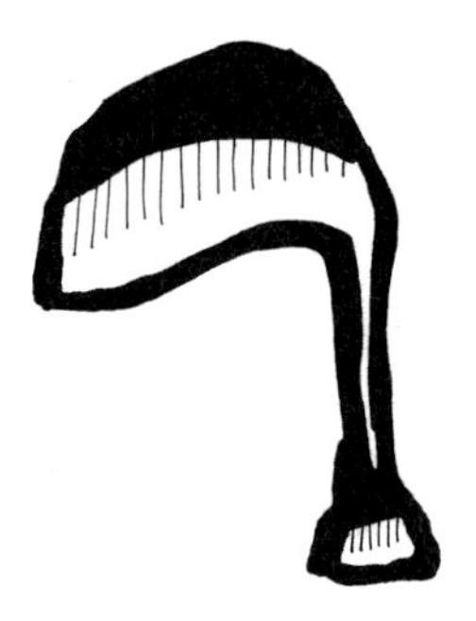

偏斜로서 峽이 아님.

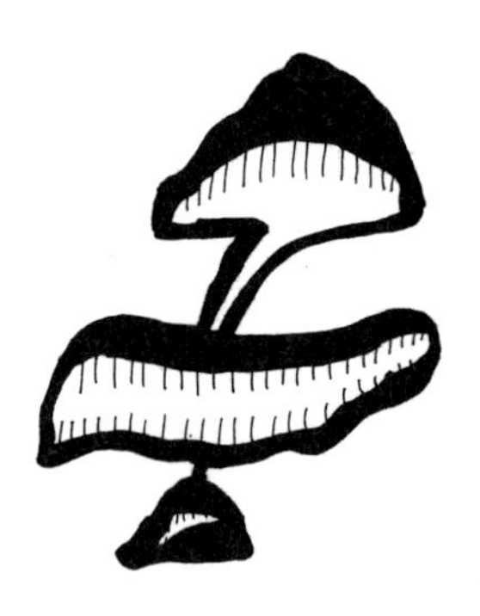

峽이 되어 吉格(束氣脈)

(37) 蓮花心峽

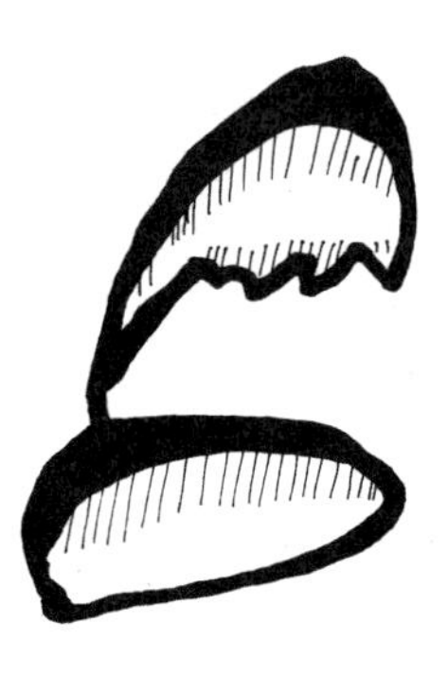

偏出이므로 峽이 아님.

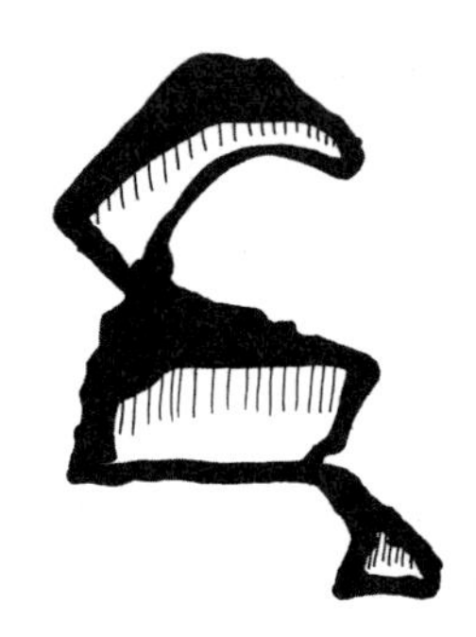

偏出이므로 쓸 수 없는 龍

(38) 迎送峽

迎送峽의 眞格으로 極貴格
鬼 E體의 發達

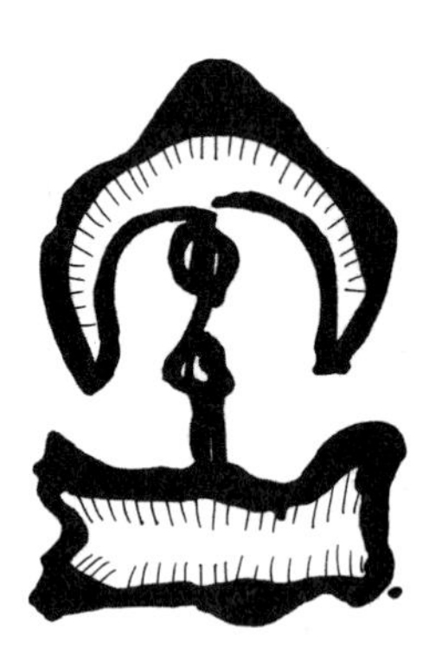

眞格이 되어 貴地임.
正鬼 E體의 發達

(39) 迎送峽

眞格이며 貴格

偏出로서 峽이 아님.

(40) 迎送峽

지극히 偏枯하며 大凶

완전한 偏出이며 大凶

(41) 玉井欄峽

玉井欄峽의 眞格으로 吉格
束氣脈 特性

交互되는 玉井欄峽의 眞格으로 吉地
束氣脈 特性

(42) 井欄峽

交互되는 吉格(束氣脈性)

迎送의 眞格으로 吉格(束氣脈性)

(43) 井欄峽

左旋玉井欄峽의 正格으로 吉格
(束氣脈性)

偏係하므로 下品에 해당

(44) 井欄峽

偏出로 있어 凶格

迎接玉井欄峽의 正格으로 吉格
(束氣脈性)

(45) 脈峽	

脈을 따라 가운데로 나온 正脈으로 吉함. (束氣脈性)	偏出이므로 峽이 아님.

(46) 脈峽	
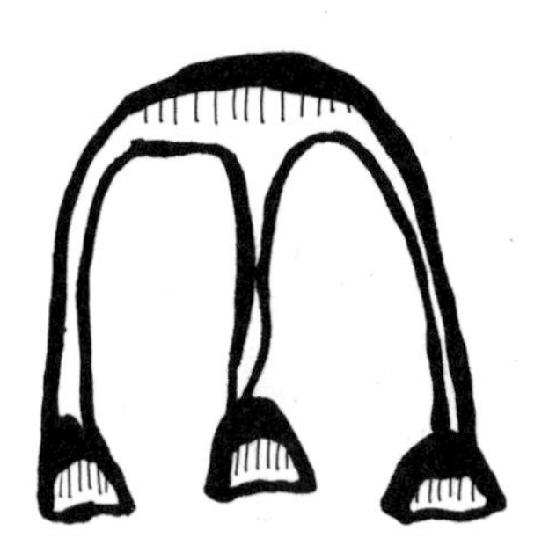	
中出한 正峽으로 吉(正變易 特性)	偏出하였고 峽이 아님. 凶

(47) 絲峽	

飛絲脈으로 偏出하여 不吉	偏出이므로 峽이 아님.

(48) 台飛電峽

三台飛電峽의 正格으로 吉
(正變易 特性)

偏出한 脈으로 不吉

(49) 魚佩峽

正格으로 極貴格
正變易 鬼 E體 强健

偏出한 脈으로 大凶

(50) 流星峽

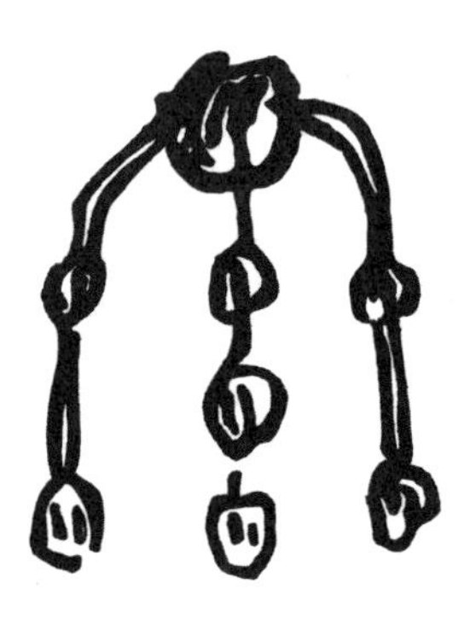

眞格으로 神童이 나옴.
正變 鬼砂 E體의 特性

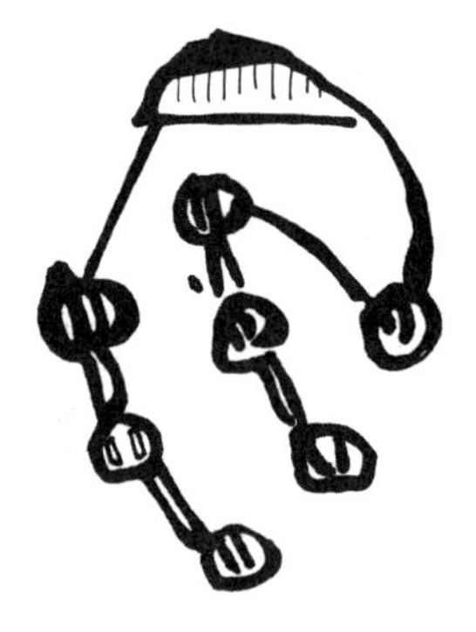

偏出脈으로 大凶

(51) 流星峽

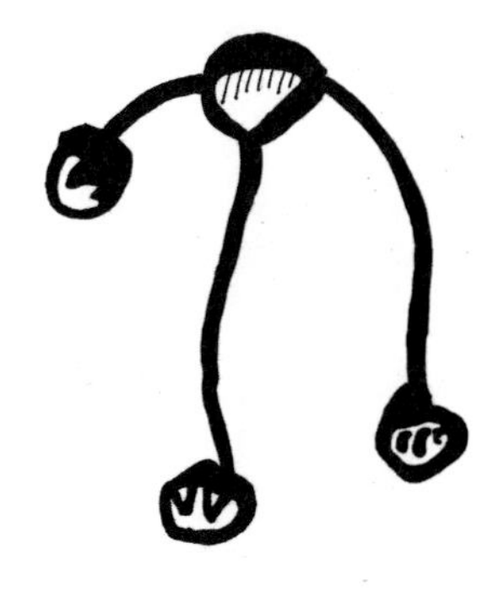

峽이라 할 수 없으며 不吉

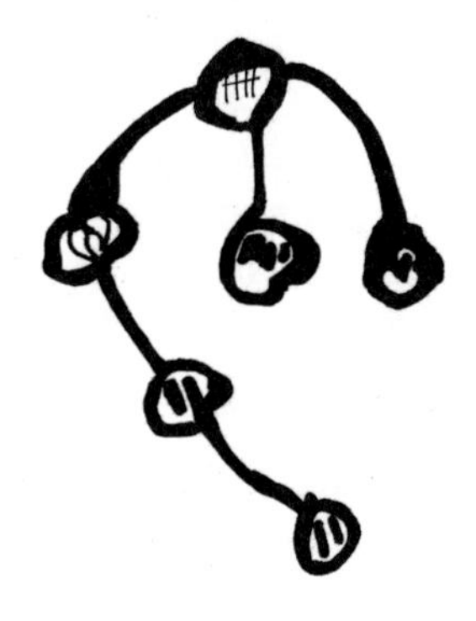

偏出脈으로 峽이 아님.

(52) 金叉役峽

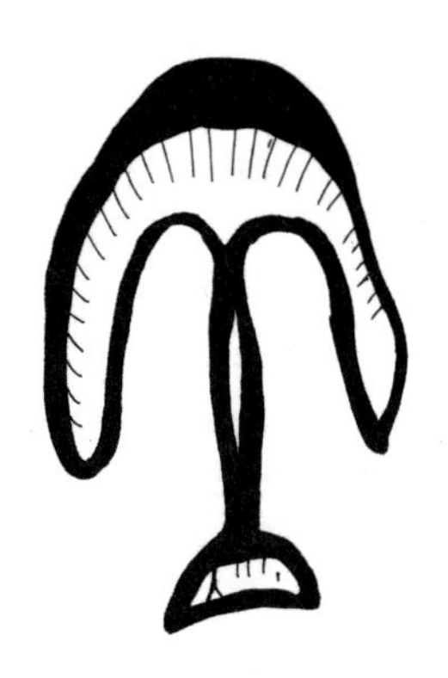

正格으로 吉(束氣脈性)

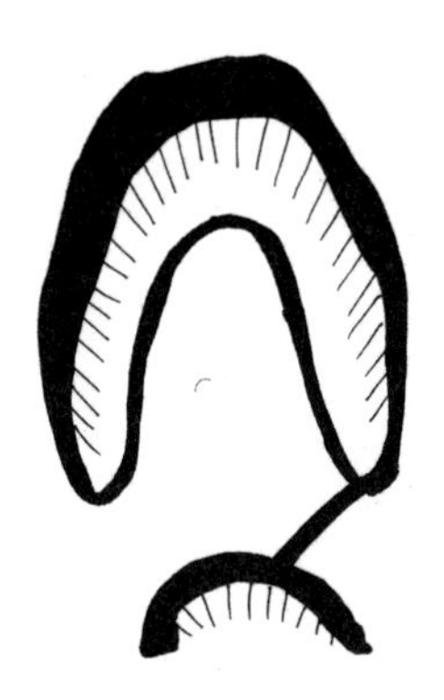

偏出脈으로 峽이 아님.

(53) 玉帶峽

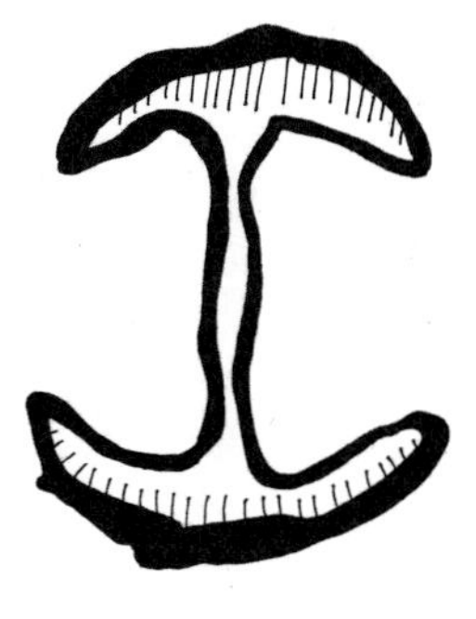

正格으로 貴地. 正變束氣 特性

偏出이 심하며 峽이 아님.

(54) 方城峽

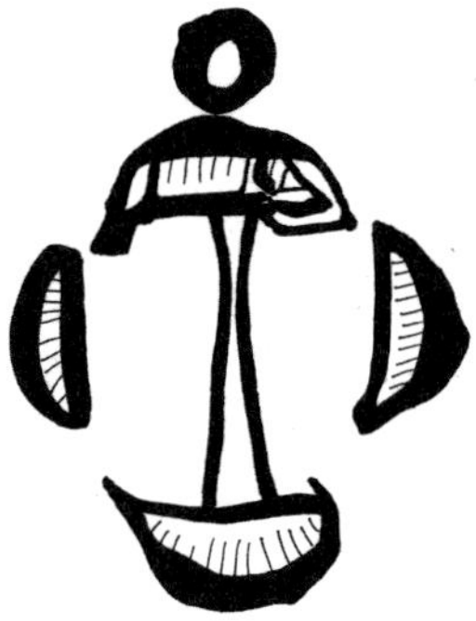

正格으로 最貴
善美局 E場 特性

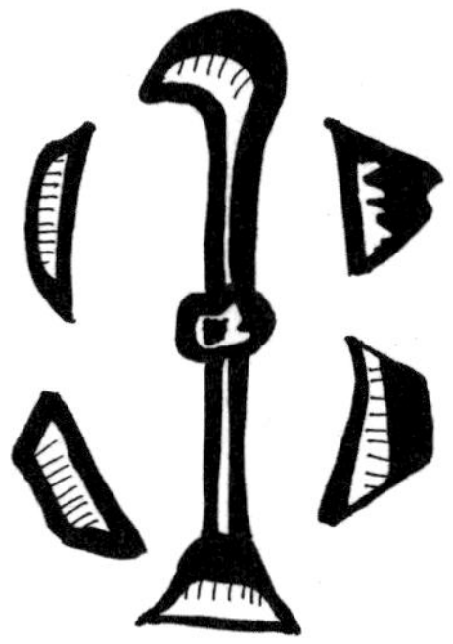

正格으로 最貴地
善美局 E場 特性

(55) 玉池峽

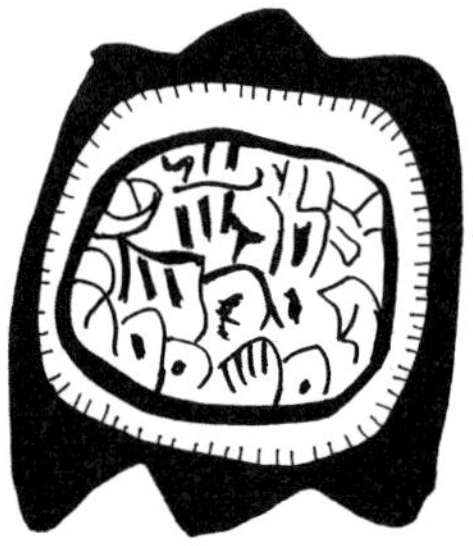

富貴格. 四神局의 圓滿 特性

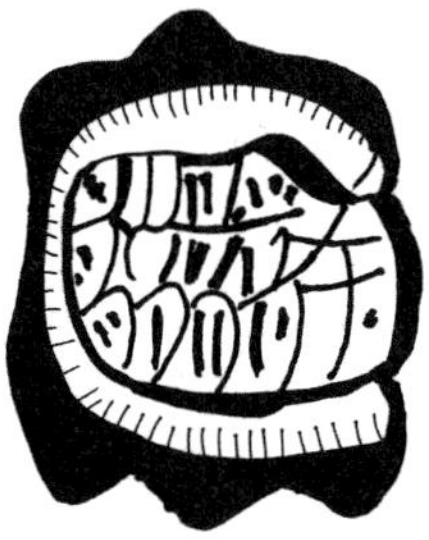

偏出로 凶

(56) 粧台峽

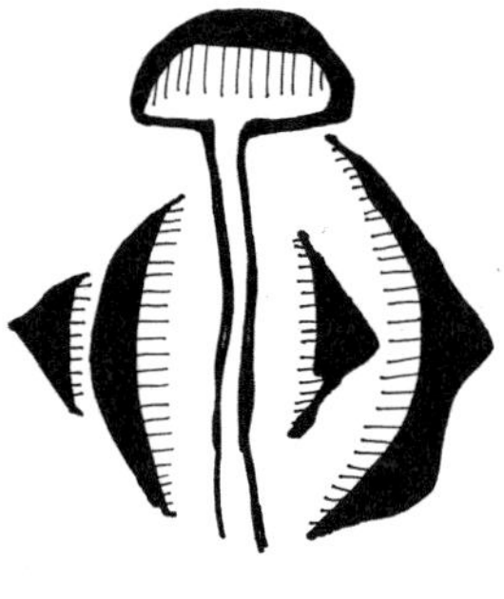

幞內에 養女가 粧台에 비쳐진 것으로
一品夫人이 날 곳. 四神局의 特出

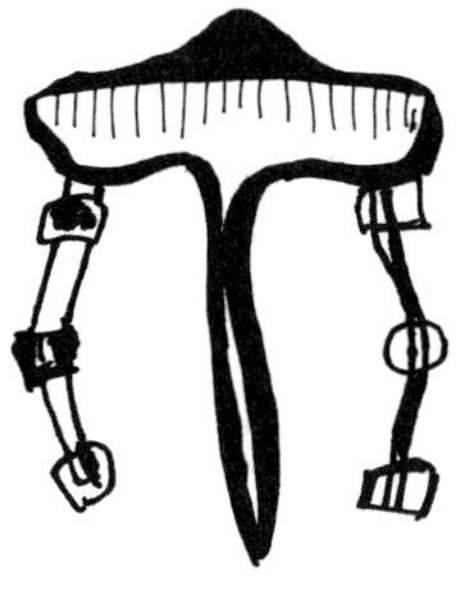

台鼎이 나올 것으로 大貴
祖山 及 局 E場의 特出

(57) 憧節峽	(58) 串珠峽
 神仙과 淸高한 貴人이 날 吉地. 來脈 及 四神局 E場의 特出	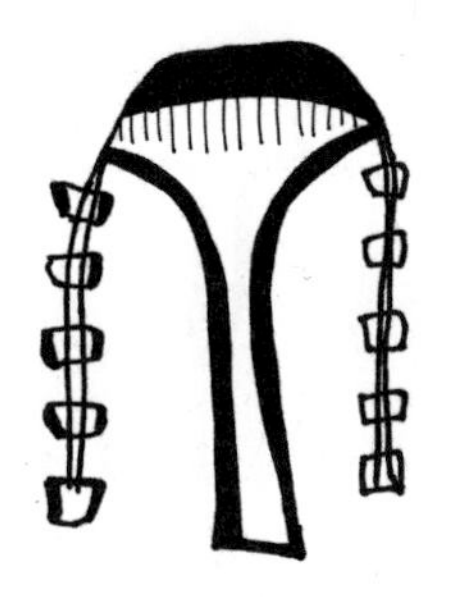 大富貴地로서 王侯 자리 來脈 及 四神局 E場의 特出
(59) 華蓋峽	(60) 金箱玉印峽
 大貴人이 나올 곳 左右凝縮 E場의 特出	 內相이나 學者가 나올 곳 左右凝縮 E場의 立體
(61) 天池峽	(62) 雙溪峽
 貴格. 左右立體 凝縮 E場	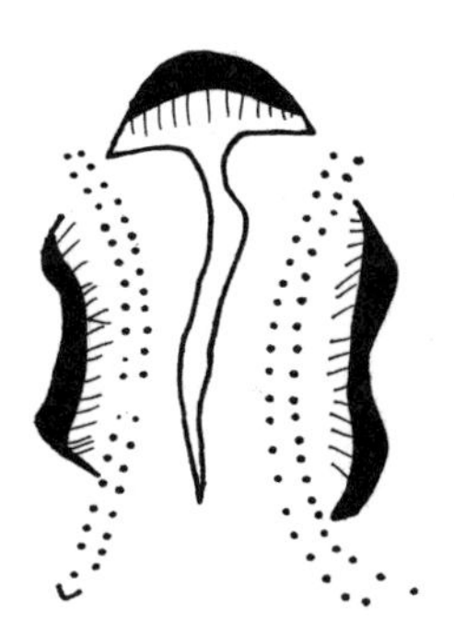 英雄豪傑이 나올 곳 左右 特出 E場 凝縮

(63) 寶劍峽	(64) 圭璧峽
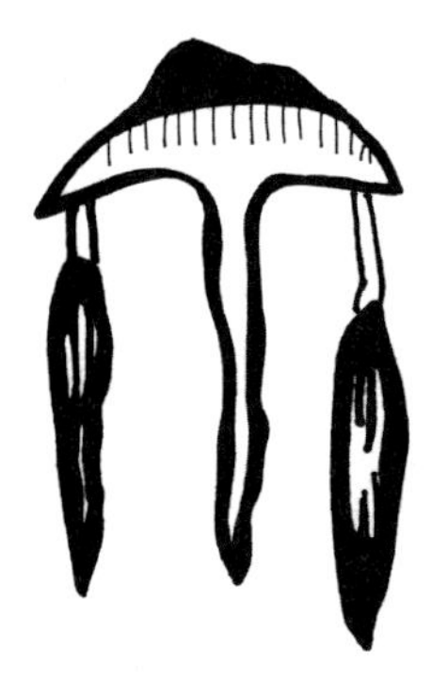 先斬後奏하는 권력을 가진 장수가 나옴 (青木 E場의 特出)	 王侯出地 (白金 E場의 特出)
(65) 雙龍峽  貴格. 祖宗山 E體의 强健	(66) 牛眠峽  濁富. 兩俠 特性의 重厚格
(67) 禁衛峽  出禁穴(周邊砂 E體의 多樣性)	(68) 石峒峽 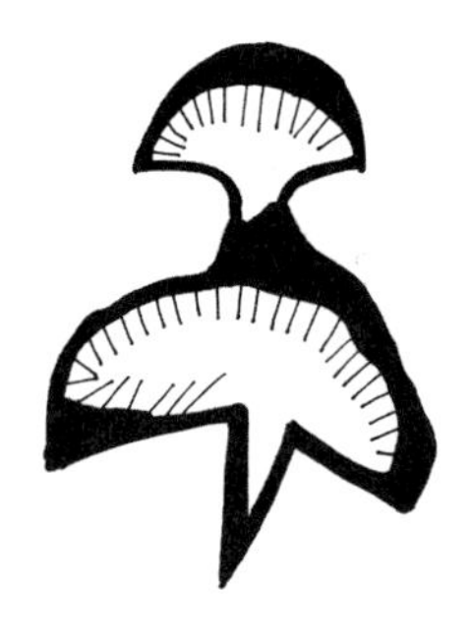 大貴후에 大凶(中祖 E體의 不實)

(69) 石峒峽  요망한 역적이 나올 곳으로 大凶 (周邊砂의 紛亂)	(70) 貫魚峽  平吉(正變易 特性의 中格)
(71) 乳芽峽  大小의 도둑이 나올 곳으로 大凶 (周邊砂의 散亂)	(72) 柳葉峽  半吉(正變 特性의 變格)
(73) 立魚峽  主貴(周邊砂의 安定)	(74) 重屍峽  凶夭死(周邊砂의 叛亂)

2 砂水論 諸說

제1절 砂格論

1. 槪要

穴場의 前後左右 四方의 砂로서 (朝·迎·侍·衛) 前朝·後樂·左右龍虎·羅城·水口·侍衛 諸山 及 明堂·禽·曜·官·鬼를 包含한 一切 周邊砂를 말한다.

龍眞穴的이면 龍虎가 상관없다고 하나 乘氣 維持 成穴 保護를 爲해서는 必히 四神 龍虎의 응축동조를 받아야 全吉하다.

2. 龍虎 吉格 十類論(龍虎의 善惡美醜를 살피라)

(1) 降伏 龍虎 : 低降俯伏하고 彎抱有情한 것
(2) 比和 龍虎 : 左右均等. 不强不弱한 것
(3) 遜讓 龍虎 : 先到 後着함이 相互競爭치 않음
(4) 排衙 龍虎 : 龍虎 兩畔 重疊하고 元辰回折이 吉
(5) 帶印 龍虎 : 左右 墩阜가 有情. 七歲 神童出
(6) 帶牙刀 龍虎 : 兩畔尖利한 牙刀가 發達 將出地
(7) 帶印笏 龍虎 : 一畔 圓墩. 一畔直阜. 才子 英雄出
(8) 帶劍 龍虎 : 龍虎 仗劍 直尖 帶劍
(9) 交會 龍虎 : 龍虎 交會하여 官을 싸고 지킨 것

(10) 開脬 龍虎 : 開展 落肩後 抱搦 彎曲함

3. 龍虎 凶格 十類論(龍虎 相互間 同調現象을 살피라)

(1) 相鬪 龍虎 : 兩邊 高昻하며 서로 이마를 맞댐(殺傷 煩惱).
(龍虎無情 兄弟不和)

(2) 相射 龍虎 : 左右尖利하여 相射한다(徒刑의 禍).

(3) 相爭 龍虎 : 龍虎間의 中間 墩阜를 左右에서 相爭함.
(兄弟間 爭財 失義)

(4) 分飛 龍虎 : 龍虎가 밖으로 달아남(父子 離別).

(5) 推車 龍虎 : 左右 兩邊이 곧고 길어 車를 미는 形
(田畓이 잃게 된다.)

(6) 折臂 龍虎 : 左右 斷凹함이 斷折된 팔과 같다.

(7) 反背 龍虎 : 龍虎가 逆으로 달아난다(逆孫出).

(8) 短縮 龍虎 : 龍虎가 穴을 놓치니 漏胎이다(孤寡, 貧寒).

(9) 順水 龍虎 : 龍虎同去 順水하므로 田地 退盡한다.
(龍山去水 賣田筆, 虎山去順水 殺人鎗)

(10) 交路 龍虎 : 自縊, 枷鎖之患(牢獄, 風鼓, 殘疾의 患)

4. 龍虎 凶格 二十四類(靑龍 白虎 個別 特性別 고유 특성을 살피라)

(1) 大麤 : 龍虎 어느 한편이 너무 크다.

(2) 逼狹 : 龍虎 어느 한편이 逼迫함

(3) 尖射 : 龍虎 어느 한편이 相對를 沖射한다.

(4) 反走 : 龍虎 어느 한편이 背走한다.

(5) 瘦弱 : 龍虎 어느 한편이 瘦弱함

(6) 强直 : 龍虎 어느 한편이 强하고 곧다.

(7) 揷落 : 龍虎 어느 한편이 가늘게 떨어져 꽂힘

(8) 斜飛 : 龍虎 어느 한편이 빗겨 난다.

(9) 昂頭 : 龍虎 어느 한편이 고개 들고 穴을 능멸함

(10) 擺面 : 龍虎 어느 한편이 벌려서 깨어져 일그러짐

(11) 短縮 : 龍虎 어느 한편이 너무 짧다.

(12) 破碎 : 龍虎 어느 한편이 부서져 破損됨

(13) 低陷 : 龍虎 어느 한편이 낮아서 함몰됨

(14) 壓穴 : 龍虎 어느 한편이 穴을 壓迫함

(15) 斷腰 : 龍虎 어느 한편이 허리가 끊어짐

(16) 露肋 : 龍虎 어느 한편이 헤어져 뼈(살이)가 들어남

(17) 擎拳 : 龍虎 어느 한쪽이 높이 든다.

(18) 下堂 : 龍虎 어느 한쪽이 堂下로 떨어짐

(19) 疊指 : 龍虎 어느 한쪽이 疊指하여 凶한 것

(20) 搥胸 : 龍虎 어느 한쪽이 穴上을 두드림

(21) 鑽懷 : 龍虎 어느 한쪽이 明堂을 두드림

(22) 拭淚 : 龍虎 어느 한쪽이 눈물을 닦는다.

(23) 嫉主 : 龍虎 어느 한쪽이 투기한다.

(24) 走竄 : 龍虎 어느 한쪽이 달아나 도망간다.

5. 朝 · 案砂(先到後着의 吉凶을 살피라)

(1) 朝山砂

① 朝對의 山으로 賓客이 主人을 보듯 有情할 것

② 穴上에서 보면 端然히 特立하여 衆山과 같이 朝拱해야 眞朝가 된다.

③ 同祖 共宗朝와 客山朝가 있다.

(2) 特朝砂

① 長遠한 곳에서 兩水를 夾送하고 도달하여 엎드린 곳

② 當面 推來함이 眞朝이다.

(3) 橫朝砂

① 橫으로 帳幙을 열어 有情하게 面한 것
② 兩邊이 排衙의 속삭이는 形을 吉로 한다.
③ 머리는 應峰을 일으키고 本身은 拜伏함이 좋다.

(4) 僞朝砂(有情 無情을 보라)

正應拜伏의 뜻이 없어 비록 尖峰秀麗한 머리라도 無情하게 堂穴을 反背한 朝砂

(5) 水朝砂

水格에서 論할 바이나 朝砂가 없을 때 水의 會中을 砂格으로 맞추라.

(6) 吉朝砂의 特徵

平障(屛幛)秀特이 앞 다투어 拱朝하고 卓筆(尖), 頓笏(圓)같고, 几案(方), 誥軸(平), 誥輔(橫) 같으며 五星聚會, 三台拱列 하는 듯함.

(7) 凶朝砂의 特徵

山岡搖亂, 惡石峻險, 山脚尖射, 形如破碎, 勢如走飛, 如臥屍 等의 形勢로 穴을 흘리거나 背反하며 無情할 것

(8) 平原 朝·案砂(平原 無朝 時)

穴은 必히 朝案을 要하므로 田中 草坪이나 水界 田岸이라도 있어야 平原穴이 된다.

(9) 朝山 暗拱

奇妙 暗拱砂가 비록 明朝만은 못해도 外應이면 女나 外家 또는 離鄕해서 貴發

(10) 朝山 亂雜

朝拱 正對 秀峰을 案對한다. 三峰은 對中하고 兩峰은 對空하라.

(11) 孤峰 獨秀砂

龍穴眞的이면 極貴品. 理學, 崇儒, 神童, 壯元을 主管함.

6. 案山砂(先到後着 善惡美醜를 보라)

穴前 低小한 砂로서 貴人이 冊床을 걸터앉은 것 같다.

(1) 吉砂 : 端正圓巧하고 秀媚光彩, 平正齊整, 廻抱有情함.
(2) 凶砂 : 順水飛走, 向穴尖射, 臃腫麤(粗)大, 破碎巉巖, 醜惡走竄. 反背無情함.
(3) 案砂類形 : 逆水 泝流案으로서 玉几, 橫琴, 眼弓, 橫帶, 倒笏, 按劍, 席帽, 蛾眉, 三台, 官擔, 天馬, 龜蛇, 旌節, 書臺, 金箱, 玉印, 筆架, 書筒의 形. 平崗田會, 高洲小阜 等 穴前 低小山
(4) 本身案砂 : 本身山이 穴前을 橫關하여 元辰水를 거둔다.
穴을 向해 開面하고 彎抱有情하여 不遠, 不高, 不低, 不斜走, 不粗惡함은 물론 外陽秀峰이 尖圓 方正하면 極吉한 砂格이다.
(5) 外來案砂 : 外山案砂라 할지라도 低小 有情하거나
(6) 外案 重秀砂 : 秀麗 獻奇列秀하여 二重이면 吉하다.

7. 前應 後照(玄一朱 同調場 中心點을 살펴라)

案山 玄武 以外山을 前應이라하고 玄武頂을 後照라고 한다. 이를 일러 前親後倚, 前龍樓, 後寶殿, 前帳後屛, 前秀特 後屛帳, 群峰矗矗 前呈秀, 疊帳 層層 後獻奇(後天柱가 重重히 높으면 百福이 수집된다).

8. 左補 右弼砂

穴 左右 特起한 兩山으로 夾炤登對해야 함(高低, 大小, 遠近 相等할 것).

太陽太陰과 같으면 日月夾炤하고, 頓筆展旗와 같으면 文武侍衛하고, 方平延褒라 하면 列帳列屛 濟濟森森 影從하는 萬卒形.

(1) 天乙 太乙 : 後龍의 左右에 있는 砂
(2) 天角 天弧 : 過峽의 左右에 있는 砂
(3) 金吾 執法 : 前朝의 左右에 있는 砂
(4) 天關 地軸 : 明堂의 左右에 있는 砂
(5) 華表 捍門 : 水口의 左右에 있는 砂
　　砂의 邊이 大小高下, 多少 有無에 걸림이 없음을 注意할 것
(6) 羅城垣局 :
　　① 前照砂와 後托砂가 相互周圍를 連한 것.
　　② 城의 울타리를 만들듯이 重重疊疊이 高聳周廻하고 層層 겹겹이 서리고 돌아 補缺帳空한 것이다.
　　③ 寬大周圓함이 水의 出入을 分別키 어렵게 한다.

9. 樂山砂(先到後着의 原理 中 待期現象을 보라)

穴後 倚托砂로 穴의 正應이어야 한다. 橫龍穴, 凹腦, 側腦, 沒骨穴에 必히 應할 것(가까우면 吉, 멀면 凶).

(1) 特樂 : 遠來 特樂하여 穴의 가까이 붙은 듯 베개가 된 것.
　　(特來함이 挺然하다.)
(2) 虛樂 : 特來함도 橫遶함도 아닌 低陷하고 散亂하여 穴의 베개가 될 수 없다.
(3) 借樂 : 橫으로 穴後를 막아 穴의 空曠함을 가까이서 막아 준다.
(4) 左樂, 右樂, 長樂, 高樂, 低樂, 多樂 等이 있다.

10. 水口砂(特異 特秀를 살피라)

水口處의 兩 岸山으로 內堂水의 直出을 막음. 이 砂는 周密 稠疊하면 交結(節)關鎖로 좁게 막힘이 좋다(印, 笏, 獸, 禽, 龜, 蛇, 魚, 筍이 中立하고 如獅, 象, 旗, 鼓, 倉庫(貯), 寶殿, 玉(龍)樓 等).

(1) 華表砂

① 水口間 奇峰이 兩山으로 卓立, 對峙하거나 橫欄(攔)이 高鎭(塡)하여 水中을 窒塞하는 것 等이다.

② 天表라야 可

(2) 捍門砂

① 水口門戶의 護捍으로 兩山이 對峙한 것

② 日, 月, 旗, 鼓, 龜, 蛇, 獅, 象 等으로 成形됨이 吉

(3) 北辰砂

① 怪異한 石山이 水口間에 巉巖이 솟구쳐 朝入하는 것

② 峻嶒峻險, 巉巖한 水口砂가 穴上에 보임을 꺼려라.

(4) 羅星砂

① 石이나 土의 砂가 水口 關欄(攔)之中에서 墩阜로서 特起한 것

② 首는 逆上流하고 尾는 水拖한다.

11. 官·鬼·禽·曜砂 : 穴場周圍에 發出한 餘氣의 山(停止 모습을 보라)

(1) 官星砂

① 朝案背後에서 逆拖하여 穴을 官하는 砂

② 龍의 秀氣가 穴을 融結한 後 餘氣 發生하여 官星이 生함

(2) 鬼星砂

① 穴後 拖撐之山으로서 穴場 枕樂砂
② 橫龍 結穴에는 必須砂다.
③ 方, 圓, 直, 橫, 雙으로 光彩 渾厚, 秀麗, 尊重해야 함

(3) 禽星砂(背面을 보라)

① 水口中에 落河한 石砂를 말함
② 笋笏, 遊魚, 龜蛇, 飛鳧, 金箱(印), 玉印, 蓮花, 筆架 等으로 高, 下, 長, 尖, 圓, 方, 聚, 散의 形을 取하기로 한다.

(4) 曜星砂(反에너지 凝縮砂의 組織을 보라)

① 龍의 餘氣 中 貴氣의 發洩(泄)狀態로 穴星의 格을 높인다.
② 龍虎의 팔뚝 밖 龍身의 枝脈, 穴前左右, 明堂下關水口.
③ 龍身을 따른 尖利한 巨石 等으로 砂가 된다.
④ 曜는 長大가 吉이고 短小함은 少年夭折
⑤ 遠曜는 效應이 더디고
⑥ 近曜는 催官 速發. 橫砂는 吉하고 直砂는 凶하다.
⑦ 不尖則 不貴하고 不圓則 不富한다.
⑧ 山曜水曜는 尖來 飛走를 꺼리지 않는다.

10. 砂의 品格

(1) 端正方直砂 : 忠孝
(2) 傾側砂 : 奸邪 狡猾
(3) 柔亂砂 : 淫亂, 混亂
(4) 卑劣砂 : 賤狡猾
(5) 粗猛砂 : 凶, 惡
(6) 瘦薄砂 : 貧窮
(7) 粹美砂 : 慈愛
(8) 威武砂 : 正義 決斷
(9) 厚德砂 : 富厚 여유
(10) 淸秀砂 : 貴官
(11) 破鑠砂 : 破産 分列
(12) 明達砂 : 明人 賢達

제2절 水格論

1. 水砂論(水와 風을 함께 살피라)

(1) 內氣 : 山龍이고

外氣 : 水이고

穴脈 : 水(血氣)와 筋의(脈路) 果이다.

水會則 山龍脈止

水合則 龍止

水飛走則 氣散

水融注則 氣聚

水深則 富

水淺則 貧

水聚則 多人

水散則 離鄕

來見則 吉

去見則 凶

(2) 來水 長遠하고 去水 短縮함이 吉

(3) 水出은 彎環屈曲하고 迂廻深聚함이 吉. 水直出 蕩然은 凶

2. 水砂 形態(風水 關係를 同時에 살피라)

(1) 朝水

① 穴前 特來水가 當面朝穴함이 吉

② 逆水穴이 逆水龍 보다 貴함

③ 來朝之水는 必히 屈摺 彎曲 悠揚 深緩함이 吉

④ 直急 衝射하여 湍怒한 소리가 나면 凶

⑤ 朝水一勺이 能救貧이요, 洋洋 當面朝이면 當代出官僚한다.

(2) 逆水 : 逆水龍에 一向直去가 아니면 小水去도 凶만 될 수 없다.

(3) 去水 : 去水地라도 穴이 低伏하면 出水가 보이지 않아서 可함.

(4) 聚水

① 深聚 穴前水는 來源 去源이 不見하고 四季로 融注됨.

② 山明水秀함이 千年이면 富貴 또한 千年이다.

3. 水砂의 種類(風의 動靜關係를 함께 보라)

(1) 海潮水 : 海水逆朝는 龍勢가 크게 그치는 바 王侯나 富貴를 生産하고 兩浙의 英雄을 出한다.

(2) 黃河水 : 四時 濁하나 한번 맑으면 聖人出한다.

(3) 江水 : 諸水의 所注가 되어 長遠하다. 其勢 浩蕩함에 必히 彎抱屈曲해야 吉

(4) 湖水 : 諸水會 하므로 汪汪洋洋하면 吉

(5) 溪澗水 : 結穴의 대개는 行龍의 小幹, 小枝, 溪澗에 있다. 必히 屈曲, 環遶, 聚注, 深緩이 吉. 直急, 溜聲, 峻跌은 凶

(6) 平田水 : 到堂融聚하거나 平夷悠緩하고 朝穴 有情함이 吉

(7) 溝洫水 : 溝渠田洫의 水로서 屈曲 有情(悠滙)함이 吉. 直急, 擺撇, 沖射, 穿割, 無情은 凶

(8) 池塘水 : 天然으로 會集되는 水이므로 祿을 主함. 穴前에서 得하면 最吉

(9) 天池水 : 山頂上의 會集水. 四時 融注 吉

(10) 注脈水 : 穴前湖水로서 四時 融注 吉

(11) 源頭水 : 龍의 發源處에서 짧게 오고 길게 가나 大龍結穴의 모습이다.

(12) 沮洳水 : 非冷泉窟穴로 遍山遍地가 항상 젖어 있다. 凶

(13) 臭穢水 : 汚物처럼 黃濁하고 惡臭, 夭折, 盲目, 淫惡, 主掌.

(14) 泥漿水 : 乾濕한 池水로 비 오면 차고 개이면 마른다. 客死, 敗散, 痼疾을 主. 凶

(15) 送龍水 : 龍의 始發을 따라 龍의 兩邊을 흘러 龍이 끝날 때 合水. 去水之

穴이 된다.

(16) 乾流水 : 平地에 流泉은 없어도 界脈이 束氣하여 穴의 左右에 붙어 있다.

(17) 合襟水 : 穴後界水가 穴前에 合襟됨을 이르며 大, 中, 小 또는 一, 二, 三 分合으로 본다. 天聚, 人聚, 地聚로도 區別 한다.

(18) 極暈水 : 太極暈에 의해 界水 分合이 이루어진다.

(19) 元辰水 : 穴前에서 合襟한 水

(20) 天心水 : 穴前 明堂 中正處의 水融聚

(21) 眞應水 : 穴前에 泉이 結穴 後氣의 모습으로 나타남. 澄淸甘美하고 四秀融注하며 고요하여 靈泉임.

(22) 祿儲水 : 祿을 儲積하듯 穴前, 穴後, 穴右, 穴左 또는 水口間에 潭, 湖, 池, 沼, 塘, 窟 等으로 聚會함.

제3절 砂의 性情

1. 砂의 構造 特性

(1) 端正方直 : 忠
(2) 傾側 : 간사함
(3) 柔亂 : 淫亂
(4) 卑劣 : 賤
(5) 粗猛 : 惡
(6) 瘦薄 : 貧寒
(7) 粹美 : 慈愛
(8) 威武 : 決斷性
(9) 厚山 : 厚人
(10) 瘦山 : 瘦人
(11) 淸山 : 貴人
(12) 破山 : 人悲
(13) 山歸 : 人聚
(14) 山走 : 人離
(15) 山長 : 人勇
(16) 山縮 : 人低
(17) 山明 : 人達
(18) 山暗 : 人迷
(19) 山順 : 人孝
(20) 山逆 : 人欺

2. 砂形의 基本相

(1) 肥圓 端正 : 富局. 財物山積格
(2) 淸奇 古怪 : 貴砂格
(3) 攲斜 臃腫 : 賤格砂
(4) 碎頭 破面 : 賤格砂

3. 砂의 四用

(1) 朝 : 面으로 推來함. 멀고 迢迢함을 不忌. 面不見이면 假.
(2) 迎 : 見穴 卽 回頭함. 穴前에서 낮게 揖함.
(3) 侍 : 兩邊에서 端正히 拱手.

(4) 衛 : 左右護龍. 四風吹忌.

4. 砂殺 八格

(1) 射 : 一尖來向穴沖함(徒配)
(2) 探 : 斜山露頭가 小인 것(盜賊질 不止)
(3) 破 : 浪痕이 直으로 透頂함(淫亂 放恣)
(4) 沖 : 橫來砂 穴前에 扦(揷)(禍가 스스로 連綿)
(5) 壓 : 穴前砂가 急하게 높이 일어남(奴僕이 늘 主人을 背反)
(6) 反 : 曲身으로 去. 向朝하는 것(離反하여 길게 風(飄)搖함)
(7) 斷 : 腦下에 自然히 橫浪있는 것(斬首 無人葬)
(8) 走 : 斜身이 順水로 飛(遊蕩하여 敗를 生覺지도 못함)

5. 水殺 八格

(1) 刑 : 水(土)穴의 土水(鰥寡孤獨鬼)
(2) 沖 : 小穴에 大勢 洋潮(極凶)
(3) 剋 : 陽脈이 陰水를 得함(初下에 田地를 退함)
(4) 破 : 衆水가 穿羅城한다(妻가 妬忌. 女兒淫蕩)
(5) 穿 : 水가 明堂을 꿰뚫고 지나감(連綿 非橫禍)
(6) 割 : 穴前脚을 두들기고 흐른다(欠債가 不知休)
(7) 箭 : 穴面前을 向入(구설수)
(8) 射 : 一尖이 穴을 沖(每年 凶禍)

6. 明堂 砂格論

1) 明堂砂

(1) 穴前의 山聚 水歸處를 明堂 또는 明堂砂라고 한다. 內明堂과 外明堂으로 나누며 너무 넓지도 너무 좁지도 않아 넓이가 적당해야 하고, 卑濕하지도 기울지도 않고, 流泉의 滴瀝도, 圓峰의 內抱도, 惡石도 없어야 한다.

(2) 大貴富地 內明堂은 方圓團聚하고 外明堂은 開明하여 훤히 트인 것이 좋다.

(3) 內明堂은 案이 손에 닿을 듯 緊하여야 吉하고 外明堂은 方廣하여 平平키가 숫돌 같고 솥 밑 같아야 좋다.

(4) 穴이 낮고 明堂이 가까우면 葬後 速發하고, 穴이 높고 明堂이 멀면 龍眞穴的도 發越이 어렵다.

(5) 吉形 : 平正. 開暢. 團聚. 朝抱.

(6) 凶形 : 陡瀉. 傾側. 破碎. 窒塞. 反背.

2) 吉格 明堂

(1) 交鎖 明堂 : 明堂中에 兩邊砂가 交鎖한 것(交牙)

(2) 周密 明堂 : 四圍가 鞏固하여 洩氣됨이 없는 것

(3) 繞抱 明堂 : 堂氣 繞抱하므로 水城이 全身을 彎曲한다.

(4) 融聚 明堂 : 明堂水가 穴前 天心池에 融聚한다.

(5) 平坦 明堂 : 明堂이 開暢 平正하여 高下 難雜이 없다.

(6) 朝進 明堂 : 汪汪萬頃水가 穴로 特朝함

(7) 廣聚 明堂 : 衆山水가 朝來 團聚함. 山明水秀를 要함

(8) 寬暢 明堂 : 明堂中이 훤하게 트였으나 低砂交結하며, 近案이 低平關聚하고 水融聚함

(9) 大會 明堂 : 衆山大會하여 明堂에 衆水會集함(衆龍 大盡處)

3) 凶格 明堂

(1) 劫殺 明堂 : 明堂中의 砂의 尖嘴가 順水하거나 穴中으로 射入한다.

(2) 反背 明堂 : 突拗反背되어 悖逆之象을 말한다.

(3) 窒塞 明堂 : 堂中을 언덕이 막아 窒塞한 것

(4) 傾倒 明堂 : 明堂水가 龍虎를 따라 기울어져 흐른다.

(5) 逼窄 明堂 : 案이 穴前에 逼窄하여 堂局이 狹促한 것

(6) 破碎 明堂 : 明堂이 突窟尖石의 不淨한 것으로 百事無成

(7) 偏側 明堂 : 堂勢가 傾側하여 한쪽으로 치우친 것

(8) 陡瀉 明堂 : 穴前이 峻急하여 水가 傾瀉하는 것

(9) 曠野 明堂 : 穴前이 텅 비고 막힘이 없는 것
물을 大逆朝하는 局中穴은 曠을 꺼리지 않음

4) 明堂의 類形別 禍福 所應論

(1) 圓 : 盤心과 如함. 子孫의 義를 主管

(2) 方 : 碁局과 如함. 子孫의 智를 主管

(3) 橫 : 平案과 如함. 子孫의 忠을 主管

(4) 抱 : 帶의 繞함. 子孫의 孝를 主管

(5) 平 : 平坦한 것. 子孫의 信을 主管

(6) 廣 : 包容한 것. 子孫의 富를 主管

(7) 豊 : 龍會하는 것. 子孫의 多子를 主管

(8) 進 : 內를 照하는 것. 子孫의 多財를 主管

(9) 周 : 閉密하는 것. 子孫의 旺産을 主管

(10) 靈 : 大石 大樹 있는 것. 子孫의 聰慧를 主管

(11) 直 : 直去해서 回抱함이 없는 것. 子孫의 退財를 主管

(12) 曲 : 曲竄 驚蛇와 如. 子孫의 生別를 主管

(13) 欹 : 傾流 不正한 것. 偏頗를 주로 함

(14) 虛 : 水口風에 當하는 것. 耗失를 주로 함

(15) 野 : 廣漠 收拾 없는 것. 遊蕩을 주로 함

(16) 散 : 水流 龜背와 如한 것. 破産을 주로 함

(17) 偏 : 半大 半小의 것. 福祿이 平치 않다.

(18) 破 : 半凹 半凸한 것. 災殃이 자주 인다.

(19) 衝 : 水가 墓를 衝하는 것. 族滅 速함

(20) 纏 : 水纏脚해서 受刑하는 것. 族滅 遲함

(21) 促 : 前後通側 하는 것. 夫妻 相剋

(22) 狹 : 左右 相挨 하는 것. 兄弟 多爭

(23) 泣 : 水流 悲泣의 聲있는 것. 哭聲을 주로 함(凶事多發)

(24) 漏 : 水孔穴에 入하여 潛多하는 것. 宿疾을 주로 함

(25) 刦 : 惡石 刀兵과 如한 것. 殺傷을 주로 함

(26) 病 : 積土 尸首와 如한 것. 疾病을 주로 함

(27) 怪(恠) : 神靈의 據하는 곳. 神, 鬼, 怪를 送함

(28) 反背 : 弓梢와 如한 곳. 五逆을 주로 함

(29) 獄 : 깊은 井谷과 같은 것. 官事에 坐함

(30) 亂 : 樹石 縱橫한 것. 家活 灰飛함

以上에서

① 貴格 類形 : 圓, 方, 横, 抱, 平, 廣, 豊, 進, 周, 靈

② 賤格 類形 : 曲, 直, 欹, 虛, 野, 散, 偏, 破, 衝, 纏,
促, 狹, 亂, 泣, 漏, 刦, 病, 反, 獄, 怪

5) 明堂殺 十二格論

(1) 射 : 山脚이 明堂에 들어온다(遠配되어 돌아오지 못함).

(2) 衝 : 横山이 明堂內를 지나간다(官司에서 항상 損害본다).

(3) 崩 : 山이나 언덕이 깎이고 무너짐(見則 凶災를 당함).

(4) 缺 : 四圍에 缺陷이 있다(賊風이 福을 消失함).

(5) 陷 : 明堂中에 屈坑이 많다(羅賴가 坑中에서 生함).

(6) 分 : 물이 明堂 左右로 갈리어 나간다(貨財가 흩어진다).

(7) 傾 : 물이 堂面으로 돌아 흐른다(葬後 退 田牛).

(8) 瀉 : 一級一級이 점차 낮게 된다(衣食 困窮).

(9) 側 : 기울어서 邊으로 向함(妻子가 團圓치 못함).

(10) 斜 : 빗겨 와서 穴前을 지나감(每年災禍가 끊어지지 않음).

(11) 逼 : 前砂가 가까이와 明堂을 逼迫함(代代 蠢兒出).

(12) 狹 : 左右砂가 가까이서 對座함(生活苦로 貧窮함).

※ 寥公의 養老 明堂訣

(1) 四明堂의 平平함이 蛛網같으면 人丁이 最旺한다.

(2) 御街처럼 高下層層한 堂이 가슴 품속에 들어오면 吉하다.

(3) 堂中이 낮고 傍이 일어나 냄비 밑과 같은 것은 家中 錢穀이 豊足함

(4) 明堂이 屈曲한 밭두덕이 말굽과 같은 것은 富貴를 의심치 않는다.

(5) 堂局은 潔淨을 要하나니 有物인즉 皆病이라 堂內에 禍物을 禁하라.

(6) 放水하여 硏磨를 求할지언정 穿鑿은 天然의 美를 損失한다.

※ 略擧堂形 宜 觸類하게 되니 意會에 執泥치 말라.
心機巧處에 天機가 合하는도다.

제4절 吉凶 砂水論 諸說

1. 吉砂類(三十三 格論)(善美圓正强大 에너지장 기준)

(1) 四神全 : 乾・坤・艮・巽 四神方에 높은 峰巒이 잘 막아 준다. 一處만 缺하여도 福力이 減한다.

(2) 八將備 : 艮・丙・辛・巽・丁・兌・震・庚 八將 峰巒이 가지런히 일어나 相應한다.

(3) 三角峙 : 艮・巽・兌 三角에 솥발과 같은 峰이 起한 것. 主 富貴.

(4) 四維列 : 四神峰이 高秀하면 貴, 낮게 중첩은 富.

(5) 三陽起 : 巽・丙・丁 三陽峰이 吉하면 富貴.

(6) 八國周 : 甲・庚・丙・壬・乙・辛・丁・癸의 八國 峰巒이 높고 주밀하면 極貴한다. 一二處가 缺해도 不可.

(7) 四勢高 : 寅・申・巳・亥 四勢(時) 高峰은 主貴한다.

(8) 日月明 : 離日 坎月 對峙하면 主貴한다. 子・午 對峙峰 中 子水 朝來도 峰과 같다.

(9) 祿馬聚 : 六祿 全得은 極貴. 每位 峰集(祿馬聚) 主貴.

① 正祿 : 子午卯酉 艮宮詳, 丙壬庚甲 癸同鄕, 乙辛丁癸 陰神位(坤), 寅申巳亥 乾祿, 坤艮巽宮 山宜强

② 飛天祿 : 子午卯酉 乾宮, 辰戌丑未 巽, 寅申巳亥 坤

③ 食祿 : 乾兌에 坎, 震巽에 乾, 坤離에 巽宮, 坎艮에 坤 福德最

④ 正馬 : 乾-甲, 坤-乙, 艮-丙, 巽-辛

⑤ 驛馬 : 申子辰 - 艮寅, 亥卯未 - 巽巳, 巳酉丑 - 乾亥, 寅午戌 - 坤申

⑥ 借馬 : 丙-巽, 壬-乾, 甲-艮, 庚-坤

(10) 子宮旺 : 坎・艮・震(三男) 峰巒 多數는 主 旺人丁

(11) 女山高 : 巽・離・兌(三女)方 高秀면 主 女貴.

(12) 財帛豊 : 艮(財貨의 府)位가 高大, 豊厚, 周密이면 主 多財帛

(13) 壽星崇 : 丁(南極老人星)位가 高秀이면 主 多壽

(14) 金馬上階 : 乾(金馬), 午(天馬)位에 馬山 兌山得이 高聳한 것

(15) 赤蛇遶印 : 巳(赤蛇)에 印이 居하면 主貴, 圓平이면 才가 縱橫

(16) 太陽升殿 : 房・虛・昴・星(四日宿)이 子・午・卯・酉 位에 있다. 여기에 太陽 金星이 함께 바친다. 極品貴, 國富

(17) 太陰入廟 : 心・危・畢・張(四月宿)이 甲・庚・丙・壬의 位에 있다. 여기에 太陰金星 四面相照함. 主 駙馬, 宮妃.

(18) 五氣朝元 : 火星南, 水星北, 木星東, 金星西에 居後 土星 結穴하여 壬子座 丙午向이 된 것(五星 守垣) 主 極貴

(19) 三火幷秀 : 離(天干火)・丙(地祿火)・丁(人爵火) 位에 砂峰 幷秀면 極貴

(20) 尊帝當前 : 丙丁에 峰이 있어 雙峙한 것. 主貴

(21) 祿馬拱後 : 艮祿, 乾馬 二位에 山이 높이 막은 것. 主貴

(22) 更點明 : 巽(更點)峰이 叢秀하면 主貴

(23) 天鼓振 : 卯・酉・艮・巽은 陽鼓, 丙・丁・辛은 陰鼓, 兩鼓峰이 方圓하면 主貴

(24) 文筆秀 : 巽辛 二方 尖秀峰은 眞文筆. 主貴顯 壯元 位. 天乙 太乙 眞文筆이 尖秀하면 壯元

(25) 魚袋塞 : 庚・酉・辛方 魚袋砂는 金魚袋가 되어 水口居면 塞. 主貴한다.

(26) 玉帶現 : 辛巽에 玉帶가 있고, 庚兌 金帶砂가 正案居면 最貴

(27) 金印浮 : 酉・兌・庚・辛・巳・乾에 印이 有하면 金印 主貴. 水中 金印이라야 眞. 水面에 뜨면 文章이 빛난다.

(28) 赦文起 : 丙・丁・庚・辛 位에 赦文星이 있다. 凶禍가 없다.

(29) 判筆攢 : 庚・兌・辛 峰은 立臥間에 判筆이다.

(30) 馬上御街 : 巽位馬山에 水朝가 兼하면 貴가 帝王을 親함. 「馬蹄踏破 御街水면 秀才出去(現) 壯元來」

(31) 貴參天柱 : 乾位에 貴人峰이 高聳하면 極貴

(32) 官國圓 : 子山官國이 戌乾位에 居, 丑山은 亥壬位에 每山 開位하면 圓峰일 때 主貴한다.

(33) 谷將高 天倉起 : 子山(谷將未, 天倉酉), 丑山(谷將申, 天倉戌) 每位에

高山이 있으면 主富

2. 凶砂類 二十五 格論(刑沖破害殺 에너지장 기준)

(1) 五星 受制 : 火北 金南 土東 木西 水四墓에 居함.

(2) 四殺 擅權 : 辰・戌・丑・未의 四位가 高壓 峻峰하고 帶殺이 穴에 逼迫. 主 太凶, 惡逆, 大盜誅夷(赦文이 비추면 減凶)

(3) 八門缺 : 八卦位가 凹陷한 것. 八風이 八門缺에 들면 朱門도 餓殍

(4) 四金凹 : 辰・戌・丑・未 四金凹陷. 風吹면 翻棺 覆槨이 뒤집혀 人災殃

(5) 三火低 : 丙・午・丁 三火位 低陷. 火星 不起면 官不顯으로 閑散 不貴

(6) 四神剝 : 乾・坤・艮・巽 四神砂中 石이 點剝한 것

(7) 魁罡雄 : 辰・戌・丑・未 魁罡位가 高壓塚宅함. 賊出

(8) 陽關陷 : 申 陽關이 低陷함. 主 兵死

(9) 子宮虛 : 坎震艮 三男位가 凹함. 人丁 不旺 多女小男

(10) 祿位缺 : 巳・午・艮・亥 祿位에 山이 없어 不貴

(11) 金階平 : 乾・兌가 低陷하여 不貴

(12) 文星低 : 巽・辛 文星이 低陷한 것. 不貴 不祿

(13) 天柱折 : 乾 天柱가 凹陷하여 折이 됨. 主 夭死함. 戌乾이 低陷하여 吹風하면 더욱 긴박함.

(14) 壽山傾 : 丁 壽山이 低缺하여 主 夭亡한다.

(15) 天母虧 : 坤 天母가 高하지 않고 低陷. 寡母 損陰人

(16) 賊旗現 : 辰・戌에 旗가 있어 大盜가 나온다.

(17) 殺刀出 : 辰・戌・丑・未 尖山 倒地가 殺刀. 屠劊 劫財

(18) 回祿來 : 寅・午・戌에 缺陷이 있다. 吹風 따라 災殃

(19) 衡星壓 : 卯 陽衡이 高壓한 것. 主 昏愚 氣塞 卯方이 막힘으로 해뜨는 곳이 가려지게 된다.

(20) 倉庫倒 : 辰・戌・丑・未 四墓의 砂가 斜側, 破碎, 倒擴됨. 主 貧窮

(21) 財帛散 : 艮 財帛砂가 散亂하고 缺陷됨. 主 貧窮

(22) 橫屍見 : 坎·癸 四墓에 魚袋砂가 있는 것. 主 客死

(23) 墮胎生 : 子·癸·丑 墩阜가 墮胎砂로 主 墮胎

(24) 馬不上街 : 馬砂에 御街水朝를 얻지 못함. 不貴

(25) 祿無正位 : 寅·午, 巳·卯, 申·酉, 亥·子 正祿地가 缺陷됨. 端正히 朝拱함이 貴

3. 吉 水砂類 二十九 格論(風과 同居 基準)

(1) 三陽水 : 巽·丙·丁 水가 合流. 庚·兌·震·艮 出함.
主 食邑, 開府, 應三公. 家 三陽位

(2) 六建水 :

① 天建 亥水, 地建 艮水, 人建 丁水, 財建 卯水, 祿建 巽水, 馬建 丙水 等 六建位

② 天建左水 主 官壽, 地建右水 主 田宅, 人建前水 主 子孫, 財建本山大五行水 主 財帛, 祿建本山用水 主 位望, 馬建本山用水 主 車馬.

(3) 三吉水 : 震·庚·亥

(4) 六秀水 : 艮·丙·辛·巽·丁·兌 水이다. 巽山 兌水가 曜星되는 것을 忌. 艮山은 震巽水가 剋制되는 것을 忌.

(5) 八貴水 : 艮·丙·巽·辛·兌·丁·震·庚 水

(6) 五吉水 : 丁(玉門水), 巽(文筆水), 辛(學堂水), 丙(金堂水), 卯(寶倉水)

(7) 赦文水 : 丙丁水, 二宮 主 赦宥, 永無凶禍(離-君象, 丙丁-臣象)

(8) 長壽水 : 艮·丁·丙·兌 水를 말함

(9) 催官水 : 龍의 陰陽과 같이 相見되는 水를 이름
艮山 : 丙水, 震山 : 庚水, 巽山 : 辛水, 兌山 : 丁水
主 催官 進爵. 驟富榮名함

(10) 橫財水 : 陰陽 相合水로 特潮이면 速發
庚辛亥山 : 卯水, 卯山 : 庚辛水, 亥艮山 : 巽水,
庚酉辛山 : 艮水, 離山 : 壬子癸水, 壬癸山 : 午水,

寅甲山 : 坤申水, 坤申山 : 寅甲水

(11) 金帶水 : 庚酉辛 三位의 屬金水가 遶抱한 것

(12) 銀帶水 : 銀寶地 艮水가 遶抱한 것

(13) 金階水 : 庚兌辛 三位 屬金水가 田源平坦에 朝한 것

(14) 御街水 : 陰局-艮巽水, 陽局-乾坤水, 特朝益吉

(15) 陽鼓水 : 艮・巽・震・兌 水가 穴에 먼저 이르러 朝會한다.

(16) 陰鼓水 : 丙・辛・丁・庚 水가 穴에 먼저 이르러 朝會한다.

(17) 歸元水 :

亥艮山 : 丙丁巳水, 丙丁山 : 亥水, 震巽山 : 艮水,

庚酉辛山 : 震水, 離山 : 壬癸水, 壬癸坤山水 : 絶胎二位水.

元長直流와 穴前 直放으로 太長은 不吉.

大全 曰「金絶於 庚水, 土絶於 丙水, 火絶은 壬水로 甲庚丙壬 四位는 太乙 貴元水로 主貴한다.」

(18) 官曜水 : 艮見兌, 兌見艮, 巽見震庚亥, 亥見巽, 坎見離, 離見壬의 陰陽正配. 主 催官 發財祿.

(19) 花羅水 :

亥山 : 巳丙水, 艮丙山 : 庚水, 巽山 : 丁水, 兌丁山 : 辛水,

庚山 : 艮丙水, 震山 : 丙水, 壬離山 : 乙水, 坤山 : 壬水

(20) 鬼鄕水 : 震庚水가 其方으로 흘러감

(21) 文秀學堂水 : 巽辛(天乙 太乙의 照臨), 辛兌(天帝의 文章府)로 巽辛兌三位水가 文名顯貴함

(22) 金魚御街水 : 丙水, 巽入後 辛丁出. 主 富貴雙全

東震水得 又는 山高하면 益吉

(23) 財賓玉階水 : 艮丙水가 兌丁으로 入함. 主 官祿 驟貴

(24) 人丁催官水 : 丙水가 丁兌로 出함. 主 人丁旺 榮貴

(25) 金門上馬水 : 丙水가 兌入後 巽輪하여 震出함. 主 名振

(26) 正官文秀水 : 巽水 長來入. 主 文章 科甲 名振

(27) 正官財帛水 : 巽水 西流後 亥入하고 兌震山 高應得. 主 資財巨萬

(28) 金馬玉堂水 : 巽入水가 西兌辛出함. 主 貴人朝班 翰苑榮顯

辛水 丁方轉變이면 主 淸秀奇才

(29) 金門華表水：巽水 艮方流出. 主 女妃

4. 凶 水砂類 三十四 格論(風水 不合과 刑冲破害殺)

(1) 八山曜水：艮山-寅水, 兌山-巳水, 震山-申水, 坤山-卯水, 巽山-酉水, 離山-亥水, 坎山-辰水, 乾山-午水. 主 誅夷刑戮. 殺傷刑撻

(2) 四墓黃泉水：四殺水, 四金水라고도 함. 金墓-丑, 木墓-未, 火墓-戌, 水墓-辰水다. 極凶의 位로서 夭亡, 孤寡, 痼疾, 癆瘵, 惡死, 邪淫, 瘍廣 等

(3) 反覆黃泉水：庚丁向-坤水, 乙丙向-巽水, 甲癸向-艮水, 辛壬向-乾水, 來(去) 共히 忌. 四路 黃泉水다.

※ 八路黃泉水：坤向-庚丁水, 巽向-乙丙水, 艮向-甲癸水, 乾向-辛壬水, 水去(來) 忌

(4) 八曜殺水：水中八殺로서 甲向寅去, 乙向辰去, 丙向午去, 丁向未去, 庚向申去, 辛向戌去, 壬向亥去, 癸向丑去, 八去水를 忌함

(5) 桃花水：咸池水, 娥眉水라고도 함. 主 淫慾

① 陽局：卯酉 二水의 破局 忌

② 壬子癸(⊕龍)：午 水朝 吉

③ 陰局：子午 二水의 破局 忌

④ 庚辛(⊖龍)：卯 水朝 吉

(6) 風聲水：巽巳水 破陽局 主 淫亂 風聲, 坤水 破陰局 主 淫亂 風聲

(7) 離鄕水：離・壬・寅・戌水 主 離鄕

(8) 回祿水

① 穴神의 名. 午水兼丙, 寅午戌 三方水 : 乙辰 水破 陰局

② 離(⊕火)丙(⊖火) 二宮(官)의 水가 混朝하면 必히 火災를 主張

③ 寅午戌(三火局) 混朝水 同一

④ 寅午戌 三方 凹缺處에 吹風하면 마찬가지다.

⑤ 乙辰 來去水는 破 陰局하여 帶殺火. 主 火災

⑥ 天地 陰陽火(午・丙 兼入水)는 寅午戌 火旺 年月日에 火災가 있게 된다.

(9) 鰥寡水

① 乾(老陽)水 破局

② 坤(老陰) 破局은 亢極이므로 生成之義가 없어 孤寡絶嗣한다.

③ 坤水 破陰局이면 主 寡母 淫風 少年衰하며 未水를 兼하면 主 寡母가 僧道와 私通한다.

④ 乾水가 破 陰局하면 主 出鰥夫, 痼疾 橫逆

(10) 癆瘵水 : 乙辰水 破局, 未坤水 破局, 乾戌水 破局. 四墓龍脈과 尖射 惡砂가 품에 들거나 四風 吹穴과 朝水 破局하면 主 癆瘵 極凶

(11) 少亡水 : 辰水 破局, 戌乾水 破局, 坤申水 破局이면 主 少亡

(12) 痼疾水

① 寅申水 破局 : 主 瘋跛, 殘疾, 盲目, 곱사등

② 辰水 破局 : 主 언청이, 露齒, 喑啞, 귀머거리

③ 子癸水 破局 : 主 腫脹, 落水, 自縊, 血崩

④ 乾戌水 破局 : 主 벙어리, 맹인, 귀머거리, 불구

⑤ 午水 破局 : 主 瞎眼

⑥ 辰戌丑未 四水 破局 : 主 痼疾, 橫逆

(13) 刑戮水 : 坎龍에 辰巽水, 坤龍-卯水, 震龍-坤申水, 離龍-亥水, 乾龍-丙午水, 巽龍-酉水, 艮龍-寅甲水, 兌龍-巳水(八山曜水로 主 遭刑戮, 全家主 誅戮, 吉地라도 遭刑 戰死 等)

(14) 牢獄水 : 午水 破陰局, 辰戌水 破陰局, 天獄星 午에 비춤. 主 遭囚禁, 砂가 獄 또는 枷와 같고 자물쇠 잠근 것과 같으면 主 囹圄死

(15) 天橫水 : 辰水 破局, 戌水 破局, 辰戌 天羅之網인 고로 二水 破局, 主 凶惡, 橫夭

(16) 惡死水

① 癸水 破局 : 主 溺死, 藥毒

② 甲水 破局 : 主 縊, 木石에 壓

③ 午水 破局 : 主 牢囚, 火燒

④ 丑水 破局 : 主 刀兵, 刑戮.

⑤ 申水 破局 : 主 陳亡, 水淬

⑥ 乙辰 破局 : 主 木壓, 水淬

⑦ 乾水 破局 : 主 石壓, 誅戮

⑧ 寅水 破局 : 主 虎咬, 湯火

⑨ 巳水 破局 : 主 蛇咬, 自縊

(17) 軍配 流移水 : 午水, 寅水, 癸水, 辰水, 庚申水 破局이면 主 流配, 徒竄

(18) 盜寇水 : 乙辰水, 辛戌水, 寅甲水, 丑癸水, 未坤水로 吉地는 盜寇害, 凶地는 盜寇出이다.

(19) 乞丐水 : 辰水破局, 戌水破局, 二水 直去 主 乞丐.

(20) 屠宰水 : 辰戌丑未가 交流함. 四殺水 비록 吉하나 屠宰에 머문다.

(21) 螟蛉水 : 乙水, 卯乙水, 乙辰水, 辛戌水, 乾水. 主 鰥寡, 入養後 後事絶.

(22) 悖逆水 : 辰水破局, 戌水破局, 主 火亡, 悖逆, 無忠貞

(23) 妖魅水 : 丑水, 未水. 主 鬼牛의 不正氣, 主 妖魅, 祟怪

(24) 蛇虎水 : 巳水 主 蛇傷, 寅水 主 虎咬(破局時)

(25) 河泊水 : 壬子水 破局, 子癸水 破局, 庚申水 破局, 乙辰水 破局의 水局의 應. 主 水厄

(26) 藥毒水 : 癸丑 兩水 交流 破局, 主 少亡 毒藥 兄弟 屠戮

(27) 瘟瘟水 : 辰山 - 戌乾水, 艮山 - 未坤水, 兌山 - 丑癸水, 巽山 - 戌水, 離山 - 艮寅水, 坎山 - 丙午水, 乾山 - 卯水, 坤山 - 巳水

(28) 左道水 : 未水, 丑水, 主 僧道 法師 齋公

(29) 龕棺覆槨水 : 戌宮 凹風加射水, 乙辰 凹風加射水, 癸丑 凹風加射水, 未坤 凹風加射水, 禍 速發

(30) 樹根 穿板水 : 寅・甲・乙・辰水, 戌・乾水 破局이면 驗

(31) 黃泉 浸屍水 : 乙辰水, 坤申水, 壬子水, 戌乾水, 寅甲水, 皆破局, 主 疾病黃腫. 차차 貧賤後 絶人

(32) 螻蟻 穿棺水 : 乙辰, 庚申, 甲卯, 艮寅, 辛戌, 未坤, 癸丑, 辰巽, 坤申, 乾亥水를 일컬으며, 龍穴 不眞일 때 該當. 以外에도 門殺에는 必히 蟻子가 있다.

(33) 墜胎水 : 子癸水 破 陰局, 巽巳水 破 陽局

(34) 雷驚水 : 亥卯未 三合水 同見, 主 雷驚墓, 傷人, 震山에 亥未 二水 來去, 主 必 雷驚

5. 水砂의 吉凶 星論

(1) 暗曜(主 少兒亡) : 乾山-卯方水, 子山-卯方水, 坤山-艮巽方水, 辛山-午方水, 震山-震方水, 巽山-午方水

(2) 南極主(諸 吉事) : 春分時 丙方, 秋分時 丁方, 亥山-丙方水, 子山-丁方水

(3) 太陽(主 財帛) : 乾山-壬方水, 坤山-甲方水

(4) 六合(主 財帛) : 乾山-子方水, 坤山-午方水, 辰山-戌方水, 艮山-丁方水, 戌山- 辰方水

(5) 太乙 朱雀(主 子孫長久) : 乾山-坤方水, 坤山-乾方水, 辰山-戌方水, 戌山-辰方水, 艮山-丁方水

(6) 太乙 文昌(主 文武之才, 英雄豪傑) : 乾山-巽方水, 巽山-乾方水, 辛山-甲方水, 甲山-辛方水, 庚山-坤乙方水, 乙山-庚方水, 坎山-丁方水, 申山-丑方水, 辰山-艮方水, 艮山-午方水, 午山-艮方水, 壬山-丙方水, 丙山-壬方水, 戌山-艮丙方水, 酉山-辰方水

(7) 元辰殺 : 가장 흉악한 殺이다. 亥山-辰方水, 酉山-寅方水, 巳山-戌方水, 未山- 方水, 午山-丑方水, 卯山-甲方水

6. 凶砂 一般論

(1) 五星受制 : 南方-金山, 東方-土山, 西方-木山, 北方-火山
(2) 四殺擅權 : 四殺의 權이 辰・戌・丑・未에서 높이 逼迫함
(3) 四金凹 : 辰・戌・丑・未 四金 凹陷
(4) 三火低 : 丙・午・丁 三方 低
(5) 四神剝 : 乾坤艮巽 方砂에 石点剝, 主 致敗
(6) 宦官砂 : 祿存과 破軍方에 凶岩石의 砂格, 主 고자
(7) 雙産砂 : 兌方, 丁方에 두 우물과 案山에 角峰, 主 雙胎
(8) 耳聾砂 : 土山에 乾戌風이 불면 귀머거리가 난다.
(9) 蛇蛟砂 : 巳方 來水가 癸 方出이면 뱀에게 물린다.
(10) 語訥砂 : 午未丁方이 虛하고 辰水 巽水가 連하면 主 語訥
(11) 兵死砂 : 庚酉申方에 刀形砂가 찌른다. 主 戰死
(12) 産死砂 : 坤方風이 艮으로 入하면 주로 産亡함
(13) 胸痛痼疾砂 : 未坤申方 空虛로 越見海水, 主 風, 창병
(14) 風瘡砂 : 乾方에서 猪頭突이 있고 乙辰方 空虛로 越見十里野
(15) 結項砂 : 白虎에 線形이 빗겨 머리를 안고 乙辰方 물이 서로 사귀면 주로 結項
(16) 屠犬砂 : 穴前 案山에 칼 같은 물이 사귀어 섞이거나 혹은 案山의 허리가 무너진다(主 개잡는 人).
(17) 娼女砂 : 辰戌方山이 버티고 午寅方에 砂가 있고 酉方으로 물이 흐름.
(18) 淫女砂 : 案山에 거울이 있고 白虎內에 單獨長砂면 主 淫女出
(19) 背曲砂 : 主龍의 曲이 入首되면 곱추가 生
(20) 虎咬砂 : 寅方에 범이 꿇어앉은 形의 石. 主 虎患
(21) 眼盲砂 : 明堂의 羅城이 길게 구부러지면 盲人
(22) 蹇 砂 : 乙辰方의 물이 向하여 오고, 乙辰方에 凶岩石이 있으며, 靑龍에 다리 베는 물이 있으면 主 절름발이 出生
(23) 客死砂 : 흐르는 시체 같고 棺같은 砂가 水口에 有
(24) 徒配砂 : 水口에 뒤집혀 가는 砂. 主 귀양살이

(25) 鬼祟砂 : 寅甲 골짜기의 물이 빠져 나갈 곳이 없다. 主 鬼神의 장난이 있다.
(26) 頭風砂 : 乾戌方에 空風이 들어오면 頭風
(27) 巫　砂 : 午寅方水 砂格이면 무당이 난다.
(28) 溺水砂 : 子午方이 비어 일그러지고, 水口에 흐르는 시체 같은 것이 있으면 溺死
(29) 奴　砂 : 子午方 空虛, 主山淺, 案山高. 主 奴僕
(30) 賊人砂 : 癸丑 未申方에 盜氣. 主 盜賊
(31) 瞽　砂 : 乾午方 瞽砂가 있으면 소경 出
(32) 愚音砂 : 寅卯方에 험한 돌이 있으면 語訥 愚音人 出
(33) 悖倫砂 : 白虎가 뾰족하고 빗겨나가 머리가 일그러진 것, 主 悖倫 子孫 出
(34) 奸夫砂 : 白虎가 적은 山을 안으면 奸夫 出
(35) 養子砂 : 青龍이 작은 峰을 안으면 養子
(36) 酉方窺峰 : 大凶하고 집안이 소란하다.
(37) 艮山窺峰 : 근심걱정
(38) 戌方窺峰 : 亡長子, 凶賊 侵入
(39) 寅方窺峰 : 獄中 死亡(巳午未方 同一)
(40) 卯巽方窺峰 : 長女 婦女 惡疾
(41) 辛方窺峰 : 盜賊 生物
(42) 乾方窺峰 : 惡疾 連生
(43) 子丑方窺峰 : 盜賊이 든다.

7. 吉砂 一般論

(1) 孝子砂 : 乾方峰이 절하는 듯 對하고 艮方水가 맑고 日月이 照하면 孝子가 出生
(2) 烈女砂 : 壬丁水가 玄字로 水口에 殺刀가 있으면 主 烈女出

(3) 忠臣砂 : 앞에 절하는 산이 있고 午未方의 山峰이 北向하여 서로 양보한다.

(4) 兄弟賢砂 : 玄武 數三節뒤에 雙峰이나 案山에 雙峰이 있으면 어진 형제를 만난다.

(5) 賢婦砂 : 案帶에 거울이 있으면 현부가 나온다.

(6) 醫 砂 : 青龍 밖에 針 같은 峰窺면 의사가 나온다.

(7) 術士砂 : 水口에 무리砂가 사귀어 무더기가 되고 戊己峰이 높으면 術客出

(8) 神童砂 : 未坤方에 揖하고 사양하는 峰이 있다. 主 壯元及第, 神童 出

(9) 廣學砂 : 丑巽方 長江來朝, 博學多才한 人物 出

(10) 駙馬砂 : 右便의 一峰特立, 巽方峰高, 巽辛方水 來朝

(11) 王妃砂 : 太陰星이 높고 峰과 水가 幷照하고 巽方에 나비 눈썹 같은 山이 있다.

(12) 封君砂 : 主山이 鳳山이 되고 앞에 玉印이 있다.

(13) 三公砂 : 主山에 天甲. 案帶에 三台. 青龍에 三台.

(14) 祿山 : 艮山

(15) 天馬 : 乾方山

(16) 玉帶 : 巽辛方의 帶

(17) 金帶 : 庚兌方

(18) 金印 : 巳辛方 水口印

(19) 判書砂 : 庚酉辛方山이 높거나 눕거나 섰을 경우

(20) 財帛砂 : 艮山이 높으면 財帛이 풍부

(21) 學士砂 : 丑艮方에 長江이 넓고 맑다. 學士 出

(22) 五氣霸元 : 土星結穴에 金木水火의 星辰이 各各. 正位置

(23) 文筆峰 : 青龍과 案山에 뾰족한 봉우리가 높다.

(24) 壯元砂 : 丙丁方山이 高, 춤추는 옷자락 같은 形과 三角峰. 主 壯元及第

(25) 金福砂 : 乾坤艮巽 四方位에 산이 있다(四方完全).

(26) 八將砂 : 艮・丙・巽・辛, 兌・丁・震・庚方山이 具足한 것

(27) 富貴砂 : 艮巽兌 方山이 높은 것

(28) 日月明朗砂 : 子午峰이 相對하는 것

(29) 女貴砂 : 巽・離・兌方峰이 높은 것
(30) 子宮砂 : 坎・艮・震方峰이 높은 것
(31) 子午卯酉峰이 높은 것 : 太陽이 昇纏한다.
(32) 甲庚丙壬峰이 높은 것 : 太陰 金星이 四面에 照한다.
(33) 高官大爵砂 : 巽方에 天馬山과 癸水 來照
(34) 丙午丁峰이 높은 것 : 벼슬하는 사람이 出生
(35) 申方 三越峰 : 五年內 大貴
(36) 丁方山 越峰 : 文章 多出
(37) 午未方 越峰 : 賢人 出
(38) 戌亥方 越峰 : 富貴

8. 諸 殺說 一般

1) 雙劍殺

(1) 戌乾龍에 辛氣, 未坤龍에 丁氣
(2) 辰巽龍에 乙氣, 丑艮龍에 癸氣
(3) 乾甲丁亥卯未龍下 乾甲卯午座
(4) 坤乙壬申子辰龍下 丁未丑座
(5) 艮丙辛寅午戌龍下 壬寅座
(6) 巽庚癸巳酉丑龍下 丙丁乙酉座

2) 白虎殺

(1) 壬坎癸龍에 庚兌辛 入首
(2) 甲卯乙龍에 壬坎 入首
(3) 丑艮寅龍에 戌乾亥 入首
(4) 辰巽巳龍에 丑艮寅 入首
(5) 丙午丁龍에 甲卯乙 入首
(6) 庚兌辛龍에 丙午丁 入首
(7) 未坤申龍에 辰巽巳 入首
(8) 戌乾亥龍에 未坤申 入首
(9) 乾山에 丁巳方水
(10) 坤山에 亥卯方水
(11) 坎山에 亥未方水
(12) 艮山에 坤壬方水

(13) 兌山에 戌方水

(14) 巽山에 壬方水

(15) 午山에 巳酉方水

(16) 卯山에 申子辰方水

3) 太白殺

(1) 甲卯龍에 壬坎 入首

(2) 庚兌龍에 丙午 入首

(3) 乾亥龍에 坤申 入首

(4) 壬坎龍에 甲卯 入首

(5) 坤申龍에 乾亥 入首

(6) 巽巳龍에 寅艮 入首

(7) 丙午龍에 庚兌 入首

(8) 寅艮龍에 巽巳 入首

4) 入墓殺

(1) 子入首 壬座, 丑入首 癸座

(2) 寅入首에 艮座, 卯入首에 甲座

卽 座에서 入首가 한 方位 앞선 것이 入墓殺

제5절 砂格圖

※ 砂格諸說은 大同小異하므로 人子須知 砂格을 主로 참조하였다.

1. 最上格 貴砂

(1) 大貴人砂	(2) 大小貴人砂
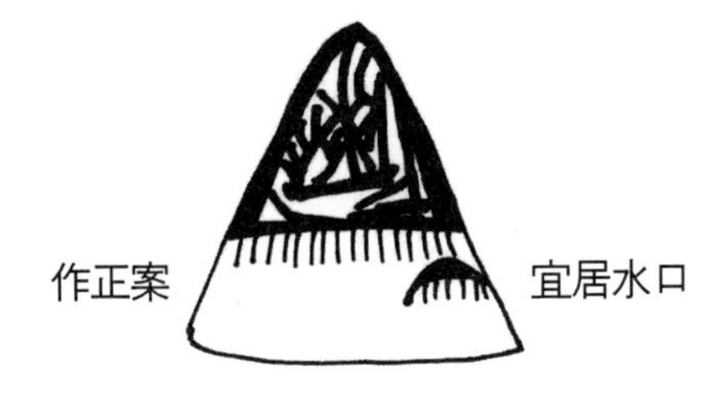	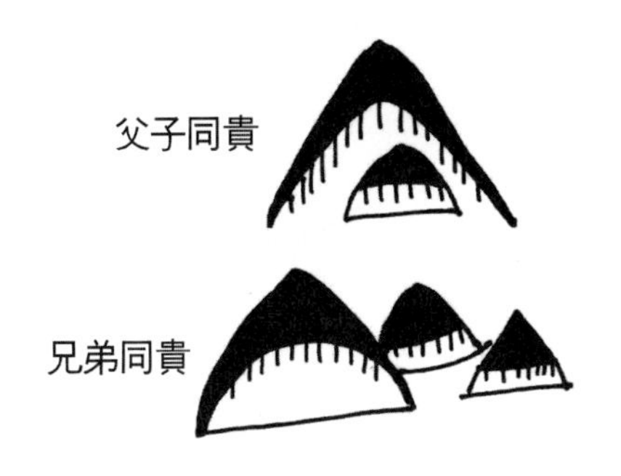
木星이 높이 솟아 尊嚴, 秀麗함. 破碎되고 醜惡함을 꺼림.	한 봉은 높고 크며, 한 봉은 낮고 작은 것으로 砂形이 수려함.
(3) 龍樓鳳閣貴人砂	(4) 玉堂金馬貴人砂
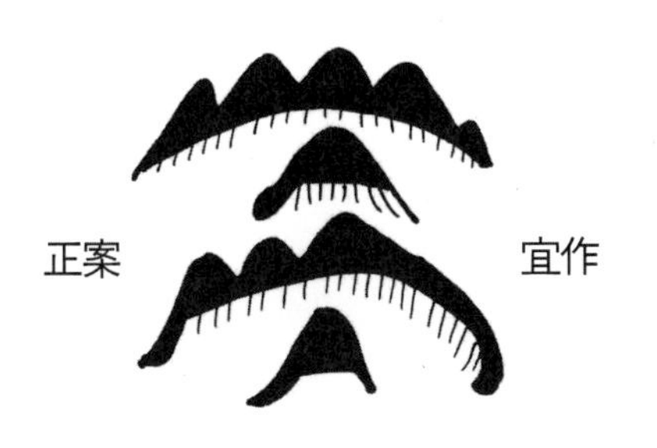	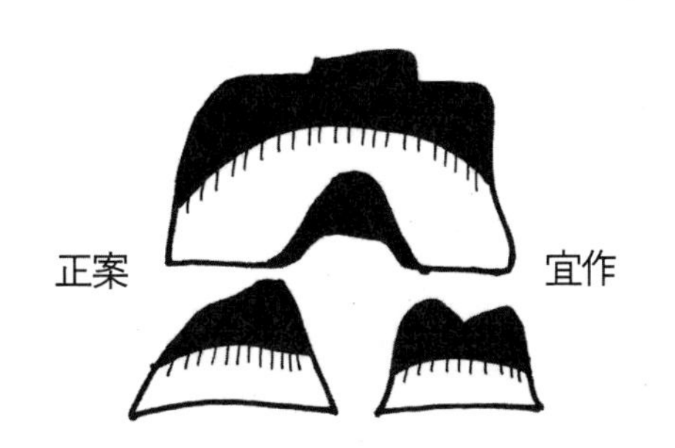
木星이 水星 위에 있고 火星이 아래 있어, 아래에서 위로 生하며 最貴格 星辰이 존엄하고 광채가 있어야 한다.	貴人이 뒤에는 御座가 있고, 앞에는 馬山이 있는 것으로, 淸水端正하고 左右가 같아야 함.

(5) 帳下貴人砂

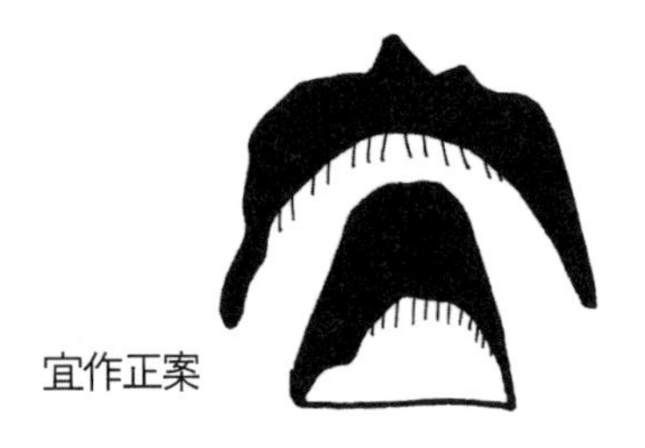

水星 아래 木星이 있고, 清水端正을 요하며, 破碎나 猗斜, 迫近, 高雄臺石을 꺼림.

(6) 盖下貴人砂

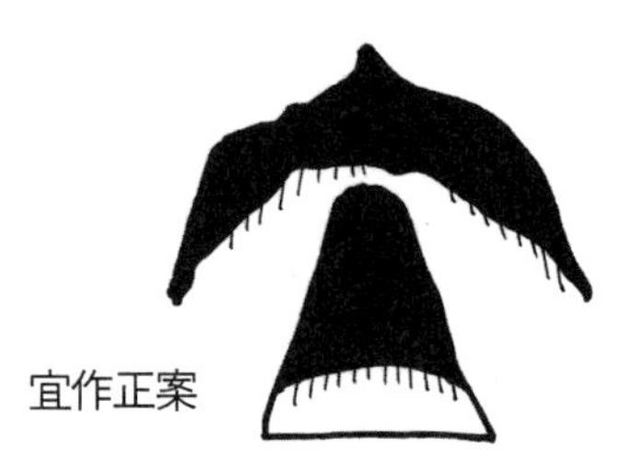

華蓋 아래 木星이 있고 清水端正하여야 하며, 猗側粗惡은 꺼린다.

(7) 殿上貴人砂

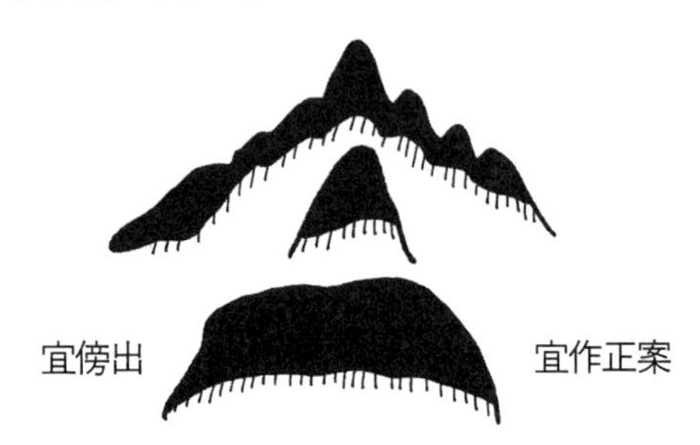

氣를 모은 火星의 아래 木星이 있고, 木星 아래 土星이 있는 것으로 參星이 모두 清水端正을 요하고 쪼개지거나 도망가는 것은 안 된다.

(8) 臺閣貴人砂

氣를 모은 火星 아래 土星이 있고 土星 아래 木星이 있으며, 두성이 수려해야 하고 破碎猗斜는 안 된다.

(9) 觀榜貴人砂

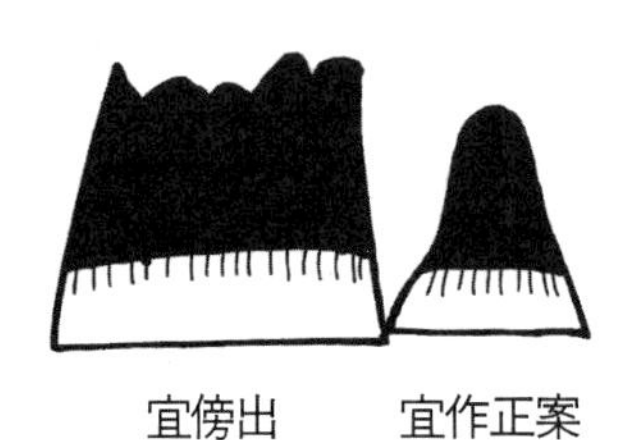

水星 옆에 木星이 있음. 端正秀麗 해야 하고 기울거나 바르지 않으면 꺼린다. 방이 높거나 낮으면 길하나 지나치게 낮으면 안 된다.

(10) 玉堂貴人砂

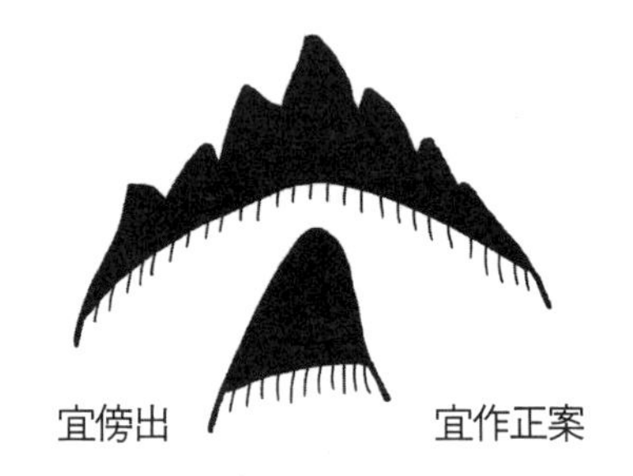

聚氣한 火星 아래 木星이 있음. 火明하고 水秀하여야 貴가 玉堂에 들고 쪼개지거나 기울거나 날아갈 듯하거나를 꺼림.

(11) 簾幕貴人砂

水星 帳幕 아래 數重의 木星이 있으며 淸麗端正하여야 한다. 粗醜 破碎 猗斜 不正을 꺼림.

(12) 臨軒貴人砂

木星이 盡忠侍從의 앞에 있고 淸水端正하여야 함. 破碎 不尊 猗斜를 꺼림.

(13) 彼髮貴人砂

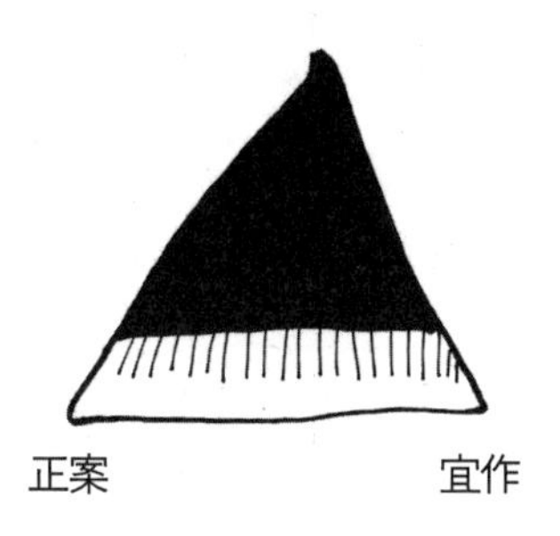

木星이 옆으로 끌려 기운 것으로 火를 대하면 길하다. 아름다워야 하고 추악하면 안 된다.

(14) 玉階貴人砂

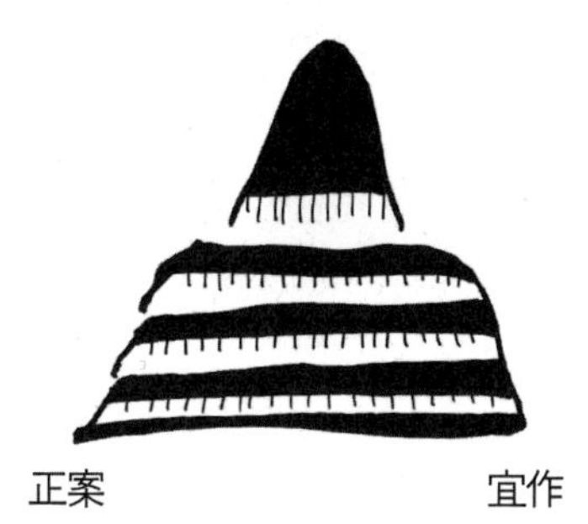

木星이 級級하여 싸인 여러 겹의 밖으로 보이는 것으로 端正 秀麗하고 겹겹이 평평하여야 함.

(15) 節下貴人砂

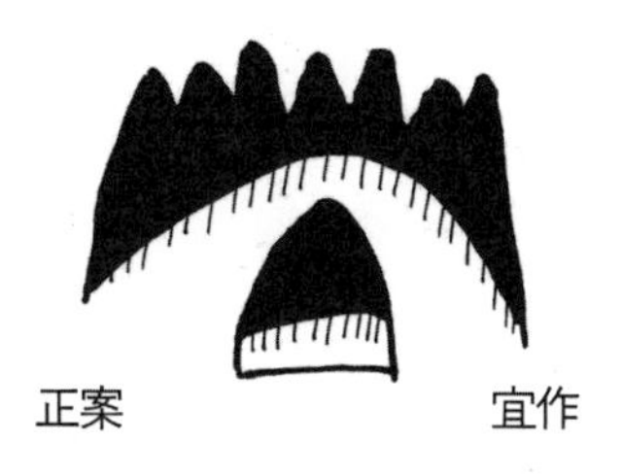

節山의 高低가 相稱하고 大小疏密이 고르게 된 밑에 貴人山이 있다. 端正 尊嚴해야 한다.

(16) 御座貴人砂

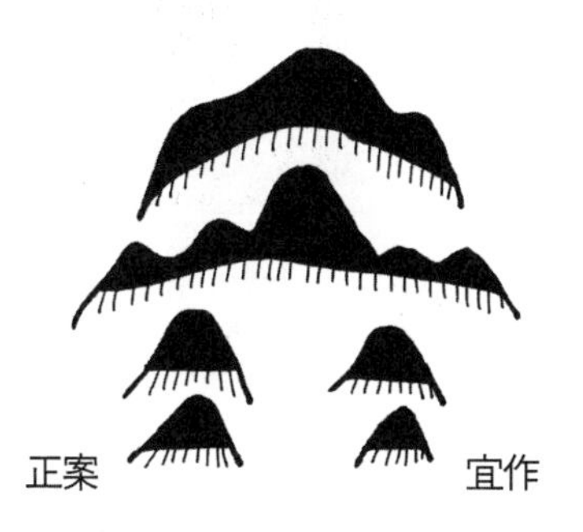

星辰이 존중되어야 하며, 좌우가 相稱, 玉樓寶殿과 宮妣侍臣이 구비된 貴한 곳이다.

(17) 仙橋上貴人砂	(18) 仙橋貴人砂
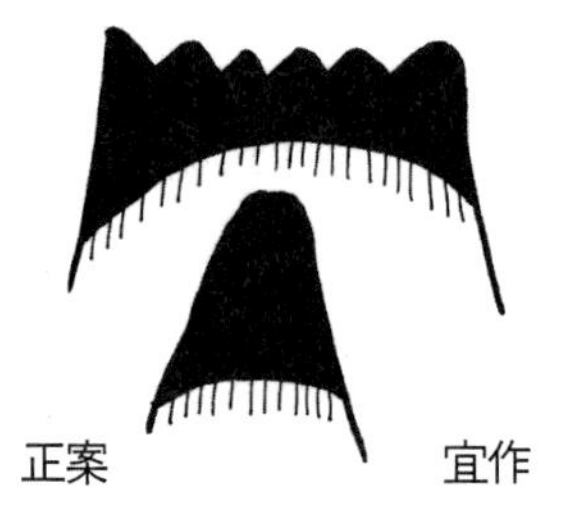 水星으로 兩角이 木星을 받쳤으며 帳 아래 木星이 貴人으로 된 것이다. 仙橋開展하여 좌우가 고르고 貴人의 바른 아래가 猗斜하지 않아야 한다.	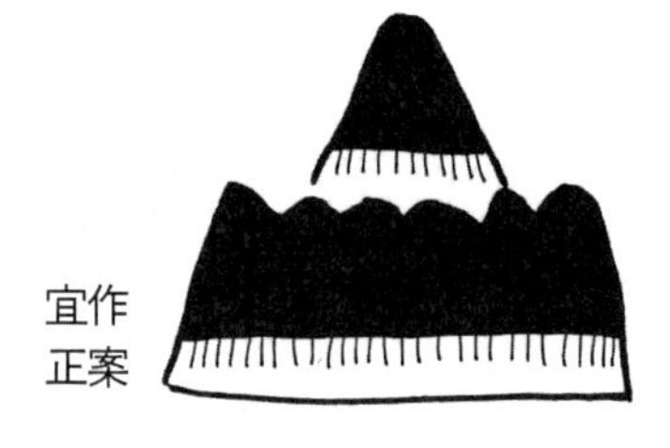 貴人이 위에 있어 幕外貴人과 같다. 清水端正을 요하고, 人才가 많이 나오고 神仙을 좋아하며 大儒가 나온다.
(19) 侍講貴人砂	(20) 幕外貴人砂
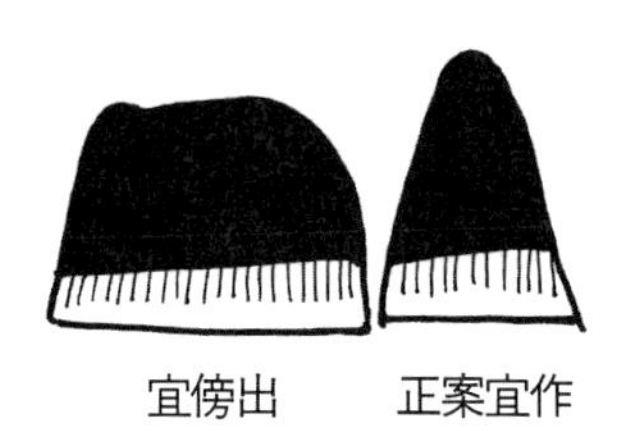 木星山畔에 土星이 台와 같이 있어 貴人이 臺案의 앞에서 모시고 있는 것 같으며, 端正清水하여야 하고, 斜走하고 粗醜한 것은 꺼림.	 木星이 數重의 水星 밖에 山이 있어 사람이 마치 簾幕外에 서 있는 것 같다. 端正清水하고 斜粗 醜陋하면 안 된다.
(21) 執圭上貴人砂	(22) 馬上貴人砂
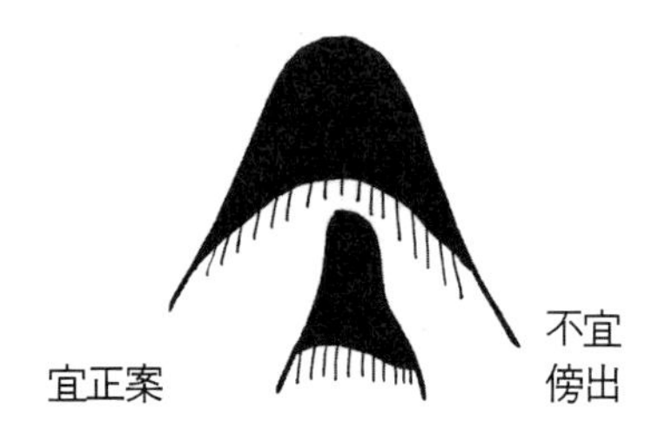 星體가 清水하고 人高圭正하며 猗斜 破碎해서는 안 된다. 御座, 合盖, 旗鼓 相應하면 더욱 貴함.	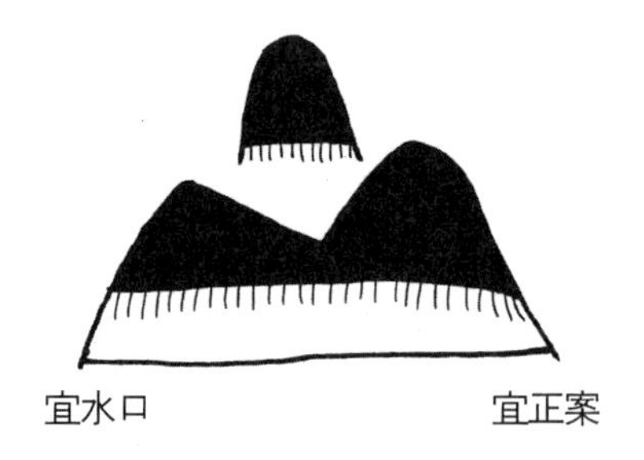 人高馬低하고 星辰이 清水하면 길하다. 또한 旗節과 儀從이 서로 비등하면 福力이 더욱 크다.

(23) 龍門貴人砂

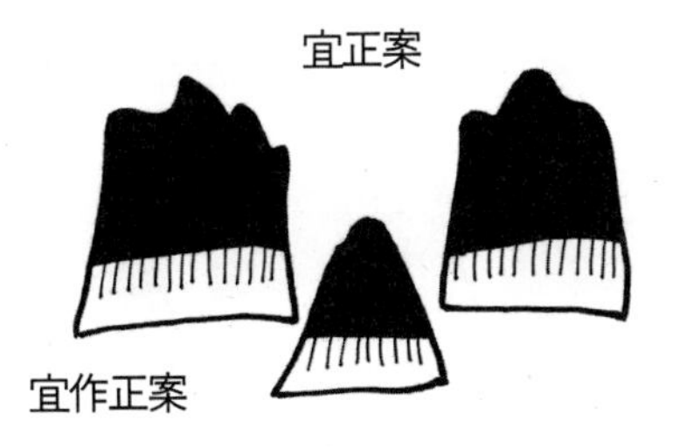

木星 兩傍에 華蓋峰이 있는 것.
淸水方正해야 하고 기울고 바르지 못하면 福力이 감해진다.

(24) 執芴貴人砂

星體가 淸水하고 人高芴正하여야 하고 猗斜破碎하지 않아야 한다. 만약 御座 台蓋 旗鼓가 相應하면 더욱 귀함.

(25) 按劍貴人砂

貴人山 아래 尖利한 산이 倒地한 것을 말함. 逆水하면 길하고 順水하면 흉함. 劍이 穴을 射하면 불길하다.

(26) 五馬貴人砂

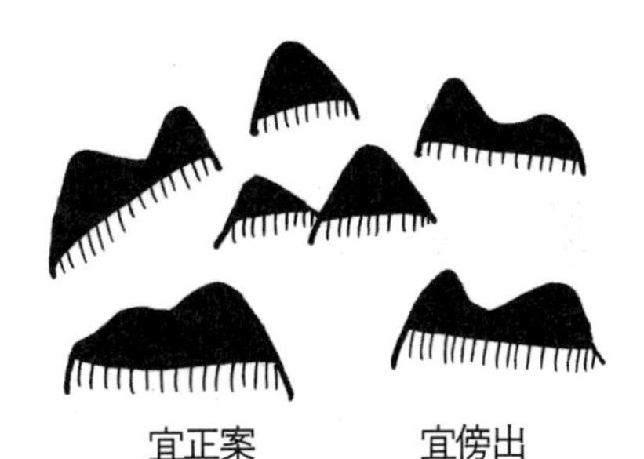

貴人山이 五馬山 중앙에 있는 것으로 모든 봉이 秀麗하고 破碎, 粗醜 飛脚, 亂竄하면 꺼리고, 이 砂는 武地임.

(27) 金馬門中貴人砂

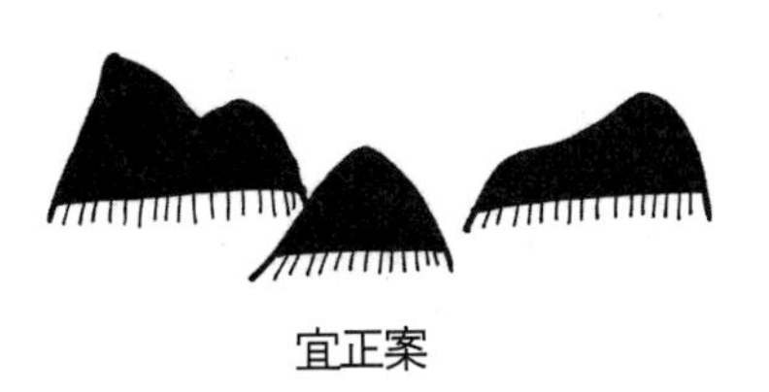

貴人峰이 가운데 있고, 양쪽에 天馬가 있어 均均端秀하여야 하며 貴人이 낮아도 무방함. 拜相을 주장함.

(28) 雙薦貴人砂

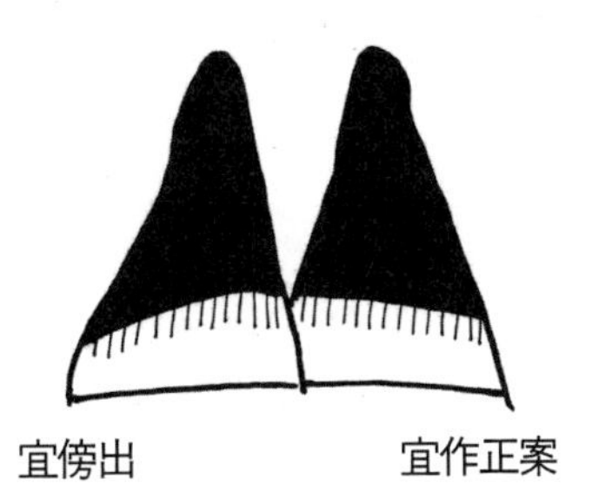

雙峰이 全峙한 것을 말함. 淸氣光彩하며 雙峰이 대등하여야 함. 斜側巉巖, 飛走, 破碎는 꺼림.

(29) 雙薦貴人砂

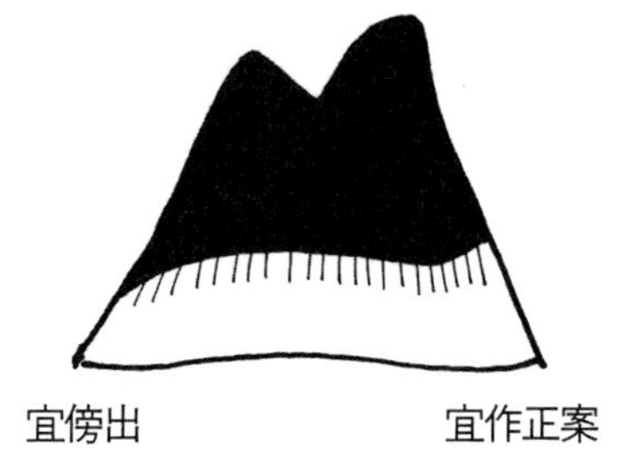

앞 雙薦貴人과 같고 앞에는 同峙인데 이는 聯峙이다.

(30) 雙童講書砂

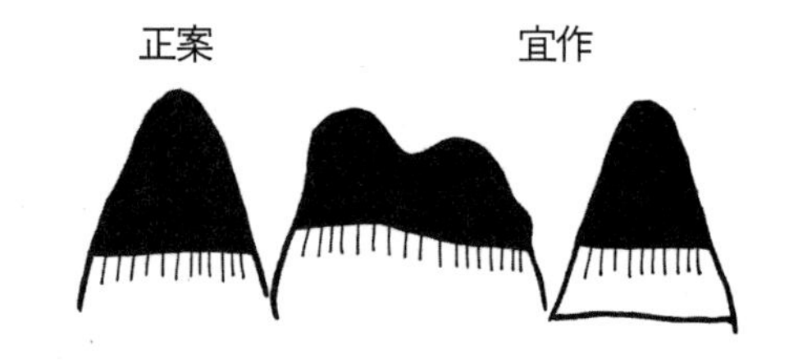

兩木星 가운데 한 土星을 끼고 있는 것. 上方 바르고 木이 곧게 聳秀하여야 하고 土가 破碎하고 木이 斜側하면 꺼리며, 雙貴가 난다.

(31) 左右貴人砂

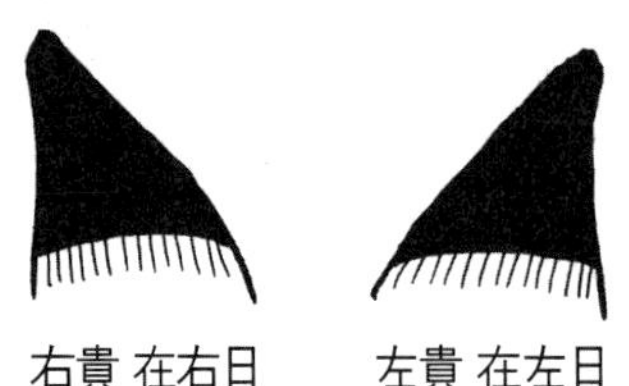

秀峰이 정면으로 당하지 아니하고 좌나 우로 된 것. 正面砂는 醜惡하고 좌우에 秀峰이 있고 庶出의 貴가 난다.

(32) 文星貴人砂

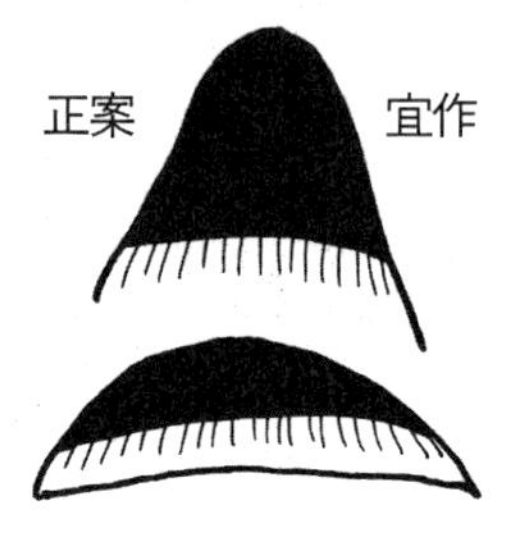

本星 아래 太陰蛾眉山이 있는 것이다. 兩山이 秀麗하여야 하고 破碎, 斜側, 走足, 臺火를 꺼린다.

(33) 屛下貴人砂

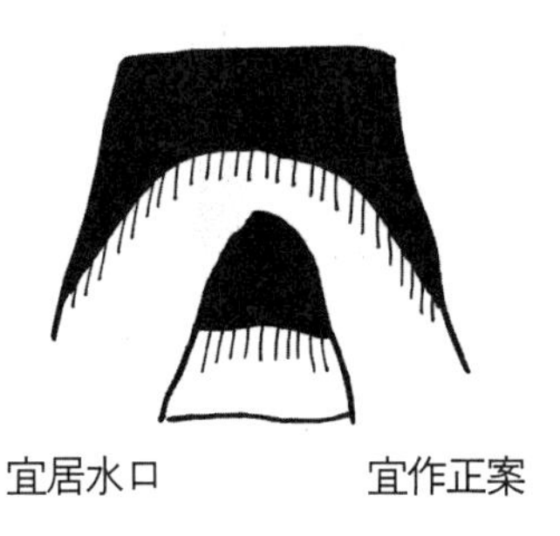

土星 아래 木星이 있는 것. 土星은 方正하고 木星은 端聳해야 하며 土는 斜傾 不正하고 木은 破碎나 飛走하면 불길하다.

(34) 台下講書砂

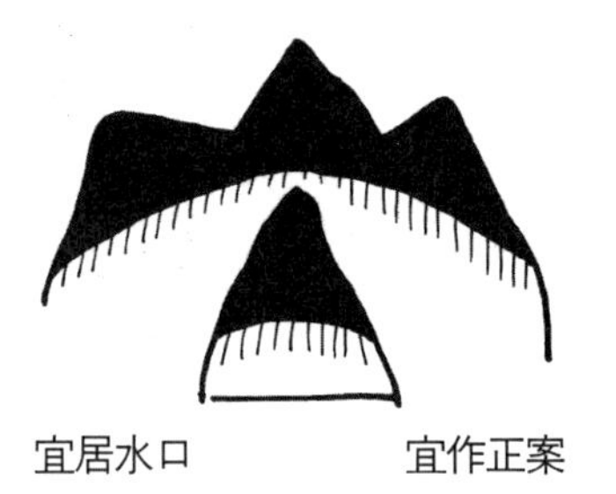

三台 아래 木星이 있는 것. 台星이 고르고 木星은 端正해야 함.

(35) 捧誥貴人砂	(36) 展誥貴人砂
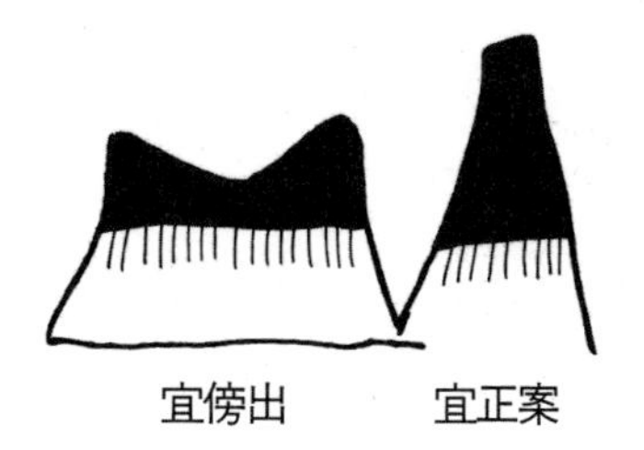 平方하고 高低가 相稱해야 하며, 猗斜함을 꺼림.	 木星이 誥軸砂上에 聳出한 것으로 淸水尊嚴하게 中出하여야 하며 한쪽으로 기울면 안 된다.
(37) 蛾眉文星砂	(38) 福壽文星砂
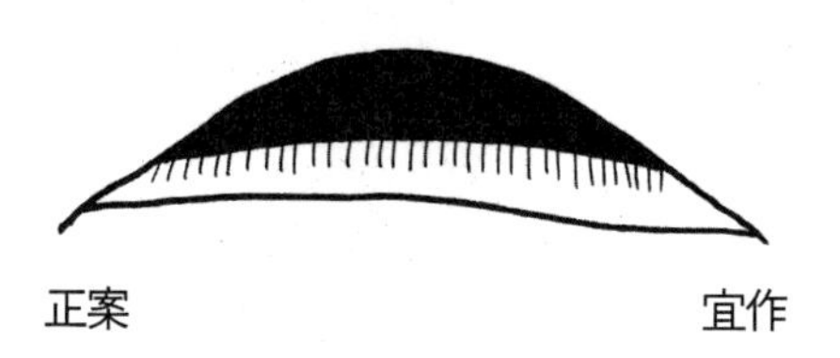 形狀이 반달과 같아 光媚하고 纖巧하다. 兩角이 고르고 端正淸水하며 擁腫 破碎, 猗斜不正을 꺼린다.	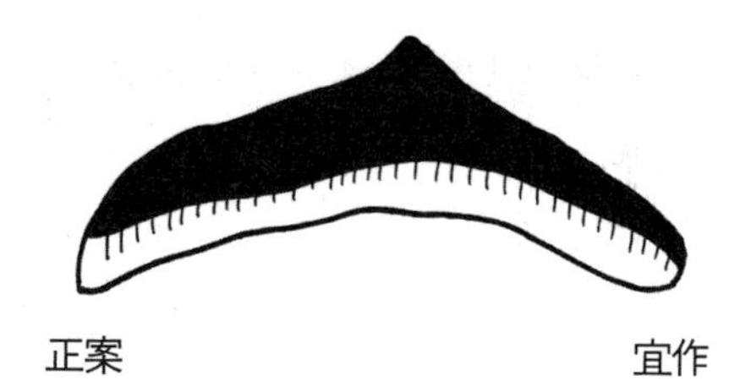 중간에 조그만 언덕이 三台와 흡사하여 端正秀麗해야 하며 擁腫破碎를 꺼림.
(39) 淸貴文星砂	(40) 天葩文星砂
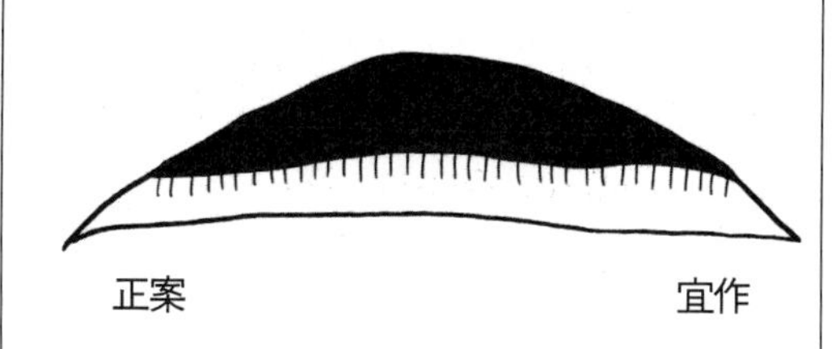 淸秀한 山이 부드럽고 巧妙하여 섬세한 것이다. 兩畔이 골라야 하며, 臺石, 粗醜, 猗斜, 不正을 꺼린다.	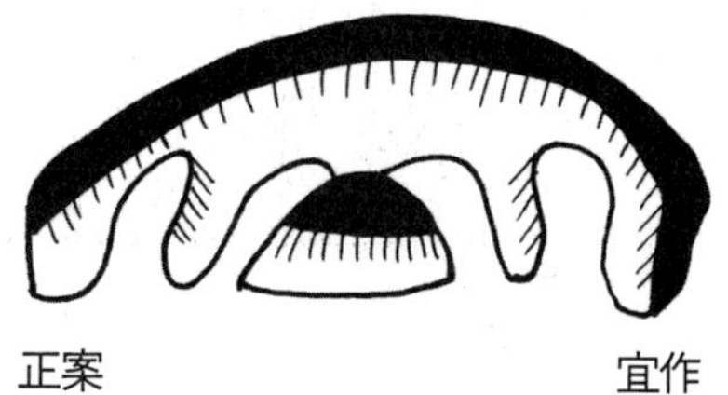 發秀한 木星의 뿌리가 된 것으로 花瓣馬와 같다. 淸嫩하고 均旬하면 極貴하고 龍身이 作하면 더욱 아름답고 砂洛이 있으면 가운데 둥근 星이 있어서 正同朝穴해야 한다.

(41) 帶福文星砂

一字文星이 높고 커서 土體를 띠고 平正, 斌榍한 것. 豊厚해야 하고, 擁腫, 粗醜를 꺼리고 臺石, 峻嶒, 破碎, 斜走함을 꺼림.

(42) 帶曜文星砂

倒地한 木星 양옆에 火曜가 출생한 것으로, 蛾眉文星과 비슷하며, 圓과 平의 차이만 있다. 蛾眉는 둥글고 平正하며, 淸秀해야 하고 粗破는 불가하다.

(43) 一字文星砂

倒地木星으로 淸秀平正하고 端存해야 하며 반대 방향에서 봐도 一字文星이 方正하면 더욱 귀하다. 斜走 破碎, 不平正, 帶石尖竄順水함을 꺼린다.

(44) 柱笏文星砂

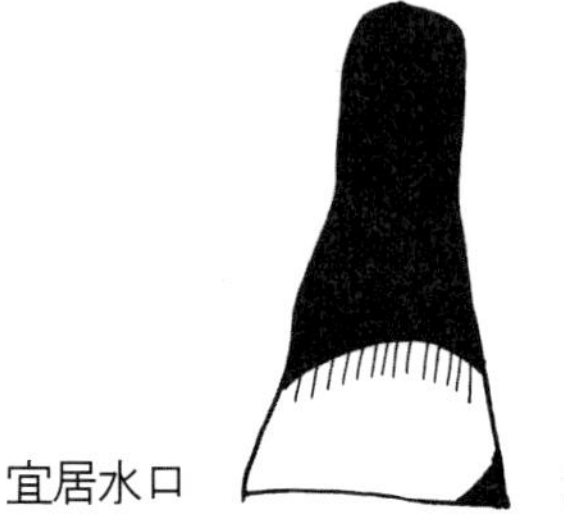

木星이 卓立하여 猗斜하지 않고, 淸秀端正해야 하며 象簡文星이라고도 함. 擁腫, 粗醜, 斜側, 走竄함을 꺼림.

(45) 玉圭文星砂

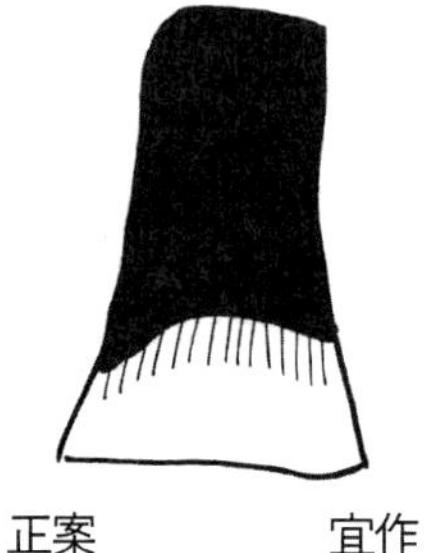

土體가 높이 솟은 것으로 산꼭대기가 평평하고 身은 곧아 기울지 않아야 한다.

(46) 金箱文星砂

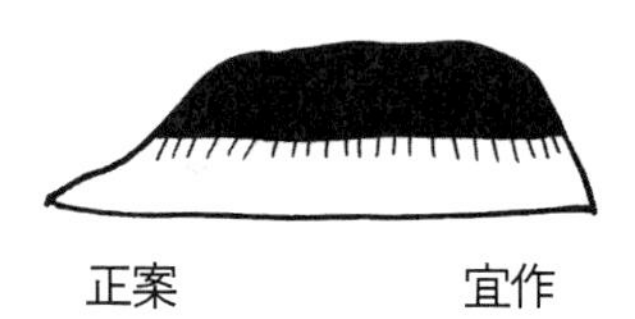

土星이 낮고 평평한 것으로 方正平圓하고 기울면 안 된다. 이 砂는 다시 貴人, 玉印, 文筆 등이 相助하면 大貴하다.

(47) 玉印文星砂

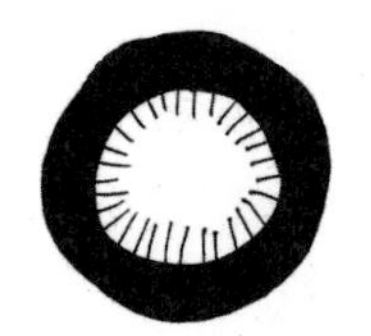

出水口者
是羅星

出正面者
是文星

둥글고 작은 山埠이거나 石墩이다. 圓平해야 하고 正面이며, 破碎는 안 되며, 龍虎 좌우에 있는 것은 文星, 水口에 있으면 羅星이다.

(48) 方印文星砂

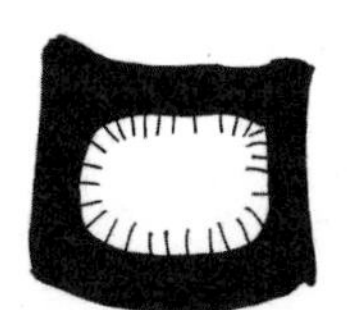

出水口者
是羅星

出正面者
是文星

작은 산 둔덕이거나 石墩인데 龍樓, 天馬 등의 砂와 같이 보이면 더욱 귀하며 破碎되면 僞印이 되어 凶함.

(49) 折脚文星砂

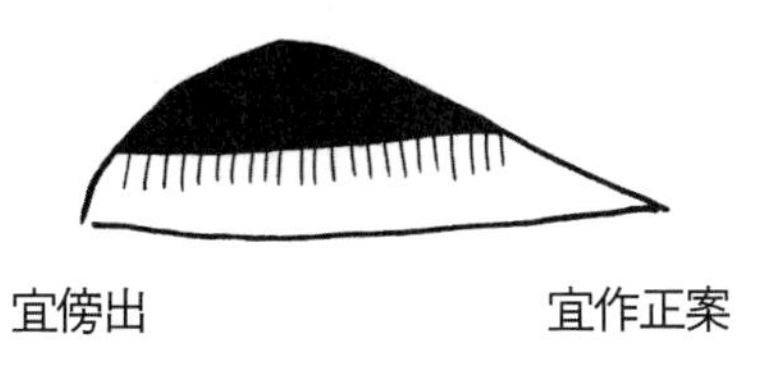

一脚이 拋火한 것. 星이 만약 面이 平正하고 嫩媚하면 吉星이 되어 文武兼官이 되나 粗醜하면 불길함. 또한 火脚이 逆水함을 요함.

(50) 圓壁文星砂

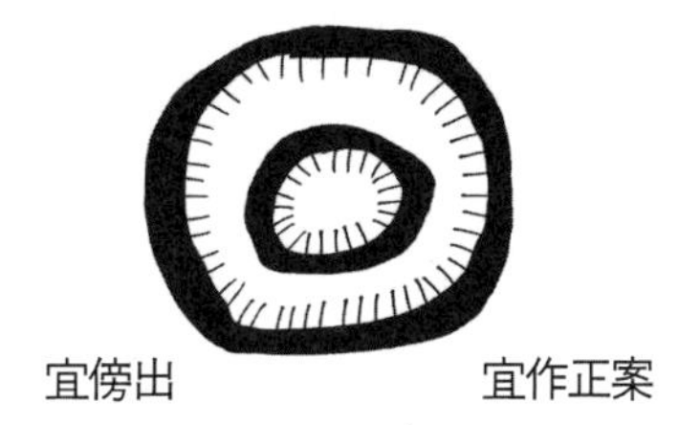

모양이 엷고 위가 평평하며, 위에 微微한 壇이 있어 그 圓이 規와 같음. 만약 方偏하고 猗斜, 肥缺하면 안 된다.

(51) 輔弼文星砂

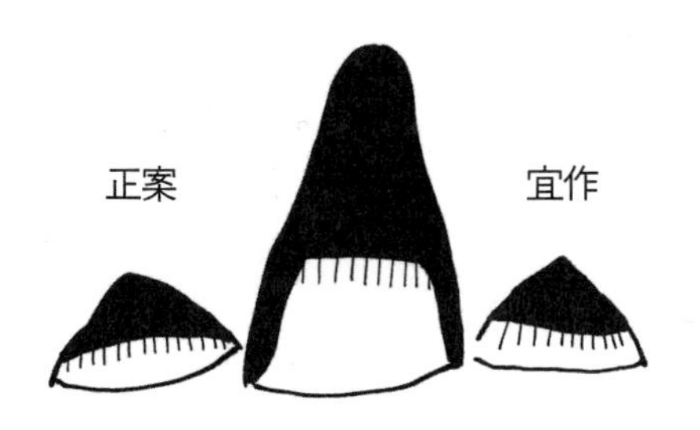

文星이 거운데서 일어나고 좌우에 작은 언덕을 끼고 있어 左輔右弼하는 것이다. 좌우 墩埠가 크기와 거리가 같으면 된다.

(52) 輔弼二格砂

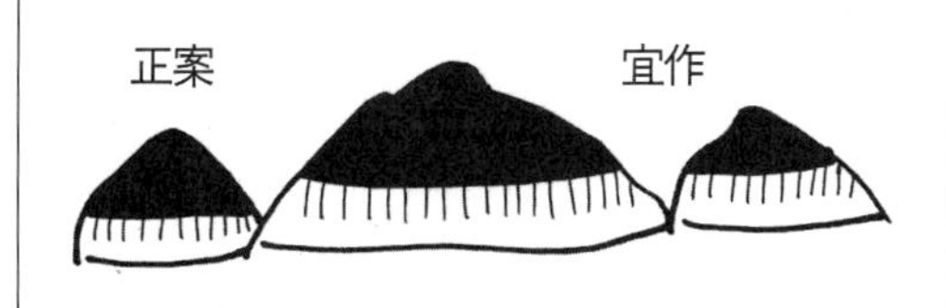

輔弼文星과 같으나 中星이 낮아서 멀리서 보면 三台와 같이 보인다. 밖으로 다른 봉우리가 秀하면 더욱 귀하고 圓正하여야 한다.

(53) 旋節砂	(54) 獨節砂
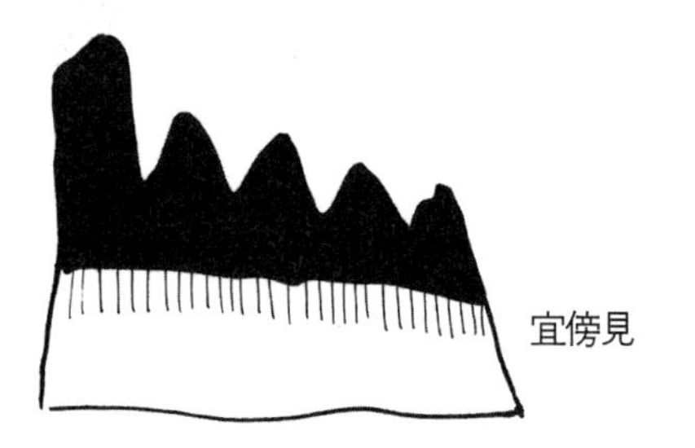 星峰이 橫列로 되고 한 변이 缺小하면 旋節이니 淸水光彩하면 된다.	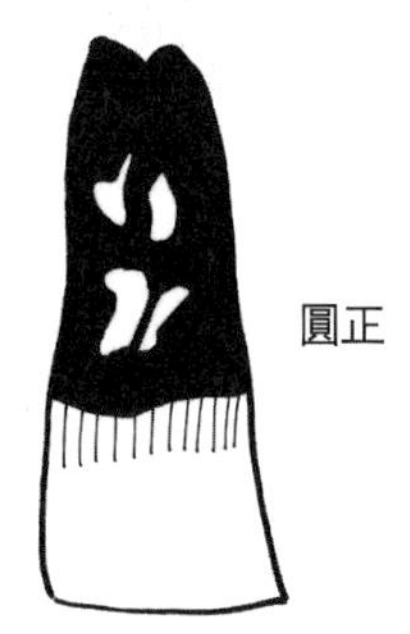 평소에 藩에 모인 儀伏이 獨節丈이 있는 것. 그 모양이 杖과 같음.
(55) 玉几砂	(56) 席帽砂
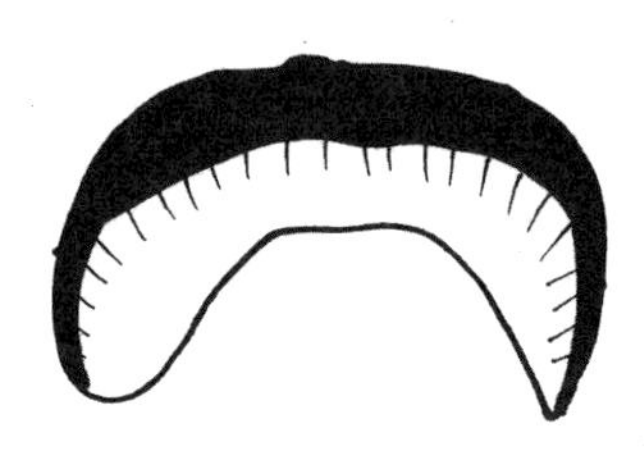 玉几 뒤에는 반드시 貴人이 있어 圓正하여야 하며 혹 뾰족한 峰巒이라도 玉几가 막아주고 貴人이 玉几에 걸터앉은 형상이 되면 貴함.	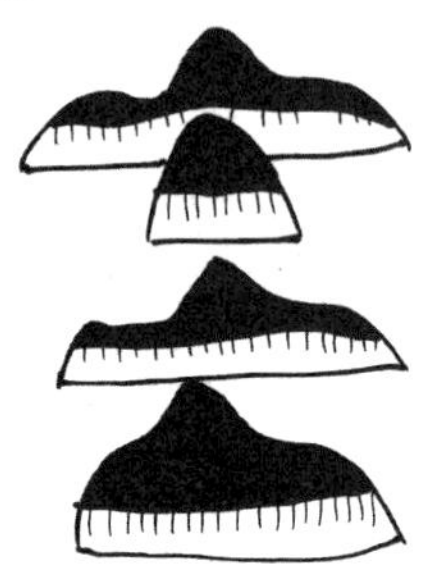 台星의 變格이니 고르고 맑아야 하고 기울거나 도망, 부서짐을 꺼린다.
(57) 鐵帽砂	(58) 寶盖砂
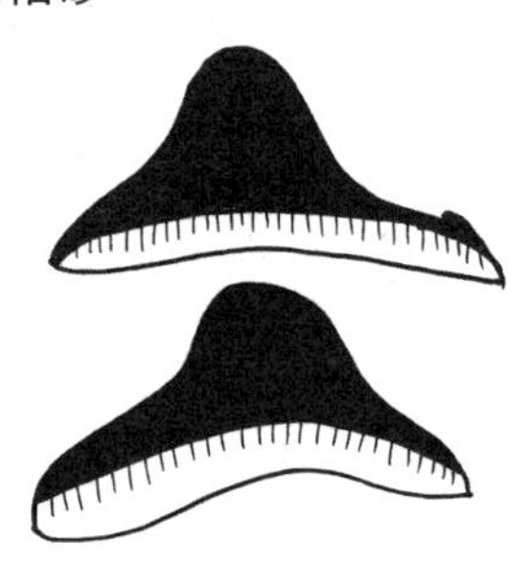 席唐帽와 비슷하나 淸秀하지 않고 腫醜帶石함. 貴賤은 온전히 龍穴에 있다.	 세봉의 머리가 둥글게 일어난 것임. 淸秀端正해야 하고 破碎, 飛走, 斜側, 醜惡함을 꺼린다. 멀리 보아도 大貴한 것은 두세 산이 합쳐진 것 같다.

(59) 華盖砂

三峰이 尖을 帶하고 일어난 것을 華盖라 한다. 均均, 齊悠, 清秀, 端嚴해야 하고 破碎, 斜側, 飛走를 꺼린다. 醜形이라도 멀리 있는 것은 無害함.

(60) 冠盖砂

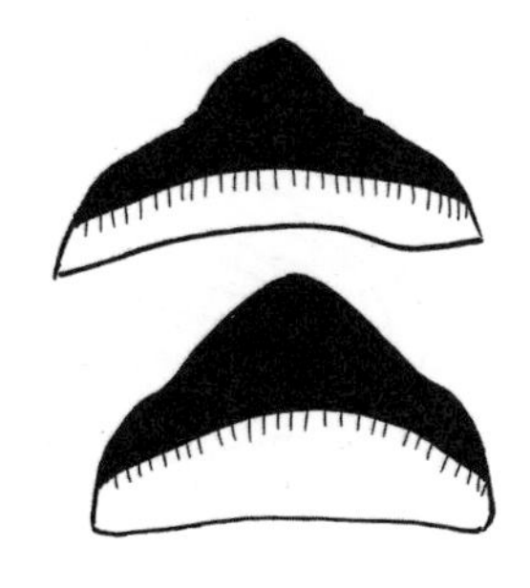

華盖와 같으나 한 峰만이 獨出하고 적고 짧은 것임. 清秀해야 하고 粗醜, 斜側을 꺼리고 儀仗旌節이 相應하면 더욱 좋다.

(61) 御臺砂

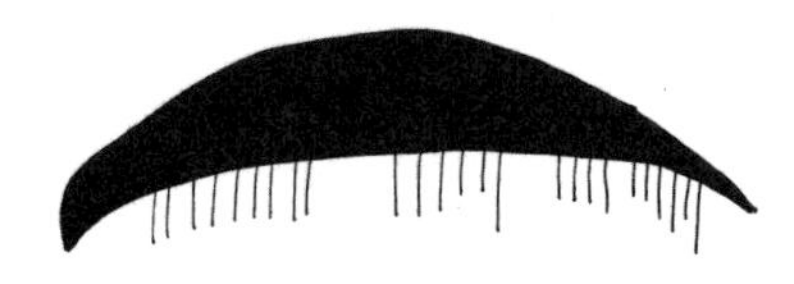

平正秀麗하여 金星 같으나 金星이 아니며 蛾眉로 봐야 함. 土 같으나 土가 아닌 相臺로 봐야 하며, 木 같으나 木이 아닌 一字文星으로 봐야 함. 이 砂는 千에서 하나를 만나기 어렵다.

(62) 御臺砂

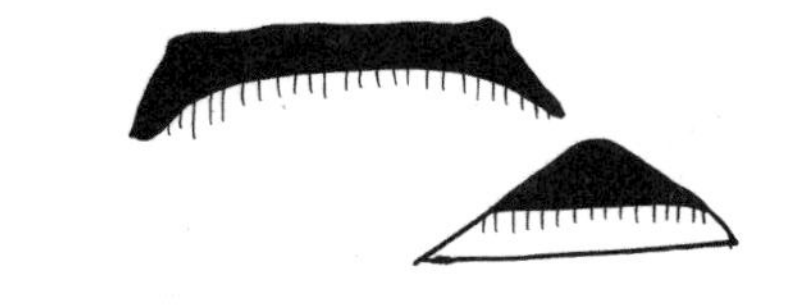

앞의 御臺에 日月이 있는 것으로 더욱 貴한 것임. 혹 日月山이 좌우에서 협조하면 極貴하다.

(63) 運中仙坐 – 張天師祖地

張自房의 自卜壽藏 그림으로 전면에 九重朝案이 차례로 층층이 싸여 上天桐格을 이루었고 四畔이 고리같이 둘러쌓여 사람이 雲端에 앉은 것 같음.

(64)

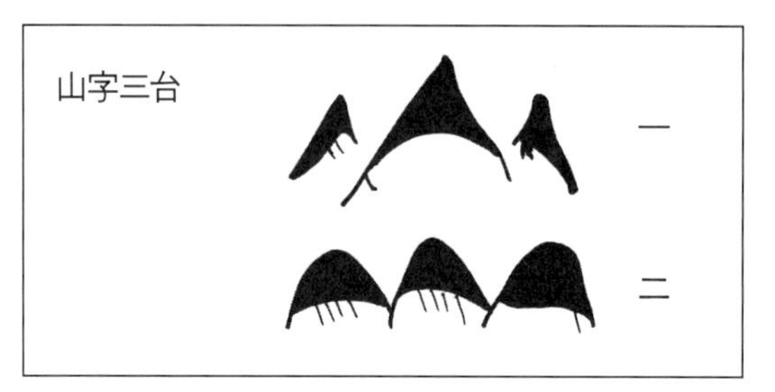

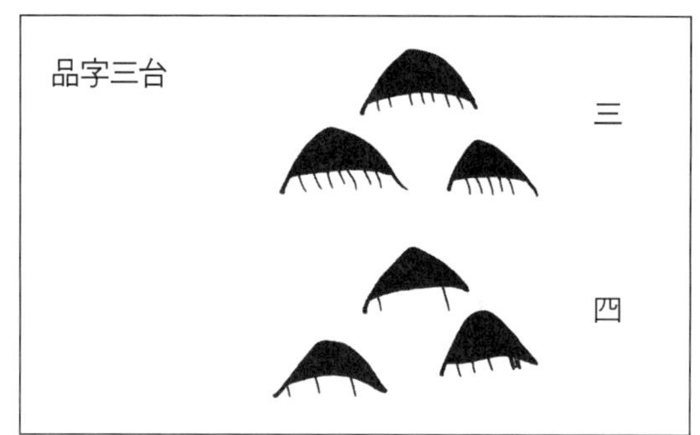

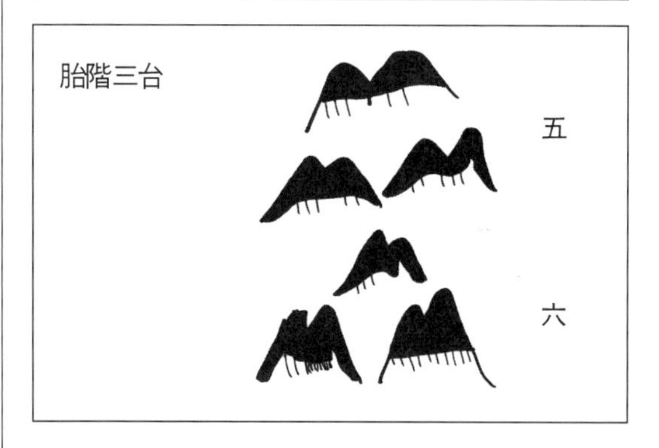

三台六星은 泰微, 軒轅의 위에 있는 별로 泰階가 평안하면 나라의 정치가 창성한다. 三峰은 三公星을 속세에서 三台라 하였고, 三台와 三公의 取應은 서로 비슷하나 三公六符의 力量이 더욱 중한 것만 못하여 玉髓經에서는 力量이 三台 위에 있는 것이므로 六世兒孫이 襲封蔭이라 하였는데 六世孫은 六星의 應하는 연고임. 자손이 번창하고 簪纓, 恩榮이 稠疊.

(65) 仙橋砂　　　　　　　　　　　　仙橋砂

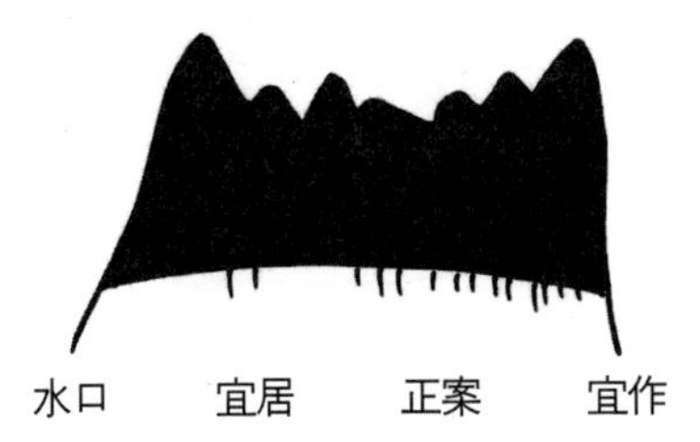

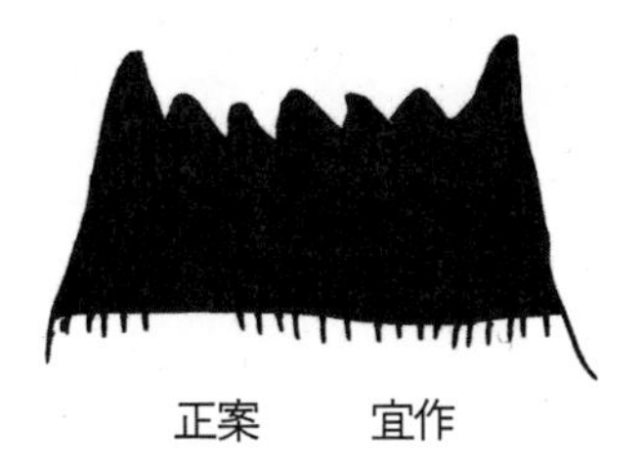

水星兩脚에 火나 木을 받친 것이며 火가 上이고 木은 다음이다.
木火는 旣濟의 功이 있어 貴가 됨. 仙橋砂는 멀고 淸秀한 것이 마땅하고 너무 가까워서 깨끗지 못함이 보이거나 低小하면 掛榜砂가 되어 貴應이 없음.

(66) 上天梯砂

연달아 일어난 星辰이 한 층씩 하늘을 향한 것. 산의 모양이 淸秀하고 크기가 비슷하고 높고 낮음의 차례가 있어야 함. 仙橋가 相應하면 白日昇天한다고 함.

(67) 群仙簇隊砂

모든 봉우리가 森森簇簇하여 重重疊疊한 것으로 벌이 둔을 치고 개미가 모인 첫 같으며 秀麗하고 淸奇하여야 함. 三千粉黛요, 八白畑花라 하여 富貴象임.

(68) 丹詔砂

詔仙이라고도 하며 한 格은 卓立한 土星 곁에 있는 小峰을 말함. 또 一格은 一字文星 앞에 長峽을 生한 것으로 極貴함.

(69) 展軸砂 誥軸砂

土星에 兩角이 높게 솟은 것으로 길고 넓은 것을 展軸, 협소한 것을 誥軸이라 한다. 모두 清秀平正하고 破碎되지 않아야 함. 軸上生花格이 있는데 貴人 등 어느 貴砂를 얻어 相應된다면 力量이 더욱 크다. 展軸은 土星만 있는 것이 아니고 水星의 양각이 微起한 것으로 展, 誥軸이 된다.

(70) 誥軸開蒼砂

水星의 兩角이 일어나면 仙橋가 되기 쉬운데 仙橋는 角起가 높아 兩火清水格을 이루고 微高이므로 火星이 되지 못함.

(71) 彩鳳筆砂

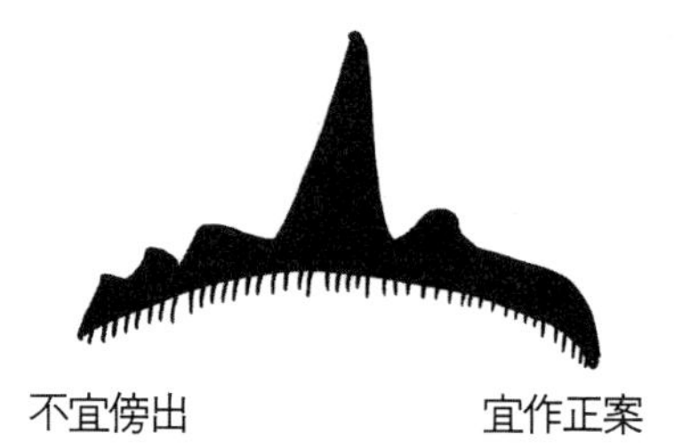

火星이 揷天하고, 그 아래 從山이 있어 飛揚하는 기운이 彩峰이 하늘을 오르는 것 같은 것. 端正秀麗하여 멀리 하늘 밖에 있어야 吉함.

(72) 宰相筆砂

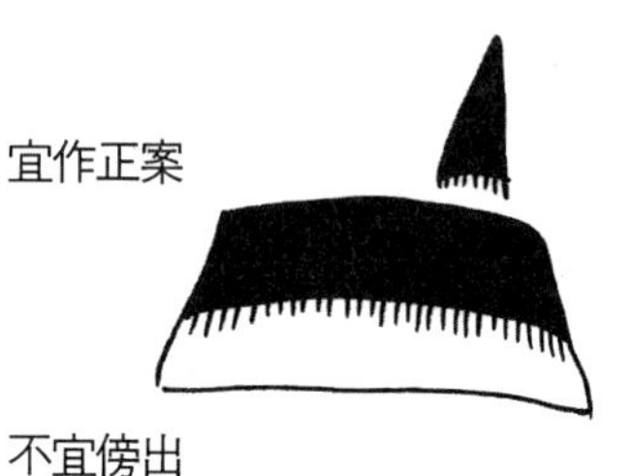

火星이 土星 위에 높이 서 있으나 가운데 서 있는 것이 아님. 訣이 云, 宰相筆이 案頭에 나왔으니 합격이라 함.

(73) 三公筆砂

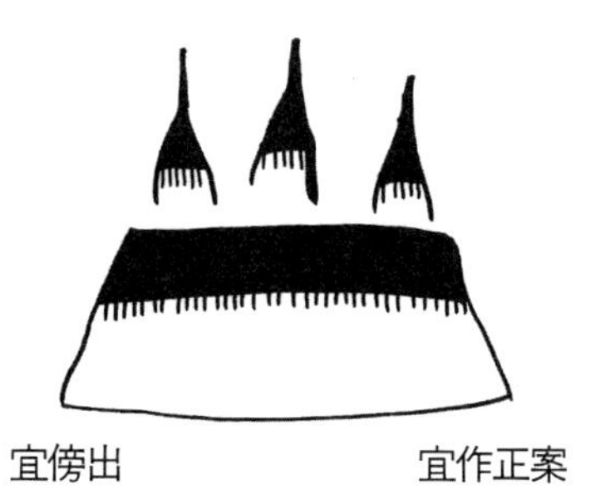

土星上에 三公이 卓立 秀麗 清奇하고 가운데는 낮고 그 순서를 잃지 않으며 간격이 相等하여야 하고 猗砂함은 안 된다.

(74) 壯元筆砂

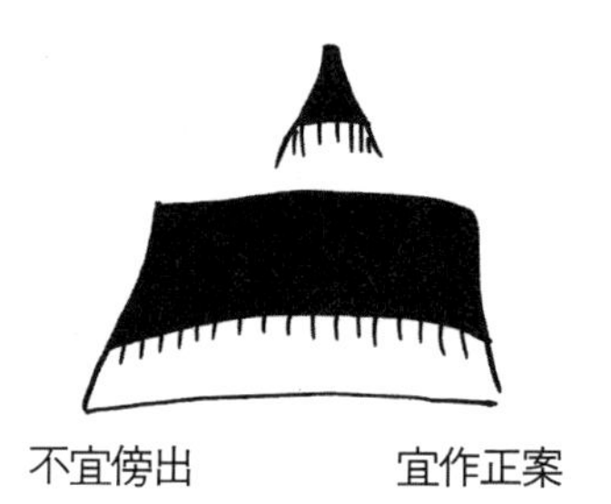

火星이 土星 위에 솟아 그 筆이 正當하고 그 土星은 높고 方正하고 멀면 합격임.

(75) 龍車砂

龍이 차를 끄는 형상으로 龍頭가 앞에 있어 穴을 向하면 吉하나 반드시 拜下山이 있어야 貴함.

(76) 鳳輦砂

尖翌이 있으나 穴을 쏘지 않고 穴中에서도 보이지 아니하나 尖秀한 峰이 있어 우뚝 솟으면 합격이다.

(77) 御書臺砂

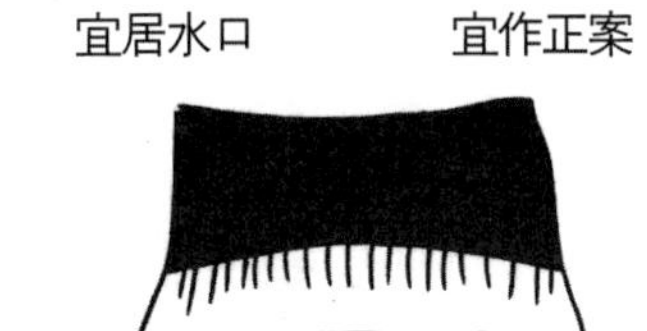

土星의 낮고 작은 것. 頂上이 方平하고 面이 濶正하여야 하며 斜破, 走足, 崩面, 浪痕을 꺼림.

(78) 帝座砂

한 봉이 솟아서 있고 兩眉가 均衡이 잡힌 것. 中峰이 秀聳하고 四山이 擁腫하여야 하며 기울거나 破碎는 안 된다.

(79) 御屛風砂

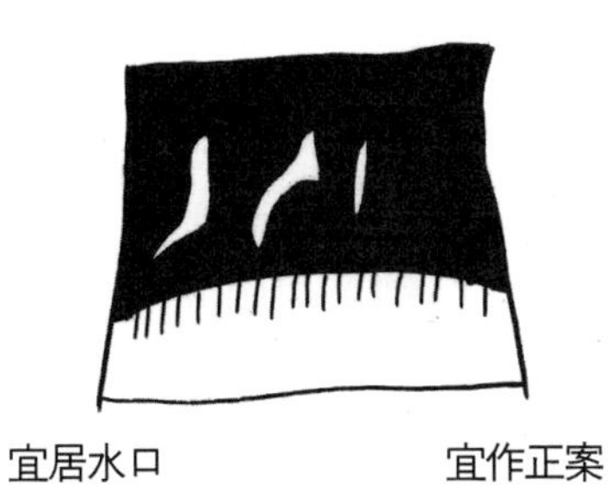

土星이 特峙한 것. 方正, 骨立, 聳峙해야 하고 猗斜나 달아나지 않아야 함.

(80) 筆架格砂

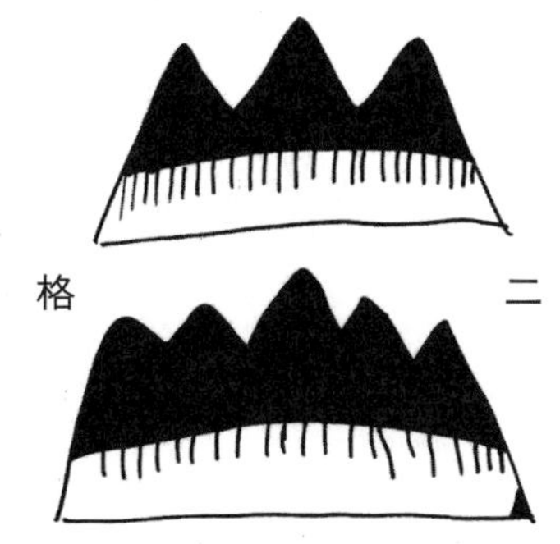

봉우리 세 개나 다섯 개의 筆架의 모양과 같은 것으로 높고 낮음이 같지 않거나 가운데가 높고 곁의 것이 낮아야 함.

(81) 御爐砂

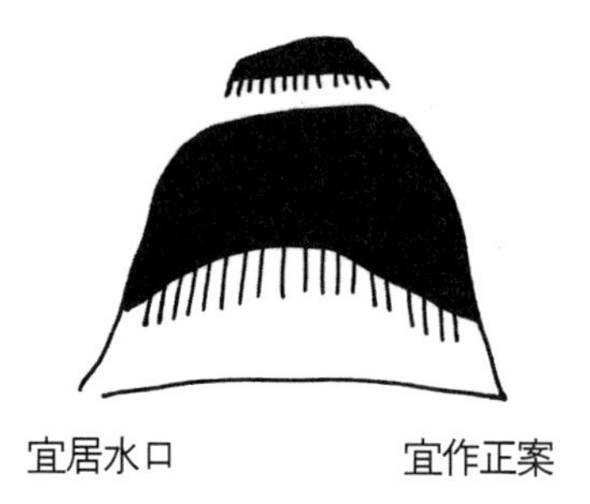

金土의 相生이므로 貴하며 方圓, 伶俐, 有情하여야 하고 기울거나 破碎해서는 안 된다.

(82) 滿床牙笏砂

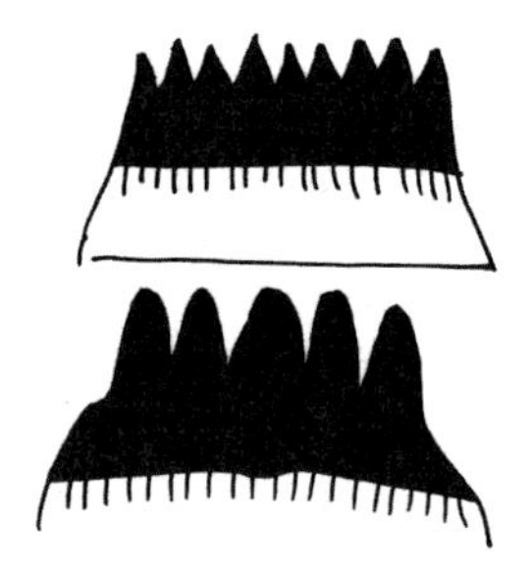

尖峰, 石峰이 叢集되어 床에 가득한 牙笏과 같아 大小高低를 막론하고 淸秀한 것을 吉하게 본다.

(83) 壯元旗砂

木星이 排列한 것이나 本身은 水體이고 山足부분에 내려와 開面하여 蛾眉文星을 내보낸 것으로 貴砂임. 山頂이 秀麗하고 文筆台蓋가 相應하면 더욱 좋다.

(84) 令旗砂

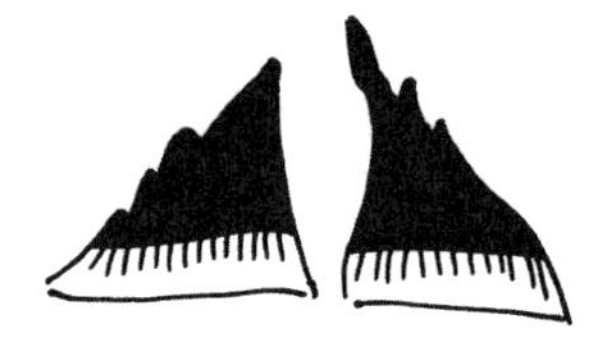

두 旗가 서로 향해 열리고 곁에는 높아 두 旗의 大小 高低가 서로 비슷하며 足은 둘로 갈려 飛揚하더라도 몸은 尊嚴하게 솟아야 합격. 이 砂는 兩等이 있는데 一等은 穴前에 정당한 것이고, 一等은 兩畔 水口에 文旗가 되는 것임. 大貴砂이다.

(85) 馬盖砂

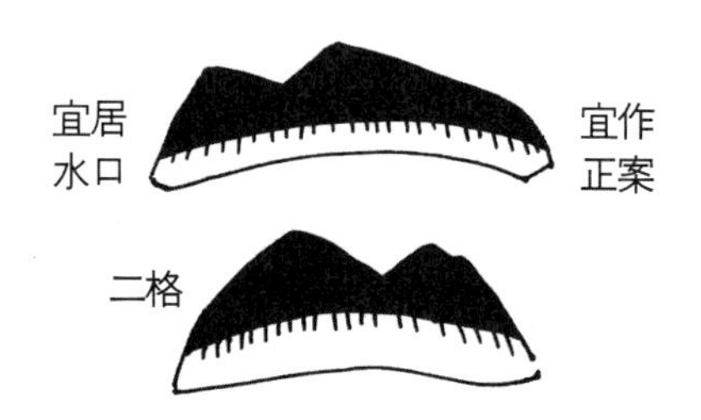

세 峰의 尖微가 茫出한 것. 淸秀端正하고 破碎, 粗醜, 側斜는 꺼림. 儀仗과 旌節이 相應하면 더욱 좋다.

(86) 特立武星砂

宜居水口 宜作正案

모든 山이 낮고 이 星辰만이 높으니 광채가 穎異하므로 特立武星이라 함.

(87) 勒馬回頭砂

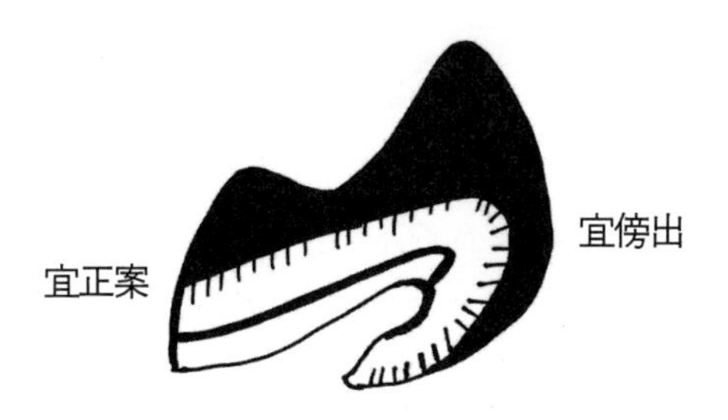

天馬山의 轉脚으로 淸秀해야 하고 破碎는 꺼림. 만약 旗鼓가 相應하면 武職으로 큰 功業을 세우고 이름을 떨친다.

(88) 簾幕砂

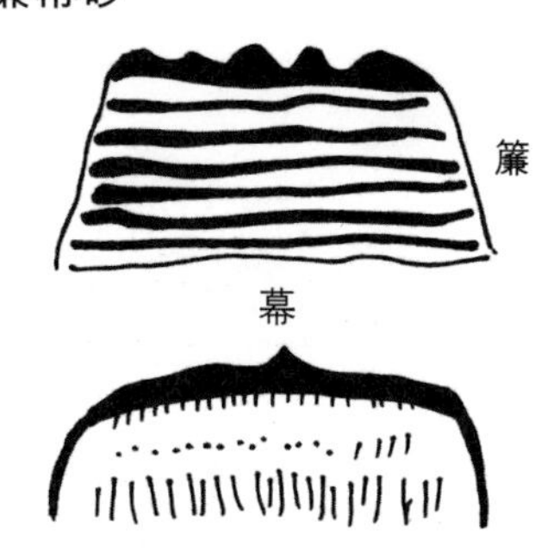

높은 산에 연결된 봉이 橫으로 簾圍를 폈고 帳幕을 친 것 같이 不缺不折하고 不凹 不斷한 것을 簾幕貴砂라 함.

(89) 龍樓砂

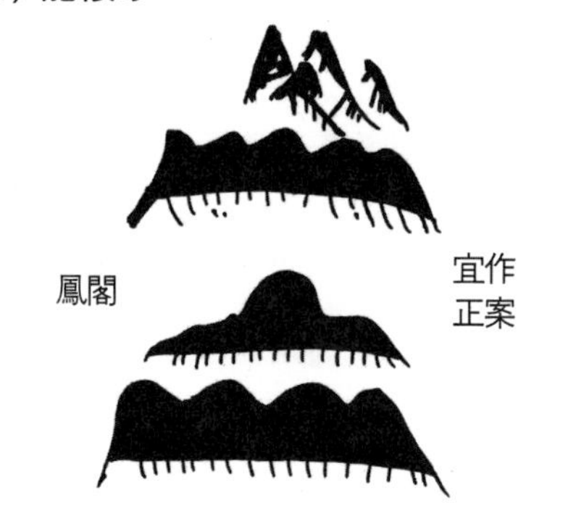

王의 거처로 가장 貴重한 것임. 大貴之地의 砂와 左右君王의 스스로 致貴할 수 있다.

(90) 景雲砂

혹은 景雲이라고도 함. 하늘의 祥物은 항상 있는 것이 아니기 때문이며, 모양이 이와 같으면 貴한 龍이 되고 穴의 應인 것임.

(91) 金魚袋砂

墩埠의 長曲한 것. 正案이 됨은 不宜하고 下關이나 水口에 있어야 마땅함. 만약 水口에 寒鎭하면 遊魚州라 하며 富가 悠久함.

(92) 交馳馬砂

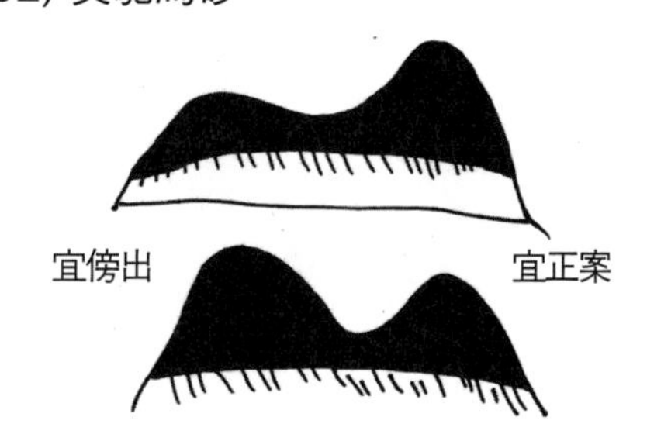

두 말이 서로 반대방향으로 달리는 것.

(93) 帶甲馬砂

馬山의 身에 痕磂을 대한 것으로 戰馬가 갑옷을 입은 것. 旗鼓 貴人 등이 相應하면 그 힘이 더욱 큼.

(94) 天馬砂

峙立한 쌍봉이 한쪽은 높고 한쪽은 조금 낮아 말잔등과 같아 天馬라 한다. 淸秀하고 午未方에 있으면 더욱 貴함.

(95) 本身進田筆砂

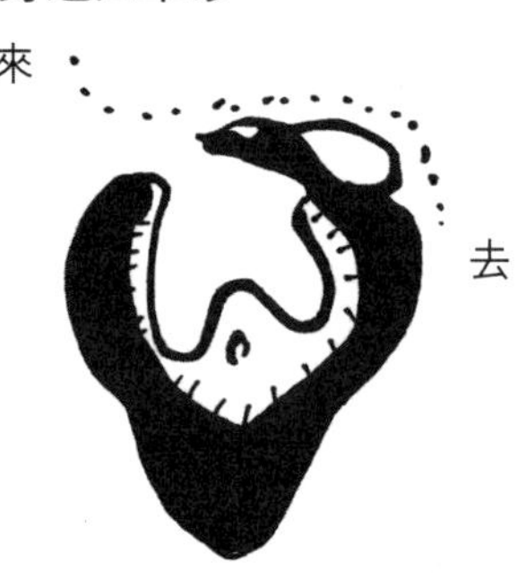

龍虎의 山이 低小한 砂를 띠고 위로 逆水함을 말함. 穴을 쇠뿔과 같이 彎抱하여 有情하면 上吉이다.

(96) 外來進田筆砂

外來山이 逆水하는 것은 穴 위에서 보아 有情하며, 尖射치 아니하면 進田筆이 되며 主는 外來橫財로 田産을 함. 龍穴이 貴하면 貴를 재촉함. 逆砂一尺은 致富함으로 逆穴을 말함.

(97) 龍車砂

龍이 차를 끄는 형상으로 龍頭가 앞에 있어 穴을 向하면 吉하나 반드시 拜下山이 있어야 貴함.

(98) 鳳輦砂

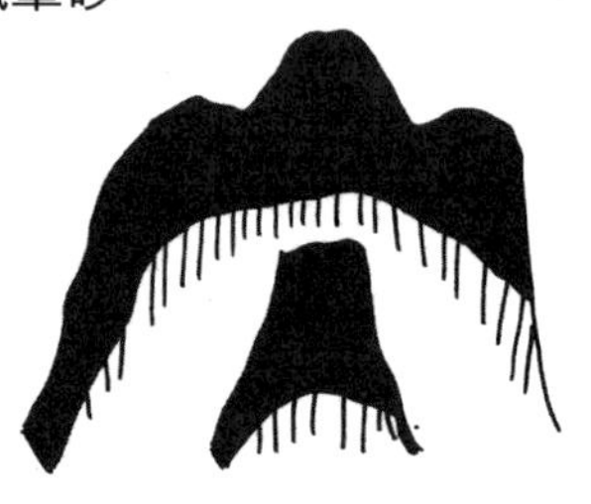

尖翌이 있으나 穴을 쏘지 않고 穴中에서도 보이지 아니하나 尖秀한 峰이 있어 우뚝 솟으면 합격이다.

(99) 斗砂

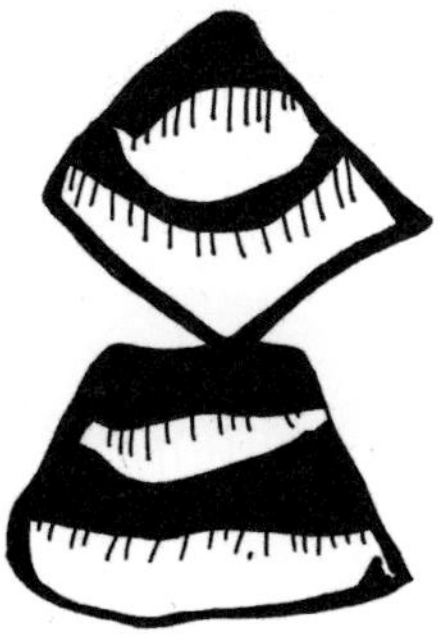

方正하고 낮은 것으로 흙이나 돌로 되어 있다. 말과 같이 생겼으면 되나 너무 낮아 泥에 들면 안 되고 대개 土星으로 된 것이 많다. 破碎됨은 불가함.

(100) 木杓砂

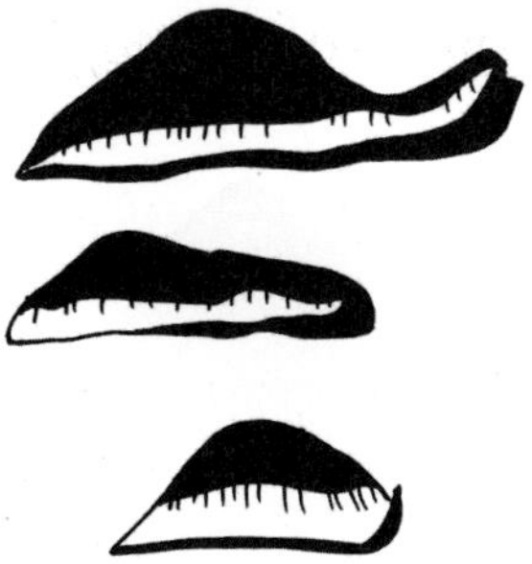

물바가지와 같으며, 표주박은 乞人이나 修道僧의 道具로 자루가 길어야 하고 짧으면 비렁뱅이들이 끈을 달아 허리에 차고 다녀 나쁘다.

(101) 玉帶砂

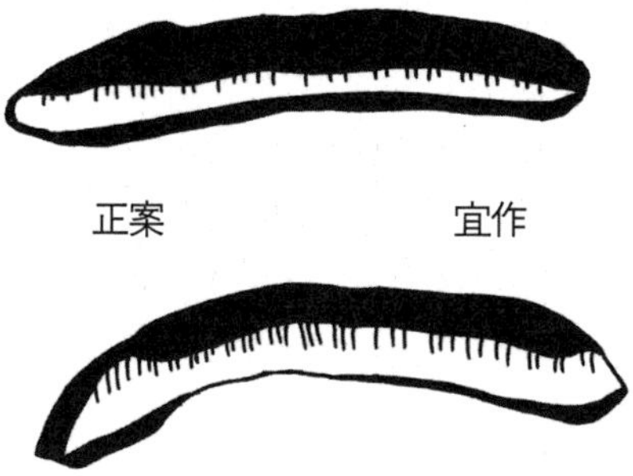

橫木이 彎抱하여 衣帶와 같은 것이 있는 것으로 金魚가 있어 相應하면 玉帶가 됨. 金魚란 帶의 곁에 언덕이나 돌이 고기모양을 한 것

(102) 踏節砂

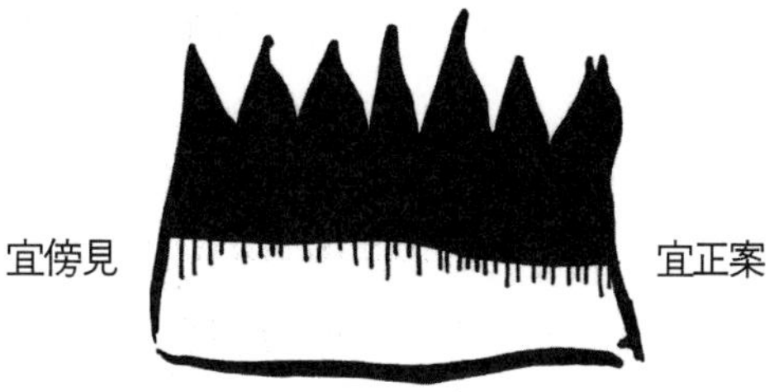

尖秀한 木星이 다섯 봉우리 이상이 踏節한 것. 고르며 간격이 均等해야 하며, 破碎, 浪痕, 硝皺는 꺼린다.

2. 中格 貴砂

(1) 金鍾砂

(2) 玉釜砂

모두 金星이나 높고 큰 것은 金鍾이며 낮고 작은 것은 玉釜라 함. 둘 다 陽宅이나 陰宅에서 貴砂가 된다. 走竄, 側偏, 帶殺, 주름, 사태 등으로 패인 것은 흉하다.

(3) 駁雜文星砂

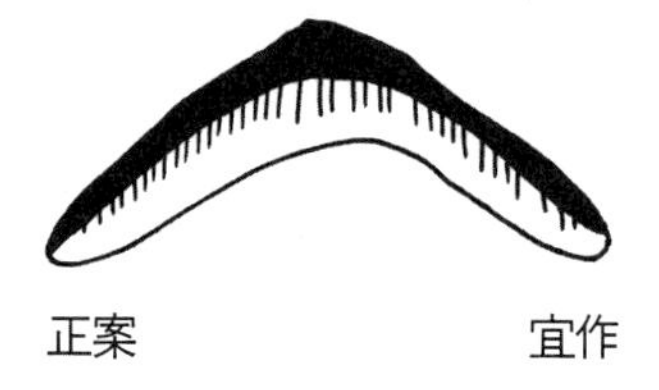

兩傍이 끊겼다가 다시 低平으로 높지 않고 品字모양이 안 되고 三台의 中頂이 일어나지 않은 것 같음. 寶蓋가 되지 못하며 飛蛾文星이라고도 한다.

(4) 赦文星砂

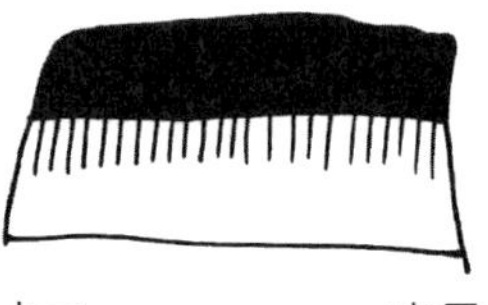

土體를 띠었으니 方角이 骨立하면 御屛이 된다. 이는 특별한 각이 垂圓하여 肥胞한 것이니 水口에서 一方을 맡으면 영원히 凶過가 없다.

(5) 碗爐砂

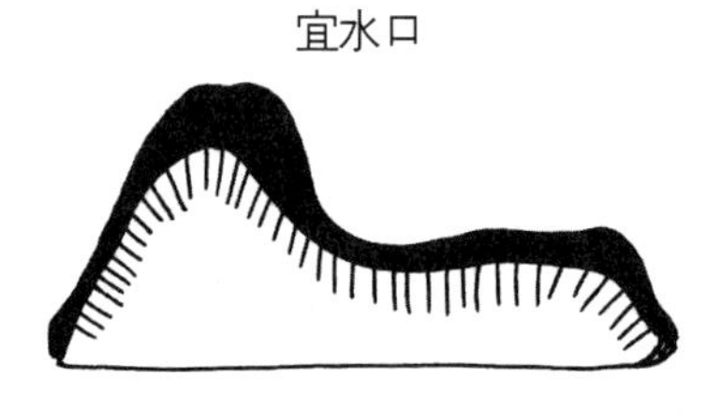

山巒이 한 봉우리는 높게 솟고, 하나는 낮고 평평하여 사람이 꿇어앉은 것 같음. 이 砂는 水口에 있고, 높고 커야 마땅하고, 破碎, 走脚을 꺼림.

(6) 文筆砂

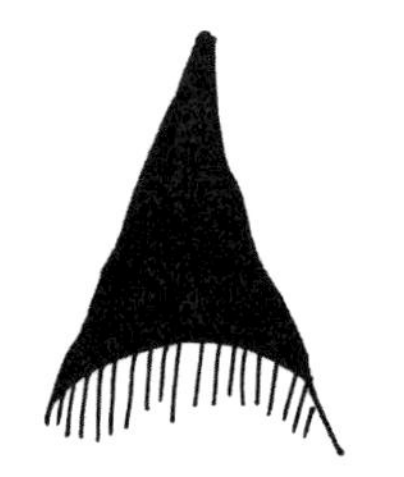

文星이 尖秀하여 卓立聳拔한 것으로 端正淸寄해야 하며, 斜破, 走足함을 꺼림. 대개 筆砂는 멀리 있어야 天表가 된다. 斷法에는 云, 壯元筆은 천리밖에 하늘 위에 出이라 함.

(7) 大武星砂

宜居水口　　　　　宜作正案

모양이 雄偉하고 體勢가 尊嚴하니 大武라 함. 猗斜, 破碎를 꺼리며, 이는 雲中金 또는 獻天金이라 함.

(8) 御傘砂

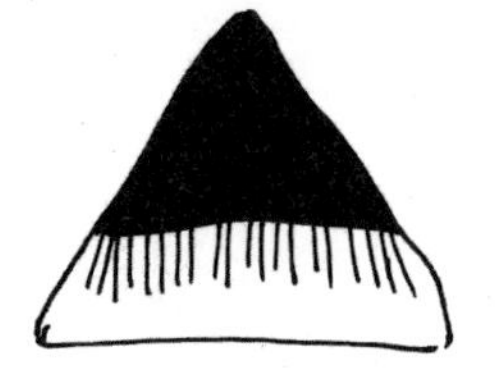

星辰이 물의 파도처럼 주름살을 이루어 陽傘과 같은 것. 破碎나 猗斜는 안 되며 높고 特異하여야 귀함.

(9) 出使馬砂

馬山 아래 尖利한 砂를 끌고 있는 것. 말은 달리는 짐승으로 飛走하는 砂를 出하였으니 遠使之象이 된다.

(10) 筆陣砂

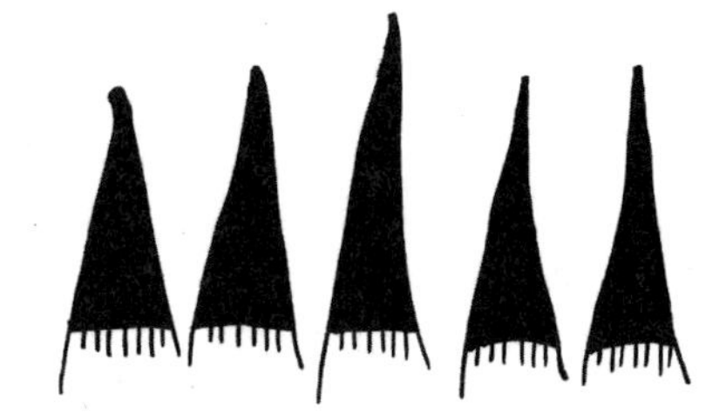

宜在傍出　　　　　宜作正案

筆과 같은 여러 봉이 特立한 것으로 비록 높고 낮음이 같지는 않으나, 가운데 봉우리가 높고 좌우의 봉이 낮아야 함. 顚倒錯亂하면 허물이 됨.

(11) 法師筆砂

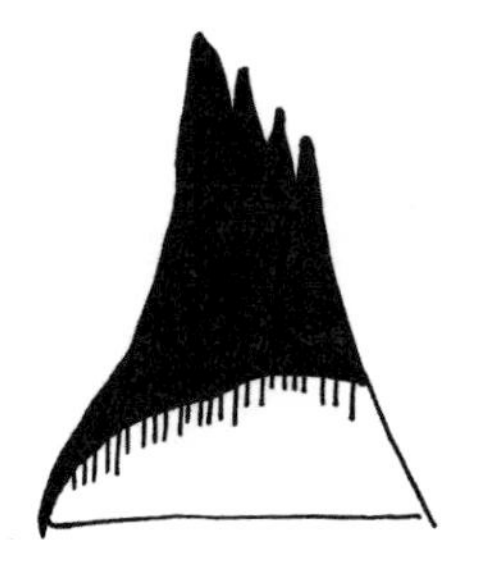

尖峰 끝에 여러 가지 생긴 것으로 罵天筆과 같으며, Y岐가 많다. 만약 台蓋의 아래에 있으면 法으로 因하여 官을 얻음.

(12) 金爐砂

石山에 金爐와 같은 형상이 많이 있으니 만약 仙橋가 또 있어서 相應하면 主, 丹藥昇仙하고 御醫로 榮顯한다.

(13) 眞珠簾砂

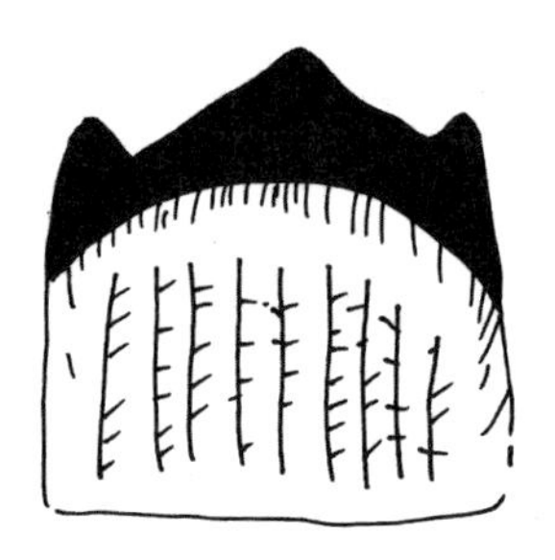

큰 산이 開帳한 중간에 瀑泉이 石欄을 당하여 구슬 같은 물이 방울방울 떨어지는 것임. 龍이 賤하면 孝簾.

(14) 琉璃簾砂

平岡 아래 높은 밭이 층층이 싸여 磊磊하고 물빛이 横列하여 琉璃의 모양과 같은 것. 疊浪層 이 均整하여 尖破된 것이 합격임.

(15) 招軍旗砂

旗 모양이 크고 높으며 衆脚이 飛揚하며 감아 두른 것. 한 帶가 있는 것인데 勢가 招動하는 것 같아야 합격. 甲馬가 頓起하고 鼓가 있어 相應하면 眞이 됨.

(16) 得勝旗砂

旗 모양이 攸揚卓立하고 大勢가 內向하고 逆水이며, 身頭가 文旗와 같고 山脚이 퍼지고 星峰이 광채가 나니 吉砂임. 반드시 頓鼓가 있어 排牙相應해야 함.

(17) 戰旗砂

貞立峻直하여 威武之象이 있는 것임. 이 格은 三品字와 같으니 만약 鼓角이 있어서 相應하면 더욱 貴함.

(18) 帶旗馬砂

馬山의 아래 焰動하는 砂가 있는 것으로 旗의 飛動하는 것과 같음. 이 旗馬는 한산으로 되어야 합격.

(19) 頓鼓砂  宜居水口 聳體의 金星이 高大雄猛하여 頓鼓와 같은 형상을 한 것이다. 圓爭端正하여야 하고 破碎를 꺼림.	(20) 堆甲砂  작은 산 및 平岡이 層疊重出하여 갑옷을 쌓은 형상과 같음. 旗鼓二山이 相應해야 합격. 御屛과 함께 三台의 아래 나오면 牙笏砂가 됨.
(21) 點兵砂  크고 작은 亂石이 平田이나 平野에 있어 혹은 돼지, 양, 소, 말과 같고 새와 같고, 혹은 사람이 서 있는 것 같기도 하여 大將이 큰 공을 세우는 상임. 點石은 害가 없다.	(22) 屯軍砂  小阜로서 흙이나 돌이 뒤섞여 外平野에 널려 있는 것으로 여러 큰 산과 더불어 相間錯雜하여 軍이 屯을 친 것 같은 형상.
(23) 裀砂 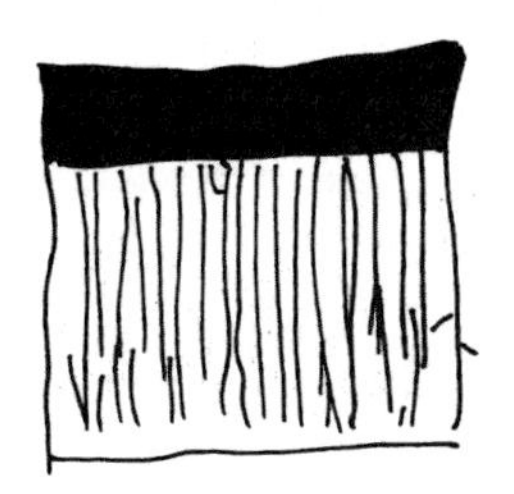 이 두 개의 格은 모두 平面 土星으로 평평하게 내려와 氈을 펴고 자리를 펴놓은 것과 같은 것. 형체가 동일하지 않으나 裀은 平平한 중에 方하고	(24) 褥砂 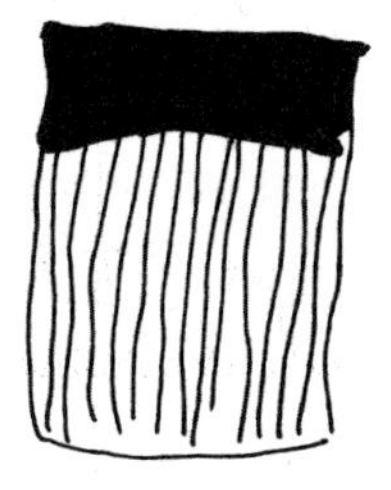 褥은 平平한 중에 긴 것이다. 실제로 산에서 보면 方圓, 規矩, 曲直, 準繩이 분간되지 않아 증거를 잡을 수 없다.

(25) 晒袍砂

堆袍

한 山이 展楊이 조금 飛動하고 주름살이 있는 것은 晒袍이며, 重重疊疊하여 皺磂이 不一한 것을 堆袍라 함. 둘 다 有情하여 穴로 向하고저 한다. 만일 反朝 向外하고 尖利를 더하면 不吉함. 이 砂는 도포옷으로 穴을 向하니 體勢가 순하고 貴袍章服하며, 몸의 華飾이 되고 햇빛이 번쩍이므로 문장이 크고 人君을 대면하는 물건이 되므로 귀한 것임.

(26) 幞頭砂

開眉한 土星이 가운데는 높고 가장자리는 낮아 貴人이 쓰는 冠과 같음. 幞頭는 신하가 임금을 볼 때 쓰는 것으로 귀함. 穴前에 이 砂가 보이면 端嚴方正해야 하고 猗斜, 破碎하면 안 된다. 또한 土星이 한쪽만 어깨를 벌렸다 해도 같다. 이런 形은 大貴地가 많은데 마땅히 後龍으로 따진다.

(27) 流笏砂

一字文星이 順水로 흐르고 혹 물에 뜬 것 같기도 하니 流笏이라 함. 단 順水한 것은 離鄕砂로 山岡이 簇集하여 고깃덩어리와 같은 모양이다.

(28) 金帶砂

金, 銀帶는 平面 水星이 彎抱한 것임. 혹 平坡보다 논밭 수렁 같은 것이 둥글게 穴場을 안은 것이다. 順水나 逆水에 不拘하고 帶한 것이 身을 싸고 지나야 함.

(29) 模糊席帽砂

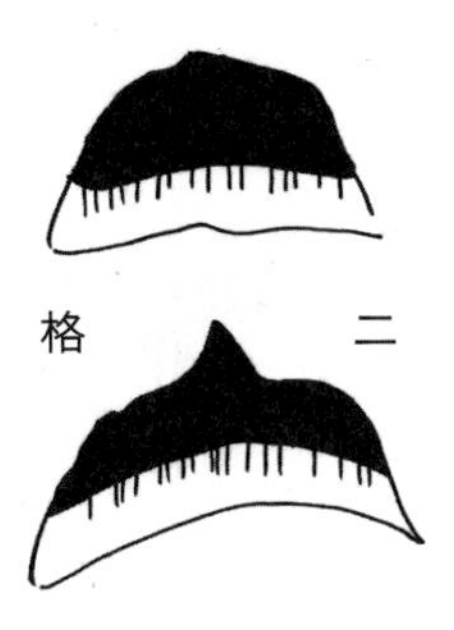

바르고 반듯하나 일어나지 못했고 혹 뾰족하고 기울고 한발이 도망가는 것임.

(30) 唐帽砂

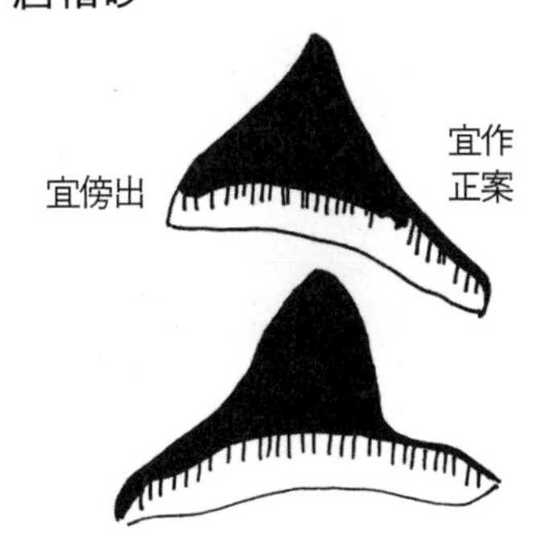

席帽와 비슷하나 席帽는 無脚이요, 唐帽는 有脚임. 이들은 同類이나 斷訣에서 云, 才子文章이 快하다 함.

(31) 金帳砂

水星의 横濶한 것으로 여러 가지가 있으나 모두 龍에서 얻어야 한다. 富龍은 帳이요, 貴龍은 掛榜의 砂를 말함. 長濶方劑하고 浪痕破碎가 없고 山脚의 飛斜가 없어야 함. 또 一脚은 山頭가 歪側하고 粗하며 破碎되고 巉巖하고 山足이 飛斜散亂한 바 이를 鶉衣百衲이라 함. 그러나 이 凶格이 멀리 있으면 害가 없다. 遠近을 잘 살펴야 한다.

(32) 金筒玉軸砂

바르고 곧장 긴 것은 金筒이고, 바르고 옆으로 긴 것은 玉軸으로 髣髴이 비슷함을 구애하지 않음.

(33) 粧臺砂

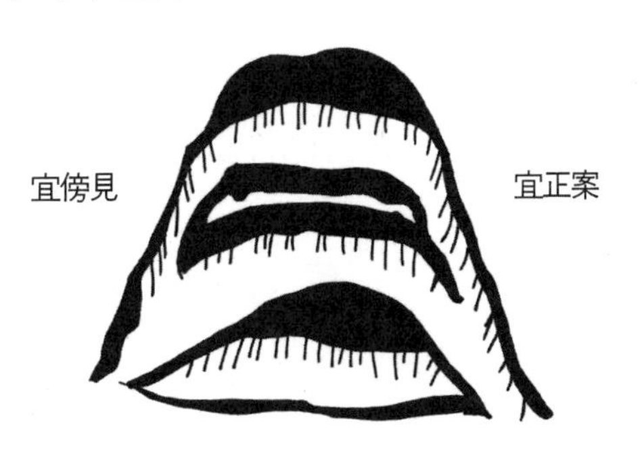

星峰이 疊疊히 옹위하여 粧台의 형상과 같음. 龍眞일 때는 大貴하나 그렇지 않으면 女貴만이 있는 것이다.

(34) 鏡臺砂

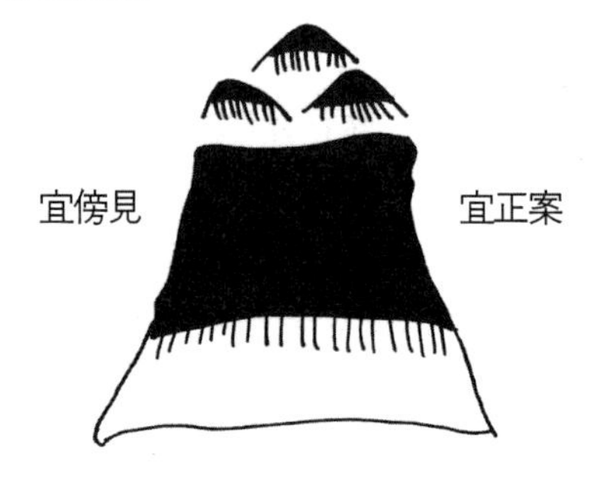

合山外에 圓峰이 나와 거울의 형상과 같음. 星峰이 圓正해야 함.

(35) 盃盤砂

작은 山이 重疊하여 술잔과 같음. 富, 貴, 貧, 賤이 家에 다 있는 것으로 꼭 貴砂라 할 수 없음.

(36) 掣電砂

岡埠가 산뱀과 같이 움직여 가는 것인데 流水가 있어서 산을 따라 움직이기 때문에 掣電水龍이라 함.

(37) 潛池筆砂

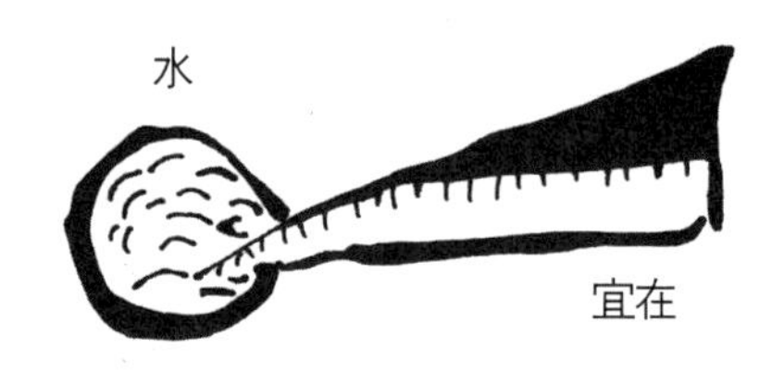

文筆이 到地하여 수중으로 잠입하는 것. 만약 順水하면 離鄕하여 貴하고, 逆水하면 巨富인데 時進田産 橫財함.

(38) 探頭砂(中下格級)

작은 산이 큰 산 뒤에서 위나 옆으로 조금 보이는 것으로 마치 사람이 머리만 살짝 보이는 것 같음. 기울고 천함.

(39) 五雷砂

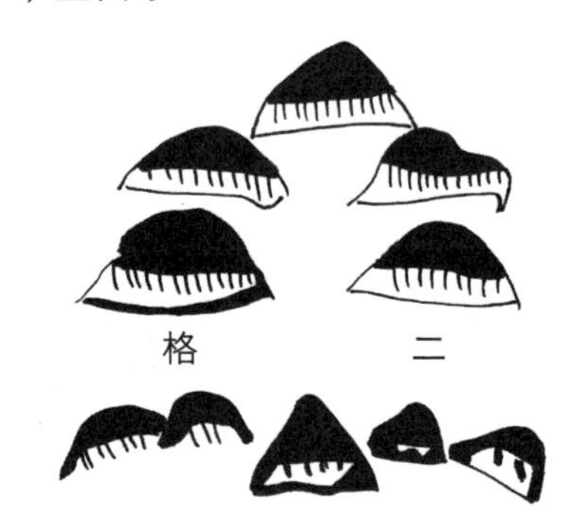

높고 낮은 산이 서 있거나 배열된 것이 무더기로 있는 것.

(40) 駱駝砂

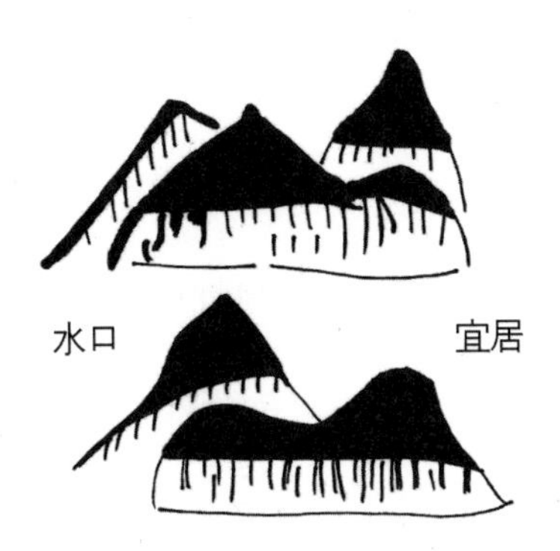

星峰이 秀麗하여 말 모양에 駱駝峰이 더 있어 特異한 것으로 말보다 더 귀함. 이 砂는 富貴를 다할 수 있으니 傍星相應 如何에 있는 것임.

(41) 接錢砂

아래 砂가 逆하여야 接錢이 되며 財帛이 불어남. 만약 順水하는 砂가 되면 送錢出까지 되어 退敗함.

(42) 中格貴砂

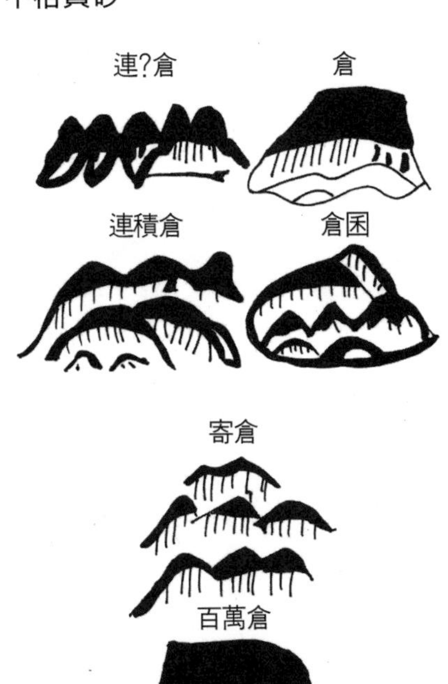

土星에 많이 나오며 金星과 비슷한 것도 있다. 金星이 土體를 띠든지 土星이 方正치 못한 것은 모두 倉이라 하고 小者는 庫라 함.
倉庫의 所應은 富를 주장하는 것이나 龍穴이 貴할 때는 貴한 砂다. 陰陽으로 보면 大富大貴를 주장하고 富砂, 寄倉에 그친다.

百萬倉은 御屛과 같으나 方正치 못하다. 百萬倉은 大星辰에 매여 雄偉하다.

(43) 庫樓砂

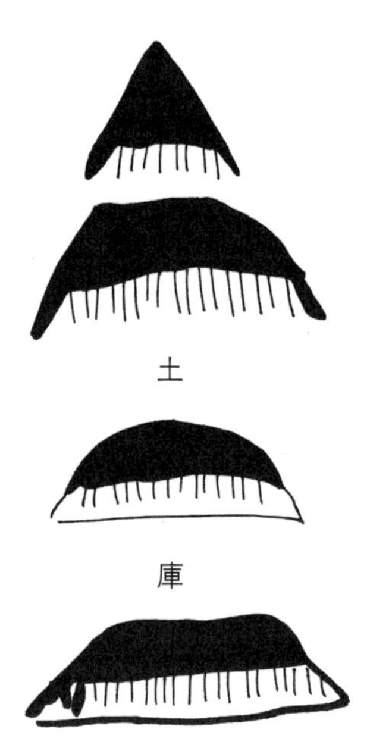

庫樓 富星이나 龍穴이 貴하면 富貴雙全한다. 樓庫에 삼고 있으며 一庫는 櫃, 二는 庫, 三은 土星은 土이나 火祿을 대한 것임.
櫃와 庫는 머리와 꼬리가 고르고 逆水하며 肥滿해야 貴함. 만약 順水하고 破碎, 頭高, 尾低하면 破倉, 虛櫃 및 棺槨이라 흉함.

(44) 臥獅砂

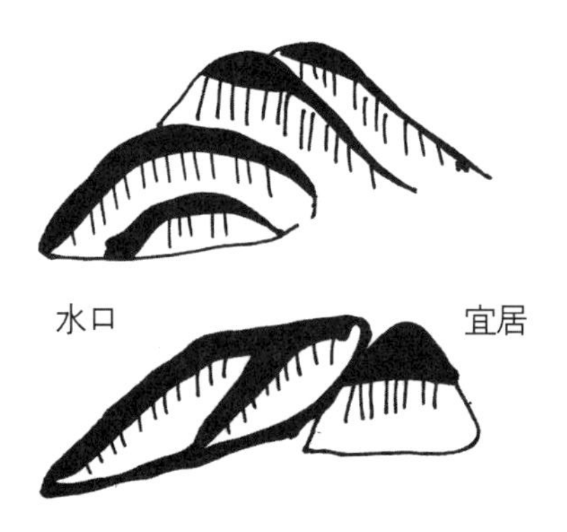

드러누운 사자는 富貴하는 것으로 獅形은 面이 모나고 머리가 크며 허리가 좁고 꼬리가 넓으며, 앞은 무겁고 뒤는 가벼운 土星의 獨體가 많다. 이 砂는 먼 것이 좋고 水口에 있으면 吉함.

(45) 伏虎砂

엎드린 호랑이는 星峰이 웅장하여 범과 같은 모양이 됨. 이는 土星의 肥大한 것에 많으며 星辰이 광채가 있고 頭脚이 바르게 되어야 吉함.

(46) 朝靴朝履砂

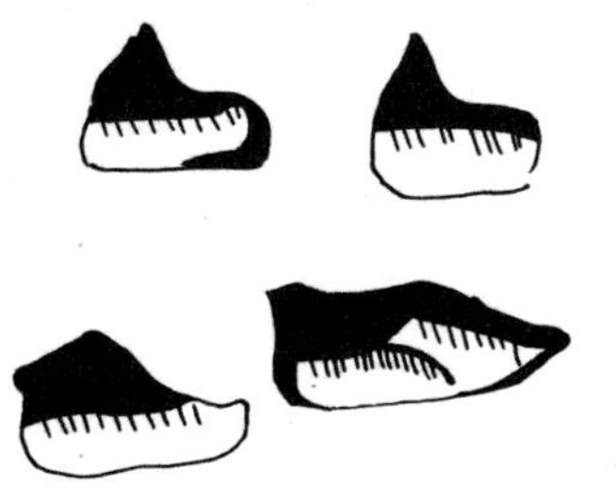

下級靴面은 低長하여 上級과 서로 안 맞음. 신발모양으로 雙은 귀하나 외짝이 되면 淸高孤獨하고 妻子가 어려움.

(47) 橫琴砂

平岡의 眠體木星이 兩頭가 微低하여 手琴의 형상과 같으며, 文星이라고도 함. 淸秀하고 方正하여야 하며 破碎하면 안 된다.

(48) 臥牛砂

獨體土星이 드러누운 소와 같은 형상으로 만약 산에 脚이 없으면 倉庫의 砂가 되는데, 水口 사이에 있는 것이 마땅함.

(49) 毬杖砂

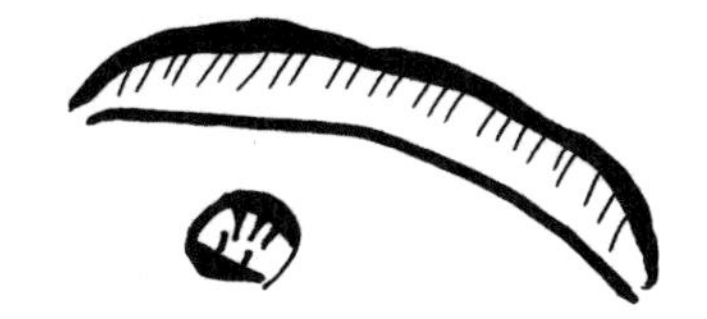

높은 산에서 아래로 다리를 뻗어 생긴 것으로 산이 높고 험하면 이를 將軍打毬라 하고 山脚을 따라 떨어졌다 끊겼다 다시 평편한 데서 毬가 된 것이 있으나 모두 비슷한 것으로 한 가지에 구애하지 말 것임.

(50) 銀瓶砂

盞節에 盞은 있으나 瓶이 없으면 假瓶이 되며 貴秀할 수 없다.

(51) 破廚砂

祿尊 중의 破碎된 것으로 凶한 것임. 穴 위에서 보면 일마다 不吉하고 오직 水口에서 門戶를 파악하여야 吉함.

(52) 幀旗砂	(53) 報捷砂

火星이 높이 솟았으나 飛揚하므로 幀旗라 함. 山峰이 雄偉하며 軒昻해야 함. 脚이 비록 飛揚하나 散亂에 이르지 아니하면 합격임.	秀峰이 疊起奔來하는 것같이 연이어 달려 報捷하는 것 같은 형상임. 來勢가 穴을 향하여야 함.

3. 下格 貴砂

(1) 提蘿砂	(2) 旛砂

거지의 형상과 같고 공중에서 보면 不吉함. 砂格 중에서 제일 꺼림.	山脚이 奔走長遠하게 飛揚하는 것으로 혹 십 리에서 수십 리까지 날으니 현재 사람이 立旛한 형상과 같다. 順함은 凶이요, 逆함은 吉.
(3) 流尸砂	(4) 獻花砂
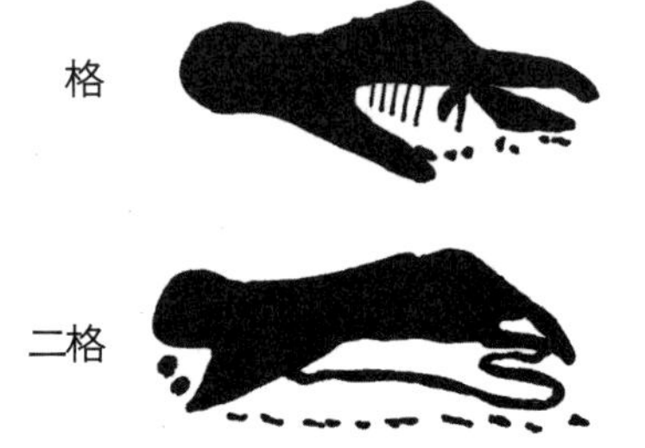	
葫蘆形과 같은 것으로 溺死함. 호로는 부리가 있어 머리와 목과 같은 모양이고, 목 아래 배와 같은 것은 연고임. 順水는 더욱 凶함.	兩脚이 飛開하여 중간에 抗이 열려 있어 이를 獻花라 함. 女人淫濫을 주장하며 砂가 보이면 龍穴이 비록 貴하더라도 風聲을 免치 못함.

(5) 鑽懷砂

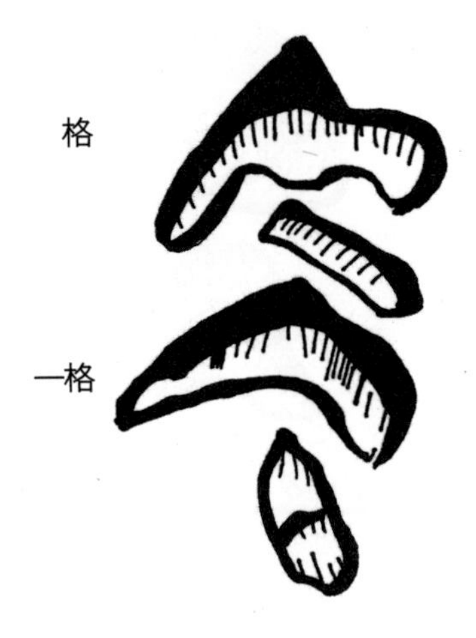

猗砂伏利하여 앞으로 작은 산을 품고 있는 것. 타인이 자식을 기를 것이니 혹 無子로서 淫亂하기도 하다. 穴안에서 보이지 않는 것은 무방함.

(6) 墮砂

墮胎砂는 墩堆의 아래로 山脚이 서로 싸우는 것임. 落胎하여 기를 수 없고, 眼疾, 過房이다.

(7) 僧鞋砂

같은 평평한 언덕에서 分開한 紋이 있어 椂으로 신을 짠 형상임. 順水는 凶하고 逆水는 吉함.

(8) 兜鍪砂

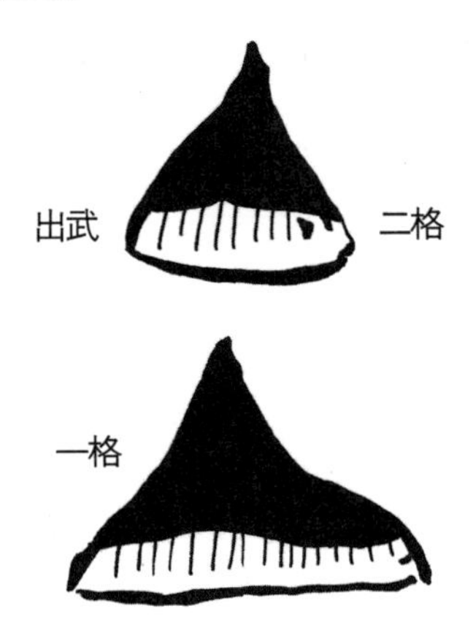

솟아난 것이 한쪽으로 기울어진 모양을 치마를 끌림이 자라와 같고 가늘게 띤 殿蓋는 横으로 보면 殺이 되니 旗鼓와 같이 보이게 된다.

(9) 枷砂

한 山에 兩脚이 重疊한 형상임. 가장 흉한 象으로 앞에서 보면 死罪를 면치 못하고 官災가 끊기지 않고 범죄인으로 옥살이를 함. 안고 있기도 한 추함이 凶.

(10) 抱肩砂

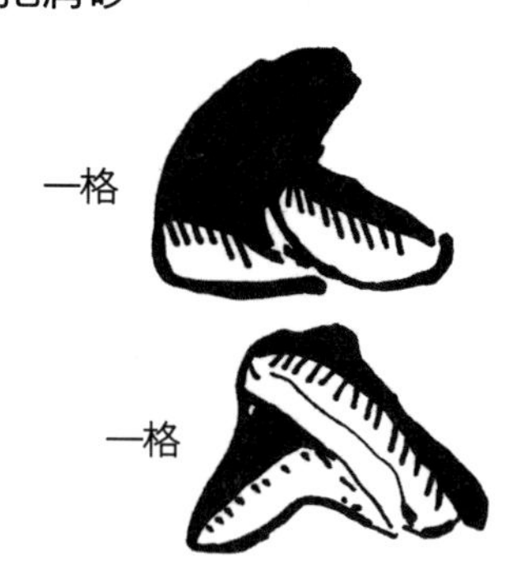

큰 산이 기울고 밖으로 작은 산이 그 곁에 있어 사람이 서로 껴안고 있는 것 같으며, 뒷산이 다리를 돌려 앞산을 감고 있는 것.

(11) 刺面砂

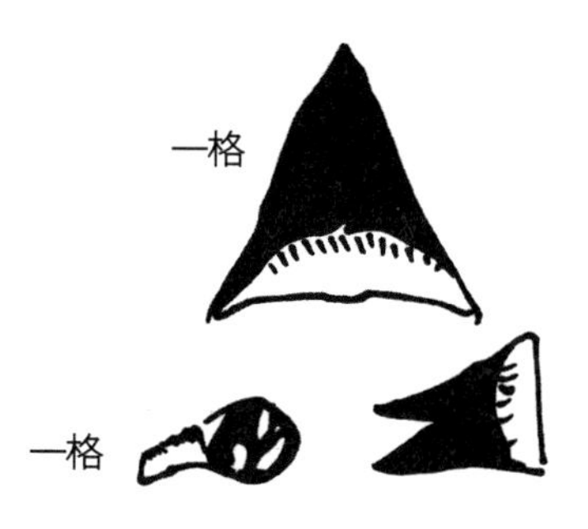

가까이 보면 돌이 사람의 얼굴을 찔러 藥을 붙인 것 같은 형상이고 또 바늘로 얼굴을 찌른 것 같은 형상으로 黥刑을 받고 귀양 가는 尖圓이 相値하면 殺傷함.

(12) 掀裙砂

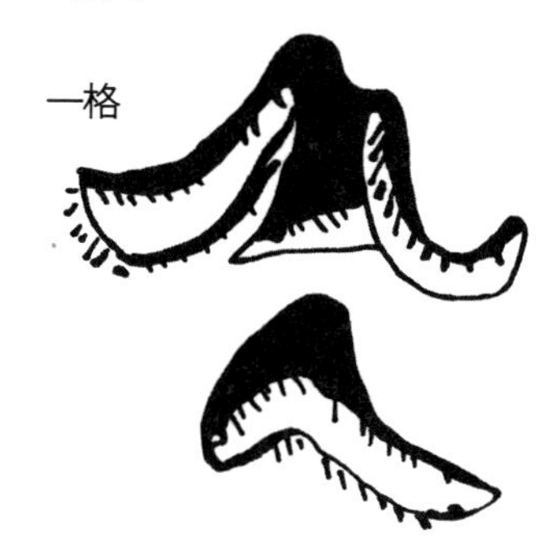

한 산에 여러 개의 脚이 飛開하여 사람의 치마를 흔드는 것 같아 不吉함. 淫亂함.

(13) 迎般砂

土星이 橫疊하여 迎般의 형상이 된 것이 많다. 쪼개지지 않은 것은 橫直이라도 可하고 뱃머리가 고르게 하여야 함.

(14) 賭錢砂

傍出한 龍身의 吉한 것으로, 도박으로 致富한다. 이 賭博砂는 끝끝내 吉한 것이 아니므로 용기가 다 될 때는 이로 因하여 敗함.

(15) 破傘砂

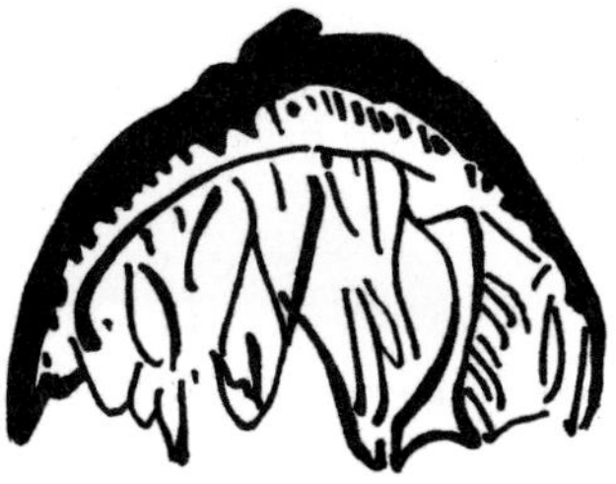

베 짜는 북과 같으며 擱葉一峰이 端正하고 分脚이 停均하니 앞에 砂가 보이니 不吉하며 破됨은 더욱 凶하다.

(16) 錦被盖錢砂

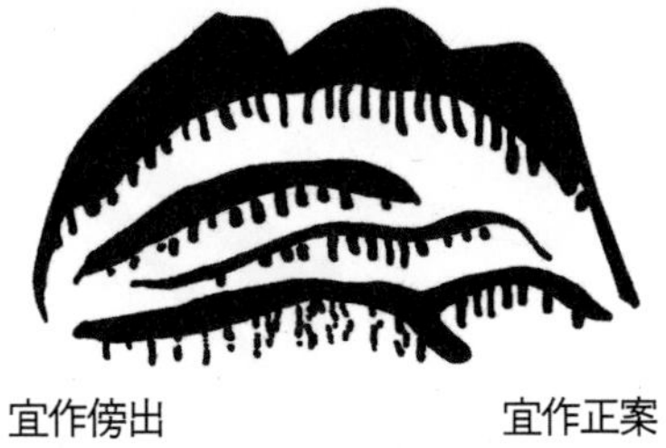

여러 산과 연결되지 아니하고 圓扁하고 方長하며 네 군데 裙脚이 撒被의 형상이 된 것.

(17) 尊盃砂

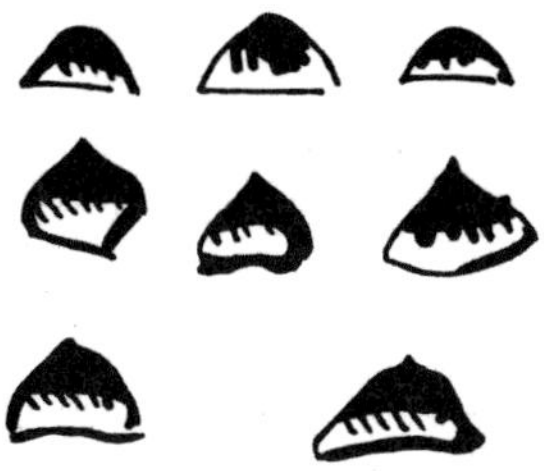

横列로서 혹 받침이 있거나 없거나 혹 열렸거나 합하였거나 한 것 등으로 되어 있으나 이 모두 尊盃에 해당한다. 品字는 본시 吉한 것으로 開闊展布하면 吉함.

(18) 破網砂

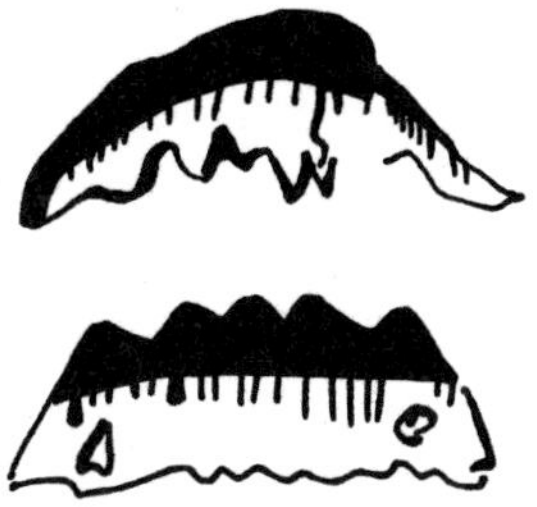

파랍과 洪破가 雜出한 것으로 家業을 파산시키는 凶砂임. 泉漏不乾하니 疸瘡. 冷潰, 骨疸, 膴爛의 疾을 主掌하고 徒杖刑罰이 있다.

(19) 堆錢砂

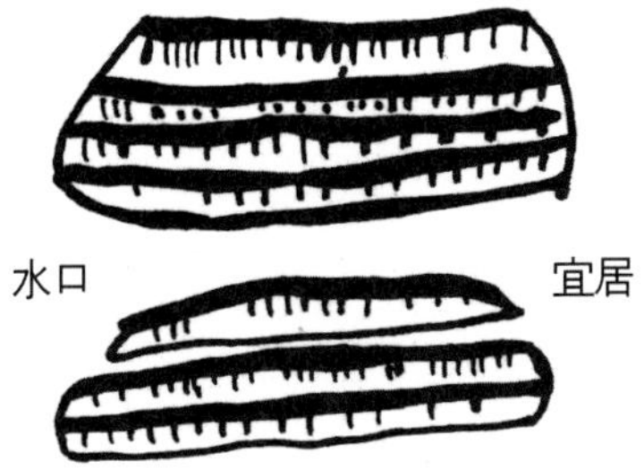

두머리에 辦索의 형상으로 된 것이 있는데 구애받지 말고 모양으로 따라 取할 것임.

(20) 堆肉富砂

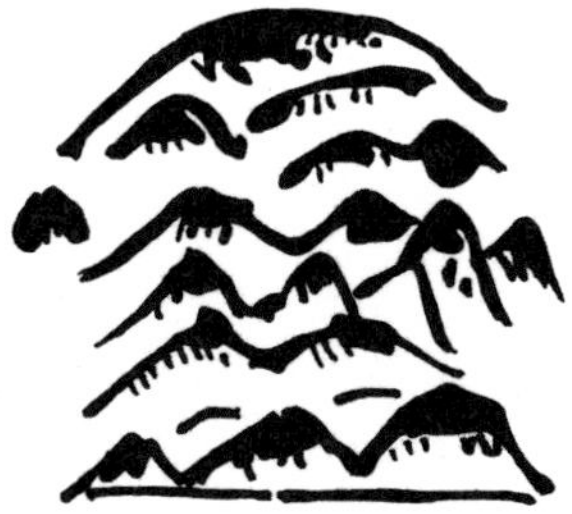

重重疊疊이나 石小不等임. 만약 둥글고 바르면 富함. 또 推甲의 형상과 같으면 武貴하나 이미 모두 破碎하면 凶하다.

(21) 客棺砂

棺形이 橫으로 보이는 것은 喪禍를 主掌함으로 客死하여 돌아오는 것임. 기울고 順水하는 것은 객사하여 靈櫬이 돌아오지 못하는 것이고, 逆水함은 客死라도 고향으로 돌아오는 것이다. 棺이 머리가 높고 다리 쪽이 얕은 것은 棺이 되나 반대는 棺으로 보지 않음.

(22) 咀呪山砂

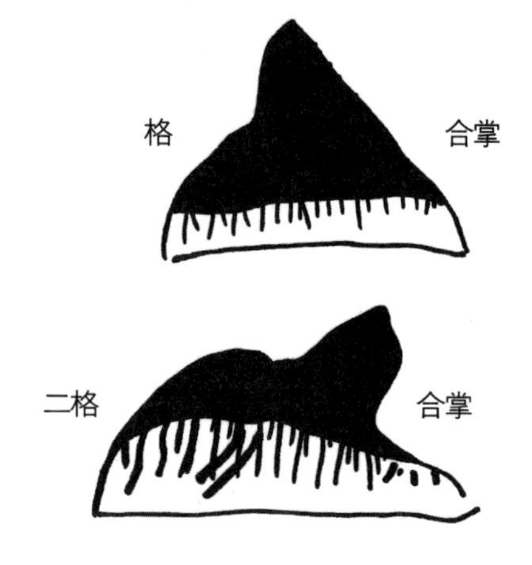

咀呪山이라고도 하며 두 산이 合掌한 것 같음. 賤格砂이나 간혹 부귀한 땅도 있다. 나가는 사람이 天理를 한다 하여 咀呪케 하는데 庵子나 寺觀에게 보이면 吉함.

(23) 鶉衣百衲砂

水星의 橫濶한 것으로 여러 가지가 있으나 모두 龍에서 얻어야 한다. 富龍은 帳이요, 貴龍은 掛榜의 砂를 말함. 長濶方劑하고 浪痕破碎가 없고 山脚의 飛斜가 없어야 함.

또 一脚은 山頭가 歪側하고 粗하며 破碎되고 巉巖하고 山足이 飛斜散亂한바 이를 鶉衣百衲이라 함. 그러나 이 凶格이 멀리 있으면 害가 없다. 遠近을 잘 살펴야 한다.

4. 下格 賤砂

(1) 降節砂	(2) 鬪訟筆砂
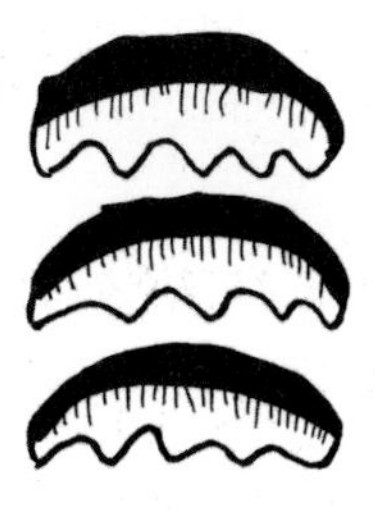 佛家神仙의 道具로서 그 모양이 머리빗과 비슷함. 正案이 됨은 切忌하고 陽宅이나 陰宅이거나 이 格이 있는 것은 不吉함.	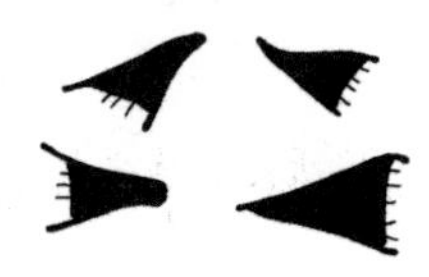 穴前에 兩突이 상대하여 싸우고 쏘는 것 같은 것. 穴前에서 이것을 만나면 爭鬪의 應이 많이 나타난다. 兄弟不和하고 訟事하기를 좋아한다.
(3) 賤旗砂	**(4) 降旗砂**
 尖射, 破碎, 猗砂,醜惡하고 또 黑石이 巉巖하게 있으니 凶格임. 만약 水口에 出이 있어 穴間에서 보이지 않아야 吉함.	 땅에 깔려 부서지고 飛走動焰하고 順水한 것으로 頭身의 大勢는 內를 向하고 旗脚은 밖을 한 것으로 패기라 한다. 頭身이 外를 向한 것은 降旗임.
(5) 敗旗砂	**(6) 鉢盂砂**
 땅에 깔려 破碎되었으나 順水하지 않음. 항기보다 흉함은 적으나 싸움에 패함은 같다. 항복하여 욕을 당하지 않음은 역.	 圓山이 많고 적음에 다른 바가 있으나 鉢盂와 같은 것임. 台蓋와 같은 星下에 있으면 받침 있는 술잔이 될 것이나 이런 때는 後龍의 如何를 보고 한산이 둥글고 다리가 있으면 역시 鉢盂가 됨.

(7) 罵天筆砂	(8) 和尙筆砂

尖峰이 두 갈래로 나눈 것. 비록 秀麗하나 不吉함.	尖峰 곁에 있는 駝背之形으로 金火가 相戰하므로 賤한 것임. 다시 仙橋가 있어서 도우면 主高僧이 됨.

(9) 離鄕砂-1, 離鄕砂-2

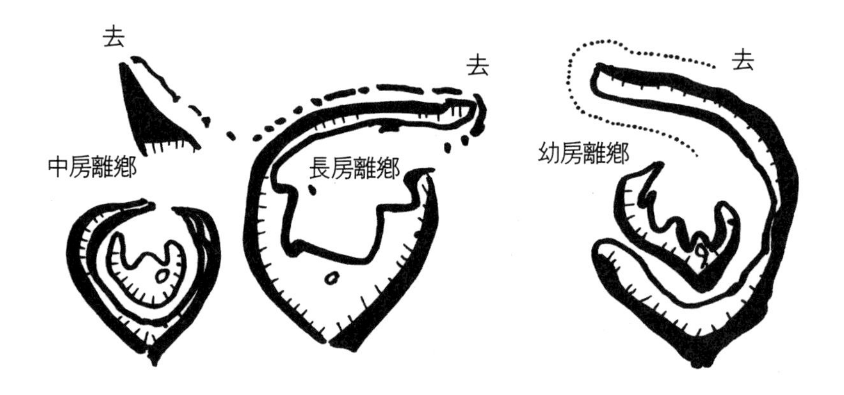

順水飛走하여 다시 막아주는 것이 없는 것. 위아래 臂가 交叉的으로 지난 것은 반드시 一重의 下手가 있어 막으면 좋으나, 만약 밖의 一重이 막지 못하고 과신하면 離鄕의 應이 있다. 飛揚하고 달아나면 같다. 용혈과 朝應이 참되더라도 離鄕은 하나 꺼리지 않음. 벼슬하는 사람은 이향은 하나 고향을 떠나 타처에서 寄居함은 구차하다. 離鄕砂는 穴前이 참될 때만 가려 써야 함.

(10) 左退田筆砂

양쪽 물이 夾送하여 아래로 흘러가면 더욱 심함. 이는 조금이라도 물을 따라 내려가면 田產을 팔아 없애 離鄕乞食하는 것으로 가장 흉악한 것임. 따라서 방향을 피해야 하며 소년에는 死亡하고 生子해도 不肖하여 마침내 絕滅하며, 尖이 穴을 쏘는 것은 인명을 殺傷하고 訴訟으로 敗家亡身함.

(11) 右退田筆砂

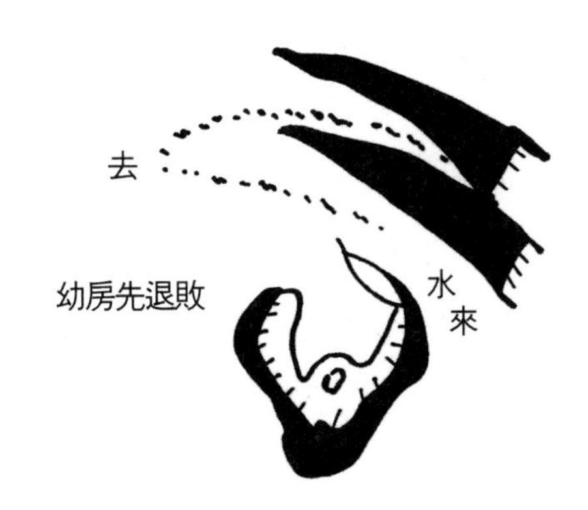

山頂에 있는 尖이 물을 따라 順하게 흘러가는 것. 좌우를 不論 退田筆은 穴을 지나거나 안 지나거나 退敗한다.

제6절 先人 諸說

1. 金囊經의 山勢確認 15 項

(1) 山勢는 엎드려 連하고 一頓一起 表裏承接하고, 來勢는 連綿 不絶, 根源은 하늘에 닿은 것 같을 것
(2) 平坦하고 넓은 땅이 물결의 파랑 같고 起伏紋이 美的일 것
(3) 支壟의 奔騰이 말 달리듯 할 것
(4) 龍이 困하거나 弱하지 않고 힘차게 치달을 것
(5) 山勢의 行止에 隱伏과 玄趣를 살필 것(尸體 같지 않을 것)
(6) 衆山이 朝從하여 貴人格일 것
(7) 來龍 富格일 것(水陵珍羞가 潔齊 한곳에 端座할 것)
(8) 孔氣가 充滿한가를 살필 것(풀무에 바람이 이는 것 같은 땅)
(9) 前後左右가 그릇에 물건을 담은 것 같을 것
(10) 龍이 蟠居하고 鸞鳥가 춤을 추고 있는 것 같은 땅
(11) 主山에 對한 諸山이 엎드린 形局일 것
(12) 主山 玄武 形態는 萬乘의 尊貴로 天子와 같이 완연할 것
(13) 日月星辰이 塚宅을 비추고 있는 것 같을 것
(14) 衆流 百川이 모여들고 千山이 옹위함일 것
(北斗에 對한 諸星의 恭敬과 같을 것)
(15) 四勢가 端明하고 禿·斷·石·過·獨이 없을 것

2. 金囊經의 物類形別 所應

(1) 仰刀 : 凶禍伏匿
(2) 臥劍 : 誅夷逼僭
(3) 橫几 : 孫滅 子死絶祀滅族.
(4) 覆舟 : 女病 男囚
(5) 灰囊 : 災舍, 焚倉
(6) 投算 : 百事昏亂
(7) 植冠 : 永昌且歡
(8) 覆釜 : 起巔可富

(9) 亂衣 : 妬女淫妻, 奸婦
(10) 皁辰 : 王侯崛起
(11) 門戶 : 貴不可露(龍遶 虎踞. 前案關鎖면 大貴)
(12) 燕巢 : 胙工 分茅(公侯 忠臣냄)
(13) 遠來回曲(側壘來岡遠) : 九棘三槐(公卿을 낸다)
(14) 萬馬自天 : 王者多
(15) 巨浪起伏 : 千乘之葬, 天子多地
(16) 降龍 : 爵祿三公(앞에 물 있을 것)
(17) 雲從壁立雙峰 : 翰墨 詞鋒
(18) 重屋 茂草 喬木 : 開府建國
(19) 驚蛇屈曲 : 滅國亡家
(20) 戈矛 : 兵死刑囚
(21) 流水 : 生人皆鬼

※ 類形의 吉凶 所應은 局穴의 吉凶 善惡如何에 의해 變함. 卽 穴場의 眞假에 따라 類形의 吉凶이 相對的 變化를 일으키므로 絶對的 判斷基準은 스스로 決定될 수 없다.
※ (1)~(13) : 形別 所應, (14)~(21) : 勢別 所應

3. 靑烏仙의 十不相

(1) 粗頑 醜石 : 頑石 粗惡한 類는 凶惡 故 不可相
(2) 急水 爭流 : 急水交劍爭流가 穴前見 極凶 故 不可相
(3) 窮源 絶境 : 窮源處는 龍脈發身處 假穴 故 不可相(入水源 可相)
(4) 單獨 龍頭 : 單山獨龍은 孤寒無倚處 故 不可相
(5) 神前 佛後 : 神前佛後는 鐘鼓소리를 꺼린다. 故 不可相
(神廟寺觀은 대개 孤陰 寡陽하고 單獨龍身(神)임으로 水口山이 되기 쉽다. 그러나 神前佛後에도 正穴 있다.)

(6) 墓宅 休囚 : 生氣 衰敗過程임으로 發福없다. 故 不可相

(7) 山岡 潦亂 : 崗壟走亂으로 山勢無情 故 不可相

(8) 風水悲愁 : 山이 거칠고 물이 峻急하며 물바람 소리가 한데 어울리니 울부짓는 소리 穴場을 에인다. 故 不可相

(9) 坐下低軟 : 盛旺高明치 못하고 軟弱 無記脈에 결함있는 死地이다. 故 不可相

(10) 龍虎尖頭 : 龍虎尖頭하여 相爭이면 不可相. 曜發하고 不相爭 卽 貴穴

4. 陽公의 三不葬

(1) 有龍 無穴則 不葬

(2) 有穴 無人則 不葬

(3) 有人 無時則 不葬

5. 穴星 七凶

(1) 貫頂串脈 : 星峯無頭 (凶)

(2) 露胎 : 龍虎短縮 (凶)

(3) 死鱉背 : 頑硬 (凶)

(4) 繃面 : 浪痕 或橫 或直 破碎 參差 (凶)

(5) 斷如斬 : 斷脈 斷截 如斷 (凶)

(6) 受殺 : 大小不分 散殺 (凶)

(7) 吐殺 : 直長則 死吐殺 (凶)

6. 葬의 六凶

(1) 陰陽 交錯 (凶)

(2) 歲時 之乖 (凶)

(3) 力小 圖大 (凶)

(4) 替上 逼下 (凶)

(5) 憑福 恃勢 (凶)

(6) 變應 怪見 (凶)

7. 廖金精의 六戒

(1) 去水地에 不葬(家計 敗退)
(2) 劒(劍)脊龍에 不葬(殺師)
(3) 凹風穴에 不葬(人丁絶滅)
(4) 無案山을 嫌忌(困窮)
(5) 明堂蹉跌(跌決)을 畏忌(家業破散)
(6) 龍虎飛斜를 偏憎(人口減少)

8. 廖金精의 穴星 八病

(1) 斬指 摺痕 項下拖
(2) 破碎石이 嵯峨하다.
(3) 斷肩水가 膊을 穿出하여 去한다.
(4) 剖腹 腦長窟이 진다.
(5) 折臂의 左右가 낮다.
(6) 破面의 浪痕이 垂하여 있다.
(7) 陷是 脚頭에 竄入水한다.
(8) 吐舌 生 尖嘴한다.

9. 穴의 五要

(1) 1要 : 葬其所會
(2) 2要 : 審其所廢
(3) 3要 : 乘其所來
(4) 4要 : 擇其所相(應)
(5) 5要 : 避其所害

10. 劉白頭 十般 無脈絶

(1) 山凹絶 : 龍虎腰凹, 有缺陷, 風入穴 故로 主絶

(2) 覆鐘絶 : 形如覆鐘, 高聳, 直硬 峻急 故 絶脈
龍虎護衛와 下吐粘穴要 → 有穴則 窩鉗

(3) 城門絶 : 龍虎城門이 斷切 破絶

(4) 馬眼絶 : 來龍急降, 玄武高昂不受, 穴星孤露吹風 故 堂內水 不聚

(5) 乾流絶 : 龍虎橫飛空亡, 元辰傾低水去 故 過脈絶龍

(6) 犁嘴絶 : 勢急降, 尖銳함이 따오기 뿌리처럼 直硬 故 帶殺絶

(7) 鵞頸絶 : 龍虎尖利背走, 鵝頭鴨頸, 單寒微弱絶

(8) 初龍絶 : 初龍發後의 倒地處로 脈絶, 水短 無龍穴

(9) 乾窠絶 : 過龍이 乾窠에 僞結, 橫脈으로 無力하여 鬪虎不能. 無氈(氈)脣 故로 假花

(10) 大坂絶 : 大坂中 無龍脈, 一坦平洋이 斷脈水劫을 받음

11. 厲伯詔 四不下

(1) 無穴不下

(2) 無德不下

(3) 無福不下

(4) 無期不下

12. 泓師의 絶穴辨

(1) 覆月 絶穴 : 太陰星下 角星, 必히 孤露飽硬하여 無穴地
來龍 不眞이므로 水口砂 羅城類를 만든다.

(2) 牛鼻 絶穴 : 孤星 高懸으로 吹風處다.

(3) 窮源 絶穴 : 窮源處는 太山發足處로 必히 山勢가 雄逼하다.
雪心賦에 窮源僻塢境處는 假龍이라 했다.

(4) 牛角 絶穴 : 尖露石多, 曜氣 曜星으로 絶穴地

(5) 釵股 絶穴 : 硬露處로 脈盡氣絶이다.

(6) 帶刀 絶穴 : 峻·硬·側·斜하니 無穴處다.

(7) 牽城 絶穴 : 水城이 斜牽하여 無情하므로 不融聚

(8) 倒城 絶穴 : 山水가 傾(碩)瀉하니 絶穴處다.

(9) 三箭 絶穴 : 三箭水가 峻急하게 直射하므로 絶穴地다.

(10) 撞城 絶穴 : 水城이 穴을 直撞 直射한다.

(11) 斷城 絶穴 : 水城의 衝破로 斷穴處다.

(12) 四吊 絶穴 : 四方水가 直去. 不聚 故 絶穴

(13) 裹(褁)城 絶穴 : 水城이 星頭를 싸고돌아 餘氣가 絶
(訣에 云 裹(褁)頭城裹어든 莫扦墳하라.)

(14) 蛇頭 絶穴 : 猛氣, 殺重하니 窩鉗閉鎖면 不葬, 絶穴
有氈(氈)이면 可

(15) 蛇尾 絶穴 : 尖利 細長하여 脈盡 氣絶

(16) 浮牌 絶穴 : 廣濶 氣散하여 絶穴(龍眞이면 陽基)

(17) 遶岡 絶穴 : 枝脚 不備 纏護砂로 風吹水劫한다.

(18) 犁壁 絶穴 : 高峻下尖, 八方吹風處로 不藏蓄地

(19) 交劍 絶穴 : 山交劍(殺鬪 軍配), 水交劍(脈大盡)兩水
相交로 尖利 相射한다.

(20) 死蛇 絶穴 : 無屈曲이니 軟弱 無氣處이다.

(21) 垂足 絶穴 : 垂足 箕踞하니 絶穴이다.

(22) 天敗 絶穴 : 崩陷하여 氣敗地다. 僞窩則崩陷

(23) 懸針 絶穴 : 大幹行龍中 枝脚 到地處는 上大 下尖 故 不蓄

(24) 鞋尖 絶穴 : 細起孤露脈이면 吹風水割한다.

(25) 狼牙 絶穴 : 尖露하니 絶穴處다.

(26) 離鄉 絶穴 : 龍虎飛走順水하니 無收拾處다.

(27) 弓鞠 絶穴 : 兩方垂라 無融結

(28) 弓弦 絶穴 : 直急故로 氣絶處

(29) 鼠頭 絶穴 : 尖縮故로 氣絶處

(30) 過宮 絶穴 : 氣去處로 無融結(脈止過山 不葬處)

(31) 不縮(蓄) 絶穴 : 陰陽不交 界合不明 無收拾處
不會 不積이면 氣去不縮(蓄)이라. 腐骨之藏處

(32) 騰漏 絶穴 : 左空右缺하고 前曠後跌하니
地中生氣는 吹風에 蕩敗당하니, 이는 枝脚 浮氣의 無融處다.
(經에 云 騰漏之穴은 敗槨(棺)之藏處)

(33) 臥尸 絶穴 : 死尸가 땅에 누은 듯 臃腫하고 直硬이다.

(34) 釵頭 絶穴 : 釵股는 硬突露出이고, 釵頭는 硬尖露出이다(皆 絶穴處다).

13. 作法 祕旨(寥金精)

(1) 點穴法 : 慌忙치 말고 前後左右를 仔細히 踏査하여 볼 것

(2) 開塋訣 : 闊狹은 師說의 法에 依하고 太極圈을 鋤破치 말 것(水蟻가 侵棺함을 조심하라.)

(3) 穿壙法 : 深淺에 用術이 있으니 詳悉을 要한다(造化 極精微).

(4) 作堆法 : 穴場에 따라 法을 定하되 五行相剋을 忌(災禍가 重重)

(5) 防水法 : 朱雀을 살피고 步數가 알맞을 것(陰陽에 有吉凶)

(6) 取路法 : 水星局과 相合되게 曲으로 貴를 얻으라.
白虎를 挨치말며 黃泉을 피하라(犯則 禍連起).

(7) 喝形 : 九星相에 當把 되어야 하나 形穴만을 論하면 그르치기 쉽다. 星體는 沒偏頗니라.

(8) 畵圖 : 筆畵는 法度를 그르치기 쉽다. 玄機를 그릇 露出치 마라.

(9) 課驗 : 怪異한 말로 사람을 의아케 하지 말라. 禍福이 去詳推한다. 仙踪은 眞實하느리라.

(10) 傳授 : 德人이라야 方可說이니 가볍게 漏泄치 말라.

14. 穴面 四病

(1) 貫頂 : 頂脈을 뚫고 腦上으로 좇아 抽出할 것. 星峯頭가 보이지 않는다.

(2) 墜足 : 脈이 脚下로 奚아간다(靈光 內會).
(3) 繃面 : 橫條脈이 數個가 生하니 生氣가 潛消한다.
(4) 飽肚 : 粗大함이 覆箕처럼 醜惡하여 볼 수 없다.

15. 安墳 入式 諸法

(1) 去水地 不葬 : (避凶) 生計 退消 立見
(2) 劒脊龍 不葬 : (避凶) 殺師
(3) 凹風穴 嫌忌 : (避凶) 人丁 連絶
(4) 無案山 不葬 : (避凶) 衣食必難
(5) 明堂跌 嫌忌 : (避凶) 家業 破散
(6) 龍虎飛走 偏憎 : (避凶) 人口 分離
(7) 童・斷・石・過・獨・忌 : (避凶) 凶生 福滅
(8) 平地 脈巓葬 : 平地星辰은 高低가 同一體니 山水가 高低이다. 故로 山脈巓에 葬하라(福이 綿延한다).
(9) 穴星陰陽 : 肥瘦로서 分別하고 相得을 要한다.
(10) 儀中饒減 : 必히 참작하고 裁定. 先到時 相對宜
(11) 動時四象(作也) : 脈・息・窟・突 四形象(穴象)
(12) 脈象 : 脊暈中에서 生한 것을 이름
(13) 息象 : 再成形象
(14) 窟象 : 窩形成. 平面 維持
(15) 突象 : 泡形으로 나타남
(16) 陽龍息突 : 相逢을 嫌忌
(17) 陰龍脈窟 : 凶하다.

穴星을 살핀다. [(12)~(17)]

(18) 脈象 開井 四象 : 蓋・粘・倚・撞 四法
(19) 脈象 蓋法 : 脈緩時 蓋法
(20) 脈象 粘法 : 脈急處 粘法

作法에 따른다. [(19)~(20)]

(21) 脈象 倚法 : 脈直處 倚法
(22) 脈象 撞法 : 橫脈處 撞法 又는 撞尖法
脈主 葬法에 따른다. 〔(21)~(22)〕

(23) 息象 四類 : 斬·截·吊·墜 四法

(24) 息短 : 用斬
(25) 息長 : 用截
(26) 息高 : 用吊
(27) 息低 : 用墜
息主(形) 葬法에 쓴다. 〔(24)~(27)〕

(28) 窟(窩)象開井四訣 : 正(扦也)·毬(球)·架(立)·析(分)·四法

(29) 窟(窩)深 : 用架
(30) 窟(窩)淺 : 用析
(31) 窟(窩)狹 : 用正
(32) 窟(窩)濶 : 用毬
穴面主察 葬法에 쓴다. 〔(29)~(32)〕

(33) 突象 開正 四訣 : 挨·倂·斜·揷

(34) 突單 : 用挨
(35) 突雙 : 用倂中
(36) 突正 : 用斜
(37) 突偏 : 用揷
穴心主察 載穴에 쓴다. 〔(34)~(37)〕

16. 作穴時 注意할 事項

(1) 來脈을 定해 向首를 審擇할 것
(2) 圓暈中 蘭坮는 傷치 말 것(龍이 傷한다.)
(3) 井中深淺은 暈으로 相當하게 玉尺을 使用(界水 合衿 小明堂 參考)
(4) 着目要件 : 先龍格, 砂形, 水城, 作堆法度, 穴前放水, 取路.
先察 穴星(面) 後方位(向首)
(5) 古人曰 得地는 陰德에서 由來한다.

17. 入式 雜論

(1) 破 : 崩破로서 峯과 壟의 崗이 끊기고 塹하고 무너진 穴星
　流水가 衝損하고 霹靂에 무너진다.

(2) 反(歹) : 비틀리고 뒤집어진 不正인 것
　左邊不正 : 奸邪 狡猾人 出生
　右邊不正 : 女子不正 破產

(3) 流 : 山不顧 水同去 順水流走
　左右砂 無情 背走 玄武 朱雀 尖竄

(4) 射 : 塚을 向해 砂가 直來尖射한다.
　그 모습 或 如拖槍과(같고), 或如 縣劒, 或如 蚪尾

(5) 回 : 峰巒環合來朝揖. 龍虎 宛轉回抱

(6) 伏 : 山이 비스듬히 낮게 누운 것. 不聳 故 或如 覆尸 或如 臥蠶

(7) 圓 : 山이 圓滿하여 엉성치 않다. 圓小者 淸奇 粗大者 鈍濁

(8) 巧 : 秀麗함이 그림과 같고 聳立함이 卓旗와 같다.
　或如 玉帶 或突함이 받혀 놓은 화로와도 같고
　或 轉하여 勒馬와 같고
　或 戱龍이 서린 것 같기도 하고
　或 첩첩이 걸어 놓은 발과 같기도 하고
　或 簇簇하여 懸幕과 같고
　或 排衙와도 같고
　或 安床에 意志한 것 같고
　或 驅(駈)羊과 같고
　或 飛鳳과 같아 千態萬象이다.

(9) 暗 : 形像이 不明한즉 隱暗處에 있다.
　或 糢糊하여 밝지를 못하고 뭇산이 에워싸고 있다.

(10) 亂 : 雜亂繁多하고 條理가 없어 亂花와 같고
　算가치를 던진 것같이 제멋대로 흩어져 기준을 잡지 못함.

(11) 水 : 有山無水則孤, 有水無山則寡, 深水則不急, 平水者無聲
十里 밖에서 좋은 물이 來明堂하면 大貴地가 된다.

(12) 石 : 紅粉則 吉. 穿壙時 內壙靑石則 凶. 獨石 如鼓則 凶.
醜石이 무너진 비탈 같은 것 凶. 尖利한 頑塊 같은 것 凶.
無草 無木. 碎石 巉巖. 石間有水(濕) 皆凶.
五色石이 細潤(膩)하고 粉같으면 大富貴 穴處.

18. 傷龍 傷穴說

(1) 穴點 太高則 傷龍(高則 氣太急)
穴點 太低則 傷穴(低則 氣離脫)

(2) 順來 順下則 鬪氣 沖腦(鬪氣 沖腦則 傷龍)
斜揷 太過 故 氣不貫耳則(盛) 傷穴(饒減 太過則 氣脈不住)

(3) 傷龍 主 速禍, 傷穴 主 遲禍
※ 形勢의 理論과는 다른 것이니 注意할 것

(4) 穿壙(掘鑿)時 太廣則 傷龍
※ 傷龍 傷穴에 輕重이 없으니 龍穴이 함께 온전토록 操心할 것

(5) 開井時 太深則 傷穴

19. 紫瑗張 眞人 穴法 三十六 怕

(1) 一怕 : 鬪殺 直扞
(2) 二怕 : 孤露 單寒
(3) 三怕 : 坐下 低軟
(4) 四怕 : 懶坦 平洋
(5) 五怕 : 前高 後低
(6) 六怕 : 左空 右缺
(7) 七怕 : 鎗頭 鼠尾
(8) 八怕 : 高山 峻嶺
(9) 九怕 : 水走 沙飛
(10) 十怕 : 捲簾 水現
(11) 十一怕 : 凹風 吹射
(12) 十二怕 : 堂氣 不收
(13) 十三怕 : 界水 淋頭
(14) 十四怕 : 明堂 空曠

(15) 十五怕 : 八風 交吹

(16) 十六怕 : 全無 餘氣

(17) 十七怕 : 見穴前 深坑

(18) 十八怕 : 穴後 仰瓦

(19) 十九 怕 : 臃腫 頑堅

(20) 二十 怕 : 惡石 巉巖

(21) 二十一 怕 : 卑濕 瀝泉

(22) 二十二 怕 : 崩破 鑿傷

(23) 二十三 怕 : 四山 壓欺

(24) 二十四 怕 : 明堂 傾跌

(25) 二十五 怕 : 鵝頭 鴨嘴

(26) 二十六 怕 : 面牆 坐井

(27) 二十七 怕 : 燒窯 築陂

(28) 二十八 怕 : 劫砂 當面

(29) 二十九 怕 : 元辰 直瀉

(30) 三十 怕 : 箭水 直流

(31) 三十一 怕 : 牽動 土牛

(32) 三十二 怕 : 界水 塞暗

(33) 三十三 怕 : 劍水 衝摧

(34) 三十四 怕 : 路行 穿臂

(35) 三十五 怕 : 見穴前 反城

(36) 三十六 怕 : 穴後 高掛

20. 洪梧齊 二十四 殺穴

殺穴의 形은 대개 星頭不明 故로 五星體의 모습이 不確實하다. 肢脚이 走閃하며 巖峻 破碎하고 崩崖 洪赤하며 倒旗 惡石 肥壅腫 粗茅葉, 拖鎗, 歹皷, 軟蕩, 架柴, 晒(曬)網, 破傘, 嵯峨, 柔弱, 屈曲, 死鱔(鼊), 散花, 亂衣, 迎送不來, 順下, 斜飛, 披頭 撒掌, 均陷, 客風堂面捲簾, 土牛牽動 等의 穴形으로서 이를 忌避하지 않으면 誤入敗絶할 것이니 다음 二十四 殺穴을 仔細히 硏究해야 할 것이다.

(1) 頸長 : 玄武下 懸頸이 長하여 橈와 같고 尖細하다(來氣虛弱). 頭上 星峯入首가 낮은데다 兩邊殺水가 劫하여 生氣全無

(2) 仰瓦 : 穴後 仰瓦는 後宮이 비여 氣가 融結치 못한다.
雪心賦 云 「穴後에는 必히 仰瓦(空)가 防止될 것. 天財穴 可」

(3) 空窠 : 胞乳도 氈脣도 不生이니 着眼할 必要도 없다(虛窩).

(4) 吐舌 : 玄武吐舌로서 露胎 無穴處(無包藏)
(但 龍虎 有情이면 截法으로 可하다.)
※ 截法 : 玄武의 부리가 높고 긴 곳을 截한다.

(5) 貫頂 : 寥公云「貫頂脈이 腦上에서 奚아 星峯을 拙出하니 그 頭가 不見이라 이는 假龍이다(主星이 無).」

(6) 翅短 : 龍虎가 護衛를 못하여 漏胎穴이 된다.
風吹를 받는 故로 主 絶人敗財 瘟火이다.

(7) 死塊 : 無龍脈으로 壅腫 粗頑하고 無界水이니 頑硬이다.
單寒 孤弱하고 入風이 交吹한다. 不可葬

(8) 水梘 : 形如茶槽로 上分 下合이 없고 四方 四手가 皆直이다.
漏槽로서 虛窩이다.

(9) 鱉裙 : 山脚 坪形으로 鱉裙과 같다(陰陽 不分).
眞氣 未達 散氣 絶敗地이다.
或 後龍이 急히오면 餘氣를 吐하니 可하나 橫이면 不可葬

(10) 突肚 : 붓거나 굳게 突露하여 穴이 되지 않는다. 飽肚라고도 하며, 冬瓜覆箕와 같이 地應이 있어도 不可葬한다.
但 撞背入首의 眞龍이면 低穴에 可葬

(11) 牛軛 : 側 節枝가 없고 兩邊으로 물이 흩어져 順走한다.
硬直하여 挺然한 護揖이 없으니 誤葬則 少年兒失이다.

(12) 甕弦 : 甕腫 彎來하여 甕弦과 같은 것 虛窩로서 不可葬

(13) 擁膝 : 무릎 사이에 불 꺼진 화로를 끼고 앉은 形의 壁迫格
健硬히 生來하나 氣脈이 粗하고 左右不回하며, 山水離散 故로 田畓 阡陌이라도 아무 소용이 없다.

(14) 箵萁 : 箵萁形은 直水 故로 氣脈 不藏. 金魚不會이니 子孫孤窮苦. 箕口는 散이며 仰箕는 虛窩이다.

(15) 繃面 : 寥公云「數條의 生脈이 橫生하나 氣散하여 自然 潛消된다.」

(16) 墜足 : 寥公 云「墜足은 脈이 脚下로 奚아 나온 것으로 頭細 頭粗다.」前重 後輕이므로 不可葬

(17) 搖拳 : 주먹을 흔드는 듯 硬直하니 穴星을 이루지 못한다.
孤露 受風하니 眞龍이 못되며 直殺이다.

(18) 童頭 : 葬書 云「童山은 氣가 生和치 않는 故로 不可葬이다.」躁禿無氣하게 된다.

(19) 反肘 : 龍虎反背되어 穴을 無情하게 向한다.
悖逆 爭鬪, 不孝, 不義를 主함
(20) 竹篙 : 頭硬하여 殺을 帶한 故로 마디도 흔적도 없는 死硬物이라 直殺이다.
(21) 弩觜 : 硬面天罡이 火를 帶하여 弩觜와 같으니 不可.
瘟火, 人命, 枉, 死少丁 主
(22) 鍬面 : 龍不眞이요 峻硬壁立이라 無穴處
(23) 玄武 壁立 : 玄武가 垂頭치 못하여 拒尸한다.
(24) 虎入 明堂 : 虎入明堂하면 兒孫少亡하고 搥胸拭淚한다.
虎山高仰(昻)하면 啣尸라 하여 大凶

※ 來龍이 眞正이 아니고 作穴이 不美하면, 대개 그 穴星이 粗頑, 破碎, 壁峻, 醜惡, 壅腫, 尖利, 瘦削, 柔弱, 孤露, 硬直不悠揚 等의 殺이 있는 것이니, 비록 水城과 案과 龍虎가 法度에 맞더라도 虛花가 되는 것이니 砂水에 현혹되어 龍脈과 穴星의 根本됨을 잃지 말라.

21. 穴証 眞假辯

(1) 定穴은 天然的이라 一步의 移動도 變換도 不可하다.
(2) 上下左右를 各一步式 옮겨보아 다 함께 바른 것(좋은 자리) 같아, 的實點을 찾지 못하면 이는 眞的이 아니다.
(3) 菩薩面처럼 面面이 다 좋으면 속지 말라. 眞穴 없다.

3 怪穴論 諸說

제1절 怪穴論

1. 怪穴의 特徵

(1) 龍穴의 奇巧함과 醜拙함을 함께 지닌 것이 怪穴이다.

(2) 眞龍藏倖穴은 奇怪하여 天珍地秘를 鬼神이 맡아 지키고 있다가 明師에게만 그 指點을 許諾한다.

(3) 藏이란 晦와 隱을 숨기고 倖이란 譎과 險을 숨긴다.
따라서 眞龍融結은 그 福星이 非常함에 그 穴 또한 殊常한 格인지라 潛踪閃跡하는 詭異한 形穴로 閉藏함으로 이를 藏倖穴이라고 한다.

(4) 厲伯韶 云「天機는 好處를 秘密히 따르므로 俗眼이 그 奇함을 알 수 없게 한다.」 卽 厚德한 者에게 天地의 呵護가 있어 奇함을 點指케 하여 준다.

(5) 眞龍大地를 만난 明師는 淺福薄德者에게 경망히 點指치 말고 德人을 기다려 扦하라.

(6) 經에 云「龍이 若眞時면 穴便眞이요 龍不眞兮이면 穴少眞이라.」 卽 怪穴은 眞龍으로서 取舍하는 것이므로 반드시 龍이 美하여야 可하다.

(7) 穴이 疑心되어 取載키 어렵거든 後龍을 살펴서 分別하라.

(8) 怪眞穴은 龍上 出起峰과 頭上根核 及 穴形花開가 證據다.
卽 眞龍으로서 아름다움이 있어야 한다.

2. 怪穴의 種類

(1) 巧穴 : 穴形 完美하고 穴處가 보통보다 다르다.
眞龍 融結이 非常한 곳에 있다.

(2) 醜拙穴 : 穴形 隱拙하고 醜異함이 常에서 흔히 나온다.
結이 있어도 詭醜形이 된 것이다.

3. 怪穴의 特性

1) 巧穴의 特性

(1) 天巧穴

① 높은 萬山巓(萬仞山頂)에 結穴한 것. 天巧山頂은 龍虎 分界處로 峻地라도 平平하여 門戶가 있으며 穴中에서는 天體가 半天으로 높다.

② 하늘 높이 聳出하여 天上에 있는 듯하며 四望百里를 摘取하는 듯하다. 올라보면 平地인 듯하다.

③ 四面八方에 奇妙한 秀峰이 나열하여 三千粉黛와 八百煙花가 둘러섰으므로 城郭이 두루 完固하며, 朝案이 重疊되고 明堂이 團聚하여 左右가 環抱한다.

④ 水가 기울지 않아야 穴이 孤寒하지 않고 穴場의 極暖함을 要한다.

⑤ 聖賢出(上格貴龍〈禁穴〉) : 出將入相, 皇妃國戚, 神童壯元出(中格龍穴)

(2) 沒泥穴

① 平坦下 沒泥處에 結穴

② 寥氏 云「藏龜閃跡은 在田中」

③ 張子微의 天平穴, 大平洋地 結穴處는 高下分明

④ 水勢에 의해 穴을 찾는다.

⑤ 陽公 云「平地龍勢는 水勢에 因한다.」

⑥「龍이 平洋에 이르면 踪跡을 찾지 말고 水가 돌아선 것으로 眞龍을 찾으라.」

(3) 八風吹穴

① 孤露한 八風吹處 隈聚한곳으로 穴場에서는 바람이 없다.
② 寥氏 云「空轉吹風은 不可畏나 穴上吹風은 不可다.」
③ 俗眼으로는 露寒함이 險이나 穴上은 平坦하고 藏風聚氣하여 溫하다.
④ 發揮 云「山이 峻하고 穴이 높으면 대개는 峻한 가운데서도 平地를 求하여 쓴다.」
⑤ 山露穴出處라도 兩肩이 蔽하여 있고 孤露受風處라도 藏風聚氣된 곳이 있으면 吉
⑥ 張子微 云「八風을 타는 穴은 보기에는 寒한 것 같으나 穴上에 올라보면 溫하고 側見則 突露하나 올라보면 감추어져 있다.」

(4) 直出 兩水射脇穴

① 直出兩水가 옆을 쏘면 曜를 依持하여 쓴다.
② 楊氏 云「也曾見穴 直如鎗하니 兩水射脇 似亂當」하는 곳에는 水射處에 定穴하고 山頭나 石曜에 依持하여 衝出하거나 水射함이 不見이어야 한다.

(5) 水中結穴

① 四畔水가 汪洋한 곳
② 或 水底穴이 있으나 來脈精奇하고 踪跡詭異하여 他와 빼어남이 있다가 홀연 脈을 숨기고 結作한다.
③ 張子微 云「水巧穴은 水中行龍의 開(繫)處를 보아 或隱, 或顯(見), 或夾流하는 것으로 指示키 어렵다.」
④ 捉月이 水中에 有하나 山阜 突出處에 土로 封함이 있어야 한다. 必히 山阜上에 結穴함.
⑤ 水中穴과 水底穴의 結穴을 착각하지 말라.

(6) 頑石中 土脈穴

① 眞龍에 四獸廻環하면 石板不 土穴이 나올 때 眞穴이다.

② 子微 云「石山 石片이 漫漫하여 寸土도 없으면 穴이 아무리 좋아보여도 不葬이라.」

③ 卜氏 云「石間 穴貴는 得 明師.」

(7) 穴瞰泉竅〈龍漏穴〉

① 穴을 내려다보는 泉이 葬後엔 마른다.

② 泉은 甘美異常해야 하고 冷泉이 되어 險潰해서는 안 된다.

③ 龍漏穴을 만나면 泉美함을 먼저 가리라.

(8) 水邊結穴

① 龍眞穴的인데 물가 水害를 입기 쉬운 곳에 가깝고 좁은 穴이 있다.

② 葬後 水城이 옮겨진다.

③ 葬時 水만 옮겨 避하면 吉

(9) 騎龍結穴

① 穴이 龍脊에 있다.

② 寥氏 云「騎龍은 龍脊에 있음이니 龍住應이 無敵」

③ 力量 最大 旺盛 故로 結穴後 餘氣 窮盡處에 氣居함

(10) 斬關穴

① 行龍의 氣脈이 斬截된 곳이나 旺氣가 잠시 머물러 結穴된 것이다.

② 星辰을 이루어 形穴이 있으면 可葬地다.

③ 龍盡處에 成穴인 고로 穴的이나 速發 速敗地다.

(11) 汪傍結穴

① 春夏에는 四望이 물이요, 秋冬에는 形穴이 露出됨

② 卑濕한 것 같으나 龍眞穴的이면 不可畏라.

③ 楊公 云「穴이 큰 못 물가에 臨했으므로 俗人이 보면 穴에 包藏됨이 없다

한다.」「平中에 도리여 水流坡가 있으니 물보다 一村만 높아도 언덕이 된다.」「山盡하여 野中 落穴하면 貴가 無敵.」

④ 대개 正穴處는 水漲해도 卑濕함을 두려워하지 않는다. 葬後 물이 빠지고 마른다.

⑤ 湖濱穴法의 妙가 水中에 있다.

(12) 田疇落穴

① 穴이 밭에 떨어져 있다. 春夏엔 水가 交流함.

② 平田之地에서는 一村高則山, 一村低則水가 된다.

③ 分水伶俐하고 얕은 突이 일어나 開口가 明白하며 界水 交截하면 眞穴이다.

(13) 土皮 結穴

① 穴이 土皮上에 있으므로 培土葬한다.

② 地氣 浮上處는 깊이 파지 말라 培土葬하라.

③ 龍脈 浮沈의 差에 따라 葬法이 다르다.

④ 地土厚 龍脈沈 → 數尺深葬하되 너무 깊지 말며, 地土薄 龍脈浮 → 土皮上에 培土葬하되 너무 얕지 말 것

(14) 石山 土穴

① 돌틈 중에 土氣가 있어야 穴脈이 通함.

② 氣는 土로 흐르니 石山에는 不葬. 石中土가 眞穴

③ 楊公 云「大石間에 穴이 있다.」

④ 張子微 云「石山穴에 팔 수 없을 때는 구태여 파지 말고 깨지 말며 石氣漏泄치 말고 그 위에다 安柩하면 自然히 融結되어 山脈氣를 얻는 것이다.」(但 頑石은 生氣 없다.)

⑤ 石山에서 돌무더기를 들쳐 내서라도 土脈을 만나면 可葬이다.

⑥ 卜氏 云「石間貴穴은 明師라야 얻을 수 있다.」

(15) 水見穴

① 小水 直流가 거듭 보이는 穴

② 小水가 直流하는 것이 거듭 보이는 眞龍穴은 葬後公侯出地

③ 陶公 云「直流百步는 世上이 바뀌어 官이 되는 것이니 반드시 外面에 大河大溪가 逆潮하고 橫으로 둘러 있으며 山脈이 거듭 막아 주는 것이다.」

④ 賦에 云「元辰水가 當心 直出함은 凶이 아니다. 外面山이 머리를 돌려 橫으로 막아주면 反吉을 얻는다.」

⑤ 直流穴은 必히 龍長하고 氣旺하며 兩畔山脚이 거두고 싸주어 水는 가더라도, 山은 돌아서야 한다.

⑥ 寥氏 云「第一은 去水地에 下葬치 말라, 家計의 敗함을 바로 보리라.」

(16) 順水 穴前 砂斜

① 順水하는 微砂가 斜飛하는 曜는 秀曜다.

② 眞龍에서 穴前에 順水 斜飛하는 微砂가 曜일 때는 退田筆이나 離鄕砂가 아니라 貴穴秀曜다.

③ 비록 殺氣나 刑射의 砂가 있을지라도 眞龍大貴穴에서는 모두 나의 使用人이 된다.

(17) 無龍虎 平洋穴

① 穴을 護衛하는 包藏이 없이도 可하다.

② 平洋에서는 凹風이 없는 故로 立穴處에 龍虎의 護衛가 없어도 風吹가 없다.

(18) 餘氣出地 大龍穴

① 氣旺한 大龍穴은 그 餘氣가 있다.

② 大龍 大地는 結穴後에도 餘氣가 나아가 廻環하여 穴을 두호하거나 或 下手가 되거나 或 障峽이 되거나 或 水口 捍門이 되기도 한다.

(19) 逆水洋潮座空穴

① 穴座後가 空이라도 嫌疑되지 않음.

② 來龍 踊躍雄猛하고 結穴後 몸을 뒤집어 逆水 洋潮하면(穴場이 長(藏)聚하고 穴上隈聚한다.) 座後空이라도 水가 두르므로 吹風의 嫌忌가 없다.

(20) (廻龍)顧祖 低穴

① 顧祖穴이 祖가 높아 있다.

② 顧祖穴은 前祖의 높고 逼近함을 두려워 않는다. 다만 山面은 開平秀麗해야 하고 粗惡, 攲斜, 臃腫, 醜陋, 尖射, 飛走, 破碎, 巉巖은 不可하다.

(21) 龍脫巧穴

① 山脈 斷絶後 水中을 지나 結穴

② 石梁으로 過水하여 다시 星辰을 일으켜서 結穴함

(22) 合氣穴

① 龍脈氣가 合氣하여 結穴

② 經에 云「兩龍 氣運이 合하고 兩水三山이 共一場이다.」

2) 醜拙穴의 特性

(1) 醜拙形穴

① 眞龍이 僥倖을 감추고 醜拙한 穴

② 智慧 있는 사람이 어리석은 체 하는 것 같고 큰 巧가 마치 醜拙케 보인다.

(2) 醜女興家穴

① 外貌는 醜拙하나 안으로 眞氣가 融結되어 德 있는 女人 같다.

② 穴은 龍脈으로 主를 삼는 것이니 龍이 眞的이라야 穴이 眞實된다.

(3) 獨長中出穴

① 長乳의 氣力旺盛한 山勢가 龍虎의 保護 없이 自體窩鉗을 열어 龍虎代行케 한다.
② 直長 中出하여 本身이 龍虎보다 길다.

(4) 偏側穴

① 偏側한 곳에 穴腦가 融聚되어 있다.
② 端正한 穴星이 아니나 藏倖한 龍穴脈이 되며 偏側한 곳으로 많이 融聚된다. 但 穴後 鬼樂이 있어야 眞的이다.

(5) 楓葉三了穴

星辰穴下에 尖嘴가 있어 騎形座殺이 된다.
主 貴, 權, 文武兼

(6) 直長廻環造穴

結穴 餘氣가 直長出하면 그 出砂를 끊고 다스려 한 팔이 逆으로 움켜쥐게 한다.

(7) 場後 空槽穴

穴星後가 空槽처럼(둥근 빈 통처럼) 鉗穴의 合됨이 있다.
陽中有陰의 變

(8) 場前 空槽穴

穴前 空槽는 深溝와 같이 金梘銀槽다. 陰中有陽으로 正鉗과 같다.

(9) 長股穴(醜穴)

鶴爪形으로 兩邊 짧아 突露해 있다.
한 발톱이 天然的으로 正身을 바치는 祿存帶祿이다.

(10) 撒網穴(醜穴)

牛皮와도 같은 平坡之穴에 微微한 屈突이 있다.
흩어짐 속에 모아짐이 醜穴의 怪巧다.

(11) 一臂小穴(醜穴)

龍虎中 一臂가 짧아도 外山이나 水城이 代身할 수 있다.

(12) 粗頑太極穴

星辰이 粗頑한 곳은 太極暈이나 界水分合이 分明하면 貴穴이 될 수 있다.
龍脈 眞的을 察

(13) 擔凹穴

擔凹와 같은 凹穴이 있다.
兩肩起하고 正對主峰이 四凹에 入하고 後樂이 必有하며 後宮包裏(句裹)나 孝順鬼가 妙하다. 後宮空曠은 不可

(14) 凹腦穴

後宮에 仰瓦(瓦中乳生은 假)가 있거나 後樂이 반드시 必要하다. 乳突은 無樂도 可하나 窩鉗은 必有樂이다.

(15) 拖鎗(槍)穴

山의 勢가 雄勇함에 그침이 어려워 尖形으로 穴을 作함.
青白 纏護가 長해야 한다.

(16) 鬪斧穴

左右龍虎에 구애 없이 橫來直受나 直來橫受하여 그 中으로 向함. 먼저 鬼樂이 次로 前山朝水의 相應이 次次로 托樂을 살펴 扦葬한다.

(17) 圓頭穴

山上 龍脈怪穴處에 龍虎가 없이도 入首頭腦가 圓頭形이면 自體 內의 龍虎蟬翼이 發達하게 된다.

(18) 水潮 案山穴

案山이 없이도 諸水聚地가 案山임.

(19) 反掌穴

仰掌穴과 같으니 掌心의 窩靨이 있어야 한다.

(20) 鍬皮穴

來勢長直急의 木星穴에 殺氣를 制壓코저 鍬皮한다.
必히 苞節의 玄微함이 있다.

(21) 飛蛾接(貼)壁穴

微突이 粗中細로 作穴한다.

(22) 掛燈穴

高山急落中에 緩處가 穴이다. 窩가 조금 높다.

(23) 仰高穴

急中 緩處 平坦에 結穴

(24) 平中 突穴

緩中急으로 緩龍到頭에 문득 突起함. 必히 嶺에 葬할 것.

(25) 隱拙穴

顯露함은 花穴假形이 많고 隱拙함은 奇跡과 異踪이 있다.

(26) 神機를 숨기는 것이 眞龍藏倖穴이 된다.

(27) 奇形怪穴이라도 龍眞이라야 穴眞이 된다.

(28) 假龍에는 虛穴이다. 到頭의 結果가 없다.

(29) 假龍의 窩(窠)는 虛濶空亡되고
假龍의 乳는 直峻粗大하고
假龍의 鉗는 漏槽破頂하고
假龍의 突는 破碎嬾坦하다.

제2절 怪穴諸辨

1. 怪穴 十辨

(1) 騎龍(穴) : 龍脊에 居해야 함. 龍이 머물면 應이 無敵임
(2) 藏龜閃跡 : 田間에 있으니 물이 둘러야 眞龍이다.
(3) 漱石과 安石 雜多 : 石間土穴이면 端無價니 의심치 말라.
(4) 捉月 : 水中 土穴이니 土來하여 封하다.
(5) 斬關 : 〈眞假亂別〉 行龍 氣脈 斬截(斷絕)된 곳으로 旺氣가 잠시 머물러 結穴
(6) 坐穴轉面潮水 : 潮水 案砂에 의해 八風搖도 두렵지 않다.
(7) 走珠墩阜 : 平地에서 나와 三介五介가 된다.
(8) 仰高山頂 星辰中의 平面이 眞的
(9) 奇怪穴은 精(細密함) 아니라 變態이다.
(10) 奇怪 醜拙하나 乘生得氣라야 眞的이다.

2. 五不葬地 怪穴辨

(1) 獨山 不葬地 怪穴 : 無包藏處 扦葬法
(2) 過山 不葬地 怪穴 : 騎龍 斬關之法
(3) 石山 不葬地 怪穴 : 石間土處 扦葬法
(4) 禿山 不葬地 怪穴 : 土皮凝結處 培土葬法
(5) 斷山 不葬地 怪穴 : 石梁 過水處 閃跡 沒泥法

3. 一般 不葬地 怪穴辨

(1) 脈界 水止地 怪穴 : 龍脫 扦葬法

(2) 穴後 仰瓦地 怪穴 : 仰瓦 扦葬法

(3) 惡龍 泥水邊 怪穴 : 沒泥 扦葬法

(4) 穴場 不止處 怪穴 : 長枝中腰 扦葬法

(5) 去水地 怪穴 : 直流處 扦葬法

(6) 穴場 破鎖地 怪穴 : 無龍無虎處 扦葬法

(7) 鎗頭 鼠尾地 怪穴 : 抛鎗地 扦葬法

3. 風水 인테리어

成功과 幸運이 오는 風水 know how

"神은 人間의 교만을 다스리기 위해 창작 속 허점을 남기게 한다."

- 飛鳳山人

본 풍수 인테리어는 어떠한 경우 조건에서도 절대방위 개념에서 숙지하고 살펴보기 바란다.

1 風水란?

1. 風水의 뜻

一般的으로 '風水'라고 말하는 '風水地理學'의 정의를 내린다면, 自然環境의 이치를 파악하여 인간의 삶터를 정하고 죽은 후에 遺骨을 埋葬할, 보다 더 좋은 터를 찾는 방법론을 제시하는 學問이라고 할 수 있다.

「風水」란 말이 이 학문의 대명사로 통칭되게 된 것은, 風水地理의 5大 要素인 山, 火, 風, 水, 方位 중 바람과 물이 다른 요소들 보다 변화의 요인이 많아 인간의 삶과 묘터 유골에 영향을 크게 끼친다는 것과, 좋은 터의 조건 중 하나인 '藏風得水'에서 '風'과 '水'를 따서 일컬어지게 된 것으로 본다.

인간은 자연에서 태어나고 자라고 살다가 돌아간다. 이것은 거대한 자연의 흐름 속에서 모든 생명에게 공통된 과정이지만, 특히 그 가운데 인간들은 스스로를 자연의 한 被造物로 인식하면서도 자연에 도전하고 자연을 征服하고 자연을 이용하면서, 때로는 자연에 지배당하고 服從하고 順應할 줄도 아는 현명함을 지녔다.

이처럼 우리 인간은 필연적으로 자연과 관계하며 살 수밖에 없다. 風水란 이 같은 기본 시각에서 출발하여 자연의 生命 Energy와 인간의 生命 Energy가 가장 효율적으로 동화하고 순화하기 위해 실질적으로 어떤 방법을 취해야 하는가를 연구하는 智慧의 學問이다.

우리가 알게 모르게 영향을 주고받고 있는 자연과 환경을 과학적으로 연구하고, 보이지 않는 자연의 힘을 우리의 삶에 어떻게 받아들이고 어떻게 활용하며, 행복하고 복된 삶을 누릴 수 있는가, 그 방법을 찾고 연구하는 학문이 바로 風

水다.

따라서 風水는 자연환경이 어떤 방법으로, 어떤 형태로 우리 인간에게 영향을 주고 있는지를 정밀하게 과학적으로 연구해야만, 비로소 그 원리를 찾을 수 있는 학문이기 때문에 분명 미신이 아니라 과학이고, 과학 가운데서도 自然 環境學, 卽 環境을 통해 인간 삶의 운을 열어 가는 '環境 開運學'이라고 말할 수 있는 것이다.

2. 風水의 基本原理

지구의 중심에는 엄청난 Energy가 들어있다. 이 Energy가 땅 위로 나올 때는 두 가지 형태로 등장하는데, 그 한 가지가 隆起, 또 하나는 山脈이다. 隆起로는 지구 중심부의 Energy가 發散하면서 나타나는 현상이고, 山脈은 지구 중심부의 Energy가 순환하면서 나타나는 현상이다.

이렇게 하여 Energy의 發散體인 隆起는 '立體構造'의 Energy 몸을 만들고, Energy의 循環體인 山脈은 '線構造'의 Energy 몸을 만든다. 또 길게 뻗어내려 山脈을 이루고 안정을 취한 다음 還元過程을 거친 지형은 '板構造'의 Energy 몸이 된다.

같은 동북아시아에 위치한다고 해도 중국이나 일본의 지형은 우리와 크게 다르다.

우선 중국의 경우는 전체 대륙의 80%가 산 덩어리인 立體構造와, 평지인 板構造로 이루어진다. 일본 또한 發散 과정의 立體構造인 火山과 板構造인 평지가 전체 지형의 80%를 차지한다. 반면에 우리나라의 지형은 산맥으로 이뤄지는 線構造 Energy 몸이 전체의 80%를 차지하고 있다.

이 같은 지형의 차이는 풍수이론에 중대한 영향을 미친다. 우리나라 같은 線構造의 Energy 몸에서는 Energy의 集中과 表皮현상 때문에 山脈을 통해서만 지구의 循環 Energy를 받을 수 있고, 그 밖의 지형에서는 사람이 살 수도 묻힐 수도 없게 된다. 즉 같은 남향이라 해도 山脈의 줄기에 위치하느냐 아니냐에 따라 吉한 터가 되기도 하고, 凶한 터가 되기도 하는 것이다.

중국이나 일본은 평지가 많아 땅의 집중된 Energy 흐름이 약하기 때문에 방위가 중요한 풍수 요인으로 인정되지만, 우리나라의 풍수는 방위가 아니라 지표 에너지 흐름 현상인 地勢를 중심으로 이해해야 바른 결론을 얻을 수가 있다.

중국이나 일본이나 세계 어디가 되더라도 우리 인간은 결국 땅을 딛고 살게 되어있고, 또 땅에 묻히도록 운명 지어져 있는 것은 엄연한 사실이다.

그러므로 지구 Energy가 어떻게 모아지고 어떻게 흐르느냐에 따라 인간의 삶과 죽음이라는 生命原理도 함께 움직인다는 것을 이해해야 한다.

결국 풍수는 이 같은 地球 Energy를 어떻게 받아들이고 활용하느냐를 연구하는 데 초점을 맞춰야 하며, 우리 땅에서 天體 Energy나 方位 Energy의 작용은 단지 補助的 역할에 그친다는 사실을 알아둘 필요가 있다.

1) 風水地理學은 3~4代를 생각하는 學問

여러 가지 東洋의 學問 중 3~4代를 생각하는 학문은 風水地理學뿐이다. 좋은 터를 잡는다는 것은 곧 屍身을 편안하게 하는 것임은 물론, 3~4대代 後孫을 全人格體로 만들어준다는 보다 차원 높은 의미도 담겨있다.

산소의 머리 쪽 入首부분은 智慧를, 왼쪽 靑龍부분은 어짊(仁)을, 오른쪽 白虎부분은 의로움(義)을, 앞 纒脣부분은 예(禮)를 주는 기운을 지니고 있다. 산소의 중심인 穴에는 믿음(信)의 기운이 있다. 仁義禮智가 신의로 승화될 때 全人格體가 되는 것으로 이렇게 仁義禮智信이 다 좋은 산소에 묻히게 되면, 그 後孫의 仁義禮智信이 均衡을 이루는 참으로 바람직한 人格體가 되어 영화를 누리게 되는 것이다.

아주 좋은 질의 入首 Energy가 智慧를 밝혀주고, 상대인 禮가 이를 잘 받쳐주면 그 後孫의 智慧는 참 지혜가 된다.

入首 부분이 좋아도, 纒脣 부분에 결함이 있으면 그 智慧는 禮를 갖추지 못하였으므로 잔재주에 머물게 된다. 禮가 부족하면 자연의 흐름에 逆行하는 마음이 생겨 背反을 하는 등 비뚤어진 人格이 形成된다.「지금은 故人이 된 어느 재벌 회장은 잔재주가 많아 보이는 사람은 절대 직원으로 뽑지 않았다고 한다.」

왼쪽 靑龍기운이 좋으면 사람이 어질어 진다. 그런데 상대 기운인 白虎의 義가 부족하면 옳고 그른 分別力이 없어져, 요즘 바보 취급받는 '착하지만 피해를 주는' 사람이 되며, 社會生活하는데 여러 가지 障碍를 만나는 성격이 되는 것이다. 「얼마 전 百貨店에서 소매치기를 한 어느 자매가 있었다. 언니는 동생을 보호해주느라고 동생은 아무 것도 모르고 한 것이며, 자신이 혼자 다 꾸민 것이라 얘기했다. 나쁜 행동을 했으면서도 동생을 보호하려는 이 행동이야 말로 分別力이 없는 착함인 것이다.」

한편 청룡 쪽의 어진 기운이 모자라고 백호 쪽 義로운 기운만 있다면, 이는 무서운 義가 된다. 이런 사람은 軍人이나 檢事, 警察 등 매몰차게 적을 쳐야 하는 직업을 가져야 한다. 이 백호의 기운이 너무 강한데, 청룡의 기운이 크게 부족하다면 그 後孫에서는 殺人者가 생기게 된다.

義도 仁을 동반해야 均衡을 이룬다. 어질지 않고 의로움만 갖춘다면, 덕(德)이 있는 軍人, 檢事, 警察이 될 수 없다.

조상의 산소를 살펴보아 이렇게 부족한 부분이 있다면 그 부분을 補完하기 위해 부단히 노력하면 全人格體에 도달할 수 있다. 한 사람에게 영향을 미치는 祖上의 기운은 50%이고 靈魂의 힘이 25%, 사는 환경의 기운이 25%이다.

사는 집터를 좋은 곳에 잡고, 靈魂을 밝게 하는 노력을 한다면 祖上의 氣運 중 모자라는 부분을 補充할 수 있다.

人格이란 習慣으로부터 만들어지며, 習慣은 行爲 즉, 業으로 만들어진다. 行爲는 精神으로부터 오는 것이며 精神은 靈魂으로부터 온다.

좋은 習慣을 만들고 억지로라도 좋은 일을 해서 業을 쌓으면 後天的으로 精神이 개조되고, 靈魂까지 밝히게 된다.

善政과 積德을 하면 靈魂이 맑아지게 되는 것이며, 그렇게 살다가 世上을 떠나면 저절로 明堂에 묻히게 되어 子孫에게도 全人格體의 靈魂이라는 참으로 아름다운 遺産을 남겨줄 수 있게 되는 것이다.

2) 산소 터를 잡을 때는 4代의 均衡을

산소 터를 잡을 때 완벽한 명당자리를 찾기는 참으로 힘들다. 그래서 아무리 좋은 산소 터라 하더라도 어딘가 아쉬운 데는 있다.

산소 터를 잡을 때는 윗대의 터를 보아 부족한 데가 있으면, 그를 補充해 줄 수 있는 터를 잡아 균형을 맞추어 주는 것이 좋다.

그렇다면 어느 윗대까지를 보아야 할까? 高祖할아버지, 曾祖할아버지, 할아버지, 그리고 아버지까지 보아야 한다.

산소 터의 백호가 좋으면 자손이 富를 누린다. 그런데 할아버지 산소의 백호도 좋고 아버지 산소의 백호도 좋다면 돈이 많은 것까지는 좋은데, 그 욕심이 지나쳐서 오히려 망(亡)하기 쉽다.

할아버지의 백호가 좋고 청룡이 弱하다면 아버지 산소 터는 청룡이 좋은 곳으로 택하는 것이 좋다. 그렇게 하면 富와 名譽를 둘 다 누릴 수 있으니 錦上添花가 아니겠는가.

반대로 청룡의 경우를 보자. 청룡이 좋으면 官運이 좋아져 높은 자리에 앉게 된다. 할아버지 산소 터의 청룡이 좋은데, 아버지 산소까지 청룡이 좋으면 代代孫孫 높은 官職에 앉을 것 같지만 官職의 참 사명을 못 느끼게 되어 그 자리에 오래 있지 못하게 된다. 代代로 홀아비가 될 수도 있다.

한편 청룡이 좋으면 子孫이 오래 살게 되는데, 曾祖父 산소 터와 할아버지, 아버지 산소 터의 청룡이 모두 좋으면 자손을 많이 낳긴 하지만 오히려 短命하는 자손이 생길 수 있다. 그러므로 윗대의 청룡이 좋으면 아래 자손의 산소 터는 백호가 좋은 곳으로 보완을 해주어야 자손이 균형된 복을 누릴 수 있게 된다.

3) 집터나 산소 터가 영향을 미치기 시작하는 시기

집터나 산소 터의 땅 氣運의 영향은 그곳에 들어간 순간부터 받게 된다. 집터가 좋은 곳에 살게 되면 우선 피로가 덜해지고 건강해지며 왠지 몸의 컨디션이 좋아지는 것을 본인도 느낄 수 있다.

집터나 산소 터의 氣運이 가장 旺盛해지는 때는 3년 정도 시간이 지나서부터이다. 집터가 富者가 되는 곳인가, 혹은 名譽가 높아지는 곳인가 등등에 따른 幸運이 이때부터 확연하게 생기게 될 것이다.

산소 터의 경우도 길한가 흉한가에 따라 좋은 일이 생기기도, 나쁜 일이 생기기도 한다.

祖上의 산소 터에 가서 명상을 하며 한참을 앉아 있다 보면, 孝誠이 지극한 子

孫이라면 이 터가 편안한지 아닌지 느낄 수 있을 것이다.

만약 편안치 않은 곳이라 느껴지거나 혹 專門家가 판단하여 좋지 않은 곳이라 한다면, 埋葬한 지 3년이 되기 전에 移葬을 하거나 혹은 火葬을 하는 것이 凶運을 막을 수 있는 방법이다. 火葬은 子孫에게 無害無得하므로 좋은 기운도, 나쁜 기운도 주지 않는다. 좋은 터 잡기는 어려운 일이므로 火葬을 하는 것도 차선의 방법이 되겠다.

4) 땅의 기운도 세월에 따라 변한다는데

땅의 기운도 미소한 변화는 한다. 시간적으로는 지구의 운행 타이밍에 따라 지구 Energy의 흐름이 약간씩 변하게 된다. 하지만 氣運이 갑자기 뚝 떨어지지는 않는다. 그러므로 땅기운이 좋은 곳은 완만한 강약의 리듬을 보일 뿐 좋은 기운이 계속된다.

땅기운이 갑자기 변화되는 경우는 來龍脈에 구조적 결함이 있어 Energy 흐름이 달라지는 경우다. 이 來龍脈의 변화에 따라 땅기운은 더 좋아지기도 더 나빠지기도 한다.

5) 양지바른 곳이 좋은 산소 터인가

'양지바른 곳'이 주는 밝고 따스한 의미 때문에 누구나 양지바른 곳에 묻히고 싶어 한다. 양지바른 곳이란 太陽의 熱 Energy가 많은 곳이다.

겨울에 공동묘지에 가보면 어떤 곳은 눈이 말끔하게 녹아 있는데, 어떤 곳은 아직 산소 위에 눈이 덮여 있는 곳이 있다. 그렇다면 눈이 녹은 곳이 좋은 산소 터일까? 반드시 그렇지는 않다.

熱 Energy를 너무 많이 받으면 땅이 메마르게 된다. 벌거숭이산이나 민둥산 등 수목이 잘 자라지 않는 산은 바로 이렇게 熱 Energy가 太過한 山인 경우도 많다.

地勢에 따라 때로는 北向이 산소 터가 좋은 경우도 있는데, 이럴 경우는 南向보다는 눈이 잘 녹지 않아도 좋은 산소 터이다.

땅의 Energy와 溫度, 濕度 등이 잘 어울려야 좋은 터가 되는 것이다.

6) 산소 移葬은 함부로 하는 것이 아니다

윤달이 있는 해는 산소 移葬하는 집안이 많다. 산소 移葬을 하는 이유는 여러 가지가 있다. 조상을 모신 산소가 너무 먼 지역에 있어 자주 찾아 보살피기가 어려워서, 지금 모신 산소에 水脈이 있다거나 결함이 있어서 좋은 자리로 옮기기 위해서, 새로 산을 마련하여 조상을 한곳에 한데 모시기 위해 등등.

산소를 옮길 때는 그 산소에 조상을 모신 지 몇 년 되었는지에 따라 자손이 받는 충격이 달라진다. 모신 지 7년까지는 移葬을 해도 자손이 별 충격을 받지 않지만 그 기간이 지난 산소라면 모신 지 오래되었을수록 자손이 크고 작은 해를 겪게 된다.

물론 나쁜 산소자리 때문에 오래도록 害를 받는 것보다는 편안한 곳으로 옮겨 주는 것이 좋다. 하지만 산소를 파서 遺骨에 충격을 준 만큼 한번은 삶에 충격을 받고 넘어가게 된다.

막 산소를 파내었을 때는 멀쩡하던 屍身에 입혔던 옷이 공기 중에 나와서는 수 분 안에 삭아버리는 것을 보면 遺骨이 공기 중에 노출되었을 때 입는 충격을 짐작할 수 있을 것이다. 만약 자손이 건강상 문제를 갖고 있다면 그 病이 악화되기도 한다. 그러나 약화되어 아주 죽음에 이르지는 않고 약화되었다가 개선되는 현상을 보인다.

조상의 산소 터가 자손에 영향을 미치기 시작하는 시기는 산소에 모신지 3년이 지난 시기부터이다. 그러므로 3년이 넘어 자주 좋지 않은 일이 생긴다든지, 꿈에 편치 않은 조상의 모습이 보인다든지 하여 조상이 산소 터에 의심이 간다면 7년이 되기 전에 전문가와 상의하여 移葬을 하는 것이 좋겠다.

7) 윤달에 壽衣를 만들고 산소 移葬을 하는 이치

2004(甲申)年에는 陰曆 2월에 윤달이 들어 있다. 윤달에는 壽衣를 마련해야 한다며 한참 壽衣 광고가 등장하고, 산소 移葬 문제를 의논하는 사람들이 많다.

윤달에 壽衣를 만들고 산소 移葬을 하는 것은 무슨 이치냐고 묻는 사람이 많은데 대답은 한마디로 '理致가 없다'다.

移徙할 때도 그 사람의 四柱나 年運 혹은 方位 등을 따져 어느 方向은 좋다 나쁘다, 殺이 있다 없다 등등을 따지듯이 산소 移葬 문제도 그런 것을 따지게 된다.

그런데 소위 손 없는 날이라는 陰曆 9日이나 10日, 공달이라 불리는 윤달은 그런 걸 따지지 않아도 되는 날짜들이므로 害도 得도 없는 무난한 시기로 생각, 그런 일들을 하게 되는 것이다.

8) 미라는 子孫에 어떤 영향을 주는가

이집트展에 가보거나 외국의 박물관에 가보면 잘 보존된 미라가 있다. 屍身의 還元 Energy가 자손에 영향을 미치므로 잘 모셔야 한다고 하는데, 저렇듯 미라가 되어 이곳저곳으로 운반되어 다니고 사람들의 구경거리가 된다면 자손들에게 얼마나 흉한 영향을 미치겠는가하는 궁금증을 가진 사람들이 많다.

사실 共産主義 국가에서는 국가의 英雄을 미라로 만드는 경우가 있다. 冷凍으로 미라를 만드는 것은 곧 還元 Energy를 冷凍시키는 것에 다름 아니다. 그러므로 還元 Energy가 後孫에 同調를 일으키지 못하면 傳達되지도 않는다. 이렇게 되면 자손이 끊기는 일이 생기게 된다.

展示되고 있는 이집트의 미라의 경우는 몇백 년이 지나, 屍身의 영향력이 완전히 소실된 것이므로 博物館에 전시되어 구경거리가 된다 하더라도 후손에 영향을 미칠 시한은 지난 것이다.

9) 시신을 화장하는 것은 무해무득하다?

屍身을 明堂에 매장하면 자손에 영화가 있고, 흉당에 매장하면 자손에 여러가지 나쁜 일이 발생한다. 그런데 이 明堂 찾기가 결코 쉬운 일이 아니다. 風水를 1%의 학문이라고 하는 것은 그만큼 明堂이 貴하다는 것이다. 좋지 않은 터에 묻히는 것보다는 火葬하는 것이 낫다는 말 역시 明堂 찾기가 어렵기 때문에 생긴 말이다.

火葬은 대체로 無害無得 하긴 하나 완벽하게 無害하다고 할 수는 없다. 屍身을 火葬해버리는 것은 屍身의 還元 Energy 전달을 막는 것이다. 자손에 還元 Energy가 전달되지 않으면 種子개조가 일어나지 않는다. 조상보다 더 좋은 자손이 생기기 어렵게 되는 것이다. 대대로 火葬을 계속하다 보면 자손의 善惡 分

別心이 줄어들게 되기도 한다.

하지만 위에서도 말했듯 明堂 穴터 잡기가 결코 쉬운 일이 아니므로, 凶터에 묻혀 屍身도 편치 않고 자손에게 凶運이 발생하게 하는 것보다는 火葬이 낫다고 말할 수 있다.

10) 일본이 잘사는 이유

일본은 섬나라로 주변에 물이 많아서 경제적 富를 누릴 수 있다.

필리핀의 경우도 섬나라이지만 섬이 일본처럼 凝集되어 있지 않고 조각조각 나 있어서 갈등구조의 나라가 될 수밖에 없다. 그래서인지 필리핀은 아직도 內亂이 일어나는 섬이 있다.

일본의 지형은 線構造 지형인 우리나라와 달리 板立體 화산구조 지형으로 땅의 Energy가 線으로 이어지지 않고, 여기저기 火山質의 균등한 분포를 보이고 있다.

이런 Energy 지형에 사는 사람들은 共存, 극복 동화의식이 강해진다. 그래서 日本人의 국민성은 잘 뭉치고 잘 싸우며 잘 조화하는 특성을 지니게 된 것이다.

일본에서 溫泉을 하고 오면 풍수적으로 어떤 효과가 있을까? 日本은 火山의 영향으로 溫泉이 많다. 하꼬네에 가보면 시냇물도 유황성분으로 뿌옇고 따뜻하다. 일본의 火山은 언제 다시 영향력을 발휘할지 모르는, 땅의 기운이 움직이고 있는 땅이다.

이런 溫泉에서 溫泉浴을 하는 것은 몸을 弛緩시키는 휴식이라기보다는 緊張과 스트레스를 주는 것인데, 이 경우 스트레스는 해롭다고 볼 수 없다. 오히려 活動力을 키워주는 적당한 스트레스라 볼 수 있다.

11) 홍콩과 대만이 잘사는 이유

홍콩은 중국 대륙의 강한 기운이 뚝 떨어져 섬을 이룬 형상이다. 그러므로 그 기운을 받아 작은 도시이지만 한 나라처럼 발전한 것이다. 만약 홍콩이 중국 대륙과 이어져 있는 항구도시였다면 그렇듯 발전하지 못했을 것이다.

대만에는 우리 白頭山보다 높은 산이 있다. 이 산에 축적된 Energy가 무시

못 할 힘을 발휘하여 오늘날 대만이 작지만 부강한 나라가 될 수 있는 기운을 주고 있다.

12) 산이 많은 나라의 국민들은 총명하다

우리나라의 경우는 산이 많은 線構造 지형의 나라다. 이런 땅에서 사는 사람들은 제각각 判斷力이 뛰어나고 머리가 좋다.

독일이나 미국의 동부, 중국의 일부 지역에 이러한 좋은 Energy를 가진 산들이 있다. 이런 線構造 지형의 땅에서 기운을 받은 사람들은 개개인의 특성이 강해 調和力은 떨어진다. 우리나라 사람들이 개개인으로는 세계 어디에서나 우수성을 보이고 있지만 뭉치는 힘은 약한 것을 보면 짐작할 수 있을 것이다.

한편 들판이 넓은 지역에 사는 사람들은 산 쪽 사람들보다는 判斷力이 떨어진다.

산이 많되 물과 調和를 이루면 좋은 頭腦와 經濟力을 함께 갖춘 나라가 될 수 있다. 산이 많은 네팔의 경우는 산은 많지만 물이 적어 가난한 나라가 될 수밖에 없는 것이다.

해발높이가 높고 바다가 있는 곳에서는 長壽하는 사람들이 많다.

13) 북한이 어려움을 겪고 있는 이유

민족의 靈山 白頭山의 기운은 北韓과 南韓 모든 지역에 좋은 기운을 주는 뿌리이다. 그런데 이 白頭山 기운의 엉덩이 부분을 長白폭포가 破壞하여 Energy가 離脫하고 있다. 長白폭포에서 잘린 기운이 松花江을 거쳐 러시아 쪽으로 흘러들어 가고 있다.

長白폭포 뒤로 溫泉이 있어 계란을 삶아 먹기도 하는데, 이 온천이란 바로 白頭山의 기운이 스팀 아웃되어 빠져나가는 곳이기도 하다. 이런 形勢가 가까이 있으면 땅의 기운이 출렁출렁하여 변화가 많고 안정을 찾지 못한다.

白頭山의 좋은 기운은 오히려 우리의 옛 渤海 쪽으로 뻗어나가 있어 우리나라가 渤海 땅을 찾는다면 균형된 발전으로 부강국의 대열에 설 수 있게 될 것이다.

14) 경복궁 터는 차손이 잘되는 자리라는데...

北岳山을 主山으로 하는 景福宮터는 오른쪽 仁王山을 白虎로 하고 있다. 樂山인 왼쪽 靑龍 쪽도 좋긴 하지만 골이 깨져서 약한 형세를 이루고 있다. 靑龍은 長孫의 자리고 白虎는 次孫의 자리다. 그러므로 景福宮은 次孫이 잘되는 자리이다. 조선조의 왕들이 長孫으로 이어지지 못하는 風水的 이유가 여기에 있다.

仁王山 못 미쳐 남쪽으로 효자동, 옛 中央廳, 정부청사 쪽으로 이어지는 白虎 쪽 기운은 여자의 기세를 강하게 한다. 옛 궁에 가보면 대개 연못이 있는데 이 연못은 여자의 기운을 약하게 하기 위한 風水的 處方이었다. 남자는 陽이요 여자는 陰이고, 집이 양이라면 땅과 庭園은 음이다.

땅을 파서 물을 채워 연못을 만들면 陰의 기운이 약해져 여자의 기운을 누를 수 있다는 원리이다.

왕이 머물렀던 勤政殿은 옛 風水家들이 좋은 위치로 잡았겠으나 보다 좋은 자리는 그 뒤에 위치하고 있는 녹산 아래 현재 있는 박물관 터나 정독도서관 터가 훨씬 좋다.

15) 풍수적으로 본 청와대의 위치

날씨가 맑은 날 태평로 쪽에서 광화문이 서 있는 경복궁 쪽을 바라보면 北岳山의 脈이 경복궁 쪽으로 흘러들어 오고 있음을 볼 수 있다. 경복궁과 가까이 있긴 하지만 청와대의 집무실은 本脈의 백호 바깥쪽에 있다. 그러므로 그곳에서 내리는 중요한 판단과 업무에는 더욱 신중을 기해야 할 것이다.

경무대는 일본인들이 터를 잡아 지어둔 건물이므로 그 내력을 보면 우리에게 그리 이익이 되는 자리는 잡지는 않았을 것이다.

16) 지하철이나 터널이 땅 기운을 끊어버리는가

현대사회의 땅 밑은 下水道, 電氣線, 電話線, 그리고 地下鐵까지 수많은 문명의 利器들을 위해 파헤쳐져 있다. 도로와 산을 관통하는 터널을 포함, 이들은 땅의 기운을 파괴하는 것이라 할 수 있다.

그래서 일부 사람들은, 이제 깊은 산이 아니라 사람들이 군거하는 곳이라면 땅의 기운이 모두 파괴되어 좋은 집 터, 즉 陽宅의 의미가 상실되었다고 말하기도 한다. 그러나 땅의 기운은 그렇듯 쉽게 파괴되는 것은 아니다.

산에 터널을 내는 것은 사실 땅의 기운을 크게 損傷시킨다. 산은 차원 높은 超越的 生命 Energy體로, 파괴했을 때 地上 生命體에 영향을 준다. 그러나 들이나 溪谷, 平地, 河川 등은 還元 Energy體이므로 큰 영향을 주지 않는다.

서울의 四大門 안을 비롯 좋은 陽宅 터는 위와 같은 문명의 利器로 땅기운에 간섭을 받긴 하지만 그래도 좋지 않은 陽宅 터보다는 훨씬 나은 기운을 지니고 있다. 그러므로 현대에도 陽宅 風水는 우리의 보다 나은 삶을 위해 유용한 智慧가 될 수 있다.

17) 자살하는 것도 풍수적 영향?

얼마 전 여중생 4명이 함께 자살하여 커다란 사회적 문제로 부각되었다. 집안의 환경적 문제를 비관하여 자살하였다고 하지만 이들보다 더 어렵고 고통스러운 삶 속에도 생명을 버리지 않고 살아가는 이들이 더욱 많지 않은가.

사람들이 자살하는 이유는 여러 가지가 있겠지만 風水的인 要因이 있을 때도 그 집안에 자살하는 사람이 생기게 된다.

山所나 집이 白虎 쪽, 즉 오른쪽에 陷穽이나 問題가 있을 때 해당 部位의 자손인 딸이 자살을 하게 된다.

山所나 집의 白虎 쪽 어깨 부분에 옆의 큰 건물 모서리가 때리는 형상을 하고 있다거나, 白虎 쪽이 막다른 골목이거나 혹은 큰 바위가 때리는 형상이거나 할 때 이 부위에 해당하는 딸이 자살을 하게 되는 것이다.

靑龍 쪽, 즉 왼쪽에 위와 같은 문제가 있을 때는 이에 해당하는 자손인 아들이 자살을 하는 경우가 생기게 된다.

여중생들의 경우와 같이 무리 지어 자살을 하게 되는 경우는 그중 누군가 한 사람이 강력한 氣運을 가진 리더가 되어 相對的으로 弱한 氣運을 가진 사람을 이끌 수도 있으나, 대개는 모두 다 要因을 가진 경우로 본다. 개개인의 약한 不共業力이 모여 强한 共業力이 되어 함께 자살을 실행하기에 이른 것이다.

18) 登山가서 山의 바위에 자기 이름을 새기는 것

산은 모든 생명을 創造하고 孕胎하게 하며 성장하게 하고 거두게 한다. 人間生命보다 次元 높은 生命現象을 일으키는 超越 生命體이다. 일부분이라도 건드리고 破壞한 것은 殺生보다 더 次元이 지나친 生命破壞이다.

그러므로 산이 있는 바위에 정으로 이름을 새겨 박는다는 것은 좋지 않다. 자칫하면 自身의 生命 Energy가 離脫되어 靈이 分散되는 地境에 이를 수 있다. 그렇게 되면 病이나 事故를 얻을 수 있다.

山에 가서 나무를 함부로 損傷하거나 자연을 汚染시키는 행동도 좋지 않다. 항상 山을, 自然을, 生命體를 존중하는 마음으로 소중히 여기는 사람이라야 산의 氣運과 交流하고 同調하면서 좋은 氣運을 얻을 수 있다.

3. 風水 인테리어의 重要性 ①

風水는 자연의 가르침이다. 우리 주변에 있는 자연의 선물들을 행복의 도구로 사용하는 것이 風水의 참뜻이다. 자연의 오묘한 가르침을 어떻게 활용하느냐에 따라, 행복을 누리고 불행을 豫防할 수 있는 智慧로서, 風水 인테리어는 지구가 우리에게 주고자 하는 힘을 행복의 수단으로 잘 吸收하기 위해 노력하는 학문인 것이다.

과거에는 주로 '陰宅風水'라 하여 묘터를 정하는 風水의 원리를 많이 적용했지만, 우리가 지금 다루고자 하는 것은 現在의 삶을 자연과 조화를 이루며 행복하게 꾸려나가는 데 도움을 주는 '陽宅風水'다.

人間이 地球上에서 태어나고 자라고 사라지면서 變化하는 現象은 다음의 4가지 要素로 차이가 생긴다.

① 좋은 種子로 誕生했는가.

② 언제, 어느 場所에서 태어났는가.

③ 祖上의 遺傳 Energy와 衣食住 環境 Energy가 잘 供給되었는가.

④ 위의 3가지 要素를 잘 調和시킬 수 있는 靈魂의 純粹함을 지녔는가 하는 점이다.

이 가운데 祖上의 遺傳 Energy와 生活 속의 攝生 Energy는 살아가는 동안 우리가 끊임없이 供給받게 되는 重要한 Energy다.

祖上이 자손에게 전해주는 同質의 ⊖Energy場과, 살아있는 子孫이 지닌 同質의 ⊕Energy場이 結合하여 만들어내는 遺傳 相續的 Energy는 陰宅 Energy가 되고, 衣食住 특히 땅의 좋은 Energy를 꾸준히 공급받아야 하는 攝生 Energy는 陽宅 Energy의 중요한 부분을 이루고 있다.

事實上 이 두 가지 Energy가 인간의 삶에 미치는 영향을 밝히자면, 陰宅 Energy의 作用이 100일 경우 陽宅 Energy의 作用 能力은 30% 정도다. 말하자면 보이지 않는 '祖上의 陰德'이 상당히 重要한 삶의 힘이 된다는 얘기다.

이는 陰宅 Energy場에서 나오는 Energy波는 集中的, 持續的 同調 作用을 하는 반면, 陽宅 Energy場에서 나오는 Energy波는 수시로 干涉 作用을 받는 醇化的 可變性이 많기 때문이다.

4. 風水 인테리어의 重要性 ②

환경 Energy가 사람의 건강과 運勢에 영향을 주는 힘이, 陰宅 Energy에 비해 相對的으로 弱한 것은 事實이다. 하지만 단 몇 %의 힘에도 人間事의 成敗와 生死가 달라진다는 事實을 생각하면 陽宅風水의 중요성을 결코 무시할 수 없다.

또 '可變的'이라는 특성을 逆으로 생각하면, 우리의 노력 여하에 따라서 얼마든지 자신에게 유리한 Energy로 바꿀 수 있는 특성이 되므로 더욱 관심을 가져볼 만하다.

우리의 삶의 터전인 住居地에서는 生活環境 Energy場이 형성된다. 즉 땅의 氣運, 햇볕, 空氣, 濕度 등의 Energy 要因들이 서로 작용하여 사람의 삶에 영향을 끼치게 되는 것이다. 住居空間은 우리가 삶을 이루는데 무엇보다 중요한 요소다. 그 안에서 먹고 자고 관계를 이루고 미래를 설계한다. 하루의 1/3 이상을 머무는 住居空間이 건강한가 아닌가는 그대로 우리의 건강한 삶과 직결되는 것이다. 그렇다면 우리 집은 건강한 집일까? 혹은 아닐까?

風水는 지금 있는 現在 環境의 좋은 점을 이용해서 幸運을 불러들이는 環境開運學이다. 또 좋지 않은 점을 補完하여 幸運으로 바꿔주는 方法도 제시한다.

그것이 바로 風水 인테리어의 役割이다.

즉 좋은 집 고르는 법에서부터, 지금 살고 있는 집을 風水 原理에 맞게 정비하여 幸運을 불러들이는 법, 風水的으로 좋지 않은 집이나 방의 위치를 알려주고 어떤 방법으로 不運을 막을 것인지를 또한 提示한다.

방이라는 空間 Energy場이 있을 때 그 안에 가구와 집기들을 어떻게 配置하느냐 하는 문제는 중요하다. 보기 좋고 화려한 것이 문제가 아니라 각 구조물들이 지니고 있는 立體空間 Energy場이 平面空間 Energy場과 얼마나 잘 조화되느냐가 무엇보다 중요하기 때문이다. 물론 살고 있는 本人과 周邊 Energy場 間의 조화 문제는 그보다 優先되어야 할 과제다.

우리는 風水 인테리어를 통해 實生活에 닥치는 困難과 疑問을 보다 손쉽게 해결할 수 있게 된다. 戀愛를 할 때도, 結婚을 할 때도, 就職을 하고, 事業을 하고, 돈을 벌고 싶을 때도, 자연에 順應함으로써 얻어지는 자연의 힘을 支援 받을 수 있다. 風水 인테리어는 그 같은 신비함을 경험으로 만들어 가는 幸運의 문인 셈이다.

일상생활에서 보이지 않게 큰 영향을 미치고 있는 자연의 신비한 힘을 우리들은 사실 모르고 지나친다. 하지만 자연은 바로 우리의 환경이고 이 환경은 우리 자신을 행복하게도 불행하게도 만들 수 있는 힘을 지니고 있다.

環境保護는 이 시대 가장 절실하고 또 가장 영향력 있는 이슈가 되었다. 하지만 온갖 '人工的인 環境'으로 둘러싸인 오늘날, 자연의 奧妙함과 거대한 파워를 경험할 수 있는 기회는 점점 줄어들고 특히 젊은 세대들에게는 그 같은 경험의 필요성조차 인식되지 않고 있다. 하지만 風水 인테리어에 관심을 갖고 또 분명한 믿음을 갖고 하나씩 실천하게 되면, 바로 우리 곁에 있는 자연의 生氣 呼吸을 느끼게 되고, 안 보이는 힘의 중요성을 절감하게 된다. 비로소 자연의 존재와 자연의 소중함을 절실히 깨닫게 된다면 더 이상 메가폰 들고 환경보호를 외치지 않아도 바로 우리 자신의 삶을 위해 자연의 소중함이 어떠한가를 잘 알게 될 것이다.

중요한 것은 믿고 실천하는 의지다. 의심하지 않고 먼저 실천해보는 사람만이 風水의 진정한 힘을 발견하게 된다. 科學的으로 研究되고 實證的으로 認定된 事實임을 의심하지 말고 꾸준히 실천하는 것, 그것이 風水 인테리어가 가져다주는 행운을 자기 것으로 만드는 지름길이다.

5. 穴場에 따른 出入 位相과 五大 Energy場 別 色構造 形成圖

※ 四柱(風水易學에 의한) 또는 陰·陽宅의 혈장 부위에 따른
太過 不及 調節 原理圖

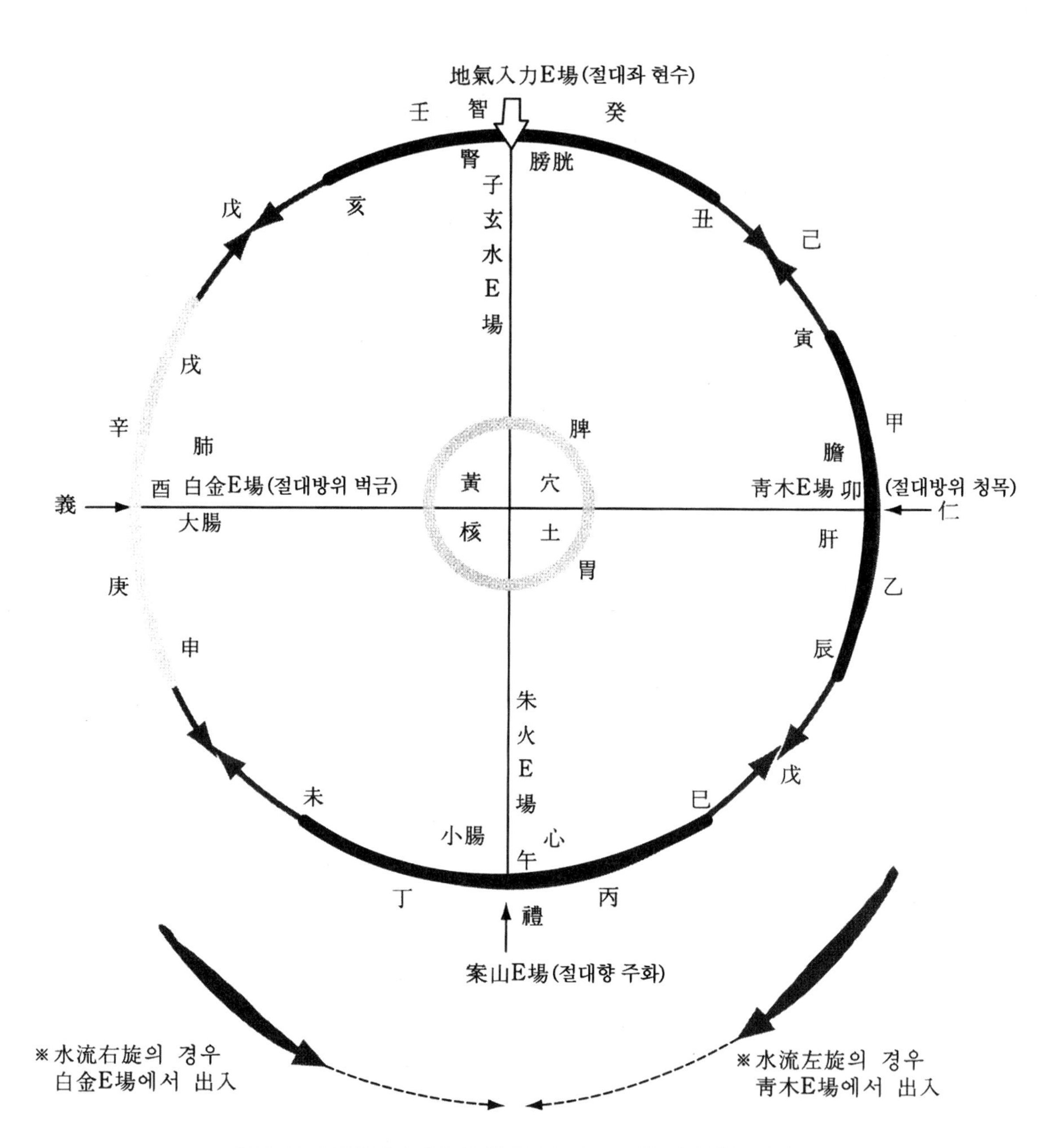

〈그림 1〉 穴場에 따른 出入 位相과 五大 Energy場 別 色構造 形成圖

6. 大自然과 五行과 人體와 關係

〈표 1〉 大自然과 五行과 人體 關係

五行 分類	木	火	土	金	水
天干	甲, 乙	丙, 丁	戊, 己	庚, 辛	壬, 癸
地支	寅, 卯	巳, 午	辰,戌,丑,未	申, 酉	亥, 子
數理	3, 8	2, 7	5, 10	4, 9	1, 6
五方	東	南	中央	西	北
五時	春	夏	長夏	秋	冬
五常	仁	禮	信	義	智
五色	青	赤	黃	白	黑
五変	生	長	化	收	藏
五氣	風	火暑	濕	燥	寒
五音	角	徵	宮	商	羽
五聲	牙	舌	喉	齒	唇
五臟	肝	心	脾	肺	腎
五腑	膽	小腸	胃	大腸	肪胱
五味	酸	苦	甘	辛	鹹
五官	目	舌	口	鼻	耳
五志	怒	喜	思	悲	恐
五液	淚	汗	涎	涕	唾
五聲	呼	言	歌	哭	呻
五主	筋	血脈	肉	皮	骨
五藏	魂	神	意	魄	精
五臭	臊	焦	香	腥	腐
五畜	鷄	羊	牛	馬	猪
八卦	震巽	離	坤艮	乾兌	坎
五面	左耳	額	鼻	右耳	地閣
五榮	爪	色	肉	毛	髮
五舌	左邊	舌尖	舌中	右邊	舌根
陰經	厥陰	少陰	太陰	太陰	少陰
陽經	少陽	太陽	陽明	陽明	太陽

7. 地氣入力 氣運에 따른 家宅配置

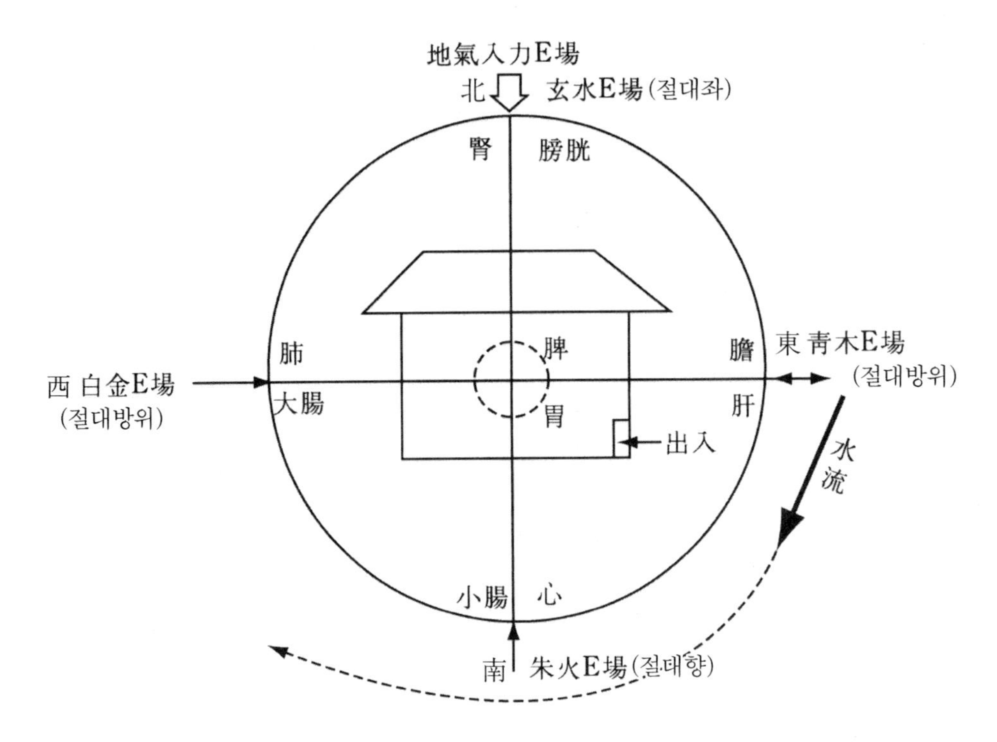

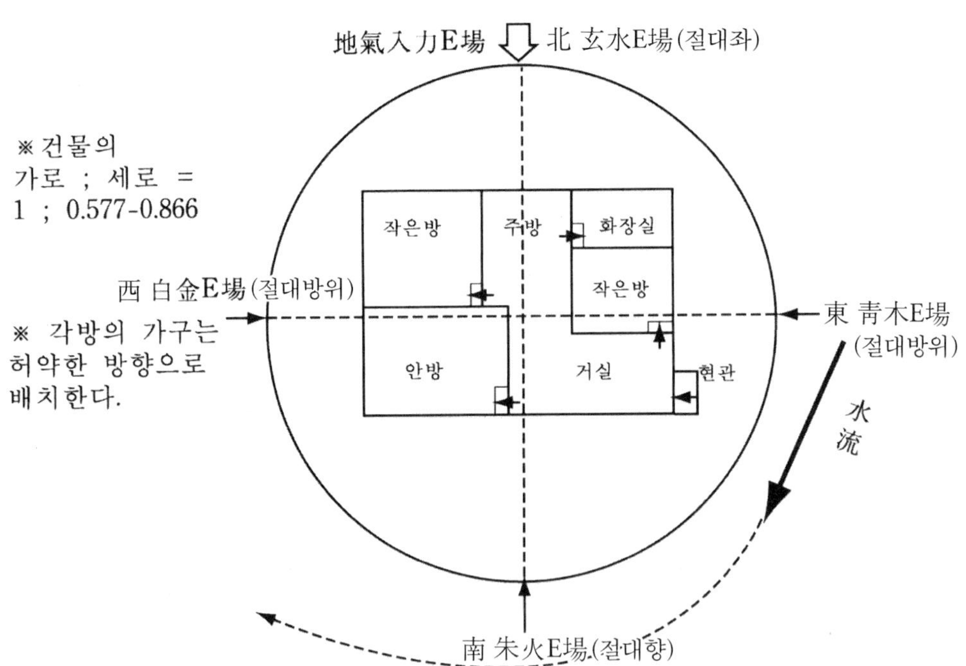

〈그림 2〉 地氣入力 氣運에 따른 家宅配置圖

2 좋은 人格을 만드는 風水 인테리어 know how (絶對方位槪念)

1. 智慧로운 사람이 되려면

묘터나 집터의 뒤쪽으로부터 들어오는 山의 좋은 기운은 자손에게 밝은 지혜를 공급한다. 강건한 세력을 지닌 山의 기운이면서 善하고 아름다워야 하며, 정돌 하면서도 온화해야 한다.

만약 터의 뒤쪽 山이 너무 강하거나 터의 앞쪽이 허약하여 경사가 급하게 되면, 집안사람들은 禮가 부족한 잔재주꾼이 나와, 벌이는 일은 많아도 마무리되는 일은 없게 된다.

반대로 터의 뒤쪽이 허약하여 경사가 급하고 앞쪽이 山이나 바위에 막혀있으면, 오히려 아둔하거나 逆成의 자손이 되어 매사를 부정적으로 보지 않으면 자기 방식으로 뜯어고치는 것만을 능사로 하게 된다.

좋은 山을 등지고 맑은 물을 거느리는 곳은 그 터에 사는 사람과 자손을 영원토록 지혜롭게 만들어 준다.

2. 어진 사람이 되려면

사람의 인품이 어질게 되는 것은 그 스스로의 노력과 수행도 중요하겠지만, 그 어진 바탕은 조상의 묘소 기운이나 태어나 살아온 집터의 땅 기운 특성에서 모든 것이 시작된다.

묘터나 집터의 뒤 언덕이 端雅하고 厚富한 곳이면서, 그 언덕이 터 왼쪽 側面을 아름답게 감아 도는 곳에서는 반드시 그곳에서 태어나거나 살아가는 사람들에게 어질고 인자한 성품을 지니게 한다. 도심에서는 一字형의 집이 왼쪽에 가로 놓여 있는 것이 좋다.

3. 예의 바른 사람이 되려면

예절과 공경심은 묘터나 집터의 앞면 마당이 바르고 평탄한 곳에서 일어난다. 터의 앞 부분이 균형되지 못하여 기울어지거나 급경사 또는 陷沒상태가 되어 있으면, 이러한 곳에서는 반드시 性情이 고르지 못하고 비뚤어지지 않으면 火急하여 매사를 경솔히 한다.

앞마당 쪽이 높이 들려 있거나, 凶石이 놓여 있어도 역시 손윗사람을 몰라보고 경거망동을 잘하게 된다.

4. 義로운 사람이 되려면

正義心과 義理는 묘터나 집터의 白虎 측인 오른쪽 기운이 强健하고 아름다울 때, 그곳에서 태어난 사람이나 살아가는 사람에게서 나타난다.

터의 오른쪽 부분이 함몰되어 있거나 사나운 바위들로 둘러져 있을 때, 이러한 터에서 태어나거나 자란 사람들은 반드시 정의로운 품성이 결여되거나, 친우와 동료 간에 의리를 배반한다.

도심 속 주택에서는 오른쪽 편으로 보기 좋은 집이 가로 놓여 있어서 언덕 구실을 하게 되면 도움이 크다고 볼 수 있다.

5. 信疑와 意志가 강한 사람이 되려면

인간 품성 중 信疑와 意志는 묘터나 집터의 중심부 기운이 원만 융성한 곳에서 형성된다.

터의 중심부분 지형이 메워진 곳이거나 골짜기였을 경우, 또는 웅덩이가 있었던 곳에서는 그곳에서 태어나거나 살아온 사람의 신의가 무너져 불신을 불러일으키게 되고, 의지가 박약하여 우울증에 걸리거나 심하면 암으로 인해 목숨을 잃게도 된다.

6. 創意力이 뛰어나려면

創意力은 조상 묘터나 집터의 뒷면 부분이 重厚 활달할 때, 그곳의 기운을 받아 형성된다. 터의 뒷면에 正突한 바위가 아름다운 모습으로 줄을 지어 둘러 쳐져 있게 되면 반드시 재능 있는 자손이 나오게 되고, 그 자손들의 두뇌활동 중 창의력이 크게 뛰어나다.

이때 터의 앞쪽인 상대편에 맑은 물이 감아 돌면 이는 금상첨화로 더욱 발달한다.

7. 企劃力이 뛰어나려면

묘터나 집터의 뒤쪽에서 들어오는 山脈의 기운이 크고 힘차게 터를 향하여야 한다.

골이 지거나 움푹 패인 곳이 있으면 안 되고 터의 뒤쪽이 반듯하지 않고 파괴되었거나 나쁜 기운을 주는 흉상의 돌멩이가 있게 되면, 후손의 성격이 사납고 정신질환을 얻게 되며 심하면 형제간 싸움이 잦아진다.

8. 組織力이 뛰어나려면

조상의 묘터나 사는 집터의 前後左右 Energy場이 균형과 안정을 유지하면서 꾸준히 터의 중심에 집중적인 Energy를 보내주어야 한다.

뒷산(玄武)과 앞산(案山)과의 균형 조화가 깨지게 되면 縱的인 조직을 만드는 힘이 약하게 된다. 때문에 전체적인 조직력이 균형 있게 발휘되지 못하고, 이렇게 터의 주변 조화가 잘 되지 않는 곳에서 오래 살게 되면, 편견을 갖기 쉬운 성격이 되고 치밀함을 잃게 되어 매사 실패를 부르기 쉽다.

9. 推進力이 뛰어나려면

推進力은 요즘처럼 행동의 기준이 모호하고 가치가 혼돈되는 시대에 필요한 능력 중의 하나이다. 추진력은 조상의 묘터나 사는 집터의 뒤쪽, 運氣가 들어오는 자리가 强健 雄大하게 형성된 곳에서 얻어진다.

터의 뒤쪽에서 얻어지는 기운은 일의 추진 능력을 공급하고, 앞쪽에서 얻어지는 기운은 일을 잘 마무리 할 줄 아는 능력을 준다. 이때 터의 뒤쪽에 큰 건물이 있는 것은 도움이 되지만, 앞쪽에 내 집보다 너무 큰 건물이 있게 되면 일의 추진을 막게 되어 곤난을 겪기 쉽다.

10. 勤勉性이 뛰어나려면

勤勉性은 조상의 묘터나 사는 집터의 오른쪽 부분과 앞면 부분이 함께 건실하고 튼튼한 곳에서 발달하게 된다. 사는 집이 아파트라면 거실에서 베란다를 바라보고 섰을 때 나의 오른쪽이 터의 오른쪽이 된다.

오른쪽 옆이 두툼하게 발달된 곳에서는 부지런한 자손을 두게 되고, 오른쪽과 앞면이 길고 두텁게 살쪄 있으면 성실하고 겸손한 자손을 두게 된다.

주택으로 보면 오른쪽 옆 부분에 주택이 가로놓여 있는 경우가 해당되고, 오른쪽 앞부분이 내 집보다 낮은 건물들로 막혀 있는 경우도 살찐 것으로 해석된다.

11. 協同性이 强해지려면

協同心은 조직력에서처럼 터의 전후좌우가 균형 잡혀져 있어야 하는데 그중 한쪽이라도 균형이 무너지게 되면 그 부분만큼의 협동심이 파괴된다.

특히 좌우의 균형은 협동능력에 절대적인 요건이 된다.

터의 뒤쪽이 불안정하여 부서진 곳이 있거나 골이 흘러 땅이 패이게 되면 두뇌활동 지혜의 협조가 부족한 사람이 되기 쉽고, 터의 앞쪽이 불안정하여 부서진 곳이 있거나 골이 흘러 빠지게 되면 상호 관계에서 예절이 부족해 무뢰한이 되기 쉽다. 터의 왼쪽 부분이 부서지거나 골이 지면 이해심이 부족하여 다툼이 는다. 또 터의 오른쪽 부분이 불안정하여 부서진 곳이 있거나 골이 지면 사리분별을 잘 못하여 옳고 그른 일을 가려 하지 못한다.

12. 自主性이 發達하려면

自主性은 사는 집터에 기운이 왕성하게 들어올 때 발달하게 된다. 터의 뒷부분의 山이나 언덕이 지세가 뚜렷하고 단단하면 그 터의 기운이 곧게 뻗어내려 앞마당의 끝부분까지를 두텁고 단단하게 만들어 준다.

이런 곳은 밑바닥이 암반으로 짜여 있기 때문에 비바람이나 장마에도 손실되지 않는다. 터의 왼쪽 부분이 함께 강건해지면 더욱 자주적인 사람이 되고 의타심이 없어진다.

주택의 경우라면 뒤쪽으로 물이 흘러 빠지거나, 터 뒤쪽에 골목길이 뚫려 바람이 들어오게 되면 의타심이 많아지고 나약한 성격이 되어 매사에 소극적인 사람이 된다.

13. 孝誠스러운 子孫이 되려면

묘터나 집터의 왼쪽 언덕 부분과 마당 부분에 굴곡이 없고 평탄한 곳에서는 아들 자손의 효심이 나오고 오른쪽의 평탄한 곳이면 딸 자손의 효심이 나온다.

흉한 돌멩이 따위가 마당에 깔려 있거나, 웅덩이가 저 빗물이 고인다거나, 인위적으로 연못을 파서 지형이 일그러진 곳에서는 반드시 불효자가 나온다.

요즘 호화 주택을 짓는다고 마당에 인공폭포를 만들고 주차 시설을 위해 지하를 파내는 것은 불효를 부르거나 사고를 당하기 쉽다.

14. 謙遜하고 德望 있는 子孫이 되려면

조상 묘터나 사는 집의 앞 뒤 높낮이나 넓이의 비율이 균형을 잘 이룰 때 겸손하고 양보심 있는 자손이 나온다.

높낮이는 터의 뒤와 앞이 5 : 3 이면 좋고 넓이는 상하좌우가 균등해야 한다.

여기에 터의 왼쪽 산언덕이 수려하고 아름다우면 더 큰 덕망을 지니게 되고, 반대로 앞산이 뒷산의 어깨 높이보다 더 높거나 왼쪽 산언덕이 깨지면 사기꾼이 나오기 쉽다.

주택에서는 왼쪽 부분과 앞부분이 눈높이 이상으로 높거나 억누르는 모양이 되면 그곳에 사는 사람은 오만해지거나 무능해진다.

3

健康이 좋아지는 風水 인테리어 know how (絶對方位槪念)

1. 腎臟, 膀胱, 子宮이 虛弱한 사람

조상 묘소의 입수두뇌 부분이나 사는 집의 뒤쪽 언덕으로부터 入力되는 地氣 Energy의 大小强弱과 善惡美醜에 의해 그 특성이 결정된다.

따라서 地氣入力 특성 정도와 그 太過 不及에 따른 諸 疾病이 함께 발생하게 되는데, 특히 뇌 질환, 정신분열, 두통, 몽유병, 기억력 감퇴, 성기능 장애, 관절염, 대머리, 전립선 등은 이의 기능저하에서 수반되는 질병들이다.

심하면 자손을 잃게 되고 절손이 되기 쉽다.

1) 祖上 墓所

입수두뇌 부분이 허약하거나 바람 또는 물이 들어가 地氣의 손상을 입었을 때, 또는 水脈이 침범하거나 나무의 뿌리가 지나치게 地氣 入力處를 손상시켰을 때, 상기 질병이 나타난다.

아카시아나 큰 잡목이 들어가 살지 못하게 해야 하고 잔디 또는 낮은 사철 푸른 나무를 심어 주어 바람을 막아준다. 물의 흐름이 원활토록 句配를 주되 본래의 땅을 파지 말고 다른 곳의 흙으로 덮어가며 句配를 준다.

2) 사는 집

사는 집의 뒷부분의 터나 건물이 부서져 파괴되었거나, 물 또는 바람이 들어 습한 기운을 지니고 있을 때, 水脈이 침범하고 골이 깊어 웅덩이가 져 있을 때 等의 경우에서 상기의 질병이 많이 발생한다.

집 뒷부분의 물 흐름을 좋게 해주고, 웅덩이나 골짜기는 가급적 마사토로 메운 뒤 굵은 바위나 정원석으로 하중을 가해준다.

크지 않은 나무를 심어 사철 바람이 들지 않게 하는 것도 더욱 중요한 일이며, 水脈이 통과할 때는 水脈 上을 피하여 집을 짓거나 부득이 지어진 집에서는 방에 동파이프나 강관으로 보일러를 설치하거나 얇은 알루미늄판을 깐다.

집의 위치나 구조가 아파트이거나 도심 속의 주택일 경우에는 위와 같은 주거 조건을 확보하기가 다소 힘든 것이 사실이나, 한국의 지리적 여건상 어떠한 주거 환경이건 자세히 살펴보면 산자락의 기운이 들어오는 곳과 빗물이 모여 흘러가는 지형적 경사도가 발생하게 마련이다.

이런 때 산자락의 기운이 내려 들어오는 곳은 지기의 입력처가 되어 땅 기운이 모여드는 곳이고, 물이 흘러가는 곳은 모든 기운이 물과 함께 떠내려가 지기가 허약해져 버린 곳이다.

따라서 산자락을 베개 삼아 집의 후면으로 앉히고 물이 흘러감아 도는 곳을 집의 전면으로 앉히게 하여, 背山臨水의 원칙에 합당한 집을 갖게 되면 여기에서 사는 사람은 건강은 물론 좋은 자손을 얻게 되어 무병장수하고 부귀와 자손이 번성한 커다란 복록을 얻는다.

3) 房의 構造

방의 배치 구조는 산맥 기운이 흘러오는 쪽에 안방과 침실로 두고, 물이 흘러가는 쪽으로 화장실을 설치한다. 주방은 환기가 잘 되는 곳으로 정하고, 거실은 양지바른 곳을 택하는 것이 이롭다.

현관이나 대문은 물이 흘러나가는 반대편으로 위치를 정하고 정원은 앞이 크고 뒤가 적은 규모로 하여 거실과의 조화가 이루어지도록 한다.

각 방의 크기 구조는 대체적으로 5 : 4의 가로 세로 비율을 지키되 긴 쪽이 산자락에 가로놓이게 한다. 역시 各 房의 출입문도 물 흘러가는 반대쪽이 좋고, 현관문과 마주치지 않는 것이 이상적이다. 방의 구조 밑이나 후면에 쓰지 않는 지하실이나 웅덩이, 샘 등을 설치하지 말고 방의 중심을 가로지르는 하수관을 설치하지 않는다.

4) 인테리어

지기의 입력 기운이 차단당하거나 지기의 Energy 흐름에 역행하지 않는 시설과 배치가 중요하다. 지기가 입력되는 방향에 밀폐된 벽장을 설치한다거나, 방바닥을 뚫고 냉난방 설비를 설치한다거나 하는 등은 방 내부 Energy의 공급과 균형을 깨게 되는 것이다.

침대 위치는 산 기운이 들어오는 방향으로 침대 머리를 두게 하고 옷장은 집터의 가장 허한 공간이 있는 쪽에 보호 형태로 설치하며, 책상의 위치는 밝고 고요한 곳을 택하되 반드시 소파나 걸상의 등받이가 산자락에 등지도록 하는 것이 이상적이다.

腎, 膀胱, 子宮 등이 허약한 사람은 흑진주 같은 검은색 보석이나 옷장이 좋고, 항상 북쪽을 등진 곳에 화장대를 설치해야하며, 북쪽 창이 있는 곳에 주방기기를 두는 것이 좋다.

2. 肝臟, 膽囊이 虛弱한 사람

조상 묘소의 청룡 부분인 왼쪽 편의 보호하는 山이나, 태어나 사는 집의 왼쪽 언덕으로부터 공급되는 응축 Energy에 의해 그 특성이 결정된다.

터의 왼쪽 측면으로부터 공급되는 Energy는 橫凝縮 Energy로서 이 Energy의 大小强弱, 善惡美醜에 따라 肝臟의 기능특성과 膽囊의 기능특성이 달라진다.

이와 같은 기운의 불균형은 간경화, 간암, 황달, 허리디스크, 무릎관절, 경기, 시력 감퇴, 피로 누적, 근육 무력증, 중풍 질환 등의 제 증상을 유발하게 된다.

특히 터의 왼쪽 측면에서 세찬 골바람이 들어오게 되면, 그 자손이나 거기에 사는 허약한 사람들은 대체적으로 바람 병을 얻게 된다.

1) 祖上 墓所

청룡 측으로부터 바람이나 물의 침해를 받아 허약하게 파괴되어 있을 때 상기의 諸 疾病이 발생하게 쉽다. 바람막이가 될 수 있는 키 작은 나무나 흙 언덕을 만들어 보호하면서 물의 배수가 원활토록 구배를 합리적으로 만든다. 만약 왼쪽 부분이 산사태가 나서 무너져 있으면 마사토로 복구하여 造林토록 하되 뿌리가 침범치 않게 한다.

2) 사는 집

태어났거나 사는 집의 왼쪽 부분이 막다른 골목으로 되어 있거나, 주변의 커다란 건물벽에 의해 세찬 빌딩풍이 불어오는 곳, 그리고 왼쪽 편으로부터 강한 지하 수맥이 집 가운데로 파고드는 곳에서는 上記의 질병을 막을 수가 없다.

다만 막다른 골목 쪽의 방벽을 2중 3중으로 옹벽 처리하고, 빌딩풍의 진로를 변경할 수 있는 제반 바람의 통로를 별도 설치하여(수림 대조성, 방풍벽 설치) 직접적인 피해를 줄이는 것이 무엇보다 급선무다.

지하수맥도 이동 가능할 경우 마당 쪽으로 유도하는 것이 바람직하다.

3) 방의 構造

청룡 측을 피하고 백호 측에 가급적이면 內室과 침실을 정하는 것이 유리하다. 또 백호 측이 함께 空虛할 경우에는 입수 측으로 안방과 침실을 배치하는 것이 좋다.

주방은 역시 북측으로 정하고, 화장실은 물의 흐름을 따를 것이며 책상의 의자와 소파는 산자락에 기대게 하고, 화장대는 청룡 측을 보게 한다.

4) 인테리어

실내 장식물 중 인체 건강에 가장 영향을 주는 것은 침대와 거실 소파이다.

침대 설치는 산자락의 오른쪽에 붙어 있는 방에 놓아두는 것이 좋고, 거실의 소파는 청룡 측을 바라보고 있게 하는 것이 이롭다. 책상 또한 소파 설치와 동일하며, 거실과 방의 청룡 측에는 사철 푸른 꽃나무 화분을 놓아둠으로써, 목기의 보충을 도와준다.

청색 사파이어나 녹색 에메랄드 수정 같은 보석이나 청옥을 지니고 다니는 것이 좋고, 정원수가 보이는 화사한 공간을 최대한 활용하여 서재나 작업실로 한다.

침실 커튼은 핑크와 진초록이 조화를 이루도록 하며 소파와 각종 집기류는 가급적 진초록의 색으로 한다.

3. 心臟, 小腸이 虛弱한 사람

조상 묘소의 전면 절하는 부분과, 태어나 사는 집의 앞마당 부분에서 발생하는 從凝縮 Energy 작용에 의해서 그 특성이 결정된다.

터의 앞마당이 平坦 厚德하면 터 중심에서는 火氣의 Energy를 충분히 공급받게 되어, 이곳에서 태어나는 자손이나 살아가는 자손은 심장, 소장 기관과 관계되는 諸 疾病에 강한 면역을 얻게 된다.

반대로 이 부분이 太過不及하여 Energy 균형을 잃게 되면, 심장, 소장의 기능이 허약해져 심근경색, 협심증, 동맥협착증, 고혈압 또는 저혈압, 심장 판막증, 동맥 경화증, 부정맥, 손발 저림, 혀 질환, 안 질환 등의 제 병을 유발하게 된다.

1) 祖上 墓所

소위 명당이라고 하는 묘소 앞 절하는 부분이 산사태에 떠내려갔거나 절벽이 저 있는 경우에는 心虛症에 의한 諸 疾病이 발생하게 되고, 명당 끝에 강한 암석이 눈높이 이상으로 험하게 서 있는 경우에는 心實症에 의한 諸 疾病이 발생하게 된다. 산사태가 난 곳은 단단히 메우고 凶石은 제거하여 평탄하게 한다.

2) 사는 집

마당 앞쪽이 공허하면 바람이 들어 집안의 온기를 흩어 버리고, 마당 앞쪽에

너무 높은 빌딩은 집안의 Energy 순환을 차단하거나 흩날린다.

앞마당이 떠내려가 함몰되면 산사태가 난 경우와 마찬가지이므로 마사토로 다진 후 조경을 주밀하게 할 것이며, 마당 끝 정원에 어울리지 않는 큰 돌을 설치하는 것은 명당 끝의 巨石과 마찬가지로 해를 주므로 작은 돌로 바꾸거나 없애는 것이 좋다.

마당 앞쪽에 또 다른 건물을 본 채와 같은 규모 이상으로 짓는 것은 마찬가지로 크게 흉한 것이니 가급적이면 앞마당에 가로막는 건물은 짓지 않는 것이 좋다.

3) 房의 構造

축대가 높이 쌓여있는 끝머리에 안방이나 침실이 놓여 있거나, 급경사를 이루어 골짜기가 있었던 곳에 안방이나 침실이 있게 된 경우 上記의 諸 疾病에 걸리기 쉽다.

내실과 침실은 산자락 내측으로 옮기는 것이 유익하고, 거실은 남측에 주방은 북측으로 정하는 것이 좋으며, 화장실은 경사진 곳을 보완할 수 있는 위치에 두는 것이 좋다. 앞산이 막혀있는 경우는 역시 火氣가 太過한 경우로서 반드시 방의 구조가 산자락을 등지게 하도록 한다.

4) 인테리어

침대 머리는 산자락 경사면의 상부를 향하게 하고 거실 소파와 책상의 의자 등받이도 마찬가지로 한다. 색상은 대체적으로 붉은 무늬가 있는 것이 좋고 가구의 색깔도 붉은 밤색이 좋다. 붉은 루비나 호박을 지니고 다니는 것이 좋고 언제나 몸을 밝게 하는 옷차림이 질병 예방에 도움이 된다.

4. 脾臟, 胃臟이 虛弱한 사람

조상 묘소의 중앙부나 태어나 사는 집의 중심 부분의 Energy 응축 현상이 어떻게 나타나고 있는가에 따라서 그 특성이 결정된다. 터의 중심은 인간의 중심 신체에 해당하는 곳으로서 터의 중심에 물이 들거나 바람이 들어 그 응축 특성이 무너지게 되면 여기에서 태어나는 자손들에게는 위암, 비장암, 당뇨, 알코올 중독, 위하수, 위궤양, 무좀, 구강질환, 그리고 각종 습병, 우울증, 신경쇠약, 의지 박약증 등의 諸 疾病이 발생하게 된다.

1) 祖上 墓所

묘소 중심에 물이 들어가는 경우는, 토질 자체가 허약하거나 물의 경사 구배가 적절치 못하여 지표에 떨어진 물이 흘러가지 못하고 스며들기 때문이다. 물 구배를 충분히 하고 매년 마사토와 회를 2 : 1로 섞어서 골고루 뿌려준 후 다져준다.

주변의 큰 나무를 베어 그 뿌리의 침입을 막고 바람막이를 한다.

2) 사는 집

살고 있는 집터의 중심부가, 골짜기나 웅덩이를 메운 곳이거나 하는 경우에는 근본적으로 살지 말아야 하는 것이 원칙이나, 부득이 하여 살아야 하는 경우 얇은 동판이나 알루미늄 판을 전체적으로 깔아 웅덩이나 골짜기로부터 발생하는 Negative 特性의 Energy 波를 차단 또는 방지하는 것이 좋다.

3) 房의 構造

가급적 골짜기 중심선을 피하여 방을 배치하는 것이 좋고, 얇은 알루미늄 판을 바닥에 깔아 놓는 것이 유익하다.

할 수 있는 한 침실과 내실은 산자락 상부 쪽으로 배치하고, 주방은 서쪽, 화장실은 산자락 하부 방향에, 거실은 남쪽으로 배치하는 것이 유리하다.

4) 인테리어

침대 머리는 반드시 산자락 쪽으로 두게 하고 책상 의자와 소파 등받이는 골짜기를 피하여 산자락에 기대게 한다.

거실이든 방이든 그 중심에 正坐할 수 있는 황금색 방석을 언제든지 놓아두는 것이 가장 좋고, 옷장은 산을 등지고 화장대는 물의 흐름을 옆에 끼고 설치되어야 한다.

황금과 누른 호박을 항상 지니고 살 것이며, 황금색의 디자인이 된 실내 장식품을 많이 사용하는 것이 더욱 이롭다.

5. 肺, 大腸이 虛弱한 사람

폐와 대장의 기능은 조상 묘소의 오른쪽 백호 부분이나 태어나 사는 집터의 오른편 부분으로부터 공급받는 Energy의 橫凝縮 특성에 의해 결정된다.

白虎側 橫凝縮 특성이 불안정하여 우측 부분에서 수맥이 들어오든가 또는 물이 흘러가는 것이 보이든가 하여 무너지고 파여 나간 경우, 우측 문을 통한 골바람이 집안 깊숙이 파고드는 경우에는 대개가 폐암이나 대장암, 폐염, 해소, 천식, 변비, 기관지염, 축농증, 비염, 각종 피부병, 알레르기성 등 諸 疾患에 걸리기 쉬워진다.

1) 祖上 墓所

묘소 우측으로부터 강한 바람이 들거나 물이 침범하여 산사태가 지든가 절벽이 될 경우, 백호측 우측편으로부터 강력한 수맥이 혈장을 뚫거나, 큰 나무 뿌리가 조상의 오른쪽 옆구리를 꿰뚫게 되면 위와 같은 諸 疾病이 발생한다.

무너진 부분은 빨리 메워주고 축대를 멀리서부터 튼튼히 쌓고 조경한다.

주변 큰 나무는 반드시 베어 낼 일이며, 바람이 많이 불어오는 곳에는 사철 푸른 키 작은 나무를 주밀하게 심어 바람을 막는 것이 이롭고 혈판에서도 공허한 부분을 흙으로 덮어 언덕을 조성한다.

2) 사는 집

사는 집의 오른쪽 편이 언덕이나 집이 없이 공허한 막다른 골목이 되든가, 우측 편으로부터 강력한 수맥이 뚫고 들어와 집 한 가운데를 지나갈 경우, 오른쪽으로부터 커다란 웅덩이가 패여 나가거나 골짜기가 오른쪽으로 들어오는 경우

등에서는 반드시 上記의 질병들이 발생하게 된다.

원칙적으로 이러한 집에서는 살지 않는 것이 가장 이상적인 해결방법이나 부득이 하여 살아야 하는 경우에는, 우선 막다른 골목을 두터운 벽을 설치하여 막아야 하고, 수맥이 들어오는 곳은 피하여 방을 배치할 것이며, 웅덩이나 골짜기는 어떠한 어려움이 있더라도 메워주어야 한다.

공허한 공간은 수림대를 형성하여 바람의 피해를 최소한으로 줄이도록 하고 가능한 경우에는 인공 언덕을 설치하는 것도 바람직하다.

3) 房의 構造

백호 측이 공허하게 된 곳에서의 방의 배치구조는 허한 곳을 멀리하고 실한 곳을 가까이하는 원칙에 따라, 집의 왼쪽 편에 내실과 침실을 둔다.

오른쪽 편으로 화장실을 두고 북측에는 주방을 남측에는 거실을 두는 것이 좋다. 서재의 위치는 동쪽이나 청룡 쪽에 배치하고, 기타 작업실은 서북이나 동북 방향에 배치하는 것이 좋다.

4) 인테리어

침대는 백호측을 멀리한 청룡측 방에다 설치하고 책상 의자와 소파는 산자락 쪽이나 青龍 쪽에 등을 두게 한다.

옷장은 방의 청룡 쪽에 두고, 화장대 역시 방의 청룡 쪽에 두는 것이 좋다.

실내 집기류는 백색이나 베이지 색상을 띠게 하고 도배나 커튼 역시 베이지색이나 은은한 황색 무늬를 지닌 것이 좋다.

다이아몬드나 백옥을 지니고 다닐 것이며 항상 흰색 옷을 좋아하는 것도 한 예방법이다.

6. 도움이 되는 健康 이야기(절대방위개념)

1) 健康에 좋은 나무

붉은 기운이 있는 나무는 건강에 좋다. 주목, 적송 등이 대표적인 나무다. 전나무 잣나무 등 잎사귀가 단단하며 가느다란 針葉樹 계통의 나무들도 좋다. 이 나무들에서는 炭素同化作用 후 고농도의 산소를 내뿜는다.

특히 주목은 예로부터 정원수로 사용하면 귀신이 오지 않는다 하여 아주 유익한 나무로 알려져 왔다. 사람의 병을 치유하는 데도 효과가 있어 주목 숲에 가서 요양을 하거나 삼림욕을 하면 건강이 좋아진다.

사람의 몸에 火氣가 부족하여 발생하는 병, 즉 암이나 혈관, 혈액과 관련된 병, 심장병 등에 효과가 있는 나무다.

이런 나무로 된 분재를 집안에 둔다면 건강은 물론 붉은색이 주는 행운 즉, 財運도 좋아질 수 있고 푸른 나무가 주는 신선한 활력과 정신적인 안정감을 누릴 수 있을 것이다.

이런 종류의 나무로 된 가구는 상당히 고급가구이다. 이 가구를 집안에 들여놓아도 같은 효과를 발휘한다. 간혹, 가구로 만들어버리면 생명이 없어 효과를 발휘하지 않는 게 아니냐고 묻는 사람들이 있다. 주목의 경우 '살아 천년, 죽어 천년'이라는 말이 있을 정도로 그 생명의 기운은 죽어서도, 가구가 되어서도 지속된다.

2) 健康을 保障해주는 집

동쪽 방위를 잘 다스려야 건강해진다(청룡거수터일 경우).

따라서 이 자리에 침실이 놓여 있으면 잠자는 동안 건강한 기운이 축적된다.

잠자는 시간은 인간에게 가장 중요한 시간이며 가장 오래 머무는 시간이므로 이때 기운을 얻어두면 病에 잘 걸리지 않는 생활을 할 수 있다.

그런데 북동이나 남서, 혹은 동서남북의 중심선상에 화장실이 있거나 부엌이 놓이면 건강을 잃을 가능성이 있다. 집 중심의 기운은 사람이 활동하거나 쉬는 공간으로 사용하여야 행운이 들어온다.

3) 健康運을 높여주는 化粧室 인테리어

화장실은 전통적으로 부정한 장소로 취급되어 왔기 때문에 어느 방위에 있든 특별히 좋은 점은 없다. 오히려 집 중심에서 화장실이 어디에 위치되었는가를 보고 그 사람이 어디가 아픈지를 알 수 있을 정도.

하지만 방위에 알맞은 인테리어 용품을 이용해서 건강을 유지할 수 있는 방법이 있다.

▷ 땅의 Energy가 서쪽이나 동쪽에서 입력될 때

화장실이 북쪽에 있다면 꽃 장식에 신경을 써서 흰 백합이나 분홍 장미꽃을 꽂아두는 것이 행운 아이템이다. 매일 청소하여 악취나 더러움이 남지 않도록 해주고 물기가 남아있지 않도록 환기도 잘 시켜주면 불운이 오히려 행운으로 바뀐다.

▷ 땅의 Energy가 북쪽이나 남쪽에서 입력될 때

동쪽에 있는 화장실에는 빨강 수건이나 빨강 목욕 가운, 빨간색 비누곽 등으로 마무리하고 다른 집기류는 검은색으로 비치하면 幸運이 찾아온다.

▷ 땅의 Energy가 동쪽이나 서쪽에서 입력될 때

남동쪽의 화장실은 언제나 방향제를 뿌리거나 포푸리를 갖다 놓아 늘 좋은 냄새가 나도록 해주고, 수건이나 각종 집기들을 로맨틱한 꽃무늬로 통일시켜 우아한 여성의 이미지로 연출하는 것이 좋다.

▷ 땅의 Energy가 동쪽이나 서쪽에서 입력될 때

남쪽 화장실의 타월 걸이나 수도꼭지 등의 금속 부분은 신경 써서 잘 닦아주면 그 빛이 행운의 열쇠가 된다. 녹색의 욕실용품이 건강에 좋으며 그늘에서도 잘 사는 작은 화분을 하나 두면 운이 트인다.

▷ 땅의 Energy가 남쪽이나 북쪽에서 입력될 때

서쪽에 있는 화장실에는 브라운이나 베이지색 계열의 욕실용품이 좋다.

타월, 샤워커튼, 변기 커버 등의 패브릭에 브라운을 적극 활용하자.

노란 국화나 해바라기, 봄 개나리 같은 노란 꽃도 幸運 아이템이다. 북서쪽 화장실은 가급적 피하는 게 좋겠지만, 만약 북서쪽에 화장실이 있다면 고급스럽게 장식하는 것이 중요하다.

특히 북서쪽 화장실의 인테리어는 집주인의 건강과 직결되므로 주의하도록 하고 둥근 모양의 하얀색 방향제를 두는 것이 좋다.

4) 이유 없이 건강이 나빠진다고 느낄 때

몸이 좋지 않을 때는 동과 서의 힘을 부르는 인테리어가 필요하다.

동쪽의 기운은 달아나는 건강을 불러들이고, 서의 기운은 휴일 오후의 달콤한 휴식을 선물한다.

왠지 늘 피곤하거나 건강에 문제가 있다고 느끼는 사람은 지금부터 '동에서 먹고 서에서 잔다.'는 원칙을 세워 실천하자.

집안에서는 북동과 남서 방위를 연결하는 선을 경계로 음양이 구분되는데, 북이나 서쪽은 음, 남이나 동쪽은 양의 기가 넘친다. 따라서 부엌이나 식당은 양의 기가 있는 동쪽에 있고, 침실은 음의 기가 있는 서쪽에 위치하게 되면 동에서 먹고 서에서 자는 가장 이상적인 배치가 된다.

▷ 땅의 기운이 남쪽이나 북쪽에서 입력될 때

동쪽에서 먹은 음식은 반드시 피와 살이 되며 동쪽에 부엌이 있으면 장수하게 된다.

동쪽에서 먹는 음식 중에서도 가장 좋은 것은 그 계절에 나오는 곡식과 채소로 만든 음식이다. 말하자면 제철 음식을 찾아서 그때그때 먹게 되면 값싸서 좋고 영양과 행운이 가득해서 좋은 진짜 음식이 되는 것이다.

특히 가을, 햅쌀밥을 먹을 때 동쪽을 바라보고 세 번 감사하면, 새로 나온 계절 음식의 좋은 영양분과 동방위의 기운을 함께 섭취하여 건강에 큰 도움이 된다.

東의 컬러는 청록색과 푸른색, 붉은색도 행운 색이다.

붉은색 전기밥솥, 핑크색 조리기구, 푸른색 청화백자 식기 등, 이 색깔의 물건을 부엌이나 식당에서 놓고 매일 사용하는 것이 매일의 운기를 섭취하는 가장 좋은 방법이다.

그런데 집 구조는 좋은데도 건강이 썩 좋지 않다면 청소를 자주 하지 않아 먼지가 많고 지저분하지는 않은지 반성할 것.

특히 부엌의 가스렌즈나 싱크대, 환풍기, 화장실 배수구를 잘 보고 마루나 벽, 식탁 등을 철저히 청소하는 것이 중요하다. 침실 장롱이나 텔레비전에 쌓인 먼지도 깔끔히 털어 내고 환기시켜 주자.

침구는 일광소독하고 시트, 베개커버, 파자마 등을 깨끗이 빨아 정돈해두어야 인테리어의 효과를 볼 수 있다.

남향집을 선호하는 우리 家屋 구조로 볼 때 특히 아파트와 같은 경우에는, 오히려 南이나 동쪽에 침실이 있고 북쪽이나 서쪽에 부엌이 놓인 경우가 더 많을 것이다.

그렇게 되면 건강에 좋은 배치와는 정반대가 되는데 이런 경우에는 동방위의 침실을 세련된 실내 장식으로 정돈해주는 것이 제일 좋다.

우선 손쉬운 방법은 땅의 기운이 들어오는 곳에 머리를 두고 자는 것이다. 땅의 기운은 산이 있는 쪽에서 들어온다. 방의 동쪽에 앉거나 동쪽을 향해 식사하는 것만으로도 약간 효과가 있다.

그림이나 포스터는 요즘 필수적인 인테리어 소품인데 풍수에서도 그림이나 포스터가 훌륭한 소도구가 된다.

건강해지고 싶으면 아침 해나 남자아이, 울창한 숲이나 자동차 같은 것을 소재로 한 그림을 침실이나 식당 동쪽에 장식한다. 소재가 마땅한 것이 없으면 빨간색이나 초록색을 주색으로 사용한 그림이나 포스터도 좋다. 그림 가까이에 스탠드나 텔레비전을 두면 건강의 운기가 새로워진다.

5) 熟眠을 못해 늘 졸리고 疲困할 때

산이 있는 쪽에 베개를 두고 잔다. 동서남북 관계없이 산이 있는 경우는 그쪽이 좋다. 어느 방위든 베갯머리에 물을 한 사발 갖다 놓으면, 물의 기운으로 두뇌가 맑아진다. 이는 북이 지닌 물의 파워를 보완하는 묘수다. 자리끼라 하여 옛날부터 머리맡에 물 한 대접을 놓고 자는 풍습이 흔했던 것은, 풍수를 일상화했던 선조들의 지혜가 아닐 수 없다.

그런데 남쪽에 베개를 둘 수밖에 없는 구조라면 베개 주변에 스탠드나 화분을 놓는다. 널찍한 그릇에 물을 담아 머리맡에 두는 것도 좋은 지혜이다. 물은 습도 조절도 해주면서 좋은 기운을 발산한다.

방은 낮 동안에는 밝고 통풍이 잘 되도록 창을 열어준다. 밤에는 일찌감치 커튼을 치고 어둡게 하여 방이 먼저 잠들도록 만들어두면 편안히 잠잘 수 있다.

인테리어는 자연감각을 살려, 우디(Woody)하고 내추럴한 스타일이 편안하고 깊은 잠을 돕는다.

대개 잠을 못 자는 사람은 땅의 Energy가 부족해 있기 쉬운데 땅의 Energy가 입력되는 쪽에 머리를 두고 자거나, 매일 1시간 여씩 걷는 습관을 들인다. 되도록이면 콘크리트가 아닌 흙 땅이나 잔디밭을 걷는 것이 좋다.

무, 당근, 감자, 고구마 같은 뿌리채소류를 적극적으로 섭취하여 땅의 Energy를 흡수하는 것도 적극적인 방법이다.

밤에 기침이 나고 숙면을 못할 때는, 잠자기 전에 오렌지 주스나 레몬, 귤 같은 종류의 과일을 먹거나 마시지 않도록 注意해야 한다. 그러나 「모과 숙성 주스를 약간 마시면 숙면에 좋다.」

6) 건망증이 심해지고 정신이 멍할 때

요즘은 20-30대 건망증이 흔하다. 세상이 복잡해지고 정보가 많아져 두뇌가 피곤한 탓도 있지만, 풍수로 볼 때는 북과 남의 힘의 균형이 맞지 않는 것을 원인으로 본다.

남은 인간의 정서를 관장하는 방위이고, 북은 지혜를 일깨우는 방위다. 집의 북쪽이나 남쪽에 도로가 있지 않은지 혹은 空虛한 곳이 없는지 살펴보자.

북쪽 도로라면 북의 Energy가 너무 흔들려 정서불안을 가져오게 되고, 남쪽 도로라면 머리 회전이 너무 지나쳐 쉽게 피곤해진다. 둘 다 정신적으로 고통을 주게 된다.

북쪽에 도로가 있는 경우, 건망증이 심해지는 일을 막으려면 매일 소리 내어

책을 읽어야 한다. 영어 소설 같은 것을 소리 내어 읽는 습관을 들이면 영어 공부도 하면서 건망증도 없앨 수 있다. 스토리가 아름다운 추억의 명화나 고전 소설을 조용히 감상하는 것도 좋은 방법이다.

집에서는 현관에 매일 물을 뿌려 북과 궁합을 맞춰주고, 신발장 위에 흰 백합과 분홍 카네이션, 오렌지색 금잔화처럼 몇 가지색의 꽃을 늘 장식해 두어야 좋다.

남쪽에 도로가 있으면, 머리가 좋은 사람이 갑자기 독선적이 되거나 주관이 흐려지기도 하고 멍청해지는 일이 생긴다. 남 방위는 '반복'이라는 별명을 갖고 있는데 멍청해진다는 것은 같은 얘기를 반복하거나 방금 식사를 하고도 아직 안 먹었다고 말하는 등 뭐든 되풀이하는 증상이기 때문이다.

이 경우는 모임에 가입하거나 사람들이 많이 모이는 곳을 찾아가는 것도 좋다. 여행이 제일 좋은 방법인데 꽃을 집에서 길러보는 것도 권할 만하다. 현관에는 관엽식물을 하나 두고 금속 손잡이는 반짝반짝 윤나게 닦아 놓는다. 대문 밖에 문패 같은 것을 걸어두는 것도 좋다. 이름은 자기 이름도 좋고 집 이름을 지어 붙여두는 것도 좋은데 자신이 직접 세로 방향으로 쓴다. 나무 문패라야 한다.

7) 비만으로 고민하는 경우

비만은 집이나 방의 내부 인테리어 균형이 조화롭지 못하거나, 음식의 균형 섭취가 원만하지 않을 경우 나타나는 증상이다.

비만을 해결할 수 있는 방의 색상의 조화는 다음과 같다. 북쪽은 검은색이나 청록색, 남쪽은 붉은색이나 주황색, 서쪽은 흰색, 베이지색의 물건이나 패브릭 등을 조화롭게 배치시킨다.

방 한가운데 테이블이나 집기류는 노란색, 또는 주황색, 황금색의 색상으로 포인트를 준다면 방 분위기에서 벌써 다이어트가 시작된다고 보아도 좋다.

조명도 형광등이라면 백열등으로 바꾸고 잠잘 때는 베개를 산 입력 측에 두고 자며, 책상이나 마당뜰 쪽을 바라보도록 놓아두는 것이 효과가 있다. 북쪽이나 동쪽 벽에 분위기가 다소 어두운 느낌을 주는 추상화를 걸어 두면 자연스럽게 살이 빠진다.

8) 다이어트를 시작할 때

인테리어 다이어트는 이미지 트레이닝에서 출발한다.

주변 환경을 다이어트에 알맞게 정비해두면, 마음이 흐트러지고 나태해질 때마다 풍수 인테리어의 힘이 정신을 바로 세워주며 다이어트를 지속하도록 돕게 된다. 게다가 풍수의 도움에 의한 다이어트는 당연한 얘기겠지만 다이어트 요요 현상 따위를 걱정할 필요가 없다.

다이어트를 결심한 사람에게 제일 먼저 필요한 물건 두 가지는 바로 거울과 체중계. '나 자신을 먼저 아는' 데서 변화의 출발이 이뤄진다는 얘기다.

남 방위는 '현실직시'의 힘을 지니고 있다. 방의 남쪽에 체중계와 전신거울을 두면, 자신이 얼마나 비만한지가 확실히 파악된다. 식욕을 억제하려면 남쪽 또는 서쪽의 기운을 활용해야 한다. 남이나 서의 Energy를 많이 받게 되면 식욕이 늘게 되므로 낮에는 남쪽 혹은 서쪽 창에 커튼을 쳐두고, 밤에는 남・서쪽에 스탠드를 두자. 식욕이 상당히 억제될 것이다.

밤에 잘 때도 발은 서쪽으로 뻗고, 머리는 동을 향해 누워 서방위의 먹는 힘을 멀리해둔다.

색깔도 중요한 다이어트 요소. 커튼이나 블라인드, 체중계처럼 눈에 잘 띄는 물건들을 되도록 붉은색이나 녹색, 보라색 같은 뜨겁거나 차가운 색상으로 해두면 다소의 긴장감이 조성되며 충동적이며 활동적인 기운을 불러일으켜 다이어트에 도움이 된다.

다이어트의 기본 수칙인 쾌식쾌변을 위해서는 부엌이 중요하다.

부엌이 서쪽에 있으면 불규칙한 식사를 하게 되고, 자연 몸의 리듬이 깨져 비만이 되므로 청록색 소품을 부엌에 두어야 한다. 조리용 도구나 컵 등에 핑크색은 흔하므로 몇 가지 갖춰두자. 절대방위를 살피자.

또 화장실의 환기가 잘 되어야 변비가 생기지 않으므로 문을 닫아두지만 말고 자주 열어주고 화장실용품으로 청록이나 보라색 물건을 두면 더욱 효과가 높다.

9) 다이어트에 매번 실패하는 사람

자기만의 다이어트 포인트를 모르면 언제나 실패로 끝나게 된다. 내 체질, 내

스타일에는 어떤 다이어트가 좋은지, 그것을 막연한 감으로 결정할 것이 아니라 풍수의 힘으로 찾아낸다면 반드시 다이어트에 성공할 수 있다.

침실의 출입문이 어디에 있는가? 절대방위를 살피자.

출입문이 북쪽에 있는 경우, 술이나 주스, 콜라 같은 음료를 줄이지 않으면 언제나 다이어트에 실패하게 된다.

동쪽에 문이 있는 경우라면, 아무리 식사조절을 열심히 해도 운동을 겸해야만 다이어트 효과를 볼 수 있다.

남쪽에 입구가 있는 경우는, 끈기 있게 균형 잡힌 식생활을 해야 하며 꾸준한 운동이 필요하다.

여러 가지 다이어트 이론에 밝은 것도 좋지만 지속적으로 실천하지 못하면 아무 효과가 없다. 이 방법이 안 되면 저 방법으로 좋게 말해서 끈질기게 도전하는 자세도 좋지만 한 가지 방법을 정했다면 성공할 때까지 끝장을 보는 자세를 가져야만 다이어트에 성공한다.

서쪽에 문이 있는 사람은 가장 고전적인 성향이다.

즉 많이 먹어서 비만이 되는 경우이므로 해결법은 너무나 간단. 먹는 것을 줄여라. 물론 실천은 고통스럽겠지만!

10) 피부병으로 고생할 때

피부병은 폐나 대장이 허약하면 생기는 병이므로 오른쪽 벽을 두텁고 안정되게 해주는 것이 좋다. 잠잘 때 눕는 자세를 기준으로 하여 방 오른쪽에 장롱을 둔다거나 가구를 채워주면 벽이 두터워지게 되므로 유익하다.

음식은 평소 매운 음식을 즐겨 먹는 것이 좋다.

침실 南쪽에 창이 있다면 흰색 커튼을 쳐서 남방위의 강한 열을 막아주어야 한다. 서쪽이나 동쪽 벽에 눈 덮인 산의 그림을 걸어두면 좋다.

가구나 벽지를 흰색으로 마감하고 머리를 서쪽으로 하여 잠자게 되면 여드름이나 피부병을 치료하는 데 많은 도움이 된다.

방문 오른쪽에는 흰색의 큰 토기를 하나 두는 것이 운기를 높여준다.

11) 호흡기 질환에 잘 걸린다면

알레르기성 비염이나 축농증, 인후염 등의 호흡기 질환은 서쪽 방위를 잘 정비해주면 질병의 치료에 보다 빠른 효과를 볼 수 있다.

침실 인테리어부터 정비하자. 만약 지금의 침실이 서쪽이라면 남쪽 침실로 바꾸고 서쪽 창문에는 흰색이나 베이지색 커튼을 두른다. 또 벽지와 가구를 녹색이나 분홍색으로 장식해주면 病이 한결 가벼워진다.

가구나 벽지를 바꾸기 힘들다면 침대를 머리가 북이나 서쪽으로 가게 돌려놓고 책상은 동이나 남동 방향으로 놓아준다.

전체적으로는 방 안이 복잡하지 않도록 물건을 이것저것 갖다놓지 않는 것이 좋다. 전화나 오디오, 컴퓨터는 남방위에 두고 침실의 동쪽에 숲이 그려진 작은 그림을 걸어두고 남동쪽 벽에는 거울을 걸어두는 것이 좋다.

남자라면 주황색 또는 흰색 속옷, 여자는 살색으로 가려 입으면 서방위의 힘이 유리하게 작용하여 호흡기 질환을 치료하는 데 많은 도움이 된다.

음식을 먹을 때는 무나 양배추 같은 흰색 섬유질 야채를 많이 먹는 것이 좋다. 흰색 도자기 그릇을 사용하는 것도 한 방법이다.

12) 남편의 생활을 활기 있게 만드는 법

남편이 일에 싫증을 느끼고 매사에 짜증이 는다면 일에 의욕을 붙이고 사업운을 돋워주도록 힘써보자.

북서 방위의 힘을 최대한 받을 수 있도록 이 방위에 침실을 마련하면 좋다. 북서쪽의 방은 주인의 방으로 이 방이 가장에게 책임감을 심어주고 가장으로서의 권위를 찾아준다.

북서 방위의 침실에서 역시 북서쪽에 커다란 山川의 그림을 한 폭 걸어두면 운기가 강해진다.

작은 난초 화분이나 소나무 분재를 두면 활기를 찾게 된다. 흔히 관엽식물을 실내에 두는 경우가 많은데, 관엽식물은 무엇이건 침실에는 두지 않도록 주의한다.

화분에서 발생하는 독소가 사람의 뇌에 영향을 미칠 우려가 있다.

13) 만성 요통이 있는 경우

요즘은 젊은이들 가운데서도 허리가 아파 고생하는 사람들이 많다. 침을 맞아보기도 하고 추나요법이다, 자세 교정이다, 지압이다, 기치료다 수없이 많이 치료를 해보아도 낫지 않는다고 호소하는 사람들이 많다.

허리가 아프게 되는 풍수적 원인은 조상산소에 바람이 들어서이다. 산소의 옆구리가 허하거나 수맥이 지나가거나 해도 자손의 허리가 아프게 된다.

집도 마찬가지다. 건물 옆구리의 벽면이 내 집을 치고 들어오는 형상도 허리병을 앓게 한다. 막다른 골목집이나 높은 빌딩과 빌딩 사이에서 이는 빌딩 풍이 내 집으로 들어와도 마찬가지 증세를 유발한다.

이 바람들을 막기 위해서는 바람이 오는 쪽에 나무를 많이 심거나 방풍벽을 치는 게 좋다. 수맥실험을 해보고 수맥이 흐른다면 방바닥에 동판을 깔거나 동판이 들어있는 수맥방지요를 깔고 자는 것이 좋다.

14) 수맥방지 동판 요는 모든 사람에게 좋은가

수맥이 흐르면 집이 약해지고 갈라지는 것은 물론 사람의 건강에도 치명적인 손상을 가져온다. 최근 어느 텔레비전 프로그램에서 방영했듯이 수맥현상이 센 집은 흉가가 되기도 한다. 조상산소에도 수맥이 흐르면 묘지 위에 잔디가 자라지 않으며 후손에게 큰 재앙이 발생한다.

수맥의 피해를 줄이기 위해 가장 손쉬운 방법은 동판을 깔거나 동판 요를 깔고 자는 것이다. 수맥이 화제가 되다 보니 수맥 여부는 가려보지도 않고 무조건 水脈 요를 구입해 깔고 자는 사람이 있는가 하면 집을 지을 때 아예 바닥에 동판을 깔아버리는 경우도 늘고 있다(위험할 정도로 강한 수맥은 동판으로도 막지 못한다).

하지만 수맥이 없다면 굳이 동판을 깔 필요가 없다. 오히려 땅의 기운까지 차단시켜버리는 손해를 본다. 사람에게 가장 필요한 것이 바로 땅의 기운이요, 이 땅의 기운이 바로 행복하고 건강한 삶에 큰 영향을 미치기 때문이다.

수맥이 없는데도 동판을 깔아 땅의 Energy를 차단하는 것은 빈대 잡으려다 초가삼간을 태우는 격이다. 땅의 Energy는 아파트의 경우 15층 정도까지 도달한다. 지하실의 음습한 기운이 없는 곳이라면 5~7층이 땅의 기운을 가장 잘 받을 수 있는 곳이며 올라갈수록 기운은 조금씩 약해진다. 자석 요나 맥반석 요 같은 것은 부족한 땅의 기운을 보충해주는 것이므로 건강을 위해서 권할 만하다.

15) 술, 담배를 절제하지 못하는 사람

술 마시고 오지 않는 날이 드물고 담배만 연신 피워대는 남편 때문에 눈물 마를 날이 없는 아내들이 꽤 많다.

술, 담배를 절제하지 못하는 사람들은 정서불안인 경우가 많다. 이런 증세가 나타나는 풍수적 요인은 조상산소에 뱀이 들락거리거나 물이 차 있을 때, 머리쪽에 물이나 바람이 들어오는 경우에서 찾을 수 있다. 집터 또한 뒷면이 습하거나 뒤쪽에서 바람이 많이 들어오는 경우다.

이렇게 되면 땅의 Energy가 흔들리거나 부족하게 되어 정신이 불안정한 증상을 보인다. 집 뒤에 동네가 형성되지 않은 벌판이 있거나 골짜기가 있을 때, 앞이 너무 막혀서 답답할 때도 마찬가지다. 집을 정할 때는 이런 곳을 피해야 하고, 이미 이런 곳에 살고 있다면 이사 가는 것이 최선책이다. 이런 곳에 오래 살면 우울증에 시달리게 되기 때문이다.

우선 집에서 할 수 있는 처방은 기도나 참선 등으로 자신을 다스리는 일이다. 침실은 뒤쪽에 창이 없이 벽면으로 돼 있거나 뒤가 든든한 방에 마련하는 것이 좋다. 인테리어 벽면의 색깔이 냉랭하면 좋지 않다.

편안하고 따듯한 색상으로 꾸미고 침대도 창이 없는 쪽 벽면으로 붙이는 것이 좋다. 이때 주의할 것은 꼭 땅의 Energy가 입력되는 곳으로 머리를 두는 것이다. 지기 입력처, 즉 땅의 Energy가 입력되는 곳이란 집 둘레에서 높은 곳, 비가 올 때 물이 흘러 내려오는 곳이다.

음식은 검정깨나 검정 콩 등이 들어간 것을 자주 섭취하고, 콩팥을 튼튼히 하는 한약을 복용하는 것도 좋다.

16) 백혈병에 걸리는 풍수적인 요인과 치유 지혜

요즘 인기 있는 드라마 속 여주인공이 백혈병에 걸리게 되어 드라마가 비극적으로 진행되고 있다. 백혈병은 드라마나 영화 속 비운의 주인공들이 잘 걸리는 병으로 묘사되고 있으며 실제로도 많은 이들이 이 병으로 목숨을 잃고 있다.

백혈병에 걸리는 요인은 유전 등 여러 가지 요인이 있겠으나 풍수적으로는 입력 기운의 문제로 본다. 입력 Energy가 부족하고 입수 쪽과 전순의 밸런스가 맞지 않으면 백혈구가 감소된다.

조상 산소의 머리 부분에 문제가 있거나 앞 전순 부분이 파여 있다거나 할 때, 先山의 本孫이 들어가야 할 자리에 부모의 산소를 모시지 못했다든지 할 때 이런 일이 생기게 되기도 한다.

집터에서도 입력 Energy가 들어오는 부분과, 집 앞 부분에 함정이 있는 등 문제가 있을 때 이런 현상이 생기게 될 수 있다. 산소나 집을 살펴보아 이런 문제가 발견되면 신속하게 해결하는 게 좋겠다.

일상생활 속에서 백혈병의 개선을 위해 할 수 있는 노력은 입력 기운을 돋우어주는 색상인 검은색과, 전순 기운인 빨간색의 밸런스를 맞추는 인테리어를 해주는 것이 좋다. 집안을 온통 이런 색상으로 꾸미면 분위기가 안정되지 않으므로 기본의 깔끔한 색조에 이 색상을 포인트로 조화시켜본다. 검정과 빨강이 있는 그림이나 쿠션, 소파나 침대 패브릭, 커튼 등 소품을 활용하면 된다. 인테리어나 의상에 녹색을 가미해, 水生木 - 木生火로 五行의 흐름이 잘 운행되도록 해주면 더욱 좋다. 개인의 소지품이나 의상에도 검정과 빨강의 조화를 잘 응용해보는 것이 좋다.

17) 맥반석 제품이 풍수적으로 건강에 좋은가

요즘 유난히 맥반석으로 만든 요나 침구 제품 광고를 많이 볼 수 있다. 맥반석에는 산소 함유량이 높다. 생명활동에 좋은 Vital Energy를 공급하는 것으로 땅의 기운을 대신해준다. 그러므로 건강에 좋다고 할 수 있다.

맥반석 제품이 수맥까지 차단하는 장치를 하고 있다고 하는데, 수맥의 경우는 집터 전체에 방지하는 장치를 하기 전에는 큰 방지 효과가 없다.

수맥은 회전하므로 요를 깔았다 하더라도 요를 깔아놓은 부분 위로 올라와 라운드 파장이 그곳에 있는 사람에게 영향을 미치게 된다.

18) 筋肉이나 肝에 問題가 있는 疾病

근육이나 간, 콩팥에 문제가 생기는 병의 풍수적 원인을 찾는다면 조상의 산소에 바람이 들거나, 집의 청룡쪽, 즉 왼쪽에 바람을 세게 맞는 경우이다.

산소의 경우는 바람구멍이 있나 살펴보아 구멍을 막아주거나 바람이 세게 불어치는 쪽이 있으면 묘혈에서 멀리 방풍림을 심어주어 바람을 막아주면 좋다. 집의 경우도 바람이 오는 쪽 창문은 사용하지 말고 잘 닫아두거나 그쪽에 장롱을 놓거나 하여 벽을 두텁게 해주는 것이 좋다.

근육과 간은 우리 몸에서 가장 질소 성분을 많이 함유한 부분이다. 질소성분이 많은 음식인 녹색 야채를 많이 섭취해주는 것이 좋고, 청룡의 기운인 녹색 의상을 즐겨 입고, 녹색 포인트가 들어간 인테리어를 해주면 좋다. 녹색 그림을 걸어두고 자주 바라보아도 좋다.

19) 위암이나 심한 위장질환에 걸린 경우

胃와 관계된 심각한 질환의 원인을 풍수적으로 살펴보면, 집이 습하거나 산소에 물이 들어있을 경우가 많다. 집안에 강한 수맥이 흐르거나, 지하실에 썩은 물이 고여 있어도 胃와 관련된 병에 걸리기 쉽다. 이런 요인으로 胃疾患을 앓고 있을 때는 그런 곳의 물을 제거해주고 통풍이 잘 되게 하여 습기가 흐르지 않도록 해주거나 습기가 없는 곳으로 산소를 이장하거나 수맥을 피해 이사를 하면 상당히 호전된다.

胃는 中央 土의 기운이 작용하는 신체부위다. 그러므로 이 중앙의 기운이 있는 노랑이나 주황색의 음식이나, 주황색의 옷을 즐겨 입는 것이 좋다.

황금색이나 주황색 포인트가 있는 인테리어로 집안을 꾸며 안온한 분위기를 연출하면 좋다. 오렌지 빛 나리나 금잔화 등의 꽃이나 노란 프리지아 꽃을 중앙 테이블 위에 놓고 색감과 향기를 즐기는 것도 좋겠다.

호박이나 금 등 노랑빛과 주황빛이 도는 귀금속이나 준보석 액세서리를 착용하는 것도 좋다.

집안에 머물 때도 중앙에 주로 머무는 것이 좋으므로 한쪽 방보다는 중앙 거실에서 주로 생활하는 것이 좋겠다. 방안의 침대도 중앙에 놓아 중앙의 원정한 기운을 받도록 한다.

20) 솔잎차나 송홧가루는 사람에게 좋은 氣運을 준다

우리 땅의 지기를 가장 잘 품고 있는 식물은 바로 소나무이다.

솔잎 하나하나를 분석해보면 모양은 가느다란 침 모양이지만 열매처럼 알맹이로 뭉쳐져 있다. 우리나라의 지세처럼 솔잎은 산맥구조, 즉 Energy 응축구조로 되어 있는 것이다. 지기가 가장 많이 응축되어 있는 솔잎에서 나오는 기운이나 산소는 다른 나무의 떡잎에서 나오는 것보다 훨씬 양질이다.

솔잎차나 솔 열매 차는 스님들이나 도인들이 즐겨 마시는 차다. 솔잎에는 五黃土의 氣運 즉 靑・紅・黑・白・黃의 다섯 기운이 함축된 기운이 있다하여 즐겨 가까이 하는 것이다.

최근 북한산 송홧가루를 건강식품으로 많이 팔고 있는데, 송홧가루는 지기와 천기가 합성되는 찰나의 Energy 상태를 지니고 있으므로 건강이나 활력을 찾는데 유익한 식품이라 할 수 있다.

4 成功을 保障받는 風水 인테리어 know how (絶對方位概念)

1. 官職에서 成功하려면

1) 묘터

조상 묘의 입수두뇌 부분에서 청룡선익(묘소의 좌측)에 이르는 Energy의 흐름이 선미 강대하고 내청룡, 외청룡이 묘소 앞부분을 힘차게 감아 도는 묘터라면 여기서 태어나는 자손은 관직에서 성공하게 된다.

입수두뇌 부분에 아무런 흉상 없이 청룡 측 선익으로 굵고 튼튼한 기운을 흘려 보내주면, 그 자손은 건강하고 맑은 기운을 얻게 되어 공공의 직책을 엄격히 수행하고 자신을 바쳐 공익을 이루고자 하는 높은 뜻을 지니게 된다.

2) 집터(배산임수 원칙)

뒷면이 두텁게 흘러 들어와 왼쪽을 힘차게 감아도는 언덕이 있으면, 이런 집에서 태어나거나 자라난 사람들은 분명 관직에서 성공한다.

집의 모양은 기역 자(ㄱ) 형태의 집이 가장 좋다. 한일(一) 자 집도 도움이 된다. 왼쪽 담장이 오른쪽 담장보다 약간 높은 것이 좋고 나무를 많이 심어 숲을 만드는 것도 좋다.

3) 인테리어

방의 배치는 청룡(왼쪽)측 기운이 왕성한 곳에 침실이나 안방을 마련하는 것이 좋다. 잠을 자는 동안 청룡의 Energy를 공급받을 수 있다.

옷장과 다른 가구들은 청룡을 보호하고 보완할 수 있도록 왼쪽에 배치하고 대개 진녹색을 고르는 것이 유리하며, 커튼이나 벽지도 진녹색 무늬나 붉은색 무늬가 들어간 것을 고르면 도움이 된다.

서재에서는 책상을 청룡 쪽에 두고, 의자은 반드시 땅의 기운이 들어오는 곳을 등지고 앉아야 뒤로부터 좋은 기운을 받을 수 있다.

4) 마음가짐

풍수에서는 영혼과 심성의 관리가 묘터를 잘 쓰는 것만큼 중요하다.

더구나 관직에 종사하는 사람이라면 광명정대함을 바탕으로 하는 공정한 심성을 지녀야 한다. 언제나 自身의 영혼을 밝은 자리에 머물게 하고 사사로운 심상에 빠지지 않도록 조심하야 한다.

검은색이나 검푸른 색상의 옷을 자주 입도록 하고 여성이라면 사파이어를 지니고 다니는 것도 많은 도움이 된다.

2. 名譽를 얻으려면

1) 묘터

조상 묘소에서는 머리 부분이 단정하고 자리가 밝으며 전순(마당 쪽) 부분이 두텁게 발달한 곳에서 명예를 얻을 만한 인격이 만들어진다.

머리 부분에서 재응축 Energy 鬼를 받고 마당 부분에서 다시 재응축 Energy인 官을 받으면 매우 훌륭한 인물이 된다.

靑, 白을 함께 만나면 가족과 경제에 충실할 수 있다.

2) 집터(배산임수 원칙)

돈이 제일인 세상인 것 같지만 막상 닥치는 대로 돈만 모은 사람들은 명예가 아쉽다. 명예란 것은 단번에 물건을 사듯이 얻어지는 것이 아니기 때문에 꾸준한 자기수양과 노력이 있어야 한다.

집터의 뒤쪽에 둥근 언덕이 자리 잡고 있거나, 집의 뒤쪽 모양이 둥글거나 앞마당의 끝 부분이 바위로 마무리되어 있거나 단단하게 짜여 있으면, 이 집에 사는 사람은 명예를 얻을 수 있는 인격으로 발전하게 된다.

집은 앞뒤 중앙 부위가 배처럼 불룩한 것이 좋고, 가운데가 들어가거나 유난스럽게 튀어나온 것은 좋지 않다. 집 뒤에 나무 동산을 만들어 外氣의 침입을 막는 것이 좋고, 앞마당 끝에 장마를 대비하여 늘 푸른 나무를 심어두면 좋다.

3) 인테리어

침실과 서재는 땅의 Energy가 입력되는 곳과 가깝게 두고, 침대머리는 항상 집의 뒷면을 향하게 배치해야 하며 서재의 북쪽 방향에 아침저녁으로 명상을 할 수 있는 자리를 하나 마련해두면 더욱 좋다.

옷장은 집의 백호(오른쪽)쪽에 놓아주고, 화장대는 마당이 있는 쪽으로 두는 것이 좋다. 거실의 소파는 마당을 볼 수 있게 배치하거나 백호 쪽을 향하게 두고, 집기류들은 붉은색이나 검은색을 많이 쓰는 것이 좋다. 벽지는 베이지색 바탕에 은은하고 엷은 분홍색 무늬가 보이는 것으로 고른다. 문은 청록색으로 안정감을 주면 좋다.

4) 마음가짐

世俗的인 善惡에 흔들리지 않고 고고한 영혼을 지니도록 애써야 한다. 늘 변함 없는 마음으로 높고 거룩한 영혼을 간직하도록 노력해야 그 영혼으로 땅의 기운이 찾아들 수 있다. 옷을 입을 때는 검은색이나 붉은색을 고르는 것이 유리하고, 주머니 속에는 항상 검은색 지갑과 액세서리를 하나 준비해 넣어두고, 붉은색 무늬가 그려진 옷을 입거나 붉은색 액세서리를 몸에 걸치는 것도 큰 도움이 된다.

3. 事業에 成功하려면

1) 묘터

반드시 조상 묘터가 健實厚富한 백호에 둘러싸여야 하고, 명당과 전순이 평탄하고 단단하며, 물의 흐름이 고요하면서도 안기듯 해야 한다.

물이 감아나가는 곳은 청룡의 끝자락이 되어야 하고 앞산이나 현무의 배신이 없는 곳에서 물이 흘러 빠지는 것을 보지 않아야 사업가로서의 성취를 맛볼 수 있다.

2) 집터(장풍득수 원칙)

집터는 경사가 급하지 않으면서 고요히 백호쪽 어깨로부터 흘러오는 물이 마당 앞을 감돌아 청룡 측 밖으로 흘러나가되 그 빠지는 물의 흐름이 보이지 않는 곳에서 살아야 한다. 집의 모양은 니은자(ㄴ) 집이 좋고 두텁고 깊은 한일 자(一) 집도 돈을 지키는 집이 된다. 대문은 물을 받아들이는 쪽에 만들어준다.

3) 인테리어

침실과 서재와 안방은 백호측 자락에 기대도록 배치하고 주방, 화장실, 현관은 청룡 자락에 기대도록 한다. 거실은 밝은 南쪽에 마련하고 소파나 의자는 흰색이나 베이지색으로 장만하는 것이 좋다. 햇볕이 들어오는 부분의 커튼 색상은 붉은색이 좋다. 벽도 붉은 계통이라면 더욱 좋다.

침대는 오른쪽을 베개 삼아 배치하고 침구 역시 붉은색 무늬가 좋다.

방문은 흰색이나 갈색이 좋다.

4) 마음가짐

재화를 다루고 잘 관리할 수 있는 사람의 영혼은 언제나 다이아몬드 같이 맑고 투명한 영혼과 집념에 불타는 原初的 근면성을 바탕으로 해야 한다.

항상 흰색과 붉은색의 옷을 즐겨 입고 두 가지 색이 골고루 합성되어 있는 옷이라면 더욱 좋다. 특히 白玉과 호박을 몸에 지니면 더욱 좋다.

4. 경영인으로서 사업에 성공하려면

1) 묘터

조상 묘터에서는 뒤쪽으로부터 오른쪽으로 흘러드는 물이 묘소의 전면을 감싸 안았다가 왼쪽 밖으로 빨리 꼬리를 감추는 곳이라면, 그 자손 중에 경영의 귀재가 나온다. 입수두뇌가 발달하여 그 세력이 백호 선익을 형성한 다음 Energy를 발생시키면 더욱 유능한 경영 관리자가 출생한다.

2) 집터(장풍득수 원칙)

집터의 오른쪽에 물이 감아 돌아서 왼쪽 담장을 끼고 돌만큼 흐른다면 吉한 자리다. 물의 흐름은 전문가가 아니면 알기 힘들지만 비가 올 때 빗물이 어디로 흘러가는지를 살피면 쉽게 방향을 알 수가 있다.

집 모양은 기역자(ㄱ)형이 좋고 대문은 흘러든 물을 거둬들일 수 있는 자리에 정해야 좋다. 마당의 오른쪽이 두터운 언덕이 되어있어야 하고, 집 또한 오른쪽이 비거나 열려있지 않은 구조로 설계해야 한다.

3) 인테리어

방은 침실과 서재를 백호(오른쪽)기운이 왕성한 쪽에 배치하고 화장실과 주방의 물 흐름은 오른쪽을 감아 돌게 한다.

주택에서는 대문을 바라보고 섰을 때, 나의 오른쪽이 주택의 오른쪽이고 나의 왼쪽이 주택의 왼쪽이다.

옷장은 운기를 보완해주는 역할을 하므로 백호 기운이 약한 곳에 두면 좋다.

소파와 책상 의자는 백호(오른쪽)를 등지게 배치하고 집안의 인테리어 소품이나 그릇 기타 물건 집기들은 흰색과 푸른색이 적절하게 조화되도록 연출하는 것이 좋은 운을 부른다. 커튼도 흰색이 좋고 옷장도 흰색 계통이면 유리하다.

벽지는 흰색과 녹색이 조화롭게 섞인 패턴을 고르면 더욱 좋으며, 문은 자연스런 나무 색 문이 가장 좋다. 현관문은 물이 흘러 들어오는 쪽으로 만들자.

4) 마음가짐

경영인으로서 성공하고 싶다면 창공에 드리워진 에메랄드빛 영혼을 지녀야 한다. 탐욕과 거짓과 어리석음의 뿌리가 진실 앞에서 눈 녹듯이 무너져 내리게 되고, 그제야 비로소 진정한 신뢰가 쌓여 경영의 기법과 수완도 진실과 신의와 성실을 바탕으로 만들어지게 된다. 그것이 되지 않으면 모든 것이 한순간에 물거품이 되고 만다는 사실을 잊지 말자.

맑은 수정으로 인장을 만들어 사용하면 유리한 기운을 지니게 되고 흰색과 황색 액세서리를 지니고 다니는 것이 성공에 도움이 된다.

5. 직장인으로 성공하려면

1) 묘터

조상 묘터에서는 근면과 성실과 신념을 얻어야 한다. 근면성은 묘터의 백호와 현무(뒤쪽)가 조화될 때 생기고, 성실성은 안산(앞 산)과 백호 간의 조화에서 비롯되며, 신념과 신뢰는 입수두뇌(시신의 머리 쪽)와 혈장(묘소에서 시신이 안치된 자리) 명당과의 조화에서 나온다.

입수두뇌가 훌륭하고 밝은 명당, 힘찬 백호 선익이 있는 곳에 조상을 모신 자손은, 처음에는 월급쟁이로 시작은 하지만 반드시 크게 성공하여 한 분야의 長이 되거나 개인 사업으로 성공하게 된다.

2) 집터(장풍득수 원칙)

직장인에게 가장 중요한 것은 원만한 성격이다.

집터의 전반적인 균형이 잘 유지되어 있어야 한다. 특히 오른쪽 언덕이 두터운 기운을 싣고 있어야 하며, 앞산 언덕이 있다면 더욱 좋다. 언덕이 없다면 집으로 막혀 있어도 도움이 되고 마당이 너무 휑하지 않도록 정원석이나 축대를 설치하는 것도 한 가지 방법이다.

집의 모양은 니은(ㄴ)자 모양이나 기역자(ㄱ)를 왼쪽으로 뒤집은 모양이라면 좋고, 담장은 사람의 키 높이만큼만 쌓아둔다. 대문은 물을 거둬들이는 위치에 만들고 너무 높지 않게 만들어야 한다.

3) 인테리어

직장인의 침실은 언제나 밝아야 한다. 부지런한 습관, 지칠 줄 모르는 근면성은 역시 침실과 거실이 밝지 않으면 만들어지지 않는다.

주방은 북쪽이나 백호 쪽(오른쪽)에 배치하고 안방의 동쪽 창문이 밝게 되도록 만들자. 벽지와 커튼은 안정과 용기를 주는 붉은색이 좋고, 소파나 의자는 항상 안산(앞산)을 바라볼 수 있는 자리에 두어야 한다.

4) 마음가짐

직장인으로서 성공할 수 있기 위해서는 내일 지구의 멸망을 눈앞에 두고서도 오늘이 다할 때까지 정진하는, 어리석을 만큼 강인하고 우직한 신념과 의지를 지녀야 한다.

6. 정치인으로 성공하려면

1) 묘터

정치인으로 성공할 수 있는 조상의 묘는 입수두뇌와 전순의 조화가 이상적이어야 하고 현무정과 안산의 Energy 응축이 강력하게 이루어져야 한다.

만약 현무정 Energy가 背逆(배반하여 돌아섬)하게 되면 나를 이끌어주던 후견인이 돌아앉게 되고, 안산 Energy가 배역하게 되면 나를 밀어주고 따르던 이웃이 나로부터 멀어져간다. 종응축 Energy의 선악, 미추, 대소, 강약에 따라 그 자손의 정치적 역량이 결정된다. 물론 청백이 균형을 얻으면 이는 더더욱 큰 역량을 얻는다.

2) 집터(장풍득수 원칙)

집터의 후면 Energy와 전면 Energy의 균형 응축이 원만한 곳에서, 폭이 넓은 일(一)자 집을 짓고 살게 되면 정치적 역량이 증가하고 주변의 신망을 얻는다. 골바람이 멈추어야 하고, 장마 시 물이 들어오지 않는 단단한 땅이어야 함은 물론, 앞뒤에 보기 좋은 吉石의 바위가 가로놓여 있으면 매우 좋다.

3) 인테리어

침실과 서재는 집의 뒷면과 전면으로 나누어 배치하고 주방은 북동쪽에, 화장실은 서북쪽, 거실은 남쪽에 배치하라.

옷장은 검은색으로 청룡측에 설치하고, 소파와 책상 의자는 청룡을 보면서 앉게 한다. 커튼의 색상은 붉은 무늬가 좋고, 집기류의 색상은 검은색이 이롭다.

문의 색깔은 밤색이 좋고, 벽의 색깔은 황색과 붉은색이 다른 색상보다 돋보이게 처리하면 더욱 이상적이다.

4) 마음가짐

언제나 평화로워야 하고 정의로워야 한다. 시류에 야합하지 아니하고 도덕과 윤리에 엄격한 聖者的 영혼과 심성을 길러야 하며, 공명정대하고 성실 정직한 희생과 봉사만이 위대한 정치인을 창조해낼 수 있다.

흑색과 붉은색의 균형된 조화를 몸과 결합시킬 것이며 어려움이 봉착되면 언제든지 하늘과 땅을 보고 물어보라.

진솔한 물음은 거룩한 대답을 만나게 하리라.

7. 사회 복지가로 성공하려면

1) 묘터

인류의 균등한 복리와 미래 문명과 문화를 보다 균형되게 전개해가려고 노력하는 사람은, 우선 조상 산소의 자리가 높고 시원한 산정에 자리하는 것이 무엇보다 유리하다. 사방이 넓게 트였으되 주변 산들이 가지런히 정돈되어, 나직이 엎드리고 산정에 부는 바람이 가는 듯 모여들어 잔잔한 호수 위에 고요한 자태로 앉아 있는 듯해야 한다. 주변 산 밑을 살펴보아도 골짜기나 물 흐름이 보이지 않으면 더욱 좋고 뒷산이 높은 데다 청백이 보호하면 더더욱 이롭다.

2) 집터

주변의 건물들이 눈 아래 바라다 보이는 藏風向 양지에서, 높이선 산자락에 등을 두고 집이 앉혀 있으면 말할 것도 없이 훌륭한 곳이다.

두터운 폭의 일(一)자 집이 좋고, 대문은 정원의 동쪽이나 서쪽에 둔다. 정원은 넓은 것이 좋고 담장은 낮은 듯해야 한다.

3) 인테리어

거실이 항상 중앙 또는 남측에서 커다란 공간 Energy를 凝集케 해야 하며, 침실도 크게 하여 방 한가운데에 침대를 두는 것이 좋다.

서재 한쪽에 별도 시설을 마련하여 높은 뜻과 지속적인 선행을 기원할 수 있는 은밀한 공간 구조를 만들어보는 것이 좋을 것이며, 주방은 밝게 창을 내고, 거실은 앞이 터지게 전면 GLASS로 설치한다.

옷장은 검은색이 좋고, 벽지는 흰색으로, 커튼은 엷은 분홍색을 선택하라.

집기류는 녹색과 흰색을 균형되게 선택하여 설치하고, 문은 녹색과 흰색으로 선택함이 이롭다.

4) 마음가짐

눈 덮인 호수에 티 없이 맑은 백색의 영혼을 보라. 그리고 조약돌이 들여다보이는 맑은 시냇물 위를, 어젯밤 사납던 꽃샘바람에 흩날려 떠내려간 보라빛 아픔의 꽃잎을 살펴보라.

그대에겐 언제나 평화가 있고, 사랑이 있고 자비가 있으며, 기쁨이 함께하고 슬픔이 함께하며 그리고 기다림이 함께하리라.

8. 文學人으로 成功하려면

1) 묘터

청룡이 건실하고 안산에 수려한 木體의 文筆峯(붓과 같이 생긴 산)이 뛰어나 있으면, 그 자손 중에는 반드시 명성을 드날리는 文人이 출생한다.

정면에 있는 것이 가장 좋고, 좌우 또는 뒷산 중 어느 한 곳에라도 위치해 있으면 길하다. 멀리 있으면 먼 자손에서 文人이 나오고 가까이 있으면, 가까운 자손에서 출생한다.

2) 집터(배산임수 원칙)

집터 역시 묘소에서와 같은 붓처럼 생긴 文筆峯이 집 앞산에 우뚝이 솟아있어야 한다. 여기에 집 뒤 언덕 산이 힘이 있어야 훌륭한 文人의 출생이 오래가고, 집 뒤 산언덕이나 청룡측이 공허하면 많은 인물이 배출되지 않는다.

집은 ㄱ자 집이 제일 좋고 천장이 높은 집이 유익하다. 대문은 물을 거두게 설치하고 앞산이 가까우면 담장을 낮게, 앞산이 멀리 있으면 담장을 높이 하는 것이 좋다.

3) 인테리어

서재가 되는 방을 우선 文筆峯의 정면이 되게 배치하라. 그리고 거실과 침실의 창문 각도가 앞산의 정면이 되게 해야 한다. 침실은 청룡측에, 주방은 북측에, 화장실은 서북쪽에 두도록 한다. 벽과 커튼의 색상은 녹색 무늬를 많이 띠게 하고 가구와 집기류는 밤색을 선택하면 대단히 좋다. 문의 색깔은 청록색이 유리하다.

4) 마음가짐

가을 창공에 높이 뜬 조개-구름(권적운) 사이로 저 찬찬히 쏟아지는 광명의 영혼을 보라. 그 환희의 빛살이 너의 심상을 이어갈 때, 그대의 나래 편 꿈은 영원한 창조의 세계로 달려갈지니. 바라보아라. 저 조개-구름(권적운), 바다를...

정녕 그대의 줄기찬 붓끝은 드높은 구름바다 깊숙이 진실의 핵 속으로 파고들리라.

9. 종교인 철학인으로 성공하려면

1) 묘터

내청룡 Energy 흐름이 垂變易 질서인 상하 기복형의 독특한 변화질서를 따라와 결혈되는 곳에 중중한 안산의 가득 찬 장막을 안고 고고히 우뚝하게 앉아 있게 마련이다.

용의 기세가 우렁차고 강건한 반면, 주변 보호사의 동조 Energy가 부족한 관계로 가족운이나 형제운이 외롭고 자식운은 더더욱 없다.

안산 帳幕의 Energy場 동조에 의해 사회운은 좋으나, 독자적 주체성과 너무 높은 리상성에 의해 일반인과의 평등적 대화는 종교인이나 철학인이 아니고는 감당하기가 힘들다.

2) 집터(배산임수 원칙)

높고 평원한 곳에 좋은 향의 안산을 만나야 하고, 맑고 푸른 물이 집 앞을 감아 돌면 이는 더 없이 좋을 수가 없다.

집의 모양은 폭이 넓은 일자집의 남향집이 좋다. 길이와 폭의 비가 5 : 3 또는

5 : 4가 되도록 하고, 뜻이 높은 사람의 집이므로 대문과 담장은 높고 멀리 설치하는 것이 좋다.

3) 인테리어

기도실과 침실, 서재는 어떠한 경우라 할지라도 山의 來脈 중심선에 위치할 수 있도록 배치하여야 하고, 안산의 중심 Energy 선에 방의 向이 놓이도록 배치함이 중요하다.

정신활동이 주가 되므로 항상 의자나 소파, 침대머리는 산맥이 오는 방향을 향하도록 산자락을 베개 삼도록 하고 옷장, 책상이나 가구의 색상은 검정 또는 밤색을 선택하는 것이 좋으며 집기류의 색상은 검은 것이 좋다.

옷의 색상은 검정, 회색, 밤색이 운을 도와주고 붉은색 장신구를 몸에 지니거나 걸치는 것도 커다란 도움이 된다.

4) 마음가짐

깊은 가을밤 총총히 빛나는 유난히도 반짝이는 당신의 맑은 영혼을 헤아려보라. 어제도, 오늘도, 내일도 없는 가냘픈 윤회의 굴레에 씌워 덧없이 명멸하는 무릇 생명들 속에, 그대 홀로 외로이 떠 있는 고뇌에 찬 당신의 별빛을 바라보라. 공포와 고통이 그대의 것이고 절망과 암흑이 그대의 것이며, 슬픔과 괴로움이 그대의 것이고 미움과 질투가 그대의 것이리라.

그대 이제 비로소 알게 되리라.

사랑과 평등과 기쁨의 생명들이 모두 한 몸들임을...

10. 연예인 예술인으로 성공하려면

1) 묘터

예술적 감각이 뛰어나고, 다재다능한 특성을 지닌 사람은 주로 조상 묘소의 안산 Energy場이 화려하고, 그 Energy 흐름이 마치 불꽃놀이를 하는 듯 리드

미컬한 火體 구조를 지니고 있는 곳에서 많이 태어난다. 우선 입수두뇌는 아름다운 바위 석질이 솟는 듯 박혀 있는 것이 좋고, 전순의 穴을 향한 바위 무리가 춤추듯 드리워서 박혀있으면 이 분야에서는 추종을 불허하는 대가가 출생한다.

반드시 현무정의 단아한 기풍이 우선하여야 하고, 안산 火體는 눈 아래 높이로 낮아야 하며 水體를 동반하지 않으면 아니 된다.

백호 허리와 어깨 부위는 예능인을 출생하게 하고 자라게 하는 Energy 공급원이므로 항상 조상 묘소의 오른쪽 어깨를 보호해야 한다.

2) 집터(장풍득수 원칙)

집터는 역시 묘터와 같은 조건의 보다 큰 局이 되면 충분하다.

화려한 모양과 색상은 사는 사람의 꿈을 예술적으로 키워간다.

집의 모양을 다양하게 꾸미는 것도 좋고 정원석의 배치를 아름답게 하는 것도 좋으나 무엇보다 중요한 것은 집의 높이를 크게 하고 공간 SPACE를 넓게 해주는 설계이다.

마당으로부터 들어오는 공기량을 증가시키고, 뒤쪽이나 옆으로 들어오는 공기량을 적게 하는 것은 예술가나 연예인의 집에서 가장 관심 깊게 살펴야 할 사항이다. 따라서 앞 담장은 낮게 하고 뒤 담장은 높게 하는 것이 좋고, 앞 창문은 크게 하고 뒤쪽이나 옆 창문은 매우 작게 또는 없게 하는 것이 좋다.

3) 인테리어

침실과 소파 및 책상 의자도 안산 중심을 보게 하는 것이 중요한 배치이지만, 보다 중요한 것은, 작업실이나 연습실의 창문이 안산 Energy 중심과 일치하는 선상에 놓여지도록 배치해야 한다는 것이다. 안산의 다양하고 예민한 창조적 감동과 파워 있는 리듬의 발랄한 기상은 언제고 작업실을 향하여 아름답고 분방한 생명력을 불어넣어주게 한다.

문의 색깔은 붉거나 흰 것이 좋고, 벽의 색상이나 커튼 색상은 밝고 다양한 색깔이 도움 되고 흰색도 원만하다.

가구나 집기류는 가지 수를 많게 하고 색상 또한 다양한 것을 선택하는 것이 좋다.

4) 마음가짐

저녁노을 너머로 붉게 물든 하얀 뭉게구름을 따라 끝없이 펼쳐지는 저 비상의 영혼을 바라보아라.

검붉은 날갯짓 속에 무한히 날아야 하는 창천의 아득함은 그대의 심상일지니 피로에 지친 나날이 그대의 일생을 뒤덮을지라도 결코 태만하거나 머물지 말라.

미래는 그대를 기다린단다. 영원은 그대를 기억한단다.

11. 교육자로서 성공하려면

1) 묘터

입수두뇌가 단정하면서 명당이 평활한 곳에 둥근 立石이 있거나, 안산 중심에 木體形의 아름다운 산이 혈장을 응축하게 되면, 그 자손 중에는 필시 훌륭한 교육자가 나온다.

청룡을 감아오는 元辰水가 맑고 깨끗하면 그 이름이 멀리 남고, 빠지는 물 흐름이 혈장의 가까운 곳에서 꼬리를 감추게 되면 그 성취가 빠르게 온다.

빼어난 木體 안산은 빼어난 학자를 배출하고 來龍 玄武頂이 함께 木體가 되면 유능한 학자가 계속 나온다.

2) 집터(배산임수 원칙)

교육자가 나는 집터는 역시 묘터와 같은 조건의 보다 넓은 局을 필요로 한다.

그러나 너무 넓은 국이 되어 국 Energy場 응축이 허약해질 때는 그 발응이 크게 떨어진다.

안산이 주밀하고 가까이 와 있으면 가까운 자손에게서 인물이 나오고, 안산이 周密하나 멀리 앉아있으면 먼 훗날 자손에게서 인물이 나온다.

집의 모양은 ㄱ자 집이 좋고, 집의 왼쪽이 둥근 언덕이나 긴 집으로 막혀있으면 더더욱 좋다.

안산이 눈높이 이상이 되면 터를 뒤로 물리거나 2층집을 짓고, 안산이 눈높이 이하로 내려앉아 있으면 터를 앞으로 내리거나 단층집을 짓는다.

3) 인테리어

무엇보다 서재의 위치를 안산이 마주 보이는 곳으로 배치하고, 거실은 남측으로 안방 침실과 침대는 玄武頂 쪽에 배치한다. 주방은 北쪽에 두고 화장실은 물 흐르는 방향에 두고, 소파와 의자는 안산이 마주 보이도록 배치한다. 벽면의 색상은 황록색의 무늬가 배합되거나 감청색 무늬가 은은하게 있는 것도 좋다. 커튼의 색상은 붉은 무늬가 이상적으로 조화된 것으로 선택하고, 집기류나 옷장의 색상은 밤색이나 흑색을 선택한다.

4) 마음가짐

태풍이 몰아처간 밤하늘에 샛별처럼 영롱한 사라지지 않는 저 영혼을 보라.

황량한 벌판에 어둠이 짓게 깔려도 이지러진 거리에 부산한 세속의 물결이 더러운 냄새를 한없이 품겨내도 그대 맑은 저 심성은 언제나 영원토록 쓸고 또 닦으리라.

12. 技術者로 成功하려면

1) 묘터

기술인으로 성공하는 사람의 특성은 두뇌의 창조적 활동과 육신의 정열적 하모니가 조화되는 하나의 정교한 연출 특성과도 같아서 조상 산소의 입수두뇌 기운은 말할 나위도 없이 강건 정대해야 하고, 그 기술적 능력을 발생하게 하는 백호 Energy의 섬세한 흐름은 지속적으로 중단 없이 穴核 Energy를 응축해야 한다.

入首來脈뿐만 아니라 入穴脈 Energy의 흩어짐이 발생하면, 산만과 방심이 일어나게 되므로 반드시 束氣脈이 아니면 短脈의 확실한 來脈 秩序가 요구된다.

백호 선익의 섬세한 특성이 曜星에 의하여 증감되는 것이 더욱 좋고, 청룡 안산의 質 좋은 응축을 만나면 더더욱 좋다.

2) 집터(배산임수 원칙)

섬세한 백호측 언덕이 가늘고 튼튼하게 집 앞마당을 감아 돌거나 맑고 고운 냇물이 구슬을 굴리는 듯 앞마당을 감아 돌면 이러한 집터에서 사는 사람은 반드시 좋은 기술과 기능으로 사회를 유익하게 한다.

집의 모양은 ㄴ자 집이 좋고, 대문의 방향은 물 흐름을 거두어들이게 설치한다. 담장은 좁게 설치하는 것이 해롭고 정원수는 키 낮은 것이 좋다.

3) 인테리어

작업실과 서재는 백호측 언덕에 기대게 하고 가구 배치는 청룡측에, 침실은 서북쪽, 주방은 북쪽, 거실은 남측에 두라.

소파나 의자의 배치는 산을 등지게 하고 옷장의 색상은 흰색이나 검은색을 선택하는 것이 좋고 집기류의 색상을 검은색이나 청록색이 유익하다.

벽의 색상은 흰색, 베이지색이 좋고, 커튼 색상은 짙은 황색 무늬를 즐겨 쓰는 것이 좋다.

4) 마음가짐

설한풍 모진 바람 눈보라이고 황량한 들녘 한쪽을 이지러진 턱에다 괸 채, 말없이 돌고 도는 물레방아의 끝이 없는 늙은 영혼을 바라보아라.

턱에 달린 얼어붙은 수염이 그대 근면을 비웃고, 무너져 내린 무량의 물보라들이 그대 한량없는 서러움을 외면할지라도, 세월은 그대 품을 잊지 못해 오늘도 방아타령 쿵더쿵한다. 쿵더쿵 쿵덕, 쿵더쿵 쿵덕, 쿵더쿵 쿵덕.

어젯밤 살바람에 얼던 물살도 동짓날 긴긴밤을 지샌 하소도 정진의 의지 속엔 녹아내리리 쿵더쿵 장단 속에 봄 눈 녹는다.

13. 성공을 도와주는 이야기

1) 출세 운이 붙는 음식

(1) 사업으로 성공하고 싶다면

토마토가 들어간 음식을 주 4회 이상 먹는 것이 좋은데, 토마토가 주재료가 되는 야채수프를 아침식사 메뉴로 정하면 가장 좋다. 붉은색 식사는 영업 운을 불러들인다.

(2) 관직에서 출세하고 싶다면

가능하다면 식초처럼 신 음식을 매일 아침 먹은 것이 좋은데 감식초를 아침마다 한 순갈씩 먹는다면 완벽. 오렌지나 자몽 같은 신 과일도 좋겠다.

당장 기획서를 내야 하는데 도무지 일에 집중이 되지 않고 어디에서부터 시작해야 좋을지 막막한 심정일 때는 푸른 야채 샐러드를 먹어보자. 녹색 음식은 사무직이나 기획직의 일에 生氣를 불러일으켜 준다.

카피라이터나 방송작가, 기업의 상품개발 담당자라면 그 정도의 식사만으로는 부족하다. 왕새우 소금구이나 꽃게탕, 바닷가재 요리를 더해서 기획력과 직감력을 북돋워야 한다. 갑골류는 직감력, 기획력, 인기를 높이는 힘을 지니고 있으며 또 떠오른 아이디어를 구체화시키고 세련되게 표현할 수 있는 감각을 높이는 데 큰 힘을 발휘한다.

복잡한 정보화시대, 정보탐색가가 유망 직업일 정도로 한 발짝이라도 남보다 앞서 출세하려면 정보 수집력이 뛰어나야 한다. 흰 음식 즉 우유나 치즈, 요구르트 같은 유제품에는 정보 수집력을 키워주는 마력이 숨어있다.

잠깐의 휴식 때는 커피나 홍차를 마신다. 뭐든 새로 바꾸고 방향 전환을 해주는 작용이 있어 짜증나거나 피곤할 때의 기분전환에 좋고 여러 가지 음식을 섞어 먹어 식후 식사의 운기가 둘쑥날쑥할 때도 각각의 운기를 중화시켜 불운의 침입을 막아준다.

2) 출세를 부르는 인테리어

상식적인 얘기 같지만 출세하려면 일찍 자고 일찍 일어나야 한다.

습관 때문에 이른 시간에 잠들기 어려운 사람은 머리를 산이 있는 방향으로 두고 잔다.

일의 운세는 동쪽 방위의 파워가 좌우하므로 출세하려면 그만큼 동쪽 방위의 운기를 높여야 하는 것이다. 이상적인 방의 배치는 북동쪽에 거실이 있고, 북서쪽에 침실, 남동쪽에 현관이 자리하며, 남서쪽에는 큰 출입문 따위가 없는 것이다.

남향집을 최고로 여기고 또 남향에 거실과 주 침실을 배치하는 대부분의 구조에서는 다소 힘든 주문일 수 있다.

여건상 불가능할 경우에는 침실 인테리어만이라도 풍수에 맞도록 배치하자.

수면 공간의 운세는 직접 출세에 영향을 끼치는 중요한 부분이기 때문이다. 우선 방의 중심에 침대를 놓고 해가 떠오를 때 강한 Energy를 받을 수 있도록 머리를 동쪽으로 두고 잔다. 기동력이 좋아진다.

머리맡에는 붉은 꽃을 장식한다. 장미, 카네이션, 튤립 등 뭐든 관계없다. 취향에 맞는 꽃을 고르자.

자주색 담요나 붉은 꽃무늬쿠션 등을 침실에 갖춰두고, 직장에서도 책상의 오른쪽에 늘 한 가지씩은 붉은 소품을 놓아둔다. 빨간 장미꽃, 빨간 클립 통, 빨간 머그잔 - 레드 컬러는 이른 아침 상쾌한 조깅에 못지않은 의욕 발진의 촉매제다.

침실 동쪽에는 TV나 CD, 오디오세트를 비치하여 음악을 자주 듣는 것이 도움이 된다.

만약 집이 산자락에 위치하거나 산 옆에 가까이 있을 경우라면 무엇보다 산이 지니고 있는 Energy를 얻어오는 것이 중요하므로 머리를 산 쪽 방향으로 두고 동쪽에 책상을 두면 좋다. 동쪽 창이 나 있다면 더욱 행운.

윗사람의 눈에 띄고 싶다면, 침실 북서쪽에 책상을 놓는다.

부하 직원들이 존경과 관심을 원한다면, 북동 방향에 책장이나 서랍장을 두고 일에 관련된 물건을 넣어두도록 한다.

사교성이 부족하다면, 남쪽 벽에 시계를 걸거나 탁상시계를 놓는다.

진득하게 일을 끌고 가는 힘이 부족한 사람은, 남서쪽에 장롱이나 서랍장을 놓고 자신의 옷을 수납한다.

3) 출세 運이 찾아오는 옷차림

패션 감각은 직장인에게 상당히 중요한 소양이다.

패션 잡지 등을 보고 꾸준히 감각을 키우며 유행스타일을 익혀두도록 하는데 이때, 주로 보는 잡지를 침실의 남쪽에 두고 볼 때는 남쪽 창가에서 읽도록 한다.

사무나 관료직에 있는 사람은 청록색이나 청남색의 옷을 즐겨 입으면 점점 일의 운기가 상승된다.

영업이나 개인사업을 하는 사람은 붉은색, 주황색, 흰색 의상이 좋다. 양복으로 입기 곤란하다면 드레스셔츠나 넥타이, 혹은 속옷에 적극 활용해보면 일이 술술 잘 풀려나갈 것이다.

기획이나 관리직에 있는 사람이라면, 검은색이나 짙은 감색 옷이 좋다. 검정은 권위적인 색깔이면서도 창의적인 색깔이어서 기획직에 알맞고 짙은 감색은 점잖으면서도 조화와 화합의 색상이므로 관리직에 알맞다.

4) 내 사업으로 독립하려면

직장생활을 그만두고 독립하는 데 필요한 운기는 집의 거실문과 현관에 있다. 거실문이나 현관이 東이나 남쪽에 있다면 햇볕의 기운을 받아 독립하기가 쉽지만 이 자리에 현관이 없거나, 있어도 어둡다면 항상 깨끗이 청소해두고 전구를 두 개 끼워 조명을 밝게 한다.

붉은 장미나 거베라(gerbera)를 현관 신발장 위에 늘 장식해둔다.

'가장 수고를 많이 하는 사람이 그곳의 주인'이라는 말이 있다. 독립하여 사장이 되면 주인이라는 생각 때문에 편안해진다. 하지만 주인보다는 관리인이 되자. 지금까지보다 더 고달프게 일해서 가장 부지런하고 가장 성실한 말단 직원이 되어야만 비로소 성공한다.

당근이나 연근, 무, 감자, 고구마 같은 뿌리 채소를 먹거나 갈색 옷을 입으면 근면성과 성실성이 높아진다.

집에서 남서쪽에 있는 은행, 이발소, 목욕탕은 돈을 물어보는 방위이므로 자주 다니면 더욱 좋다.

여행에서 돌아올 때 붉거나 흰 도자기로 된 화병이나 재떨이나 도기 인형 같은 기념품을 하나 사와 집에서 자주 사용하게 되면 노력을 아끼지 않는 힘이 강해진다.

침실에 그림을 걸어둘 때는 떠오르는 태양, 높은 하늘, 산의 웅장한 모습, 강물, 시원한 바다같이 항상 높고 밝은 뜻이 있는 그림을 걸어두어야 판단력이 좋아진다. 종교를 갖고 있다면 부처나 예수 그림을 걸어두는 것도 좋다.

성공 가능성을 감지하는 능력이나 히트 아이템을 기획하는 능력이 부족하다면, 성직자나 존경할 만한 사람을 자주 만나는 것이 좋다.

탤런트나 정치가처럼 대중적인 인기와 주목을 받는 인물은, 기를 먹고사는 사람이므로 잘못하면 기를 빼앗기기 쉽다. 좋아하는 스타의 사진을 걸어두는 것은 무방하다.

경제력과 매출 증대의 파워는 서쪽 방위에, 돈을 저축하는 방위는 남쪽 방위에 있다.

5) 일의 운을 부르는 사무실 책상의 소재

책상 앞에 앉아서 일하는 시간이 많은 회사원들에게는 책상도 결코 소홀히 해서는 안 되는 풍수 아이템이다.

책상이나 사무용 가구는 회사의 수준을 나타내는 것이므로 너무 싸구려로 배치하지 않는 것이 좋다. 책상의 크기도 너무 작고 우중충한 것보다는 큼직한 것이 좋다. 책상이 크더라도 책상 위에 너무 많은 것을 올려두어 비어있는 공간이 너무 적어도 좋지 않다. 책상은 넉넉하게 사용할 수 있어야 한다.

소재는 나무가 좋다. 과거에 흔히 많이 사용하던 회색 철제 책상은 풍수상으로는 별로 좋은 소재가 아니다. 요즘은 나무는 아니지만 나무 느낌을 낸 베이지 또는 황색 가구들이 많이 등장하고 있다.

이런 책상이나 가구라면 좋다. 나무 느낌의 책상들이 사무실에 안정감을 주게 되는데, 풍수의 요체는 바로 이 안정이다. 안정이 결국은 행운을 가져오는 근본이 되는 셈이다.

6) 회사의 운기를 살려주는 책상 배열법(배산임수 원칙)

요즘은 회사의 사무실에도 환경을 아름답게 하는 바람이 불어 점점 세련된 감각으로 꾸미는 사무실이 늘고 있다. 그중 한 경향으로 칸막이를 하여 개인의 독립적 공간을 주는 사무실 형태가 많다. 그런데 이 칸막이는 직종이나 하는 일의 성격에 따라 좋기도, 나쁘기도 한 것이다.

칸막이형 데스크는 기가 강한 사람이나 각자 자기만의 일을 하는 사람에게는 좋다. 디자이너나 창의적 일을 하는 사람들에게는 좋은 것이다.

그렇지 않고 서로 긴밀한 협조를 요하거나, 함께 같은 성격의 일을 해나가야 하는 사람들에게는 바람직하지 않은 배열법이다. 여러 사람이 서로 기를 통하면서 해야 되는 일은 병렬형으로 배열된 책상 배치가 일의 능률을 올리게 된다.

좁은 사무실에 너무 많은 책상이 있다거나, 넓은 사무실에 너무 적은 책상이 있어도 역시 풍수상 좋은 사무실은 아니다. 항상 적당하게 조화를 이루는 것은 역시 안정감을 주므로 그 회사의 운기를 일어나게 해준다.

7) 일 운이 좋아지는 의자의 색상과 모양

의자는 일하는 사람의 몸과 가장 밀착되어 있는 가구이다. 그래서 무엇보다 편안해야 한다. 팔걸이가 없는 디자인보다는 팔걸이가 있는 것이 편안한 느낌을 줌과 동시에 값도 좀 더 비싸 보이게 된다. 이런 의자의 분위기는 곧 거기에 앉아 일하는 사람 개개인의 분위기와 회사의 분위기까지 이어져, 그 회사는 안정되고 좀 더 부자가 되는 것이다.

의자의 색은 다른 가구나 바닥 색과 어울리는 것이면 무난하지만, 일의 성격에 따라 어울리는 색상을 찾아본다면 보다 적극적으로 運을 불러들일 수 있다.

일반 사무실은 녹색이나 갈색 계통이 좋지만, 기획력이나 창의력이 필요한 직종, 혹은 새로운 일에 도전하는 회사라면 청록색이나 보라색이 좋다.

영업직이라면 돈을 부르는 색깔인 붉은색이 좋다. 의자의 색깔을 이 색깔로 찾기가 힘들다거나 다른 가구와 어울리지 않는다면 의자 등에 받치는 쿠션에 이 색상을 적용해보는 것이 한결 손쉬운 방법이다.

8) 행운을 가져오는 필기 도구

무심히 쓰는 볼펜 하나에도 그 나름의 기운이 있다.

흔히 사무실에서 제공하는 제품을 적당히 사용하고 있을 것이다. 경제나 절약을 위해서는 당연히 그렇게 실용적인 것을 사용해야 한다. 하지만 자신의 것으로 한두 개 정도는 좋은 제품을 가지고 있는 것이 좋다.

특히 양복 안주머니에 꽂고 다니는 볼펜은 유명브랜드의 것으로 갖춘다. 유명브랜드란 유행을 따르거나 값이 비싸서 좋다는 것이 아니므로 오해 없기를 바란다. 유명브랜드는 그 이름을 계속 유지할 수 있는 운기가 있는 물건이기 때문에 갖추라고 하는 것이다. 젊은 사람들이 너무 브랜드를 따진다고 한탄하는 어른들이 많다. 지나치게 사치스러운 것이 아니라 한두 개 정도는 갖추는 것은 풍수적으로는 그리 나쁜 현상은 아니다.

책상 위의 필기구는 물론 여러 가지 소도구도 항상 청결하게 정돈하고 소중하게 다루는 것이, 일의 능률은 물론 그 책상의 주인이 하는 일에 행운이 찾아오는 길이 될 것이다.

9) 영업하러 가는 방위별 영업전략 – 동쪽

회사를 중심으로 지금 어느 방향에 영업하러 가는가를 미리 살펴두면 가장 적절한 영업전략을 세울 수 있다.

동쪽은 새로움과 활기의 방위다. 관직이나 승진 혹은 새로운 취업 등에 어울리는 방위로 덕담이나 희망적 제시가 성공의 포인트다.

방문하기 전에는 사전에 전화 약속을 해둔다. 전화를 거는 것만으로도 좋은 출발이 된다. 갑작스러운 방문은 성공 가능성이 희박하다. 상대가 미리 마음의 준비를 하여 편안한 마음으로 만날 수 있도록 해주는 게 좋다.

상대 앞에서는 회사에 대한 자부심을 갖고 열의 있게 자랑하는 태도를 보이자. 이때 회사의 전통이나 지명도를 내세우기보다는, 활기차게 발전하는 회사라는 이미지에 초점을 맞춰 각광받는 미래 기업으로서의 장점을 부각시키는 것이 더 좋다.

딱딱한 스탠다드 정장보다는 다소 캐주얼한 편이 좋다. 캐주얼한 의상이라고

해서 점퍼차림에 청바지 차림은 영업사원에겐 좋은 복장이 아니다. 요즘 유행하는 쓰리 버튼, 포 버튼, 파이브 버튼 차림의 양복이나, 콤비에 진한 색상의 셔츠, 경쾌한 느낌의 타이 등이면 좋겠다.

시계나 백 등 소품을 캐주얼한 것으로 들어도 좋다. 느슨하거나 너무 가벼운 이미지가 되지 않도록 강약을 조절해줘야 한다.

동쪽은 막 떠오르는 아침 태양의 이미지처럼 신제품 홍보에 가장 좋은 방위다. 신제품을 팔거나 프리젠테이션을 할 때는 미리 동쪽에 있는 좋은 장소를 알아봐두었다가 미리 제시하는 것도 한 방법이다.

만날 상대가 있는 위치가 동쪽이 아니더라도 동쪽 장소로 끌어내는 것은 영업 담당자의 능력이다.

영업 담당자가 젊은 여성이라면 그 성과가 더 높아진다. 색다르고 신선한 느낌이 상품이미지와 연결되어 호소력이 높아진다. 만나는 상대는 젊은 남자라면 성공 가능성이 아주 높다.

만나는 시간은 가능한 한 이른 시간이면 좋다. 오후나 저녁보다는 오전에 일을 마치는 게 행운을 높이는 타이밍 풍수다.

10) 영업하러 가는 방위별 영업전략 – 서쪽

인간관계를 원만히 하는 것이 성공의 열쇠다.

술자리가 좋은 것은 일 때문에 만난 사이지만 격식과 체면을 벗어나 좀 더 진솔한 관계를 맺을 수 있는 자리로 바꿔주기 때문인 것이다.

서쪽 방위의 회사에 영업하러 간다면 일은 좀 미뤄두고 그 회사 담당자와 연고가 있는 사람을 찾아 셋이서 함께 술자리를 마련하는 것이 좋다. 저녁 식사도 좋다. 술이나 저녁 식사가 좋은 방위이므로 방문시간도 오후 3시 이후이거나 퇴근 무렵에 하는 것이 좋다.

술자리에서도 기회를 봐서 상담을 따내려들지 말고 그와 친해지는 데 우선순위를 두자. 좋은 인상을 주고 괜찮은 친구로 인정받게 되면 영업은 이미 성공한 것으로 봐도 된다.

상대방에게 부담감이나 거부감을 주지 않도록 직장인으로서 가장 기본적인 스타일의 패션에 머물러주는 것이 이 방위에서는 오히려 행운이 된다.

이 경우 젊고 건강한 남성이라면 그 성과는 배가된다.

11) 영업하러 가는 방위별 영업전략 – 남쪽

남쪽은 영업에 가장 좋은 방위다. 대인관계가 활발해지는 방향이기 때문이다. 무조건 자주 많이 찾아가는 것이 이 방위에서 영업하는 비법이다. 남 방위는 반복하는 것을 좋아한다. 첫 방문이 만족할 만하지 못하더라도 반복하게 되면 결국 일은 성사된다.

상대와 대화의 포인트는 그의 심장을 안정시켜주는 대화가 되는 것.

자주 얼굴을 내밀고 그때마다 유머 시리즈나 위트 넘치는 칭찬으로 슬쩍 웃길 줄 아는 '재미있는 사람'으로 인정받게 되면 일은 저절로 잘되게 되어있다. 만날 때마다 재미있게 부담 없는 아이디어 선물을 준비해도 좋겠다.

다만 헤프고 값싼 인상이 되면 안 되므로 주의한다.

복장은 다소 화려한 느낌을 주는 것이 좋다. 소재가 좋은 양복에 조끼나 넥타이도 고급스럽게 연출하고 커프스 버튼, 넥타이핀까지 빠짐없이 갖추도록 한다. 화려하면서도 품위가 있는, 지적인 이미지를 연출하는 것이 유리하다.

젊은 남녀가 함께 간다면 좋은 인상을 주어 큰 성과를 얻을 수 있다. 만나는 담당자와 패션에 대해 칭찬을 해주는 것도 성공운을 높이는 한 방법이다.

방문시간은 낮 시간이 좋다. 아침이나 저녁보다 운기가 좋은 시간이 바로 해가 한창인 낮 시간이다.

12) 영업하러 가는 방위별 영업전략 – 북쪽

가장 신사답고 예절 바른 사람이 되어 보자. 예절에서부터 승부는 시작된다. 고지식하고 성실한 사람이므로 틀림없다는 인상을 심는 것이 관건이다. 손해다 싶을 정도로 값을 최대로 싸게 흥정하며 부족한 부분은 물량을 늘리는 것으로 메우는 것이 이 방위에서 성공하는 영업 전략이다. 회사의 재정 상태가 튼튼하다는 것도 강조하는 것이 좋다.

만나는 상대와 친해지고 싶다면 신뢰도를 높이기 위해 가족이나 신변 얘기를 자주 하며 '착실한 가정을 꾸리는 가장'으로 보이는 것이 좋다. 그렇게 하면 상대의 마음이 누그러지고 좋은 정보를 얻게 된다.

상대의 지혜를 빌리는 대화도 좋다. 가문이나 조상, 역사, 전통문화 등에 대한 내용의 이야기가 상대와의 친근감을 더해준다.

만날 때 의상은 베이지색이나 회색이 좋다. 디자인도 보수적이며 안정감 있는 것이 좋다. 넥타이나 소품 등도 평범하면서 품위 있는 것을 선택한다. 만나는 상대가 연장자라면 이 방위에서 만나는 것이 효과를 발휘한다.

상대를 만나는 시간은 이른 아침이나 늦은 저녁이 좋다. 늦은 저녁은 피차 부담스러우므로 가능하면 아침 시간을 이용한다. 아침 식사를 함께 하거나 아침 운동을 함께하는 시간을 마련한다면 쉽게 친해질 수 있다.

13) 회사 입구에 거울이 있으면

회사 입구에 가면 '아무개 증'이라 쓰여진 큰 거울이 사람을 맞이하는 경우가 많다. 이 거울은 위치에 따라 좋기도 하고 나쁘기도 하므로 거울을 배치하는 위치에도 세심한 신경을 써야 한다. 거울은 모든 것을 되돌리는 작용이 있다. 입구 정면에 거울이 있으면 회사를 방문하는 사람이 가져오는 운기나 회사에 들어오는 좋은 운기를 반사시켜 되돌려 보낼 수가 있다. 그러므로 사람이 들어오는 정면에 거울을 두는 것은 좋지 않다.

한편 입구의 옆면에 거울을 두는 것은 좋다. 일단 거울이 실내를 넓고 밝게 보이게 해주며, 출입자들도 들어오면서 거울을 보고 옷매무새를 다듬어 예의를 다할 수 있게 해주는 작용을 한다. 밝은 느낌과 출입자의 단정한 예절은 회사에 좋은 기운으로 작용하므로 거울을 두고 싶으면 들어오는 입구 옆면에 배치하는 것이 좋겠다.

14) 집무실의 책상이 문을 바라보고 있으면

사장실이나 임원실 혹은 교수 연구실 등 혼자서 쓰는 방에서는 책상이 출입문을 향해 배치되는 경우가 많다. 만나러 오는 사람이 많고, 결재 등 업무상의 일이 문을 바라보고 있는 쪽이 효율적이어서 그렇게 배치하기도 한다.

방이 커서 문과 책상의 거리가 충분하여 책상까지 도달하는 데 시간이 좀 걸리면 괜찮겠지만, 방이 그리 넓지 않은 경우는 이런 배치가 좋지 않다. 이렇게 되면 다른 사람과의 충돌이 생기기 쉽다.

문을 바라보지 않도록 면벽을 하거나 문과 비껴서는 곳으로 책상배치를 바꾸는 것이 좋다.

15) 높은 층에 사무실이 있으면

바다나 산이 보이는 경치가 좋은 '전망 좋은 곳'에 빌딩이 있다면 높은 층의 사무실도 나쁘지 않다. 하지만 옆 건물의 모서리가 보이고 고가도로를 달리는 차가 보이는 정도라면 그리 좋다고 말할 수 없다.

높은 층에서는 대지의 Energy를 받을 수 없다는 단점이 있다. 하지만 태양 Energy는 강하게 받을 수 있으므로 영업이나 활동이 많은 업무를 하는 일에는 높은 층의 사무실이 적합하다고 할 수 있다.

16) 낮은 층에 사무실이 있으면

영감을 얻어야 되는 일, 창의력이 필요한 일은 낮은 층의 사무실에서 일하는 것이 좋다.

땅의 기운이 영감의 힘과 창의력을 상승시켜주기 때문이다.

경리관계 일도 낮은 층에서 하는 것이 좋다. 하나하나 숫자를 쌓아가는 착실한 노력에는 대지의 힘이 필요하기 때문이다.

17) 사무실에 녹색식물을 두면 무조건 좋다

녹색식물의 색상은 사람들에게 안정감과 청량감을 제공한다. 적당한 곳에 녹색식물을 배치하면 사무실에도 활기가 감돌게 된다.

사무실의 활기는 곧 사업의 성공과 연결된다.

하지만 녹색식물이라고 무조건 좋은 것은 아니다. 작은 사무실에 너무 큰 관엽식물을 두게 되면 이는 오히려 사무실에 좋지 않은 기운으로 작용하게 된다.

관엽식물이 사무실의 주인이 되어버려 공간 Energy가 주는 기운이 사람이 아닌 관엽식물 쪽으로 가버리기 쉽다. 특히 관엽식물에서는 인체에 해로운 가스가 발생하므로 공간에 비해 너무 큰 것은 사무실 내의 공기를 해롭게 만들게 된다. 관상용으로 적당한 크기의 것을 두는 것이 좋다.

소나무 분재, 작은 주목 등은 인체에 유익한 기운이 발생하는 나무이므로 실내공간에 두도록 권할 만한 식물이다. 동양란도 거름을 사용하지 않으므로 가스가 발생하지 않는 식물이어서 실내공간에 두어도 무방하다.

녹색식물을 두는 장소는 방의 중심은 피한다. 어딘지 허전한 구석이 있거나 새 기운을 주고 싶은 구석이 있을 것이다. 바로 그곳이 녹색식물이 필요한 공간이다.

18) 사무실의 출입구가 동쪽에 있다면?

사무실의 입구는 땅의 기운이나 물이 들어오는 쪽으로 나 있는 게 가장 좋다. 지세가 안정되어 있음을 전제로 하여 방위별 입구가 지니고 있는 풍수적인 기운을 얘기하자면 다음과 같다. 이때 입구란 회사 건물 전체의 입구라기보다는 자기가 일하는 사무실의 입구를 말한다.

동쪽 입구가 있는 사무실의 동쪽은 기운이 강하다. 동쪽은 동이 트는 곳인만큼 새로운 것을 좋아한다. 새로운 기획이나 밖에서 승부를 거는 사업에 좋은 사무실이다. 무엇보다 젊은 사람에게 좋고, 사업 성격도 젊은이를 대상으로 하는 것이나 외부사람과의 유대관계를 갖는 일을 하는 곳이면 운기가 상승된다.

새로운 일에 대한 도전이 필요하므로 가능한 한 늘 새로운 것을 익히도록 하고, 책상용품 하나도 새롭게 마련하면 좋다.

이곳에서 일하는 사람의 책상엔 작은 화분이나 빨간 장미 몇 송이가 있으면 좋겠다.

옷은 약간 화려한 것으로 입되 빨간색이나 청색이 들어간 옷을 입는다. 남자라면 넥타이에 빨강색이나 청색이 들어가면 좋겠다.

의욕은 있는데 자꾸 일이 겉돌기만 한다면 신 음식, 신선한 생선, 붉은색의 음식 등을 먹으면 일의 운이 상승된다.

19) 사무실 입구가 서쪽에 있다면?

서쪽 입구 사무실은 운을 쇠락케 한다. 금전적 트러블이나 남녀관계 스캔들 등 여러 가지 문제를 일으키기 쉽다. 서쪽 입구라면 안으로 이중문을 만들어 기운을 한 번 걸러주면 좋다. 나이 든 사람에게도 서쪽 입구 사무실은 좋지 않다.

이런 사무실은 기술계통 업무를 하는 사무실로 적합하다. 수습, 마무리에 영향을 미치는 방위이므로 저녁 식사 때 비즈니스가 이루어지는 업무에도 알맞은 사무실이다.

이 사무실에서 일하는 사람은 외견상 자기를 고급스럽게 꾸미는 것이 좋다. 옷도 이름이 있는 안정된 브랜드의 제품으로 입고 식사도 좀 비싼 것으로, 책상이나 회사도 안정돼 보이도록 고급스럽게 꾸미는 것이 좋다. 운이 떨어지는 것 같으면 핑크색이나 베이지 계열의 옷을 입어준다.

서쪽은 금속과 궁합이 맞으므로 스테인리스 제품이나 반짝이는 금속 제품을 책상 주변에 배치하면 좋다. 필기용구를 금색으로 한다든지, 은빛 액자를 두어도 좋다.

20) 사무실 남쪽에 입구가 있으면?

영업 일을 하는 곳이라면 남쪽 입구의 사무실이 가장 좋다. 방송, 연예, 예술 또는 글을 쓰는 사람에게도 괜찮은 곳이다. 동업종의 사람들과 연결되어야 하는 일이 잘되며, 그때그때 승부하는 일에는 특히 좋은 사무실이다. 하지만 쉽게 싫증을 내게 되므로 같은 일을 오래하는 데는 좋지 않은 점도 있다.

이런 사무실에서 일하는 사람 중 스트레스가 많이 쌓이거나 싫증이 나는 사람은 정오의 햇볕을 쬐는 것이 좋다. 마침 점심시간이므로 밖에 나가거나, 아니면 창가에서 햇볕을 쬐면 운기가 상승된다.

남쪽은 전자기기나 전화, 시계와 궁합이 맞는 곳이므로 컴퓨터나 책상 위 전화, 시계 등이 행운을 부른다. 의자 위에는 빨간색이나 청색이 들어간 쿠션을 두면 좋다.

등을 북쪽에 두고 남쪽을 향해 앉아 있다면 게나 새우, 갑각류 등의 음식을 먹으면 운이 좋아진다. 일이 잘 안 풀릴 때는 베이지나 초록색, 흰색의 옷을 입으면 기분이 전환된다.

21) 사무실의 출입구가 북쪽에 있다면?

땅의 기운이 입력되는 곳이 아니라면 가능한 한 북쪽 입구 사무실은 피하는 것이 좋다. 차분하고 꼼꼼한 기획이 필요한 일에는 적합한 Energy가 있는 곳이긴 하지만, 북쪽 입구가 있는 사무실에서 일하는 사람들의 발전은 물론 회사의 발전도 없게 된다. 북쪽 입구는 게을러지기 쉬운 기운을 가져온다.

이런 사무실에서 일하는 사람들에게는 여러 가지 일과 관련된 정보의 습득을 게을리하지 말고 적극적 자세로 미래를 향해 전진하는 자기 노력이 요구된다.

외부의 도움도 크게 오는 게 없으므로, 기대하지 말고 자기의 실력대로 일해야 한다. 일을 할 때의 마음자세는 늘 신입사원 시절의 마음자세를 지니는 것이 좋다.

북의 기운은 사람을 어둡게 만들기 쉽다. 자신을 밝은 쪽으로 유도하는 컨트롤이 필요하다. 복장은 세련되고 화려한 편이 좋다. 남자사원이라면 넥타이 하나라도 화사한 색상으로 선택하는 것이 좋고, 와이셔츠는 요즘 유행하는 어두운 색상의 셔츠보다는 흰색이나 밝은 색으로 입는 것이 좋다.

음식은 잎사귀가 왕성한 야채나 당근, 게, 새우, 김치 등 붉은색을 띤 음식으로 남쪽의 기운을 상승시킬 수 있는 것으로 즐겨 섭취하는 것이 좋다.

22) 책상 위 전화기나 팩스를 두는 위치

정보 없이 성공할 수 없는 정보화 시대이다. 전화기와 팩스는 정보전달의 가장 중요한 매개체이다. 이와 같이 정보와 관련이 있는 기기는 좋은 정보가 들어오는 위치에 두는 것이 좋다.

좋은 정보는 앞에서 들어온다. 그러므로 전화기도 책상 정면에 두는 것이 좋다. 앞이 어렵다면 앞과 연결된 오른쪽에 둔다. 앞에서 오는 정보는 유익한 정보이다. 한편 오른쪽이나 왼쪽에 치우쳐 있는 전화기나 팩스를 통해 오는 정보는 빗겨 가는 별로 쓸모가 없는 정보일 경우가 많다.

휴대용 전화기가 폭증하고 있는데 이는 정보화 시대의 필수품이 되어가고 있고 보다 신속하게 정보교환이 이루어진다는 점에서 유익한 기기이며, 이렇듯 핸드폰을 가진다는 것은 빠른 정보를 원하는 마음과 행동이 따른 것이므로 발전의 기운을 가져오게 된다.

23) 운이 좋은 회사가 있는 위치

한보사태 초반기에 풍수에 대한 기사가 심심치 않게 매스컴에 등장했다. 서소문 사옥의 풍수가 나빠 유원건설에 이어 한보가 부도났다는 설도 있고, 한보에 대한 대출로 위기를 맞은 제일은행 사옥이 풍수상 좋지 않다는 기사도 본 적이 있다.

일일이 현장에 가보지 않고는, 사실 정확히 '좋다 나쁘다'를 말할 수는 없어 여기에 뭐라 확인해줄 수는 없고, 설령 가본다 하더라도 이는 쉽게 얘기해버릴 수 있는 성질의 일이 아니다.

과연 풍수로 보아 운이 좋은 회사란 어떤 회사일까? 일반적으로는 예로부터 번화가로 번창하는 곳이 지기 Energy가 충만한 곳, 즉, 풍수상 좋은 곳이라 할 수 있다. 땅의 Energy가 좋은 곳은 교통편도 발달하고 번화가로 형성되어간다.

주요 전철역에서 도보로 몇 분 내에 걸어갈 수 있는 곳이라면 풍수지리상 대체로 좋다고 말할 수도 있겠다.

그러나 삼풍백화점 자리처럼 전철에서 가깝더라도, 번화가가 되었더라도 나쁜 터에 자리 잡게 되는 예외도 있을 수 있다.

또한 입지조건이 좋더라도 건물 자체의 모양, 또는 사무실의 배치 등이 풍수상 나쁘면 운이 달라질 수 있다. 운기에 영향을 미치는 요인에는 풍수 외에도 여러 가지가 있을 수 있다.

24) 개업하는 집의 선물

개업하는 집에 갈 때는 항상 선물이 고민이다. 가장 흔한 화분이나 꽃, 아니면 현금으로 하는 게 일반적이다.

하지만 진심으로 그 사업이 잘되길 기원하는 마음을 담을 선물이라면 훨씬 더 가치가 있을 것이다.

우선 그 집이 출입구가 어느 쪽으로 나 있는가를 알아본다. 먼저 가보는 방법도 있겠고, 전화로 문의를 해봐도 좋겠다.

문이 북향이라면 금속제 장식품이나 화분이 좋다.

문이 남향이라면 도자기나 나무가 좋다.

문이 동향이라면 검은색 소품이나 금고, 붉은 꽃 그림이 좋다.

문이 서향이라면 도자기나 어항, 물과 관련된 장식품, 바다가 그려진 그림 등이 좋겠다.

25) 사업이 잘되는 건물

요즘은 땅값이 너무 비싸서인지 좁은 부지에 뾰족하게 높은 건물들을 많이 짓고 있다. 이런 건물의 모양은 풍수상 별로 좋지 않다. 좁은 도로 옆에 높이 솟은 건물도 좋지 않다.

큰 건물은 그만큼 대량의 공간 Energy를 필요로 한다. 평면공간과 입체공간이 균형과 조화를 이루어야 풍수의 원리에 부합된 건물이 되는 것이다. 평면공간은 입체공간의 약 1.5배에 달하는 잉여공간을 지니고 있어야 균형이 맞게 된다.

보통 100평이 있으면 약 60% 정도에 건물을 짓고 40%를 남겨놓는데, Energy의 균형이 좋은 건물이라면 이 비율이 반대로 되어야 한다. 대지와 바닥 건물 면적이 가장 이상적인 비율은 1 : 0.866~0.577이다. 이 비율은 건물 내나 방 안의 공간과 가구 비율에도 적용할 수 있다. 바로 가장 이상적인 공간 Energy가 형성될 수 있는 비율인 것이다.

26) 건물 모양이 집안 또는 회사 분위기에 주는 영향

몇 년 전 망한 모 재벌사의 건물을 보면 건물 모양은 아주 조형적이고 멋있어 보이지만 자세히 들여다보면 사방팔방이 무질서하게 모난 것을 발견할 수 있다. 이렇듯 건물 모양이 무질서하면 그곳에서 일하는 회사 자체도 무질서해진다. 건물 모양 하나에도 인간이 예측할 수 없는 질서의 기운이 담겨있는 것이다.

그 건물처럼 건물이 모난 구석이 많다 보면, 상하의 질서, 경제적 질서, 인사의 질서가 무너져 윗사람의 명령 체계도 무너지고, 下剋上이 생기며 경제적으로도 여러 가지 문제가 생겨 결국 파멸로 치닫게 되는 것이다.

건물의 모양은 원형이 가장 이상적이다. 건물이 좁을 경우 원형 건물이면 공간 이용상 문제가 좀 있겠지만, 건물이 큰 경우는 원형 건물이 오히려 공간의 활용도가 좋아질 수 있다. 건물에 멋을 부리려다가 자칫 앞에서 언급한 재벌회사 건물처럼 오류를 저지를 수도 있으니 주의해야 한다. 건물이 그리 크지 않을 경우는 반듯한 건물 모양이 무난하다.

건물의 위 모양을 계단식으로 하여 멋을 부린 건물들이 있는데, 이런 경우는 지세의 기울기와 같은 방향으로 순응하여, 지세가 낮은 쪽으로 계단식의 모양이 낮아지면 안정감이 있고 좋다. 하지만 지세의 기울기를 거스르면서 계단식이 된다면 역시 불안한 건물이 되어 그 건물 내의 사업이나 구성원들 역시 불안정과 불균형의 어려움을 겪어 결국 기운이 기울어지게 된다.

27) 영업장소 입구의 계단

영업장소로 가장 좋은 층은 두말할 것 없이 1층이다. 길에서 부담 없이 바로 들어갈 수 있는 층이기 때문이다. 그런데 1층인데도 계단을 걸어 올라가야 하는 영업장소가 많다. 이는 영업에 그만큼 마이너스가 된다. 영업장소가 아예 2층이라면 몰라도 1층이라면 굳이 계단을 만들지 않는 것이 좋다.

입구에 계단이 있으면 고객의 마음속에 심리적인 거부감을 일으키게 된다. 쇼핑을 하거나 음식을 먹으러 갈 때 고객의 마음속에는 즐거움과 안정을 희구하는 마음이 자리 잡게 된다. 계단은 무의식 중에 이 불안정감을 조성하여 이 영업장에 대한 발걸음을 무겁게 한다.

지형상 굳이 계단을 내야 할 경우에는 한 계단의 폭을 넓게, 계단의 깊이를 얕게 하여 부담을 줄여주는 것이 좋다.

같은 원리로 2-3층이 영업장일 경우는 엘리베이터나 에스컬레이터가 있는 것이 좋다. 결국 상업적 성공은, 목표로 하는 고객이 마음에 충족감과 안정감을 주는 것이므로 계단 하나라도 소홀히 해서는 안 되는 것이다.

'계단쯤이야' 하고 가볍게 생각할 수도 있을 것이다. 하지만 이러한 미세한 자연의 기운은 이것으로 그치거나 사라지지 않고 쌓여가는 것이므로, 이런 부정적 기운들이 모이다 보면 결국은 대량의 기운이 되어 사업에 나쁜 영향을 주는 힘으로 작용할 수 있다. 작은 것이라도 소홀히 하지 않고, 행운을 부르는 쪽으로 신경을 쓴다면 이것 역시 대량의 기운으로 쌓여 사업의 성공을 가져올 것이다.

28) 장사가 잘되게 하는 여닫이문

영업장소에 가보면 대개 손님이 들어가는 문에 '당기시오'라고 되어있는 곳이 많다. 하지만 '미시오'로 되어있는 문이 장사가 잘되게 하는 문이다.

장사는 나가는 사람보다 들어오는 사람을 반기는 것이다. 그래서 들어오는 사람에게 편하도록 문이 열리는 것이 좋다. 들어오는 사람이 진행하는 방향으로 밀어서 편해지는 것도 중요한 이유이지만, 더욱 중요한 것은 바깥의 좋은 기운을 안으로 실어오는 역할을 문이 해주기 때문에 밀고 들어오는 것이 좋다. 당기게 되면 안의 좋은 기운이 바깥으로 새나가게 되는 것이다.

그런 면에서 회전문은 좋은 문이라 할 수 있다. 미닫이문은 좋지도 나쁘지도 않은 중간이다. 여닫이문은 반드시 밀고 들어오게 하는 것이 좋다.

29) 사업이 부도나는 집

사업을 잘하다가 부도가 나는 경우는 경영상의 잘못이 가장 큰 이유이겠지만 살고 있는 집터나 주변 환경이 영향을 주는 경우도 많다.

사업주 자신은 경영을 잘하여 사업이 잘되는 방향으로 간다고 해도 이 집터가 잠재적으로 영향을 주어 판단력이 흐려지고 잘못된 방향으로 끌려가게 되는 것이다.

집의 뒤에 함정이 있으면 이 집에 사는 사업가는 부도를 맞게 된다. 집 뒤의 함정이란 집의 뒷모양이 계단식으로 반듯하지 않고 파여드는 부분이 있을 경우다. 연못이나 도랑 등이 뒤쪽에 있어도 역시 좋지 않다.

이런 경우 入力 Energy가 균등하게 들어오지 못하고 함정 쪽에 바람이 집중되므로 좋지 않다. 바람이 회오리치면서 入力 Energy를 부수게 되면 교통사고나 옥살이 할 문제가 생길 수도 있다.

건강상으로도 이곳에 사는 사람의 뇌 기능에 이상이 오거나 정신분열증세가 나타나기도 하고, 콩팥에 문제가 생기게 된다.

집 앞면에 함정이 있는 집, 즉 이런 모양의 집 역시 망하게 되는 집이다. 옛 한옥은 이 모양의 집 앞 부분을 사랑채로 막아 집 구조의 문제를 보완했다. 또 산을 뒤로 두지 않고 바로 마주보고 앉은 집에 살아도 부도가 나기 쉽다.

30) 영업이 잘되려면 원형건물을

언젠가 드라이브 길에 원형으로 지어놓은 음식점을 보았다. 그 집에는 손님이 인산인해를 이루고 있었다. 아마 IMF 시대라 하더라도 그 집은 그 영향권 밖에 있어 영업이 잘되고 있을 것이다.

지세나 방위 등의 영향을 따지지 않고 지을 수 있는 가장 좋은 건물의 형태는 원형건물이다. 좁은 지형에서는 공간 활용도가 낮아 어렵겠지만, 넓은 땅을 가지고 있다면 이렇게 원형으로 지어두고 문을 사통팔달로 여러 곳에 내면 좋다.

원형건물은 어떤 사업이나 영업이든 잘되는 건물이다. 원형건물이 얻는 Energy場은 核 Energy場이며, 가장 이상적인 안정과 균형을 갖추게 된다. 칭기즈칸은 원형 천막 속에 머물면서 세계를 제패하지 않았는가.

원형 다음의 이상적인 건물은 직사각형 건물로 가로와 세로 비율이 1 : 0.577~0.866인 건물이다. 가로는 陽, 세로는 陰으로 이 비율은 가장 생동감 있는 陽과 陰의 비율이다.

31) 背 아파트, 臨 상가인 곳이면

背山臨水는 풍수의 가장 기본적인 원칙이다. 뒤는 높고 앞은 낮아야 한다는 것이다. 그런데 산과 물을 구별짓기 어려운 평지에서도 이 원칙을 응용할 수 있다.

뒤로는 고층아파트 단지가 있고 앞으로 나지막한 상가가 형성되어 있는 곳은 도심에 얼마든지 있다. 이런 곳에 터를 잡아 영업 장소를 꾸민다면 배산임수의 원리를 잘 응용한 것이 되어, 영업이 잘되게 된다.

32) 경사지에 있는 상가의 경우 돈버는 문 위치

최근 경사지에 있는 건물에 가본 적이 있다. 그 건물의 1층에는 상가 셋이 있었다. 한 상가는 경사지의 낮은 쪽에 문을 냈고, 한 상가는 중앙에 문을 냈다. 나머지 한 상가는 경사지의 높은 쪽에 문을 냈다.

IMF 시대라 요즘 경기가 엉망이 되어 상가들이 모두 임대료를 내려달라, 나가겠다 하는 상황이다. 그런데 이 세 상가 중 말 없이 재계약을 한 곳은 바로 마지막 집, 즉 경사지의 높은 쪽에 문을 낸 집이라고 주인이 귀띔을 해주었다.

우리나라의 지형은 線 구조이므로 평지가 그리 많지 않고 울퉁불퉁 경사지가 많다. 경사지에 있는 상가 건물은 평면으로 지었지만 앞면의 길 쪽은 경사가 그대로 보이게 된다. 이럴 때 대개는 경사가 낮은 쪽, 즉 경사가 빠져나가는 쪽에 문을 내게 된다. 심리적으로 낮은 쪽이 더 편리할 것 같은 느낌이 들어서이기도 할 것이다.

그런데 이럴 때는 경사가 높은 쪽에 문을 내는 것이 좋다. 그렇게 해야 상가에서 돈을 벌기에 절대적인 이치인 백호 쪽이 두둑해지면서 돈을 거두게 되는 것이다. 경사면의 낮은 쪽에 문이 있으면 백호가 약해지면서 돈이 빠져나가게 된다. 경사진 데서 중앙에 문을 내는 것은 이도 저도 아니므로 권장할 만하지 않다.

2층이나 3층 등의 경우도 계단에서 들어가는 입구가 경사지의 높은 쪽에 있는 게 좋다. 이미 지어진 건물의 계단 입구가 경사지의 낮은 쪽에 있어 어쩔 수 없다면 차선책이 있다. 계단에서 연결되는 2, 3층의 입구를 건물 앞쪽으로 내지 말고 건물 뒤쪽으로 내는 게 좋다.

33) 나에게 가장 알맞은 會社 고르기

불황과 감원바람으로 취업이 유난히 힘들다.

그런 이유 때문인지 많은 사람들이 회사의 규모나 전망이나 대우 조건들을 꼼꼼히 따지고 자신의 희망과 목표를 더해서 '나에게 가장 적당한 회사는 여기'라는 확신으로 도전하는 경우는 드물다.

워낙 바늘구멍이고 기회조차도 쉽게 주어지지 않는 형편이니 적당한 곳이라면 열 장이고 스무 장이고 입사원서부터 밀어넣고 먼저 오라는 곳이 내 직장이 되는 식이 대부분이다.

그런데 사실, 제대로 취직을 하려면 마음속으로 간절하게 들어가고 싶은 회사가 확실하게 정해져 있어야 한다. 여기든 저기든 상관없다는 불분명한 태도는, 행운의 힘을 한곳에 집중시키지 못하고 흩어지게 만든다. 물론 특정 회사 한 군데를 정해서 거기에만 승부를 건다는 것은 모험처럼 보인다.

무엇보다 자신의 결정에 확신이 서지 않기 때문에 더욱 불안하다.

보수가 좋으면 업종이 그저 그렇고 분위기가 자유로우면 기업의 장래가 미심쩍고 - 여러 회사의 여러 가지 장단점 때문에 선뜻 지망 회사를 결정하기란 사실 힘든 일이다.

풍수상으로 회사를 결정하는 포인트는 자신이 사는 집의 동쪽이나 남쪽에 있는 회사를 선택하는 것이 행운을 가져온다는 것이다. 특히 사무직일 때는 그 방위가 좋고, 영업직은 서쪽에 있는 회사를 선택하면 좋다. 기획이나 관리직은 북쪽이 좋다. 자신의 직업 성격에 따라 회사의 방위를 선택하는 것은 선택이 어려울 때 도움을 줄 것이다. 하지만 딱 좋은 회사를 찾았는데 방위 때문에 고민한다면 주객이 전도된 고민일 것이다.

34) 취직하고 싶은 회사에 들어가려면

마음에 드는 회사라면 누구나 한 번쯤 그 건물을 구경하고 그 회사에 드나드는 사람들도 특별한 눈으로 바라보고 그 회사에서 신바람나게 일하는 자신을 상상하며 희망을 품어볼 것이다.

풍수의 대원칙은 자신에게 솔직한 태도다. 마음이 원하는 대로 하자. 마음이 원하는 것을 스스로 자각한 다음에는 자기 암시를 거는 것이 제2단계. 그 회사의 한 구성원으로서 출발한다는 생각을 확실히 한다.

다음과 같은 방법은 어떨까.

신입사원이 된 기분으로 깔끔한 정장을 갖춰 입고 그 회사를 찾아가보자. 우선은 건물 밖에 서서 회사 건물을 눈에 담듯이 바라본다. 회사 로고나 이름이 보인다면 그 역시 찬찬히 바라본다. 주변에 어떤 건물이 있고 도로는 어느 쪽에 있는지 전체적인 풍경도 함께 눈에 익혀서 언제 어디서나 그 회사 건물과 주변 풍경을 머릿속에 떠올릴 수 있도록 기억해둔다.

다음에는 그 회사 건물 앞에서 사진을 찍자. 장난처럼 생각하지 말고 진지하게 한다. 시골에 계신 어머니, 자식의 능력을 철석같이 믿고 계신 어머니를 기쁘게 해드리기 위해 거짓으로라도 취직했다는 사실을 알려드리기 위한 사진을 찍는다. 눈물 나올 처절한 스토리의 주인공이 된 심정으로 간절한 바람을 갖는 것이 중요하다. 사진을 찍어줄 만한 친구와 함께 가면 좋겠지만 촬영할 때는 반드시 독사진을 찍어야 한다. 사진은 보통 사이즈보다 크게 뽑아서 회사 쪽 방향의 침실 벽에 붙여두자.

이제 희망하는 회사에 다니는 사람을 만나야 한다.

아는 사람이라면 사돈의 팔촌이라도 다 동원해서 그 회사에 근무하는 사람과 직접 이야기하는 기회를 만들자.

그 회사의 경영 스타일이나 선호하는 인재상, 직장 분위기 등 여러 가지 정보를 수집할 수 있어 좋기도 하지만 그 회사에 다니는 사람에게서 나오는 좋은 기운을 받는 것이 취직에 좋은 행운이 된다.

만날 때는 지하 커피숍에서 차 한잔 나누고 짧게 끝내지 말고 될 수 있으면 식사를 대접하는 것이 좋다. 식사를 하게 되면 좀 더 오래 그 사람과 마주 대할 수 있게 되고 또 음식을 함께 먹는 일은 사람과 사람을 인연의 끈으로 맺는 일이 되기 때문이다. 식사는 한식집에서 하는 것이 좋다. 조용하고 쾌적한 한식집을 물색해두는데 기와를 얹은 지붕에 정원이나 마당이 있고 통나무로 기둥과 서까래를 얹은 한식 건물이면 최고다. 한식집은 한국인에게는 가장 편안하고 자연스러운 장소다.

옷은 정장을 입고 단정하고 겸손한 태도를 유지한다. 앉을 때는 상대와 정면으로 앉아야 한다. 시선은 정확하게 마주보되 너무 눈을 뚫어지게 바라보면 상대에게 거북한 느낌을 주게 되므로 시선은 상대의 코나 눈언저리에 두는 것이 좋다. 시선을 너무 아래로 떨어뜨리거나 엉뚱한 쪽으로 비껴주지 않도록 주의할 것.

메뉴는 일품 요리로 하지 말고 오래 식탁에 머무르며 찬찬히 이야기할 수 있도록 한 가지씩 차례로 나오는 한정식이 좋다. 한정식 메뉴에 흔히 들어있는 잡채나 생선구이(꽁치, 장어), 산적 같은 모양이 긴 음식들과 쌀로 만든 떡, 식혜, 정과류는 특히 인연을 맺어주는 데 좋은 음식들이다. 특히 찹쌀로 된 음식은 배를 편하게 해주므로 인간관계도 돈독히 해주는 음식이다. 식사 후 차를 마실 때는 커피보다는 녹차, 인삼차, 생강차 같은 한국 고유의 차를 대접하는 것이 좋은 인연을 만들어준다.

35) 면접시험 성공법

요즘은 면접만으로 사원을 채용하는 회사가 많다.

면접의 방법도 기상천외하고 의외성이 많기 때문에 면접준비가 점점 어려워지고 있다. 사우나 면접이건, 노래방 면접이건 간에 중요한 것은 자신이 갖고 있는 능력을 정확히 잘 드러내는 일이다. 같은 태도라도 어떤 경우는 자신감으로 받아들여지지만 어떤 경우는 허풍으로 비춰지기도 하기 때문.

풍수에서는 그것을 회사와의 궁합으로 보는데 S회사에서는 떨어졌지만 D회사에서는 수석 합격하는 경우도 궁합과 관련 있다.

면접은 면접관과의 커뮤니케이션으로 이뤄지는 시험이다. 면접관은 대개 회사의 이념과 경영스타일에 가장 잘 부합되는 중견 간부들로 구성된다.

따라서 가능한 한 객관적인 평가자세를 유지하지만 따지고 보면 그들 역시 각자 다른 취향에 다른 개성을 지닌 개개인들이다. 그들의 인상에 남고 호감을 줄 수 있는 방법을 찾아야 한다.

행운을 부르는 빨강이나 흰색을 이용하자.

붉거나 흰색 옷을 입으면 가장 좋겠지만 직장인들의 정장으로는 부적합한 색상이므로 속옷에 적용해본다. 붉은색 손수건을 지니는 것도 한 방법이다. 은은한 연녹색이나 주황색 셔츠에 붉은색이 포인트로 들어가 있는 넥타이를 매보는 것도 좋겠다.

영업직일 때는 흰색 드레스셔츠도 좋은 아이템.

반짝이는 구두, 무스나 헤어 젤을 발라 다소 윤이 나는 세련된 머리, 번쩍이는 금테 안경 등 광택 있는 것들은 능력 있고 깔끔한 인상을 주는 데 큰 도움을 준다. 은은한 향수를 약간 뿌리는 것도 첫인상에 플러스 점수를 준다.

시험에 붙겠다고 밤새도록 엿이나 찹쌀떡만 씹을 게 아니라 반드시 밥을 챙겨먹고 야채를 골고루 섭취하는 것이 좋다.

직장 상사와의 운을 높여 면접관에게 호감을 주는 데는 밥이 좋은 음식이다. 둥근 곡물은 행운을 부르는 음식이다. 생선은 시대의 흐름을 주도하는 감각 있는 젊은이의 분위기를 만들어주고, 푸른 채소류는 능력 있는 사람으로 보이게 한다. 야채 샐러드나 시금치 나물 같은 것을 먹어둔다.

단 면접시간이 길어져 회사관계자와 식사를 하게 된다면 국물 음식은 피하는 것이 좋다. 처음 만난 사람과는 국물 음식이 좋지 않다. 따뜻하면서 쫄깃쫄깃한 맛이 있는 음식이면 좋은 인연을 만들어준다.

짧은 시간 안에 자신의 인상을 심어야 하기 때문에 외모 역시 중요하다. 남성은 단정하게, 여성은 아름답게 보이면서도 지성과 능력을 겸비한 인상을 주어야 한다. 그러기 위해서는 윤이 나도록 치장하는 것이 좋다. 남자는 머리에 약간의 젤을 바르고 여자는 피부가 매끄럽게 보이도록 하며, 안경을 착용했다면 뿔테보다는 금속 테가 좋다.

표정 또한 면접에 중요한 부분이다. 무조건 웃는 얼굴도 딱딱하게 굳은 얼굴도 곤란하다. 포인트는 표정을 만들려 애쓰지 말고 마음을 만들어야 한다는 점. 심호흡을 여러 번 해서 마음을 고요하고 평온하게 유지시키고 '나는 된다'는 말을 속으로 열 번쯤 되뇌어 긍정적인 암시를 주자. 그렇게 해서 깨끗하고 맑고 밝은 인품이 저절로 나타나면 자연히 다른 사람의 마음에 밝은 표정으로 각인된다.

36) 기획직종에 취직하는 법

기획직종에서는 검은색이 럭키컬러다. 벽지나 커튼, 침대 시트처럼 큰 부분이 검정컬러라면 좋고 인테리어를 전체적으로 바꾸기가 어렵다면 소품에서 적극적으로 검은색을 도입한다.

태양의 파워를 듬뿍 취하는 것이 좋으므로 한낮의 햇빛을 쪼여주거나, 그늘이 분명하게 나타나는 햇볕이 들어오는 창가에 서서 햇볕 쪽이 아닌 그늘 쪽에서서 햇볕을 바라보면 좋다. 체온 상승과 더불어 성공을 위한 직업운이 수직 상승한다.

좋은 물을 마시는 것도 한 방법이다. 생수나 약수 등 生氣가 있는 물을 많이 마셔둔다.

이력서를 쓸 때도 마찬가지로 한낮에 방 남쪽에서 남쪽을 바라보고 앉아 쓰는 것이 가장 좋다.

해산물이 행운을 부르는 음식이므로 자주 섭취한다. 매일은 어렵더라도 이틀에 한 번씩은 해물탕이나 생선구이 백반, 생 굴회, 초밥, 조갯국처럼 메뉴를 다양하게 바꾸면서 해산물과 자주 접하도록 신경 쓴다.

37) 사무직종에 취직하는 법

이력서를 쓰는 태도가 원하는 분야에 취직하기 위한 중요한 관건이 된다. 학교 앞 카페나 입사 지원서를 나눠주는 경비실 한 구석에서 급히 써내는 것은 금물.

반드시 방 안을 깨끗이 정돈하고 샤워도 말끔히 끝낸 다음, 조용한 子正이나 寅時(새벽 3時부터 5時 사이)경을 택해 정갈한 심신으로 동북쪽을 바라보고 앉아 쓴다.

사무직으로 성공하려면 매사에 침착하고 빈틈없는 태도가 필수. 만약 자신의 성격이 덜렁대고 흥분하기 쉬운 편이라면 침실 북쪽에 검은색, 남쪽에 붉은색이 균형 있게 배치되게 하든가, 동쪽에 파란색 계통, 서쪽에 흰색 계통의 색이 조화되도록 인테리어를 하면 좋다.

북쪽 방위는 침착한 느낌의 방위. 이 힘을 통해 차분한 성격을 취할 수 있고 면접 때도 이 분야에 적합한 사람이라는 인상을 줄 수 있게 된다. 북방위의 행운을 끌어오려면 침실 북쪽에 은은한 주황색 커튼을 쳐두거나, 북쪽 벽에 주황색이 있는 그림이나 사진을 크게 걸어둔다. 침대의 패브릭을 오렌지 톤으로 하거나 오렌지색이 나는 가구나 소품 등을 북쪽에 두어 안온한 느낌을 준다.

음식은 집에서 먹는 가정식 백반이 가장 좋고 담백한 음식을 위주로 식단을 짠다. 흔히 먹는 두부나 흰살 생선은 메뉴에 빠지지 않도록 한다. 흰색이면서 맛이 달면 더욱 좋은 행운 음식 아이템이다.

38) 기술직에 취직하는 법

섬세하고 치밀한 태도가 필요한 기술직에 럭키 컬러는 주황색이다. '기술직=블루 컬러'라는 일반공식에는 좀 안 맞지만 주황색 속옷, 주황색 드레스 셔츠가 사실, 일의 성공을 도와주는 아이템이다. 꼭 옷만 효과를 보는 것은 아니므로 은은한 주황색이 감도는 침실 패브릭이나 가구도 좋겠다.

또 반짝이는 물건이 행운을 가져다주므로 금장 시계, 금반지, 금목걸이 중에 한 가지 정도는 몸에 지니고 다니는 것이 좋다.

39) 서비스나 영업직종에 취직하는 법

활동성, 기동력, 추진력, 적극성 등을 요구하는 직종이므로 남쪽과 서쪽 방위의 힘을 끌어와야 한다.

이른 아침, 상쾌한 음악을 틀어놓고 서쪽으로 등이 향하게 하고 앉아 이력서를 쓰면 1차 전형에서 좋은 결과를 얻을 수 있다. 한 번에 세 장을 써두는 것이 묘수다.

행운 컬러는 붉은색이다. 침실 인테리어, 의상, 소지품 등에 적극적으로 붉은색을 사용하자. 그렇다고 온통 빨강으로 치장할 필요는 없고 빨간 갓을 씌운 스탠드, 빨간 장미 브로치, 자주빛 포켓칩, 붉은 장어가죽 지갑처럼 요소요소에 한 가지씩만 포인트 컬러로 선택하면 충분하다.

음식도 붉은색이 좋으므로 붉은 고추를 사용한 양념 요리, 김치, 당근 감자볶음, 토마토소스를 이용한 스파게티 등 붉은 색조의 음식을 평소 즐기는 것이 좋다.

40) 결제가 필요한 서류를 보관하면 좋은 파일 색깔

요즘은 여러 색깔의 컬러 파일을 문방구에 가면 쉽게 살 수 있다. 아직도 누런 것이나 검정색 파일만을 사용하고 있다면 그는 발전 속도가 느린 사람이다. 색색 파일을 구입하여 목적별로 구분 지어 정리한다면 일에 운을 불러들이게 된다.

다른 사람의 승낙이나 윗사람의 결제가 필요한 서류는 녹색 파일 속에 보관한다. 녹색은 안정과 평안의 색깔로 縱的 친밀감을 강화해주기도 한다. 상사나 윗사람의 마음이 누그러지고 쉽게 허락과 결제를 해주는 기운을 주는 색깔이다. 녹색은 출세의 빛깔이기도 하다. 상사에게 귀여움을 받게 되므로 출세가 빨라지게 되는 것이다.

41) 면접 볼 때 좋은 인상을 주는 의상

면접에서 좋은 인상을 주는 데는 여러 가지 요인이 있으나 옷차림은 결코 소홀해서는 안 될 중요한 요소다.

사실 면접은 혼자만의 인상착의로 결정된다기보다는 면접관의 성향에 따라 영향을 미치기도 한다. 면접관의 기호를 사전에 알 수 있다면 더할 나위 없이 좋겠지만, 그렇지 못한 경우가 대부분이므로 보편적으로 호감을 주는 쪽으로 의상을 입고 가면 좋다. 면접관은 대개 상사이므로 윗사람이 좋아하는 색상인 검정에 붉은색이 조화된 옷차림이면 가장 무난하다. 검은색 양복에 붉은 기운이 있는 넥타이를 매는 것이 좋겠다.

광고대행 회사나 디자인 회사 같은 창의력을 필요로 하는 회사일 경우에는, 창의력이 있는 인상을 주면 면접관에게 좋은 점수를 딸 것이다. 창의력이 있는 느낌을 더해주는 색상은 검정과 푸른색이다. 이런 색의 악센트가 있는 의상을 입으면 좋다.

성실한 인상을 주어야 하는 직장에 취직하려면 붉은색이나 주황색, 노란색이 면접관에서 어필할 수 있는 색상이다. 특히 노란색이나 금색의 포인트가 있으면 좋다. 안경을 쓰는 사람이라면 색상이 들어간 테보다는 금테 안경이 좋은 소품이 될 수 있다.

추진력이나 적극성을 띠어야 하는 직종에 취직하고 싶을 때, 그런 인상을 주는 색상은 청색이나 진녹색이다. 면접할 때 이런 색상의 포인트가 있는 의상을 입도록 한다.

42) 회사를 옮기고 싶을 때

감원과 조기퇴직으로 매일이 살얼음판인 요즘 직장인들은 누구나 안정된 조건을 제시하는 회사로 옮기거나 뱃속 편하게 독립하고 싶은 생각을 한두 번쯤 갖게 된다.

문제는 과연 성공할까? 하는 두려움과 불안.

직장을 옮기고 싶다는 것은 뭐든 좋지 않은 현재를 좀 바꿔보겠다는 마음이므로 변화를 좌우하는 북동 방위의 Energy가 필요하다.

북동 방위는 출세운도 높여주므로 연봉을 올려 받으며 스카웃되는 전승까지 만들어낼 수도 있다.

흰색 드레스셔츠를 갖춘 정장 차림으로 63빌딩이나 무역센터 스카이라운지, 포스코 센터 레스토랑에서 근사한 스테이크를 즐겨보자.

혹은 높은 산에 등산을 자주 가보자. 북동의 운기가 강해져 전직에 성공할 수 있다. 스테이크, 흰색 옷, 높은 산이나 건물의 꼭대기 층들이 모두 변화의 운기를 높여주는 데 큰 힘을 발휘하는 아이템이다. 특히 옮기려는 회사와 면접하기 전날에는 꼭 실행해보자.

43) 직장을 좀 더 잘 옮기려면

직장을 옮기려면 고민되는 점이 한두 가지가 아니다. 옮기려는 회사에 대해 정보가 정확한지, 상사는 좋을지, 그곳에서 내 능력을 잘 발휘할 수 있을지 등등.

그렇다면 남동 방위의 힘으로 좋은 정보를 얻고, 북서 방위의 힘으로 좋은 상사를 만나고, 남서 방위의 힘으로 일에 능력을 발휘할 수도 있도록 각 방위의 기운을 받는 풍수법을 알아보자.

먼저 남동의 Energy를 상승시키려면 아침 일찍 일어나 햇볕을 쬐고 영어 회화 등 어학 공부를 한다. 젊은 남자와 자주 만나고 노래방에 가서 실컷 노래를 부르는 것도 좋다.

두 번째, 북서의 Energy를 상승시키려면 웃어른의 조언을 듣는다. 북서와 궁합이 좋은 한정식 집을 찾아 정종 같은 전통 술을 마시며 전직에 대한 상담을 해본다. 북서는 뭐든 지적인 것과 궁합이 좋으므로 음식도 깔끔하고 담백한 것, 복장도 품질 좋고 세련된 품위가 있는 것으로 차려 입는다.

세 번째, 남서 방위는 흙과 친하다. 흙 길을 걷거나 방의 중심에 흙이 든 화초 화분을 두거나 골프를 치며 오래 땅 위를 걷는 일은 운을 부른다.

이런 일들을 3개월 전부터 실천하면 좀 더 좋은 회사에 현명한 선택으로 직장을 옮길 수 있게 되며 그곳에서 능력을 발휘, 그 회사로서도 직원을 잘 선택했다는 말을 들을 수 있게 될 것이다.

44) 직장 동료와 잘 지내려면

동료는 라이벌이 아니라 친구다.

사회 생활을 하는 데 필수적으로 곁에 존재해야 하는 일종의 '환경'과 같다. 환경이 좋아지면 직장 생활이 두 배는 즐거워진다. 어렵고 답답한 일에 부딪혔을 때도 동료의 도움이 있으면 한결 쉽게 해결된다.

굳이 신경 쓰고 경쟁하지 않더라도 당신의 운만 좋으면 결국에는 동료를 이기게 되어 있다. 오히려 동료를 싫어하는 것은 환경을 오염시켜 그 오염의 폐해를 되돌려 받게 되는 것과 마찬가지의 결과를 가져온다.

동료는 '환경' – 이 사실을 잊지 말자.

동료의 방위는 남동쪽.

책상의 왼편 앞쪽에 동료와 함께 찍은 사진이나 동료와 관계되는 명함첩, 동료로부터 받은 선물이나 작은 식물을 하나 둔다. 회식 때 함께 갔던 장소의 명함이나 성냥 같은 기념품을 책상 왼편 뒤쪽이나 앞쪽에 두는 것도 좋다.

기념될 일을 만들어서 자주 식사를 내거나 술을 사는 것도 좋은 방법이다. 식사는 사람을 친하게 해주는 가장 좋고 빠른 방법이기 때문이다.

음식점의 똑같은 가스 불로 익혀 만든 '한솥밥'을 함께 먹게 되면 같은 동조 Energy場이 몸속에 생기게 되고 자연스럽게 서로의 속내를 알게 되어 인간적으로 가까워지기 때문이다. 메뉴는 특별할 필요도 없다. 회사 앞 분식점이나 포장마차를 활용하라.

라면이나 우동, 짜장면, 냉면, 김밥이면 충분하다. 비싸지 않은 서민적인 음식이라 주머니 부담도 덜한데다가 길게 늘어지는 면 종류는 인간관계를 연결시켜주는 데 좋은 음식이며 둥근 곡류도 좋은 인연을 만들어주는 음식이기 때문이다.

45) 사업가에게 골프는 좋은 운동

한적한 자연 속에서 맑은 공기를 마시며 푸른 잔디 위를 걸으며 즐길 수 있다는 것만으로도 골프는 아주 좋은 운동이라 여기는 사람들이 많다. 골프가 좋은 운동일 수 있다는 데는 풍수적인 이유도 있다. 골프장은 주로 완만한 산등성이나 평원을 이용해 조성해놓은 곳이 많다. 이런 곳은 땅 기운의 흐름이 왕성하거나 안정된 곳이다. 그러므로 이렇듯 좋은 땅을 밟으며 대여섯 시간을 보내다 보면 좋은 기운을 얻을 수 있어, 건강도 좋아지고 비즈니스를 위한 활력도 얻게 되며 여러 가지 의미의 안정을 지니게 된다.

다만 이 골프장이 자연을 훼손하지 않고 자연을 그대로 잘 이용하여 만든 곳일 경우, 그곳에서 운동하는 사람이 좋은 기운을 얻을 수 있다. 외국의 유명 골프장에는 이런 곳이 많다고 한다. 그런데 만약 자연을 마구 깎고 부수어서 만든 골프장일 경우는 땅에서 좋은 기운보다는 나쁜 기운이 나올 수 있다. 산은 차원 높은 초월적 생명체이다. 우리가 상처 입으면 "아야" 하며 인상을 찌푸리듯 그렇게 산도 아프니까 비명을 지른다. 산이 파괴된 곳에서는 나쁜 기운이 나오게 된다.

그러므로 골프장을 짓는 사람도 가능한 한 자연을 훼손하지 않으면서 조성해야 하겠고, 골프장을 찾는 사람도 자연의 훼손이 적은 골프장을 찾아 골프를 즐겨야 하겠다. 이렇게 되면 골프는 운동을 해 육신의 건강을 얻고, 친구들과 즐거운 담소로 마음의 여유를 얻고, 혹은 비즈니스의 도움을 얻고, 또 땅의 기운으로 陽氣를 충전할 수 있는 아주 유익한 운동이 되는 것이다.

46) 창업을 하려고 하는 사람들의 의상과 인테리어

명예퇴직이나 실직자가 늘어나면서 창업을 하고 싶어 하는 사람들이 늘고 있다. 창업에는 지혜가 필요하고 사람을 불러들이는 기운이 필요하다. 지혜를 주는 색상은 검정이나 청색이고 사람을 끄는 기운이 있는 색상은 붉은색이다. 그러므로 인테리어도 이런 색조나 무늬가 들어가도록 꾸미고 의상도 이런 색 계통으로 입는 게 좋다. 이런 색은 상대가 나를 도와주는 기운을 가져오는 색상이다.

사는 집이나 창업할 장소는 땅 기운이 좋은 곳이 좋다. 땅 기운이 좋은 곳에서 땅의 기운이 오는 쪽, 즉 높은 쪽을 등지고 자리 잡거나 물이 풍부한 곳, 물이 많이 감아오는 곳에 자리를 잡으면 좋다.

47) 재취업하고 싶은 사람의 의상과 인테리어

이 직장에서는 명예퇴직이나 정리해고를 당했지만, 다른 직장에 쉬 일자리를 잡게 되는 사람이 있다. 이런 사람은 평소 인간관계가 좋았거나 능력을 갖춘 사람일 것이다.

재취업을 하려면 자신을 도와주는 상대를 잘 만나야 한다. 상대가 나를 잘 밀어주면 재취업은 수월해진다. 이런 기운을 갖게 해주는 색은 흑색과 붉은색이다. 흑색과 붉은색이 조화되는 의상을 입고, 음식도 검정콩이나 깨, 붉은색 음식인 김치나 토마토 등을 섭취하며, 인테리어도 붉은색이나 검정 포인트가 들어간 무늬가 있는 패브릭을 활용하여 꾸미면 재취업이 한결 용이해질 것이다.

재취업하고 싶은 회사가 여러 군데라면 그중에서 회사의 위치를 보고 선택하여 재취업 시도를 하는 것이 좋다. 재취업하기 좋은 회사는 산과 물을 잘 거느린 회사, 즉 背山臨水의 조건을 갖춘 곳으로 뒤가 높고 앞이 낮은 곳에 잘 자리 잡은 회사를 선택하는 것이 좋겠다.

48) 아이디어맨으로 인정받는 법

프레젠테이션이 코앞에 닥쳤는데도 머릿속이 깜깜하다며 걱정하는 사람은 우선 일을 잊고 음식점으로 달려가자. 일의 운을 상승시켜주는 음식은 해산물이면서 붉은색이 나는 요리. 이 두 가지 조건을 충족시켜주는 음식은 대하찜이나 꽃게탕이다. 낙지, 오징어, 조개류가 가득 든 해물탕 요리도 기획력을 높이는 데 좋은 음식이다. 주머니에 여유가 좀 있다면 바닷가재 요리도 투자라 생각하고 잘 먹어두자. 바닷가재 수입 때문에 나라 경제가 멍든다고 요즘 매스컴에서 계속 보도하고 있으므로 애국심을 발휘한다면 바닷가재 대신 꽃게 요리로 대신해도 좋겠다.

새콤한 음식은 의욕을 불러일으키는 효과가 있으므로 신 김치나 신 드레싱을 한 야채샐러드, 혹은 레몬주스 같은 것을 먹어서 기분을 환기시킨다.

지기가 입력되는 쪽의 방에서 지기 Energy의 입력 방향에 머리를 두고 잔다. 지기 입력처는 전문가가 보는 게 가장 정확하겠지만 아쉬운 대로 판단하는 방법이 있다. 집이 경사진 데 있다면 보다 쉽게 볼 수 있는데, 경사면에서 높은 데서 낮은 쪽으로 땅의 기운이 입력된다고 보면 된다. 평지에서는 비 오는 날 동네 바닥의 빗물이 흘러가는 방향으로 보면 알아보기 쉽다. 빗물이 빠져나가는 쪽을 낮은 쪽으로, 빗물이 흘러 내려오는 쪽을 높은 쪽으로 보아 높은 쪽이 지기 입력처로 보면 된다.

아이디어를 얻는 비밀 노하우 한 가지 더. 매일 아침저녁에 죽염을 차 스푼으로 반씩만 먹을 것. 자신도 놀랄 기발한 아이디어가 속출할 것이다.

49) 선거에 출마하는 사람에게 좋은 옷차림

지방자치 선거뿐 아니라 살면서 여러 가지 모임에서도 선출 기회를 자주 만나게 된다. 선거에 출마하는 사람은 우선 자기 자신이 강한 이미지를 지녀야 한다. 내 자신의 이미지를 강하게 하는 것은 검은색이며, 자기의 강한 의지를 표현하는 것은 청록색이다.

다음에는 인기를 얻어야 한다. 표가 많이 나와야 선출이 되기 때문이다. 상대로부터 호응을 얻게 되는 색상은 붉은색이다. 그러므로 검정이나 청색 양복에 핑크 색이나 연한 오렌지빛 셔츠에 붉은색 무늬가 있는 타이를 맨다면 가장 좋은 옷차림이 되겠다.

타고 다니는 자동차도 검은색 차에 붉은색이나 오렌지빛이 도는 시트를 하여 조화를 꾀한다면 유익할 것이다.

50) 명함이나 지갑도 행운을

회사의 이름과 자신의 이름이 든 명함은 일에 상당히 중요한 역할을 하는 것이다. 종이 한 장이라 생각해 함부로 하는 것은 곧 자기의 얼굴이나 일을 함부로 하는 것과 같다.

명함을 넣어두는 위치도 일의 성격에 따라 달라진다.

영업직에 종사하는 사람은 횡적 업무가 많으므로 왼쪽 서랍에 두는 것이 좋다. 일반 사무직은 縱的인 업무가 많으므로 오른쪽 서랍에 명함을 보관하는 것이 좋다. 어떤 직업이건 횡적 업무가 많다면 왼쪽에, 縱的 업무가 많다면 오른쪽 서랍에 보관하는 것이 좋다. 서랍이 아니라 책상 위도 같은 방향에 두면 된다.

명함지갑의 색은 검정 색이나 적색, 갈색이 좋다.

51) 일이 잘되다가도 끝에 가서 마무리가 안 될 때

일이 순조롭게 잘 진행되다가 마지막 부분에서 막히거나 틀어지는 경우가 있다. 사업상 어떤 일을 섭외해서 거의 막바지 단계에 이르러 계약을 하려 하는데 상대가 이런저런 이유를 대고 계약을 미룬다면 정말 난감하기 짝이 없다. 이런 일이 한 번으로 그치지 않고 반복된다면 정말 일할 의욕이 상실된다. 이렇게 마무리가 안 될 때는 황색이나 주황색의 힘을 이용해본다. 마무리의 기운을 북돋우어주는 색상이 바로 이 황색이나 주황색이다. 마무리단계에 갈 때는 며칠 전부터 오렌지 색조의 옷을 입어준다.

음식도 오렌지나 당근 등의 음식을 먹는다. 집안의 인테리어나 사무실의 인테리어에도 이런 색조가 있는 그림, 사무용 집기, 쿠션 등을 들여놓는다. 호박이나 금빛 액세서리를 착용하는 것도 좋다.

52) 명퇴자, 실업자들을 위한 지혜

직장을 잃어 혹은 사업이 망해 실의에 빠진 사람이 부지기수다. 이 시기를 그저 낙담만 하고 지내기보다는 겸허하게 운명적으로 받아들이는 자세가 필요하다. 지금 일이 없다면 이는 자연이 자신에게 쉬는 시간을 준 것이라 생각해야 한다. 본인의 운기가 약해서건 나라의 운기가 약해서건 어찌 되었든 무언가 허약해서 생긴 일이다. 이럴 때는 아낌없이 미련 없이 쉬는 것이 좋다.

지금 나에게 다가온 시기는 검은 밤중에 다름 아니다. 밤에 푹 자두어야 아침이 한결 산뜻하고 개운하지 않겠는가. 해 돋을 때 열심히 일하기 위해 휴식하여 Energy를 축적하는 게 좋겠다. 운이 올 때를 위해, 새 일을 위해 공부를 해두는 것도 Energy 축적의 일환이겠다.

이렇게 편안하게 생각하고 마음 관리, 몸 관리를 해두면 이 위기가 바로 전화위복의 기회가 될 수 있을 것이다.

53) 명퇴자, 실업자들이 가면 좋은 곳

실의에 빠진 사람들이 용기를 얻고 안정감과 의욕, 새로운 능력을 충전할 수 있는 곳이 있다. 바로 산이다. 어려운 때일수록 등산을 하자. 산에 가면 우선 정신이 맑아지고, 위에 언급한 용기와 안정, 의욕과 능력이 생긴다.

등산이란 어떤 방법으로든 산 정상에만 오르면 되는 것이지, 등산광들처럼 장비를 갖추고 어렵게 산을 올라야 되는 것은 아니다. 산의 기운이 가장 좋은 곳은 정상이므로 쉬엄쉬엄 가벼운 차림으로 정상에 다다라서 한두 시간 쉬면서 기운을 얻어오면 된다.

그렇다면 등산하면 좋은 산은 어떤 산일까. 사람이 사는 집을 짓거나, 산소를 쓰기에는 좋지 않지만 잠깐의 등산으로 기운을 얻는 데는 땅의 기운이 발산되는 火體 山이 좋다. 그래야 기운을 얻을 수 있기 때문이다. 꼭 火體 山이 아니더라도 산을 오르는 일이 좋으므로 가까운 산에 자주 다니는 것이 좋다.

서울 근교에서는 북쪽은 도봉산의 기운이 좋다. 남쪽으로는 관악산이 화형산으로 기운을 쉽게 받을 수 있는 곳이다. 전국의 유명한 산들 중에도 좋은 산은 얼마든지 있다. 산맥이 이어지고 둥글고 두툼하며 끊어지지 않고 균형된 산이면 좋다. 풍기에서 태백산에 이르는 산은 산의 기운이 가장 좋은 산이다. 소백산, 지리산, 한라산, 설악산, 오대산도 좋은 산이며 금강산도 좋은 산이다.

산을 오를 때는 골짜기를 타고 오르면 좋은 기운을 얻을 수 없다. 산등성이를 타야 오르고 내리는 동안도 내내 좋은 기운을 얻을 수 있다.

54) 명퇴, 실직, 실패한 사람들이 가면 좋지 않은 곳

명퇴나 실직, 사업에 실패한 사람들에겐 사실 갈 곳이 마땅치 않다. 그래서 어디 경치 좋은 곳에 가거나 한적한 데 가서 시간을 보내려 한다.

좋은 산에 등산 가는 것은 좋겠지만, 가서 쉴 때도 높은 쪽을 등지고 앉아야지 높은 쪽을 마주 바라보고 앉는 것은 좋지 않다. 그렇게 되면 자꾸 역행하는 마음, 비뚤어진 마음이 생기기 쉽다. 평지나 물 흐르는 곳에 있으면 마음이 산란하고 수습이 되질 않는다. 물을 등지고 앉는 곳에 오래 머무는 것도 좋지 않고 물이 빠져나가는 곳에 있는 것도 좋지 않다.

시원한 바다가 바라보이는 낭떠러지나 폭포 있는 곳에 머무는 것은 좋지 않다. 낭떠러지는 잠시 정신착란을 일으키기 쉽다. 절벽을 타다가 사고를 당하는 일이 종종 있는 것도 바로 그 이유다.

땅의 기운이 급강하하는 곳에서는 사람도 정신이 잠깐 나가 발을 헛디디기가 쉽다. 어느 경치 좋은 낭떠러지에서 자살률이 높은 것도 바로 그 까닭이다. 잠시 잠깐 그곳에서 떨어져버리고 싶은 충동을 일게 하는 기운이 그곳에 있기 때문이다.

실직한 사람들이나 실패한 사람들만 모이는 곳도 피하는 것이 좋다. 共業力이라 하여 서로 좋지 않은 기운이 모여 있어 그 기운에 휩쓸리기 쉽기 때문이다. 내 운이 활력을 찾고 새롭게 창출되려면 독자적 기운이 왕성한 둥글고 높은 산에 오르는 것이 좋다. 그곳에서 응축된 기운을 만나다 보면 정신적으로 안정이 되고, 창의력이 생기며, 계획과 구상이 생기게 된다.

만나는 사람 역시 잘 나가는 사람, 독자적 기운이 강한 사람을 만나면 활력을 얻게 된다. 현재 자신이 어렵고 힘들다 하여 잘 나가는 친구들을 피하는 것은 좋지 않다. 그럴수록 더욱 그들과 만나 기운을 얻는 게 중요하다.

55) 의욕이 저하된 회사 분위기를 살리려면

경제가 어렵다 보니 부도나는 회사가 많고 주위에 직장을 잃은 사람들이 늘어나면서 사회적으로 패닉 현상이 만연되고 있다. 불안과 의욕저하로 무기력해지는 느낌을 느끼는 사람들이 늘고 있는 것이다.

단테는 지옥입구에 이런 글이 있을 것이라 했다. '일체의 희망을 버려라' 희망이 없는 생활은 그러므로 곧 지옥이나 다름 아니다. 회사이건 가정이건 절망의 그림자를 없애고 희망의 빛을 끌어들여야 가정도 회사도 살고 나라도 산다.

그렇다면 이 희망의 분위기를 살려내기 위해 우리가 주변에 변화를 줄 수 있는 것은 무엇이 있을까. 사회가 그렇다고, 같이 인상을 찌푸리지 말고 우선 옷차림에서부터 희망의 기운을 불어넣어주자. 의욕을 불러일으키는 색깔은 주황색이다. 주황색 포인트가 되는 소품을 회사에 들여놓자. 집안이라면 쿠션 하나라도 주황색으로 바꾸어보자.

벽면에 붙이는 그림도 주황색이 들어가 있다면 좋겠다. 주황빛이 되는 밝은 베이지색도 좋다.

옷차림도 기분에 따라 우울한 색상을 선택하기 십상이다. 그러지 말고 주황색이 들어간 넥타이나 셔츠를 입어보자. 그렇게 적극적으로 의욕을 일으키려는 노력을 하다 보면 의욕은 어느새 내 가슴과 이웃, 동료의 가슴속에, 가정과 회사에 희망의 빛이 움터오게 해줄 것이다.

56) 경제가 어려울 때 좋은 옷차림과 인테리어

IMF, 불경기, 듣기만 해도 스트레스가 쌓이는 단어다. 이 어려운 시대를 슬기롭게 극복해 내려면 우선 지금까지의 생활태도를 바꾸어야 한다. 그간의 낭비를 반성하고 검소와 절약의 미덕을 갖추어야 한다.

마음자세를 그렇게 갖는 게 무엇보다 중요하겠지만 그런 마음과 실천이 보다 쉽게 될 수 있는 환경을 조성하는 것도 중요하다.

절약과 검소의 마음을 주는 색상은 노랑, 황금색이다. 언뜻 보기에 노랑이나 황금색은 화려한 색상 같지만 마음의 중심을 잡게 해주는 中庸과 儉素의 색상이다. 검은색이나 회색은 너무 침체의 색상이어서 그렇지 않아도 저하되어 있는 의욕과 기분을 더욱 가라앉게 만들 우려가 있다.

빨강 등 화려한 색상은 자칫 사회 분위기에 어울리지 않게 기분을 들뜨게 만들 염려가 있다.

노랑이나 황금색은 밝은 희망의 기운과 중심 안정의 기운이 있어 부화뇌동하지 않고 자기 중심을 잘 잡으면서 의지대로 검약한 생활을 해나갈 수 있는 기운을 북돋우어준다.

우선 옷차림에 이 색상을 적용해보자. 온통 노랗게 하거나 황금색으로 하기보다는 노란색이나 황금색 포인트가 있는 차분한 느낌의 옷을 입거나 밝은 베이지색 등의 옷을 입어도 좋겠다.

성격이 너무 외향적이라면 노랑과 검정을 조화시켜 입으면 도움이 되고 성격이 너무 내성적이라면 노랑과 흰색을 조화시켜본다. 이렇게 하면 마음을 다스리고 절약하는 마음을 키우는 데 도움이 된다.

집안의 인테리어도 이런 색상 쪽으로 바꾸어본다. 온 가족의 협력이 있으면 절약도 한결 쉬워진다. 그러므로 집안의 분위기를 바꾸면 가족들의 협조를 받는 일도 한결 쉬워질 것이다. 사람의 마음이란 사치를 하기 시작하면 자꾸 사치스러워지고 검약한 생활을 하기 시작하면 점점 더 검약해진다. IMF 시대, 지금 우리의 살길은 검소와 절약뿐이지 않은가.

57) 불황 시대에는 금빛 차가 많이 팔린다는데...

어느 소형자동차 업계의 판매동향을 보니 금빛 차가 가장 많이 팔린다고 한다. 아마 금빛이 부를 의미한다고 생각해서 그런 모양이다. 금빛은 화려한 것 같지만 풍수적으로는 그렇지 않은 색상이다. 중심을 잡아주어 절약할 줄 아는 정신을 심어주는 색상이므로 IMF 시대에 정말 좋은 색상이라 할 수 있다. 그러므로 금빛 차가 많이 팔리는 현상은 바람직한 풍조라 할 수 있겠다.

영업하는 세일즈맨이 가지면 좋은 차의 색상은 흰색이다. 흰색은 돈버는 방법을 알려주는 색상이므로, 세일즈맨에게는 더 없이 좋은 운기를 가져다준다.

오너 사업가라면 금색 차가 가장 좋고, 다음으로 빨강이나 자주색 차가 좋다. 이는 안정과 재운을 가져다주는 색상이므로 이런 차를 타고 다니면서 사업을 한다면 좋은 기운을 받을 수 있다.

58) 파티의 장소에 따른 행운 - 동쪽 방향

먼저 동쪽 방향에 모임이나 파티의 장소가 정해졌다면 우아한 차림세보다는 깔끔한 바지 정장 같은 다소 매니시한 스타일이 좋다.

다른 방위에서라면 여자답지 못한 차림으로 보이지만, 이 방위에서는 같은 스타일이라도 활동적이고 밝은 이미지로 어필하게 된다.

머리는 무스를 이용해 깔끔하게 뒤로 빗어 넘긴다.

시간에 늦는 것보다는 조금 일찍 도착하는 것이 유리하고, 모임에서는 의도적으로 말을 적게 하는 것이 방위의 운기를 높이는 방법이다.

오렌지주스, 샐러드, 초밥처럼 신맛이 나는 음식이 이 방위에서 가장 좋은 음식이므로, 그런 음식을 많이 먹는 게 매력과 운기를 높이는 방법이다.

59) 파티의 장소에 따른 행운 - 서쪽 방향

서쪽 방향에 파티장소가 있다면 최대한 여성스러운 이미지를 연출하는 것이 좋다. 평소 '여자다운 것'이라는 통념에 대해 거부감을 갖고 있는 사람이라도 이 방위에서 한껏 남성의 보호본능을 자극하는 스타일로 연출한다면 오히려 섹시한 모습으로 보여지게 된다.

흰색이나 분홍색 드레스가 좋고 맥주를 조금 마셔 다소 취한 듯 행동해도 괜찮다. 마음껏 즐기자는 마음으로 웃고 떠들며 시간을 보내되 남의 얘기를 입에 올리지 않도록 조심한다. 2차로는 여럿이 신나게 어울릴 수 있는 단란주점이나 노래방에 가는 것도 좋다. 술안주로는 낙지볶음 등 화끈하게 매운맛이나 달콤한 음식이 운기를 높여준다.

60) 파티의 장소에 따른 행운 – 남쪽 방향

남쪽 방향에 파티장소가 있을 때는 성숙하고 지적인 이미지로 연출한다. 고급스러운 액세서리를 화려하게 장식하는 것도 좋고 샹송 가수처럼 성숙하면서 섹시한 분위기가 어울린다.

초록이나 핑크색 롱 드레스라면 최상. 그런 차림으로 가장 밝은 조명 아래 서 있으면 단연 빛날 것이다.

차림새와 걸맞게 우아하고 다소 거만한 듯한 태도로 행동하고, 마음에 드는 남자가 있더라도 전화번호를 알려준다거나 2차를 가자는 식으로 서두르지 않도록 한다. 남쪽 방위의 '정열의 힘' 때문에 반드시 다시 한번 불붙게 되고 싶어진다.

샴페인이나 위스키가 운을 높여주는 음료, 바닷가재, 새우, 게 등이 행운의 음식이다.

61) 파티의 장소에 따른 행운 – 북쪽 방향

북쪽에 파티장이 있다면 성숙하고 인생의 맛을 아는 '누나'로 연출하거나 반대로 순진하고 지적 호기심이 많은 '여동생'으로 연출한다.

몸매를 드러내는 드레스로 성숙한 느낌을 내거나 반대로 스쿨걸 룩의 옷을 입어 귀엽고 상큼한 느낌을 준다. 색상은 무채색 계통으로 하는 게 좋다. 어느 쪽이건 세련된 화장으로 차분하게 마무리한다.

술은 조금 마시는 것이 좋고 생선요리가 운기와 잘 맞는다.

너무 밝은 조명은 피하고 다소 어두운 구석에 조용히 있게 되면 은근한 매력을 발산, 오히려 눈에 뜨이게 된다.

62) 젊은이가 접하면 좋은 자연

40세 이전의 젊은이에겐 대개 陽氣가 왕성하다. 이런 젊은이라면 바다를 가까이 하면 좋다. 바다는 大人을 키우고 산은 仙人을 키운다는 말이 있다. 탁 트인 바다에 나가 陰氣運을 보충하면 꿈이 키워지며 지혜도 키워지고 용기도 키워져서 사람의 그릇이 커진다. 물은 조화와 평등의 기운을 주기도 한다.

하지만 陰氣가 강한 여자의 경우는 바다가 별로 좋지 않으며, 젊은 남자의 경우도 陽氣가 부족한 허약한 사람인 경우는 바다를 즐기다 보면 우울증에 걸리기 쉽다.

63) 중장년 이후에 접하면 좋은 자연

40세가 넘어서도 젊은 陽氣가 강한 사람도 있지만, 대개의 사람은 40세를 넘기면 陽氣가 감소된다. 陽氣가 감소되면 자연 몸이 허약해지고 삶의 의욕도 줄어들며 운기도 약해지게 된다. 이 陽氣를 충전할 수 있는 자연은 바로 산이다.

바다는 대인을 키우고 산은 선인을 키운다는 말이 있다. 한창 일할 나이인 젊은 시절에 바다와 가까이 하여 그릇을 키웠다면, 이제는 보다 어진 덕과 포용력을 키워 인생의 후배들에게 인격의 모범을 보여야 한다.

기운이 좋은 산의 정상에 올라 휴식을 취하는 기회를 자주 갖다 보면 가슴이 넓어지고 마음이 풍요로워져 삶이 한결 편안해지고, 덕이 쌓여 사회적으로 존경받는 어른이 될 수 있다.

64) 바꾸어 쓰면 안 좋은 물건

아껴 쓰고, 나누어 쓰고, 바꾸어 쓰고, 다시 쓰는 운동이 한창이다. 경제가 어려운 시기에 이런 운동은 참으로 바람직하다. 그런데 바꾸어 쓰는 물건, 즉 남이 쓰던 물건 중에는 물려받아 좋은 것이 있는가 하면, 받지 않는 게 좋은 기운이 있다.

받아쓰면 좋은 물건은 붉은색, 주황색, 녹색, 청색, 백색, 황색이나 밤갈색의 물건이다. 붉은색은 상대방의 물질적 힘, 사회성, 예술성, 예절, 인기 등을 내가 받아오는 것이며 주황색이나 밤갈색도 내가 필요로 하는 상대의 기운을 전해준다. 청색이나 녹색은 상대에게 있는 정신적 파워를 받게 된다. 백색은 상대로부터 대인관계의 비법, 의리, 금전을 다루는 방법을 배우게 된다.

65) 상호나 이름을 잘 짓는 방법

살면서 수 없이 불리는 이름은 그 사람의 운기에도 영향을 미친다. 그 사람이 타고난 운세가 말(馬)이라고 하면 이름은 말안장으로 안장이 편안하면 말을 타고 가는 사람의 인생길도 한결 편안해질 것이다.

이름은 한자의 획수를 기준으로 짓는 예가 많다. 과거에는 이름을 한자로 쓰는 경우가 많았으므로 한자의 획이 중요한 기준이었으나 요즘은 부르는 시대이므로 한글에서 나는 발음으로 먼저 보는 게 좋다. 그런 다음 발음에서 부족한 부분을 한자에서 보충해주면 더욱 좋겠다. 발음에도 색깔과 성질이 있다. 발음에도 五行이 있다는 말이다.

오행이란 木, 火, 土, 金, 水의 다섯 가지 기운이다.

우주의 삼라만상은 그 수가 헤아릴 수 없으나 그 사물들의 성질은 하나하나 보면 어느 것 하나 오행의 성질이 아닌 것이 없다. 오행은 물질과 정신을 포함한 자연의 이치를 木, 火, 土, 金, 水라는 물체를 상징적으로 사용하는 것이다.

나무, 불, 흙, 쇠, 물을 뜻하지만 단순히 그 물질 자체뿐만이 아니라, 그 물질이 지닌 상징적 기운, 성질, 색감, 맛, 신체의 장기, 소리 등등 수많은 의미를 함축하고 있다.

발음을 오행으로 분류할 때는 자음으로만 한다.

ㄱ,ㅋ - 木性

ㄴ,ㄷ,ㄹ,ㅌ - 火性

ㅇ,ㅎ - 土性

ㅅ,ㅈ,ㅊ - 金性

ㅁ,ㅂ,ㅍ - 水性

오행이란 간단히 설명하지면 우주의 법칙으로 인간은 오행 속에서 생활하다 오행으로 돌아가는 것이다. 오행의 相生原理는 木→火→土→金→水로 순환한다. 즉 木生火, 火生土, 土生金, 金生水, 水生木이 된다.

상호나 회사 이름의 경우에는 이 오행이 골고루 들거나 생하는 기운의 오행이 들어 있는 게 좋고, 사람의 경우는 위에서도 말했듯 운세가 말이라면 이름이 안장이므로 자신의 사주를 뽑아보아 사주에 담긴 오행 중 부족한 것을 이름에서 보충해주면 좋은 이름이 된다.

5 좋은 집과 室內 꾸미기 風水 인테리어 know how (絶對方位槪念)

1. 행운이 찾아오는 좋은 집 고르기

중요한 4가지 풍수 원칙을 먼저 본다.

첫째, 땅의 기운이 들어오는 곳인가?
둘째, 물의 기운을 적절하게 받는 자리인가?
셋째, 바람이 잘 잦아드는 위치인가?
넷째, 양지바른 곳에 자리 잡은 집인가?

이것은 사실 전문가가 아니면 판단하기 힘든 원칙이지만 우리들이 일반적으로 평가할 수 있는 기준으로 풀어볼 수도 있다. 일반적으로 땅의 모양이 반듯반듯한 집, 평면 도형이 가로 세로 5 : 3의 비율로 가로가 다소 긴 집, 방의 모양도 가로 세로가 5 : 3이나 5 : 4 비율인 방, 중심점이 밝고 반듯한 거실, 밝고 안정감을 주는 가구, 튼튼하고 포근한 분위기를 주는 주방, 화장실로 실내의 기운이 마무리되는 집, 좋은 기운이 드나드는 현관을 둔 집을 고르는 것이 좋은 집을 고르는 방법이다.

1) 내 스타일에 맞는 아파트 찾기

아파트 평면을 보면 남북으로 긴 타입, 동서로 긴 타입, 정방형에 가까운 타입이 있다. 남북으로 긴 경우는 남과 북의 힘이 강하고, 동과 서의 힘이 약하다.

이런 스타일은 인간관계가 서툴고 행동력도 떨어지지만 출세나 관운이 좋아지는 집이다. 南北이 길면 권위의 방위인 동쪽의 기운이 강해져 종조직에서의 적응력이 좋아진다. 간부들이 서열 순으로 앉는 회의실의 모양도 남북으로 긴 스타일이 조직 관리에 좋은 영향을 주게 된다.

반대로 동서로 긴 경우는 사람들과는 좋은 관계를 맺고 財産을 모으는 데도 도움이 된다. 동서가 길면 횡조직 적응력이 강해지고 재물운의 방위인 남쪽의 기운이 강해지므로 재산이 모이게 되는 것이다. 여기에 외출이 잦아 집이 늘 정돈되지 않고 잡동사니로 어지럽혀져 있다면 실속 없이 허풍만 부풀기 쉽다. 정방형에 가까운 스타일은 대체로 무난하다.

젊은 사람이라면 꿈과 희망을 품을 수 있는 남북으로 긴 집이나 정방형의 집에 사는 것이 무난하다. 거실 천장이 높은 집이라면 더욱 좋다.

간혹 주택의 다락방이나 아파트의 꼭대기층에 서비스로 딸린 다락방을 침실로 쓰는 경우가 있는데, 다락방에서 자게 되면 주거공간의 Energy가 불안정하게 되므로 성격이 불안정해질 염려가 있다.

2) 출세를 도와주는 집(뒷산이 수려한 집)

땅의 기운이 안정된 곳에 남향집이 가장 좋다. 현관이 어디에 있는지 살펴보자. 동쪽에 현관이 있으면 좋다. 젊은 운기가 강해져서 의욕이 넘치고 당연히 일에 능력을 발휘하게 된다.

그런데 남서쪽에 부엌이나 화장실이 함께 있으면, 일에 전력을 다하지 못하고 도중에 하차하기 쉬워져서 일 자체에 흥미를 잃고 인정받기 어려워진다.

남서는 노력의 방위인데, 화장실의 물과 부엌 불의 작용으로 일에 장애가 발생하거나 스스로 노력하는 일을 바보스럽게 생각하고 놀고먹는 버릇이 몸에 붙게 되는 탓이다.

3) 승부에서 이기는 행운을 부르려면(왼쪽 산이 가까운 집)

동서로 긴 집에 북서 방위가 거실이고 통풍이 잘되며 왼쪽에 두터운 언덕이 있다거나 왼쪽에서 강이 흘러 들어오면 자연 승부수가 따라온다.

동북 또는 북서에 결함이 있는 방은 勝負運이 없고, 남과 북 모두에 화장실이나 욕실이 있는 집에서는 냉정한 판단을 하기 힘들고 자연 승부는 혼란에 빠지게 된다.

4) 아름다워지는 집(앞산이 아름다운 곳)

집 앞에 보이는 산이 초승달이나 사람 눈썹 같은 예쁜 산이면 점점 미인이 된다. 집 앞에 아름다운 산이나 건물이 둥글게 감는 모양으로 솟아 있으면 좋다. 오른쪽의 산이 집을 잘 감싸야 한다.

집 모양은 오른쪽이 더 풍요로운 모양이 좋다. 즉 기역 자를 좌우대칭으로 한 모양의 집이 좋다. 미인이 많이 나는 동네가 있다면 가서 잘 살펴보라. 지형이 이렇게 되어 있을 것이다. 작은 동산이나 집보다 높은 완만한 언덕도 산으로 친다.

5) 아름다워지는 방

아름다움은 모든 여성이 원하는 것. 성형을 하지 않고도 방의 위치를 바꾸어 아름다워질 수 있다면 실행하지 않을 이유가 없다. 남동생이나 오빠의 방이 이 방향에 있다면 잘 설득해서 바꾸어 볼 수도. 아름다워지는 방은 동쪽이나 남쪽의 기운이 강한 동쪽, 동남쪽, 남쪽, 남서쪽 방이 좋다.

햇빛과 통풍이 잘되도록 창문을 막지 않는 것이 좋다. 창문을 통해 집 앞의 아름다운 산이나 들 또는 정원이 보이는 것이 좋다. 야채를 많이 먹어야 미인이 된다는 것은 상식. 밋밋한 생식보다는 절이거나 참기름, 들기름을 넣어 요리해서 먹는 것이 좋다.

생식은 인체를 습하게 하여 관절염 등 습성병이 생기고 쉽고, 이는 여성의 매력 중 가장 중요한 건강미를 해치기 쉽다.

6) 남편이 애처가가 되는 집(백호가 좋은 집)

왼쪽에서 흐르는 물을 오른쪽 산이 거두어주는 곳이 좋다. 청룡(왼쪽)끝보다 백호(오른쪽)끝이 더 길어야 좋다. 왼쪽 부분이 낮거나 공허하지 않아야 한다.

집 오른쪽에 현관이 있고 안방이 집 왼쪽 부분에 있는 것이 좋다.

방의 인테리어는 붉은색이 감돌도록 꾸미는 게 좋다. 붉은색은 사랑의 빛깔이다. 핑크색 보료나 침구를 사용하는 것도 좋겠다.

침실에는 가능한 한 텔레비전이나 책상을 두지 않는 것이 좋다. 침실이 지닌 본래의 의미에 부합하지 않는 물건들은 부부의 사랑에 방해가 되는 물건들이기 때문이다.

요즘 안방 안에 깊숙이 침실이 따로 마련되어 있는 빌라들이 많은데 이렇게 은밀하게 외부에 직접 노출되지 않도록 되어 있는 침실은 매우 좋은 것이다. 이런 곳이 아니더라도 침실은 늘 은밀하도록 문을 닫아두는 게 좋다.

2. 福을 받는 좋은 집 고르기

1) 福이 찾아오는 집터(안산이 가까운 집터)

기본적으로 산의 기운을 강하게 받고 앉은 평탄한 곳이어야 한다. 배산임수의 조건을 충족시키면서 왼쪽이나 오른쪽으로부터 감아 도는 작은 실개울 물이 집터 앞 50미터 이내에서 맑고 잔잔하게 흘러들어야 하고 그 흘러 나간다는 모습이 터의 중심에서 바라보이지 않는 곳으로 재빨리 사라져야 한다.

좌우로 보호막 역할을 하는 둥근 산들이 장막처럼 둘러쳐서 바람 한 점 헛되이 나가지 않는 아늑한 자리라야 하고, 앞쪽에서는 둥글고 아름다운 산들이 뒤쪽의 부모와 같은 자애로운 산을 향해 절을 하는 것처럼 엎드려 있게 되면 평화로운 기운이 감돌아 이곳에 사는 사람은 심성이 맑아지고 현명한 지혜를 얻어 행복을 누리게 된다.

2) 福을 누리는 집터(배산임수 장풍득수터)

건강한 좋은 자손을 보기 위해서는 청룡(왼쪽)쪽의 안정된 기운을 받고 백호(오른쪽)쪽의 맑은 기운이 서로 어우러져야 한다.

관직에서 높이 오르려면 집터의 뒷면이 둥글고 힘찬 기운으로 둘러싸여 그 남은 기운이 청룡자락을 만들면서 집 앞을 둘러주어야 한다.

부자가 되려면 백호의 두터운 기운을 다정한 앞산이 거두어주면서 청룡의 도움을 얻어야 하고, 덕이 있는 사람이 되려면 전후좌우 주변 산의 온화하고 밝은 기운과 둘러싸인 자리의 힘이 평등하고 안정적으로 조화되어 있어야 한다.

3) 福을 부르는 집의 모양

집을 지을 터가 있다면 그 모양은 집의 크기보다 3배 정도 큰 사각형인 것이 좋고, 정원의 크기가 집의 바닥 면적과 비슷한 것이 복을 부르는 모양이 된다.

집의 모양과 크기는 복이 들어오게 하고 머물게 하고 또 흩어지게도 하는 중요한 그릇이다. 둥근 원형의 집이 가장 이상적인 집이지만 짓기 어렵고 사용할 때 불편한 문제가 있다. 물론 규모가 아주 큰 집이라면 가능하다. 때문에 역시 우리가 흔히 사용하고 있는 사각형의 집 모양이 다음으로 복을 부르는 집 모양이지만 같은 사각형이라 해도 정작 복이 있는 모양은 그리 흔하지가 않다.

정사각형의 집은 집안의 운기가 활발하게 움직이지 못해서 가라앉게 되는 집이고, 긴 직사각형의 집은 반대로 운기가 너무 활발히 움직여 불안정한 집이 된다.

따라서 가장 안정감 있으면서도 운기가 왕성한 절충형의 집은 가로 : 세로의 구성 비율이 5 : 3 이나 5 : 4의 비율을 유지하는 집 모양이 가장 이상적인 가상이라고 할 수 있다.

4) 福이 오는 집의 크기(음양비가 알맞을 것)

마당을 기준으로 하여 마당보다 너무 크거나 너무 작은 집은 좋은 기운이 밖으로 새나가거나 막히는 집이다.

집은 입체구조의 ⊕Energy場을 지니고 있고, 마당은 평면구조의 ⊖Energy場을 지니고 있어서 이들 두 陰陽 Energy場이 상호 평등하고 안정적인 힘을 유지해야 하므로 마당을 포함한 집 주변의 ⊖Energy場은 ⊕Energy場의 2배가 되어야 이상적이다. 즉 집터와 집 구조물의 공간 비율은 3 : 1이 되는 것이 가장 좋다.

또 집의 층당 높이는 집 폭의 0.866배를 넘으면 안 되고 방 폭의 0.57배를 밑돌면 좋지 않다.

같은 대지를 가지고 같은 크기의 집을 두 채 짓게 되면, 남편과의 갈등이 발생하거나 다른 남자를 동경하게 된다.

또 정원을 앞뒤로 만드는 것도 흉상이 되는데, 아내와의 갈등이 잦아지거나 다른 여자를 동경하게 되기 때문이다.

3. 좋은 집 만들기(보완 방법)

1) 집이 가로보다 세로가 더 긴 집

요즘 특히 작은 평수의 아파트를 보면 집의 향(베란다 쪽) 면보다 세로 면의 길이가 긴 집이 있다. 집의 안정 구조는 가로 면이 세로 면보다 더 긴 게 좋다. 가로를 陽 Energy로 본다면, 세로는 陰 Energy이다. 안정을 주는 가장 이상적인 陰과 陽의 비율은 0.5~0.866 : 1로, 가로 즉 陽 Energy가 좀 더 커야 한다. 이런 집의 경우는 陰氣가 강해, 여자의 주장이 더 세서 남자가 여자에게 쥐어 살기 쉽다. 남자의 운기도 약해진다.

이럴 경우는 긴 세로 공간을 잘 나누어 위에서 말한 안정합성비율로 공간을 나누어 만드는 지혜가 필요하다. 앉는 위치는 물론 땅의 기운이 입력되는 곳을 등으로 앉아야 하는 걸 기본 원칙으로 하되, 집의 긴 길이를 바라보는 쪽으로 앉지 말고 자신의 양어깨 쪽의 공간이 시선을 두는 앞 공간보다 넓게 하여 앉는 게 좋다. 침대도 마찬가지다. 즉 집의 구조는 그렇게 생겼지만 자신이 누리는 Energy는 자신을 중심으로 위의 안정합성이 되도록 하는 것이 좋다.

이렇게 세로가 긴 집안의 인테리어는 남자의 기운을 북돋우기 위해, 청룡의 기운을 강화하는 청록색 분위기로 꾸며주는 게 좋다. 연한 푸른빛이 흐르는 벽지에 소파나 커튼, 침대 패브릭에도 청록색 포인트가 있는 게 좋다. 키가 사람의 앉은키보다 낮은 화초를 실내에 들여놓아도 좋다.

2) 집의 뒤가 낮으면 행운이 나간다

집의 뒤는 집을 감싸주는 산이 있어야 좋은 위치로 본다. 좁은 터에 많은 집을 짓다 보니 터의 형상은 보지 않고 그냥 길거리 쪽으로 보기 좋게만 지어놓은 건물이나 집들이 많다.

만약 건물 뒤나 집 뒤가 낮다면, 이런 집에서는 돈을 모으기가 힘들다. 기운이 나가는 집이므로 돈을 벌더라도 자꾸 빠져나가게 된다.

건물 주변에 지하층을 팔 때는 잠시 이사 후 주변 건물 1층이 완공될 때 들어오는 것이 좋다.

3) 도둑을 잘 맞는 집

요즘 도둑이야기가 부쩍 매스컴에 자주 등장하고 있다. 필자가 아는 어느 집은 전에 살던 사람도 도둑을 맞았는데, 새로 이사 온 본인 집도 도둑을 맞았다고 한다. 동네 사람들이 이르기를 그 집은 도둑의 단골집이라 한다.

도둑이 잘 맞는 집은 멀리 산 너머에 있는 窺峰이 엿보듯이 비쭉 고개를 내밀고 있는 터에 있는 집이다. 집 주변에 窺峰이 없다면, 교회나 건물의 뾰족 지붕이 다른 집 위에서 뾰족하게 넘겨다보고 있는 형상의 위치에 있는 집에 도둑이 꼬인다.

窺峰이나 뾰족지붕이 넘어다 보이는 곳의 집, 혹은 산소가 그런 곳에 있다면 窺峰이나 뾰족지붕이 보이는 방향에 나무를 많이 심어 전순(앞)부분을 두툼하게 해주는 것이 좋다.

아파트의 경우는 백호가 허한 곳이 도둑맞기 쉽다. 왼쪽 맨 갓집이 바로 백호가 허한 집이다. 고층은 좀 낫겠지만 저층은 조심해야 한다. 백호 쪽 기운을 강화하기 위해서는 백호 쪽 벽면에 장롱을 배치한다든가 하여 백호 쪽은 두텁게 해주는 것이 좋다.

그쪽에 창이 있다면 커튼을 두껍게 쳐준다. 아파트 앞 베란다에도 나무 화분을 두어 앞쪽을 두툼하게 해준다.

4) 내 건물 주위에 내가 사는 건물보다 큰 건물이 있으면

내 건물 주위에 내가 사는 건물보다 큰 건물이 많으면 좋지 않다. 내가 사는 건물보다 큰 것은 陰氣가 강한 것이다. 사업운이든 행운이든 陰氣가 강한 곳에서는 피어나지 못하고 움츠려든다. 이런 곳에 사업장을 두는 것은 피하는 것이 좋다(국지풍 회오리가 일어난다).

아파트의 경우도 자기가 사는 곳은 저층 아파트인데 가까운 옆은 고층 아파트 群이라면 별로 좋지 않다. 높이가 비슷한 아파트로 잘 쌓여있는 곳이 좋은 곳이다.

5) 홀로 쭉 뻗어 올라간 건물

홀로 높이 솟은 건물은 보기에도 좋고, 높을수록 유명세도 높아진다. 하지만 역시 높이와 어울리는 공간이 확보되어 있어야 한다.

대지와 바닥 면적이 1 : 0.866~0.577이 되려면 大量의 광범위한 공간 Energy를 지닌 땅이 필요하겠다. 주위에 서로 바람을 막아줄 수 있는 같은 높이의 건물들이 있으면 좋지만, 홀로 독야청청 높은 건물이라면 바람을 많이 맞게 되므로 그 건물에 있는 회사의 社運도 바람을 맞아 오래가지 못하게 된다고 볼 수 있다. 名物로서 이름은 유지하겠지만 회사건물이나 주거지로서는 결코 좋은 건물이라 할 수 없다.

뉴욕의 맨해튼에 가면 고층 건물들이 홀로 하나가 아니고 많이 솟아 있다. 이렇듯 비슷한 높이의 건물들이 많아 서로 바람막이가 되어줄 수 있다면 모르지만, 홀로 높이 서서 모든 바람을 견디고 서 있다면 보기에는 멋있어 보이지만 느낌은 안정감이 없어 보인다. 결국 그 건물에 자리하고 있는 회사도 안정감이 있다고 할 수 없게 되는 것이다.

6) 집보다 마당이 넓은 집 男子는 공처가

많은 사람들이 마당이 넓은 집을 동경한다. 아름다운 정원수와 여러 가지 화초, 연못까지 있는 그림 같은 집...

그런데 마당이 넓은 집에 사는 남자는 아내에게 꼼짝 못하는 공처가가 된다. 여자의 자기주장이 강해지는 것이다.

풍수에서는 건물이 陽 Energy라면, 마당은 陰 Energy로 본다. 가장 이상적인 陽 Energy와 陰 Energy의 비율은 1 : 0.5~0.866이다. 이는 Energy의 최적 안정합성이라 하여 가장 바람직한 안정을 이루는 Energy의 합성 비율인 것이다.

그런데 마당이 건물에 비해 차지하는 면적이 넓으면, 陰 Energy가 강해져 여성의 영향력이 커지는 것이다. 마당의 넓이와 여성의 영향력이 비례하게 되는 것이다. 이럴 경우 남자가 공처가가 될 뿐 아니라 남자의 일의 운기도 약해지게 된다.

이미 마당이 넓은 집에 살고 있다면 마당에 나무를 많이 심고, 바위 등을 들여놓는 조경을 해주고, 테이블을 놓아 빈 면적은 좁히는 게 좋다.

집안의 인테리어도 푸른색이나 녹색 포인트를 주어 청룡, 즉 남자의 기운을 보완해주는 게 좋다.

7) 건물모양이 볼록형이면

건물은 입체 Energy場이다. 입체 Energy場은 오목형보다는 볼록형이 좋다. 오목한 곳에는 소용돌이가 일어나 입체 Energy가 이탈하는 현상이 생기기 때문이다.

사실 볼록형도 볼록한 부분 양옆에서 Energy의 衝(沖)이 일어나긴 하지만, 입체 Energy가 강하므로 그 정도의 衝(沖)은 괜찮게 견딜 수 있다. 앞부분은 재물이 쌓이는 자리이므로 약간의 볼록이 적극적으로 재물을 불러들일 수도 있다. 그런데 볼록이 지나치게 너무 튀어나와 있다면 이는 흉상이 된다.

볼록형의 양옆의 衝(沖)이 커지게 되면 입체 Energy場이 흔들리게 되기 때문이다. 볼록형 건물일 경우 앞으로 볼록형이면 괜찮지만, 뒤가 볼록형이면 집이 거꾸로 앉은 형상이 된다.

입력 Energy가 들어와야 하는 뒤쪽에서 Energy 沖破가 생겨 Energy가 이탈되는 현상이 생기게 된다. 이렇게 Energy를 다 빼앗기는 집에 5年 내지 10年 이상 살게 되면 정신질환을 일으키게 된다.

왼쪽, 즉 청룡 쪽이 볼록한 건물이라면, 이곳에 사는 형제간에 갈등이 발생한다. 볼록한 쪽은 아들의 자리다. 어느 한 아들에게만 기운이 쏠리게 되어 자손 간에 균형이 흔들리게 된다.

오른쪽, 백호 쪽이 볼록한 건물이라면, 재물에 의한 과욕으로 망하는 결과를 초래할 수도 있다.

8) 건물모양이 오목형이면

우리나라의 옛집 형태를 보면 앞부분이 들어간 오목형 안채 앞에 일자형 사랑채를 지어둔 경우가 많다. 오목형의 소용돌이를 어느 정도 보완하는 구조이긴 하지만, 이런 가옥은 吉相이라 할 수 없다. 안채 안방에 머무는 여자의 기운을 억제하게 되는 구조가 되어 男尊女卑의 사회구조에 부합하는 구조였다.

요즘도 건물의 모양을 아름답게 한다고 하여 반듯한 건물보다는 어딘가 들어가고 나온 건물로 공간미를 살리려 하는 경향이 많다. 그러나 오목형 건물은 볼록형 건물보다 훨씬 흉상이므로 피하는 것이 좋겠다.

앞 부분이 들어간 오목형 건물에 5년 이상 살게 될 경우 재물의 손상을 가져오거나, 그 집에 사는 여자에게 문제가 생긴다. 이곳에 사는 사람은 심장질환에 걸릴 위험이 있다.

뒷부분이 들어간 오목형 건물은 교통사고나 감옥에 가는 문제를 일으킨다. 이런 곳에 사는 사람은 판단력이 흐려져 일의 처리를 잘못하여 송사에 걸리게 된다. 정신불안정과 정신분열증 같은 질환을 가져오기도 한다.

왼쪽 옆부분이 들어간 오목형 건물에 살게 될 경우도, 사업에 문제가 생기게 되고 이 집에 사는 딸에게 좋지 않은 일이 생긴다. 폐와 관련된 질환을 앓게 되기도 한다.

만약 중심을 뚫어 지은 건물이라면, 이 집에 사는 사람은 경제적, 정신적 안정을 찾기 어렵다. 위장 질환은 물론 콩팥과 심장에도 문제가 생기게 된다.

9) 오목형 건물의 문제를 보완하는 방법

오목형 건물의 가장 큰 문제는 바로 오목한 부분에 일어나는 Energy의 소용돌이다. 이 소용돌이를 없애고 아늑한 기운이 감도는 공간으로 만드는 방법이 있다.

건물의 오목한 부분을 막아 지붕을 만들고 집안의 공간으로 끌어들이는 방법이다. 이때 지붕을 우묵한 돔(dome)식으로 만들어주면 더욱 좋다. 이렇게 되면 흉상이던 건물이 길상이 되어 좋은 기운을 불러들이게 될 것이다.

10) 집보다 키 큰 정원수

나무가 집의 높이를 넘어가면 좋지 않다는 말이 있다. 이때 나무가 소나무나 전나무 등 침엽수면 괜찮으나 잎이 넓은 나무는 좋지 않다. 그 나무에서 뿜어내는 가스가 사람에게 해롭기 때문이다. 은행나무나 느티나무는 집 밖에 있어야 하고 가능한 한 멀리 있어야 좋다. 요즘 은행나무 가로수에 대한 반대의견들이 고개를 들고 있는데 이는 옳은 말이다.

예로부터 우리 조상들은 마을 입구 먼 곳에 은행나무나 느티나무를 심었다. 이 나무들이 뿜어내는 가스의 독성이 마을에 해충이 들어오는 것을 막아주었기 때문이다. 느티나무나 은행나무는 우리 조상이 지혜로 만든 마을의 '지킴이'였다.

2~3백 년 된 느티나무나 은행나무를 잘라서 가족이 몰살하는 경우가 있었다. 생명체인 나무를 잘라 벌을 받았다고 생각하는 사람들이 많은데, 사실은 이 나무에서 나오는 독 때문에 죽은 것이다. 이 독은 전염성이 강해 집에 묻히고 가면 온 가족이 독에 중독되어 까맣게 타 죽게 되는 것이다.

이런 나무는 끝부분부터 독을 빼가면서 아주 조심스럽게 잘라내야지, 아래 밑동을 잘라내면 지독한 독으로 여지없이 생명을 잃게 된다.

11) 아파트는 사람을 싱숭생숭하게 만든다

아파트는 단지 안에 여러 개의 陽과 여러 개의 陰이 공존하고 있다. 陽은 건물이고 陰은 주차장, 놀이터, 정원 등으로 쓰이는 공간이다. 陽은 남자를 의미하며, 陰은 여자를 의미한다. 여러 개의 陽이 있으면 여자가 바람나기 쉽고, 여러 개의 陰이 있으면 남자가 바람나기 쉽다.

꼭 不倫 등 부정적 바람이 아니라도 남녀의 마음이 싱숭생숭하여 안정이 되지 않고 지나가는 남자나 여자에게 눈길을 주기도 쉽다. 아파트에 사는 주부들의 경우 집에 가만히 머물러 있는 사람이 없다. 친구 집이다, 문화센터다, 모임이다 쇼핑이다 해서 자꾸 밖으로 돈다. 변화를 원하게 되므로 한 집에 오래 살지 못하고 자주 이사를 다니게 되는 이유도 아파트가 그런 기운이 있기 때문이다.

12) 지하실에 주차장이 있는 아파트

요즘은 좁은 땅에 아파트를 짓다 보니 아파트 지하에 주차장을 만드는 경우가 많다. 10억 원을 호가하는 빌라도 지하실에 주차장을 낸 곳이 많다. 지하실이 있으면 음습한 기운이 돌아 1층에 사는 사람에게는 그리 좋지 않은 기운이 전달될 수 있다. 그런데 거기다 주차장이 있어 차가 드나들면서 바람을 일으키면 땅으로부터 올라오는 기운이 파괴된다. 아무리 땅의 기운이 좋은 곳이라 할지라도 바람이 그 기운을 흔들어버리므로 안정된 기운을 받을 수 없다. 안정된 기운을 받지 못하는 집은 곧 안정이 흔들리게 되어 그 집에 사는 사람의 운기나 건강도 흔들리게 된다.

13) 집 뒤에 강, 물이 흐르는 집(背水臨山은 不吉)

집 뒤에 강이나 시내 등 물이 흐르는 집은 그 집에 사는 사람에게 좋지 않은 영향을 미친다. 재산 손실은 물론 건강상에도 타격을 입는다. 그곳에서 3년 이상 살아서 재미를 보는 사람이 없다. 만약 큰 재미를 보았다면 조상이 대명당에 묻혔을 경우이다.

집 뒤에 도로가 났을 경우도 바람이 물이 되어가는 것이므로 물이 흐르는 것과 같이 본다.

집 뒤에 하수도가 있을 경우도 그리 좋지 않다. 하수도가 땅으로 스며들어 땅의 기운이 상하기 때문이다. 하지만 오밀조밀 지은 주택들이라면 당연히 뒷집의 하수도가 뒤로 흐를 수밖에 없을 것이다. 이런 때는 하수도 공사를 단단히 해주도록 당부하여 하수가 새나오지 않도록 주의한다.

14) 정사각형 집이나 건물

건물의 가로는 陽이고 건물의 세로는 陰이다. 가장 이상적인 陽과 陰의 비율은 1 : 0.577~0.866이다. 그런데 정사각형 건물은 陽과 陰의 비율이 1 : 1이므로 中性 Energy場이 형성된다. 中性 Energy場은 발전해가는 생동 Energy場을 만들기보다는 정체 안정 Energy場을 만든다.

그러므로 이곳에 사는 사람의 삶도 정체되게 된다. 陰이든 陽이든 어느 쪽이 크면 그쪽으로 움직임이 생기는데, 이렇게 정체가 되면 운이 풀리질 않는다.

15) 집은 꼭 남향집이 가장 좋은가

집의 방향을 동서남북, 즉 방위로 보는 것은 대개 중국의 풍수지리 이론에서 유래한 것이다. 중국의 땅 구조는 판구조 지형이다. 황하, 양자강 이남 중국의 중요도시들이 많이 자리 잡고 있는 곳의 지형을 보면, 산이 적고 평지가 많은 판구조 지형임을 알 수 있다. 중국 북경 이하의 지역에 가보면 그 지형에서 Energy의 흐름을 찾기 힘들다.

판구조 지형은 땅 Energy의 분포가 균일한 대신 Energy의 밀도가 낮고 Energy의 출입이 신속하지 않고 느슨하다. 이런 곳에서는 땅의 入力 Energy가 그리 중요하지 않다. 그러므로 하늘, 즉 태양의 Energy를 기준 삼아 방위 이론이 정립된 것이다.

그러나 우리나라의 경우는 線 Energy의 지질구조를 지니고 있다. 이런 곳에서는 Energy의 묶음이 생기게 되므로 Energy 흐름이 왕성해지고 Energy의 入出力이 빠르므로 Energy의 통로가 상당히 중요해진다. 그래서 입력 Energy가 큰 의미를 갖게 되는 것이다.

남향집은 겨울에는 햇볕이 잘 들어 따듯하고 여름에는 시원한 장점이 있다. 가난한 시절에는 연료비도 절약되어서 여러모로 경제적인 집이었다.

그러나 입는 것(衣), 먹는 것(食), 사는 것(住)이 제대로 될 때는 집이 꼭 양지바른 곳에 있어야만 될 필요는 없다. 때로는 남향집이 풍수지리적으로 좋은 방향이 아니라 나쁜 방향의 집이 될 수도 있으므로, 풍수지리적인 기준으로 좋은 집을 찾는 게 좋기 때문이다.

좋은 산소 터나 집터를 잡는 원리는 같다. 다만 산소 터는 작고 집터는 크다는 차이가 있다.

집터를 잡을 때는,

첫째, 지세를 본다. 지세는 땅의 흐름, 땅의 기운으로 陽 Energy다. 땅의 入力 Energy가 있는 곳인가. 청룡과 백호, 전순도 잘 짜여있는 곳인가를 본다.

둘째, 수세를 본다. 물의 흐름은 陰 Energy다. 물은 얻는 터인가, 잃는 터인가를 본다. 지세가 아무리 좋아도 수세가 좋지 않으면 기운이 나쁠 수도 있으므로 수세를 보는 것도 중요하다.

셋째, 지세와 수세를 보았으면 방위를 본다. 흔히 양택 풍수이론의 東西舍宅論이 여기에 해당한다.

넷째, 건축방식을 본다.

다섯째는 보완에 들어가는 것으로 수세가 좋지 못하면 담장이나 연못으로 수세를 보완한다.

여섯째는 풍세, 즉 바람이 어떻게 오는지를 보아, 풍세 보완에는 나무를 심는 방법을 사용한다.

이렇게 집의 터는 여러 각도에서 보아야 하므로 '남향집이 좋다'고 단순하게 말할 수는 없다. 좋은 집터는 무엇보다 땅의 入力 Energy가 중요하며 집의 방향 역시 땅의 入力 Energy를 등으로 받도록 지어져야 한다.

땅의 入力 Energy가 북쪽에서 들어온다면 남향집이 좋겠으나, 남쪽에서 入力 Energy가 들어온다면 북향을 하는 것이 좋은 집이 되는 것이다.

한편 자신의 사주를 보아 五行 중 火가 적다면 이때는 南座 北向집이 자신에게 더 좋은 집이 될 수 있다.

16) 生氣가 없는 집에는 제라늄 꽃 花盆을

IMF다 경제난국이다 하여 세상이 어수선하다 보니 집안 분위기도 생기를 잃어간다. 혹 집안에 명예퇴직자나 실직자가 있을 경우는 그 정도가 더더욱 심하다.

어느 집에 가보니 전기 절약한다고 거실등의 전구를 다 빼고 한두 개만 남겨

둔 집도 있었다. 전기 Energy는 태양의 Energy와 비슷한 역할을 하므로 사실 Energy상으로는 절약보다는 더욱 적극적으로 받는 것이 운을 받는 일인데...

이렇게 생기가 부족한 집에는 시중에 팔고 있는 작은 제라늄 화분 몇 개를 집안에 들여놓으면 좋다. 값도 별로 비싸지 않고 화분에 두는 것이므로 화병에 꽂는 꽃보다 오래 볼 수 있어 좋다. 노란색과 빨간색은 IMF 시대에 가장 좋은 색상이다. 노란색은 안정감을 주고, 빨간색은 금전운을 가져오는 색상이므로, 꽃이 주는 생기와 함께 행운까지 얻는 금상천화의 아이디어가 될 수 있다.

창가에 나란히 늘어놓아도 좋고 커다란 바구니에 어울리게 담아 집 한가운데 눈에 잘 띄는 곳에 두면 더욱 좋다. 요즘 거리를 지나다 보면 붉고 노란 제라늄 화분들로 건물 앞에 커다란 꽃 화분을 만들어놓은 곳이 눈에 띈다. 거리에 한결 생기가 살아나는 풍경이다.

제라늄의 원산지는 아프리카의 희망봉, 유럽에서 인기를 얻다가 전 세계로 파급된 이 꽃은 치료효과도 있어, 요즘은 엑기스를 뽑아낸 아로마로 유럽, 미국에 널리 보급되고 있으며 우리나라에도 나와 있다.

이 아로마는 지혈과 상처치료, 피로회복 등에 좋고, 습진, 버짐 등의 피부질환 치료 및 피부를 윤택하게 하는 데도 효과가 있으며, 여성 갱년기 장애 치료에도 효과가 있다 한다. 디퓨저에 넣어 향기를 맡거나 욕조에 몇 방울 떨어뜨려 목욕을 하면 마음의 안정을 유지하는 데도 도움이 된다고 한다.

17) 풍경도 행운을 부르는 아이템

풍수의 요체는 안정이다. 바람에 흔들리며 맑은 소리를 내는 풍경은 마음을 가라앉혀 준다. 중국의 풍수에서는 이 풍경이 내는 맑은 소리가 나쁜 기운이 뭉치는 것을 막아주고, 좋은 기운을 골고루 퍼지게 해준다고 한다.

그런데 풍경의 소리가 집의 크기 등과 어울려야지 집은 작은데 큰 풍경을 달아두어 풍경소리가 너무 크게 들린다면, 이는 오히려 기운이 깨지는 역할을 하므로 주의해야 한다.

18) 대문 앞에 빌딩과 빌딩 사이가 바라보인다면

빌딩과 빌딩 사이에는 거센 빌딩 풍이 있다. 그 바람은 생명까지 위협할 수 있는 살풍이다. 대문을 바로 열어 정면으로 그 사이가 보인다면 그 집은 아주 나쁜 운기에 휩싸이게 된다. 대문 앞에 나무를 심어 바람을 막거나, 대문을 그곳과 비껴서 내야 한다. 대문의 위치를 바꾸기 힘들다면 안에 비껴서 이중문을 설치하는 것도 한 방법이다. 바람과 물의 기운이 대문에서 꺾어 들어가게 하면 나쁜 기운을 거를 수 있다.

19) 장마철에 알아두면 좋은 지혜

어둠침침, 끈적끈적, 불쾌지수가 높은 장마철이다. 날씨가 이럴 때는 사람의 기운도 저하된다. 장마철에 내리는 폭우는 하늘의 기운과 땅의 기운이 너무 하늘로 치솟고, 하늘의 기운이 너무 많이 땅으로 내려와서 폭우를 이루는 것이다.

비슷한 자연현상인 눈이나 보슬비는 땅과 하늘의 기운, 즉 음양이 화합하여 생기는 기운으로 길한 기운으로 본다. 하지만 폭우는 기운이 화합하지 않고 한쪽으로 치우치게 한다.

장마철에 임신을 하는 것은 그리 좋지 않다. 자연의 기운이 화합되고 안정되지 못하면 태중의 아이에게도 영향을 미치기 때문이다. 특히 벼락이 칠 때 관계를 가져 임신이 되면, 그 아이가 정신질환자가 되는 불행을 초래할 확률이 높다.

장마철에는 일의 능률도 오르지 않고, 그래서 행운도 멀어지게 된다. 이럴 때는 보다 적극적인 노력으로 부족한 陽의 기운을 돋울 수 있는 지혜가 필요하다.

태양 빛이 부족하므로 집안에서 태양 빛 역할을 해줄 수 있는 등을 은은하게 켜두는 것이 좋다. 형광등보다는 백열등이 좋다.

집안의 분위기도 밝게 한다. 밝고 화사한 색의 쿠션으로 소파를 장식하고, 밝고 환한 색의 꽃도 한 아름 사서 화병에 꽂아둔다.

옷차림도 밝고 따뜻한 색상으로 입는다. 비 오는 날 노랑우산, 노랑 레인코트는 어두운 데서 눈에 잘 띄는 효과도 있지만 기분을 밝게 하는 의미도 깃든 일상의 지혜가 될 수 있다.

화장도 밝게 하는 것이 좋다. 여름이라고 차갑고 시원한 색상의 블루 톤 화장에, 입술도 유행하는 퍼르스름한 립스틱으로 칠하고 나서는 여성이라면 결코 좋은 남성을 만날 수 없다. 화장도 화사하게 밝게 해야 일상의 운도 밝게 열린다.

생각도 밝게 하고, 웃음도 밝게 웃을 수 있는 일을 만든다. 웃기는 코미디 비디오를 보아도 좋고 텔레비전 프로그램을 보아도 좋겠다. 재미있는 만화나 이야기책을 보고 좋은 사람들과 만나 즐거운 이야기로 웃음꽃을 피우다 보면 장마철에도 좋은 일이 생길 수 있다.

흔히 비가 오는 날은 무드가 잡혀, 비를 주제로 한 우울한 음악을 듣는 사람들이 많다. 이런 날일수록 신나는 음악을 틀어놓고 기분을 북돋우어야 기운도 균형과 生氣를 찾게 된다.

20) 손 있는 날 이사할 때 나쁜 운을 피하는 방법

이삿날은 대개 '손 없는 날'을 택하는 경우가 많다. 손 없는 날이란 음력으로 마지막 자가 9,0이 들어가는 날이다. 1,2는 동쪽에 손이 있는 날이며 3,4는 남, 5,6은 서, 7,8은 북에 손이 있는 날이다. 손이 있다는 말은 그쪽에 나쁜 기운이 있는 날이라는 뜻이다.

특히 1997년은 동쪽에 삼살 방이 있다 하여 동쪽으로 이사가면 좋지 않다는 해이다. 하지만 이런 저런 날짜나 방향을 다 생각한다면 이사하기가 쉽지 않다. 이럴 땐 나쁜 운을 피해가는 지혜가 있다.

옛날 선조들은 동쪽에 손이 있는 날 굳이 동쪽으로 이사해야 하는 일이 생긴다면 이사하기 전날 식구들이 그 집보다 동쪽이나 남쪽에 있는 친지 집에 가서 하룻밤을 묵고 오기도 했다.

더 동쪽에서 오면 새로 갈 집 방향이 서쪽이 되는 것이고 남쪽에서 오면 북쪽이 되는 것이니 나쁜 운을 피해간다고 생각했다. 이는 좋은 지혜다. 실제 그렇건 안 그렇건 이렇게 해서 마음속 찜찜함을 없애버릴 수 있다면 이 또한 좋은 일이 아니겠는가.

우리도 이렇게 조상의 지혜를 빌려보자. 이사하는데 손 없는 날보다 더 우선되는 것이 길일인지 아닌지 따져보는 것이다. 좋은 날, 길일은 전문가에게 문의해야하는 번거로움이 있겠으나 가능하면 길일로 택하는 것이 좋다.

지금 사는 집에서 동북쪽에 있는 새집으로 이사를 간다 하자. 먼저 길일을 잡았다. 그런데 길일이 음력 27일이라고 나왔다. 이 집의 경우 두 가지 문제가 생긴다. 우선 동쪽은 삼살 방이 있는 해라는 것과 27일은 북쪽에 손이 있는 날이라는 것이다. 이럴 때는 이사하는 날 아침 일찍 식구들, 특히 가장 중요한 물건을 들고 새집보다 더 동쪽에 있는 곳으로 가서 몇 시간 쉬었다가 이삿짐이 들어올 무렵 이삿짐보다 먼저 새집에 들어가 있는다. 이삿짐 차도 바로 새집으로 오지 말고 새집보다 더 동쪽으로 가서 좀 쉬었다가 돌아서 오면 더더욱 좋다. 가는 방향과 반대쪽의 기운을 얻어오면 가는 방향에 있는 나쁜 기운을 안정시키는 데 도움이 된다.

이사 하나도 가볍게 생각 없이 하기보다는 이렇게 신경을 써서 한다면 그 이사는 분명히 집안에 더 많은 발전을 가져오는 이사가 될 수 있을 것이다.

4. 현관 풍수 인테리어

1) 서쪽에 현관이 있는 아파트(산 기운 물 기운이 들어오는 현관이 最吉하다)

동향의 복도식 아파트의 경우 흔히 서쪽에 현관이 있게 마련이다. 아파트건 주택이건 혹은 빌딩이건 서쪽에 문이 있다면 이중문을 만드는 것이 좋다. 서쪽에서 들어오는 나쁜 기운을 걸러주는 효과가 있다.

2) 북동쪽에 현관이 있을 때(山 기운 물 기운 入力이 우선)

현관 청소를 깨끗이 한다. 먼지가 쌓이고 지저분한 신발이 놓여 있다면 행운이 찾아들다가 달아나버린다.

한번 청소하면 한번 복이 들어온다는 말이 있다. 동북쪽 현관 때문에 행운이 들어오지 않는다는 생각이 들면, 한 달에 두어 번 현관 바닥에 세제를 뿌려 청소하는 것이 좋다.

신발장 등 현관의 인테리어는 청결의 상징인 흰색으로 하거나, 풍요의 상징인 붉은색이 감도는 색상으로 한다. 신발장 위에 붉은 도자기 화병을 놓고 백합이나 칼라 같은 하얀 꽃을 꽂아두면 좋다. 꽃은 생화가 가장 좋지만, 생화는 손과

정성이 많이 가게 되므로, 아쉬운 대로 조화로 장식해도 좋다.

현관은 집안에 들어서는 첫인상이므로 조화도 유치한 것보다는 값이 좀 비싸더라도 품위 있고 세련된 것으로 하는 것이 좋다. 집안에 들어서면서 꽃을 만나는 싱그러운 기쁨이 기분과 운기를 더욱 상승시켜줄 것이다.

3) 남서쪽에 현관이 있을 때(山 · 물 기운 입력 우선)

남서쪽의 현관은 오전이 행운의 시간이다. 오전에는 좋은 기운을 받아들이기 위해 문을 열어두면 좋고, 오후에는 닫아두는 것이 좋다.

현관은 역시 청결하게 관리하는 것이 중요하다. 한 달에 두어 번 세제를 사용하여 구석구석 청소한다.

인테리어는 화려하고 밝은 색상보다는 차분한 느낌의 색상이 좋다. 자그마한 화분에 심긴 나무를 신발장 위에 두면 좋다. 벽면을 꽉 채워 수납장을 짜는 게 요즘 유행이다.

널려있는 신발과 잡동사니들을 싹 정리할 수 있어 깔끔한 현관을 만들 수 있을 뿐만 아니라 남서의 운기를 높여주는 효과가 있으므로 권장할 만하다.

4) 현관문과 거실 베란다 문이 정면으로 마주보고 있을 때

현관문을 들어서면 양쪽으로 방과 부엌, 화장실 등이 있고 맞은편에 거실 베란다가 바로 보이는 구조가 많다. 거실 공간을 넓게 쓰기 위하여 거실의 가구를 양 벽 쪽으로 붙여버리고, 거실 가운데는 텅 비게 해놓은 가구배치를 한 집도 많다. 집에 들어서면 시원하고 깔끔한 기분이 들어 집도 넓어 보인다. 그런데 이 경우 풍수적으로는 바람직하지 않다.

집이 양분되기 때문이다. 집이 양분되는 갈등 구조는 당연히 그 집에도 어떤 종류의 갈등을 가져오게 된다. 이럴 때는 거실 한가운데 동그란 테이블을 하나 두는 게 좋다. 테이블은 집의 왼쪽과 오른쪽을 연결하는 효과를 지니면서, 현관에서 들어온 기운이 한 바퀴 돌아 머물다 거실문 쪽으로 나가게 함으로써 Energy 흐름을 조절하는 효과도 준다.

테이블 위에는 노랑꽃 화병 하나를 두어 집 중앙의 기운을 북돋는 게 좋다. 이

곳에 앉아 책을 읽거나 명상의 시간을 가지면 좋은 아이디어도 얻을 수 있다.

5) 현관이 좁으면 거울을 달아준다

사람을 맞아들이는 첫 공간인 현관은 그 집의 첫인상이다. 현관이 쾌적하고 상큼해야 그 집안에 좋은 기운이 들어오게 된다. 현관이 좁아 답답하다면 들어서는 옆면에 거울을 달아 시야를 넓혀주는 것도 좋다. 혹은 시야가 확 트이는 풍경화가 걸려 있어도 좋다. 거울을 달 때 주의할 것은 정면에 달아서는 안 된다는 것이다. 거울은 반사의 효과가 있으므로 들어오는 좋은 운을 되돌려 보내는 역할을 하므로 측면에 다는 것이 좋다.

6) 좋은 기운이 들어오는 현관(山 기운 물 기운이 들어오는 현관 우선)

행운은 손님처럼 현관으로 들어온다. 행운이 들어오기 좋은 현관의 위치는 동쪽이나 남쪽인데 이것은 태양 Energy를 쉽게 받아들일 수 있는 방위이기 때문이다. 하지만 북쪽이나 서쪽의 현관이라고 해서 나쁜 것만은 아니다. 나이 들어 편안한 휴식을 원한다면 오히려 번잡한 남쪽보다 북서쪽에 현관을 내는 것이 훨씬 좋다.

현관의 위치와 함께 주의해야 할 것은, 현관과 대각선에 있는 공간의 이용법이다. 밖에서 현관을 통해 들어온 운기는 중심을 통해 대각선 방향으로 진행하여 벽에 부딪치면 다시 중심으로 되돌아와 집 전체로 퍼지게 된다. 이 통로가 바로 기가 이동하고 머무는 행운의 길이다.

이 대각선 상에 물의 기운이 있으면, 좋은 기가 집에 들지 못하고 행운의 기운이 떨어진다. 곧 이 방향에 화장실이나 욕실, 부엌이 있으면 운기가 떨어진다고 할 수 있다. 현관으로서 좋다는 남동쪽 현관이라도 대각선 상인 북서방위에 화장실이나 욕실, 부엌이 있다면 행운의 힘이 떨어진다.

5. 좋은 관계를 위한 풍수 인테리어

1) 이웃, 친지들과 트러블 없이 잘 지내려면

주변 사람들과의 관계는 현관이 좌우한다. 행운은 현관문을 열고 들어와서 집의 중심으로 진행하여 거실과 각 방의 상생 기운과 어울리다가 문의 반대방향으로 빠져나가는 경로를 거친다. 그런데 현관이 북쪽에 있을 경우는 행운의 세력이 약해져 각 방 안까지도 가지도 못하고 도중에 사라져버리는 일이 생긴다. 트러블은 바로 이처럼 행운이 사라진 자리에서 생겨난다. 따라서 북쪽 현관을 둔 집이라면, 문제가 일어나지 않도록 미리 북쪽 Energy가 보완될 수 있는 예방을 해주어야 한다.

현관이 북쪽에 있는 경우에는 바다나 호수 풍경이 그려진 그림이나 모형 범선 등을 현관에 장식하는 것이 도움이 된다. 북쪽에 있는 지혜의 힘이, 어리석고 우둔한 기운을 물로 깨끗이 씻어내주므로 안심할 수 있다.

화이트나 블루 톤으로 현관을 밝게 만들고 한쪽에 스탠드를 두어 천장 조명 외에 보조등을 밝히는 것도 좋은 방법.

동쪽 현관이라면 붉은색 소품으로 액운을 막는다. 붉은 꽃이나 사과가 그려진 정물화 같은 것을 현관에 놓고 행운을 더하고 싶다면 현관문 옆에 붉은 꽃이나 푸른 잎 화분을 설치하는 것이 좋다. 나쁜 소문이나 일의 트러블에서 벗어나려면 매일 현관 청소를 깔끔히 해둔다.

서쪽 현관에는 질 좋은 매트를 까는데 안정감을 주는 갈색을 고르면 트러블이 해소되고 오히려 좋은 방향으로 반전될 가능성이 생긴다. 화려한 서양인형이나 대리석으로 만든 소품을 현관에 장식하는 것도 좋은 방법이다. 트러블의 원인이 돈에 있다면 큰 꽃병이나 어항 같은 물이 든 물건을 없애주어야 한다.

남쪽 현관에는 행운목처럼 키가 크고 줄기가 힘차게 위로 뻗은 관엽식물을 한 그루 둔다. 금속 손잡이는 늘 반짝반짝 윤이 나도록 닦아두고 매일 현관을 물로 깨끗이 청소하면 이혼 직전에서도 해결책의 묘수가 나올 정도로 골치 아픈 문제가 해결된다. 노란색의 작은 화분을 여러 개 놓아두고 조명을 한 단계 밝혀주는 것도 이웃과 친하게 지낼 수 있는 법이다.

2) 부부애가 좋은 방, 현관, 화장실의 위치

혹시 현재 부부간에 갈등이 많다거나, 아니면 부부간에 더 금실이 좋아지길 원한다면 방의 위치가 어떤가를 한번 살펴보기로 하자.

아래의 위치라면 부부간에 좋은 금실을 유지할 수 있는 방이다. 혹 새로 집을 짓거나 할 때 참고로 하면 도움이 될 것이며, 이미 방이 정해진 곳이라면 이 방향에 맞추어 방을 옮겨보는 것도 한 방법이 될 것이다.

방 중에서 안방을 가장 크게 하고 가장의 취향에 맞추어 색상과 인테리어를 하게 되면, 가장의 위치와 심신이 안정되어 바깥의 유혹에 흔들리지 않고 가정과 부인에게 충실하게 된다.

집안에서 가장 좋은 위치의 방은 반드시 가장이 기거하는 방이 되어야 그 집안이 잘되어 나가게 된다. 그래서 가장 크고 좋은 안방이 가장의 방이 되는 것이다.

안방	현관	화장실
북쪽	동남쪽	서쪽
동북쪽	서쪽	동남쪽
동쪽	남쪽	서북쪽
동남쪽	북쪽	서쪽
남쪽	동쪽	서북쪽
서남쪽	서북쪽	동쪽
서쪽	동북쪽	동남쪽
서북쪽	서남쪽	동쪽

3) 부부싸움이 잦을 때

부부싸움에는 다 이유가 있을 것이다. 그런데 뚜렷이 싸울 이유가 있는 것도 아닌데 크고 작은 일로 자주 싸우게 된다면 이 또한 걱정거리다. 싸우면서 미운 정 고운 정이 든다지만 싸움은 결국 말 한마디라도 상대에게 상처를 주게 되므로 결코 바람직하다 할 수 없다.

부부싸움은 청룡과 백호의 균형이 맞지 않을 때 일어난다. 대개 백호의 기운이 강한 경우 부인의 기운이 세서 싸움이 일어나기 쉽고, 청룡의 기운이 강한 경우는 남편의 기운이 세서 싸움이 일어나기 쉽다.

단독주택의 경우는 수목 울타리를 양쪽에 잘 만들어 기운을 균형되게 해주면 좋다.

실내가 주 생활공간인 아파트의 경우는 이 청룡과 백호의 기운이 잘 조화가 되도록 꾸며주는 게 좋다. 아파트의 구조상 왼쪽에 방이 몰려 있고 오른쪽에 없다면 오른쪽 벽에는 가구를 놓아 벽을 두툼하게 해주는 지혜가 필요하다. 가구나 벽지, 인테리어 소품들의 색상도 흰 색조로 꾸며주는 게 좋다.

오른쪽에 방이 있어 왼쪽에는 없다면 역시 왼쪽에 무거운 가구를 배치하여 실내의 균형을 맞추어주는 게 좋고, 인테리어도 청록색이 좀 더 많이 보이도록 신경을 써야 한다.

4) 다른 사람과 여러 가지 문제가 많이 발생한다면

사람이 좋고 순하다는 것은 분명히 장점이지만 이런 성격의 사람들은 남에게 잘 속아서 피해를 입기 쉽다. 그렇다고 천성이 유한데 독한 마음을 먹고 눈을 부라리며 세상을 살 수 없는 일.

집의 남쪽에 무엇이 있느냐를 먼저 알아두자.

남쪽에 욕실이 있으면 심장질환, 콩팥, 방광에 질병이 오거나 남녀관계나 금전적인 일로 문제가 생기기 쉽고 자칫 불륜에 빠지는 경우도 생기므로 주의해야 한다. 남쪽에 침실이 있는 경우는 자식이 웃어른에게 무례하게 굴거나 하여 문제가 생길 수 있다.

현관이 남쪽에 있다면 대인관계가 갑자기 변화하게 되거나 사람들 간의 싸움에 잘못 끼여 난처해지는 경우가 생긴다.

남쪽에 부엌이 있다면 예고 없이 질병이 찾아오거나 체력 부족을 느끼게 되며 친구와 다투거나 실연당하게 된다.

남쪽으로부터는 대인관계를 원활히 해주는 기운이 오므로 남쪽을 가로막는 가구 배치를 하지 말고 밝고 시원하게 트여주도록 한다.

겨울에는 난방기의 위치도 중요한데 남 방위에 히터나 온풍기가 놓이면 과대망상증에 걸려버린다. 위치를 바꿔주고 그것이 어렵다면 난방기의 가까이에 텔레비전이나 오디오 같은 소리 나는 물건을 두면 액운을 줄여줄 수 있다.

이것저것 나쁜 증세가 한꺼번에 나타나는 사람은 남 방위의 방 중심에서 볼 때 동에는 적색 소품, 남에는 작은 식물 한 그루, 북에는 모노톤의 소품을 놓고 매일 깨끗이 청소하여 풍수의 효과를 높여준다.

5) 시어머니와 한집에서 잘 지내는 부엌과 방

제주도의 민속마을에 가면 시어머니의 아궁이와 며느리의 아궁이가 따로 있는 재미있는 부엌을 볼 수 있다. '불'은 곧 부엌의 주도권, 즉 안주인의 주도권을 의미한다.

음식을 통해 하루하루 Energy를 축적하고 있는 우리 인간에게 '불'은 가정생활의 기본이다. 예로부터 불씨는 시어머니가 안방 화로에 보관하며 며느리는 매일 아침 시어머니께 불씨를 받아 식사준비를 해왔다. 시어머니는 불씨를 보관함으로써 살림의 주도권을 쥐었다. 결국 살림의 주도권은 곧 불의 주도권과 같은 의미이므로, 불을 둘러싼 주도권 싸움이 고부갈등으로 직결되는 것이다.

따라서 이 문제는 불을 두 개로 나누지 않으면 해결되지 않는다. 이상적인 것은 부엌이 두 개라서 가스레인지도 두 개라면 좋겠지만 안 된다면 버너가 많은 것이 좋다. 불 옆에는 불의 세력을 진정시키기 위해 싱크대의 설거지대와 가스레인지가 90° 각도로 놓이게 해주는 게 좋다.

시어머니 방에서 남서방위에 황토색 그림이나 장식품을 안정되게 장치해주는 것도 좋은 힘이 된다.

6) 시어머니가 서쪽 방위에 사는 경우

며느리가 동쪽에 살게 되면 너무 어질고 착하거나 너무 강하다는 인상으로 기억되기 쉽다. 이때는 생활력이 강하고 야무진 며느리라는 인상을 주어야 한다. 남편에게 정성을 다하는 아내 상을 연출하고 의상이나 메이크업은 밝게 하되 다소 점잖고 고상한 스타일로 치장한다. 너무 화려한 메이크업이나 옷차림은 피한다.

7) 시어머니가 남쪽 방위에 사는 경우

며느리가 북쪽 방위에 살게 되면 차갑고 냉정한 며느리의 인상으로 기억되기 쉬워진다. 이럴 때는 검소하고 고풍스러운 멋이 있는 여자로 연출한다. 얌전하고 소극적인 태도로 시어머니를 추켜세워주며 수다스럽지 않은 모습을 보여야 한다.

손톱 손질이 중요한데 깨끗하고 반짝반짝 빛나는 투명 매니큐어를 칠하는 것이 좋다. 자신있는 따끈한 한식 요리를 선보여 점수를 딴다.

8) 시어머니가 북쪽 방위에 사는 경우

며느리가 남쪽 방위에 살게 되면 너무 강렬하고 화려한 며느리로 인상 지어지게 되므로 고급스럽거나 화려한 차림새가 아닌 밝은 웃음으로 시댁을 찾는 것이 좋다.

좋은 여자, 능력 있는 여자, 명쾌한 여자로 보이는 것이 좋고 교양이 있어야 하며 간간이 영어 같은 것을 섞어 이야기하면 시어머니가 은근히 좋아한다. 단 지나치게 아는 척을 하거나 자기 자랑으로 이어지면 안 된다.

6. 행운이 찾아드는 침실의 위치

1) 임산부에게 좋은 방(지기 입력이 가까운 곳)

임산부에게 좋은 방은 북쪽 기운이 있는 방이다. 방위보다 더 중요한 것은 물론 지기 입력처, 즉 땅의 기운이 들어오는 쪽 방향에 있는 방이 좋다.

집의 제일 중심 입력처의 뒤쪽에 있는 가운데 방이 바로 생산을 위한 방이다. 아이를 갖고자 하는 부부는 이 방에서 기거하면서 아이를 만들고 그 방에서 지내다가 출산까지 하는 것이 좋다.

우리 옛 대갓집에서는 아이의 생산을 위한 방을 따로 만들었다. 안동의 어느 대갓집에 가면 그 생산을 위한 방이 오늘까지 남아있다. 시집간 딸이 친정에 왔다가 그 방에서 아이를 낳아 친손자보다는 외손자가 더 잘되었다는 일화가 있다.

2) 침대를 벽에 붙여 배치하면

침대는 중앙에 두는 것이 가장 좋다. 방안에서 가장 조화롭고 균형 잡힌 기운이 감도는 곳은 중앙이다. 그래서 방 중앙에 머무는 것이 사람에게도 가장 좋은 것이다.

넓은 방일 경우에 배치하기가 용이하나 좁은 방일 경우 침대를 중앙에 배치하고 나면 다른 가구를 놓거나, 공간을 활용하기가 아주 어려워진다. 그래서 침대를 벽 쪽으로 붙이는 경우가 많다. 먼지나 나쁜 기운은 중앙보다 벽 쪽으로 모이게 되므로, 침대를 벽 쪽에 붙이는 것은 좋지 않다. 벽에 붙이다 보면 침대 밑 청소가 힘들어지고, 그러다 보면 그곳에 먼지 등 나쁜 기운이 쌓이게 된다. 벽에 붙이더라도 창문 쪽 벽에 붙였다면 창문 쪽으로 환기가 되므로 나은 편이다. 벽에 붙인 침대는 가끔씩 벽 쪽에서 떼어서 침대 밑쪽 바닥 등을 말끔하게 청소해주는 것이 좋겠다.

창문도 없고 침대를 꺼내기도 힘든 벽 쪽에 침대를 붙일 수밖에 없다면, 아예 침대를 없애고 밤에는 방 한가운데에 요 깔고 자는 것도 적극적으로 좋은 기운을 얻는 방법이 된다.

3) 남자의 침실방위별 행운을 가져오는 여자 타입 - 남쪽

어떤 타입의 여자를 좋아하는가? 특별히 어떤 타입을 정해두지 않았거나 잘 모르겠는가? '우연'을 '운명'으로 여겨 자신과 어울리는 사람을 찾아 나서기보다는 어쩌다 만나 열정에 빠지고 결혼해서는 서로 다른 가치관과 스타일의 불협화음 때문에 평생을 고통받는 경우도 적지 않다.

내가 좋아하는 타입과 나에게 어울리는 타입은 항상 일치하지는 않는다. 자신이 알고 있는 나와 다른 사람이 보는 내가 다른 것과 마찬가지 이유다. 현명한 만남을 원한다면 당신 집이 어떤 여성을 원하는가를 살펴보는 것이 좋다.

침실이 남쪽에 있다면 씩씩하게 일을 잘하고 섹시한 타입, 어디에서나 누구하고나 쉽게 어울리며 잘 놀 줄 아는 사람이다. 인간관계가 원만한 방위이며 활발하게 움직이는 방위이고 성적인 매력도 충만한 방위이다. 가장 신세대적인 여성이 이 방위에 행운과 사랑을 가져오는 여성 타입이다.

4) 남자의 침실방위별 행운을 가져오는 여자 타입 - 서쪽

서쪽에 침실이 있다면 공주병에 걸린 듯한 부유한 여자가 자기 방 스타일에 어울리는 여자다. 화려하고 귀족적이며 어디서나 눈이 뜨이는 여성이라면 이 방의 주인에게 사랑과 행운을 가져다준다.

5) 남자의 침실방위별 행운을 가져오는 여자 타입 - 동쪽

침실이 동쪽에 있다면 음악을 좋아하고 유행에 민감하며 명랑하고 귀여운 타입의 여자와 궁합이 맞다. 동쪽은 늘 푸르고 싱싱한 것을 좋아하는 '새로움'의 방위이므로 신선한 이미지의 여성이 행운과 사랑을 가져온다. 유행하는 패션의 옷이나 액세서리를 착용하고 헤어스타일에도 유행 감각이 흐르는 상큼한 여성을 선택한다면 후회가 없을 것이다.

7. 행운이 찾아드는 욕실, 화장실, 부엌의 위치

욕실과 화장실은 남동쪽과 남서쪽은 피하는 것이 좋다. 예로부터 남동쪽이나 남서쪽은 손님의 문이라 했다. 불길하다는 뜻이라기보다 좋은 행운을 지닌 손님이 매일의 기운을 주는 신성한 곳이라는 의미다.

남동쪽은 활동적인 Energy를 주는 방위이며 남서쪽은 정신적인 Energy를 주는 방위이다. 그래서 이곳에 더러운 것이 있거나 온도와 습도의 변화가 심하다 보면 건강을 해치거나 정신적 장애를 일으키게 된다. 때문에 물과 불을 많이 사용하여 온도와 습도 변화가 잦은 화장실이나 욕실, 부엌, 가스레인지나 난로 같은 것이 있는 게 좋지 않은 것이다.

요즘은 대부분 풍수를 고려하지 않고 이미 지어진 아파트나 주택에 들어가 살고 있으므로 화장실이나 욕실, 부엌이 이 방위에 있는 집이 많을 것이다. 수도 설비 때문에 집의 구조를 바꾸는 일은 쉽지 않고 또 방위가 나쁘다 해서 이사 가는 일도 어려움이 많다. 이럴 때는 더러움에 주의하면 된다. 온도나 습도를 완벽하게 조절하기는 쉽지 않을 것이므로 통풍이 잘되도록 신경 쓰고 깨끗하게 청소를 하여 청결감을 유지하도록 한다. 조명을 밝게 하거나 벽면을 하얗게 꾸미고 흰색

깔개로 청결감을 더하는 등 소품으로 장식하면 운기를 좋은 방향으로 변화시킬 수 있다.

1) 화장실이 각 방위의 한가운데 있다면

화장실은 좋은 방위라는 것이 없어 어디에 있든 흉상을 피할 수 있는 장치가 필요하다. 화장실 위치가 집 중심에서 볼 때 동서남북의 바로 중심선 위에 있다면 좋지 않다.

그 가운데서도 변기가 각 방위의 정 방향선 위를 지나지 않도록 비껴나가게 하는 것이 좋은데, 만약 각 방위의 한가운데 변기가 놓여 있다면 황색이나 주황색의 변기 커버를 반드시 씌우면 불운을 막을 수 있다.

2) 북동쪽에 부엌이 있다면

무엇보다 청결한 것이 중요하다. 가재도구도 흰색으로 하는 것이 좋고 흰 꽃이나 하얀 꽃 그림으로 장식하면 좋다. 가스레인지 주변이나 환기통 주변을 늘 체크해서 매일 잘 닦아두고 필터도 자주 갈아주면 통풍이 잘되어 운이 따라온다. 부엌이 더러우면 행운이 따르지 않는 것에 그치지 않고 불운이 들어오게 되므로 세심한 주의가 필요하다.

3) 남서쪽에 부엌이 있다면

서쪽이나 남서쪽은 음식이나 물건이 쉽게 상하는 방위다. 따라서 항상 부지런히 청소하고 청결감을 유지하도록 신경 써야 한다. 특히 냉장고 안에 유통기간이 지난 음식을 그대로 두지 않도록 한다. 그렇게 하면 운이 달아나버린다. 부엌용품이나 식기는 갈색으로 통일시켜주고 초록색 장식물, 그림이나 관엽식물을 하나 두도록 한다.

8. 효과적인 수납으로 행운을 만드는 法

풍수는 환경학이다. 집 자체의 방위도 중요하지만 주거공간에서 큰 면적을 차지하는 가구의 배치와 수납법은 사람의 일상에 중요한 환경으로 작용하기 때문에 신경 써야 할 부분이다.

행운을 부르는 풍수의 수납 포인트는 행운이 들어 있는 공간에 사용치 않는 물건이나 가구를 쌓아두지 않는 일이다. 집에서는 현관에서 대각선으로 이어지는 라인이 행운의 장소인데 이 자리에 사용하지 않는 물건이나 가구가 쌓여있으면 행운이 도망간다.

가구도 늘 그 자리에만 두면 운기가 활기차게 움직이지 못하므로 계절마다 수납 계획을 세워 조금씩 자리를 바꿔주고 쌓이는 물건이 없도록 체크해야 한다.

1) 대충대충 쌓아두는 성격에 좋은 수납법

수납이 뭔지도 잘 모르는 사람이지만 필요한 때에는 신기하게도 잘 찾아 쓰는 타입. 위아래 구분 없이 뒤섞어 놓거나 마음에 안 드는 물건은 비싼 것이라도 구석에 처박아놓는 지저분한 스타일이다.

내일 당장 사용할 물건이든 언제 봤는지 기억도 희미한 물건이든 그때 기분에 따라 취급하는 이 타입의 사람은, 그 자리에서 문득 생각났을 때 물건을 챙겨두려 하지 말고 잠깐 담아둘 바구니를 준비해서 보관하는 것이 좋다.

포개어 쌓아올릴 수 있는 박스형의 수납함이 수납운을 높여준다. 그리고 흰색 천으로 덮개를 만들어주면 이 흰색 천이 들어있는 물건을 눈에 띄게 해준다.

이 사람은 산이 그려진 풍경화나 사진처럼 뭐든 쌓아올리는 이미지가 연상되는 것이 좋으므로 하얀 눈이 덮인 산의 정경을 그린 그림을 걸어두는 것이 좋다. 침대 시트나 커튼 역시 흰색으로 천연소재인 면이나 마직이 좋다. 베이지색으로 변화를 주어도 좋다.

가구를 장만한다면 서랍이 많은 서랍장이나 선반이 많이 들어있는 장식장을 산다. 나뭇결이 예쁘게 살아있고 광택이 있는 원목 가구가 가장 좋다.

2) 물건을 버릴 줄 모르는 성격에 맞는 수납법

어디든 빈틈만 보이면 무엇이든 물건을 집어넣어야 속 시원한 사람. 수납 때문에 오히려 복잡하고 어수선해진다. 이런 사람은 버릴 것과 모을 것을 구분 짓는 능력이 필요한데 이때 무조건 버리려 들지 말고 방위별로 행운을 부르는 수납에 이용한 다음 처분하는 방법을 써보자.

이 방법은 인테리어의 방위에 따라 색을 바꾸는 것이 포인트인데 서쪽에는 검은색 물건을 두고, 북동쪽에는 하얀 물건, 동쪽에는 붉은색 물건을 두는 것이 좋다. 깊숙하게 넣어두면 쓰레기나 마찬가지였던 물건이 자기 방위에 맞게 놓인 것만으로도 되살아나 새삼스러운 재산이 된다.

남쪽에는 주황색, 동쪽에는 빨강이나 파랑, 북쪽에는 녹색에 해당되는 물건들을 놓아본다. 베란다를 수납 공간으로 활용하는 예가 많지만, 바닥 가득 수납장으로 메우게 되면 운이 나빠진다. 틈 사이에 있는 물건들을 전부 꺼내어 선반을 만들고 제대로 넣게 되면 훨씬 깔끔해진다.

3) 뭐든지 버리기 잘하는 성격에 맞는 수납법

버리는 것이 수납이기 때문에 정리가 빠른 사람이다. 다만 다소 독선적이어서 가족에게 필요한 물건이라도 자신이 생각하기에 쓸모없다고 하면, 그대로 버리기 때문에 싸우는 경우가 생긴다. 그러면서도 다른 사람들이 자기 물건 만지는 것은 싫어하기 때문에 본인밖에는 수납장소를 모르고 아름답게 수납할 줄을 모른다.

비교적 정리를 잘하는 타입이지만 커다란 물건의 정돈에는 별로 재능이 없다. 이런 사람은 나이에 따라 두는 장소를 정해두는 것이 좋다.

30세까지는 동북쪽에 자기 물건을 두면 연애운이 좋아지고 동시에 꽃과의 궁합도 좋아지기 때문에, 수납용 가구를 두거나 꽃을 장식해두는 것이 좋다.

50세까지는 동쪽에 수납장을 두면 행운이 찾아온다. 수납장을 둘 장소가 마땅치 않다면 청록색 계통의 물건을 둔다. 그 이상의 나이에 해당되는 사람은 남쪽, 또는 서쪽에 물건을 두면 돈이 모인다.

9. 업종에 따른 풍수 인테리어

1) 약국

우선적으로 지세가 안정된 곳에 개업한다. 약국의 출입문은 우선 조명을 밝게 하고 왼쪽과 맞은편에 큰 거울과 화분을 두면 생기가 넘치고 방문하는 사람들이 안정감을 느끼게 된다.

출입문을 남쪽으로 보면 남서쪽에 조제실을 두고 북쪽과 동북쪽에는 약장을 나지막이 두며, 약장 위벽에는 풍경화나 화분을 장식하는 것이 좋다.

에어컨이나 난방기를 북동쪽에 설치하면 바람과 함께 좋은 기운이 방문객들에게 미친다. 동쪽에는 긴 의자와 음료수대, 작은 화분을 두는 것이 좋다.

2) 의류점

장사하는 사람에게는 남쪽 문이 좋다. 돈이 들어오는 문이 되어준다. 동쪽에 계산대가 놓이는 것이 좋다. 반드시 지세가 안정된 곳을 찾는다. 매장 가운데는 작은 진열대를 개방해두고 서쪽 창가에 휴식공간을 두면, 손님과 매장의 氣가 어우러지기 쉽다.

남동쪽의 구석에 탈의실을 두고 문에 거울을 붙여두면, 매장 점원에게 호감과 친밀감을 갖게 되어 당연히 매상이 오른다. 의류는 서쪽 벽면에 키 큰 장을 설치하여 배열한다.

3) 패스트푸드점

지세가 안정된 곳을 골라 남쪽 출입문의 대각선 모서리 부분인 서북에 주방과 조리대를 설치하면 음식이 맛있어진다. 조리대 앞쪽 계산대는 자연스럽게 동남쪽을 향하게 되며, 금고는 남쪽 방위에 두는 것이 사업번창에 도움이 된다.

출입문 좌우는 유리벽으로 만들어 카운터형 스탠드를 배치하면 좋고, 모서리에 화분을 많이 놓아 매장의 생기를 높여주는 것이 좋다. 붉은 꽃이 피는 화분이면 더욱 좋으며 기본적으로 꽃은 어느 것이나 생기를 주는 아이템이기 때문에 꽃을 많이 두는 것이 좋다.

6

자녀들에게 좋은 風水 인테리어 know how (絶對方位槪念)

1. 건강한 자녀를 기르기 위한 풍수 인테리어

1) 아기를 원할 때

북동, 북, 동남 방위의 힘을 강화시켜야 아기가 생긴다. 북동 방위는 흑청색, 북 방위는 흑색, 남서 방위는 갈색이므로 집 전체의 방위를 살펴 이 방위에 해당되는 색깔의 인테리어를 해두는 것이 필요하다.

다음 단계로 침실을 정비하는데 북동 방위에는 짙푸른 산의 그림을 걸어두고, 북쪽에는 깨끗한 물이 그려져 있는 그림이나 사진을 장식하며, 남서쪽에는 노란 꽃이나 붉은 열매를 맺는 나무 그림을 장식한다. 사과, 앵두, 귤이나 바나나 나무가 해당된다. 아이를 뜻하는 석류나무를 직접 갖다놓거나 그림을 장식해도 효과를 본다. 토란국이나 콩자반 같은 음식은 자식을 얻는 데 가장 좋은 음식이다. 뿌리채소를 통해 대지의 힘을 취하고 그 덕분에 가정운이 좋아지기 때문이다.

멸치나 빙어, 새우 같은 작은 물고기 음식이나 두부는 영양가도 높지만 임신을 도와주는 힘이 있으므로 많이 먹어두는 것이 좋다.

2) 건강한 자식을 얻게 되는 인테리어

아이가 생기지 않는 것처럼 초조하고 힘든 일이 없다. 원만했던 부부관계도 기다리는 아이가 들어서지 않으면 무미건조해지기 쉽다.

지기 입력처에 침대 머리를 두고, 왼쪽에 청록색의 집기류나 작은 화분을 배치한다. 그림을 걸어두는 것도 좋다. 지기 입력처란 땅의 기운이 들어오는 곳을 말하는 것으로, 집 주변을 둘러보아 높은 쪽이 대개 땅의 기운이 들어오는 곳으로 보면 된다.

오른쪽에는 밝은 베이지색 집기류나 가구를 배치하며, 남자아이를 얻고 싶을 때는 머리맡에 붉은 열매를 그린 정물화로 장식하고, 여자아이를 얻고 싶을 때는 시원한 바다 그림을 걸어두는 것이 효과적이다.

3) 순산하기 위한 인테리어

아침에 일찍 일어나 매일 산책하는 것을 일과로 여기자. 의학적으로 건강을 돕는 일이기도 하지만 풍수에서도 순산을 위해 가장 좋은 비법으로 친다.

또 한 가지는 화장실 청소를 자주 하는 일이다. 무엇보다 풍수에서 건강에 큰 영향을 미치는 화장실을 매일 깨끗이 해두면, 운기가 좋아지는 것은 물론이고 비좁은 화장실에서 몸을 움직여 청소를 하는 행동 자체가 좋은 운동이 된다. 마루 닦기나 화초 손질 또한 같은 이유로 권할 만한 집안일이다.

4) 아기 방에 가장 좋은 인테리어

아기에게는 햇빛, 자연의 힘을 듬뿍 받도록 해주는 것이 가장 중요하다. 따라서 아기 방이 동쪽에 있다면 아침 해가 그려진 그림, 서쪽이라면 노을그림, 남쪽이라면 밝게 빛나는 바다나 넓은 들판의 명암이 뚜렷한 그림, 북이라면 별이나 밤하늘의 그림을 장식해주는 것이 좋다. 아기 방에는 陰과 陽의 기운이 적절히 조화를 이루도록 신경 써야 한다.

예를 들어 이불을 무늬가 있는 것으로 했다면 요는 무늬가 없는 것을 쓰고 동이나 남쪽에 창이 없어 아침 해가 들어오지 않는 방에는 동쪽이나 남쪽에 스탠드를 두어 밸런스를 맞춰주는 것이 중요하다.

5) 밤에 우는 아기를 고치는 방법

밤에 우는 아기는 주로 肝의 기능이 약한 탓이므로 이를 보완해주는 인테리어가 필요하다. 밤에 우는 아기를 돌보느라 엄마는 잠을 못 자고 몸이 피곤해 스트레스를 받으면 그대로 그 불안감이 아기에게 전달되어 다시 밤에 우는 식이 되풀이되는데 문제가 있다.

아침 점심 저녁 밤으로 하루를 나눠 동에서 남으로, 남에서 서로, 서에서 북으로 아기 머리가 놓이는 방향을 바꿔주면, 하루가 시간에 따라 변화하고 움직인다는 사실을 자연스럽게 알게 되고 그 리듬이 몸에 밴다. 결과적으로 밤에 자지 않고 우는 일이 줄게 되며 행운이 따라다니는 아이로 성장할 수 있다.

6) 건강한 아이로 자라게 하려면

요즘 유행하는 아기 침대를 보면 대개가 수입품이 많다. 그런데 풍수적으로 볼 때 사람에게 중요한 영향을 미치는 잠자리로서의 침대는 분명히 우리 땅에서 자란 나무로 만든 것이 가장 좋다.

침대뿐 아니라 집도 마찬가지여서 요즘 서구식 목조주택이 유행이라는데, 캐나다산 나무나 미국산 나무를 많이 쓰고 있고, 아예 자재 전부를 수입해 조립하는 수입 주택까지 나오고 있는 실정인데 결코 우리 몸에 좋은 힘을 주지 못한다. 우리 땅에서 나온 목재로 만든 튼튼한 국산 침대를 사용하는 것이 가장 좋다. 아기 침대의 머리는 반드시 땅 기운이 들어오는 쪽으로 두어야 한다는 점을 잊지 않도록 한다.

아기 방에는 대개 인형들이 놓여있게 마련인데 반드시 햇빛이 잘 닿는 곳에 두어야 한다. 먼지가 많거나 더러운 인형은 풍수적인 행운을 달아나게 만든다. 반드시 자주 빨아주고 어두운 구석에 방치하지 말고 늘 밝은 자리에 놓아두는 것이 중요하다.

7) 병약한 아기를 건강하게 하려면

아이가 몸이 약하다면 부모로부터 물려받은 체질이 그럴 수도 있고 태내에 있을 때 어머니가 섭취한 음식물에 원인이 있는 경우도 있다. 병치레가 잦은 아기는 땅 기운이 입력되는 방위의 힘을 받도록 해줄 필요가 있다. 땅 기운의 입력 방위는 대지, 어머니, 가정의 방위이므로 대지의 힘이 가득한 곡류와 탄수화물을 많이 섭취하는 것이 좋다.

밤에는 숙면을 할 수 있도록 방 중심을 기준으로 잠자리를 잡고 땅 기운이 입력되는 쪽에 머리를 두도록 배치하는 것이 좋다. 이불은 무늬가 잔잔하고 은은한 면 소재가 적당하며, 남서쪽에 어머니의 이미지가 있는 그림을 장식하면 훨씬 좋다. 아이가 그린 어머니 그림이라면 가장 좋다.

동쪽에는 책상이나 장난감을 두고 여기에서 되도록 많은 시간을 보내도록 유도하게 되면 건강에 좋다. 방 안에는 카펫을 깔지 않는 것이 좋다.

8) 자녀와 사이좋은 부모가 되고 싶다면

일 때문에 매일 늦게 귀가하는 아버지는 친밀한 관계를 가질 수 없다. 문제는 음식-가능하면 함께 식사하는 시간을 많이 갖자. 아버지나 어머니가 다소 늦게 귀가하더라도 기다렸다가 함께 먹는 것을 가족의 원칙으로 정해두면 좋다.

식당이나 부엌이 더럽지 않고 따뜻한 분위기를 지니도록 늘 청결에 신경 쓰고 가끔 식기를 바꿔주는 것도 좋은 방법이다. 분홍, 적색, 황색, 백색의 4색을 부엌 인테리어나 식기에 적용시켜서 식탁 위에는 항상 위의 4가지 색 꽃을 장식해주면 자여와 부모는 정서적 일체감을 느끼는 이상적인 관계가 된다.

아이가 혼자 무슨 일을 하고 있는지 몰라 걱정될 때는, 남쪽에 해당되는 식탁 의자에 앉게 하자. 비밀을 알게 되기도 하고 나쁜 일이 더 커지기 전에 해결할 수도 있다.

현관에는 자기 신이 두 켤레 이상 나와 있지 않도록 신발장에 잘 정리해주어야 한다. 한 사람의 신발이 두 개 이상 나와 있지 않도록 배려하게 되면, 가족 간에 간혹 생기는 미움을 없애줄 수 있다.

9) 친구가 많은 아기로 키우고 싶다면

책상의 위치가 중요하다. 친구와 잘 지내게 해주려면, 인연의 방위인 남동쪽에 책상을 놓고 운기를 더해주기 위해 산뜻한 방향제나 포푸리를 장식해주면 좋다. 해가 잘 드는 밝은 방이라야 사람이 모여들게 되므로 책상 위에 스탠드를 두도록 한다.

현관과 방문의 금속 손잡이는 늘 반짝반짝 빛나도록 닦아주고 문 옆에도 금속 액자 두 개에 아이의 사진을 넣어 걸어두면 좋다. 이 사진 옆에는 전화를 두는데 대개 친구와 전화 통화가 잦은 아이들끼리 교제를 좋게 이끌어준다.

인기와 호감 가는 이미지, 또 아름다움을 관장하는 남방위의 힘을 얻으면 자연 친구들과 잘 지내게 되므로, 태양이 정남에 위치하는 정오에 남쪽으로 놀러나가거나 산책을 하는 것도 좋은 방법이다.

가족끼리 휴일에 외출할 때도 아이의 친구관계를 위해 배려할 방법이 있다. 아이에게 좋은 방위로 외출하면 되는데, 남자아이에게는 북, 북서, 서, 서남 방위의 외출이 좋고, 여자아이에게는 북, 동, 남, 동남방위가 길하다.

10) 인기가 좋은 아이가 되게 하려면

새 학기가 되면 반장선거다 회장선거다 하고 학교에서 아이의 적극성이나 인기를 파악할 수 있는 기회가 있다. 대개 소극적인 아이들은 인기도 적어서 반장으로 추천되지 않는다. 이런 아이의 성격을 바꾸어 리더십을 길러주고 싶을 때는 아이에게 사회적 기운을 불어넣어주는 게 좋다.

상대와 조화를 좋게 하는 기운을 가진 색은 빨간색이다. 아이에게 빨간색 옷을 입힌다. 남자아이라서 빨간색을 기피한다면 빨간색 무늬가 들어간 속옷을 입혀도 좋다. 연필이나 필통 등 아이가 자주 쓰는 소품도 빨간색이 강한 것을 쓰도록 하는 게 좋다. 그렇게 하면 친구들로부터 점점 인기를 얻게 될 것이다.

2. 좋은 자녀를 기르는 풍수 인테리어

1) 미술에 재능 있는 아이를 위해서

방 남쪽에 책상을 두고 공부하게 하면 장차 미술계통에서 일하는 사람을 만들 수 있다. 미술에 재능이 있는 아이를 도와주는 방법은 남쪽에 관엽식물이나 잎의 끝이 섬세한 화초를 두는 것인데 감각적 재능이 뛰어나게 발달한다.

책상 위에는 빛이 나는 볼펜 두 자루를 놓고 아이가 좋아하는 작가의 포스터를 구해 남동쪽 벽에 장식해주면 미술가로서 성공할 수 있는 기반이 마련된다.

2) 어학에 재능 있는 아이를 위해서

어학능력을 키우는 일은 유치원생들에게도 과제가 되고 있다. 동남방위를 잘 이용하자. 잘 때 베개를 동쪽에 두고 자면, 동남방위의 힘을 자연스럽게 흡수할 수 있다. 동남 방위와 궁합이 좋은 붉은색 물건을 東南쪽에 두면 더욱 좋은데, 미국 산 캐릭터 용품으로 미키마우스나 디즈니 만화가 그려진 장식품들도 아주 좋다.

남이나 동쪽에 창이 없으면, 스탠드를 놓아 보완해주고 카세트나 라디오도 동쪽에 놓고 팝송이나 회화 테이프를 틀어두면 어학 공부에 힘이 붙는다. 외국잡지를 책장에 넣어두는 것도 좋다.

3) 체육에 소질이 있는 아이를 위해서

체육에 소질을 살려주기 위해서는 북이나 동 방위의 힘을 받아야 한다. 동쪽에 베개를 두고 잠자며, 아침에는 동쪽 창으로 아침 해가 들어오도록 해주는 것이 가장 좋고, 동쪽에 텔레비전이나 카세트라디오, 시계를 놓아두면 더욱 운기가 상승한다.

남쪽에는 화분을 놓아두어 은근한 끈기와 참을성을 길러주고, 책상을 북쪽에 배치하면 소홀하기 쉬운 정신적 성장에 도움이 된다.

서쪽에 옷장과 거울을 두면 외모가 깔끔해진다.

4) 게으른 아이를 부지런한 아이로 바꾸는 인테리어

동 방위는 아이에게 중요한 방위다. 아침 해가 동쪽 창으로 들어오면 반드시 부지런해지는데 방의 위치상 동쪽 창이 없는 경우에는, 동쪽에 붉은 꽃이 피는 화분을 놓아두는 것이 좋다. 어질고 근면하여 건강하고 부지런한 아이로 자랄 수 있다.

침대는 출입문에서 대각선을 이루는 선, 즉 럭키존 위에 놓고 동쪽에 베개를 두면 아침 일찍 일어나 부지런한 아이가 된다. 단, 아침에는 일찍 일어나 커튼을 걷고 햇빛을 충분히 받도록 한다.

5) 자녀 방으로 좋은 방위(절대방위개념) - 배산임수 장풍득수 원칙

자녀의 방으로 최적의 방위는 동 방위이다. 독립심을 키우고 진취적이며 의욕적인 성격을 만들어주는 좋은 방인데, 간혹 동 방위의 힘이 강하다 보면 짜증이 잦거나 늘 피로감을 느끼는 경우도 있으므로 동쪽 창의 커튼을 연노랑으로 바꿔주고 차분한 느낌이 드는 연회색이나 하늘색조로 인테리어 해주는 것이 좋다.

공부하는 아이를 위해서는 북 방위도 길 방위에 속한다. 지혜를 높여주며 차분하고 실수 없고 공부도 열심히 하는 아이로 자랄 확률이 높다. 다만 지나치게 조용해서 혼자 매사를 처리하려는 성향을 보이는 수도 있다. 따라서 이 방위의 유리함을 높여주려면 침체되지 않고 늘 활력을 지니도록 북쪽에 침대를 놓고 남쪽에 책상을 두며 옷장은 서쪽에 배치하는 것이 좋다.

6) 자녀방으로 조심해야 할 방위와 처방(배산임수 장풍득수 원칙)

서쪽 방위는 지는 해와 같은 방위이기 때문에, 성장하는 아이들에게는 바람직하지 않다. 질병이나 학교공부 등에 잦은 트러블이 생기기 쉬우므로 처방이 필요하다. 따라서 아이가 잔병치레가 잦다면, 서쪽 창문에 붉은색 커튼을 치고 책상이나 침대 등을 진한 회색이나 감색으로 바꿔준다.

잠옷이나 이불도 자주색이나 핑크색을 쓰면 더욱 좋다. 공부하기나 책 읽기를 싫어하는 아이라면 방 전체를 노랑이나 하늘색으로 바꿔주면 달라질 것이다.

북서쪽 방위도 어린이의 방위가 아니라 어른의 방위이기 때문에 좋지 않다. 동이나 동남 방위로 바꿔주는 것이 좋다.

7) 좋은 자녀를 기르는 자녀의 방과 거실의 위치와 인테리어(산 · 물 기운 입력 원칙)

자녀를 훌륭하게 키우는 일은 모든 부모의 소망일 것이다. 학교생활 외에는 주로 생활하거나, 과외 등으로 바쁘더라도 잠자는 시간은 하루 중 가장 길게 머무는 시간이므로 방이 자녀에게 미치는 영향은 결코 소홀히 간과할 일이 아니다. 자녀가 둘인 경우의 기준에 따라 아래와 같은 경우의 방 배치가 되어있다면 아래의 풍수지혜를 적용해보자. 자녀의 성격형성이나 운에 좋은 영향을 주게 될 것이다.

	자녀방	거실	자녀방
①	북쪽	동남쪽	서쪽
②	서북쪽	동쪽	서남쪽
③	동남쪽	서쪽	동북쪽
④	동쪽	남쪽	서북쪽

※ 절대방위임

①의 경우 거실의 분위기를 밝게 해주는 것이 좋다. 흰색이나 베이지 톤에 밝은색의 커튼이 있는 거실 분위기로 연출한다.

②의 경우는 검은색의 비품을 거실에 설치하는 것이 좋다. 오디오나 텔레비전이 검은색이므로 거실에 검은색 배치는 자연스럽게 될 수 있을 것이다.

③의 경우는 그린색이나 붉은색으로 거실을 꾸미는 것이 좋다. 그린색 소파나 푸른 관엽식물을 거실에 많이 두는 것이 좋고 붉은색 카펫을 까는 것도 좋겠다.

④의 경우는 거실의 분위기를 베이지색이나 황색으로 은은하게 꾸미는 것이 좋다. 요즘 유행하는 마루에 원목가구를 배치하는 것이 좋겠다.

8) 적극적이고 의욕적인 아이를 만드는 풍수법

모든 일에 자신이 없거나 시큰둥해서 특별히 좋아하는 일이 없는 아이는 은근히 부모의 걱정거리다. 외동아이나 할아버지 할머니 아래서 자란 과잉보호 아이들의 경우도 적극성이 부족한 성향이 많다. 이런 아이에게는 떠오르는 아침 해의 힘을 더해주는 것이 좋다.

당연히 동쪽 창이 있으면 좋겠지만 그렇지 못하다면 방의 동쪽에 붉은색 쿠션이나 붉은색 벽걸이, 액자 등을 갖다놓아서 동 방위의 힘을 보완해주도록 한다. 단 이 자리에 붉은색 장난감을 두면 노는 일에만 의욕적인 아이가 되기 쉬우므로, 주의하고 푸른 자연의 풍경화나 위인의 사진을 걸어두는 것이 좋다. 붉은색의 활기에 녹색의 안정감이 더해져 정서적으로 조화를 이루게 되고, 위인의 사진은 아이에게 정신적인 지침이 될 수 있다.

9) 빨간색을 좋아하는 아이의 소질과 유망직업

부모들은 흔히 아이의 옷을 본인의 취향대로 고르고 입힌다. 그런데 자세히 보면 아이가 유난히 좋아하는 색깔이 있다. 남자아이인데도 빨간색 계통을 좋아하는 경우도 꽤 있다. 여자니까 붉고, 남자니까 파랗게 입혀주는 고정관념을 버리고 아이가 좋아하는 색상의 옷을 입히고 방도 꾸며주는 것이 좋다. 그래야 그 아이의 소질을 계발할 수 있는 것이다.

많은 아이들이 빨간색을 좋아할 것 같지만 사실은 그렇지도 않다. 빨강은 상당히 적극적인 색상이어서 외향적이거나 명랑한 아이들이 좋아한다. 성격이 상당히 개방적이고 솔직하다.

아이가 빨강을 좋아하면 예술가나 연예인 또는 사업가가 될 소질이 있다. 정치가가 될 자질도 있다. 연애도 잘하면 대인관계가 좋고, 언변도 좋고 말을 많이 하는 편이라 남과 대화하기를 즐긴다. 자연히 인기가 따르게 되므로 많은 사람을 상대해야 하는 직업이 어울린다.

10) 검은색을 좋아하는 아이의 소질과 유망직업

요즘 아이들의 패션을 보면 어른들이 좋아하는 흑백도 많다. 그 영향을 받는 탓도 있겠지만 자기 취향으로 검은색을 좋아하는 아이들도 있다. 이런 아이는 이지적이며 창의적이고 내성적인 면을 지니고 있다. 사고력이 뛰어나며 기획력도 좋다. 인문계열이나 법조계, 공직, 기획직에 소질이 있다.

지나치게 검정으로만 입으면 성격이 우울해지기 쉬우므로, 밝은색과 함께 배색해서 입히는 게 좋다. 자기 표현력을 증가시켜주는 빨간색과 배색한다면 금상첨화이다.

11) 녹색을 좋아하는 아이의 소질과 유망직업

녹색을 좋아하는 아이는 차분하고 순하여 소극적일 것 같지만, 사실은 상당히 진취적이다. 너무 녹색 일변도로 의상이나 소품을 갖추게 하고 인테리어를 꾸며주면, 지나치게 진취적이 되어 일반적인 동년배와 잘 어울리지 못하거나 실패를 거듭할 우려가 있으므로 자제력을 주는 게 좋다. 장래가 아주 좋거나 혹은 나쁘거나 극단의 양상을 보일 우려가 있다.

출세욕이 강하고 건강도 좋다. 공무원, 군인, 문필가, 학자가 어울린다. 안정감을 주는 황색과 적절히 배색한 옷, 소품, 인테리어로 해주면 자기분야에서 두각을 나타낼 것이다.

12) 흰색을 좋아하는 아이의 소질과 유망직업

사실 아이들이 흰색을 좋아하는 경우는 참 드물다. 흰색은 색이 없는 것으로 인식하기 때문이다. 하지만 흰색은 그 나름대로 상당히 강한 색상이다. 아이가 흰색을 좋아한다면, 그의 성격은 냉정하고 이지적이며 치밀하다. 지나치면 결벽증에 걸리기 쉬운 성향을 지니고 있다. 그러므로 부드럽고 따스한 색상과 배색을 해주면 좋겠다.

흰색을 좋아하는 경우는 자연계열, 법관 중에서도 검사, 의사, 그리고 경찰이 어울리는 직업이다.

13) 노란색을 좋아하는 아이의 소질

노란색은 아이들이 가장 쉽게 좋아하는 색상인데다 아이를 위한 옷이나 소품, 인테리어 제품 등에 가장 흔하게 사용되는 상징적인 색상이다. 노란색은 어찌되었든 아이들에게 유익한 색상이다.

노랑은 風水的으로 中央의 색상이다. 그만큼 안정감을 주는 색상이다. 이 색을 좋아하는 아이들은 신념이 강하고 포용력이 있으며 내실을 기하는 성격이다.

소질을 보이는 직업은 종교인, 만능선수, 법관 중에 변호사, 외교관 등이며 기타 분야에 적성을 보인다면 그 분야 쪽으로 잘 이끌어주면 성공할 수 있는 성향을 지니고 있다.

14) 아이의 성격이 반항적으로 되는 풍수적 요인

아이의 성격이나 태도가 반항적으로 되는 데는 여러 가지 요인이 있을 수 있다. 그럴 만한 특별한 요인이 없는데도 성격이 그렇거나 여러 가지 방법으로 성격을 고쳐보려 노력해봐도 허사가 되었다면 풍수적인 요인을 살펴볼 필요가 있다.

풍수적인 원인은 형제 서열에 따라서나 성별에 따라 달라진다.

첫째 아이의 경우라면, 조상 산소의 뒷면이 허하거나 너무 험하고 경사가 심한 산이 뒤에 있을 경우 성격형성이 그렇게 된다. 집터 역시 뒷면이 허하고 무너져 있거나 너무 높은 언덕아래 집이 자리 잡은 경우, 집의 높이에 비해 너무 높은 빌딩이 뒷면에 자리한 경우이다.

막내 아이의 경우라면, 조상 산소 앞에 큰 산이 가로막혀 있거나 보기 흉한 바위가 가로놓여 있는 경우 아이의 성격을 반항적으로 만든다. 집터 앞에 너무 큰 건물이 서 있는 경우도 마찬가지이다.

중간 서열의 아이일 경우는, 조상 산소 왼쪽이나 오른쪽에 험한 산이나 험한 바위가 있을 경우, 집터 왼쪽이나 오른쪽에 집을 찍어 누르듯이 큰 건물이 있을 경우 성격이 반항적으로 된다. 오른쪽의 경우는 딸의 성격에, 왼쪽일 경우는 아들의 성격에 영향을 미치게 되므로 오른쪽에 문제가 있다면 중간의 딸이 반항적으로 되고, 왼쪽에 문제가 있다면 중간의 아들이 반항적으로 된다.

맹자의 공부를 위해서 그 어머니가 세 번 집을 옮겼듯이, 이런 아이의 성격을 개조하는 가장 적극적인 방법은 산소나 집터를 잘 살펴보고 좋은 곳으로 옮기는 것이다. 조상을 편안하고 좋은 곳에 모시면 조상께도 효도하는 일이고, 집터를 옮기면 다른 가족도 함께 편안해지게 될 것이다.

15) 쉽게 싫증내지 않고 일하거나 공부할 수 있으려면

뭔가를 배우다가도 금세 싫증을 내서 이것저것 기웃거리다 한 가지도 제대로 못하는 사람들이 많다. 일도 마찬가지고 직장도 마찬가지여서, 여기저기 옮겨 다니다 보면 이력서만 더럽히게 된다. 이런 사람은 끈기의 색깔인 황색과, 인내의 색깔인 녹색으로 주위를 꾸미는 것이 좋다. 방 안의 소품, 커튼 등을 이 색상으로 꾸며보고 옷차림도 이런 계통의 색상으로 입는다. 음식도 녹색야채를 많이 섭취하는 것이 좋다. 찹쌀떡, 엿 등 끈기 있는 음식을 먹는 것도 좋겠다.

16) 공부가 쉬워지는 교실 풍수법

교실은 하루의 많은 시간을 보내는 장소이고 공부하는 장소이기 때문에 교실에서의 풍수도 중요하다. 이 경우는 교실에서 어느 자리에 앉느냐가 중요한데 교실도 방처럼 출입문에 대각선을 그리는 라인, 즉 동서 남북의 중심선에 앉는다면 최상이다. 교실의 중앙은 언제나 기운의 안정이 유지되는 곳이다.

물론 자리 배치를 자기 마음대로 하기는 어려우므로 좋은 자리에 앉지 못하는 경우가 더 많다. 그렇다고 해도 자기 자리가 어떤 방위에 해당되는지를 알아본 다음 그 방위에 해당되는 행운 컬러를 몸에 지니게 되면 공부가 재미있고 쉬운 일처럼 느껴진다.

동쪽에 앉았다면 붉은색, 서쪽에 앉았다면 황색, 남쪽에 앉았다면 녹색, 북쪽에 앉았다면 하얀색이 행운 컬러이므로 매일 들고 다니는 가방이나 필통 같은 물건에 행운색을 적용하면 좋겠다.

17) 아이들 방이 좁으면 침대를 없앤다

아파트 등 우리나라 대개의 집 구조를 보면 가장이나 어른들의 방은 크지만 아이들의 방은 작다. 서너 식구용 아파트의 경우는 40평대 이상이 아니면 방 하나만 크고 나머지 방은 작기 때문에 아이들은 당연히 작은 방에 기거한다.

아이들 방을 가보자. 책상과 컴퓨터, 받침대가 있고 침대도 있다. 그리고 나면 남은 공간은 너무 작다. 이럴 경우는 침대를 없애주는 게 좋다. 침대가 차지하는 공간이 너무 크기 때문에 침대를 빼내고 나면 공간이 훨씬 넓어진다. 침대가 있어 좁은 공간은, 아이를 감정적으로 옹색하게 하고 폐쇄된 성격을 형성케 한다. 정서도 불안해지기 쉽다.

천장이 높은 것이 Energy 흐름상 좋기 때문에, 침대의 높이를 제거하고 바닥에서 취침을 하게 되면 한결 좋은 기운을 취할 수 있다. 입체인 가구는 陽

(⊕)Energy體이고, 공간은 陰(⊖)Energy場으로, 고요하게 몰입하거나 휴식을 위한 공간은 陰과 陽의 비율이 2 : 1 정도 되는 것이 이상적이다.

그러므로 좁은 방을 아이가 사용하게 될 경우는 책상과 컴퓨터책상, 그리고 아이가 차지하는 공간을 1로 보고 나머지 공간이 2 정도 되는 것이 가장 좋다.

18) 중요한 때 실력발휘를 못하는 아이를 위한 풍수법

공부는 열심히 하는데도 막상 시험에 들어가서는 아는 것을 틀렸다거나 번호를 밀려 썼다거나 하는 식으로 실력발휘를 제대로 못해 안타까운 경우가 있다. 이런 아이도 동 방위의 힘이 필요하다. 안에 들어있는 힘을 최대한 발휘하도록 도와주는 방위가 바로 동 방위이므로 책상을 동쪽을 향해 놓는다.

지기 Energy가 북쪽으로부터 入力되어야 효과가 있다. 집의 북쪽 방향에 산이 있거나 북쪽이 상대적으로 높으면 가장 좋지만, 그렇지 않더라도 실내 인테리어의 지혜로 실력발휘를 할 수 있는 기운을 높여주는 게 좋다.

책상 양옆에는 화분을 두는 게 좋다. 화분을 가능하면 난처럼 비료를 쓰지 않는 화분을 두는 것이 좋겠다. 양쪽의 화분은 氣를 바로잡아주는 역할을 한다. 스탠드를 책상 정면에 배치하는 것도 좋다.

매일 아침 당근주스나 토마토 주스를 마시고 공부할 때는 부모도 옆에서 함께 책을 읽도록 하는 것이 좋다.

19) 형과 아우가 자꾸 싸우기만 하면

자녀가 많은 집엔 아이들 싸움이 그치지 않는다. 적당히 싸우면서 자라는 것은 자연스러운 일이지만, 그 싸움이 너무 지나치고 서로 미워하게 된다면 걱정스러운 일이다.

형과 아우가 자꾸 싸우는 것은 집터나 산소 터의 왼쪽(청룡), 오른쪽(백호)의 균형이 맞지 않기 때문이거나, 앞쪽(전순)이나 뒤쪽(입수) 기운 역시 균형이 맞지 않을 경우이다. 단독주택이나 산소일 경우는 청룡과 백호쪽 혹은 입수와 전순 쪽에 울타리를 잘 만들어주는 게 좋다. 아파트의 경우는 담을 만들 수 없으므로 이 기운을 균형 있게 해주면 된다.

아이들 방이나 집안의 인테리어가 청룡의 기운이나 백호의 기운 쪽으로 치우치지 않았나 살펴본다. 너무 흰색 일변도로 되어있다면 청록색 소품이나 화분 등으로 청룡의 기운을 보강한다.

入首와 전순의 기운도 마찬가지이다. 집안에 입수의 기운, 즉 검정가구나 검정소품이 너무 많으면 붉은색을 잘 조화시키도록 하고, 붉은색이 너무 많으면 검은색으로 차분한 느낌을 주도록 한다. 이렇게 해서 집안의 기운에 조화와 균형으로 안정감을 주면 싸움이 줄어들게 된다.

20) 시험에 합격하기 위한 패션 풍수

시험을 잘 보느냐 못 보느냐의 기본은 물론 실력이다. 하지만 같은 실력인데도, 혹은 실력이 나은데도 실력이 못한 사람에게 떨어지거나 불합격되는 예가 많다. 이럴 땐 흔히 운수 탓으로 말한다. 운은 결코 무시할 수 없는 것이다. 운을 좋게 하려고 노력하는 자체가 곧 기도가 되고 그 마음이 좋은 운을 불러올 수 있으니 아래의 풍수지혜를 적극 활용해볼 일이다.

시험이라면 무조건 붉은색이 행운을 준다고 생각하자. 배짱과 자신감 또 아는 것을 남김없이 쏟아내도록 도와주는 힘을 지닌 붉은색을 많이 사용하게 되면 시험운이 붙는다.

붉은 속옷, 붉은 옷, 붉은 손수건, 붉은 머플러-. 시험날 입을 옷에 붉은색을 적극적으로 사용한다. 남자의 경우의 붉은 겉옷을 입기가 좀 어색하다면 속옷에 활용해본다. 요즘은 남성의 속옷도 패션시대라 다양한 색깔이 시중에 많이 나와 있으니 시험 볼 때 입을 수 있게 한 벌 갖추어두는 것도 좋겠다.

21) 사사건건 반항하는 아이를 위한 처방

장남의 경우는 뒤쪽이 허하거나 너무 강할 때 이런 성격을 지니게 되므로 뒤쪽 기운을 정리해줄 필요가 있다. 방에 머물 때 책상 뒤쪽이나 침대 머리 쪽에 부드럽고 온화한 기운을 주도록 인테리어를 해주면 좋다. 침대커버나 커튼, 벽지, 벽의 그림에도 붉은색이나 오렌지색 등 온화한 기운이 감도는 느낌으로 장식한다. 매일 입는 옷도 붉은색의 옷을 많이 입힌다. 붉은색 무늬가 있거나 붉은색 속옷을 입히면 좋다.

막내일 경우는 현무의 기운 즉, 검정색의 기운을 넣어두면 마음이 안정되고 편안한 성격이 되는 데 영향을 준다. 인테리어도 흑백이나 회색으로 하고 옷도 흑백, 회색 등으로 입어 안정된 느낌을 지니는 게 좋다.

중간 순위의 아이일 경우는 딸과 아들에 따라 달라진다. 딸의 경우는 청룡의 기운을 더해준다. 방에 푸른색이나 녹색의 기운을 넣어 인테리어를 해준다. 벽지나 커튼 소품에 푸르거나 녹색 포인트가 있는 것으로 꾸며준다. 옷도 남색으로 입으면 좋다.

중간의 아들일 경우는 백호의 기운을 보태준다. 깔끔한 흰색의 인테리어가 좋다. 밝은 흰색이나 아이보리, 베이지로 방을 꾸미고 옷도 흰색이 많이 들어가도록 입는 것이 좋다.

22) 문과를 지망하는 학생에게 좋은 인테리어

문과를 지망한다면 동 방위가 풍수의 기본 방위다. 방의 동쪽에 책상을 놓고 스탠드를 두며 출입문에서 대각선을 그어 그 라인 위에 침대를 놓는다.

이때 지기 Energy가 입력되는 곳에 등을 두고 앉게 해야 한다. 땅의 기운이 입력되는 곳을 찾는 방법은 집 주변을 둘러보아 높은 쪽, 즉 언덕이 있는 쪽을 말한다. 언덕이 없는 평지라도 빗물이 흘러 내려오는 쪽이 높은 쪽이라고 보고 지기 입력처를 판단할 수 있다. 땅의 기운이 안정된 것을 전제로 하여, 베개는 북쪽을 향하는 것이 유리하다.

침착하지 못하고 공부에 관심이 없다면 책상을 북쪽에 두어서 안정감을 높여주는 것이 좋다.

23) 이과를 지망하는 학생에게 좋은 인테리어

이과를 지망한다면 문과와는 조금 다른 배치가 필요하다. 책상이나 베개는 역시 지기 입력처, 즉 땅의 기운이 들어오는 쪽에 두는 것이 가장 좋다. 이는 문과 지망의 경우와 마찬가지이다.

방위의 기운을 이용할 때는 문과 지망생과 달라진다. 책상을 서쪽에 두고 침대를 북쪽에 두고 침대머리는 서쪽을 향하게 하는 것이다. 이과라고 해서 문과 계통의 학과를 배우지 않는 것은 아니므로 취미가 없는 분야의 성적이 나빠지면 전체 성적에 큰 영향을 주게 된다.

위와 같은 침대 배치는 문과 성적이 나빠지는 일도 막아줄 수 있다.

도서관이나 학원에 다니는 경우라면 집을 중심으로 北西, 南, 北東 방위에 있는 장소를 선택하는 것이 유리하다.

7 金錢運과 寶石, 戀愛 風水 인테리어 know how (絶對方位槪念)

1. 금전운

1) 금전운을 높여주는 음식

붉은색과 흰색의 음식은 재물운을 높여주는 음식이다. 갑각류인 게나 새우, 흰 살생선 등이 좋은 음식이다.

소고기는 붉은색 음식으로 돈을 모으게 해주는 힘을 갖고 있어 이 음식을 먹으면 꾸준히 돈을 모을 수 있다. 소고기는 위를 편안하고 따뜻하게 해주는 음식이다. 위는 사람의 기운이 모이는 곳이므로 그곳이 편안해야 큰돈이 모이게 되는 것이다.

매운 음식도 돈을 모으는 데 좋은 음식이다. 단맛이 있는 음식에도 금전운을 높여주는 힘이 숨어있으므로 식후에 달콤한 케이크이나 아이스크림 같은 디저트를 챙겨먹는 것도 좋다. 바나나, 멜론 같은 열대음식도 단맛이 강해 금전운을 가져온다.

2) 금전운을 높여주는 인테리어

금전운을 높여주는 방으로는 정오의 해가 들어오는 곳이 좋다. 남쪽에 큰 창이 나 있고 동쪽에 작은 창이 나 있는 방이 가장 좋다. 서쪽에 창이 있으면 좋지 않다. 이럴 때는 두터운 베이지색 커튼을 치거나 가구 등으로 벽을 만들어주는 것이 좋다.

남쪽에 붉은색의 물건을 두고, 동쪽에 배색이 너무 촌스럽지 않게 조화될 수 있도록 푸른색을 약하게 가미한다면 좋다.

방의 중심에 노란색이나 황금색 물건을 두는 것이 중요한 포인트다. 중앙에 테이블을 두고 노랑꽃을 듬뿍 꽂아두거나 황금빛이 나는 조각품 같은 것을 올려 두어도 좋겠다. 주황색 또는 황금색의 스탠드, 테이블보, 전화기 등도 중앙에 두면 좋은 행운 아이템이다.

침대는 가능하면 방의 중앙에 두는 것이 좋다. 서쪽 벽에는 장롱을 두거나, 장롱을 두기가 마땅치 않으면 다른 가구를 배치하여 벽을 두껍게 해준다. 이 가구 속에 장신구나 패물을 보관해두면 돈이 모이게 된다.

3) 금전운을 부르는 소지품

금빛이 나는 액세서리나 금장시계는 돈의 행운을 부르는 소지품이다. 지갑은 가능하면 성장 발전하는 회사의 브랜드 지갑을 지니되 금색 골드 카드를 넣어두면 금전운을 높이는 데 도움이 된다. 지갑 속의 돈은 곧 자신의 기운이다. 그러므로 소중하게 다루어야 한다. 아무렇게나 구겨넣거나 하지 말고 가능하면 귀를 맞추어 반듯하게 넣어두면 돈의 기분이 좋아질 것이고 자연히 운도 따르게 된다.

4) 돈을 모아주는 집(朝來環抱水가 대문으로 들어오는 터)

북쪽이나 남쪽은 돈을 모아주는 방위다. 이 자리에 화장실이나 부엌이 없고 남쪽에 커다란 창이 나 있다면 조금만 노력해도 확실히 돈을 벌게 된다. 하지만 북동쪽이나 서쪽에 현관이 있고 더럽게 방치되어있으며, 북이나 서쪽에 화장실이나 욕실이 놓여있으면, 낭비벽을 못 고치고 저축을 할 굳은 마음이 들지 않게 된다. 싸움이나 이직 문제로 고민하는 경우도 있다. 직장생활을 한 군데서 하지 못하거나 직업을 자꾸 바꾸며 방황하게 된다.

5) 돈 쓸 곳이 자꾸 생길 때

돈이나 통장, 인감 등은 따뜻하고 은밀한 곳에 보관한다. 원래는 사람 체온과 가까이 가지고 다니는 게 가장 좋지만 방의 남쪽이나 북쪽에 검정이나 어두운 색 계통의 서랍 달린 가구를 두고 그 속에 붉은색 상자나 보자기, 지갑에 담아 간수해놓으면 확실하게 돈을 모을 수 있다.

주거래 은행의 통장과 같은 색깔로 된 물건을 해가 닿는 남쪽에 두면 완벽한 지출 예방책이 된다. 통장이 여러 개라면 가장 돈이 많은 통장으로 정한다.

서-북-남의 삼각형을 그려 한가운데 두고 땅 기운이 들어오는 쪽에 베개를 두고 자면, 돈을 향해 잠자는 모양이 되어 당연히 돈이 모이게 된다. 단 지기가 머리 쪽으로 들어와 안정을 취하도록 해야 한다.

6) 금전운을 부르는 부엌의 방위별 인테리어

부엌은 금전운을 부르는 데 상당히 중요한 곳이다. 동쪽에 부엌이 있다면 동의 기운을 모으기 위해 바다나 강이 그려진 그릇이나 집기를 사용하면 행운이 따른다. 조개나 물고기, 혹은 해초 등 강이나 바다의 산물이 그려진 용기를 사용하면 좋다. 요즘 필리핀 등지에서 들어오는 조개그릇이나 접시 등이 있는데, 이를 사용해도 좋겠다.

서쪽에 부엌이 있다면 금색이나 핑크색 물건을 사용하는 것이 좋다.

북동쪽에 부엌이 있다면 도자기나 본 차이나 같은 흰색 그릇을 사용하고 흰 꽃을 꽂아두거나 흰 꽃 그림을 걸어두면 금전운이 들어온다.

남쪽 부엌에는 반짝이도록 잘 닦은 스테인리스 그릇이나 구리그릇, 놋그릇, 또는 나무로 만든 그릇을 사용하는 것이 좋다. 초록색 유리컵을 사용해도 금전운이 들어온다.

북쪽에 부엌이 있으면 주방용품은 흰색으로, 바닥매트는 녹색계열로 하는 것이 좋다.

남동쪽에 부엌에서는 원목이나 나무무늬의 싱크대를 사용하는 것이 좋다.

남서쪽 부엌은 황금색이나 청록색 그릇을 사용하면 좋다. 질박한 느낌을 주는 분청사기나 옹기를 식기에 과감히 도입하면 돈이 들어온다. 그릇은 두껍고 우묵한 것이 좋다.

7) 금전운을 부르는 부엌의 가전 사용 지혜

행운을 부르는 아이템이 부엌에 많다고 하더라도 땅의 기운을 얻지 못하거나 가구배치가 불균형한 공간에 위치하거나 또는 더럽고 어수선하면 금전운이 뚝 떨어지게 된다.

바닥에 기름때가 붙어있다면 돈이 많이 나가게 되고, 싱크대의 배수파이프가 막혀 있다면 변비가 생기는 등 주부의 병원출입이 잦아지고, 당연히 지출이 많아지게 된다.

환풍기가 더러우면 위생상 문제를 초래한다. 환풍기 필터의 먼지가 음식에 떨어지게 되고 이는 암 발생 요인이 된다. 환풍기가 더러우면 구설수에 오르기도 하고 인간관계도 나빠진다.

가스레인지가 더러우면, 집안의 가장이 일의 마무리를 못하게 된다. 그때그때 임기응변으로 위기를 넘기려고만 하거나, 남이야 어찌됐든 말든 상관 안 하는 우유부단하고 자기중심적인 성격이 된다. 안주인의 게으름이 가장에게까지 영향을 미치게 되는 것이다.

냉장고 안에 오래되어 부패한 음식이 있거나, 쓰레기통에 쓰레기가 쌓인 채로 있으면 운이 나빠진다.

식탁 옆에 토스터나 전자레인지같이 온도변화가 강한 물건을 두게 되면 화기와 화기가 충돌하여 가족 간에 싸움이 많아진다.

설거지대 위에는 밝은 전등불을 달아두는 게 좋다. 설거지대가 어두우면 요리를 잘못하게 되므로 나쁜 작용을 받는다. 설거지대의 하수구를 사용하지 않을 때는 마개를 막아두는 것이 나쁜 기운, 즉 하수구의 가스가 들어오는 것을 방지할 수 있다.

8) 금전운을 부르는 그릇 사용의 지혜

금전운을 부르는 그릇은 금빛이 나는 것이다. 주전자나 쟁반 등 손쉽게 금빛을 찾을 수 있는 그릇이 시중에 많이 나와 있으므로 화려함이 지나친 느낌이 들더라도 금전운이 들어오는 것이라면 과감히 사용하는 것이 좋다.

커피 잔도 금빛이 나는 게 시중에 나와 있고, 커피 수저나 포크 역시 금빛은 쉽게 찾을 수 있으므로 이를 구입해 사용한다. 유리잔이나 접시 등도 금빛 테두리를 한 제품이 많이 있다. 금빛이 전자레인지에서 스파크를 일으키므로, 전자레인지에 사용하는 그릇이 아닌 경우는 금빛이 들어가는 것을 사용하도록 하자.

식기의 경우 요즘은 소식을 하다 보니 작은 공기에 밥을 담아 먹는 경우가 많다. 하지만 식기는 깊고 움푹한 것이 좋다. 옛 어른 男子의 그릇을 보면 깊이가 깊고 크기가 상당히 큰데 바로 그런 그릇이 금전운을 불러온다. 우리 옛 조상들의 지혜를 때로는 배워볼 만하다.

그릇의 두께는 두꺼운 것이 좋다. 분청사기나 옹기, 두꺼운 백자가 식기로 사용된다면 그 집의 금전운은 한결 좋아질 것이다.

부엌칼은 꺼내놓지 않도록 한다. 꼭 서랍이나 칼집, 혹은 싱크대 안에 부착된 칼걸이에 걸어 부엌에서 칼이 아무렇게나 돌아다니지 않게 하는 것이 좋다.

수저나 포크 같은 금속류도 서랍에 들어있지 않고 아무 데나 돌아다니면 금전운이 약해진다. 그릇 역시 그릇장 안에 잘 담겨 있는 게 좋다. 원래 그릇이나 수저 등이 노출되어 돌아다니면 '거지 팔자'가 된다는 말이 있다. 음식도 들고 다니면서 먹으면 역시 '거지'의 행동과 비슷한 게 아니겠는가.

9) 금전사정이 좋아지는 경리부의 위치와 금고의 색깔

회사의 재정을 다루는 부서는 너무 밝은 곳에 두지 않는 것이 좋다. 지세가 안정된 조건하에서라면 북쪽이나 동북쪽, 서북쪽에 두면 그 회사의 금전사정이 좋아진다.

경리에 꼭 필요한 금고는 약간 어둡고 시원한 곳에 두어야 한다.

햇볕이 밝게 들어오는 창가는 좋지 않다. 땅의 기운이 들어오는 쪽에 등을 두고 오른쪽, 즉 백호 쪽에 두거나 몸 앞쪽에 두는 것이 가장 좋다. 땅의 기운이 들어오는 쪽을 찾는 방법은 회사 주변을 둘러보아 지대가 높은 쪽이라 보면 가장 쉽다.

대개 금고의 색깔은 회색이나 검은색이 가장 흔한데, 금고의 색으로 가장 좋은 것은 붉은색이나 황색, 주황색이다. 금고 위의 깔개나 금고 안에 붉은색 깔개를 깔아 보완한다면 금전이 불어나는 운기를 가져올 수 있을 것이다.

10) 낭비벽이 심한 사람

낭비벽이 심해서 돈이 물처럼 나가는 사람은 침실 남쪽에 붉은색이나 짙은 노란색, 황금색의 꽃을 장식해보자.

장미색, 또는 진분홍색 꽃과 노란 꽃을 서로 어우러지게 장식해도 좋은데, 꽃을 고를 때는 가능하면 송이가 큰 것, 꽃 모양이 둥글고 넓은 꽃을 고른다. 봄이라면 붉거나 노란색 튤립, 여름에는 해바라기가 좋다.

전체적으로 들쑥날쑥하게 꽂지 말고 완만하게 둥근 선을 그리도록 장식한다.

흰 꽃을 북이나 서쪽에 두면 매사에 서두르고 덤벼서 돈을 잃는 일 없이 침착하게 돈을 관리할 수 있다.

돈을 모으고 싶을 때는 지갑이나 통장, 인감을 남쪽에 보관한다.

11) 꾸어준 돈을 빨리 받고 싶을 때

경제가 어려워지다 보니 세상이 흉흉해지고 있다. 빚 독촉에 시달려 자살하는 사람이 있는가 하면 돈 꾸어준 사람이 너무 독촉한다고 살해하는 사건도 있다. 사실 돈을 꾸어줄 때는 빌리는 사람에게 가져다주고, 돈을 되받을 때는 앉아서 감사 인사까지 얹어 받는 게 가장 바람직하다. 그러므로 돈을 빨리 받고 싶을 경우는 돈을 빌려간 사람이 돈을 벌도록 도와주어서 받는 게 가장 좋지 않겠는가.

돈 빌려간 사람의 백호 주작 기운을 북돋우어주면 그 사람의 경제사정이 여유로워진다. 붉은색이나 흰색으로 인테리어를 하도록 조언해주고 그런 기운을 지닌 선물도 해준다. 그리고 밤마다 그 사람을 위해 기도해준다. 그 기도가 그 사람의 영혼에 안정을 주고 힘을 북돋아주어 그 사람의 사정이 나아지는 데 기여하게 된다. 이렇게 사람을 키워놓고 돈을 받는 것이 온갖 협박과 독촉으로 받는 것보다 바르고 빠른 길일 것이다.

12) 영업장의 돈 받는 카운터 위치(배산임수 – 풍수 입력 출입문)

영업장에 들어가면 손님이 들어오거나 나갈 때 편한 위치에 카운터를 두는 게 보통이다. 손님에 대한 예의로는 좋겠지만, 기왕 장사를 하러 나섰으니 돈을 벌고 신이 나야 손님에 대한 서비스도 더욱 좋아지지 않겠는가. 카운터는 돈이 들고 나가는 위치이므로 결코 소홀히 생각할 문제가 아니다.

카운터의 위치를 잡을 때는 우선 지세를 보아야 한다. 땅의 기운이 들어오는 지기 입력처에 등을 둔 위치가 좋다. 입력처를 쉽게 알아보는 방법은 영업장 주변의 지세를 보아 높은 쪽이라 보면 된다. 평지라서 알기 어렵거나, 모호하다면 풍수지리 공부를 한 사람이나 전문가에게 주문을 구하면 정확할 것이다.

매장 내의 위치는 중앙이 가장 좋다. 중앙에 어떻게 카운터를 두느냐 하지만 실제로 영업이 잘되는 곳에 가보면 이렇게 둔 곳이 많다. 돈은 가운데로 들어와야 쌓이는 것이다. 매장이 클 경우는 중앙에 배치하면 보기도 좋다. 매장이 작은 경우 부득이 문 쪽에 내야 할 경우는 지기 입력처를 꼭 등으로 두어야 한다.

만약 문 쪽에, 지기 입력처에 등을 둘 수 없는 카운터를 두어야 할 경우 카운터를 위치만 그렇게 잡아두고 카운터를 책임지는 사람은 그곳에 앉아있지 말고, 영업장 중앙에 나와서 사람을 맞거나 대하고 돈을 받을 때만 카운터에 가서 받는 등 차선의 지혜를 발휘해야 한다.

13) 돈이 들어오는 매장, 돈이 들어오는 사무실(풍수 에너지 입력문)

물건이 진열된 매장의 경우나 사람이 많이 모여드는 영업장의 경우는 영업장 전면의 면적이 매출액과 비례한다. 그러므로 깊이보다는 전면의 넓이가 길어야 좋다.

그러나 사무실의 경우는 다르다. 전면이 길고 깊이가 짧아 들어서면 벽이 가깝게 보이면 이 사무실에 돈이 모이지 않는다. 이럴 경우 전면보다 움푹하게 깊어야 좋다. 가구를 배치할 때나 사무실 장소를 선택할 때 이 점에 주의하는 게 좋다.

14) 여주인이 장사를 하면 좋은 매장

영업장으로 가장 좋은 터는 지기 입력처를 등으로 하고 백호 쪽이 잘 감싸주는 곳이다. 배산임수의 원칙이 적용된 터인데, 인위적으로 조성된 背 아파트 臨 상가의 위치도 좋다. 그리고 경사지보다는 평지가 좋다.

이런 곳에서 女子 主人이 돈을 벌려면 매장의 백호 쪽을 더 두툼하게 해주는 것이 좋다. 즉 전면에서 보아 매장의 오른쪽에 문이 있는 것보다는 매장의 왼쪽에 문이 있는 곳이 좋다. 문이 왼쪽에 있음으로 해서 백호 쪽의 공간이 깊어지면 이곳에 돈이 모이게 된다. 이런 곳에서 남자 주인이 장사를 하게 되면 돈은 모이지만 주인의 건강이 상하게 된다.

15) 남자주인이 장사하면 좋은 매장(장풍득수처의 청룡측 풍수 입력문)

男子 主人이 돈을 벌기 좋은 매장을 꾸미는 방법은, 청룡 쪽을 두툼하게 해주는 것이다. 매장 전면의 오른쪽에 문을 내면 왼쪽인 청룡 부분의 공간이 깊어진다. 이런 곳에서 장사를 하는 남자는 돈을 벌게 되고, 건강도 좋아진다.

만약 청룡 쪽에 산이 감싸준다면, 문과 별 상관없이 남자주인에게 좋은 상가 터이다.

16) 사무실이나 상가의 주인이 머무는 위치

사무실에서 가장 높은 사람이나 상가 주인의 자리는 가장 안쪽 중심이 좋다. 앉은 위치의 앞 길이가 길어야 사려가 깊어지고, 주인으로서의 권위도 찾을 수 있으며, 돈도 모이게 된다.

상가의 경우 주인 앞 정면으로 문이 나는 것보다는 백호 쪽을 길게 할 수 있도록 매장 왼쪽 편으로 문을 내는 것이 좋다(左旋水일 경우).

사무실의 경우는 문을 왼쪽으로 치우치게 하는 것보다는 중심에서 약간 왼쪽으로 내는 것이 좋다. 중심까지는 백호라인이 이어지게 하고 그 중심을 약간 지난 곳에 문을 내어 청룡 쪽을 약간 두툼하게 해주는 것이 좋다. 사무실에서는 돈도 좋지만 사업구상이나 인적, 물적 자원관리를 해야 하는 업무적 차원에서 青龍

의 기운을 불어넣어주는 것이 좋다.

17) 행운을 부르는 꽃의 색깔

꽃은 나비를 부른다. 행운도 나비처럼 팔랑팔랑 날아와 꽃에 머물게 된다. 그 행운의 기운이 꽃과 가까이 있는 사람에게 전해져 꽃은 인간의 마음에 위안을 주고 생기와 활력을 준다.

여러 생활 풍수에서 보았듯이 행운의 색, 즉 빨강, 노랑, 초록, 흰색 등등 꽃이 자연적으로 지니고 있는 색깔은 온화하고 부드러우며 인간의 마음에 위안을 주는 색깔이다.

요즘 꽃 시장에 가보면 여러 가지 색상의 조화가 많이 등장하고, 인위적으로 물들인 생화들도 많이 보인다. 푸른빛을 띤 튤립과 카네이션, 짙푸른 빛을 띠어 이름조차 모호해진 커다란 조화들 등 꽃의 색깔은 자연색 그대로가 가장 아름답고 가장 행운과 가까운 색이다.

짙고 분명한 색깔의 꽃이, 은은한 색상보다는 더 또렷한 행운을 주는 색상이다. 붉은 장미, 노란 해바라기, 붉은 튤립, 오렌지 금잔화 등등 여러 가지 색상의 꽃들이 늘 집의 적당한 장소에 있다면 그 집은 그만큼 생기와 행운이 가까운 집이 될 것이다.

18) 행운을 부르는 꽃의 모양

꽃의 모양은 뾰족한 것보다는 둥근 것이 좋다. 뾰족하고 도도하게 솟아난 극락조보다는 커다랗게 둥근 해바라기가 좋다. 국화, 금잔화, 장미, 튤립 등 우리에게 사랑 받는 꽃들의 모양은 대개 둥글다. 화병에 꽃을 꽂을 때 꽃꽂이를 배운 사람들이 꽂은 꽃은 금방 알 수 있다. 꽃의 방향과 구도가 남다르기 때문이다. 하지만 꽃을 꽂은 모양 역시 둥근 게 가장 좋다. 서양식 꽃꽂이 기법을 배우지 않더라도 화병과 꽃만 있으면 둥근 모양을 내기는 어렵지 않을 것이다.

특히 우울한 일이 있을 때나 일이 잘 풀리지 않을 때 꽃시장에 나가 따뜻한 색의 꽃을 한 아름 사와 둥근 모양으로 꽂아보자. 물도 잘 갈아주고 정성을 쏟아 오래 곁에 두고 바라보면 기분도 한결 좋아지고 일의 매듭도 슬슬 풀려나가게 될 것이다.

19) 행운이 오는 꽃의 위치

꽃은 아무 데나 두어도 아름답고 기분 좋은 것이다. 하지만 색상별로 더 어울리고, 행운의 기운을 북돋우어주는 위치가 있다.

방에 꽃을 둘 때의 기준은 사람이 눕는 위치를 기준으로 정하는 것이 손쉽다. 이땐 눕는 머리의 위치는 땅의 기운이 들어오는 곳, 즉 집에서 가장 가까운 언덕 쪽이 좋겠다. 중심에는 노란색 꽃을 두는 것이 좋다. 해바라기, 국화, 노랑 프리지아. 노랑 튤립, 개나리 등을 둥글게 꽂아둔다. 흰색의 꽃이라면 오른쪽에 두는 것이 좋다. 백합, 칼라, 양란, 은방울꽃, 소국, 목련 등의 꽃을 소담스럽게 꽂아두면 집안이 환해질 것이다. 청색 보라색의 꽃은 왼쪽에 둔다. 출세를 돕는다. 붉은색의 꽃은 정면 부분에 꽂아둔다. 붉은 장미, 카네이션, 샐비어, 튤립 등 아주 선명한 색상의 꽃이 좋겠다.

이런 꽃들은 모두 재물운과 함께 여러 가지 편안한 기운을 가져온다.

20) 도장의 소재에 따라 부와 행운이 달라진다.

사업하는 사람은 물론 도장을 많이 사용하는 일반 사람들 모두 도장을 소홀히 다루어서는 안 된다. 자신의 이름이 담겨있고 중요한 일이 있을 때마다 찍어야 하는 것이며 신뢰와 신용의 상징이므로 자기 몸 대하듯 소중하게 해야 하는 것이다.

도장의 소재가 수정이라면 백호의 기운이 강한 것이므로 富를 부른다. 붉은 마노 역시 富를 부르는 도장이다. 흰색 상아 도장도 돈을 버는 수단이 될 수 있는 도장이다. 초록빛이 나는 도장은 돈을 자랑하게 하는 기운이 있으며 의욕을 떨어뜨릴 수 있으니 도장으로는 좋지 않다. 도장의 소재는 붉은 빛과 흰 빛 혹은 노랑빛이 나는 돌을 사용하는 것이 좋다.

2. 보석

1) 1캐럿 이상의 다이아몬드를 착용하면

다이아몬드를 깰 수 있는 보석은 다이아몬드밖에 없다고 한다. 다이아몬드는 그만큼 강도가 가장 높은 보석이다. 그 강도만큼 영원성을 지닌다 하여 영원한 사랑의 상징으로 결혼하는 커플들이 필수적으로 착용하는 보석이 되고 있다.

요즘 들어 결혼하는 커플들의 반지 위에 얹는 다이아몬드의 크기가 커지고 있다 한다. 결혼할 때 작은 다이아몬드 반지를 했던 커플들이 결혼 10주년 정도 되면 1캐럿 반지를 하기도 한다. 하지만 1캐럿 이상의 무색 투명한 보석은 남편의 운을 약하게 하는 것을 아는가. 아내가 착용하더라도 그 기운이 남편에게 전해져 남편의 기운이 쇠약해진다.

다이아몬드 반지를 하되 알을 작고 아담한 것으로 선택한다면, 남편에게도 불운을 부르지 않으면서 '사랑의 약속'이라는 본래의 의미를 지킬 수 있을 것이다.

2) 루비

루비의 붉은 빛은 화려하면서도 따뜻한 느낌으로 인간관계를 돈독하게 해주는 영향력이 있는 보석이다. 흔히 유색 보석은 알이 큰 것을 선호하는 경향이 있다. 하지만 루비는 너무 큰 것을 착용할 경우, 가족 등 가까운 사람이 무례한 태도를 가지게 된다. 곧 예의가 없어지는 것이다. 남에게 오해를 받게 되기도 하는 등 인간관계가 엉망이 된다. 작고 은은한 루비 알이 박힌 반지나 목걸이 등을 착용하면 남에게 호감을 주어 친밀한 인간관계를 형성하게 된다.

또한 사람들과 가까워지다 보면 자연스럽게 직업상 혹은 사업상 필요한 정보를 얻을 수 있다.

3) 관직에 있는 사람, 혹은 그 아내에게 좋은 보석

에메랄드는 높은 자리에 있는 사람에게 좋은 영향을 주는 보석이다. 안정을 가져다주는 보석인 만큼, 높은 자리를 안정감 있게 지킬 수 있도록 도와준다.

사파이어도 관직에 있는 사람에게 좋은 영향을 준다. 관직에 있는 사람들이 가장 경계해야 할 것이 권력의 남용과 뇌물이다. 사파이어는 이 검은 돈과 권력 남용의 유혹을 물리치는 데 도움을 주는 보석이다.

남편이 세속의 때를 묻히지 않고 청렴하게 자신의 관직을 잘 지켜나가길 원하는 아내라면 사파이어 반지나 목걸이를 착용할 일이다.

에메랄드나 사파이어 역시 너무 큰 것을 하다 보면 행운은 오히려 멀어지므로 작고 아담한 것을 착용하는 것이 좋겠다.

4) 황금은 약이 된다

황금은 仁義禮智信의 균형을 가진 가장 이상적인 귀금속이다.

금을 지니고 있으면, 성격이 조화와 균형을 이루게 되고 신념과 의지가 강해진다. 금침을 몸속에 넣는 한의학적인 처방이 있는 까닭도 금이 피의 순환을 돕고 신경계통에 안정을 주어 정신을 맑게 해주는 효과가 있기 때문이다.

같은 금이라도 백금은 황금과 달리 은과 비슷한 작용을 한다. 백금은 은에 대한 자료부분을 참고하기 바란다.

다른 보석류는 너무 큰 것을 지니면 좋지 않은 것이 많으나 금은 좀 많이 지녀도 좋은 귀금속이다. 위장이 허약한 사람, 특히 신경성 위장병으로 고생하는 사람은 금을 지니고 있다 보면 효과를 보게 된다.

5) 은과 백금은 정신에 작용한다

은과 백금이 한창 유행 중이다. 은과 백금은 차가운 기운을 지닌 귀금속으로 정신을 맑게 해준다. 정신을 안정시켜주면 자연스럽게 몸의 건강이 따라오게 되니 건강에 좋은 귀금속이라 말할 수 있다.

하지만 너무 큰 걸 몸에 지니게 되면 정신분열현상이 일어나게 된다. 아무리 좋은 것이라 하더라도 늘 지나치지 않은 절제의 지혜가 필요한 것이다.

6) 자수정은 두뇌 활동을 돕는다

어느 한의사는 자수정이 전자파를 막아주는 보석이라 한다. 그래서인지 요즘 부쩍 자수정 팔찌의 수요가 늘고 있다 한다. 정말 전자파를 막아주는 역할을 하는지는 모르겠으나 풍수상으로는 자수정이 정서를 풍부하게 해주는 역할을 하는 보석이 되고 있다. 창의적인 일을 하는 사람이나 창의력을 갖고 싶은 사람이 지니면 유익한 보석이다.

정신적인 안정과 두뇌 활동을 도와주고, 심장과 콩팥의 기능을 도와주므로 심장이나 콩팥 기능이 허약한 사람이 몸에 지녀볼 만한 보석이기도 하다.

보라색이 귀족적인 기품을 느끼게 하는 자수정은 특히 우리나라 산이 세계적으로 알아주는 것이라 한다. 자수정 역시 지니면 좋되, 너무 큰 것은 별로 좋지 않다. 자손 중 막내아들에게 영향을 미치는 보석이므로 너무 크면 막내아들에게 해가 된다.

자수정 원석의 일부분을 무슨 조각품처럼 집안에 장식품으로 크게 지니고 있는 사람들이 많은데, 이는 장식적으로는 아름답지만 풍수적으로는 도움이 안 되는 것이므로 피하는 것이 좋겠다.

7) 색상을 지닌 보석류는 너무 큰 것을 피한다

보석은 땅속에서 만들어지는 자연의 산물이다. 보석이 만들어지면서 땅속에서는 엄청난 크기의 소용돌이가 일어난다. 그 소용돌이가 다이아몬드, 사파이어, 루비 등등 오묘한 색깔을 지닌 보석을 만들어내는 것이다.

결국 이 보석들은 그 소용돌이의 기운을 지니고 있는 것이므로 너무 클 경우에는 그것을 지닌 사람에게 소용돌이를 일으키는 작용을 하게 되는 것이다. 적당한 기운은 좋지만 지나친 기운은 좋지 않으므로 늘 적당한 크기의 것을 지니는 것이 경제적으로도 좋고, 건강이나 행운상으로도 좋은 것임을 명심하자.

8) 다이아몬드가 영향을 미치는 식구

보석은 대개 탄소와 산소, 질소, 수소의 원소 구성으로 이루어진다.

다이아몬드는 탄소의 결합체이다. 탄소의 성질이 강하면 金의 기운이 강해진다. 易學에서 金의 기운이란 흰색을 의미한다. 이 흰색의 상대적 기운은 청색이나 청록색으로, 흰색이 강하다 보면 청색이 빛을 잃게 된다.

가족 중 청색의 기운에 해당하는 사람은 가장인 남편과 장남이다. 그래서 1캐럿 이상의 다이아몬드를 늘 착용하고 다니다 보면 가장과 장남의 기운이 쇠하여 좋지 않게 되는 것이다.

9) 사파이어가 영향을 미치는 식구

푸른빛이 신비롭고 아름다운 보석 사파이어는 다이아몬드와 상대적인 기운을 가진 보석이다. 즉 사파이어의 푸른빛이 너무 강하면 상대적 빛깔인 흰빛을 쇠하게 한다. 흰빛에 해당되는 가족은 차남 또는 부인이다.

그래서 너무 큰 사파이어를 착용하다 보면 차남이나 부인, 즉 보석을 착용하고 다니는 본인에게 좋지 않은 영향을 미치게 된다. 손가락 크기에 적당하게 어울리는 사파이어는 아름다운 포인트가 되고 차남과 부인에게도 좋은 영향을 주겠지만, 富의 과시용으로 너무 큰 알이 박힌 반지를 착용하는 것은 이롭지 않다.

10) 루비가 영향을 미치는 식구

붉은빛이 도는 보석 루비 또는 가네트는 산소의 기운이 강한 보석이다.

돌 속의 산소가 붉은빛으로 생성하는 것이다. 붉은빛은 집안의 막내에게 해당하는 빛깔이다. 그러므로 적당한 크기라면 막내에게 도움을 주겠지만 지나치면 해가 되는 사람은 장남이다.

붉은빛이 강하면 검정색의 기운을 쇠하게 한다. 검은색은 곧 장남에 해당되는 색이므로 너무 큰 루비를 지니고 있으면 장남에게 문제가 생기게 된다. 또한 붉은 빛은 너무 강하거나 많다 보면 거역하는 기운을 일으킨다. 공산주의를 표현하는 색깔도 붉은빛이 아닌가. 그러므로 붉은빛은 너무 강하거나 많게 하기보다는 적당하고 부드럽게 조화를 이루는 선에서 지니는 게 좋다.

11) 흑진주나 검정 오닉스가 영향을 미치는 식구

검정빛이 도는 보석인 흑진주가 영향을 주는 가족은 장남이다. 적당한 크기를 지니면 장남의 기운을 좋게 해준다. 하지만 검은색이 강하면 상대색인 붉은색의 기운이 쇠하게 된다. 붉은색은 집안 식구 중 막내에 해당하는 색이므로 너무 강하면 막내에게 좋지 않은 영향을 주게 된다. 흑진주 역시 너무 큰 것을 지니는 것은 좋지 않다.

흑진주는 콩팥이나 두뇌에 문제가 있는 사람에게 유익한 보석이다. 너무 큰 것을 지니면 심장에 좋지 않은 영향을 준다. 너무 강하지 않은 붉은 호박이나 붉은 루비와 함께 지니면 건강에도, 집안 식구에도 좋은 영향을 줄 수 있다.

12) 에메랄드가 영향을 미치는 식구

초록색으로 신선한 기쁨을 주는 에메랄드는 풍수상으로 청룡 쪽 기운이 강한 보석이다. 집안 식구 중 셋째 아들에게 영향을 주는 보석이다. 아주 밝은 초록색이라면 좀 커도 괜찮지만 진한 초록빛이라면 장녀나 부인의 기운을 누르게 된다.

요즘은 셋째 아들이 귀한 시대이긴 하나 큰딸은 많은 시대이므로 초록색이 진한 에메랄드 중 너무 큰 알을 몸에 지니는 것은 삼가는 게 좋겠다.

13) 하얀 진주는 홀수로 지니면 좋다

진주도 여러 가지 빛깔이 있다. 약간 분홍빛이 감도는 게 있는가 하면, 누런 빛이 감도는 것도 있다. 대개는 흰빛이 강하다. 흰빛은 다이아몬드와 마찬가지로 너무 강하면 청색의 기운을 쇠하게 하므로 남편에게 좋지 않다.

적당한 크기의 진주를 짝으로 지니지 말고 홀수로 지니면 마음의 안정을 가져다준다. 귀고리와 반지 정도를 지니고 있는 사람이 많은데 이는 좋은 영향을 주는 귀금속 착용법이 된다고 할 수 있다. 너무 큰 알이 아니라면 목걸이를 지니는 것도 괜찮다. 누런 진주는 진주 중에서도 하품에 속하는 것이라고 하는데, 풍수상으로는 누런빛이 도는 진주가 더 좋은 진주이다.

14) 호박은 이로운 보석이다

노란빛과 주황색이 도는 호박은 황금과 마찬가지로 큰 걸 지니고 있어도 유익한 보석이다. 남에게 신뢰감을 주는 좋은 이미지를 갖게 해준다. 성격이 조화와 균형을 이루게 되고 위장이 약한 사람이 지니게 되면 소화력이 좋아지게 된다.

본인 자신에게는 의지를 강하게 해주고 안정을 가져다주는 좋은 보석이다.

15) 사업에 성공하고 싶을 땐 붉은 가닛 액세서리

가닛은 루비보다 약간 검은빛이 도는 붉은색 보석이다. 로맨틱한 사랑과 열정, 감수성, 정직 매력과 친근감, 긍정적인 사고, 영감, Energy와 자신감, 사회적 성공을 가져다주는 가닛은 붉은색이어서 금전운도 부르는 보석이다.

예술계통이나 인기가 필요한 직업, 대인관계를 좋게 하고 싶을 때, 창업을 할 때 착용하면 좋은 보석이다. 루비에 비해 가격도 싸므로 시중에서 실용적인 준보석 제품으로 쉽게 만날 수 있다.

가닛 중엔 녹색 가닛도 있다. 녹색 가닛은 평화와 성스러움, 명상과 창의력, 치유효과와 정화, 인내의 파워를 준다.

16) 아이를 갖고 싶으면 옥으로 만든 액세서리

옥은 잉태를 쉽게 해주므로 아이를 원하는 부부들이 착용하면 좋다. 장수의 기운을 준다고 하여 노인들에게 좋은 선물로 인기가 높다. 돌아오는 어버이날엔 옥으로 된 반지나 목걸이 혹은 팔찌를 선물해드리는 것도 좋겠다.

현실감각과 평온감, 조화와 중용, 안정감을 높여주는 보석이기도 하다. 자연과 영혼의 법칙이 조화를 이루도록 살 수 있는 지혜를 가르쳐주며, 자신의 진정한 꿈이 무엇인지 이해하도록 도와준다.

흰색 옥은 돈을 벌기 위한 수단으로서 좋은 기운을 발휘하며, 초록색 옥은 용기와 희망, 인자한 마음을 갖게 해준다. 붉은 옥은 금전운을 불러오며 상대로부터 호감을 느끼게 한다.

17) 크리스털이 행운을 부른다

크리스털은 산소와 탄소의 기운이 많은 돌이다. 백호의 기운이 들어오는 금전적 운과 사회적 운이 함께 들어온다. 다이아몬드와 비슷한 기운이 있지만 다이아몬드보다 기운이 약하므로 크리스털은 큰 것을 지녀도 좋다.

많은 면으로 잘 깎인 크리스털은 기운을 골고루 분산시켜주는 효과가 있어 집안의 중심에 크리스털 등을 달아두는 것도 좋다.

3. 연애

1) 누군가와 연애를 시작하고 싶을 때

카페든 스낵코너든 자리가 긴 카운터에 앉는 것이 행운의 스타트다. 카운터는 누구든 옆에 앉을 수 있고 말을 걸기도 쉬운 장소이기 때문에 연인과의 자연스러운 만남을 돕는다.

붉은 스카프 혹은 주황색 무늬가 든 넥타이를 매거나 붉은색 속옷을 입으면, 상대방에게 심리적으로 안정감을 주기 때문에 쉽게 친해진다. 핸드백은 다소 작은 것이 유리하다.

마음에 드는 상대에게 접근하려면 남자의 경우는 여자의 왼쪽에서, 여자는 남자의 오른쪽에서 시작하는 것이 좋다.

국수를 먹으면 누군가와 맺어진다. 메밀국수, 우동, 스파게티, 냉면, 라면까지도 이성 특히 남자와 만날 때 냉면이나 자장면을 먹지 말라는 것이 맞선의 정설로 되어있지만 풍수학에서는 오히려 인연을 맺어주는 음식으로 본다.

또 투명한 젤리나 청포묵은 이성 간에 부드럽고 친밀한 느낌을 전해주는 신비한 힘이 있으므로 우연히 찾아간 장소에서 누군가를 새롭게 만나고 싶다면 이런 음식들을 주문하자. 향이 강하거나 색깔이 선명한 음식을 먹으면, 남성의 마음을 사로잡는 묘한 매력이 생긴다.

첫 데이트 때는 시푸드나 그라탱 요리로 시작하자. 데이트 운을 높여주는 풍수식으로 효과가 만점이다. 새우나 게, 바닷가재 같은 갑골류는 자신의 매력을 돋보이게 해주는 힘이 있다.

그라탱의 화이트소스는 서먹하기 쉬운 첫 만남의 긴장감을 쉽게 풀어주고 친밀도를 높여주며, 마카로니는 면류가 지닌 인연의 힘을 발휘한다.

한두 번 만나 어느 정도 긴장이 풀린 관계라면 이번에는 국물음식에 도전한다. 찌개나 전골요리가 좋은데 이 음식들은 서로를 가깝게 느끼도록 해주는 흡인력이 있어서 깊은 관계까지 진행시키는 데 효과가 높다. 바람이 쌀쌀한 저녁 무렵 특히 두부가 들어간 맑은 전골이나 순두부찌개를 함께 먹으면 속도 따뜻해지고 어느 새 친밀한 분위기가 피어오를 것이다.

스타트는 괜찮은데 쉽게 연인사이로 진전이 안 된다면 생선을 먹는다. 조기나 방어, 도미 같은 흰 살 생선은 남녀 사이를 깊은 관계로 이끄는 힘을 발휘하고, 고등어, 꽁치, 참치 같은 붉은 살 생선에는 어느 상대거나 관계없이 순순히 마음을 열게 만드는 마력이 있다.

모두 현재 침체되어 있는 운기를 새롭게 바꿔주는 데 좋은 음식들이다.

2) 로맨틱한 사랑의 주인공이 되는 법

연인을 원한다면 짧은 커트머리나 파마머리보다는 긴 생머리로 산들산들 불어오는 동남풍에 부드럽게 나부끼도록 해두는 것이 좋다. 바람의 상큼한 이미지를 느끼게 하는 상쾌한 여성이 되는 것이 연애의 포인트, 속설에도 인연은 남동풍을 타고 온다는 말이 있다.

남쪽에 난 밝고 큰 창은 연애운을 부르는 포인트다. 남동향 집에 남동쪽 침실에 동쪽과 남쪽에 창문이 있고 바람이 잘 통하며 햇볕이 잘 드는 곳이 자신의 방이면 남동풍을 만날 수 있으므로 거의 연애의 열매를 거둘 수 있는 완벽한 조건이다.

넓이가 넓을수록 천장도 가능하면 높을수록 더욱 좋다. 공간이 넓으면 氣의 흐름도 원활해져 운이 좋아지기 때문이다.

따뜻하고 밝은 방의 이미지와 어울리도록 원목가구로 꾸미는 것이 좋고 커튼이나 이불 등의 패브릭도 살구색이나 연노랑, 밝은 연두처럼 따뜻한 색 계통이 좋다. 애써 마련한 밝은 분위기가 밤에 흐려지지 않도록 조명이 자칫 어둡지 않도록 신경 쓴다.

반대의 경우도 있다.

북서향 집에 북서쪽 방, 북쪽 창문이어서 동이나 남의 햇볕을 받지 못하는 방, 모노톤의 커튼과 카펫, 검은색 철제가구, 어둡고 낮은 조명이라면 완벽하게 연애와 거리가 멀어지는 방이다. 청소를 게을리해서 먼지가 뽀얗게 쌓인 방은 풍수적으로 완벽해도 아무 효과를 볼 수 없다.

3) 연애운이 높아지는 방 만들기

연애와 인연이 없는 방에 사는 사람을 위한 풍수 처방이 있다. 집이 평지에 있다면 머리를 땅의 기운이 들어오는 쪽(가장 가까운 산이나 경사진 언덕이 있는 쪽)이나 남동쪽으로 두고 잔다. 산자락에 있는 집이라면 여성은 백호(산을 기준으로 오른쪽)에 머리를 두고 남성은 청룡 쪽(산을 기준으로 왼쪽)에 머리를 두고 잔다. 백호는 젊은 남성이 항상 그리워하는 방위이고, 청룡은 반대로 젊은 여성이 그리워하는 위치이다.

침구는 따뜻한 느낌의 꽃무늬나 흰색으로 하고 자주 세탁해준다. 아침에는 되도록 일찍 일어나도록 한다. 일어나자마자 창문을 활짝 열어두면 잠이 깨는 데도 도움이 되지만 아침 해와 함께 떠오르는 연애의 운기를 동쪽 방위로부터 양껏 받아들일 수 있다. 동에 창이 없어 불가능하다면 아침을 알리는 빨간색 자명종 시계나 빨간 장미꽃, 붉은색 액자 등을 동쪽에 두도록 한다.

남동쪽에는 분홍 꽃을 둔다. 운을 더 강하게 하고 싶다면 여기에 빨강, 노랑, 흰 꽃을 섞어서 향수와 함께 두면 좋다. 창이 있으면 분홍 꽃무늬 커튼을 달고 창이 없으면 꽃 장식에 조명을 비추면 꽃에 햇빛이 내려앉는 효과를 대신할 수 있다. 조화를 둘 경우에는 향수를 뿌려 언제나 꽃향기가 머물게 한다.

자신의 방이 남동쪽에 있거나 남쪽으로 창이나 있는 경우라면 한 가지 아이디어가 있다. 달이 뜨는 밤에 달맞이를 하면 연애운이 급상승한다. 가장 좋은 날은 추석, 보름달이 뜨는 밤, 9시경에 억새풀이나 갈대 한 다발을 토분에 꽂아 방을 장식해두고 달을 바라본다. 대기에 가득한 운기를 한껏 받을 수 있다.

4) [인테리어에 따른 연애운] 한실 풍의 방

한실은 한국에 사는 사람으로서 사계절이 뚜렷한 한국의 자연에 순응하고 소중히 여긴 인테리어로 행운을 불러 모은다.

사실 제대로 꾸민 한실은 어떤 스타일의 인테리어보다도 편안하고 단아한 멋이 있다. 깊이 있는 색조의 나지막한 가구, 햇살이 부드럽게 걸러지는 창호지문, 은은하면서도 밝은 분위기를 만들어주는 장판, 여기에 알록달록한 원색으로 생기를 돋워주는 침구. 한실 꾸밈에는 여러 가지 소품이 필요하지만 방 한쪽에 책장을 마련하고 삶에 지혜를 주는 좋은 경구나 잠언이 들어있는 명저들을 장식해 두면 방 안 가득 행운이 퍼진다.

한옥과 양옥의 좋은 점을 보완한 반 양옥집도 각각의 장점만으로 조화를 이룬 바람직한 인테리어로 본다.

아파트일 경우라도 집의 구조 자체는 서양식이지만 창문을 한지문으로 만들거나 장판이나 마루로 바닥을 마감하거나 요즘에는 황토로 바닥을 채우는 아파트도 등장하고 있는데 모두 한실의 장점을 보완하기 위한 바람직한 시도다. 그러나 한실의 운을 살리려면 한식과 양식을 이것저것 섞지 않도록 해야 한다. 집 전체는 양식이라도 한실 방을 하나 마련했으면 전적으로 한실에 알맞은 인테리어를 하는 것이 좋다.

특히 장판 위에 카펫을 까는 것은 기의 흐름을 막는 행위로 연애운뿐 아니라 전체적인 운기를 떨어뜨리게 된다. 장판 위에 카펫을 깔았다면 당장 걷어내자.

5) [인테리어에 따른 연애운] 내추럴 풍의 방

밝은 원목 가구에 회벽, 체크무늬 패브릭으로 단장된 베이직 스타일은 연애운을 좋게 하는 인테리어다.

전체적인 조화를 살리면서 자연감각이 느껴지는 아이템을 포인트로 더해주면 한층 효과적이다. 꽃 장식이나 관엽식물을 적극 이용하는 것이 가장 손쉽고 효과 높은 방법, 태양이나 자연을 이미지화시키는 코너 장식도 행운을 부른다.

봄에는 개나리를 듬뿍 꺾어 항아리에 꽂아두거나 여름이면 소라나 조개껍질을 응용하여 벽이나 테이블을 장식하고 가을에는 마른 꽃과 갈대 다발, 스탠드로 가을 분위기를 살리며 겨울에는 크리스마스트리를 아름답게 꾸미며 두는 것이 風水法.

요즘 관심을 끄는 벽화 장식에 자연풍경을 담는 것도 좋은 방법이다.

6) [인테리어에 따른 연애운] 심플한 스타일(도회적이고 심플한 다락방 스타일)

거친 느낌의 콘크리트 벽에 오디오와 소파침대, 박스가구 등으로 심플하게 연출한 메탈릭 인테리어는 도회적이고 성숙한 느낌을 준다.

많은 젊은 세대들이 선호하는 스타일이지만 주의할 점은 색상이다. 전체적으로 통일된 이미지를 주겠다며 색상까지 모노톤으로 마무리해버리면 연애운이 급격히 나빠진다. 흑백의 모노톤 패브릭이나 차가운 철제가구는 연애에서 가장 중요한 적극성을 빼앗아가기 때문이다.

따라서 가구가 검은색이라면 침구나 커튼을 빨강이나 노랑 같은 따뜻한 색으로 하고, 원색으로 포인트를 줄 수 있는 인테리어 소품을 골라 모노톤의 어둡고 음울한 이미지를 밝은 분위기로 바꿔준다. 일주일에 두 번 정도 정기적으로 꽃을 꽂아주는 것이 가장 좋은 방법인데 남동쪽에는 화려한 색깔의 꽃을, 서쪽에는 분홍이나 노랑꽃을 장식하자.

집에 있는 시간에는 창문을 자주 열어 통풍이 잘 되도록 하면 바람을 타고 행운이 찾아 들어온다.

7) [인테리어에 따른 연애운] 영국 앤티크 풍의 방

앤티크 스타일이라면 가장 먼저 떠올리는 것이 영국풍의 인테리어지만 모든 앤티크 풍의 가구나 골동품으로 연출한 인테리어를 모두 포함한다.

앤티크 가구는 해가 잘 드는 남이나 동쪽에 두면, 거칠고 낡은 느낌이 지나치게 뚜렷이 드러나 멋스러움을 잃게 되므로, 서쪽이나 북서쪽의 해가 잘 들지 않는 위치에 놓아 앤티크에서 나오는 기를 돋워준다. 거울을 앤티크 스타일로 장만하면 행운이 찾아온다. 물건들이 실제로는 별로 오래되지 않았거나 스타일만 앤티크 풍으로 만든 모조품이라면 이불이나 베개를 좋은 것으로 골라 고급스러운 운기를 잃지 않도록 조절해준다.

8) 애인을 발견할 수 있는 옷차림

공주 스타일의 분홍 드레스나 흰색 블라우스가 애인을 찾아내기 좋은 옷차림이다. 남성복 스타일의 여성정장이나 편안하고 활동적인 스포츠 캐주얼이 유행하고 있는 판국에 분홍 블라우스라니, 자존심이 상하는 여성들도 있을 텐데 그럴 경우에는 속옷을 흰색이나 분홍색으로 입어도 좋다. 오히려 피부와 직접 닿기 때문에 운기를 높이는 데는 더욱 유리하다. 되도록 부드럽고 따뜻한 색조의 옷을 입고 푸른색이나 회색, 검은색은 당분간이라도 멀리해두는 것이 좋다.

9) 애인이 찾아오는 환경

연애의 운기가 남동풍을 타고 온다는 이야기는 앞서 했지만 매일 밖에 나가 남동풍만 맞고 서 있을 수는 없는 일.

직장에서라면 창가에 앉거나 여름에는 에어컨이나 선풍기 바람이 불어오는 곳에 앉아 있어도 애인감으로 돋보이는 여성이 된다.

머리가 바람에 흩날린다면 더욱 좋다. 그렇다고 너무 그곳에만 오래 앉아 있다간 냉방병에 걸릴 수 있으니 요주의.

직장이든 집이든 책상은 항상 깨끗이 정돈해두고 은은한 향수를 서랍에 넣어두면 남자가 저절로 찾아온다. 더러운 것, 오래 쌓여있는 것, 흐르지 않고 멈춰 있는 것에는 행운이 따르지 않는다.

10) 애인을 찾아내는 방위

자신이 태어난 해에 따라 정해지는 本命星과 本命星을 근거로 산출해내는 吉方位라는 것이 있다. 자신의 집을 기준으로 매년, 몇 月에는 어느 방위가 자신에게 유리한지를 알 수 있는데 이 吉 방위를 이용하여 인연을 만날 수 있고 사랑의 고백을 받을 수도 있으며 멋진 데이트의 추억도 만들 수 있다.

11) 남자의 마음을 사로잡으려면

데이트 할 때는 남자의 오른쪽에 서는 것이 유리하다. 카페나 음식점에서 남자의 오른쪽에 앉아 그의 이야기를 진지하게 들으며 남자의 왼손을 가만히 바라보거나 살짝 쓰다듬게 되면 그의 마음이 움직인다. 연애에는 솔직함이 가장 중요한 열쇠다. 만약 그가 놀란 표정을 한다 해도 좋아하는 사람의 손을 한번 잡아보고 싶었다고 말하면 오히려 기뻐할 것이다.

12) 여자의 마음을 사로잡으려면

그녀의 마음을 사로잡아 확실한 나의 애인으로 만들고 싶은 남자라면 북과 동의 방위에 주목하자. 북은 남자답고 침착한 마음가짐과 활력을 더해주는 방위이고 東은 출세를 도와준다. 남동 방위는 인연을 맺어주고 북동 방위는 남자다운 매력을 강조할 수 있는 방위이다. 북과 동에 창문이 나 있고 마루를 깔아놓은 방이라면 최고다. 그렇지 못한 경우라면 우선 북쪽 방위를 보완하기 위해 책장과 거울을 방의 북쪽에 배치한다.

동쪽 방위를 보완하는 물건은 텔레비전이나 오디오 같은 소리 나는 전자제품인데 그밖에도 아침 해의 이미지를 형상화한 물건- 해모양 시계나 거울 같은 것이나 붉은색 물건을 두면 좋다. 오디오기 옆에 있으므로 빨간색 CD 정리함이나 재킷이 붉은 계통인 음반을 두면 어울린다.

남동쪽에 평소 아끼는 중요한 물건을 두면 이 물건이 만남을 이루기 위한 담보의 역할을 한다.

침대나 장롱은 서쪽과 정동쪽 방향에 대칭이 되게 둔다.

13) 여자들이 많은 곳에서 인기를 끌 수 있는 남자의 의상

여성의 사회진출이 늘어나면서 여자들이 많은 곳에서 청일점으로 일하는 남성들도 많다. 적응하기가 쉽지 않지만 잘 적응하면 오히려 인기를 누리면서 행복한 직장생활을 할 수 있다.

14) 직장 출입구 위치에 따라 사랑의 운이

직장의 사무실은 하루 중 잠자는 시간 외에 가장 오래 머무는 곳이다. 그래서 사무실의 기운은 여러모로 그곳에 있는 사람들에게 적지 않은 영향을 주게 된다.

이때 출입구란 회사 건물 전체의 입구가 아니라 자기와 가장 가까이 있는 곳, 즉 자기 부서가 있는 사무실의 입구를 말한다.

동쪽에 출입구가 있는 사무실에 근무하는 사람의 경우는 동쪽의 기운을 많이 받게 된다. 동쪽의 해는 아침에 잠깐 머물다 빨리 사라진다. 이렇게 동쪽의 기운은 짧으므로, 항상 때를 놓치지 않는 것이 중요하다. 이런 사무실에서 사내 연애를 하고 싶다면 입사 직후에 공략하는 것이 좋다. 이때를 놓치면 기회는 다시 만나기 힘들어진다.

북쪽에 출입구가 있는 사무실에 근무하는 사람의 연애타입은 일편단심형이다. 한번 사귀기 시작하면 변덕이나 바람피우는 일 없이 오래 교제하게 된다. 하지만 결혼의 운기는 매우 약하다. 이성과 어울리기보다는 동성의 친구들과 어울리는 일이 많아지는데, 이는 결혼운과 멀어지는 일이다.

동성과 어울리느니 차라리 혼자 행동하는 것이 연애운과 결혼운을 가져온다.

남쪽 출입구가 있는 사무실은 사랑을 꽃피우기에 가장 좋은 곳이다. 하지만 쉽게 싫증을 낼 수 있으니 연애 상대가 바로 이 사람이다 싶으면 빨리 결론을 내는 것이 좋다.

서쪽 출입구의 사무실은 노처녀 노총각이 되기 쉬운 기운을 가진 사무실이다. 노총각은 좀 낫지만 노처녀는 문제가 아닐 수 없다. 여사원의 경우 입사 후 바로 프러포즈하는 남자가 있다면, 그가 그런대로 괜찮은 남자라면 이를 받아들이는 것이 좋다. 이때를 놓치면 노처녀가 되기 십상이다. 서쪽 사무실은 노처녀가 될수록 더 연애운에 있어서 불리해지는 사무실이다.

15) 연애에 성공하는 집

연애를 잘하는 사람은 애인과 해어져도 금방 애인을 만난다. 누구는 한 명도 없어서 고민하는데 누구는 잘도 바꾸는 것 같아 약이 오른다. 이런 경험을 한 사람들이 많을 것이다.

그렇다면 연애 잘하는 사람의 집을 한번 살펴볼 일이다. 단독주택인 경우 좌우를 한번 살펴보자. 주변에 산이 있다면 이 집과 균형이 아주 잘 맞을 것이다. 왼쪽 산이 오른쪽 산을 감아주거나 오른쪽 산이 왼쪽 산을 감아주어야 한다. 좌우의 산이 끊어지거나 허물어지지 않아야 한다. 산은 집 근처의 작은 언덕도 해당된다.

집의 모양은 허한 곳을 보호하는 형태여야 한다. 왼쪽이 허하면 집의 모양이 왼쪽이 좀 더 긴 기역 자형인 게 좋다. 좌우에 비슷한 높이의 집들이 있어 잘 보호되고 있는 곳이 좋다. 단지 아파트는 이런 면에서는 별 문제가 없다. 단지가 아닌데 혼자 우뚝 솟은 아파트나, 큰 빌딩 사이에 있는 낮은 단독주택은 별로 좋지 않다.

남자는 동쪽 방이나 북쪽 방에 기거하는 것이 좋다. 여자는 서쪽이나 남쪽 방에 기거하는 것이 좋다.

16) 연애에 성공하는 남자방 인테리어 색상

색상이 연애에 어떤 영향을 미칠 수 있을까 의심하는 사람이 많을 것이다. 하지만 색상이 인간의 심리에 미치는 영향은 풍수학자가 아니더라도 수많은 심리학자들이 연구해왔고, 그 타당성이 입증되고 있다. 연애에 성공할 수 있는 색상으로 방을 꾸미다 보면, 연애운을 높이는 기운이 어느새 자신에게 스며들게 되어 전보다 한결 연애하기가 쉬워질 것이다.

남자의 경우는 녹색, 흑색이 조화를 이루는 방이 좋다. 방에 사용하는 책상이나 가구를 모던한 흑색 가구로 하고, 녹색 식물이나 녹색이 들어간 커튼이나 침대커버 등을 사용하면, 싱그러운 느낌이 감돌게 될 것이다. 색상이 좀 어둡다 싶으면 쿠션이나 액자 등 포인트 소품으로 이런 색조를 사용해도 좋다.

17) 연애에 성공하는 여자방 인테리어 색상

기본적으로 여자의 색상은 밝고 따뜻한 색상이 사랑의 운을 부른다. 차고 어두운 색은 여자에게 지성미를 느끼게 해줄 수는 있지만, 남자의 마음속에 연정을 일으키는 색깔은 아니다.

방을 따뜻한 색깔로 꾸미다 보면 자연스럽게 따뜻한 기운이 몸에 배게 되어 남자 역시 그 여자에게서 그 기운을 느껴, 가까이 다가가고 싶은 마음을 불러일으키게 된다.

여자의 방은 흰색이나 붉은색, 노란색의 조화가 좋다. 흰색을 기본으로 청결감과 정돈감을 주면서 빨강과 노랑 포인트의 침구, 장식품, 꽃 등으로 치장하면 밝고 활기찬 기운이 배어들어 매력적인 여성이 될 수 있을 것이다.

18) 연애운을 북돋우는 혈액형별 음식

게, 새우, 랍스터 같은 갑각류, 해물이나 도미, 광어 등의 흰 살 생선, 그리고 붉은 쇠고기 등은 사람의 인연을 좋게 하는 음식이다.

혈액형이 A 또는 O형이면 해물이나 생선을 자주 먹고, 혈액형이 B 또는 AB형이면 쇠고기를 자주 먹으면 연애의 기운이 살아난다. 연애를 하고 싶은 사람을 만날 때도 자신에게 맞는 음식을 파는 식당에서 만나 식사를 하면 연애가 성사되는 데 도움을 준다.

19) 연애하는 커플들이 싸울 때

연애할 때는 눈이 먼다고 한다. 상대의 단점도 다 예뻐 보이는 것이다. 그런데 왜 자꾸 싸울까? 사랑하는데, 헤어지고 싶지 않은데, 만나기만 하면 왠지 트집 잡을 일이 생기고 싸우고 화해하고 그러면서 막상 중요한 결정을 못하고 갈등하며 시간을 끄는 경우가 있다.

이런 경우 풍수적으로는 입수와 전순의 조화가 의심스러워진다. 우선 자신의 방을 보자. 방문에서 침대 머리까지의 길이가 넉넉한가. 침대 머리는 땅의 기운이 들어오는 쪽으로 하는 게 원칙이고, 방문에서 대각선으로 충분한 길이가 있는 게 좋다. 방이 그리 좁지 않다면 침대는 가운데 두는 것이 좋다. 부득이 벽 쪽으로 두게 될 때는 침대 위에 자는 위치를 벽에서 좀 떨어지게 하는 것이 좋다.

남자건 여자건 상대의 기운이 너무 강해 싸우게 될 때는, 머리 쪽에 검정 색조가 있는 소품이나 검정이나 청록 무늬가 있는 침대 패브릭으로 나를 강하게 만들 필요가 있다. 내 쪽이 너무 강할 때는 방의 인테리어에 빨간색을 사용하면 내 기운이 좀 더 부드러워진다.

상대의 기운을 강화해서 싸움을 없애는 방법도 있다. 남자의 고집이 강해 싸우게 될 때는 여자 쪽에서 백호의 기운을 강화해준다. 흰색 옷이나 크리스털 액세서리를 착용하고 만나며 흰색 음식을 함께 먹는다. 매운 음식도 이 기운을 강화해준다.

여자의 고집이 강해 싸우게 될 때는 남자 쪽에서 청룡의 기운을 강화해준다. 녹색 옷을 입거나, 넥타이에 청록색 무늬가 있는 것을 매고 다니거나 이런 색조의 飮食을 많이 먹는 게 좋다. 신맛의 음식도 이 기운을 강화해준다.

20) 행운이 찾아오는 맞선의 테크닉

가장 흔한 맞선 장소는 호텔 커피숍이나 레스토랑이다. 맞선에서 성공하는 이미지를 연출하는 대원칙은 그 장소와 어울리게 보이는 것이다.

한식집이라면 차분하고 얌전한 태도로 침착하게 행동하는 것이 좋다. 의상도 깔끔하고 단정한 품위가 흐르는 정장으로 입는 게 좋겠고, 여자의 경우는 화장도 동양적 느낌이 나게 자연스러운 분위기로 하는 것이 좋다. 자신의 분위기가 한식당에 어울리거나 그런 분위기 연출에 자신이 있다면 장소를 상대에게 맡기기보다는 자신 쪽에서 미리 제시하는 것도 한 방법이다.

양식당이라면 다소 적극적이고 명랑한 분위기가 어울린다. 의상도 밝고 경쾌한 색상의 정장이나 세미정장으로 입고, 화장도 다소 서구적 느낌이 나도록 하는 것이 좋다. 자신이 양식당 분위기에 어울린다고 생각한다면 장소를 양식당 쪽으로 미리 제시하는 것도 적극적인 자세다.

자기가 머무는 집에서 남자는 서쪽 편, 여자는 동쪽 편이 맞선 장소가 된다면 그 맞선의 성공 확률은 높아지게 된다.

21) 연애와 결혼의 행복을 부르는 집

동서로 긴 형태의 집에 남동쪽 거실이 있고 여기에 큰 창이 나 있으면 직장 상사나 친구, 연인 모두와 잘 사귈 수 있다. 단, 창을 자주 열어 통풍을 좋게 해야만 그 효과를 제대로 볼 수 있다.

동쪽에 화장실이나 욕실이 있게 되면 인간관계가 폭넓게 발전되지 않고 외로워진다. 북쪽에 화장실, 욕실이 있는 경우는 믿음이나 의지가 약해져서 다른 사람과의 관계를 오래 유지시키기 힘들게 된다.

22) 영화관과 공원에서의 데이트 요령

데이트의 필수 코스인 영화관, 좀 더 사귀어보고 싶다는 새내기 커플에게는 보다 빨리 친밀한 관계로 이어주는 힘이 있고 이제 그만 헤어질까 망설이는 커플에게는 결단을 내리는 데 도움을 준다.

영화의 장르도 연애와 관련이 있는데 당연한 얘기 같지만 오래 사귈 사람이라면 해피엔딩의 연애물을 보는 것이 좋고 헤어질 사이라면 이별을 그린 영화가 효과가 있다. 자기가 바라는 여건을 만들면 반드시 그렇게 되고 마는 것이 신비한 사람의 힘이다.

공원은 한가롭게 거닐면서 얘기를 나눌 수 있기 때문에 흔히 데이트 코스로 이용되지만 연애운보다는 땅의 기운으로 인해 가정운이 좋은 곳이다.

뜨거운 연애에는 별 도움이 안 되는 장소. 흔히 이용되지는 않지만 사실 연인에게 좋은 데이트 장소는 수족관이나 물이 있는 장소다. 물이 냉정을 되찾게 해주기 때문에 싸웠다 해도 쉽게 해결되고 부드럽게 융화된다.

좀 더 객관적으로 둘 사이를 바라볼 필요가 있다면, 호수나 강이나 바닷가가 가장 좋은 장소. 호수나 강변의 카페에 앉아 혹은 한적한 바닷가를 거닐면서 이런저런 대화의 시간을 갖다 보면 상대를 냉정하게 바라볼 수 있는 눈이 생기게 될 것이고, 그때 마음의 소리에 귀를 기울이면 좋은 답을 찾을 수 있을 것이다.

23) 밥 먹는 모습으로 신랑감, 신붓감을

신랑감이나 신붓감의 성격이나 인품을 가려내는 척도는 수없이 많다. 그중 하나는 밥 먹을 때의 모습을 보는 것이다. 옛 어른들은 얼굴 모습(관상)보다 더 중요한 것이 마음의 모습(心相)이라 했다. 그래서 어른들은 밥을 맛있게 먹으면 복 받겠다 좋아하고, 밥알을 세며 먹으면 복 달아난다며 싫어한다.

연애로 만나더라도 살아보지 않고는 상대를 정확히 파악할 수 없다. 이 사람이 바람둥이가 될 소지가 있는지, 욕심쟁이는 아닌지 알고 싶을 때는 한식집에서 식사를 몇 번 해본다. 상대의 밥그릇이 어디서부터 비워지는지를 보면 대개 그 정도는 알아볼 수 있다. 그런 모습은 오래된 습관이므로 한 번만 그런 기회를 가져도 쉽게 볼 수 있을 것이다.

밥그릇이 자기 앞쪽부터 비워지는 사람이 있는가 하면, 반대편이 비워지는 사람이 있다. 반대편부터 비워지는 사람이 바로 욕심쟁이다. 이런 사람은 자기 앞보다는 먼 데 있는 것에 관심이 많은 사람이다. 남자라면 자기 아내를 두고 다른 여자를 탐하며, 여자라면 자기 남편이 있는데도 다른 남자를 탐할 성향을 지니고 있다. 재물 역시 남의 재물을 탐하게 된다.

혹 자신이 그렇게 밥그릇을 비우는 사람이라면 그 습관을 고쳐야 한다. 자기 앞을 먼저 정리하고 밖을 정리하는 것이 올바른 이치이므로 밥 먹을 때도 자기 앞쪽부터 비우는 습관을 들이는 것이 좋겠다. 밥그릇을 자기 앞부터 비우는 것은 바른 예의와 겸손한 마음이 담긴 태도다.

24) 맘에 드는 이성에게 불쾌감 주지 않고 접근하고 싶을 때

함께 일하는 회사에 맘에 쏙 드는 이성이 있다. 그런데 접근하기가 두렵다. 만약 섣불리 접근해 퇴짜라도 맞는 날이면 같은 사무실에서 얼굴 마주치기가 영 쑥스러울 것이기 때문이다. 이럴 경우는 우선 탐색의 시간을 갖는 게 좋다. 어떤 이유를 달아서라도 生年月日時를 알아내어 四柱를 보아 접근 방법을 알아보는 것도 좋겠지만, 현실적으로 쉽지가 않고 복잡하기도 하다. 좀 더 손쉬운 방법은 그 사람이 어떤 색의 옷을 즐겨 입는지 시간을 두고 살펴보는 것이다.

상대가 녹색을 즐겨 입을 때는 나도 녹색의 옷이나 녹색 선물로 관심을 끈다. 흰색과 조화시켜 입어도 좋다. 흰 꽃에 녹색 잎이 있는 꽃이라면 좋은 선물이 될 수 있다. 여자일 경우는 녹색과 흰색의 조화되는 의상을 입고 상대에게 접근하면 호감을 얻을 수 있고, 남자의 경우는 연한 녹색 셔츠에 녹색 포인트의 넥타이를 매면 좋겠다.

상대가 흰색을 즐겨 입는 경우는 같은 흰색 옷을 입고 접근하면 오히려 마이너스가 된다. 이럴 때는 녹색과 주황색, 흰색을 잘 조화시킨 의상이나 선물로 접근하는 것이 좋다.

상대가 검은색을 즐겨 입는 경우도 같은 검은 색상으로는 역효과가 난다. 빨강이나 녹색의 조화가 있는 의상을 입고 그런 색조의 선물을 하면 좋다.

상대가 빨간색을 즐겨 입는다면, 검은색이나 노란색이나 녹색의 조화되는 색상의 선물이나 옷을 입으면 호감을 얻을 수 있다. 여기에 흰색을 보태 부드럽게 해주면 더욱 좋다.

상대가 황금색이나 노란색을 즐겨 입는다면, 그 상대는 모든 색을 다 좋아하는 사람이다. 아무 색상의 옷이나 구애 없이 입어도 좋다. 그렇다면 호감을 끌 수 있는 포인트는 무엇일까? 이런 사람에게는 심리적인 신뢰감을 주는 것이 가장 중요하다. 신뢰감을 주기 전에 우선 쉽게 접근하고 싶다면 그 사람이 황금이나 노란색 포인트를 어디에 주고 있나를 살펴본다. 상대가 여자일 때 노란빛 핀을 꼽고 있다면 나는 아래쪽에 붉은색이나 흰색 의상이나 포인트를 주어 중심을 잡아준다.

상대가 상의 쪽에 노랑을 즐겨 입는다면 나는 하의에 흰색이나 붉은색을, 상대가 하의 쪽에 노랑을 즐겨 입는다면 나는 상의에 흰색이나 붉은색을 조화시키면, 상대와 균형을 이루게 되어 호감으로 연결될 수 있다.

25) 데이트할 때 좋은 레스토랑과 나쁜 레스토랑

만난 지 얼마 안 된 사이라면 호텔 스카이라운지가 좋다. 야경을 바라보며 서먹한 느낌을 줄일 수 있고 당당한 느낌으로 대할 수 있다. 어느 정도 진행된 사이라면 지하 레스토랑이 좋다. 지하는 안정감과 친밀감을 주는 위치로 두 사람이 좀 더 가까워지는 데 도움이 된다.

사람의 고백을 받고 싶다면 바닷가의 창문이 넓은 레스토랑이 좋다. 바다를 바라보며 고백을 위한 용기를 얻을 수 있기 때문이다. 같은 장소라도 경우에 따라서는 나쁜 영향을 주는 곳이 된다. 스카이라운지는 肉體關係까지 가진 깊은 사이의 커플에게는 어색한 장소가 되고 호텔 레스토랑은 寢室의 부정적인 연상을 피하기 위해 주의해야 하며 지하 레스토랑은 처음 만난 사이에는 부담스러운 장소가 된다.

요즘 흔한 패밀리 레스토랑은 한두 번 정도의 데이트로는 무난하지만 아예 고정적으로 약속 장소로 지정해두고 만난다면 절대 결혼할 수 없다. 관계가 진전되지 않으므로 진지한 만남을 원한다면 피할 장소.

26) 애인과 동굴 속에 너무 오래 있으면 좋지 않다?

산에 있는 동굴은 陽氣 中에 陰氣가 있는 곳이다. 습기가 없는 동굴은 안정기운이 흐르고 있지만 대개의 동굴은 습기가 많아 陰氣가 태과한 곳이다. 陽氣가 아주 왕성한 젊은 남자라면 모르지만 그렇지 않은 사람은 이곳에 오래 머물면 정신적 안정을 얻기 어렵다.

영화나 소설 등을 보면 동굴에서 남녀가 사랑을 나누게 되는 장면이 등장하곤 한다. 남녀 간에 동굴 안에 있으면 무언가 일이 생기는 것도 이 강한 陰氣의 영향력이 작용하기 때문이다.

자기 기운의 느낌이 깨질 수 있는 시간은 대략 2시간 정도다. 그러므로 동굴 안에서는 2시간 이상 머물지 않는 것이 좋다. 부득이 산행을 하다가 기후 등의 문제로 동굴에 오래 머무를 수밖에 없는 상황이 벌어진다면 동굴에 불을 피워 陰氣를 감소시켜주는 지혜가 필요하다.

4. 學術 세미나 및 강의자료

1

韓半島의 自生的 風水思想과 그 文化*

第1節 序論

1. 硏究背景과 目的

1) 硏究背景

어느 國家 어느 民族을 막론하고 그 國家 民族은 나름대로의 生命秩序와 生活文化를 開拓하면서 人間 文明社會를 일구어왔다.

食生活의 解決方法으로부터 住居生活의 安定方式에 이르기까지 有限 被造的 人間生命體는 自然存在, 특히 地球 胎生 環境 生命場의 絶對的 影響 속에서 가장 效率的인 人間 生命文化를 이어가고자 부단하게 勞力해왔음을 人類歷史가 잘 말해주고 있다.

人間 生命體의 效率的 運營管理, 生存方式의 效果的 對案 設定, 未來 指向的 人間文化 暢達, 自然同調的 善 生命活動 等 人間 삶의 諸 課題들을 解決하기 위해 우리 人類는 人間의 內面世界와 外面世界를 넘나들면서 땅과 人間과 하늘과의 因緣關係를 살피기 始作했고 드디어는 땅과 人間과 하늘이 相互 因緣하여 關係하는 同質의 同一 生命場 存在로서 살고 있다는 三位 一切的 生命觀을 定立하

* 風水原理講論, 第1編 總論, 第3章.(영남대 강의자료). 본 글은 다음의 논문을 자세히 설명한 것임을 밝힌다(황영웅, 「한반도의 자생풍수원리 이론」, 『민속학연구』 17, 2005, 국립민속박물관).

기에까지 이르렀다.

人間生命의 價値觀이 人間과 自然의 共通的 生命觀으로 發展해가면서, 地球地表環境이 提供하는 地球 生命 Energy場의 善惡美醜가 人間生命 Energy場의 善惡美醜를 決定하는 데 있어서 너무나 큰 要素가 되고 있다는 것도 또한 再認識하게 되었다.

人類가 人間生命 Energy場을 決定짓는 胎生環境 Energy場이 얼마나 값지고 緊要한 것인가를 把握하게 되면서부터 人類文明의 崔于先 課題로 登場하게 되는 것이, 보다 安定된 삶의 터전과, 보다 善美한 生活環境 즉 善 生命 同種 Energy場의 確保問題이다. 이것은 分明 人類의 最大 恩惠를 最大의 選擇意志로 弘益케 할 수 있는 最吉의 膳物이라고 할 수 있을 것이다.

어느 地域, 어느 國家, 어느 人類, 어느 生命體에 있어서도 이러한 最吉 선물을 얻어 지니려는 人間 勞力과 意志發現은 너무도 自然스러운 것이며, 自生的으로 發達되는 信仰的 思想的 文化的 特性 亦是 서로 달리 그 原理를 지녀갈 수밖에는 없다고 할 것이다.

以上의 背景에서 앞으로 展開하려는 본 論題의 內容은 東洋의 自生風水思想과 文化 全般에 대한 槪括的 論旨를 比較的 觀點에서 敍述하고 風水理論에 대한 韓半島의 自生的 特定原理만을 具體的으로 論說하는 方式을 擇하여 發展해가려고 한다.

2) 硏究目的

韓半島의 隆起 Energy體 地質形成構造에 의한 地勢地形特性은 中國의 板 Energy體 再凝縮 褶曲形成過程의 地勢地形特性과 日本의 火山爆發에 의한 火成巖質 土質構造 地勢地形特性 등과 매우 다른 精巧 細密하고 多樣한 地表 Energy體 및 그 Energy場 特性 構造를 지니고 있다.

비록 白頭山 火山噴出로 인한 地表隆起 Energy體構造의 不安定的 要素와, 楸哥嶺 地球谷, 중서남부의 地向斜帶 및 一部 部分的 構造谷으로 인한 隆起 不安定 現象이 發生하고는 있으나 그러함에도 그 根本的 地質 Energy體 構造 特性과 地勢 Energy場 特性은 人體 生命構造 形成維持와 保存 및 生活文化 發達過

程에서 크게 差異가 난다고 볼 수 있다.

우선 造山 形成過程의 差別로 인한 人體 Energy場 構造特性 및 文化形成過程의 差別性이 서로 다르고, 다음으로 그 差別性에 따른 地勢地氣環境의 文化發生과 維持保存方式이 서로 다르다.

韓半島의 單一形態構造 造山活動에 따른 人體生命 Energy場 特性과 그 文化特性은 比較的 單純獨立指向的이며, 個體部分 成就指向的 特性을 維持해가고 있는 反面 中國大陸의 複合 包括的이며 全體 融合 成就 指向的 文化特性과, 日本列島의 地勢地氣 不安 解消的 爭取 指向特性過程에서 發生 展開된 文化形態特性과는 매우 다른 質的 現象的 差別性을 지니고 있음이 分明하다.

이렇듯 韓半島의 地理地勢環境에 適應하는 自生的 風水文化 亦是 周邊國의 差別的 地勢地形環境에서 形成된 風水文化와는 그 發生原理와 秩序體系가 確然히 다르게 展開되고 있음 또한 確實하다.

이러한 地理地勢 地表 Energy體 및 Energy場 構造特性과 그 形成秩序에 的確하는 風水地理的 理論體系와 風水文化를 再確認하고 그 理論體系를 보다 明了하게 整理 普及시킴으로써 韓半島 地理地勢地形에 알맞은 人間 生命文化를 再創造 發展시켜가야 한다는 것은 너무도 당연한 일이라 할 것이다.

따라서 本 研究는 韓半島의 地勢地形이 他 周邊國과 서로 다른 地表 Energy場 構造秩序를 지니고 있다는 分明한 認識에서, 韓半島 本然의 風水地理的 理論體系와 그 文化를 再定立하는 데 미력이나마 도움이 되고자 본 論題를 自生的 地理原理 構造特性研究에 目標를 두고 展開해가고자 한다.

3) 研究範圍와 方法

본 研究는 韓半島의 地質形成構造에 관한 諸般理論은 既存의 地質構造學에서 定立된 理論體系를 따르고, 다만 風水地理學的 地表 Energy體 및 그 Energy場 形成構造와 秩序體系를 보다 理論的으로 接近함으로써 中國大陸과 日本列島가 指向하는 風水的 理論體系와는 差別性을 강조하고자 한다.

따라서 本 研究의 理論體系는 既存의 風水地理的 理論體系와는 매우 다른 韓半島 特有의 自生的 論理構造로 展開함으로써 本人이 既 발표한 風水原理講論의

理論體系와 旣 發表論文들을 大體的으로 受容 再整理하는 形態도 함께 包含되었음을 밝혀둔다.

좀 더 具體的인 理論展開와 問題解說 不足部分은 此後의 硏究發表로 代身하고자 한다.

第2節 本論

1. 風水思想의 信仰的 自生過程

1) 地域環境의 生態的 自然觀

(1) 地域別 環境別 生體別 生態環境 Energy場의 派別的 人間特性存在
(2) 差別的 存在特性에 의한 對 自然 適應能力의 多樣性과 生活方式의 特異性
(3) 歷史 및 傳統에 의한 風習과 慣習과 思考化가 가져오는 地域的 삶의 方式形成

2) 自然의 威脅的 對象에 대한 再認識

(1) 第一段階 깨우침의 過程

自然對象의 공포, 두려움, 不可能, 不可抗力性, 豫測不能的 變化性 等의 干涉的 消滅意志에 대한 避難意識으로부터, 漸進的 理解 및 和解認識으로 適應해가는 自然에의 깨우침을 얻어가게 된다.

(2) 第二段階 깨우침의 發展過程

光明, 廣闊, 生起的 生命 緣分, 攝生, 安住, 平安 生命現象의 歡喜 等 自然의 生氣的 同調意志에 대한 感謝, 恭敬, 順應 選擇 等의 積極的 生活意識으로 깨달음의 發展이 進行되었다.

(3) 第三段階 智慧의 發達

보다 積極的 順應과 選擇의 意志發現으로 避凶取吉의 智慧發達이 일어나게 된다.

3) 自生的 風水思想의 胎動

(1) 初期過程

風水思想의 胎動 初期에는 生命의 再認識, 愛着, 維持 保全的 渴望으로부터 解決 指向的 渴求意識으로 發展(紀元前 原始 - 舊石器 - 新石器)

(2) 中期過程

風水思想의 胎動中期 過程에는 生命維持的 生活方便의 質的 量的 向上을 위해 터전적 選擇 意識이 强力하게 發達하게 된다(新石器 - 靑銅鐵器 - 三國時代).

(3) 近世過程

風水思想의 胎動 近世過程에서는 自然同調的 터전 選擇意志로부터 보다 效率的인 人間生命 同調環境 選擇意識의 自體的 發現, 즉 風水思想이 胎動하게 되고 수준 높은 삶의 選擇的 智慧로 發展하게 된다(三國時代 - 朝鮮時代 - 現代).

2. 自生風水의 學問的 智慧와 信仰的 生活觀

1) 自然環境의 畏敬的 對象에 대한 秩序把握과 風水的 自然觀 定立

(1) 畏敬的 自然觀으로부터 宇宙의 主祭者的 意志把握과 風水的 自然意志確認
(2) 自然運行秩序와 人間生命秩序의 同調的 秩序把握과 自然生命同調秩序 環境의 發現
(3) 風水信仰의 生活化에 대한 價値發見과 上昇的 삶의 智慧 確立

2) 風水的 環境秩序의 再認識과 風水思想의 生活的 智慧發展

(1) 自然環境 Energy場과 人間生命 Energy場의 同質 同調的 生命 Energy場 發現으로부터 風水的 生命 Energy의 同調 干涉에 대한 價値觀 定立과 同調的 生命場의 視空間的 認識
(2) 自然環境 生命場의 具體的 生命 Energy場 特性變化와 變易秩序 把握으

로부터 順應과 共存의 思想定立

(3) 日常的 生活全般에 대한 環境順應과 共存의 智慧攄得으로부터 學問的 智慧化가 促進됨으로써 自然에 대한 發展的 思想定立과 人間의 構造的 理性이 再發見된다.

(4) 터전文化의 發展으로부터 生活文明의 效用性 再認識

(5) 風水的 生活관을 弘益人間의 價値哲學으로 昇華 發展

(6) 宇宙 自律意志에 대한 人間 選擇意志의 믿음이 信仰的 價値 形態로 發展되어 오늘에 이름

3. 自生 風水思想의 效用的 價値

1) 自然意志의 智慧攄得과 合理的 人間意志 再創造

(1) 宇宙意志 → 太陽系 意志 → 地球 意志 → 地球 表面體 意志 → 人間意志(萬物意志)의 同調的 同質性을 發見하게 된다.

(2) 同調 同質性의 自律意志 發見으로부터 人間意志의 再創造 勞力과 天地人의 合一的 善 意志 具現을 이룩함으로써 人間의 善 生命意識을 發達시킨다.

(3) 善 生命 意志 → 善 文化 暢達 → 善 文明 社會建設 → 持續的 弘益人間의 大乘的 삶의 哲學을 具現한다.

2) 터전 選擇의 効用性

(1) 生産 터전의 選擇 價値

安定生産 및 成長 維持處를 確保하고 種族繁殖의 效率性을 提高시킨다.

(2) 作業 터전의 選擇 價値

風水火災로부터의 胎出 可能한 智慧를 確保하고 좋은 作務터전의 確保와 持續可能한 作業터전의 安定性 및 效率性을 提高시킨다.

(3) 休息 터전의 選擇 價値

善 生命意志와 터전의 選擇 智慧에 의한 보다 效率的 休息 安樂處 및 보다 效果的 休息 快適處를 成就함으로써 持續的이고 質 높은 活動 Energy를 再充積시킨다.

3) 生活 選擇의 效用性

(1) 風水 原理的 住生活의 選擇 價値

背山臨水 形態의 地表 Energy 흐름 把握으로 住 活動空間의 效率的 配置 管理는 勿論, 天災地變으로부터의 安全 維持處를 確保할 수 있다.

(2) 風水 原理的 食生活의 選擇 價値

穴場 Energy 및 穴核 Energy의 特性把握으로부터 人體 Energy의 同調 干涉 特性을 把握하게 되고 이들 相關關係에서의 調整的 食生活을 研究 實踐하게 된다. → 韓醫學의 發達 及 食生活 文化의 發展과 代替醫學의 發展

(3) 風水 原理的 衣生活의 選擇 價値

環境 Energy場 變化와 人間 Energy場 變化의 秩序에 順應하는 人間의 衣生活 智慧를 發達시킴으로써 보다 自然的인 衣 適應 文化가 向上될 수 있다. 地域環境別 衣 生活 樣式의 特異性과 多樣性은 이를 端的으로 말해준다.

① 韓國 : 白衣民族

② 中國 : 黃衣民族 - 中央集中 慾求 意識(酉金不及 補完意識)
(單一地板 Energy源)

③ 日本 : 多樣性 - 多樣한 地質 Energy場의 變化에 대한 對應意識 發露

4. 韓半島 風水信仰의 自生的 背景과 그 痕迹

1) 고인돌 遺物과 先史文化

(1) 生命의 維持本能과 죽음에 대한 恐怖와 苦惱

① 生命의 認識과 生命文化의 發展

② 生命의 確保 維持 管理 本能

③ 現世觀과 死後觀의 胎動

(2) 生命 維持 管理 保全處의 選擇意志와 死後 安定處의 選擇意志

① 生命 再生産의 安定性, 持續性, 便利性, 確實性의 保障 意識으로부터 風水環境의 效用性 認識과 選擇의 勞力

② 生命의 維持, 管理, 保全的 風水環境 選擇의 勞力

③ 死後 生命에 대한 安定的 管理 認識과 安定處에 대한 選擇意志

(3) 自然崇拜信仰과 生活터전 文化의 胎動

① 自然의 認識過程에서 發生한 信仰的 風水觀 胎動

② 生命活動過程에서 發生한 信仰的 風水觀 胎動

③ 死後의 來世認識過程에서 發生한 信仰的 風水觀 胎動

(4) 先史文化의 風水的 要素와 信仰的 要素

① 先史人의 風水的 生活觀(食生活 爲主에서 住生活 爲主로)

② 先史人의 風水的 自然觀(샤머니즘적 自然崇拜에서 自然의 理解와 順應으로)

③ 先史人의 風水的 生活觀(生과 死의 만남으로 認識)

(5) 고인돌 遺物의 風水的 要素와 信仰的 要素

① 고인돌 構造의 風水的 要素 : 天人地 一切觀的 고인돌 形態

② 고인돌 施設處의 風水的 要素 : 地氣 入力處의 選擇方式에 따른 山地脈上

무덤군

③ 고인돌 保存方式의 風水的 要素 : 天地人과 死後 緣生, 風水害로부터 保護될 수 있는 터전과 管理方式이다.

2) 甕棺 遺物과 伽倻人의 風水觀

(1) 甕棺의 效用性 認識과 風水思想의 定立

① 死後觀의 確立 : 永生意識과 死後世界에 대한 還生觀

② 甕棺의 價値認識과 效用性 確認 : 理想的 還元을 위한 永久 保全方式의 開發과 子孫感應에 대한 再認識

③ 甕棺의 風水的 智慧 確立 : 水浸이나 吹風에 대한 方策으로서의 甕棺 葬法은 風水害로부터 保護될 수 있는 가장 效果的 方法이며, 現在까지 더 좋은 方法은 없다.

(2) 甕棺 製造의 風水的 文化性

① 甕棺의 效率的 利用을 위한 製造技法 發達로 人體와 비슷한 長球形의 甕器棺을 製造했다.

② 材質 選擇과 製品 管理能力의 發達로 土器的 製品特性을 잘 살리고 있다.

③ 生命維持(生命觀의 定立)와 死後管理(死後觀의 定立)에 대한 思想性과 文化性 發達

(3) 死後 環境觀에서 본 生命 環境觀의 實體 把握

① 生命觀의 發展的 思想確立으로 前生觀, 尊嚴性, 價値性, 自尊性의 確立

② 死後 來世觀의 思想的 發展으로 現生의 延長認識과 死後 還生의 因緣觀 定立

③ 環境의 重要性, 效用性, 價値性 確立

(4) 伽倻人의 自然觀과 風水觀의 確立

① 自然과 人間의 同體觀

② 前生 ↔ 現生 ↔ 來生의 三世 一切觀

③ 風水 信仰의 智慧 發見

④ 自生的 風水思想의 確立

3) 古墳文化 遺物에서 본 三國時代의 風水觀

(1) 高句麗 古墳壁畫와 風水思想

① 高句麗 古墳壁畫에서 본 風水思想 : 甕棺 等의 直接 埋葬的 傳統風水思想으로부터 中國風水思想과 合流되어 나타난 것이 古墳 等의 石室 埋葬形態이다.

② 四神砂의 保護 環境 意識과 生活方式 즉, 風水的 生活樣式에서 본 風水思想

③ 風水思想의 現代的 發展과 風水環境認識의 變化

(2) 都邑風水와 國運觀

① 村落風水觀에서 都邑風水觀으로 發展

② 都邑風水觀에서 國家風水觀으로 發展

③ 國運觀과 國家風水觀과의 同質的 構造認識 定立

(3) 風水環境에 대한 認識 增大와 風水的 生死文化觀의 漸進的 發展

① 風水環境의 高次元的 認識 : 地氣 Energy場(地氣), 天體 Energy場(天氣), 人體 Energy場(人氣)의 分析으로부터 合一的 同調觀 形成

② 生命現象의 風水的 認識과 生活風水의 發達로 衣食住 及 作務터전의 選擇的 生活

③ 死後 世界에 대한 宗敎的 認識(來世觀의 定立)과 風水的 認識(死後 感應觀의 定立)의 發達로 明堂 穴處에 대한 定意와 思想 定立

4) 近現代 墓地 遺物에서 나타난 死後 文化 形態觀

(1) 石物 墓地文化

① 祖孫 同氣 感應論의 歪曲 : 死後 安定처인 明堂의 無分別的 確保 意欲이 歪曲된 禍福 墓地文化를 誕生시켰고, 限定된 明堂의 限定된 利用意志가 歪曲되었다.

② 石物 治粧과 子孫 安寧의 歪曲 : 孝思想의 歪曲과 人爲的 明堂造作에 의해 無差別的인 國土 毁損과 治粧文化가 盛行하게 되었다.

③ 虛禮虛飾의 疲弊文化 : 死者에 대한 歪曲된 恭敬心과 子孫의 그릇된 孝思想이 現在의 虛禮虛飾的 葬禮文化를 誕生케 하였다.

(2) 共同墓地 文化

① 墓地難 : 無分別한 埋葬文化가 山地 荒廢化를 불러왔고 그나마 埋葬 加用地조차 確保가 어렵게 되었다.

② 共同墓域의 必要性 認識 : 共同墓地 開發의 必要性이 認識되기가 바쁘게 그나마 共同墓域 亦是 그 意味가 喪失되기에 이르렀다.

③ 治粧文化의 殘存, 共同墓域의 弊端(自然破壞, 死後 不安, 石物 殘存)

(3) 火葬葬禮文化

① 國土利用의 再認識 : 限定된 明堂利用의 特殊的 社會現象은 共同善 指向目標의 否定的 社會側面을 드러내게 함으로써 國土의 無分別한 毁損만을 가져왔다. 이에 대한 對案이 不可避하게 된 것이 火葬文化이다.

② 葬禮文化의 變質(佛敎 茶毘式과 槪念 變質) : 火葬方式은 佛敎의 傳統方式으로서 完全消滅 燒却을 原則으로 함에 반해 納骨 殘存의 現實 火葬法은 잘못된 葬禮 慣習이다.

③ 火葬文化의 弊端(遺骨處理의 非效率性 自然 毁損의 加增) : 納骨函, 遺骨處理問題, 石物使用의 지나침 등은 천년 후의 地球 破壞를 불러오는 대단히 잘못된 文化이다.

(4) 死後文化의 混亂

① 死後觀의 混亂 生死一切觀의 崩壞, 生命文化의 混亂, 生前과 死後의 同一進行 리듬特性 망각

② 死後 還元意志의 混沌 : 죽음의 定義는 死後 物質還元과 靈魂回向에 있다. 이것은 모든 生命體의 根本意志이다. 그러나 이러한 回向處인 所爲 明堂論의 不信이 팽배해지고, 靈魂과 肉身 不滅性의 懷疑가 깊어짐으로써 子孫 便宜 僞主 意識이 만연하게 되는 오늘날의 葬禮文化는 分明 잘못되고 있다.

③ 死後 還元方式의 混亂 : 이와 같은 葬墓制의 混亂을 막기 위해 99%의 民衆은 完全 燃燒 方式의 火葬이나 火葬後의 樹木葬을 권장하고, 1% 이하의 必要 可能者만이 埋葬을 可能케 해야 한다. 이것은 法이나 身分이나 差別에서 이루어질 수 없는 自律的 意志라야 한다.

5) 近現代 生活文化에서 나타나는 生活風水의 智慧와 混沌

(1) 外來風水理論의 導入과 自生風水原理의 乖離에서 發生한 智慧와 混沌

地域的 差別的 地表 地氣 Energy場에 根據한 自生的 風水原理는 國家마다 地域마다 각각 다르기 때문에 現在의 中國 立體構造 및 板構造 地域에서 發生한 風水原理는 우리 韓半島 線構造 Energy體의 自生的 風水理論과는 多少의 差異가 있음을 깨우쳐야 한다.

(2) 都市計劃에서 나타나는 生活風水의 智慧와 混沌

都市計劃의 根幹이 西歐 文物的 理論에 입각해 있는 까닭에 山脈構造가 유난히 發達해 있는 韓半島의 都市構造計劃이 西歐的 都市計劃 構造方式에 依存해간다는 것은 거의가 파괴적이라 할 수 있다.

(3) 公共施設計劃에서 나타나는 生活風水의 智慧와 混沌

公共施設 亦是 韓半島의 地理的 與件에 맞는 背山臨水的 風水原理와 東西舍宅論이 아닌 局勢 水勢 爲主의 坐向 出入이 決定되어야 옳을 것이다.

(4) 各種 産業施設計劃에서 나타나는 生活風水의 智慧와 混沌

産業施設 亦是 자원과 인력과 시간의 낭비를 최소화하고 産業 극대화를 이루기 위해서는 반드시 自生的 風水原理에 입각하지 않으면 아니 된다.

(5) 家宅風水의 智慧와 混沌

특히 家宅風水의 混亂은 이루 말할 수 없이 크다고 할 것이다. 첫째로 無知에 의한 無分別的家宅文化가 초래하는 文化는 매우 큰 混亂을 불러오고 있다. 둘째로 外來 風水理論에 의한 家宅風水의 混亂 또한 막심하다.

(6) 인테리어 風水의 智慧와 混沌

인테리어 風水 亦是 中國大陸의 東西 舍宅論에 의거한 日本式 인테리어 技法이 活用되고 있으나 이 또한 韓國의 山勢, 局勢, 水勢에 의한 自生的 風水理論과는 거리가 멀다. 분명코 內部 空間 風水原理 亦是 韓半島에 있어서는 韓國的인 것이라야 한다.

(7) 共同 住居施設 計劃의 智慧와 混沌

共同 住居施設 計劃의 基本趣旨는 大量 住居人을 위한 大量 住居供給方案이다. 따라서 大量的 需要와 大量的 供給計劃은 그 자체부터가 個體的 住居 長點을 補完할 수 없는 次善策임은 더 이상 論할 필요가 없다. 때문에 이와 같은 共同 住居施設은 個人的 差別性을 最大한 確保할 수 있는 方案으로 再設計되지 않으면 아니 되고 南向爲主의 無分別한 團地造成 計劃과 內部構造의 Energy場 흐름 計劃은 재삼 檢討되지 않으면 아니 된다.

5. 自生的 風水思想과 터전文化*

1) 地球 地質 構造 特性과 人間生命 터전의 稀少性

(1) 地球全體의 人間生命 Energy 同調場 터전 比率 : 약 25%(陸地)
地球全體의 人間生命 Energy 干涉場 터전 比率 : 약 75%(바다, 南北極)

(2) 人間生命 Energy 同調場 中 陸地 可用 터전 比率 : 약 25%
人間生命 Energy 同調場 中 陸地 消滅性 터전 比率 : 약 75%(사막, 강, 하천, 호수 등)

(3) 陸地 可用 터전 Energy場 中 生命活動 可能 터전 比率 : 약 25%
陸地 可用 터전 Energy場 中 生命 不可能 터전 比率 : 약 75%(계곡 및 산등성)

(4) 生命活動 可能 Energy場 中 生氣 Energy場 比率 : 약 25%(山腹 Energy場)
生命活動 可能 Energy場 中 消滅性 Energy場 比率 : 약 75%(山背(脊) Energy場)

(5) 陸地 生氣 Energy場 中 凝縮 核果 Energy場 比率 : 약 25%
陸地 生氣 Energy場 中 凝縮 緣分 Energy場 比率 : 약 75%

※ 人間 生命 文化의 터전 可用地는 地球의 0.4%에 불과한 희소적 한정 터전이다.

2) 韓半島의 地質的 特性과 터전 文化의 特性

(1) 線構造 中心 山脈 Energy場으로서의 韓半島 터전 文化 特性

① 線構造 山脈 Energy場

韓半島 地質構造의 약 75%의 Energy體는 線構造 Energy體로 組織되고 나머지 25%의 地質이 立體構造 Energy體 또는 板構造 Energy體로 構成되어 있다.

* 風水原理講論, 第1篇 總論, 第3章 第3節.

② 線構造 山脈 Energy場의 터전적 特性

線構造 山脈 Energy場에서 形成된 生活터전은 比較的 광활하지 못한 反面, Energy 凝縮特性이 강하여 그 組織 밀도가 긴밀함은 물론 單位 地氣 Energy場의 發生강도가 매우 크고 빠르다. 따라서 人間生命 Energy場 發生能力이 매우 강하고 섬세하다.

③ 韓半島의 線構造 Energy場 特性에 따른 터전적 文化 形態

線構造 Energy體의 人間生命 Energy場은 강하면서 섬세하고 躍動的이면서 銳敏하며, 多樣하면서 具體的이고 날카로우면서 康健하다.
衝突的이면서도 정중하며 고집스러우면서도 겸손하고 독립적이면서도 충만하며 사나우면서도 인자하다. 이와 같이 地質特性의 人間生命 Energy場은 平和와 安定을 보다 더 희구하고 智慧와 禮스러움을 더욱더 渴望한다. 이러한 人間生命 Energy場의 바탕은 전쟁보다는 평화를, 욕심보다는 인내를, 거짓보다는 정직을 사랑하는 倍達民族의 韓半島 白衣의 고유한 文化를 건설하였다고 볼 수 있다.

(2) 韓半島의 地勢 Energy場別 터전文化의 特徵

① 白頭大幹 山勢의 Energy場 개요와 그 文化 特徵

白頭山 기저 中心 線 Energy 構造 山脈이 남북으로 크게 白頭大幹을 그리고 나서 동북으로 장백정간, 서북으로 청북정맥, 청남정맥, 西로 해서정맥, 임진북예성남정맥, 한북정맥, 한남정맥, 한남금북정맥, 금북정맥, 금남정맥, 금남호남정맥, 남으로 호남정맥, 낙남정맥, 동남으로 낙동정맥 그리고 마지막 한라산 Energy體를 그렸다(산경표 참조).

그러나 白頭大幹의 山 Energy 흐름은 東高西低하는 偏脈 Energy體로서 地板의 中心을 安定시키는 데에는 완전하지 못했다. 더구나 白頭山 基底 中心의 隆起 Energy 이동은 白頭大幹으로의 南進 集中 山脈化를 도모하지 못하고 北進山脈 分擘하여 송화강과 우스리강의 끝자락까지 Energy 분산이 發生함으로써 백두 이남의 강건 善美한 中心 大幹 形成은 미완으로 끝날 수밖에 없었다. 따라서 白頭大幹 자락의 生命 Energy場과 그 文化形成은 長遠 持續性的이거나 圓滿

忍耐性的이기보다는 창의 섬세적이고, 分析 비판적이며, 협동 조화적이거나 평등 和解的이기보다는 신속 과감성적이고 예리 독단성적인 特性의 多樣하고 독특한 生活文化를 형성하게 되었다.

이러한 韓半島 고유의 地勢環境 Energy場 特性은 여기에서 피고 지는 白衣民族의 독창적인 한글文化와 창작예술 그리고 철학적 宗教文化와 진취적 教育文化를 꽃피우게 하였다.

② 東高西低 山水 Energy場 터전文化 特徵

白頭大幹의 東은 국토의 中心山脈 통로 언저리가 되어 그 자락에 形成된 동해안으로는 맑은 바다를 生活터전으로 한 漁村文化가 평화롭게 꽃을 피웠고, 西는 낮은 구릉과 평야를 生活터전으로 한 農業文化가, 西南海岸 島嶼로는 亦是 바다를 生活터전으로 한 海洋漁業文化가 發達하게 되었다.

③ 韓半島의 山 · 水 · 風 Energy場 因緣

국토의 70%가 山地인 韓半島는 山과 因緣하지 않은 어떠한 生活文明도 生命現象도 發展할 수 없었다. 山水와 더불어 태어났고 山水와 더불어 자라났으며 山水와 더불어 되돌아갔다. 모든 것은 山水의 이치에 따라했고 山水의 흐름에 順應했으며 山水風의 意志를 알고자 하였다. 터전의 特性에 적합한 生命活動意志는 自然의 被造物인 人間文化 暢達을 위해 더없이 밝은 智慧요 수단임을 깨달으면서 韓半島의 線構造 Energy場 文明은 線構造 Energy場 特性을 따라 發達해가고 있다.

바람 치는 산꼭대기에선 결코 살아남을 수 없다는 風殺의 智慧를 배웠고, 늪지대와 골짜기를 피해 앉은 촌락을 보고 陰濕의 干涉을 알았으며, 강바람, 모래바람, 바닷바람에는 오래도록 머물지 않아야 하는 避凶取吉의 삶을 方式을 얻었다.

산을 등진 背山處에서 生命의 따사로움을 깨달았고, 물을 안은 臨水處에서 生活의 풍요로움을 맛보았을 때 韓半島의 子孫들은 터전의 참 바른 信仰을 智慧롭게 길러왔고, 風水의 고유한 철학을 거룩하게 다듬으며 존엄한 自生意志를 면면히 일구어왔다.

3) 東洋 周邊國의 地質的 構成과 터전文化의 特徵

(1) 中國의 山勢 Energy體 構成과 터전文化의 特徵

① 中國의 山勢 Energy場 特性

中國大陸은 西北과 西南으로 광대한 立體 Energy 構造體의 山勢 Energy場을, 그리고 中央을 비롯한 東南部로는 거의 大部分이 板 Energy 構造體의 地勢 Energy場을 形成하고 있다.

티벳고원과 에베레스트산의 形成過程 中 아시아 대륙판과 유라시아판 그리고 인도양판과 비울빈판 及 태평양판 等의 移動 凝縮하는 秩序에 의해 재차 集合隆起되는 자락에서 中國大陸의 西北部 地質構造 大部分은 立體 Energy 構造體의 山脈을 形成하고 있다고 볼 수 있다. 이러한 立體構造 Energy場 特性은 人間生命 Energy場을 장중하고 후덕하게 하며 집합적이면서 원만하게 하고 보수적이면서 靜的이게 한다. 그러나 東南部의 광활한 板構造 Energy場은 황하 양자강의 두 강에 의해 윤택하고 기름진 農耕文化의 最大 發祥地를 形成케 하였고, 온화하면서 근면한, 조용하면서 인내하는, 그리고 하늘을 보고 공경하는 마음을, 땅을 밟으며 감사해하는 마음을 익힌 順天 順從의 人間生命 Energy場을 發達시켜왔다고 볼 수 있다(天人 合一思想 順天智).

② 中國의 터전文化 發生 背景

中國의 터전文化는 황하와 양쯔강의 두 농경축에 의해 한족의 中心文化가 形成되고, 북으로는 화북평원에 이르는 華北 文化圈이 그리고 東으로는 동이문화에 의한 東方文化圈이 形成 發達되었다.

BC 4000~10000년경에 이르는 동안 韓半島의 先史文化를 中心으로 한 동이문화와 바다로부터 멀리 남방 해양문화를 수용함으로써 同一권역의 中國 동방문화는 한족문명을 中心 中華文明으로 發展케 하는 기틀이 되었다. 이는 風水地理的으로도 韓半島의 地板의 凝縮 同調 없이 中國의 華北 華南 及 東部의 地板 安定의 不安定함을 증명함과 같다.

③ 中國의 터전文化와 風水思想

前記의 文化發生 背景地인 황하와 양쯔의 兩대강 언저리엔 농경문명이 發達함으로 인해 농경에 필요한 천문과 歷이 주로 發達하게 되었고, 이에 따른 갑골문자와 陰陽五行의 特性作用原理學이 크게 發展하였다.

따라서 天文, 人文, 地理의 모든 形而上下學的 諸 原理는 存在本性인 太極으로부터 現象的인 陰陽思想과 八卦五行이 根本原理가 된 秩序에 의해 運行 維持되고 있음을 설명한다. 그러나 西南 大陸 立體 Energy 構造體의 靜的 內面指向性이 文化構造 集合 Energy場들과 동북부 大陸板 Energy 構造體의 靜的 外面指向性 離散 Energy場들이 만들어낸 文化構造와 風水思想은 韓半島 線Energy 構造體의 動的 生起 指向性 生氣 活動 Energy場들에서 形成된 文化構造와 風水思想의 形態가 일반적으로는 同質인 것 같으나, 그 具體的 내용은 크게 다르다.

우선 衣(多樣) 食(多樣) 住(集合指向)의 生活文化나– 文字의 文化(이두와 한글)가 白衣의 菜食的 溫突文化를 즐기면서 이두와 한글을 사랑하는 우리의 單一 倍達民族과는 매우 다른 中華의 板構造的 住宅文化를 건설해왔다.

물론 文明의 發生歷史와 過程이 우리와 달라 韓半島를 비롯한 이웃 國家에 많은 影響을 끼쳤음은 사실이나 오히려 그러한 影響的 사실이 大陸的 環境 Energy場 特性과는 매우 다른 韓半島에는 다소 본질을 혼탁케 한 사대적 결과를 초래케 한 歷史가 되었다고 볼 수 있다. 가장 두드러진 文化의 歪曲이 生活터전을 選擇하는 터잡기 文化 즉 風水思想이다.

中國 西南部의 立體構造 山勢나 中國 東北部의 板構造적 平原地形에서 胎動된 天文爲主의 支配的 터잡기 原理는 地勢爲主的 風水理論에 의해 發達된 基本思想보다 훨씬 優位에서 生活化되고 慣習化하여 東方의 國家 等은 물론, 全 東西洋을 지배하는 根幹的 理論으로 歪曲 변질되고 말았다. 특히 韓半島의 섬세한 山脈形態의 線構造 地勢에서는 天氣爲主보다는 地氣爲主의 根本理論이 더욱 慣習화되고 生活化되었으나, 朝鮮時代에 들어서면서 모든 문물이 事大化하고 性理化하여 더욱더 中國의 風水思想은 점차적으로 잠식되어 韓半島 風水思想 全般을 天氣爲主의 風水觀으로 전향케 하였다. 이때부터 韓半島의 自生風水는 산중으로 숨어버린 동기를 얻게 되고 말았다.

(2) 日本의 山勢 Energy體 構成과 터전文化의 特徵

① 日本의 山脈構造는 火山 山脈 立體 Energy場 構造로서 中國과 유사한 듯 하나 火山噴出에 의한 山脈構造로서 中國의 再凝縮 秩序와는 매우 다르다.

② 그러나 日本 亦是 中國의 文化 권역에서 벗어나지 못하고 우리와 유사한 경로를 통해 터잡기 文化가 發達하였다.

③ 따라서 日本 亦是 독특 고유한 自生的 風水觀이 形成될 수밖에 없고 그러한 기미가 이미 오래전부터 陰宅爲主보다는 陽宅爲主의 風水觀으로 변천해간다고 볼 수 있다. 이것은 火山脈下의 地質構造를 지닌 板構造的 日本으로서는 매우 다행한 일이기도 하나 그러나 日本 亦是 風水思想의 自生力이 무너지고 大陸的 東西 舍宅論에 依存한 陽宅理論이 大勢를 이루고 있음은 分明 憂慮가 된다고 보아야 할 것이다.

(3) 대만의 山勢 Energy 特性과 터전文化의 特徵

대만 亦是 섬 全體가 立體構造的 山脈 Energy體로서 그 文化的 背景이나 터잡기 思想이 中國의 남동부와 거의 비슷한 影響권에서 形成되었다고 보아야 할 것이다. 그러나 대만의 自生的 風水觀은 分明 大陸的 風水觀과는 다소 다른 地勢와 水勢 爲主의 터전관이 더 깊숙이 뿌리하고 있음을 간과해서는 아니 된다.

6. 風水環境 Energy場 特性과 人體構造 Energy場 特性의 形成*

1) 韓半島의 風水環境 Energy場 特性과 人體構造 Energy場

(1) 韓半島의 風水環境 Energy場 特性

① 韓半島의 風水地理的 環境 特性**

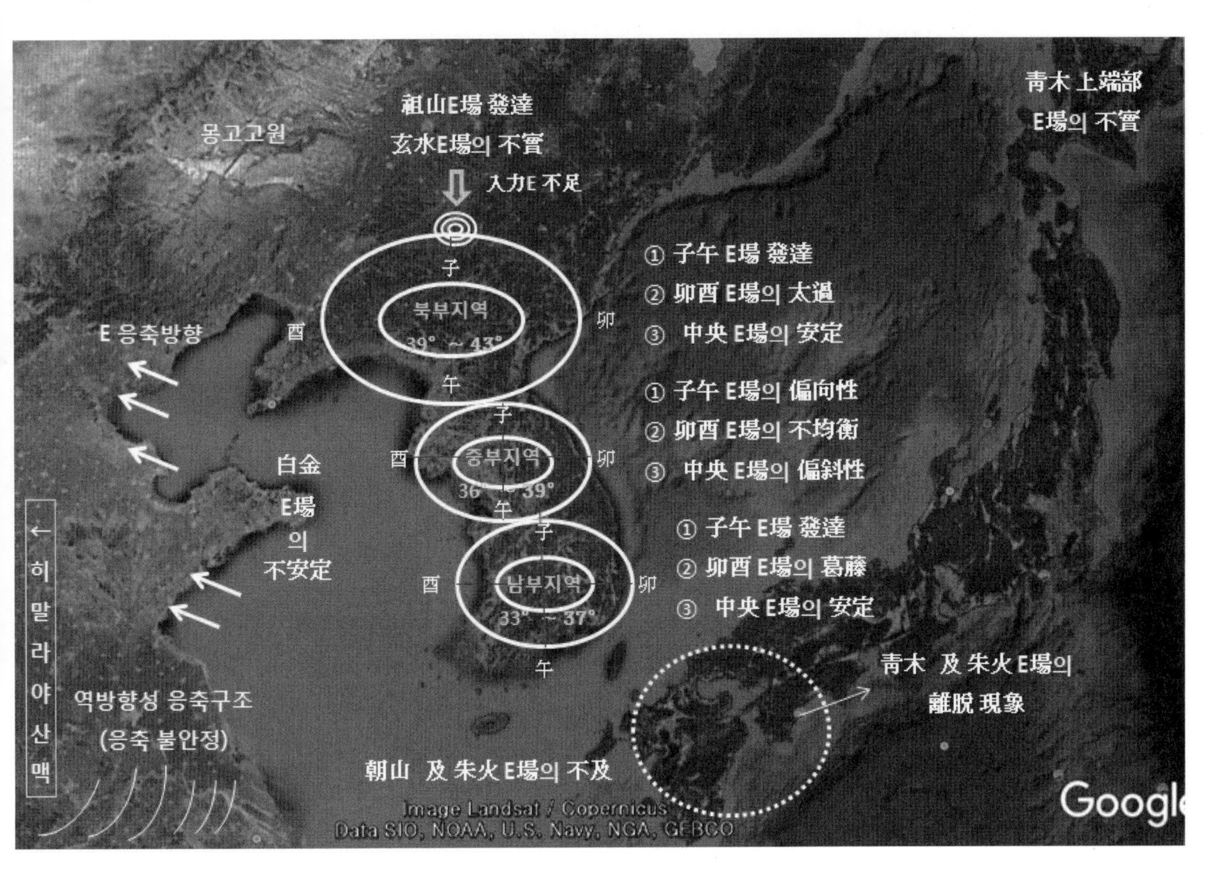

〈그림 1〉 韓半島의 風水地理的 環境 特性

* 風水原理講論 第1篇 總論, 第3章 第4節.

** 그림참고 : (지도) Google Earth

② 白頭大幹의 風水環境 Energy場 特性

韓半島 全體의 地勢地形을 살펴보면

㉠ 中國板과 달리 白頭山板의 독립된 마그마 隆起構造의 山脈秩序

㉡ 隆起過程에서의 폭발성 분화에 의한 隆起 Energy 消滅現象, 융기 자체는 善性으로 발전구조이지만 소멸 진행될 때에는 서로가 干涉하여 투쟁, 파괴적 특성으로 변모해간다.

㉢ 一部 Energy 消滅로 인한 進行山脈의 短縮現象
(특히 송화강을 따르는 離脫山脈 Energy 흐름에 의한)

㉣ 백두산 장백산맥, 마천령산맥, 함경산맥, 개마고원 낭림산맥을 제외하고는 거의 대부분의 山脈이 白頭山 분화 Energy 消滅現象으로 인한 산맥진행과정의 단축 또는 변형이 發生하였다.

㉤ 따라서 白頭大幹 中 장백정간(함경산맥), 청북정맥(강남산맥, 적유령산맥), 청남정맥(묘향산맥), 해서정맥(언진산맥, 멸악산맥), 임진북예성남정맥(마식령산맥)까지는 比較的 隆起 Energy 消滅特性의 影響이 적은 反面, 楸哥嶺構造곡이 發生한 원인적 要素와 白頭大幹 中 태백山脈의 偏脈性 短縮化現象은 매우 많은 비중의 消滅的 干涉 Energy 影響을 받은 것임이 分明함을 증명한다.

㉥ 태백산맥 이후의 한북정맥(광주산맥), 白頭大幹(소백산맥), 낙동정맥, 한남정맥(차령산맥), 한남금북정맥, 금북정맥, 금남정맥, 금남호남정맥(노령산맥), 낙남정맥 등은 白頭山판 中心 Energy 이탈로 그 隆起 Energy 進行秩序와 發達을 단축시키고 말았다(제주도의 隆起 Energy 特性形態가 이를 증명하듯 멀고 약하다).

③ 韓半島의 北部環境 Energy場 特性

㉠ 白頭山 隆起 Energy의 火山噴出로 인한 地表 Energy 退化 및 消滅化

㉡ 白頭山 天池의 송화강 形成 Energy 이탈과 압록강 두만강의 背走 이탈 Energy 發生으로 白頭大幹의 安定 Energy 진행이 위축된 점

㉢ 주로 立體 Energy 分擘秩序에 의한 大幹山脈, 高原 等의 形成으로 比較的 安定的인 生命 地氣 Energy場 形成이 부족했다.

㉣ 大幹脈의 發達로 小山脈의 安定과 精巧함이 부족하다.

㉤ 장백정간과 청북정맥의 白頭大幹에 대한 主勢 Energy 干涉現象으로 逆性的 特性이 發達하였고 이에 따라 白頭大幹 主 Energy 進行特性이 不實 不良한 現象을 초래하였다.

④ 韓半島의 中部環境 Energy場 特性

㉠ 楸哥嶺構造谷의 分水嶺 發生으로 白頭大幹 Energy의 휴식 정체현상이 發生

㉡ 北部 白頭山 隆起根源 Energy의 폭발, 噴出, 이탈로 인한 一部 不實 不良特性의 白頭大幹 Energy體가 진행하는 地域的 風水現象

㉢ 태백산맥의 偏脈性, 동부 편향성, 한북정맥(광주산맥)의 진행 Energy 미흡에 따른 枝龍脈 發達의 부실

㉣ 한남금북정맥의 逆龍 特性에 따른 진행 Energy 부실과 隱變易 Energy 體 형성빈도가 높다.

㉤ 매우 드물게도 一部 回龍顧祖形 善 特性 枝龍 Energy體 發達로 吉地의 陰陽宅 構造가 形成되기도 하였다(청주, 충주, 천안, 여주, 이천, 안성, 평택, 용인, 진천, 인천, 강남, 안양 等).

㉥ 西出東流 水系形 또는 南出北流 水系形 陰陽宅 構造體가 比較的 드물게 形成되기도 하였다.

⑤ 韓半島의 南部環境 Energy場 特性

㉠ 白頭大幹의 分擘現象이 比較的 多樣하게 發達하고 있다.

㉡ 소백산맥, 낙동정맥, 한남금북정맥, 금남정맥, 금남호남정맥, 호남정맥, 낙남정맥 등이 多樣하게 分擘됨으로써, 多樣한 形態의 風水地理的 環境을 形成하고 있다(五變易 秩序의 胎動, 立體分擘, 線分擘, 正分擘, 不正分擘 等).

㉢ 白頭大幹의 근본 隆起 Energy 진행 부실로 인한 옥천지향사대, 영남지괴, 소백산육괴, 경기지괴 등의 지판분열 또는 단층습곡현상이 표면화되고, 이에 따른 山脈의 건실한 흐름현상이 지속되지 못하였다.

㉣ 위의 影響에 따라 南部地域의 山脈 Energy 發達構造는 立體分擘 및 線 Energy體 分擘 特性이 다소 부실 불량한 山脈 Energy場 構造를 形成함으로써 금남호남정맥과 낙남정맥의 진행방향은 서로가 干涉的인 分擘形態를 構造化하였고, 相互間 分散的인 形勢를 이루었다.

2) 韓半島의 風水環境別 人體 Energy場 特性構造

(1) 風水環境 Energy場과 人間生命 Energy場 特性

① 風水環境 Energy場과 人間生命 Energy場의 同調 干涉
(人間生命 Energy場의 發生背景)

㉠ 風水地理的 地勢地氣 Energy場과 當該 地域 人間生命活動 Energy場 間의 因果性 → 必然的 醇化性

㉡ 地氣 Energy場의 生氣 特性과 人體 Energy場의 生命 生氣 特性間의 同氣 同質 同調特性 現象 → 因果的 必然性과 相續性

㉢ 地表地氣 Energy場의 差別性에 따른 人間生命活動 Energy場 特性의 差別性 → 同類 同質의 從屬性

㉣ 地氣 Energy場 및 人體 Energy場 特性의 同調干涉的 差別性에 의한 思想과 文化의 差別特性現象 發生

㉤ 人間 再創造의 差別的 特性化 → 人間 自律意志 特性의 差別現象

② 韓半島 風水環境의 人間生命 Energy場 發生原理

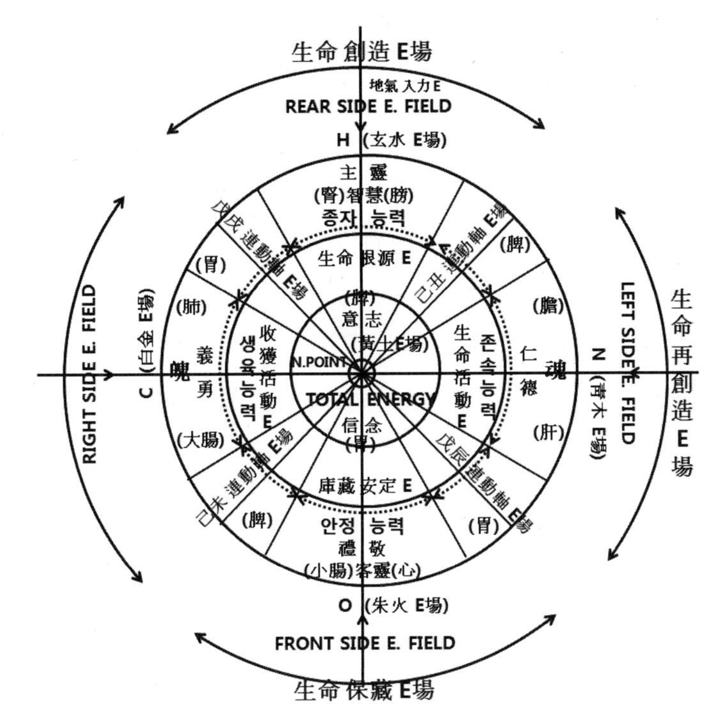

〈그림 2〉 隆起構造 地表 Energy體의 人間生命 Energy場 形成構造

(2) 白頭大幹 地理環境의 人體 Energy場

① 北部地域 風水環境 Energy場의 人體 Energy場 形成

㉠ 白頭山 隆起 Energy원의 發達에 따른 隆起 Energy場 從屬 醇化特性이 人間 生氣 Energy場 發達을 더디게 저해한다.

㉡ 고원산악지대의 太過性으로 인한 隆起 Energy, 火山 Energy, 噴出 Energy 進行特性 等이 人間生命活動 Energy場 增大보다 더 큰 障碍要因이 됨으로써 生命 再創造 活動에는 다소 干涉的 特性의 反生氣的 역할이 크다고 볼 수 있다. → 生氣 Energy場 不安

㉢ 比較的 散氣 進行 Energy場인 山脈흐름特性과 隆起凝縮 Energy場인 高原地帶特性間의 葛藤的 Energy場 特性으로 人體 Energy場 均衡發達 特性이 圓滿하지 못하다. → 重厚性, 突進性, 爭鬪性, 大勢從屬的

氣質

② 中部地域 風水環境 Energy場의 人體 Energy場 形成

㉠ 楸哥嶺構造谷(楸哥嶺地球帶) 形成 發達로 인한 태백산맥의 東部 偏脈性 山脈構造가 發達 → 白頭山 隆起 Energy 噴出로 人體 Energy場의 不實 不均 不安定 偏向性 氣質 特性

㉡ 한북정맥(광주산맥)의 隱變易性 Energy體 진행 → 비록 서울 수도의 대형 穴場을 發達시키긴 하였으나 靑木 偏向的 人體 Energy場 構造와 進行意志의 斷續性 發現

㉢ 한북정맥의 입력 Energy 부진과 태백산맥의 중부권 장악력 부족으로 한남정맥의 북진현상이 발생 → 再起, 回生 氣質 發達, 同時 葛藤構造

㉣ 한북정맥에 대한 한남정맥의 後着으로, 한강 이북의 安定 穴場 形成 不振 → 대치, 대립, 갈등, 成穴完成意志에 대한 불신, 번뇌 等 不確實性的 人格 Energy場 形成

㉤ 북한강과 남한강의 天惠的인 風水環境 Energy場 供給으로 不安定한 한북정맥의 安着이 可能해졌다. → 隆起 來脈 Energy의 不振過程이 風水環境 Energy場에 의해 다소간의 安定을 찾았고, 多重의 生命活動 安定空間을 確保함으로써 大都市 設置 計劃에 보다 유리한 대규모 人間生命活動 Energy場 권역이 形成되었다.

③ 南部地域 風水環境 Energy場의 人體 Energy場 形成

㉠ 白頭大幹 中 태백산맥 종단이전부의 오대산 → 치악산 → 중동부 산맥을 잇는 分擘現象들은 中南部地域의 地氣生命 Energy場을 供給하는데는 크게 기여하였다. 그러나 한남정맥과 남한강의 北西進 水勢가 서로 조우하면서 相互 葛藤的 和解를 成就해감으로써 이 地域 環境의 活動生命 人格體에는 比較的 葛藤과 合一的 和合性을 지닌 圓滿指向的 人體生命 Energy場을 特性화시켰다.

㉡ 白頭大幹이 태백산맥의 終端에서 分擘함으로써 태백산을 분기점으로 소백산맥과 낙동정맥이 分擘되는데, 여기서부터 낙동강의 발원이 시작

하여 남지강과 만나는 風水地理的 會合意志 實現現象을 구체화하였다. 남부 동남권의 낙남정맥 말단부 신어산 하부와 낙동정맥 말단부 금정산 하단의 회합의지는 절묘한 風水環境的 關鎖現象을 창출하였고, 이에 따른 人間生活 環境 Energy場의 發達은 比較的 善性의 安定的 人體生命活動 Energy場 特性을 조성하였다.

ⓒ 白頭大幹의 금남정맥과 호남정맥의 分擘發達은 금강, 섬진강, 영산강을 形成함으로써 韓半島의 理想的 평야지대를 창출하였다. 풍부한 식량자원의 確保는 人體健康 生命 Energy場을 한층 후덕 풍요케 하였고, 이들 善 生命 Energy場 發達은 干涉的 山脈 分擘現象에서 發生하는 葛藤的 人體生命 Energy場의 결함을 충분히 뛰어넘고 있다.

(3) 韓半島 風水環境 Energy場의 不安定 要素와 人體 Energy場의 改善 對策

① 韓半島 風水環境 Energy場의 不安定 要素

ⓐ 白頭山 火山噴出로 인한 半島板 隆起 Energy의 發散 干涉現象으로 全體的 板隆起 Energy 離脫形態가 나타났고, 山脈 發達의 원만성과 理想的 진행이 부족한 상태가 되었다.

ⓑ 따라서 北部地域은 Energy體 保全能力에 있어서는 다소 安定的이나 火山土質의 地表 Energy 遮斷現象으로 人體生命活動 Energy場 形成은 매우 不振한 狀態이다.

ⓒ 楸哥嶺地球帶(楸哥嶺構造谷) 發生으로 白頭大幹 來龍脈의 흐름이 偏脈性이며 不安定하였다.

ⓓ 中西南部의 옥천지향사대를 따라 白頭大幹 및 中西部 地域 한남, 금북정맥의 隱變易 또는 休脈現象이 나타남으로써 이 地域 地氣 生命 Energy場에 의한 人體生命 Energy場의 건전한 發達이 다소 不安定的이다.

ⓔ 남부 울산, 연양, 경주지역의 구조곡에 의한 不安定的 造山 形成過程에 따라 土質의 理想的 生氣 Energy場 發達이 이루어지지 못하였다. → 퇴적암 또는 변성암 토질

ⓕ 제주를 비롯한 島嶼地域의 火山噴出形 土質에서 起因되는 人體生命

Energy場 發達 不足現象이 나타나고 있다.

② 人體 Energy場의 改善對策

㉠ 北部 高原 및 山脈 火山地帶의 人體 Energy場 改善對策

ⓐ 生命空間의 局 Energy場 補完을 위한 四神砂 均衡 Energy場 確保勢力과 生活構造 建築物 配置 및 造景에 의한 均衡 生命 Energy場確保

ⓑ 均等的 裨補的 地氣 및 風水空間 生命 Energy場 確保를 위한 都市計劃의 根源的 設計와 裨補設計

ⓒ 부족한 生命 Energy場 確保를 위한 攝生計劃과 實踐

㉡ 中部地域의 偏脈性 및 隱變易 山脈構造에 따른 人體 Energy場 不均形成 改善方案

ⓐ 楸哥嶺地溝谷의 斷脈現象에 따른 中北部地域의 人體 Energy場 改善 → 大體的으로 生命 持久力의 不足現象이므로 玄水, 青木, 白金 Energy場 補完 管理

ⓑ 中東部地域의 偏脈性 Energy場 補完을 위한 都市計劃의 白金 Energy場 補完 設計 管理

ⓒ 中西部地域의 逆進山脈現象에 따른 健康 및 人性管理 → 回龍顧祖形都市 및 住居計劃으로 逆性的 人體生命 Energy場을 改善 補完 管理

㉢ 南部地域의 東西干涉 山脈흐름 現象에 따른 葛藤的 人體生命 Energy場의 改善對策

ⓐ 南東部地域의 山脈集中現象으로 인한 閉鎖的, 獨善的, 衝突的 人體構造 Energy場 補完을 위한 都市 및 住居計劃의 開放的 空間 Energy場 確保 管理

ⓑ 南西部地域의 獨立的 力動構造 山脈과 海岸開放地形에 따른 人性 安定 均衡觀 不足特性 補完을 위한 都市 및 住居計劃의 藏風 設計 管理

ⓒ 南南部 島嶼地域의 吹風 侵水構造에 따른 不安定 人體 Energy場 構造改善 → 四神 Energy場 確保 管理를 위한 藏風 得水的 都市計劃 및 住宅設計와 均衡的 攝生管理에 대한 研究 開發

3) 中國大陸의 風水環境 Energy場 特性과 人體 Energy場 構造

(1) 中國大陸의 風水的 地質 Energy場 構造 特性

① 板構造 Energy體의 2차 凝縮過程 山脈 : 中國大陸의 大部分이 마그마 1차 凝固過程의 板構造 Energy體가 유라시아판, 인도판, 비율빈판, 태평양판의 이동에 의해 現在 2次 再凝縮過程이 진행 중이다.

② 히말라야산맥의 褶曲進行中인 大陸板 再凝縮 特性이 中國大陸全般을 立體的 Energy體構造(히말라야 偏向的) 性向으로 現象化시키고 있다.

③ 隆起構造의 線構造性 地表 Energy體 및 그 Energy場 構造特性과는 매우 다른 褶曲構造의 立體構造性 地表 Energy體 및 그 Energy場 構造特性을 形成하고 있다.

④ 隆起의 線構造 中心 地表 Energy場 變易特性과 中國大陸 全般의 立體構造中心 地表 Energy場 變易特性은 相互 異質的이면서, 서로가 다른 纖細性과 大局性, 衝突性과 包容性, 生氣性과 消滅性, 安定性과 平等性, 葛藤性과 調和性, 活動性과 觀照性, 實踐性과 企劃性 等에 대해 그 正義와 解法觀이 特徵的이다.

⑤ 韓半島의 穴場 中心 細密 Energy場 風水論理構造와 中國大陸의 局 Energy場 中心 包括的 風水論理構造와는 比較的 同質의 同氣(生氣)感應原理이긴 하나, 보다 具體的 同期同調感應原理론에서는 매우 다른 差別性이 存在한다.

⑥ 局 中心 Energy場 原理構造는 大體的이며 包括的인 反面, 大局的이며 重厚 總量的이다.

⑦ 주로 大陸全體가 板 Energy場의 變易構造와 立體 Energy場의 變易構造인 까닭에 穴場形成의 周密性이나 正確性 側面에서 集中 集約的 凝縮構造特性이 韓半島의 穴場形成過程 特性과 매우 다르다.

(2) 中國大陸 風水環境의 人體 Energy場 構造特性

① 四神 局 Energy場의 凝縮 Energy場이 貧弱한 大江河 流域의 板 構造 生命 Energy場 特性은 比較的 서남부에 비해 劣惡한 反面, 活水 活山의 智

慧的 삶의 方式으로 善生命 Energy場을 創出 維持하고 있다.

② 西北南部의 山脈凝縮地域은 주로 立體 再凝縮 構造 Energy場 特性이 支配的인 까닭에 巨視的 思考와 總括的 論理構造가 大勢的 人格 Energy場 特性이라고 볼 수 있으며, 山脈 再凝縮 過程에서 發生하는 生起的 潛在 Energy場 特性과 消滅的 立體構造 Energy場 特性이 兩極的으로 形成된 多樣한 人體 Energy場 構造特性이라 할 수 있다.

③ 人體生命 Energy場 構造가 大陸的 地質特性에 起因된 것이기도 하지만, 서로 다른 多樣性의 매우 差別的인 風水地理的 人格體 Energy場 構造를 지닌 까닭에 生命營爲方式이나 그 文化形態가 各樣各色의 特異秩序를 創出 適應 包容하는 合理的 삶을 살아간다고 볼 수 있다.

④ 褶曲活動에 의한 偏向的 凝縮은 偏向的 合一 構造特性으로 發現되어 國民性과 人間性이 다소 偏向的으로 形成하기 쉬운 吸收的 合一構造로 나타나기도 한다. 주변 나라를 변방국으로 인식하기도 한다.

4) 日本列島의 風水環境 Energy場 特性과 人體 Energy場 構造

(1) 日本列島의 風水的 地質 Energy場 構造特性

① 日本列島의 風水地理的 地氣 Energy場 構造特性은 大體的으로 火山噴出에 의한 隆起爆發過程의 生起 消滅的 複合 生命 Energy場 構造秩序이다.

② 따라서 후지산을 비롯한 여러 個所의 活火山 發散 秩序가 現在進行中인 까닭에 安定的 地板 生命 Energy場 維持管理가 매우 어려운 현실이다.

③ 따라서 旣存 現象 根本 地板의 現在 進行的 移動變易構造 地氣 Energy場은 매우 不安定한 人體生命 Energy場 秩序를 形成하고 있다.

④ 또 地表 地氣 Energy場 亦是 火山 噴出에 의한 火山岩 土質構造 Energy體로서 人體生命 Energy場의 生起 及 再創造 特性이 매우 不安定的이다. 따라서 埋葬方式의 祖上 生命 Energy場 傳達이 매우 劣惡한 까닭에 埋葬祖上의 生氣 Energy場 感應보다는 生活方式에서 補完할 수 있는 住居地의 生命 Energy場과 攝生管理 및 食生活 管理에서 보다 더 理想的인 生命 Energy場 創出을 圖謀해가고 있다.

⑤ 列島의 全般的 地板 下降과 地震現象으로 持續的 生命活動 空間 安定條件은 매우 否定的이다.

(2) 日本列島 風水環境의 人體 Energy場 構造 特性

① 基本 地板 不安定 特性에 따른 持久的 生命活動 意志 不安 → 脫出 欲望 潛在性의 噴出的 氣質, 탈출 개척정신, 침략 지향적

② 火山噴出 地表 Energy場 特性에 따른 定住意識의 不安定 → 衣食住 生活의 多辯性, 皮毛健康의 不安

③ 列島별 風水環境의 差別性에 의한 生命 Energy場 特性 多樣化 → 理性的 氣質的 根本 生命 Energy場 特性이 風水地理的 環境多樣性 生命 Energy場 特性으로 變化

④ 火山噴出과 地震 多發的 地板 Energy場 構造特性上 維持, 保全, 忍耐, 挑戰, 冒險, 鬪爭, 再創造, 協同 等의 人間生存根本 Energy場의 發達 → 進就性, 爭取性

⑤ 地理的 變化의 敏感性에 適應키 위한 自然順應의 原初的 善 氣質 發達과 自然克服의 鬪爭的 再創造性 發達

7. 韓半島의 自生 風水原理 構造와 特徵

1) 自生 風水의 構造 原理

(1) 山 Energy體의 安定原理(主 地勢 安定原則)*

① 山 Energy體의 安定 特性

㉠ 集合 安定 特性

凝縮生成을 爲한 安定構造 特性으로서, 生起 ⇒ 生成 ⇒ 生住의 過程을 最善의 安定條件으로 維持하려는 Positive(陽性) 特性이다.

---

* 風水原理講論, 第2編 風水原理論, 第2章 山脈論, 第7節.

太祖山, 中祖山, 小祖山, 玄武頂 及 聚氣入首의 構造特性

㉡ 還元 安定特性

消滅 還元을 爲한 安定構造特性으로서, 擴大 ⇒ (離散)⇒ 破壞 ⇒ (消滅) ⇒ 還元의 過程을 가장 安定的으로 維持해가려는 Negative(陰性)特性이다. 分擘龍, 枝龍, 枝脚, 行龍, 橈棹, 過脈及 止脚의 構造特性

㉢ 安定特性의 Rhythm 分析

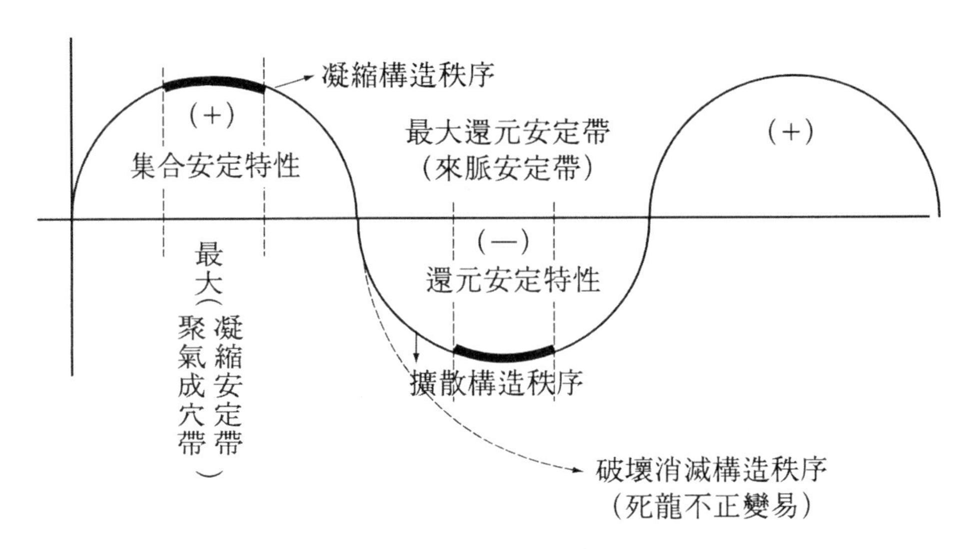

〈그림 3〉 山 Energy體의 安定特性의 Rhythm 分析

② 山 Energy체의 安定構造

㉠ Positive Energy 安定構造(動的 安定構造)

$\theta = \angle + 30°$의 對稱構造에 依한 相互 補完的 Energy 關係角을 維持하면서, 凝縮되는 理想的인 山 Energy體의 安定構造이다. 祖山, 玄武頂 及 成穴의 基本構造이다.

ⓐ 基礎 安定構造 及 變易 安定構造

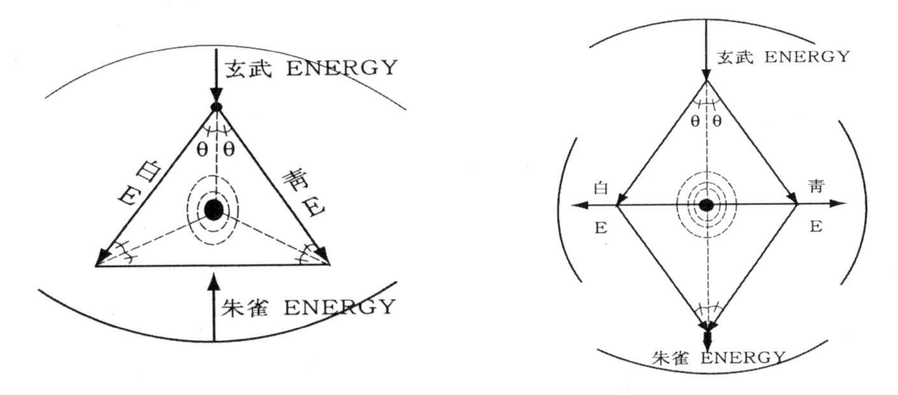

〈그림 4〉 POSITIVE 安定構造(基礎 安定構造 及 變易安定構造)

ⓑ 複合 安定構造 ($\angle$+30°, $\angle$+60°의 複合)

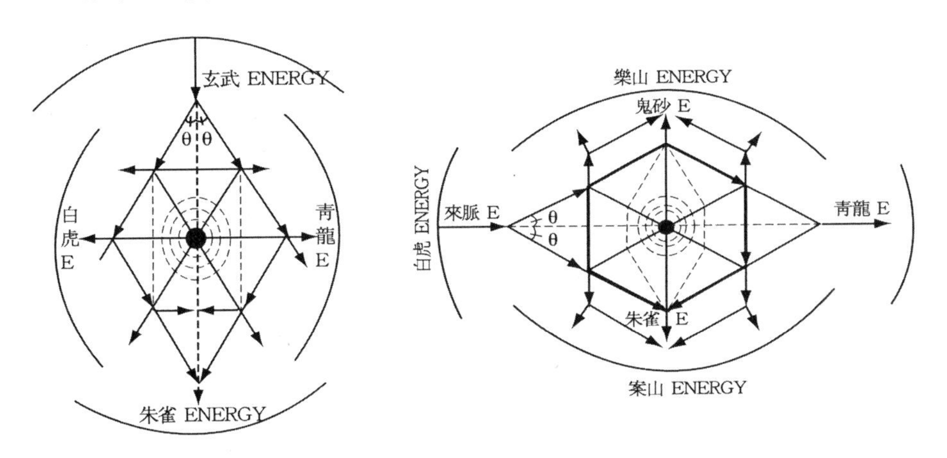

〈그림 5〉 POSITIVE 安定構造(複合 安定構造)

ⓒ NEGATIVE 安定構造(靜的 安定構造)

θ=4$\angle$30°의 相互對稱的 Energy關係角을 維持擴散 하면서, 破壞 ⇒ 消滅 또는 還元되어가는 過程의 (-)安定構造이다.

來龍(行龍)脈의 分擘, 橈棹, 枝龍, 及 止脚의 基本構造이다.

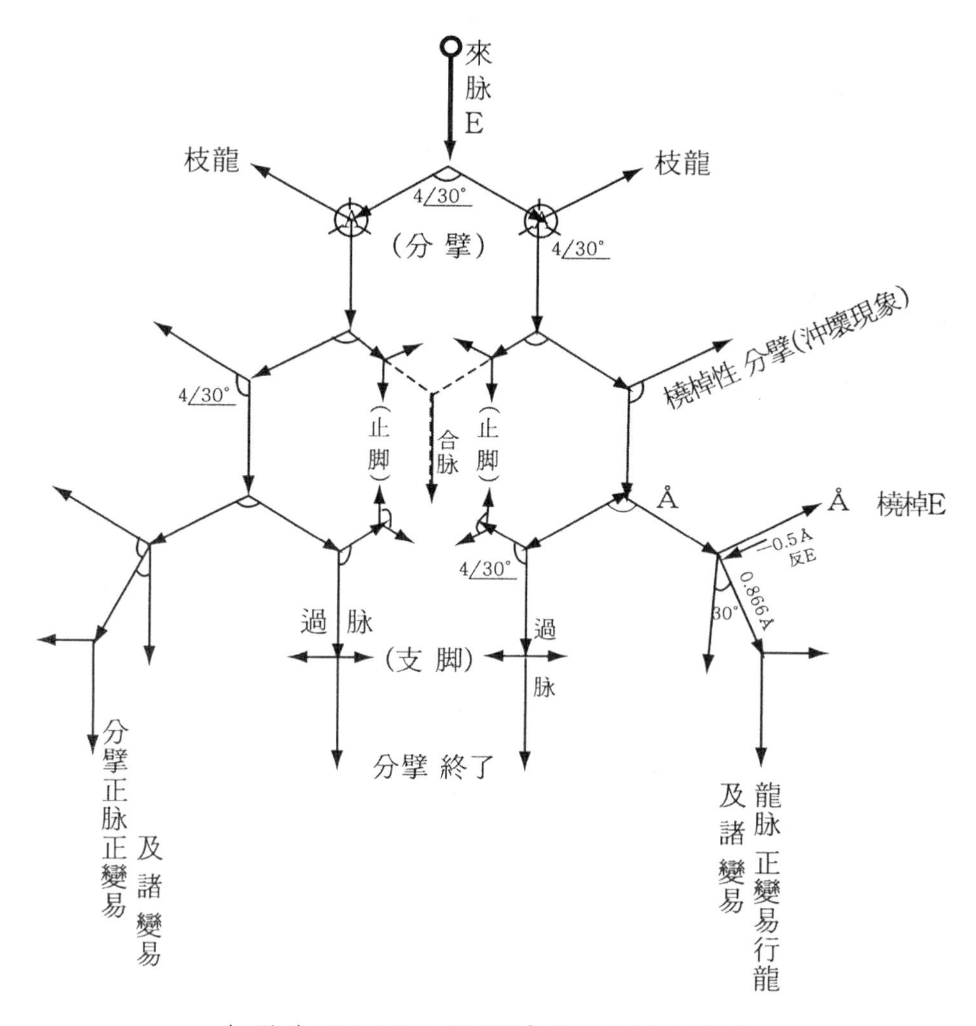

〈그림 6〉 NEGATIVE 安定構造[擴散還元 (−) 安定構造]

(2) 線構造 山勢 Energy場의 變易秩序(來脈勢 安定原則)*

① 正變易의 基本秩序와 法則

㉠ 正變易의 基本秩序

ⓐ 土氣의 重厚한 Energy體로 正出脈, 正龍勢를 만든다.

ⓑ 鬼砂와 枝脚의 發達로 가장 安定的 Energy體다.

ⓒ 外山 龍虎의 護從勢力 均衡에 따라 己身龍虎의 護從勢力이 決定된다.

---

* 風水原理講論, 第2編 風水原理論, 第2章 山脈論, 第10節.

ⓓ 正入首 正座 穴星의 基本變易 秩序이다.

ⓔ 正變易은 θ_0=∠90° : ∠180°의 基本變易角 秩序에 依한다.

ⓕ 護從砂에 依한 本身 變易角이 均等 强力하므로 應氣 及 結穴 Energy는 最善性이다.

㉡ 正變易의 法則과 解說圖

ⓐ Energy 變易角 → θ_0=∠0°, ∠±90°, ∠±180°

ⓑ Energy 應氣角 → θ_1=∠+90°

ⓒ Energy 凝縮角 → θ_2=∠+180°, ∠+90°

=∠+60°, ∠+30°

ⓓ Energy 變易圖〈解說圖〉

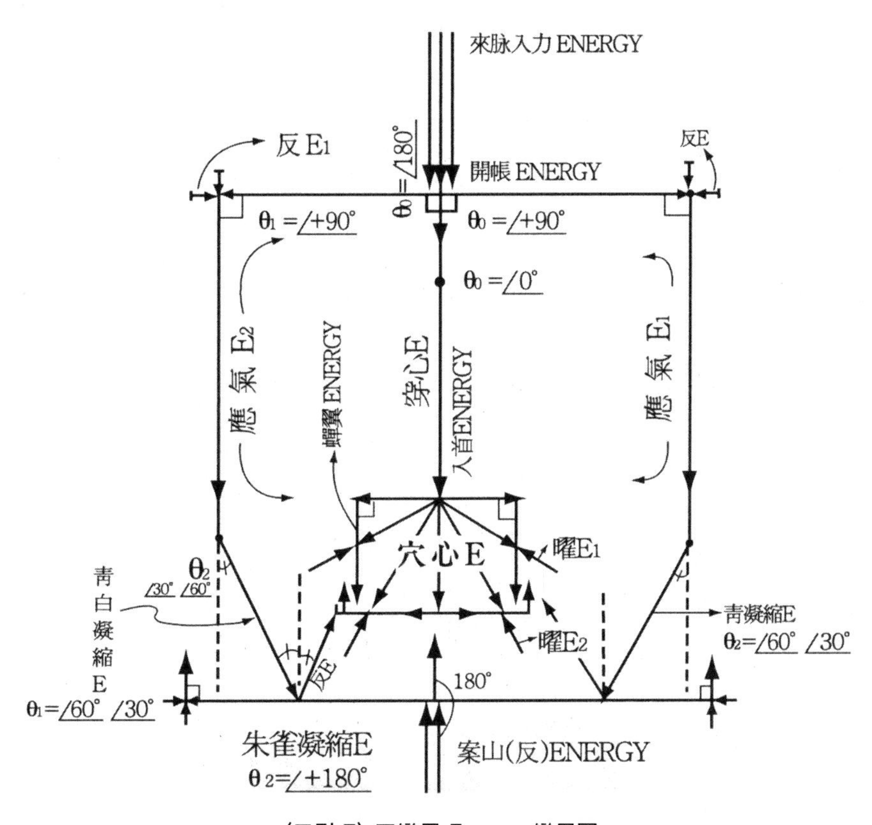

〈그림 7〉 正變易 Energy 變易圖

㉢ 正變易 來龍脈 Energy의 特性分析

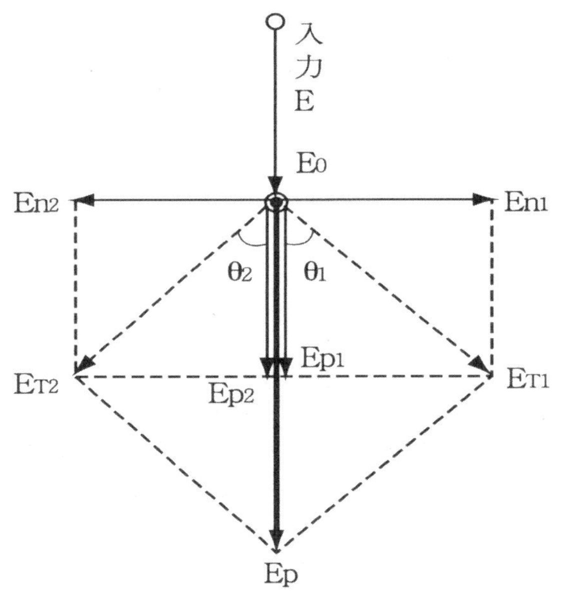

〈그림 8〉 正變易 來龍脈 Energy의 特性分析

$\dot{E}_0$＝來龍脈 入力 Energy

$\dot{E}_{n1}=\dot{E}_{n2}$＝枝龍脈 Energy. ⊖Energy 및 그 Energy場

※ (垂變易, 隱變易일 境遇 支脚 Energy가 될 수도 있다.)

$\dot{E}_{P1}=\dot{E}_{P2}$＝來脈進行 有效 Energy. ⊕Energy 및 그 Energy場

$\dot{E}_{T1}=\dot{E}_{T2}=\dot{E}_{n1}=\dot{E}_{P1}=\dot{E}_{n2}+\dot{E}_{P2}$. 陰陽 合成 有效 Energy

$\dot{E}_P=\dot{E}_{T1}+\dot{E}_{T2}$ ＝ 合成 實 來脈 Energy

$\theta_1=\theta_2$＝來脈進行 有效 Energy에 대한 陰陽 合成 有效 Energy角＝∠30°, ∠45°, ∠60°

※ θ＝∠45°일 境遇, 陰陽合成 有效 Energy에 對한 陰陽比는 1 : 1의 無記 特性을 지니고 있으나, 兩邊의 枝龍脈의 合成特性과 來脈進行 有效 Energy의 두 개 特性이 合成됨으로써, 두 無記特性은 $\dot{E}_P$ 값의 實來脈 Energy를 形成하게 되고 이는 $(\dot{E}_{P1}+\dot{E}_{P2})$의 결과를 낳는다.

② 橫變易의 基本秩序와 法則

㉠ 橫變易의 基本秩序

ⓐ 金, 水性氣의 端正하고 매끄러운 Energy體로 開帳 及 回龍 特性

ⓑ 橈棹 Energy作用의 ⊕變易 特性에 따라, 穿心 Energy를 護從 及 應氣케 한다(次 變易가 縱變으로 轉換될 때).

ⓒ 橫變易龍이 直接 成穴키 爲해선 回龍顧祖 한다.

ⓓ 橫入首 橫穴星體의 結作을 爲한 基本 Energy 變易이다.

ⓔ 橫變易의 Energy 基本 變易秩序는,

$\theta = \angle +90°$, $\angle 60°$(基礎變易角), $\angle +30°$(正常變易角)이다.

㉡ 橫變易의 法則과 解說圖

ⓐ Energy 變易角

2次 變易角 ↑ 1次 變易角 ↑

$\theta_n(\theta_1\ \theta_2\ \cdots) =$ [$\angle \pm 45°$, $\angle \pm 30°$] [$\angle +90°$]

↓ 無記角

「但, $\dfrac{橫\dot{E}_1(\oplus)}{從\dot{E}_2(\ominus)} \geqq 1$이고, 橫變易角 $\theta_n \leqq \angle 45°$이며, $\dfrac{\dot{E}_1}{T} / \dfrac{\dot{E}_2}{T} \geqq 1$일 것」

ⓑ Energy 應氣角 $\theta_a = \angle +60°$, $\angle +30°$

($\therefore$ 應氣 $\dot{E}_a = \dot{E}_0 \cos\theta_a$)

ⓒ Energy 凝縮角 $\theta_A \leqq \angle +30°$

($\therefore$ 凝縮 $E_A = [(\dot{E}_0 \sin\theta_a) \cos\theta_a] \cos\theta_a$

$= [(\dot{E}_0 \sin\theta_A) \cos\theta_A] \sin\theta_A$)

ⓓ TOTAL 變易 $\dot{E}_0 \angle +\theta_0 = (\dot{E}_1 \angle\theta_A + \dot{E}_2 \angle\theta_A)$

※ $\dot{E}_1 = 1.73\ \dot{E}_2$가 正常임. ⊕Energy = 1.73 ⊖Energy

ⓔ Energy 變易 解說圖

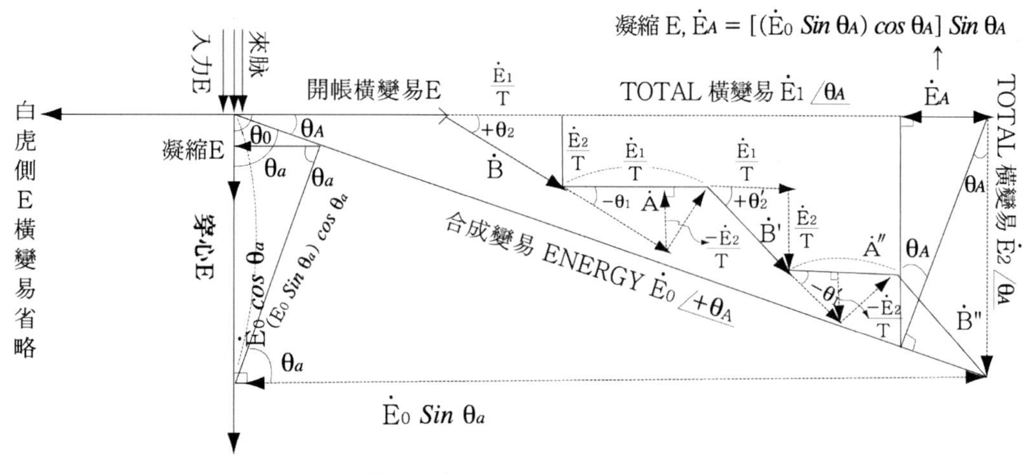

〈그림 9〉 橫變易 Energy 變易

㉢ 橫變易 來龍脈 Energy의 特性分析

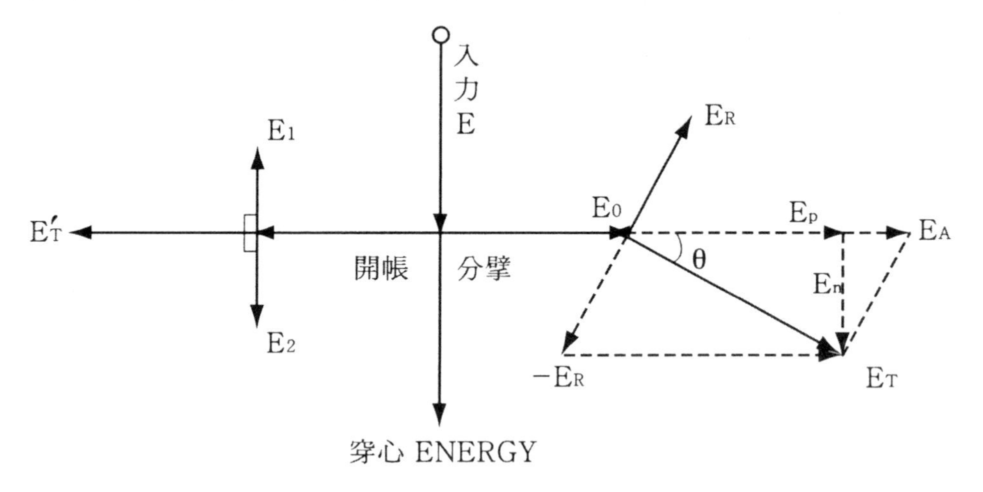

〈그림 10〉 橫變易 來龍脈 Energy의 特性分析

$\dot{E}_0$=來脈 入力 Energy

$\dot{E}_1$, $\dot{E}_2$=枝龍 및 支脚 Energy

$\dot{E}_{T'}$=橫變易 正變位 直進 Energy(正變易 原理에 의한 橫變)

$\dot{E}_A$=來龍脈 有效 橫變 Energy

$\dot{E}_R$=橈棹 Energy. $-\dot{E}_R$=橈棹 反 Energy

$\dot{E}_{n}$ = 橫變 實 來脈 Energy $\dot{E}_{T}$의 陽特性分

$\dot{E}_{P}$ = 橫變 實 來脈 Energy $\dot{E}_{T}$의 陰特性分

$\dot{E}_{T}$ = 橫變 實 來脈 Energy = ($\dot{E}_{A} + \dot{E}_{R}$) 겉보기 陰陽

= ($\dot{E}_{P} + \dot{E}_{n}$) 實보기 陰陽

θ = 橫脈 有效 Energy $\dot{E}_{A}$에 대한 橫變 實 來脈 Energy 角

理想的 安定 變位角 = ∠30°, ∠60°, ∠30°×n

※ 橫變 實 來脈 Energy의 理想形은 $\dot{E}_{T'}$와 같은 正變位 直進 Energy形態이나 이는 開帳 護從 凝縮 目的에 不合理하다. 위의 目的에 가장 合理的 橫變 秩序는 θ=∠30°를 維持하는 $\dot{E}_{T}$ Energy이고, 이는 陰特性 親和的이므로 局 Energy場을 安定시킨다.

$\dot{E}_{P}$: $\dot{E}_{n}$ = 1 : 0.577 = ⊖Energy : ⊕Energy

③ 縱 變易의 基本秩序와 法則

㉠ 縱變易의 基本秩序

ⓐ 水, 木性氣의 厚德柔順한 Energy體로 穿心 入脈의 特性

ⓑ 橈棹 及 枝脚의 均衡作用에 의해서만 Energy 變易秩序가 維持된다.

ⓒ 左・右旋 穴星體 結作을 위한 基本 Energy 變易다.

ⓓ 縱變易의 基本 變易秩序는 θ=∠90°, ∠60°(基礎變易角), ∠30°(正常變易角)

ⓔ 縱變易 Energy는 前後 左右 上下로부터의 絶對的인 同調 干涉(應氣, 護從, 凝縮, 破壞)에 따라 結穴이 決定된다.

㉡ 縱變易의 法則과 解說圖

ⓐ Energy 變易角 θ_{n}(θ_{1}, θ_{2} ⋯) = ∠+90° ∠+60° (1次 變易角), ∠±30° (2次 變易角), ∠±45° (無記 變易角)

ⓑ Energy 集中 要求角 θ_{a} ≦ ∠±45°이어야 하고(이상이면 橫變易), Total 集中 要求角 θ_{A} = ∠0°일 때 結穴 可能하다.

ⓒ 主 Energy 結穴角 $\theta \geqq \angle 90°$이어야 結穴 凝縮이 있다.
(緣分 凝縮 Energy 角은 別途 Energy 角으로 $\angle +30°$, $\angle +60°$, $\angle +90°$, $\angle +180°$임)

ⓓ 縱 $\dot{E}_1$(⊕Energy) ≧ 橫 $\dot{E}_2$(⊖Energy) $\dot{E}_1 / \dot{E}_2 \geqq 1$

ⓔ $\dot{E}_1 : \dot{E}_2 = 1.732 : 1$의 Energy 比率일 것
(⊕Energy＝1.732 ⊖Energy)
(縱變易 $\dot{E}_1$는 1.732배의 橫變易 $\dot{E}_2$값을 지닌다.)

※ TOTAL 變易 $\dot{E}_0 = \dot{E}_0 \angle +\theta = (\dot{E}_1 \angle +\theta) + (\dot{E}_2 \angle \theta)$
이때 $\angle +\theta$의 값은 90° 以上이 理想的 縱變易이다.

ⓕ Energy 變易 解說圖

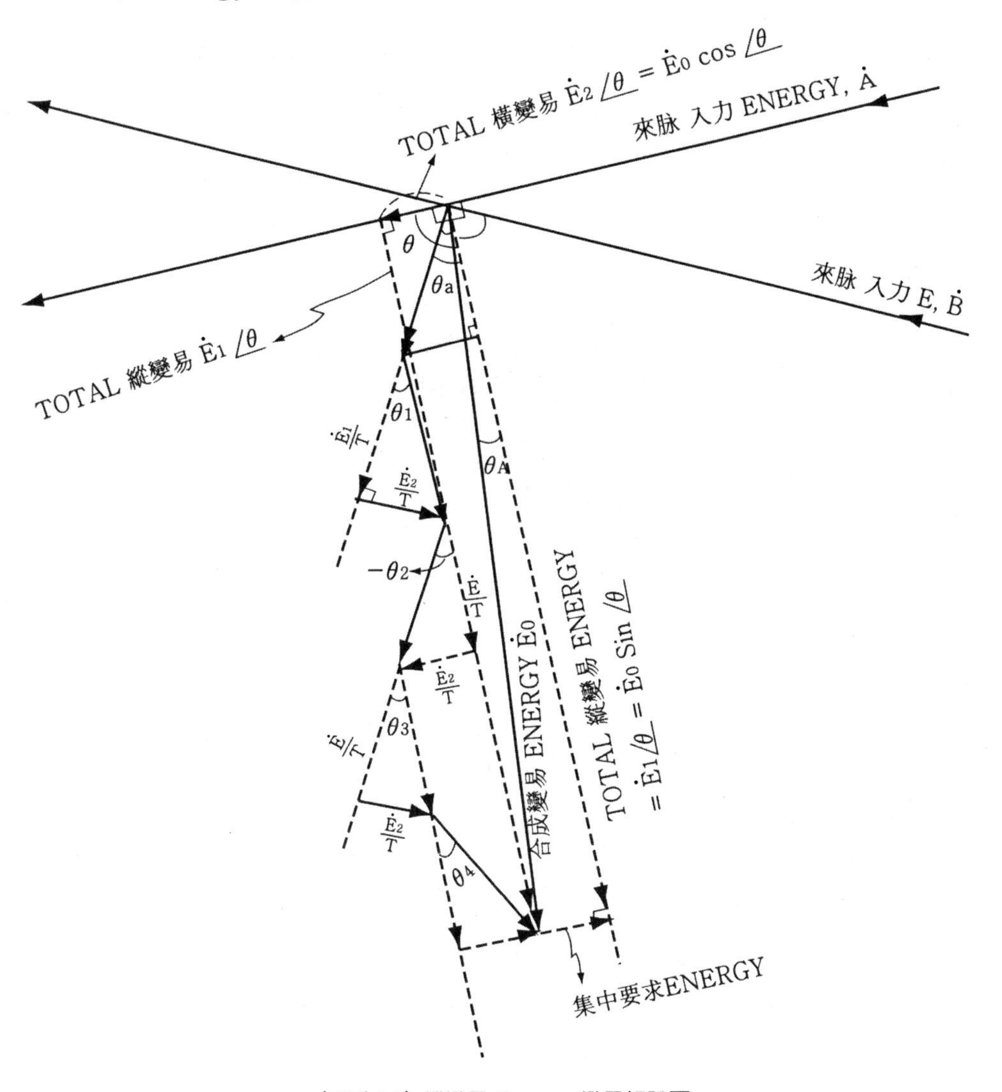

〈그림 11〉 縱變易 Energy 變易解說圖

※ 結穴 條件 ($\dot{E}_1 = \dot{E}_0$ 또는 $\dot{E}_1 = \dot{E}_0 \cos\theta_a = \dot{E}_0 \times 1$)

※ 來脈 Energy $\dot{A}$의 境遇에서와 同一한 變易法則에 의해 來脈 入力 Energy $\dot{B}$에서도 縱變易의 法則을 발견할 수 있다.

※ Total 變易角 θ에 의해서 結穴의 善惡이 決定됨을 알 수 있다.

㉢ 縱變易 來龍脈 Energy의 特性分析

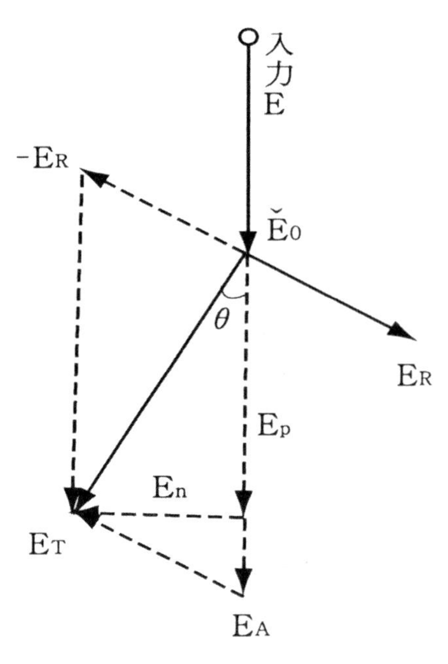

〈그림 12〉 縱變易 來龍脈 E 特性分析

$\dot{E}_0$＝來龍脈 入力 Energy　$\dot{E}_A$＝來龍脈 有效 Energy

$\dot{E}_R$＝橈棹 Energy　$-\dot{E}_R$＝橈棹 反 Energy

$\dot{E}_P$＝來脈 實 變位 Energy의 陽特性 Energy 分

$\dot{E}_n$＝來脈 實 變位 Energy의 陰特性 Energy 分

$\dot{E}_T$＝來脈 實 變位 Energy＝〔$\dot{E}_A+(-\dot{E}_R)$〕⇒ 겉보기 陰陽

＝〔$\dot{E}_P+\dot{E}_n$〕⇒ 實보기 陰陽

θ＝ 來龍脈 有效 Energy에 대한 來脈 實變位 Energy 角

理想的 安定 變位角 ＝∠30°, ∠60°, ∠30°×n

※ $\dot{E}_T$ Energy는 $\dot{E}_P$ 또는 $\dot{E}_A$에 同和的인, 즉 陽性 親和的인 特性일 때 縱變易 特性이 가장 잘 나타나게 됨으로써, 進行 龍脈의 陽特性 Energy 變位는 θ＝∠30°가 가장 安定 變位角이 된다.

$\dot{E}_P$: $\dot{E}_n$＝1 : 0.577＝⊕Energy : ⊖Energy

④ 垂 變易의 基本秩序와 法則

㉠ 垂變易의 基本秩序

ⓐ 木, 火, 土, 金 性氣의 重厚秀麗한 Energy體로, 正變易과 隱變易 特性 調和에 依한 變易이다.

ⓑ 結穴 Energy 供給을 爲한 山脈 Energy의 聚融을 形成한다.

ⓒ Energy體의 基本秩序는 上聚飛脈의 立體變易로 垂直變易 角 θ_0 = 垂直變易 ∠+90°이다.

ⓓ 枝脚의 發達로 本身 Energy體를 鞏固히 支持한다.

ⓔ ⊕Energy의 單純 變易聚融이므로 動的이다.

ⓕ 橈棹와 枝龍의 發達이 적고 護縱砂의 本身發源이 멀다. (青白 Energy의 均衡 及 同調가 적다.)

㉡ 垂變易의 法則과 解說圖

ⓐ Energy 變易角 ⇒ θ_n(θ_1, θ_2 …) = 水平角∠0°, 垂直角∠+90°

ⓑ Energy 應氣角 ⇒ 外山 護縱砂와 縱變易角

ⓒ Energy 凝縮角 ⇒ 脚과 周邊砂와의 反 Energy 及 直接凝縮角 θ_a = ∠±90°, ∠±60°, ∠±30°, ∠±180°

ⓓ Energy 維持角 ⇒ 本身 Energy體를 維持하는 枝脚의 設定角 θ_b = ∠±30°, ∠±60°, ∠±90°

ⓔ Energy 變易 解說圖

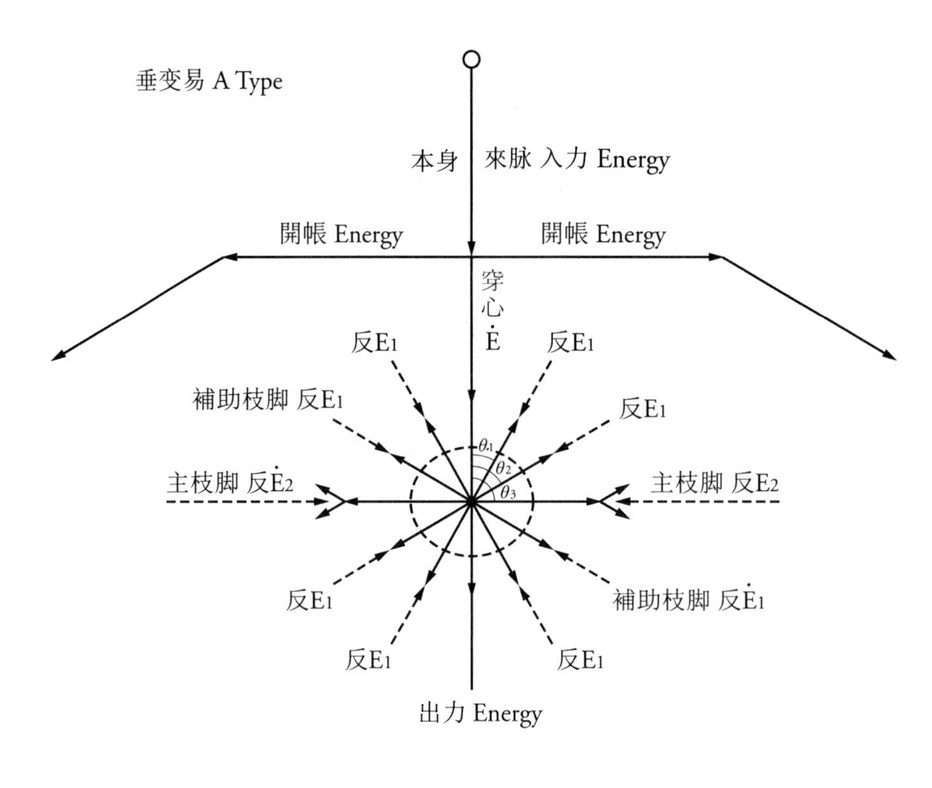

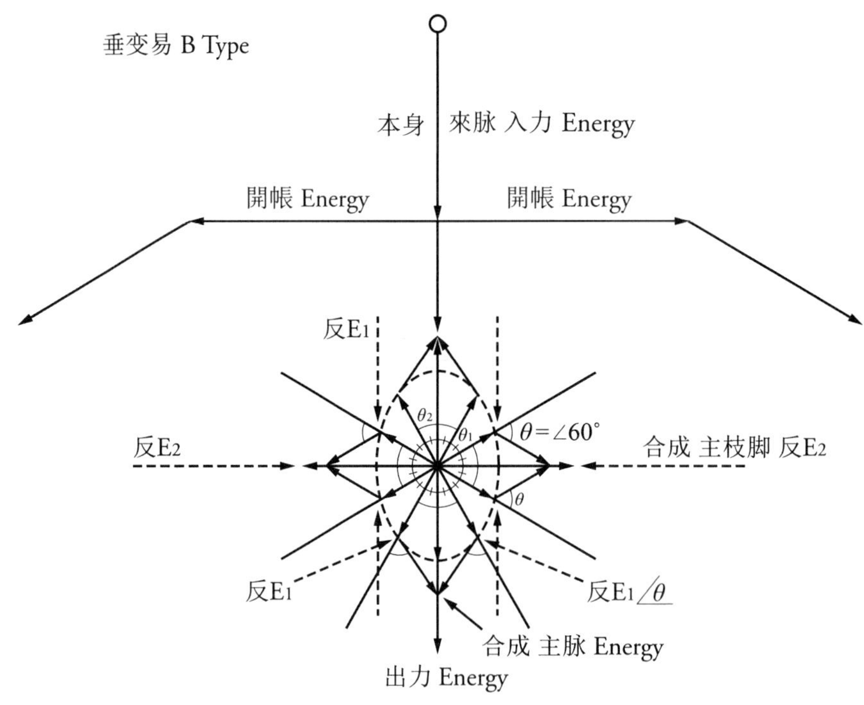

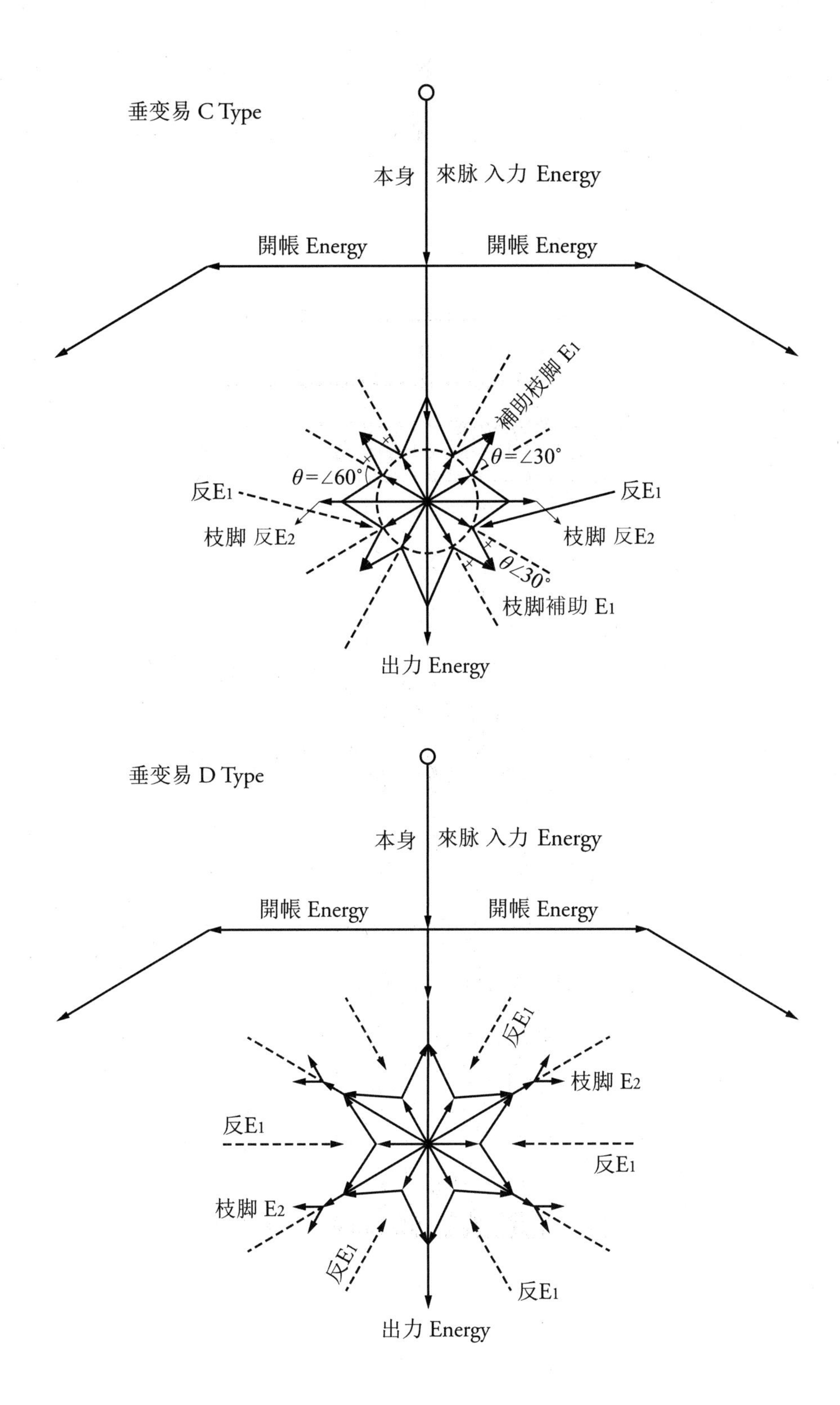

〈그림 13〉 垂變易 E 變易解說圖

⑤ 隱 變易의 基本秩序와 法則

㉠ 隱變易의 基本秩序

ⓐ 水, 土 性氣의 은은한 Energy體로 隱屯 特性變易이다.

ⓑ 本身 隱變易은 局勢 Energy 緣分과 絶對的 關係에 있다.

ⓒ 平地上의 隱變易은 凝縮 Energy의 最善果가 되거나, 最先緣의 緣分砂가 된다.

ⓓ 隱變易의 基本 Energy 秩序는 「潛行」과 「聚突」과 「閃跡」이다.

ⓔ 隱變易 Energy體의 表面浮上은 곧 因緣關係作用의 結果다.

㉡ 隱變易 法則과 解說圖

ⓐ 隱變易角

隱 橫變易角 $\theta_1 = \angle 90°$, $\angle \pm 60°$, $\angle \pm 30°$

隱 垂變易角 $\theta_2 = \angle \pm 60°$, $\angle \pm 30°$

隱 正變易角 $\theta_3 = \angle \pm 90°$

隱 縱變易角 $\theta_4 = \angle \pm 30°$, $\angle \pm 60°$(分擘角)

ⓑ 應氣角, 凝縮角 及 結穴法則은 不規則的이나 대체로 橫, 垂, 正, 縱變易에서와 같은 法則을 따른다.

ⓒ 隱變易 解說圖

※ 山의 變易過程 中 基礎段階 變易로 複合變易의 橫變易, 垂變易, 正變易, 縱變易構造의 形成 前段階가 되기도 하고, 來脈入力 Energy의 크기와 强度에 따라 隱變易으로 持續되기도 한다.

※ 開帳 及 護從 : Energy가 强力한 同調 役割을 擔當하지 못함으로써 本身 Energy가 潛行한다.

※ 案砂 及 局勢 : Energy가 强力 周密해지면 隱潛의 脈氣 Energy가 浮上하여 本身을 顯現시킨다.

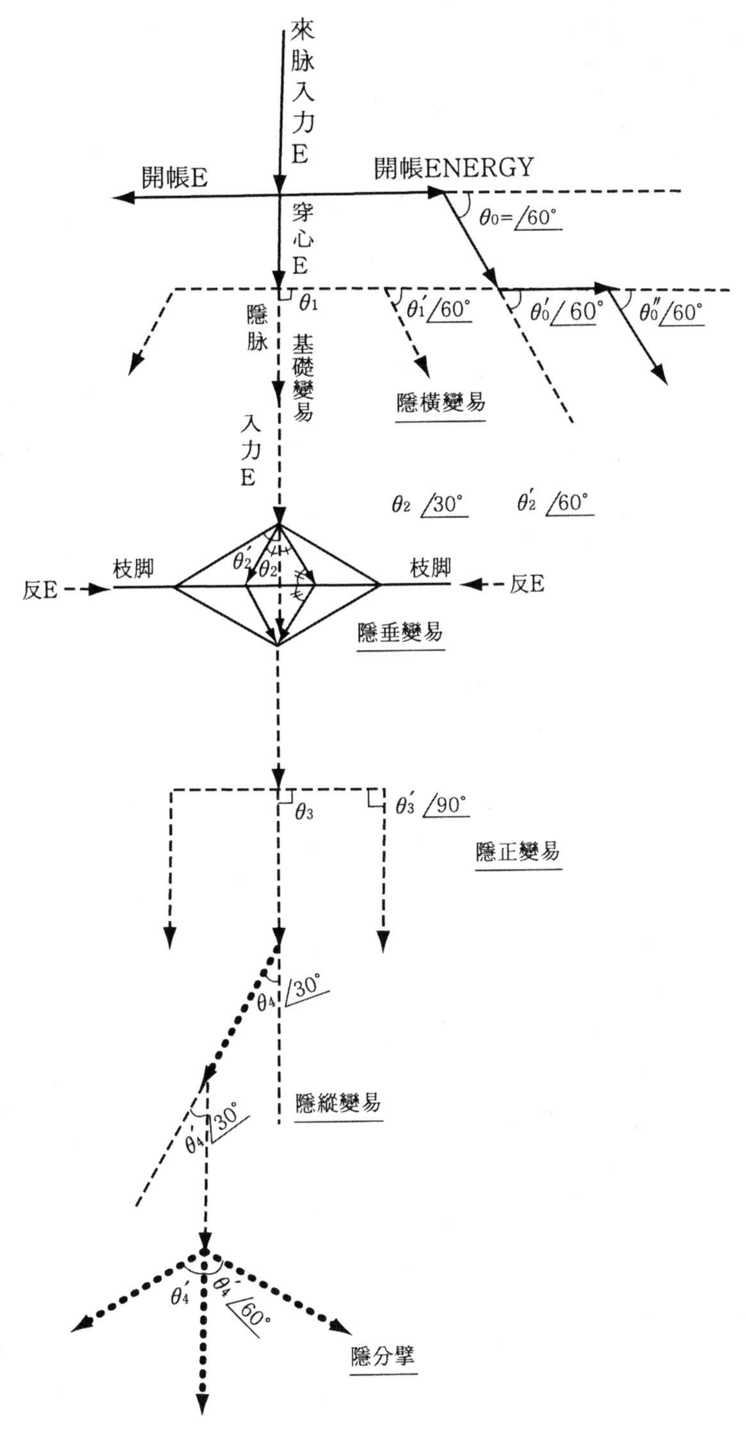

來脈入力E
開帳E
開帳ENERGY
穿心E
θ0=∠60°
θ1
θ1′∠60°
θ0′∠60°
θ0″∠60°
隱脈
基礎變易
隱橫變易
入力E
θ2 ∠30°
θ2′ ∠60°
枝脚
反E
隱垂變易
θ3
θ3′ ∠90°
隱正變易
θ4 ∠30°
隱縱變易
θ4′ ∠30°
θ4′ ∠60°
隱分擘

〈그림 14〉 隱變易 解說圖

(3) 四神砂의 五變易勢($\theta=\angle 30° \times n$ 秩序) Energy場의 同調 秩序 (保護 局勢 安定原則)

① 局同調 Energy場의 形成秩序圖

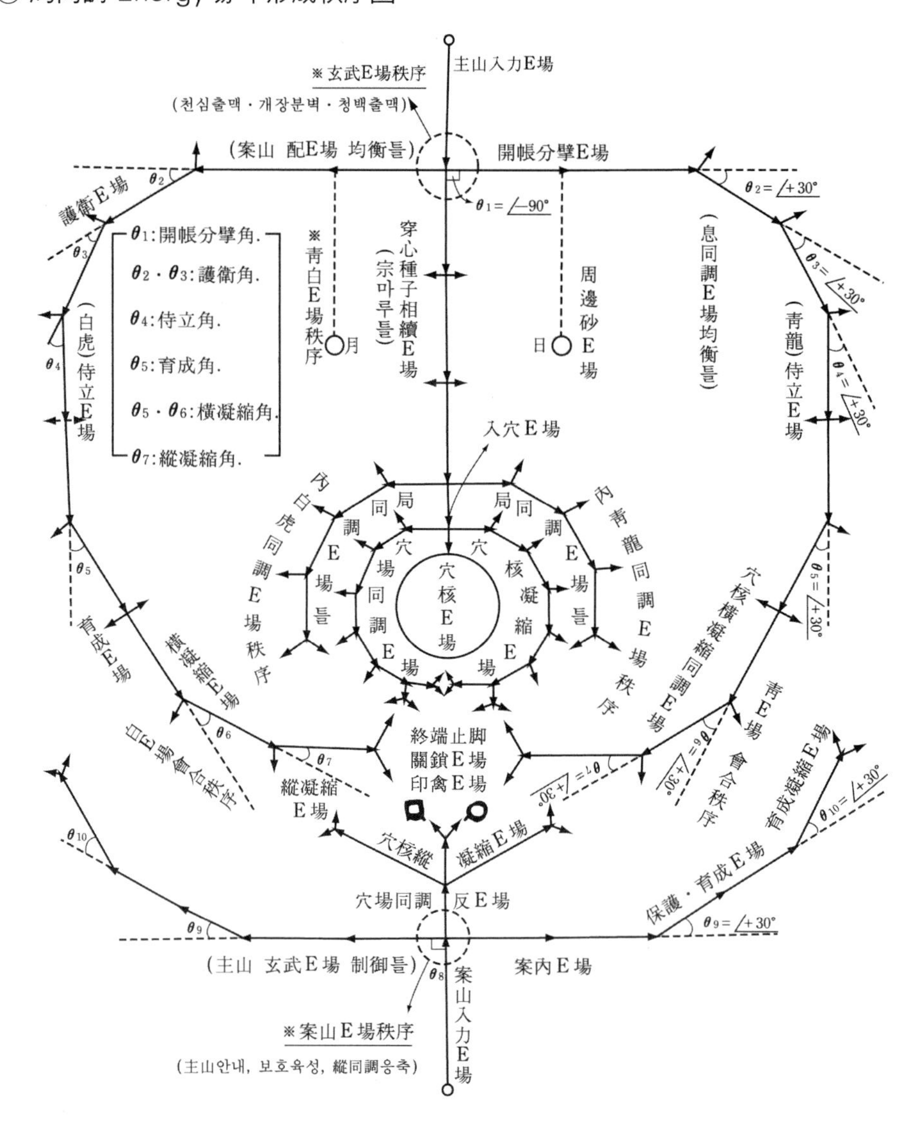

〈그림 15〉 局同調 Energy場의 形成秩序圖

② 四神砂 Energy場의 同調와 干涉

玄武 Energy場과 他 Energy場과의 同調와 干涉

玄武 ⇔ 案山 ⇔ 青 · 白 間의 同調와 干涉 Energy場

關係局 E場 / 玄武 E場	案山 E場 構造			A. 靑白 E場 構造			B. 靑白 E場 構造			C. 靑白 E場 構造		
	變易秩序	同調	干涉	變易秩序	同調	干涉	變易秩序	同調	干涉	變易秩序	同調	干涉
正變易秩序E場	정변역	○	◕	수변역	○		종변역	○		은변역	△	
	수변역	○	X	종변역	○		은변역	△		수변역	○	
	종변역	○	◕	은변역	△		수변역	○		종변역	○	
	횡변역	○	◕	수변역	○		종변역	○		은변역	△	
	은변역	○		종변역	○		은변역	△		수변역	○	
垂變易秩序E場	정변역	△	◕	수변역	○	◕	종변역	○	◕	은변역	△	◕
	수변역	○	X	종변역	○	◕	은변역	△	◕	수변역	○	◕
	종변역	○	◕	은변역	△	◕	수변역	○	◕	종변역	○	◕
	횡변역	○	◕	수변역	○	◕	종변역	○	◕	은변역	△	◕
	은변역	○		종변역	○	◕	은변역	△	◕	수변역	○	◕
縱變易秩序E場	정변역	△	◕	수변역	○	◕	종변역	○	◕	은변역	△	◕
	수변역	○	X	종변역	○	◕	은변역	△	◕	수변역	○	◕
	종변역	○	◕	은변역	△	◕	수변역	○	◕	종변역	○	◕
	횡변역	○	◕	수변역	○	◕	종변역	○	◕	은변역	△	◕
	은변역	○		종변역	○	◕	은변역	△	◕	수변역	○	◕
橫變易秩序E場	정변역	△	◕	수변역	○		종변역	○		은변역	○	
	수변역	○	X	종변역	○		은변역	○		수변역	○	
	종변역	○	◕	은변역	○		수변역	○		종변역	○	
	횡변역	○	◕	수변역	○		종변역	○		은변역	○	
	은변역	○		종변역	○		은변역	○		수변역	○	
隱變易秩序E場	정변역	△	◕	수변역	○		종변역	○	◕	은변역	△	
	수변역	○	X	종변역	○	◕	은변역	△		수변역	○	
	종변역	△	◕	은변역	△		수변역	○		종변역	○	◕
	횡변역	○	◕	수변역	○		종변역	○	◕	은변역	△	
	은변역	○		종변역	○	◕	은변역	△		수변역	○	
보기 전적동조 ○ 부분同調 △ 전적갑섭 X 부분干涉 ◕				※ (註) 正變易과 橫變易은 事實上靑白으로 不可하므로 이를 除外한다。			※ (註) 正變易과 橫變易은 事實上靑白으로 不可하므로 이를 除外한다。			※ (註) 正變易과 橫變易은 事實上靑白으로 不可하므로 이를 除外한다。		
							※ 先到後着에 따른 合成局 同調 Energy場을 把握할 것					

(4) 風水勢 Energy場의 同調秩序(環境 Energy場의 安定原則)

① 穴場 Energy 合成과 得破 原理

山 Energy體의 來脈 흐름을 細密히 觀察해보면, 山의 來龍脈과 그 兩邊을 따라 흐르는 물과의 사이에는 서로 떨어질 수 없는 相生相剋的 關係가 形成되고 있음을 알 수 있다.

卽 陽突處인 山 來脈 Energy體는 그 兩邊 陰屈處의 水 Energy에 의해 保護維持 育成되고, 陰屈處 水 Energy體는 陽突山 Energy에 의해서 生成 維持 育成되는 것이므로, 이는 相互 間의 Energy體가 서로의 Energy를 得하지 않고는 形成 維持 될 수 없음은 勿論, 이 두 Energy體가 서로 合成될 때에만 비로소 完全한 山 Energy體로서의 그 特性作用을 發揮하게 된다는 것을 意味한다.

따라서 來脈 Energy體인 陽突得 ⊕Energy와 兩邊水 Energy體인 陰屈得 ⊖Energy와는 相互合成關係를 維持하고, 그 合成 Energy 特性 = 陽突得 ⊕ Energy 特性 + 陰屈得 ⊖Energy 特性으로 나타난다.

이와 같은 特性作用은 來龍脈으로부터 穴場에 이르는 全般 節마다에서 나타나는데, 이 合成 Energy 特性作用 形態에 따라 來脈 Energy體 또는 穴場 力量의 大・小・强・弱, 善・惡・美・醜가 決定된다.

② 穴場의 陰陽 Energy 合成原理

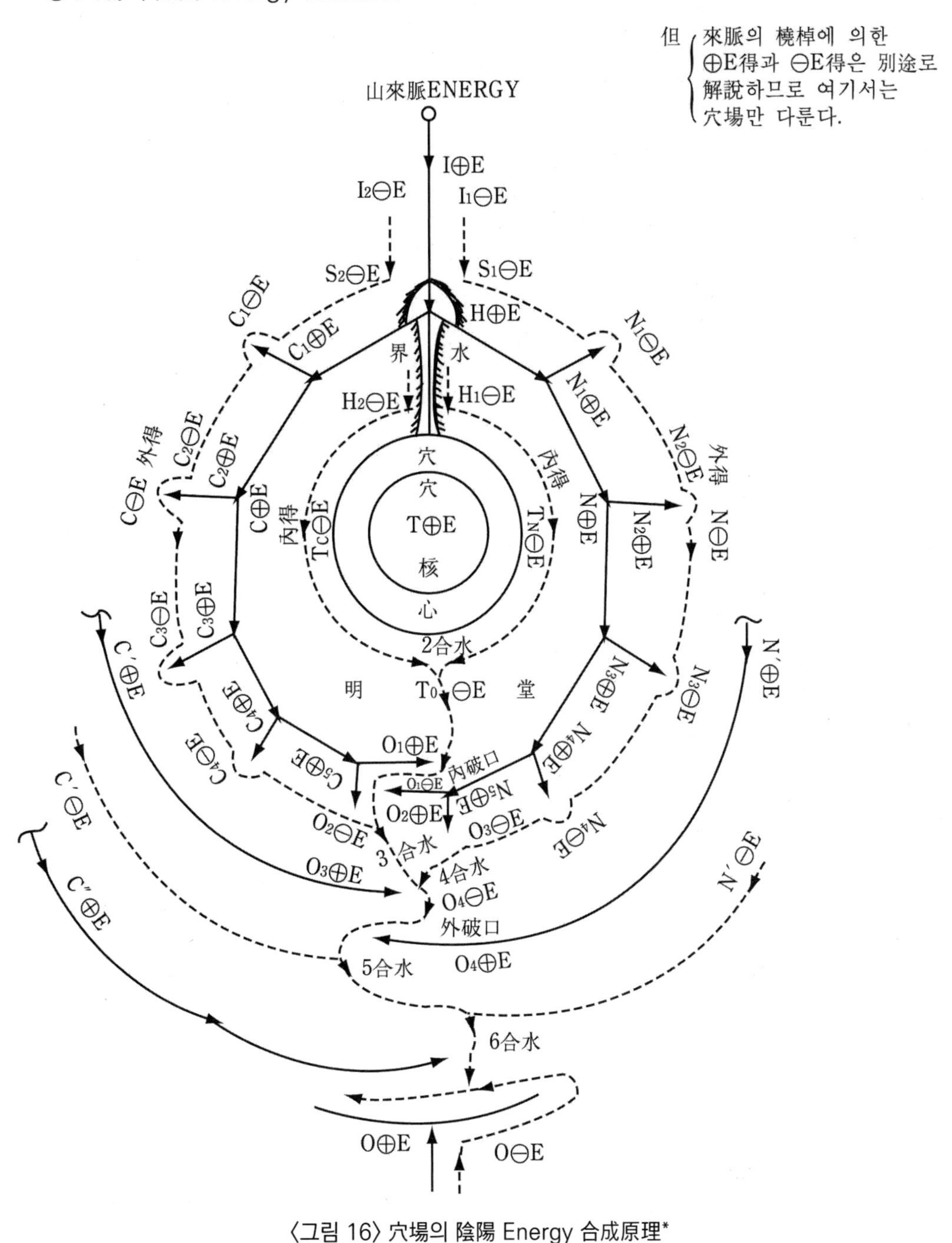

〈그림 16〉 穴場의 陰陽 Energy 合成原理*

* 風水原理講論, 第2編 風水原理論, 第4章 穴場論.

∵ 보기

$I\oplus E$: 來脈入首 陽突山 $\oplus$Energy

$I_1\ominus E$, $I_2\ominus E$: 來脈護從 陰屈水 $\ominus$Energy

$H\oplus E$: 入首頭腦 陽突山 $\oplus$Energy

$S_1\ominus E$, $S_2\ominus E$: 入首頭腦 陰屈外水 $\ominus$Energy

$H_1\ominus E$, $H_2\ominus E$: 入首頭腦 陰屈內水 $\ominus$Energy

$N\oplus E$: 左 蟬翼 陽突山 $\oplus$Energy體 = $N_{1\sim5}\oplus E$ 合

$N\ominus E$: 左 蟬翼 陰屈水 $\ominus$Energy體 = $N_{1\sim5}\ominus E$ 合

$O\oplus E$: ($O_1\oplus E+O_2\oplus E$) 纒脣 陽突山 $\oplus$Energy

$O_0\ominus E$: ($O_2\ominus E+O_3\ominus E$) 纒脣 陰屈水 $\ominus$Energy

$T\oplus E$: 穴心中 陽突 山核 $\oplus$Energy ($\oplus$Energy 得)

$T\ominus E$: 穴心 保護 陰屈水 $\ominus$Energy ($\ominus$Energy 得)

($T_N\ominus E+T_C\ominus E$ = 穴心 兩邊 界水合 = $T\ominus E$)

$T_0\ominus E$: 內明堂 合成水 $\ominus$Energy

$N'\oplus E$, $N''\oplus E$: 內外青龍 陽突 山 Energy

$N'\ominus E$, $N''\ominus E$: 內外青龍 陰屈 水 Energy

$C'\oplus E$, $C''\oplus E$: 內外白虎 陽突 山 Energy

$C'\ominus E$, $C''\ominus E$: 內外白虎 陰屈 水 Energy

破口水 : $O_1\ominus E$

2 合水 : 內明堂 會合水, $T_0\ominus E$

3 合水 : 2合水+白虎水, $O_2\ominus E+O_1\ominus E$

4 合水 : 3合水+青龍水, $O_4\ominus E$

內破口 : 內明堂 合成水의 關門 流出處

外破口 : 外明堂 合成水의 關門 流出處

③ 得 Energy와 破 Energy

前記에서 論한 바와 같이 山 Energy體가 陽突 來脈處에서 $\oplus$Energy를 얻고 陰屈處 兩邊水에서 $\ominus$Energy를 얻게 되면 山 Energy體 固有의 合成 Energy

特性을 나타내게 된다.

이는 相互 間의 Energy 特性이 同調的 調和特性을 나타낼 때는 相對 Energy體에 得 Energy를 供給하는 結果가 되는 것이고, 反對로 干涉的 破壞特性을 나타낼 때는 相對 Energy體에 破 Energy를 供給하는 結果가 된다.

卽 來脈 兩邊水나 穴場內外 界水가 同調的 調和特性에서는 來脈 Energy體나 穴場을 保護維持育成하지만, 周邊砂의 條件에 의해 干涉的 刑·沖·破·害 殺을 일으키면, 山 來脈 Energy體나 穴場은 破壞 Energy를 供給받게 되어 來脈이 傷하거나 穴場이 破損되기도 한다.

이러한 來脈 또는 穴場에서의 相互同調的 關係作用으로 Energy 增大가 나타나는 現象을 「相得 또는 相得 Energy 作用」이라 하고, 相互干涉的 關係作用으로 Energy 刑沖破害殺이 發生하는 現象을 「相破 또는 相破作用」이라 하는데, 特히 ⊕Energy體가 ⊖Energy를 얻는 條件을 「得」, 잃는 條件을 「破」라 하기도 한다.

위의 槪念에 따라 그림을 參照하여 穴場各部의 合成得 Energy를 求하면 다음과 같다(그림 19. 穴場의 陰陽 Energy 合成原理).

㉠ 得 合成 Energy

合成 Energy = (陽突得 ⊕Energy) + (陰屈得 ⊖Energy)의 公式이 成立하므로 이에 準하여

ⓐ 入力來脈 合成 Energy E_{I_0} = I ⊕Energy + (I_1 ⊖Energy + I_2 ⊖Energy)

ⓑ 入首頭腦 合成 Energy E_{H_0} = H ⊕Energy + 〔(S_1 ⊖Energy + S_2 ⊖Energy) + (H_1 ⊖Energy + H_2 ⊖Energy)〕

ⓒ 左蟬翼 合成 Energy E_{N_0} = N ⊕Energy + (N ⊖Energy + T_N ⊖Energy)× 纏護凝縮度

ⓓ 右蟬翼 合成 Energy E_{C_0} = C ⊕Energy + (C ⊖Energy + T_C ⊖Energy)× 纏護凝縮度

ⓔ 纏脣 合成 Energy E_{O_0} = {(O_1 ⊕Energy + O_2 ⊕Energy) + (O_2 ⊖Energy + O_3 ⊖Energy + O_1 ⊖Energy)} = O ⊕Energy +

O_0 ⊖Energy

ⓕ 穴心 合成 Energy E_{T_0} = T ⊕Energy + T ⊖Energy + T_0 ⊖ Energy = {T ⊕Energy + 〔(H_1 ⊖Energy + H_2 ⊖Energy) + (T_N ⊖Energy + T_C ⊖Energy)〕 + T_0 ⊖Energy} = E_{H_0} + E_{O_0} + E_{N_0} + E_{C_0}

ⓛ 破 Energy

前述에서 入首來脈과 穴場의 節別 個所에 關한 得 Energy 形成과 그 合成에 對하여 考察해본바, ⊕Energy體에는 ⊖Energy가 結合하여 陰得을 주어야 하고 ⊖Energy體에는 ⊕Energy가 結合하여 陽得을 주어야만, 비로소 ⊕Energy體와 ⊖Energy體가 相互醇化 成長하면서 Energy 增幅의 特性作用을 나타내게 되어 完全한 安定 Energy體로서의 그 役割을 다할 수 있다.

그러나 이는 어디까지나 同調的 相互特性 條件에 있어서의 境遇일 뿐 그 反對 條件일 境遇는 다르다. 卽 相互 Energy體 間에 있어서 서로 干涉하는 諸 Energy 特性 條件이 形成되게 되면 兩 Energy體 間에는 同調 Energy 均衡場인 평형 Energy場을 維持하지 못하고 不均等의 不安定 Energy場을 形成하게 되어, 어느 一方 또는 兩方 Energy體에 不安定 要素만큼의 Energy場 相鎖作用이 發生하거나 Energy體 破損現象이 나타나게 된다.

이러한 現象은 來脈入首와 周邊山, 周邊水 또는 물과 물, 山과 山 間의 諸 Energy體 關係作用에서 나타나는데, 特히 入首頭腦와 穴場 Energy體에 있어서의 他山 또는 周邊水가 作用하는 刑・沖・破・害殺의 干涉的 Energy 영향은 穴心 Energy를 生成 維持 保存시키는 一切의 得 Energy를 遮斷, 漏洩 또는 離散, 破壞, 死滅케 하는 決定的 役割을 가져오므로, 이를 穴心의 力量과 特性을 破壞시킨다고 하여 「破 Energy」라 한다.

따라서 이와 같은 概念의 破 Energy를 具體的으로 算定하는 基本原則은 다음과 같은 項目別 基準 속에서 確認 調査하지 않으면 아니 된다.

ⓐ 來脈 Energy體의 入力에 對한 他山 Energy 刑·沖·破·害 殺

(來脈入力 合成 Energy E_{I_0}) - (他山 干涉 Energy)

ⓑ 入首脈 兩邊水의 入首頭腦에 對한 刑·沖·破·害 殺

(入首頭腦 合成 Energy E_{H_0}) - (兩邊水의 干涉 Energy)

ⓒ 兩蟬翼 Energy體의 不均衡에 依한 穴場 破壞度

{(N ⊕Energy) - (C ⊕Energy)} × {(N ⊖Energy) - (C ⊖ Energy)} × (1/兩蟬翼 纏護 凝縮度)

ⓓ 穴心 合成 Energy에 對한 界合水의 干涉 及 破 Energy 率

{(穴心合成 Energy) - (界合水의 干涉 及 破 Energy) × 100%}/(穴心合成 Energy)

= 【(E_{T_0}) - {〔(T_N ⊖Energy) - (T_C ⊖Energy)〕 + (H_1 ⊖ Energy) - (H_2 ⊖Energy)〕} × (O_1 ⊖Energy/T_0 ⊖Energy) /(E_{T_0})】 × 100%

※ (O_1 ⊖Energy/T_0 ⊖Energy) : 放出 Energy 比

ⓔ 靑白 Energy體의 不均衡에 따른 破 Energy 算定 = {(N′ ⊕ Energy) + (N′ ⊖Energy)} × 纏護凝縮度 - {(C′ ⊕Energy) + (C′ ⊖Energy)} × 纏護凝縮度

ⓕ 明堂 及 纏脣의 不均衡과 短縮 또는 洩氣에 依한 破 Energy

첫째, 明堂 及 纏脣의 不均衡은 根本 穴場 界水의 合水点을 變化시킴으로써 穴心 Energy 凝縮維持에 커다란 變易을 초래한다.

左右 不均衡이 發生하면 穴心의 左右 Energy 均衡이 무너지게 되고, 上下 不均衡이 發生하면 穴心의 上下 Energy 均衡이 무너지게 된다. 그러나 上下 不均衡은 明堂과 纏脣 Energy를 短縮 또는 洩氣시키는 關係로, 破口의 大小遠近을 決定하게 되는 結果를 만들기도 하는데 結局은 穴心 Energy의 不均衡을 招來한다.

둘째, 明堂 及 纏脣의 不均衡에 依한 破 Energy는 兩蟬翼과 案山 Energy 不均衡에서 發生하는 破 Energy 값과 同一하게 形成되기 때문에 ⓒ項의 算定方式을 導入하면 된다.

셋째, 案山 Energy의 不均衡에 依한 明堂 纏脣의 短縮 또는 洩氣

에 依한 破 Energy 算定은 ⓒ項의 「纏護 凝縮度」 計算時 案山 Energy 凝縮度 Factor를 追加하여야 한다.

㉢ 風 Energy의 得과 破

風을 Energy體로 보는 것은 그 實體가 지니고 있는 力學的인 Energy 作用과 他 Energy를 聚散하는 物理的 特性이 있기 때문이다.

太過한 風 Energy의 機械的 及 化學的 作用은 오랜 시간에 걸쳐 穴場의 保護砂와 穴場 及 來脈을 破損시키는 엄청난 破壞力을 지니고 있는가 하면, 不及한 風 Energy는 穴場과 局內의 陰陽 Energy 醇化와 五氣 循環을 停滯시킴으로써, 局 Energy場을 閉塞케 하고 穴場 及 穴心 Energy場의 陰陽交流와 五氣 循環을 막아 穴心 Energy 特性을 窮極的으로 不良케 惡性化시킨다.

그렇기 때문에 風 Energy는 太過한 것도 不及한 것도 모두 穴場이나 局 Energy場에서는 不利한 것이며 오로지 適正한 크기와 세기와 온도와 습도를 지닌 溫和하고 고요한 Energy를 供給해주는 것이 아니면 아니 된다.

그러면 어떠한 風 Energy가 穴場에 得을 주고, 어떠한 것이 破 Energy를 發生하고 있는가를 다음의 風의 得 破 Energy 形成過程을 보면서 考察해보기로 한다.

ⓐ 風의 得 Energy 形成圖

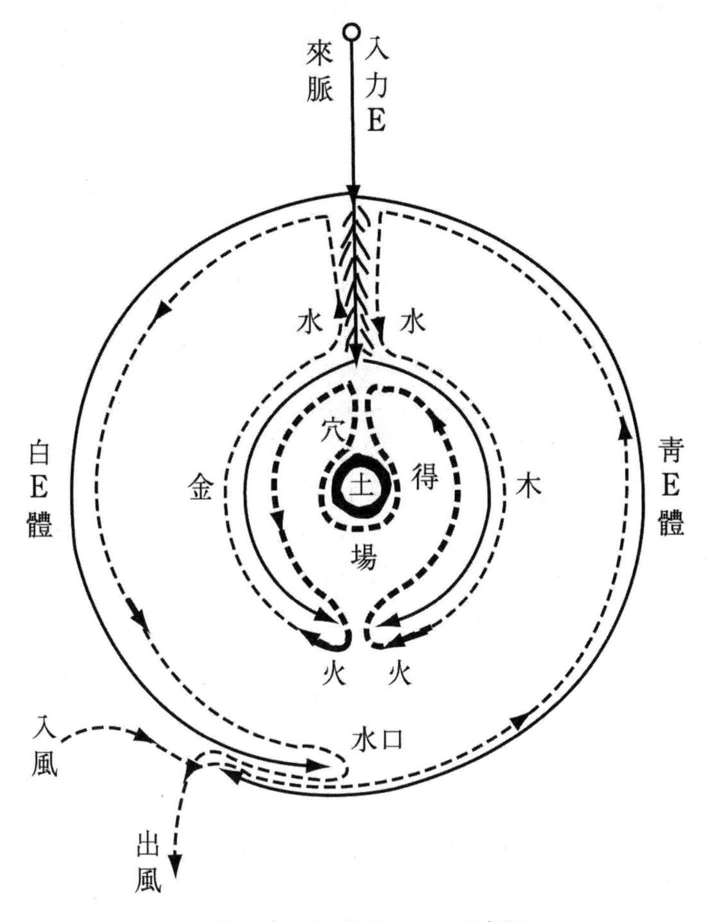

〈그림 17〉 風의 得 Energy 形成圖*

※ 1. 水口砂를 通하여 들어온 바람이 그림과 같이 穴心을 감아 돌 때 風 Energy는 得 Energy로 變한다.

2. 入穴脈이나 靑白 Energy體를 뛰어넘지 않아야 得 Energy가 된다.

3. 穴心을 直射하지 않아야 得이 된다.

4. 風은 갈무리되어야 得 Energy가 된다.

---

* 風水原理講論, 第2編 風水原理論, 第4章 穴場論.

ⓑ 風의 破 Energy 形成圖

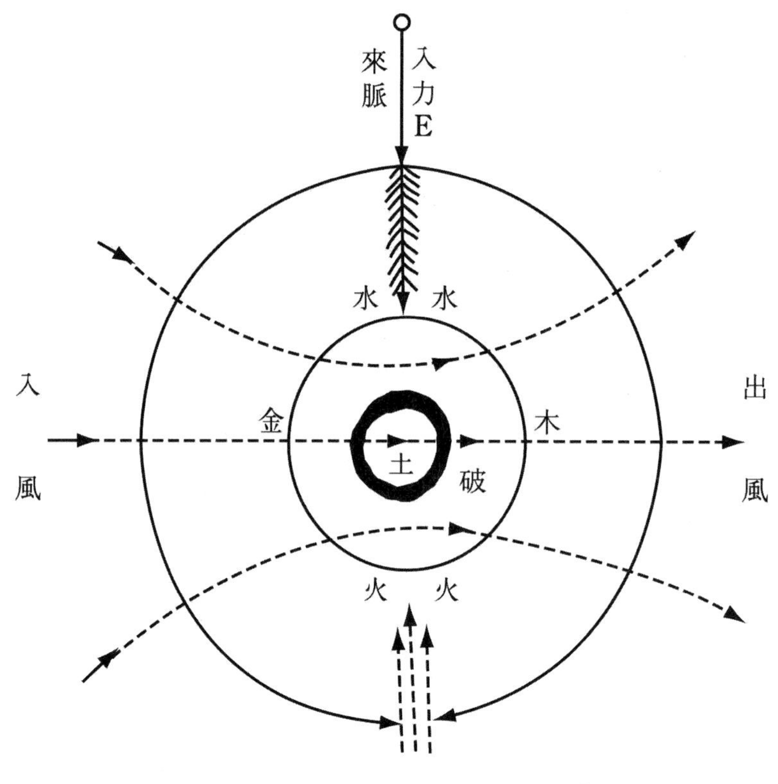

〈그림 18〉 風의 破 Energy 形成圖*

※ 1. 穴心을 直射하는 어떤 風 Energy라도 穴 Energy를 破한다.
2. 水口砂로부터 穴心에 直射하는 水口風은 穴 Energy를 破한다.
3. 入首頭腦나 靑·白을 뛰어넘는 風 Energy는 결코 穴心 Energy를 破한다.

山穴이 지닌 山·火·風·水의 四大 Energy 特性上 山·火 Energy는 風·水 Energy 特性과 相對的 陰陽關係에 있기 때문에, 陰屈 水 ⊖Energy를 來脈 陽突 ⊕Energy의 相對關係로 보는 境遇, 風 Energy 亦是 ⊕Energy 相對的 ⊖Energy로 볼 수 있다. 따라서 來脈 Energy

* 風水原理講論, 第2編 風水原理論, 第4章 穴場論.

體에나 穴場 及 局 Energy體에 어떠한 特性의 風 Energy가 供給 作用하는가? 에 따라 得 Energy로 變易을 주는가, 破 Energy를 發生시키고 있는가?로 區別하게 마련이다.

위의 두 그림(20, 21)에서 보는 바와 같이 風 Energy가 穴 Energy場에 得 Energy를 供給할 수 있는 條件과 破 Energy를 發生시킬 수 있는 條件은, 外部로부터 强力한 勢力을 지닌 風 Energy가 供給되는 境遇를 除外하고는 大體的으로 穴場과 局空間의 構造的 形態 及 그 Energy場 特性에서 決定지어진다고 봐야 할 것이다. 强力한 勢力을 지닌 風 Energy는 주로 그 等級이 3~12 等級인 것으로서, 周邊 保護砂를 거쳐서 穴場에 到達한다고 할지라도 그 勢力은 크게 弱化되지 못한 惡性의 特性을 나타내기 때문에 局 Energy場을 破損시킴은 勿論 穴場 Energy를 離散 壞滅시킨다.

그러나 보다 理想的 條件을 構成하고 있는 穴場과 局 空間 構造에서는, 超强力 風 Energy를 除外한 一切의 風 Energy가 周邊 保護砂에 의해 弱化되거나 調節되어, 穴場이나 局內 空間에 到達되게 되면 거의가 0~3等級인 「고요 바람」「실바람」「남실바람」「산들바람」 等의 溫和한 風 Energy로 바뀌게 마련이다.

이러한 風 Energy는 그 速度와 强度, 濕度, 溫度 等이 매우 安定的인 狀態로 變한 Energy體인 까닭에, 四神砂의 局空間 Energy場과 同和合成의 過程을 거치는 동안에 이미 모든 惡特性의 Energy는 善特性의 Energy로 化하게 되어, 穴場 또는 局內 Energy場으로부터 旣 形成된 水·火·木·金·土의 五氣循環과 合成을 促進함은 勿論, 陰陽 Energy를 和合 育成케 하여 結局은 穴心 Energy의 同調 Energy場 增大現象을 가져오게 한다.

이렇듯 風 Energy가 得 Energy를 形成하는 過程은 周邊保護砂에 의해서 걸러진 强風 Energy體가 水口砂를 거쳐 穴當 局內 左右側砂를 따라 서서히 穴場에 接近하면서 溫和하고 安定된 善特性의 理想的 Energy體로 바뀌면, 이 良質의 風 Energy體는 局 Energy 同調場과 더불어 來脈으로부터 供給된 陽突 山 ⊕Energy體와 來脈 兩邊으로부

터 供給된 陰屈 水 ⊖Energy體를 相互交流케 하고 醇化시키는 作用을 促進시키게 된다. 陰陽 Energy體의 太過 不及을 調節함은 勿論, 五氣의 化成과 그 循環을 돕고 穴心 Energy場의 極大化를 形成해가는 것은 分明 創造的 Energy의 得이라 表現하지 않을 수 없는 것이다. "(그림 21) 風의 破 Energy 形成圖"는 風의 破 Energy 發生過程을 說明한 것으로서, 3 等級을 超過하는 强力한 風 Energy가 四神砂의 허리를 넘어 들거나, 穴心을 直射하는 勢力風이 局內를 침입하거나 할 境遇, 또는 不實한 局空間 構造에 의해 穴場에 到達한 風 Energy體의 特性이 不良하고 惡性을 지닐 때, 이는 四神砂의 Energy 同調場을 破鎖시킴은 勿論 陽突 山 ⊕Energy와 陰屈 水 ⊖Energy를 飛散消滅케 할 뿐 아니라, 陰陽 五氣의 不調 及 穴心 Energy 離脫과 局 Energy體의 破壞를 增加擴散시키는 結果를 招來하게 된다.

2) 天體 Energy場의 同調秩序(天體 緣分 Energy場의 安定原則)

(1) 方局에 있어서의 Energy場 分析 及 그 特性 發顯

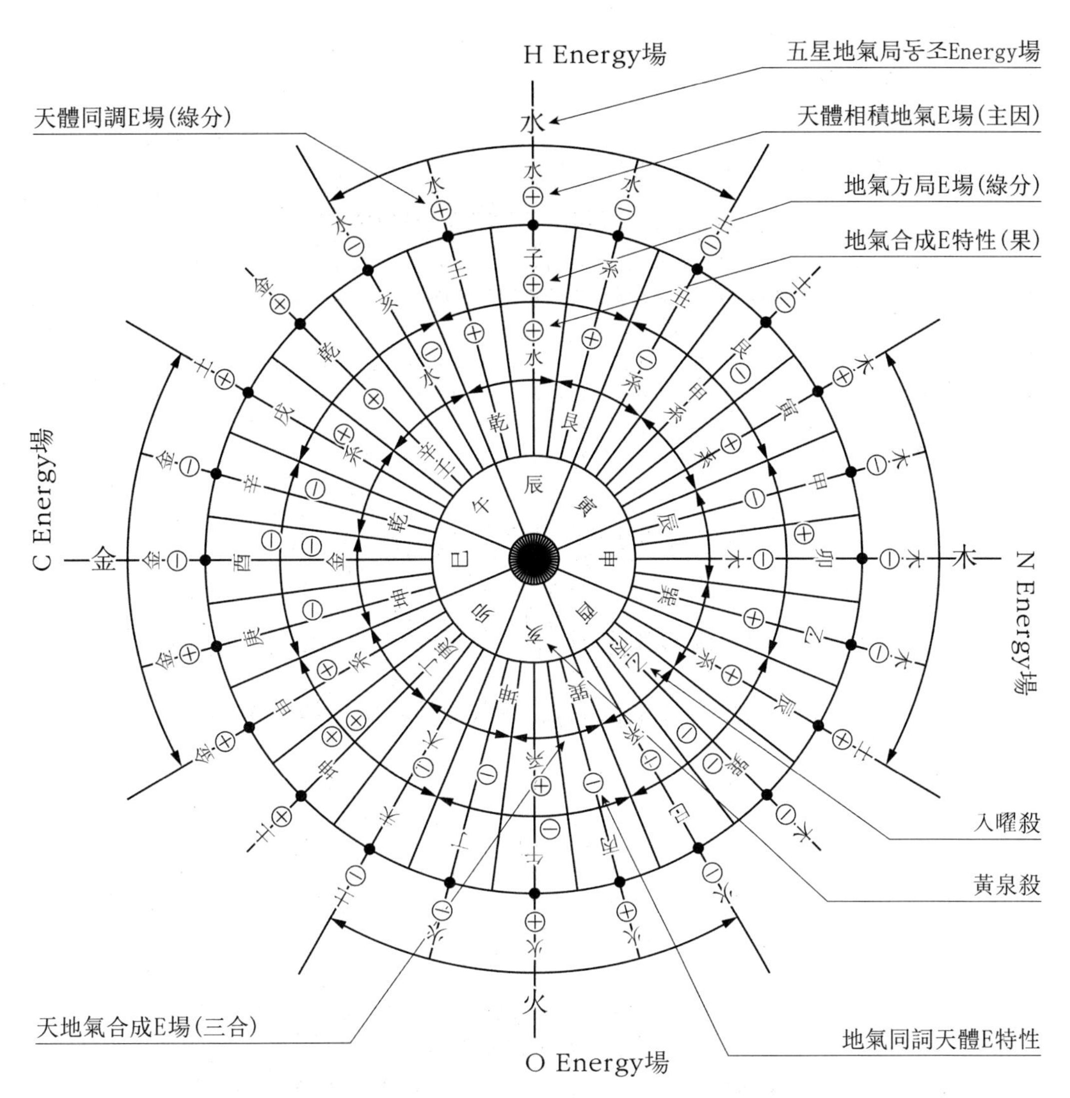

〈그림 19〉 方局에 있어서의 Energy場 分析 及 그 特性 發顯*

※ 주로 天地氣 合成 Energy場을 方局 Energy場의 主特性으로 하여 穴場 Energy場과 緣分 同調한다(穴場 Energy場의 25%가 理想的 緣分 特性임).

---

* 風水原理講論, 第3編 原理應用論, 第1章 地理環境 Energy 特性의 平價分析, 第2節.

※ (1)의 解說 <그림 19>

① 五星地氣 局同調 Energy場

地球의 方局別 Energy 同調場 特性으로서 亥·子·丑 北方水局 Energy場과 寅·卯·辰 東方木局 Energy場, 巳·午·未 南方 火局 Energy場과, 申·酉·戌 西方金局 Energy場 及 北東 間의 艮土局 Energy場, 東南 間의 巽木局 Energy場, 南西 間의 坤土局 Energy場, 西北 間의 乾金局 Energy場 等을 意味한다.

② 天體 同調 Energy場(緣分場)

天體의 Energy 群으로서 地氣의 同一 Energy 特性群을 좇아 同調하는 Energy場을 말한다(壬·癸, 甲·乙, 丙·丁 (戊·己), 庚·辛, 乾·坤, 艮·巽).

③ 天體 相續 地氣 Energy場(主 因子 地氣)

天體의 根本 Energy 特性을 地氣에서 相續받아 因子化한 地氣 基本 Energy 場을 말한다(子, 丑, 寅, 卯, 辰, 巳, 午, 未, 申, 酉, 戌, 亥).

④ 地氣 方局 Energy場(緣分場)

地氣 基本 Energy場이 지닌 方局別 Energy場으로서 五星地氣 局同調 Energy場보다 縮小된 局部的 Energy場을 말하는 것으로서, 五星地氣 局同調 Energy場이 地球의 全體的 局同調 概念임에 反해, 地氣 方局 Energy場은 穴場의 實況的 相對 陰陽特性을 나타낸다.

卽, 壬子癸는 北方 ⊕水 Energy場이요,
丙午丁은 南方 ⊖火 Energy場이다.
甲卯乙은 東方 ⊕木 Energy場이요,
庚酉辛은 西方 ⊖金 Energy場이다.
戌乾亥는 西北 間 ⊕金 Energy場이요,
辰巽巳는 東南 間 ⊖木 Energy場이다.
未坤申은 南西 間 ⊕土 Energy場이요,

丑艮寅은 北東 間 ⊖土 Energy場이다.

⑤ 天地氣 合成 Energy場 → (地氣 12分割 Energy場)

方局 Energy場의 合成 特性場으로서, 天干 Energy場과 地氣 Energy場의 配合關係를 나타내기도 하고, 地氣 同調場의 五行 特性이 發露되기도 한다.

壬子 : 申子辰 合水 Energy場(乙辰, 坤申 同一)
癸丑 : 巳酉丑 合金 Energy場(巽巳, 庚酉 同一)
艮寅 : 寅午戌 合火 Energy場(丙午, 辛戌 同一)
甲卯 : 亥卯未 合木 Energy場(丁未, 乾亥 同一)

※ 方局 Energy 特性 因子는 이 天地氣 合成 Energy場 卽 地氣 12分割 Energy場의 三合 同調場 特性因子를 主特性 因子로 하여 穴 Energy場 特性과 緣分同調한다.

⑥ 地氣 合成 Energy 特性(果)

地氣 基本 Energy 因子가 天體 同調 Energy場 緣分과 地氣 方局 Energy場 緣分과의 合成 關係에 의해 그 Energy 因子의 陰陽 性相特性을 確定짓게 된다.

卽, 子 天體相續 ⊕水 地氣 Energy場 因子는 地氣 方局 ⊕水 Energy場 緣分과 合成하여 亦是 ⊕水 地氣 陰陽 性相特性을 維持하게 된다. 따라서 以下 12 Energy場이 모두 위와 같이 本來의 特性을 잃지 아니하고 本 地氣 Energy 特性으로만 維持되게 된다.

⑦ 地氣 同調 天體 Energy 特性

地氣에 同調하는 天體 Energy는 地氣가 지닌 固有의 方局 Energy場 特性에 따라 本來 지니고 있던 陰陽性相 特性을 維持하지 못하고 그 地氣 Energy場에 融和된다. 卽, 壬癸 天體 同調 Energy場은 壬子癸 地氣 方局 Energy場 特性에 融和하여 ⊕陽 特性으로 變한다.

위와 같은 原理에 따라, 甲乙 Energy場은 ⊕性相 特性으로, 丙丁 Energy場은 ⊖性相 特性으로, 庚辛 Energy場은 ⊖性相 特性으로, 乾坤 Energy場은

⊕性相 特性으로, 艮巽 Energy場은 亦是 ⊖性相特性으로 各各 變한다.

- 天地氣 Energy의 核凝縮 同調 Energy場 形成 原理

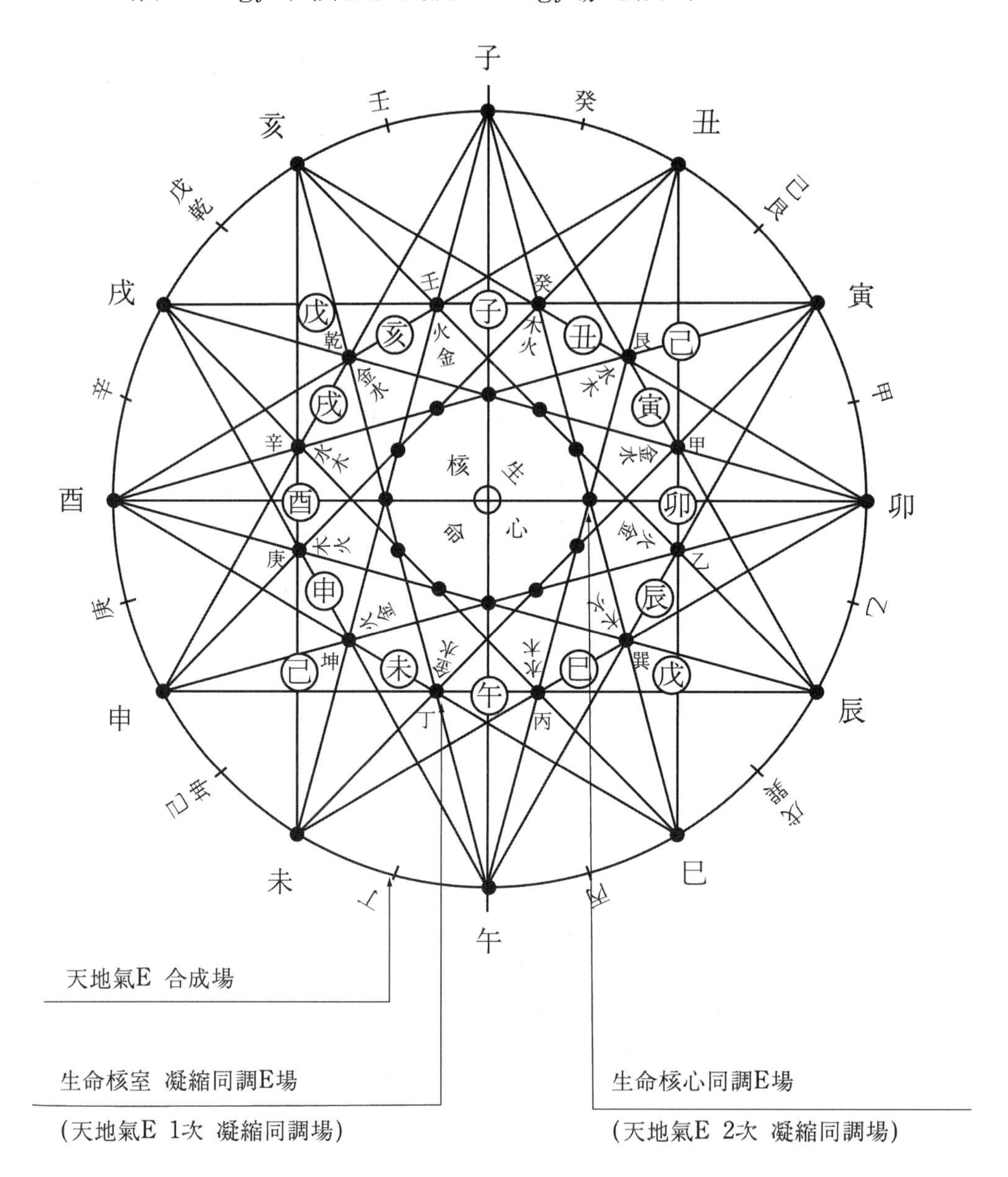

〈그림 20〉 天地氣 Energy의 核凝縮 同調 Energy場 形成原理*

---

* 風水原理講論, 第3編 原理應用論, 第1章 地理環境 Energy 特性의 平價分析, 第2節.

3) 人體 Energy場의 同調秩序(人體 緣分 Energy場의 安定原則)

(1) 穴場 Energy場과 人體 Energy 同調場의 特性發現*

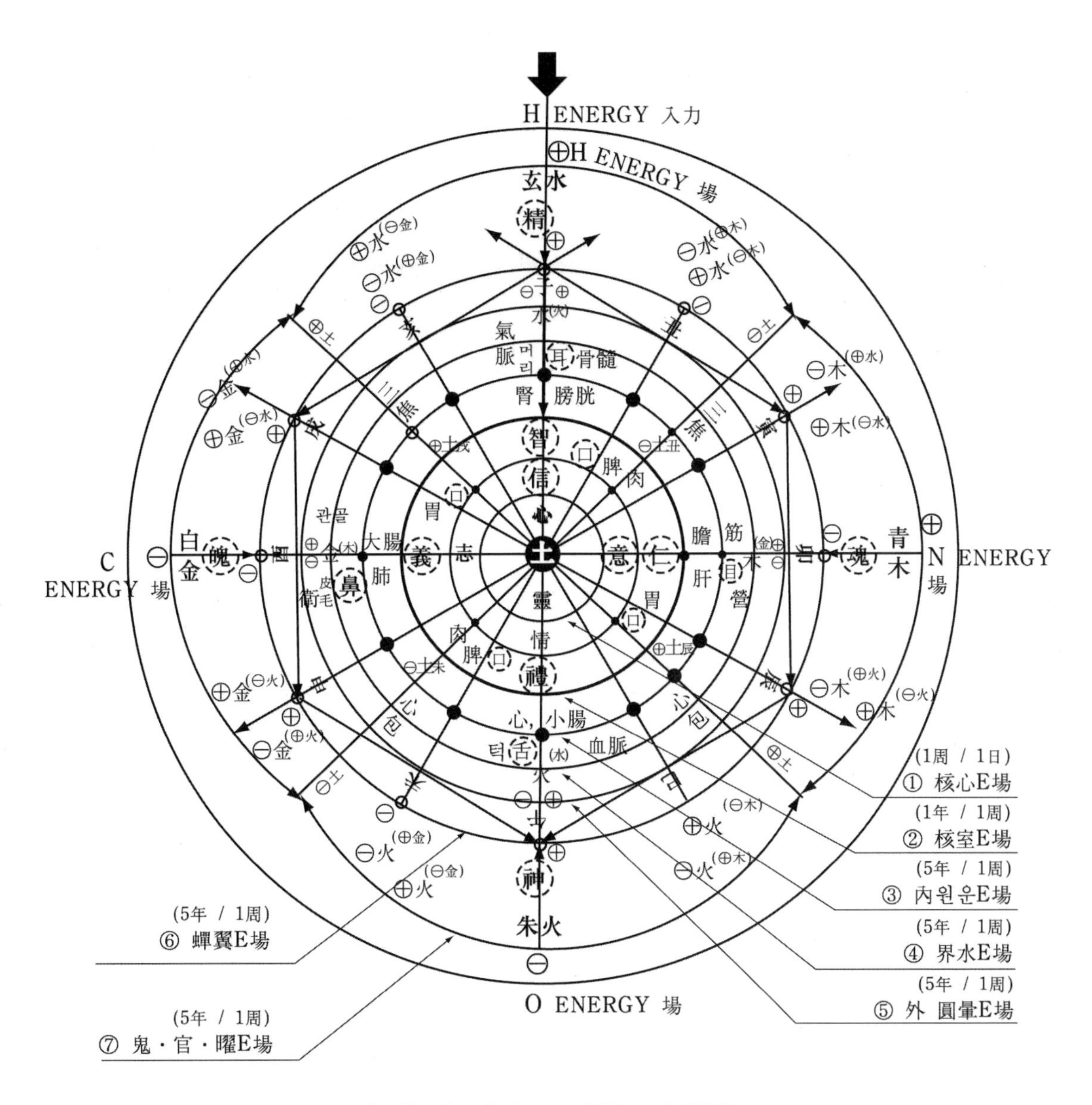

〈그림 21〉 穴場 Energy場과 그 特性發顯

* 風水原理講論, 第3編 原理應用論, 第1章 地理環境 Energy 特性의 平價分析, 第2節.

※ 穴 Energy 特性發顯의 表示方法을 다음과 같이 한다.

水$^{(火)}$, 火$^{(水)}$, 木$^{(金)}$, 金$^{(木)}$

25% 25% 25% 25%

(同調 緣分 기초 E)

① "〈그림 24〉 穴場 Energy場과 人體 Energy 同調場의 特性發現"의 解說 : 穴場 入力 Energy體 主勢의 均衡安定과 穴板 各 部位別 太過, 不及, 平斜, 正偏 及 穴核의 虛實, 陷突, 聚散, 深淺 等 諸特性의 善.惡.美.醜, 大小, 强弱, 吉凶, 長短에 對한 보다 具體的이고 詳細한 資料를 얻기 爲하여 다음과 같이 穴場 Energy體 各 部位別 特性 關係를 嚴格分析 把握調査한다(力學的 Energy 特性分析과 易理的 Energy 特性分析을 同時實施함을 原則으로 한다).

入首來脈 Energy體는 生氣의 供給路 役割을 하고 入首頭腦 Energy體는 穴核 Energy의 入力 Tank 役割을 하므로, 人體에 있어서는 眞元陽氣인 腎・膀胱水의 生成貯藏과 精神 Energy 供給 調節機能의 頭腦役割을 함께 擔當하고 있는 것으로 본다.

따라서 이를 ⊕Energy인 精氣因子의 入力處라 하고, H(수소)根源 元素「水$^{(火)}$」Energy로 表示하며, O(산소) Energy의 相對 緣分的 相關關係를 認識케 한다〔合成同調時 水$_{(火)}$로 表示〕.

卽「水$^{(火)}$」Energy의 主入力 Energy 因子는 水 Energy이고, 緣分 Energy O(산소)의 緣子特性은 火 Energy로서 어디까지나 主特性은 水性이나 火 緣分이 太過하게 되면 반드시 主特性은 虛弱해진다고도 分析하여야 한다(主特性의 25%가 理想的 緣分特性임).

身體的으로 腎, 膀胱 機能과 얼굴의 머리, 이마, 耳의 特性을 나타내고, 特히 內部 骨髓組織의 生成維持에 決定的 役割을 한다. 智慧와 精을 主管한다.

② 위 ①의 相對均衡 維持 Energy體인 明堂 以下 纏脣 Energy體는 穴核 Energy의 容器 밑받침과 밑그릇 役割을 하며, 人體陰氣 Energy의 生成貯藏機能과 核 Energy 凝縮, 調節機能을 擔當, 各 人體組織 構成發達과

血脈의 供給調節 特性을 지닌다.

위 ①의 相對 Energy體인 關係로 ⊖O Energy가 되며 水 Energy의 相對 Energy 因子인 火 Energy가 되고 (水)緣子를 얻어 「火$^{(水)}$」 Energy로 表示한다(主特性의 25%가 理想的 緣分特性임. 合成同調時에는 火$_{(水)}$로 表示한다).

人體의 心, 小腸을 主管. 血流, 貯藏, 移動 及 生産 機能特性을 擔當하고 얼굴의 턱과 舌에서 주로 O Energy가 表出된다. ①의 境遇에서와 마찬가지로, 入首 頭腦 Energy 因子가 太過하게 되면 火 Energy 特性이 虛弱해지기도 하고, 그 反對일 境遇 火 Energy의 太過를 招來하기도 한다. 神의 出入을 擔當하여 精神을 바르게 세우도록 하고 禮敬을 主管하여 智慧 밝히기를 함께한다.

③ 入穴脈은 生氣 入力線이면서 穴核生成 Energy의 最終通路인 까닭에 人體에 있어서는 生命線인 命門과 같고 精管과도 같아, 子孫 生産 機能에 絶對的 役割을 擔當하고 있다.

④ 蟬翼 Energy體는 穴核 Energy의 容器 及 뚜껑과 윗덮개 役割을 함으로써 穴核 Energy의 呼吸 調節機能을 擔當한다. 人體에 있어서의 呼吸器 及 循環器機能 特性과 營血, 衛氣 關係作用 特性을 主한다.

左 蟬翼 Energy體는 ⊕N Energy 「木$^{(金)}$」으로 表示 C Energy의 相對 緣分的 相關關係를 認識케 하며, 人體의 肝, 膽 機能과 魂의 出入을 主管케 한다.

身體의 目과 筋에 주로 N Energy가 表出되며, 어짊과 德의 品性을 밝히는 까닭에 相對 C Energy의 均衡된 緣分作用을 必要로 한다(主特性의 25%가 理想的 緣分特性이고, 合成同調時 木$_{(金)}$으로 表示한다).

太過하면 C Energy의 破壞를 招來하게 되고, 不及이면 N Energy의 破滅이 發生하는 極端的 特性을 지니고도 있다. 男性的이다.

右 蟬翼 Energy體는 ⊖C Energy 「金$^{(木)}$」으로 表示 N Energy의 相對 緣分的 相關關係를 認識케 하며, 人體의 肺, 大腸機能과 魄의 出入을 主管케 한다.

身體의 觀骨과 皮毛에 주로 C Energy가 表出되며, 義와 武의 品性을

밝히는 까닭에 相對 N Energy의 均衡된 緣分作用이 要求된다.

太過하면 「C $\xrightarrow{\text{剋}}$ N」 Energy의 破滅을 가져오는 肅殺之氣가 發生하고, 不及이면 C Energy의 自己破壞를 招來한다(合成 同調時 金(木)으로 表示. 主特性의 25%가 理想的 緣分特性임).

卽 지나칠 정도로 急하고 過激하여 急進的이고 改革的인 長點은 있으나, 이를 좇다가 他를 犧牲시키거나 殺하지 않으면 스스로 自己를 滅亡케 하는 매우 極端的인 特性을 지니고 있다. 女性的이다.

따라서 左, 右 兩 蟬翼은 同時 一切的으로 均衡된 Energy場을 形成, 穴核 Energy에 同調 凝縮 Energy를 供給하지 않으면 아니 된다.

陽性的인 縱凝縮 Energy場에 比해 陰性的인 橫凝縮 Energy場을 維持한다.

⑤ 穴核은 穴場 Energy의 中心 凝縮處로 穴場 全般의 諸 凝縮 Energy 同調安定과 穴板 Energy 平等維持 調節 及 持續的 生命 Energy 合成 及 生産活動을 擔當한다.

中央 黃土氣로서 辰, 戌, 丑, 未 四邊土를 거느리며 H · O · C · N의 元氣를 循環合成시킨다.

人體의 脾, 胃 機能을 擔當하고 身體의 腹部와 얼굴, 입, 콧방울 及 肉에 土氣가 表出된다. 信德과 意志를 主管하고, 心 · 靈의 定處가 된다.

⑥ 穴場의 主因子 特性과 緣分特性 間의 關係

㉠ 穴場에서의 各 部位別 Energy 構成比 及 緣分 Energy 比率

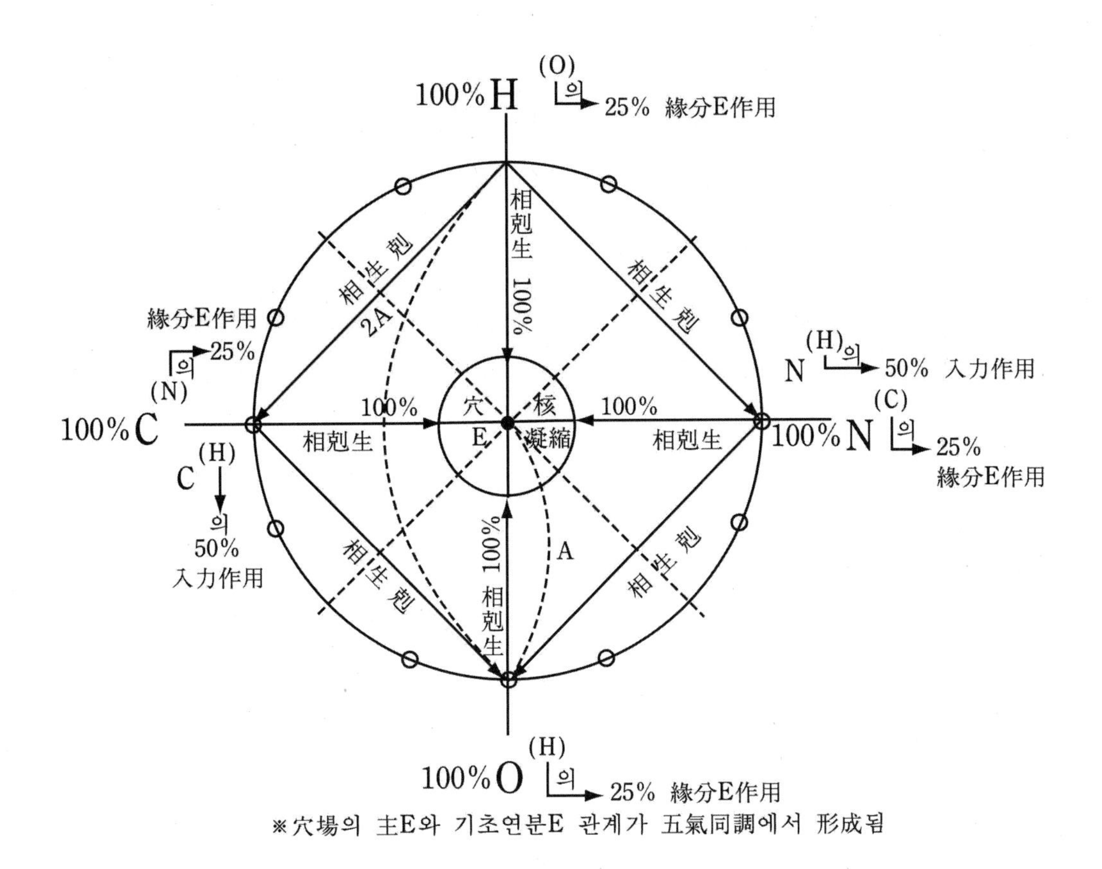

〈그림 22〉 穴場에서의 各 部位別 Energy 構成比 及 緣分 Energy 比率

앞의 그림에서 보는 바와 같이 穴核 Energy는 穴場 周邊으로부터 供給된 入首頭腦 Energy 100%, 纏脣 Energy 100%, 青蟬翼 Energy 100%, 白蟬翼 Energy 100%의 合成 Energy 同調凝縮 作用에 依하여 形成 維持된다.

따라서 穴核 Energy에 加해진 各凝縮 Energy는 100% × 4의 合成 Energy가 되어 核 同調凝縮場을 形成하게 되는데, 이때의 核 凝縮 個別 Energy場은 그 領域을 相對 Energy 本體에까지 이르도록 影響力을 미침으로써, 相對 Energy에 對하여는 相互緣分的 均衡維持 關係作

用 Energy로서의 緣分役割 機能的 形態變易을 일으키게 된다.

例를 들어, 穴核에 作用한 水 Energy와 火 Energy는 各各 100 : 100의 均衡 Energy로 穴心을 凝縮하고 相互平等하게 同調하지만, 이 境遇 入首頭腦 水 Energy體에 미치는 纏脣 Energy의 關係作用力은 穴核에서와 같은 100 : 100의 均衡 關係場이 아닌 100 : 25의 因緣關係場으로 形態變易하게 된다.

卽, 穴心에 纏脣 Energy가 100% 到達하였을 때, 이 火 Energy場이 入首에까지 미치는 거리는 A의 2배인 2A가 되고, 그 미치는 힘은 거리의 제곱에 반비례하는 25%의 纏脣 Energy가 入首頭腦에 傳達 作用하게 되어, 結果的으로 緣分關係의 y Energy場으로 變化하게 된다.

$\frac{O_E}{A^2} = 100(\%)$이므로 $O_E = A^2 100(\%)$이고,

$\frac{O_E}{(2A)^2} = y$(緣分)라 할 때,

$$y = \frac{A^2}{(2A)^2} \cdot 100(\%) = \frac{A^2}{4A^2} \cdot 100(\%) = \frac{100}{4} = 25(\%)$$

이와 같은 原理는 青龍 Energy와 白虎 Energy와의 關係에서도, 그리고 또한 纏脣에 있어도 마찬가지의 結果를 形成하게 되어, 各 Energy體는 相對 Energy體에 自體 Energy의 25%에 該當하는 緣分 Energy을 供給 緣分化한다.

※ 特히 注目해야 할 것은 頭腦, 左右 蟬翼, 纏脣의 100% 凝縮 Energy는 穴核心 Energy에 對한 全體的 比率로서는 各各 1/4의 凝縮特性을 分擔하는 것으로 分析 整理할 수 있다.

※ 이와 같이 穴場에서는 大部分의 因緣關係가 四分法則으로 適用된다.

㉡ 緣分의 機能的 特性

※ 相剋生에서 相生 Energy 100%일 때, 그 相剋 緣分 Energy는 25%

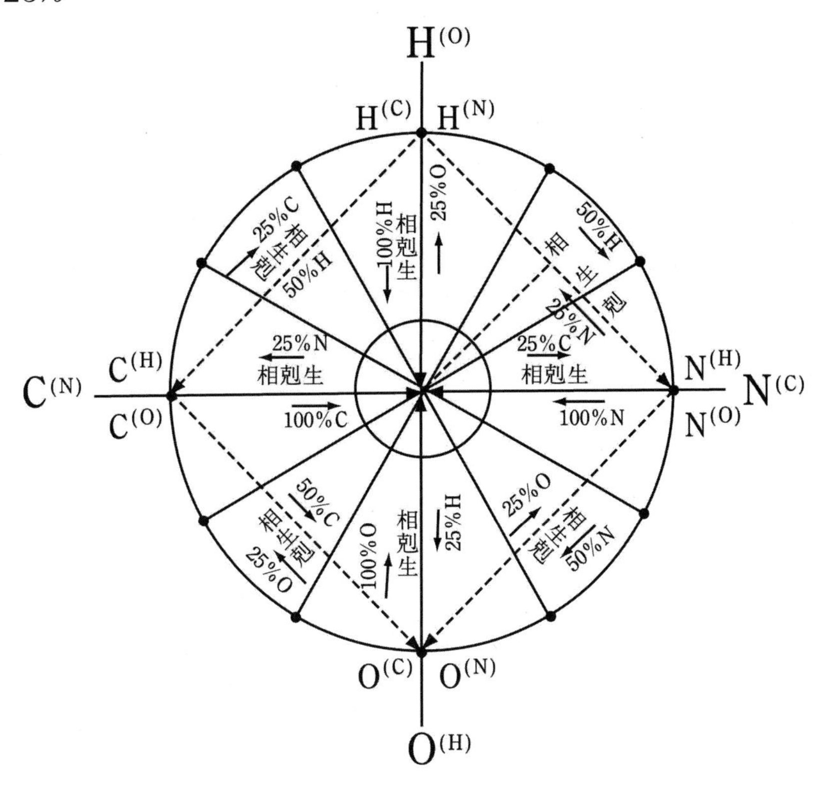

〈그림 23〉 緣分의 機能的 特性

※ 相生剋에서 相生 Energy $= 100 \times (\frac{1}{\sqrt{2}})^2 = 50(\%)$

相剋 Energy = 相生 Energy $\times (\frac{1}{\sqrt{2}})^2 = 25(\%)$

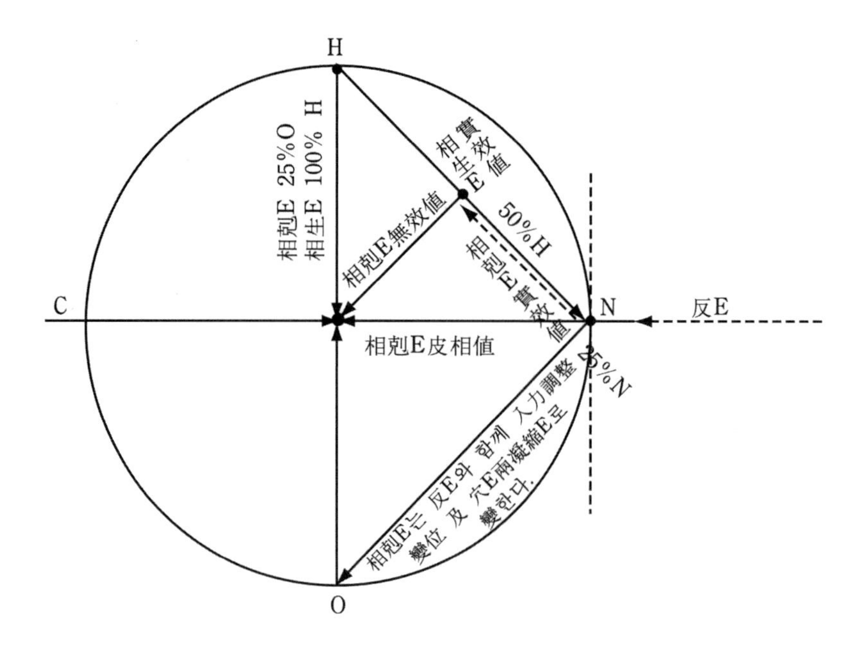

〈그림 23-1〉 緣分의 機能的 特性

「$\frac{O_E}{A^2} = 100(\%)$이므로, $O_E = A^2 \times 100(\%)$이고,

$\frac{O_E}{(\frac{2A}{\sqrt{2}})^2} = y$(緣分)라 할 때,

$$y = \frac{100A^2}{4A^2} \times 2 = \frac{100}{2} = 50(\%)$$

$$y = \frac{O_E}{(\sqrt{2}A)^2} = \frac{100A^2}{2A^2} = 50(\%)$$」

以上과 같은 穴場 Energy의 相互 緣分關係 現象은 一常의 五氣에 穴場의 穴核에 構造化하여, 相生剋의 Energy 供給 循環秩序와 相剋生의 Energy 凝縮秩序를 維持 均衡的인 穴核 Energy를 創出케 한다.

穴場에 있어서 相互 相剋生하는 相對 Energy 及 그 Energy場의 緣分的 關係特性은, 위의 "(26-1) 緣分의 機能的 特性"의 그림에서 보는 바와 같이 穴場의 對稱的 相互 Energy가 지닌 均衡 同調 凝縮的 機能特性과 相對 Energy 調節 干涉的 役割 特性의 두 特性 原理를 지니고

있고, 相互 相生剋 하는 相對 Energy 及 그 Energy場의 緣分的 關係特性은 穴場의 入力 Energy體가 지닌 供給 循環的 機能特性과 穴核 Energy 保護 維持的 役割特性의 두 特性 原理를 함께 지니고 있다.

따라서 相剋生 秩序에서의 各部位 Energy體는 相生時 100%의 凝縮 Energy를 穴核에 同調시키고, 相剋時 25%의 緣分的 Energy을 相對 Energy에 調節 干涉토록 하며, 相生剋 秩序에서의 各 部位 Energy體는 相生하면서 各各 50%의 入力 Energy를 蟬翼 及 纏脣 Energy體에 供給循環시키고, 相剋하면서 25%의 相對 反 Energy을 入力 調整 變位와 穴 Energy 再凝縮 過程에 作用토록 相關關係를 維持한다.

(2) 穴 Energy場과의 인연관계 分析을 위한 자손 Energy 特性 발현

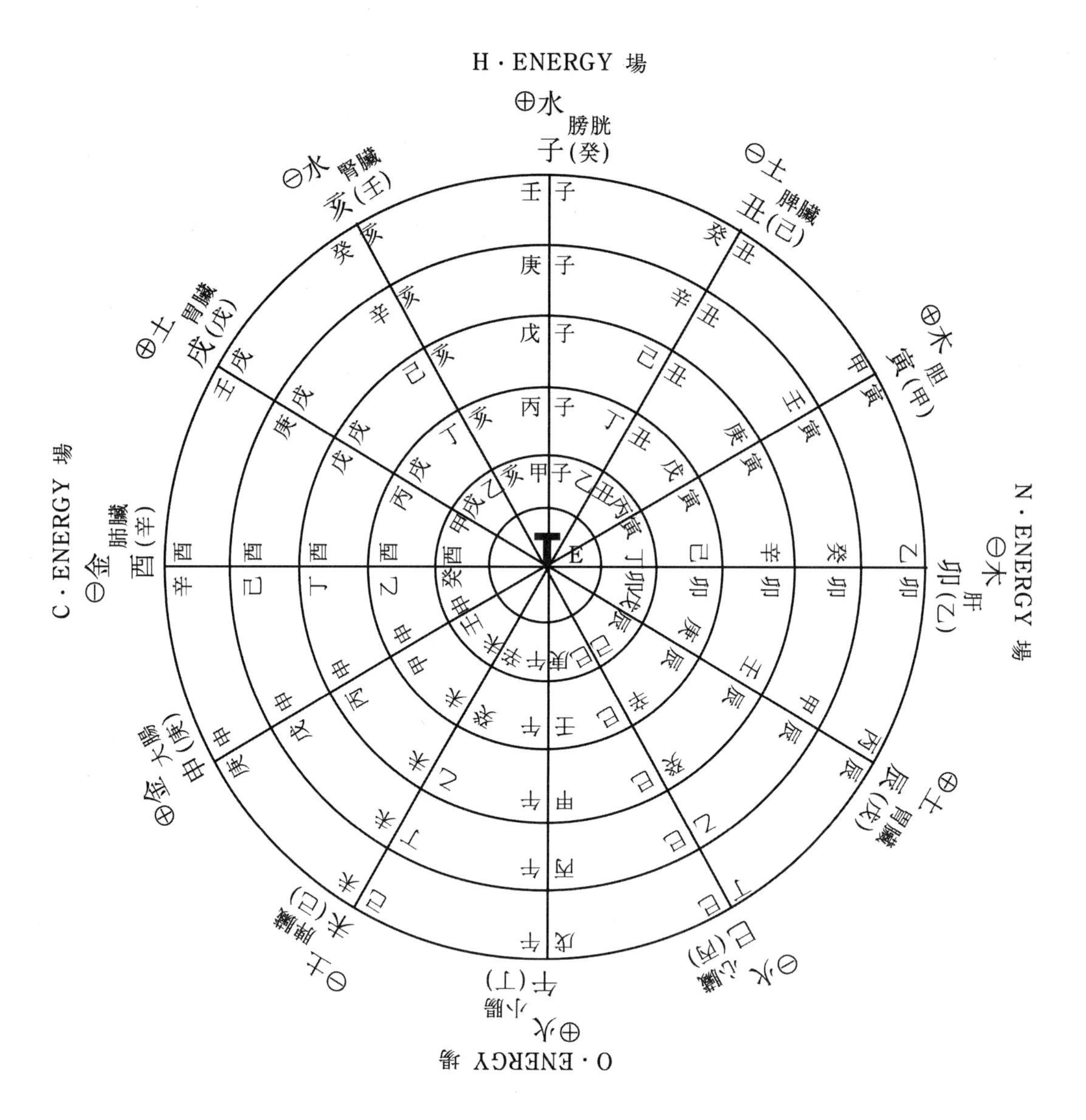

〈그림 24〉 Energy場 形成과 Energy 特性 流轉圖

(3) 人體 Energy 及 그 Energy場의 分析

① 人體 Energy의 構成

㉠ 元素的 構成 : H・O・N・C・T 五大 元素 Energy場

㉡ 物質的 構成 : 水・火・木・金・土 五大 Energy場

㉢ 靈的 構成 : Energy의 統制 能力

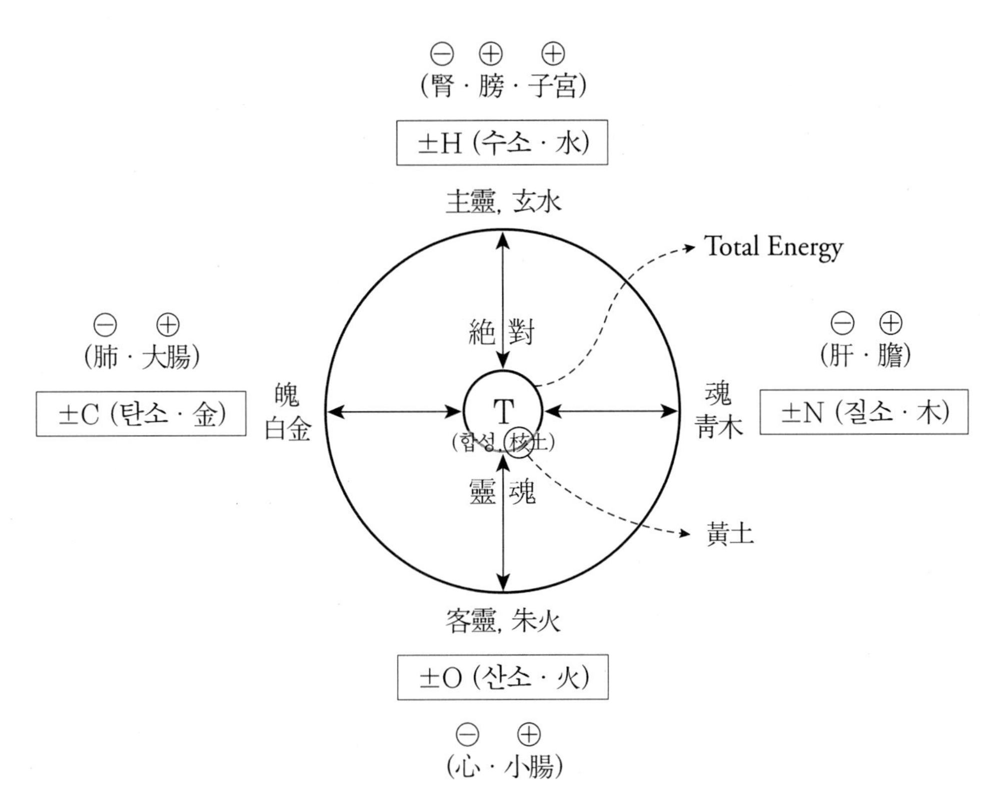

〈그림 25〉 人體 Energy의 構成

② 人體 Energy 及 그 Energy場의 特性

㉠ H 及 水 Energy 特性 作用 : 主靈, 玄水

㉡ O 及 火 Energy 特性 作用 : 客靈, 朱火

㉢ N 及 木 Energy 特性 作用 : 魂, 青木

㉣ C 及 金 Energy 特性 作用 : 魄, 白金

㉤ Energy 調整 作用과 統制 作用 : 信念, 意志, 絶對靈魂, 黃土

③ 人體 Energy 及 그 Energy場의 同調와 干涉

㉠ H Energy의 同調와 干涉

ⓐ H-O의 同調와 干涉 (玄水-朱火 間 同調 干涉)

⊕H-⊖O의 同調와 干涉 (子-巳)

⊕H-⊕O의 同調와 干涉 (子-午)

⊖H-⊖O의 同調와 干涉 (亥-巳)(丑-巳)

⊖H-⊕O의 同調와 干涉 (亥-午)(丑-午)

ⓑ H-N의 同調와 干涉 (玄水-靑木 間 同調 干涉)

⊕H-⊖N의 同調와 干涉 (子-卯)

⊕H-⊕N의 同調와 干涉 (子-寅)(子-辰)

⊖H-⊖N의 同調와 干涉 (亥-卯)(丑-卯)

⊖H-⊕N의 同調와 干涉 (亥-寅)(亥-辰)(丑-寅)(丑-辰)

ⓒ H-C의 同調와 干涉 (玄水-白金 間 同調 干涉)

⊕H-⊖C의 同調와 干涉 (子-酉)

⊕H-⊕C의 同調와 干涉 (子-申)(子-戌)

⊖H-⊖C의 同調와 干涉 (亥-酉)(丑-酉)

⊖H-⊕C의 同調와 干涉 (亥-申)(丑-申)

ⓓ H-T의 同調와 干涉 (玄水-黃土 間 同調 干涉)

⊕H-⊖T의 同調와 干涉 (子-己$_{\text{未}}$)(子-己$_{\text{丑}}$)

⊕H-⊕T의 同調와 干涉 (子-戊$_{\text{辰}}$)(子-戊$_{\text{戌}}$)

⊖H-⊖T의 同調와 干涉 (亥-己$_{\text{未}}$)(亥-己$_{\text{丑}}$)

⊖H-⊕T의 同調와 干涉 (丑-己$_{\text{未}}$)(丑-己$_{\text{丑}}$)

ⓔ H-H의 同調와 干涉 (玄水-祖宗)

⊕H-⊕H의 同調와 干涉 (子-壬)

⊕H-⊖H의 同調와 干涉 (子-癸)

⊖H-⊖H의 同調와 干涉 (亥-癸)(丑-癸)

⊖H-⊕H의 同調와 干涉 (亥-子)(丑-子)

㉡ O Energy의 同調와 干涉

ⓐ O-H의 同調와 干涉 (朱火-玄水)

⊕O-⊖H의 同調와 干涉 (午-亥)(午-丑)

⊕O-⊕H의 同調와 干涉 (午-子)

⊖O-⊖H의 同調와 干涉 (巳-亥)(巳-丑)(未-亥)(未-丑)

⊖O-⊕H의 同調와 干涉 (巳-子)(未-子)

ⓑ O-N의 同調와 干涉 (朱火-靑木)

⊕O-⊖N의 同調와 干涉 (午-卯)

⊕O-⊕N의 同調와 干涉 (午-寅)(午-辰)

⊖O-⊖N의 同調와 干涉 (巳-卯)(未-卯)

⊖O-⊕N의 同調와 干涉 (巳-寅)(巳-辰)

ⓒ O-C의 同調와 干涉 (朱火-白金)

⊕O-⊖C의 同調와 干涉 (午-酉)

⊕O-⊕C의 同調와 干涉 (午-戌)(午-申)

⊖O-⊖C의 同調와 干涉 (巳-酉)(未-酉)

⊖O-⊕C의 同調와 干涉 (巳-戌)(巳-申)

ⓓ O-T의 同調와 干涉 (朱火-黃土)

⊕O-⊖T의 同調와 干涉 (午-己$_{未}$)(午-己$_{丑}$)

⊕O-⊕T 의 同調와 干涉 (午-戊$_{戌}$)(午-戊$_{辰}$)

⊖O-⊖T의 同調와 干涉 (巳-己$_{未}$)(巳-己$_{丑}$)(未-己$_{未}$)(未-己$_{丑}$)

⊖O-⊕T의 同調와 干涉 (巳-戊$_{戌}$)(巳-戊$_{辰}$)(未-戊$_{戌}$)(未-戊$_{辰}$)

ⓔ O-O의 同調와 干涉 (朱火-朝宗)

⊕O-⊕O의 同調와 干涉 (午-丙)

⊕O-⊖O의 同調와 干涉 (午-丁)

⊖O-⊖O의 同調와 干涉 (巳-丁)(未-丁)

⊖O-⊕O의 同調와 干涉 (巳-丙)(未-丙)

㉢ N Energy의 同調와 干涉

ⓐ N-H의 同調와 干涉 (青木-玄水)

⊕N-⊖H의 同調와 干涉 (寅-亥)(寅-丑)(辰-亥)(辰-丑)

⊕N-⊕H의 同調와 干涉 (寅-子)(辰-子)

⊖N-⊖H의 同調와 干涉 (卯-亥)(卯-丑)

⊖N-⊕H의 同調와 干涉 (卯-子)

ⓑ N-O의 同調와 干涉 (青木-朱火)

⊕N-⊖O의 同調와 干涉 (寅-巳)(寅-未)(辰-巳)(辰-未)

⊕N-⊕O의 同調와 干涉 (寅-午)(辰-午)

⊖N-⊖O의 同調와 干涉 (卯-巳)(卯-未)

⊖N-⊕O의 同調와 干涉 (卯-午)

ⓒ N-C의 同調의 干涉 (青木-白金)

⊕N-⊖C의 同調와 干涉 (寅-酉)(辰-酉)

⊕N-⊕C의 同調와 干涉 (寅-戌)(辰-戌)(寅-申)(辰-申)

⊖N-⊖C의 同調와 干涉 (卯-酉)

⊖N-⊕C의 同調와 干涉 (卯-戌)(卯-申)

ⓓ N-T의 同調와 干涉 (青木-黃土)

⊕N-⊖T의 同調와 干涉 (寅-己$_{未}$)(寅-己$_{丑}$)(辰-己$_{未}$)(辰-己$_{丑}$)

⊕N-⊕T의 同調와 干涉 (寅-戊$_{辰}$)(寅-戊$_{戌}$)(辰-戊$_{辰}$)(辰-戊$_{戌}$)

⊖N-⊖T의 同調와 干涉 (卯-己$_{未}$)(卯-己$_{丑}$)

⊖N-⊕T의 同調와 干涉 (卯-戊$_{辰}$)(卯-戊$_{戌}$)

ⓔ N-N의 同調와 干涉 (青木-青木局)

⊕N-⊕N의 同調와 干涉 (寅-甲)(辰-甲)

⊕N-⊖N의 同調와 干涉 (寅-乙)(辰-乙)

⊖N-⊖N의 同調와 干涉 (卯-乙)

⊖N-⊕N의 同調와 干涉 (卯-甲)

㉣ C Energy 同調와 干涉

ⓐ C-H의 同調와 干涉 (白金-玄水)

⊕C-⊖H의 同調와 干涉 (戌-亥)(戌-丑)

⊕C-⊕H의 同調와 干涉 (戌-子)(申-子)

⊖C-⊖H의 同調와 干涉 (酉-亥)(酉-丑)

⊖C-⊕H의 同調와 干涉 (酉-子)

ⓑ C-O의 同調와 干涉 (白金-朱火)

⊕C-⊖O의 同調와 干涉 (戌-巳)(戌-未)(申-巳)(申-未)

⊕C-⊕O의 同調와 干涉 (戌-午)(申-午)

⊖C-⊖O의 同調와 干涉 (酉-巳)(酉-未)

⊖C-⊕O의 同調와 干涉 (酉-午)

ⓒ C-N의 同調와 干涉 (白金-青木)

⊕C-⊖N의 同調와 干涉 (戌-卯)(申-卯)

⊕C-⊕N의 同調와 干涉 (戌-寅)(戌-辰)(申-寅)(申-辰)

⊖C-⊖N의 同調와 干涉 (酉-卯)

⊖C-⊕N의 同調와 干涉 (酉-寅)(酉-辰)

ⓓ C-T의 同調와 干涉 (白金-黃土)

⊕C-⊖T의 同調와 干涉 (戌-己$_{\text{未}}$)(申-己$_{\text{未}}$)(戌-己$_{\text{丑}}$)(申-己$_{\text{丑}}$)

⊕C-⊕T의 同調와 干涉 (戌-戊$_{\text{戌}}$)(戌-戊$_{\text{辰}}$)(申-戊$_{\text{戌}}$)(申-戊$_{\text{辰}}$)

⊖C-⊖T의 同調와 干涉 (酉-己$_{\text{未}}$)(酉-己$_{\text{丑}}$)

⊖C-⊕T의 同調와 干涉 (酉-戊$_{\text{戌}}$)(酉-戊$_{\text{辰}}$)

ⓔ C-C의 同調와 干涉 (白金-白金局)

⊕C-⊕C의 同調와 干涉 (戌-庚)(申-庚)

⊕C-⊖C의 同調와 干涉 (戌-辛)(申-辛)

⊖C-⊖C의 同調와 干涉 (酉-辛)

⊖C-⊕C의 同調와 干涉 (酉-庚)

㉤ T Energy의 同調와 干涉

ⓐ T-H의 同調와 干涉 (黃土-玄水)

⊕T-⊖H의 同調와 干涉 (戊戌-亥)(戊戌-丑)(戊辰-巳)(戊辰-未)

⊕T-⊕H의 同調와 干涉 (戊戌-子)(戊辰-子)

⊖T-⊖H의 同調와 干涉 (己未-亥)(己未-丑)(己丑-亥)(己丑-丑)

⊖T-⊕H의 同調와 干涉 (己未-子)(己丑-子)

ⓑ T-O의 同調와 干涉 (黃土-朱火)

⊕T-⊖O의 同調와 干涉 (戊戌-巳)(戊戌-未)(戊辰-巳)(戊辰-未)

⊕T-⊕O의 同調와 干涉 (戊戌-午)(戊辰-午)

⊖T-⊖O의 同調와 干涉 (己未-巳)(己未-未)(己丑-巳)(己丑-未)

⊖T-⊕O의 同調와 干涉 (己未-午)(己丑-午)

ⓒ T-N의 同調와 干涉 (黃土-青木)

⊕T-⊖N의 同調와 干涉 (戊戌-卯)(戊辰-卯)

⊕T-⊕N의 同調와 干涉 (戊戌-寅)(戊戌-辰)(戊辰-寅)(戊辰-辰)

⊖T-⊖N의 同調와 干涉 (己未-卯)(己丑-卯)

⊖T-⊕N의 同調와 干涉 (己未-寅)(己未-辰)(己丑-寅)(己丑-辰)

ⓓ T-C의 同調와 干涉 (黃土-白金)

⊕T-⊖C의 同調와 干涉 (戊戌-酉)(戊辰-酉)

⊕T-⊕C의 同調와 干涉 (戊戌-戌)(戊戌-申)(戊辰-戌)(戊辰-申)

⊖T-⊖C의 同調와 干涉 (己未-酉)(己丑-酉)

⊖T-⊕C의 同調와 干涉 (己未-戌)(己未-申)(己丑-戌)(己丑-酉)

ⓔ T-T의 同調와 干涉 (黃土-黃土局)

⊕T-⊕T의 同調와 干涉 (戊戌-戌)(戊戌-辰)(戊辰-戌)(戊辰-辰)

⊕T-⊖T의 同調와 干涉 (戊戌-丑)(戊戌-未)(戊辰-丑)(戊辰-未)

⊖T-⊖T의 同調와 干涉 (己丑-丑)(己丑-未)(己未-丑)(己未-未)

⊖T-⊕T의 同調와 干涉 (己丑-戌)(己丑-辰)(己未-戌)(己未-辰)

(4) 人體 Energy場과 風水的 Energy場의 同調 干涉

① 人體 Energy場과 生態環境 Energy場의 同調 干涉

㉠ 地勢 Energy場과의 同調 干涉 → 人體 五大 生命 Energy의 生成과 消滅
㉡ 水 Energy場과의 同調 干涉 → 生命 種子 Energy의 生成과 消滅
㉢ 風 Energy場과의 同調 干涉 → 生命 活動 Energy의 生成과 消滅
㉣ 局 Energy場과의 同調 干涉 → 生命 保護 Energy의 生成과 消滅
㉤ 熱 Energy場과의 同調 干涉 → 生命 安定 Energy의 生成과 消滅

② 人體 Energy場과 建築構造 Energy場과의 同調 干涉

㉠ 建物 Energy場과의 同調 干涉 → 立體 ⊕Energy場과의 關係 作用
㉡ 構造物 個體 Energy 及 材質 Energy場과의 同調 干涉
→ ⊕Energy場의 質量的 關係 作用
㉢ 配置 特性에 의한 Energy場 同調 干涉
→ ⊕Energy場의 相互 關係 作用

③ 人體 Energy場과 建築物 內部 Energy場의 同調 干涉

㉠ 內部 構造 設計와의 同調干涉 → 快適特性과 安樂特性과의 調和
㉡ 內部 構造體의 大小 强弱 善惡 美醜와의 同調 干涉 → 心理的 安定 調和
㉢ 內部 構造 配置와의 同調干涉 → 平等的 安定 調和
㉣ 內部 構造 色相과의 同調干涉 → 靈肉的 安定 調和

(5) 人體 Energy場과 建築物 外部 Energy場의 同調 于涉

① 外部 構造 設計配置와의 同調 干涉 → 靈肉의 均衡 安定 管理
② 外部 構造體의 大小 强弱 善惡 美醜와의 同調 干涉 → 靈肉의 創造的 安定 管理
③ 外部 色相 Energy와의 同調 干涉 → 靈肉의 活動的 安定 管理

(6) 人體 Energy場과 庭園 Energy場의 同調干涉

① 庭園의 大小 高低에 依한 同調干涉 → 人體와 ⊖空間 特性 間 關係作用

㉠ 建築立體空間 ⊕Energy場과 庭園 平面空間 ⊖Energy場과의 關係에 의한 同調干涉 → 人體와 ⊖⊕空間 Energy場間의 關係作用

㉡ 庭園 大小 高低 Energy場에 의한 同調干涉
→ 人體와 ⊖Energy場의 關係作用

㉢ 庭園 立體空間의 同調 干涉 → 人體의 ⊖Energy場 調和

② 庭園 樹石의 大小 Energy場에 依한 同調干涉

㉠ 나무의 크기에 따른 人體 Energy場 同調 → 人體 ⊕Energy場의 調和

㉡ 나무의 色相과 香氣에 의한 Energy場 同調 → 人體 情緖의 調和

㉢ 庭園石의 크기에 따른 Energy場 同調 → 立體 Energy場의 調和

③ 庭園 素材의 善惡 Energy場에 依한 同調干涉

㉠ 나무의 Energy場과 人體 Energy場 同調 → 身體 部位別 Energy場 同調

㉡ 庭園石의 Energy場과 人體 Energy場 同調 → 自然 親和的 人性 同調

㉢ 庭園水의 Energy場과人體 Energy場 同調 → 健康 Energy場의 同調

④ 庭園 配置特性에 依한 同調干涉

㉠ 正面 配置와 人體 Energy場 同調 → 光明性 人體 Energy場 同調

㉡ 側面 配置와 人體 Energy場 同調 → 立體的 思考 Energy場 同調

㉢ 後面 配置와 人體 Energy場 同調 → 廻向的 思念 Energy場 同調

⑤ 建物 內外部 音響 Energy에 依한 同調干涉

㉠ 內部 音響 Energy 及 그 Energy場에 의한 同調干涉 → 治癒的 同調

㉡ 外部 音響 Energy 及 그 Energy場에 의한 同調干涉 → 快適性의 同調

㉢ 善美 音響 Energy場의 同調選擇과 凶惡 音響 Energy場의 干涉 排除
→ 靈的 肉體的 細部 Energy場 同調 干涉

4) 年運 Energy場의 同調秩序(時空 緣分 Energy場의 安定原則)*

(1) 年運別 穴 Energy 特性 變化와 그 週期

① 年運의 構成과 展開

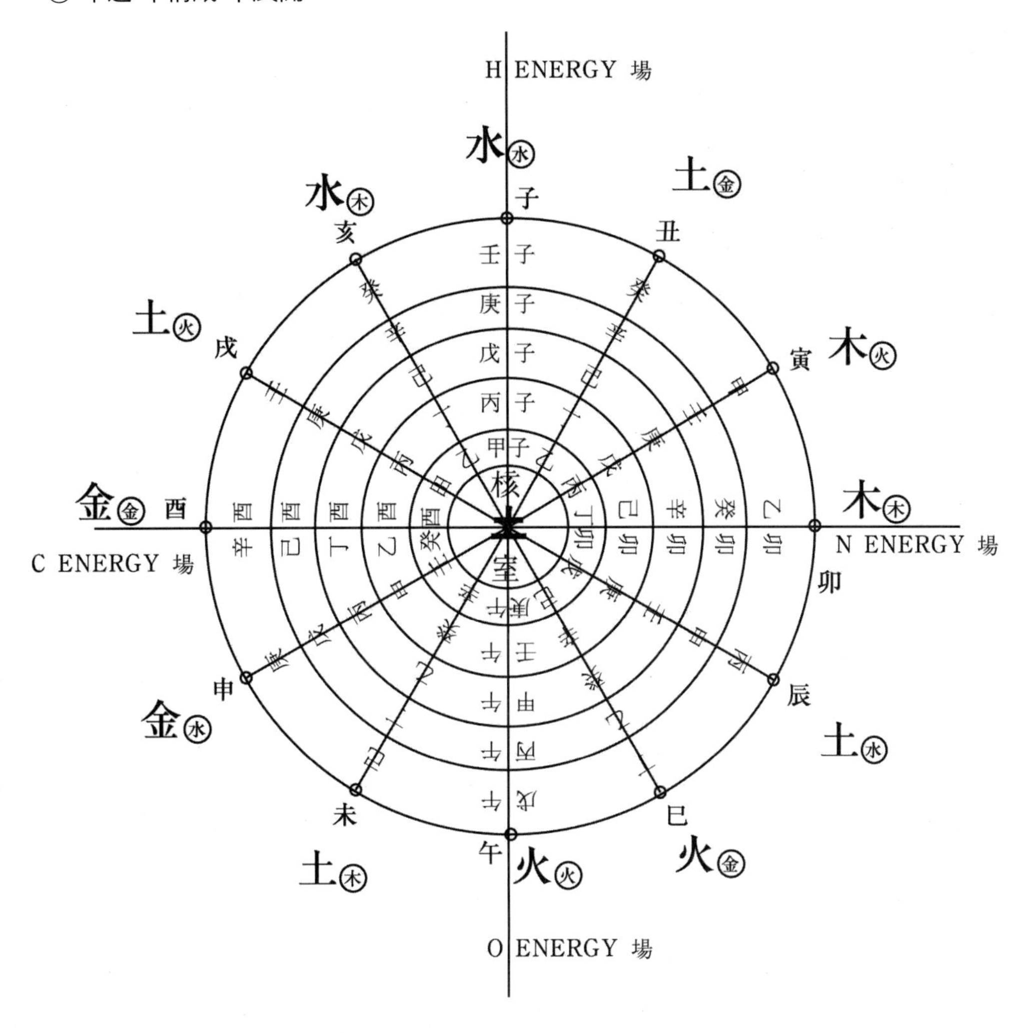

〈그림 26〉 年運의 構成과 展開

※ 穴場 Energy場의 6.25%가 理想的 年運緣分 特性이 된다.

⇒ 歲運 Energy가 된다.

---

* 風水原理講論, 第3篇, 第1章, 第2節.

② 年運의 構成과 展開 原理

㉠ 宇宙의 時空間的 同調槪念

空間의 槪念 : 宇宙 存在의 性相的 觀念이나 表現

時間의 槪念 : 宇宙 存在의 相對的 關係에 對한 觀念이나 表現

時空間의 同調 槪念 : 時空間의 集合 生起的 또는 離散 消滅的인 緣起變易 作用을 統稱하는 觀念이나 表現

㉡ 干支 合成의 時空間的 同調場

ⓐ 天干의 時空間的 同調場

宇宙天體를 前後左右上下의 129,600°方 存在로 槪念化할 때, 이들 天體間에는 時空間的인 同調 關係의 一切 特性場이 各 群別로 集合 形成되게 되는데 이를 「天干 同調場」이라 이름한다.

卽 東方木의 一切特性을 甲과 乙로, 西方金의 一切特性을 庚과 辛으로, 南方火의 一切特性을 丙과 丁으로, 北方水의 一切特性을 壬과 癸로, 上下中土의 軸特性을 戊와 己 等 各各의 그 陰陽으로 分離槪念化한 후 宇宙十方 天體 間의 相互關係 作用 及 地氣 Energy場 ↔ 天體特性 間의 相互 同調關係 作用等을 具體的으로 特性化한 것이 「天干의 時空間的 同調場」이라 할 수 있다.

ⓑ 地支의 時空間的 同調場

宇宙天體 及 太陽 Energy와 地球 Energy 因子間에 形成되는 同調 Energy 特性作用은 地球에 있어서의 地氣 Energy를 12單位場으로 分割 同調하는 結果를 만들게 되고, 이러한 12分割 Energy場 特性은 地球上의 모든 萬物에 그 Energy 因子를 遺傳相續 시키게 된다.

卽 東方木의 一切 Energy場 特性을 寅卯로,
西方金의 一切 Energy場 特性을 申酉로,
南方火의 一切 Energy場 特性을 巳午로,
北方水의 一切 Energy場 特性을 亥子로,

中央 軸 運行 Energy場 特性의 邊變 土 特性을 辰戌丑未로 各各 區分하되, 그 12 Energy場의 順序 配置를 各各 子, 丑, 寅, 卯, 辰, 巳, 午, 未, 申, 酉, 戌, 亥로 陰陽 配列하고, 이의 天干 同調 Energy場 特性 關係 表示를 子(癸), 丑(己), 寅(甲), 卯(乙), 巳(丙), 午(丁), 未(己), 申(庚), 酉(辛), 戌(戊), 亥(壬)으로 하였다. 이는 天干의 五行別 同調 Energy場 特性作用에 따른 天干 正氣 Energy 因子가 地支 同一 五行에 同調 相續된 遺傳的 特性이라 할 수 있다.

※ 여기에서 參考로 알아두어야 할 事項은,

天干(水),(火) Energy가 地支(水),(火) Energy에 同調하는 特性作用이 一般 地支의 陰陽同調 形態와는 매우 다른 特異의 變易 特性 同調現象을 나타내고 있다는 것이다.

이는 (水),(火)의 本性이 動・靜, 集・散의 速進的 變易特性을 지닌 까닭으로 天干의 陽水陽火는 地支의 陰水陰火에 同調하게 되고, 天干의 陰水陰火는 地支의 陽水陽火에 同調함으로써 各各 그 變易 特性을 地氣에 나투이게 한다.

卽, 天干 陽水 陽火는 天上 外天氣가 主氣가 되는 까닭에 靜・集의 變易 同調特性 作用으로서 地支의 同一 變易 特性을 좇아 同調 作用을 하게 되고, 天干 陰水陰火는 天中 內天氣가 主氣가 되는 까닭에 動・散의 變易 同調特性 作用으로서, 地支의 同一 變易特性을 좇아 同調作用을 하게 된다.

따라서 地支에서의 陽水陽火는 地上 外地氣가 그 主氣로 되는 까닭에 地上 外地氣의 (水)・(火) 主氣인 動・散의 特性과 同一變易特性을 지닌 天干의 主氣는 天中 內 天氣의 陰水陰火가 된다.

이 天中 內天氣의 天干 陰水陰火는 그 正氣特性으로 하여금 地支 主氣 變易 作用에 同調하여 子(癸), 午(丁)의 動・散, 變易同調特性을 地氣에 創出하게 된다.

또 地支에서의 陰水陰火는 地中 內地氣가 그 主氣로 되는 까닭에 地中 內地氣의 (水)・(火) 主氣인 靜・集의 特性과 同一 變易特性을 지닌 天干의 主氣는 天上 外天氣의 陽水陽火가 된다. 이 天上 外天氣의 天干 陽水陽

火는 그 正氣特性으로 하여금 地支 主氣變易 作用에 同調하여 亥(壬), 巳(丙)의 靜·集 變易同調特性을 地氣에 創出하게 된다.

그리고 天干 中央軸의 戊己 上下土는 地支 軸動氣에 同調하여 地氣 軸運行 Energy場을 形成시키고, 이들 軸運行 Energy場을 辰戌 陽軸 地氣 Energy場에 天干 陽軸 戊土氣를, 丑未 陰軸 地氣 Energy場에 天干 陰軸 己土氣를 各各 分割同調하여, 地氣 四季 陰陽 變易特性의 軸土氣를 創出하게 된다.

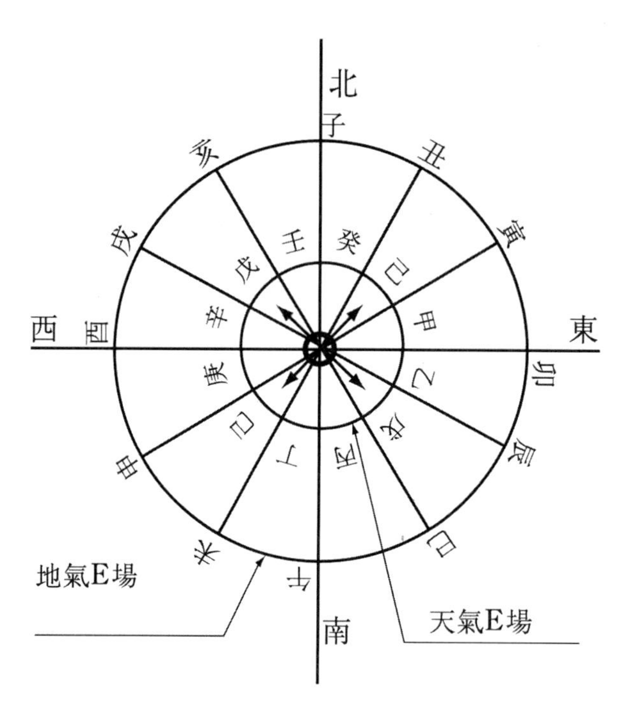

〈그림 27〉 干支 合成의 時空間的 同調場

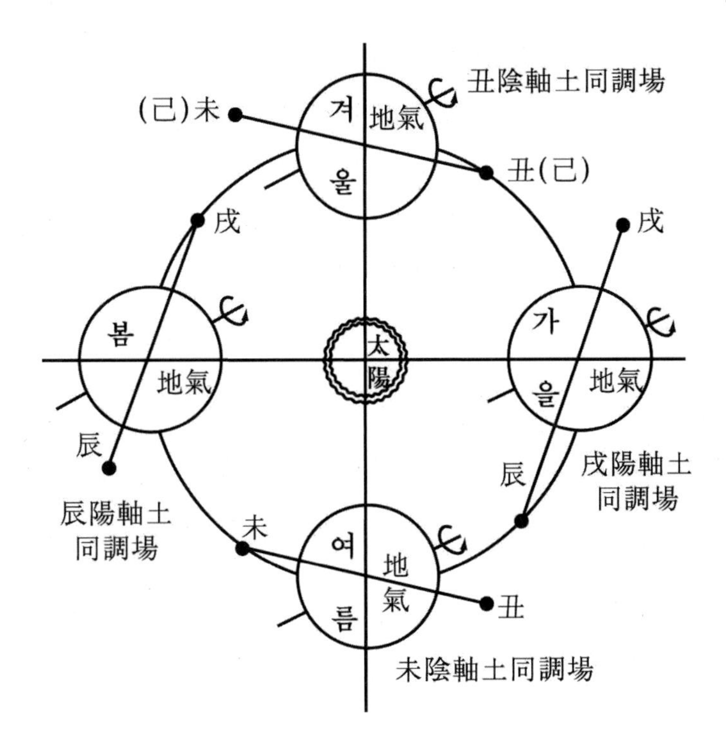

〈그림 28〉 干支 合成의 時空

5) 陽宅 構造物 設計의 同調秩序(建造物 基頭坐 安定原則)

(⊕立體空間 Energy體 坐 = ⊕山 Energy體 中心)

(⊖平面空間 Energy 出入門 = ⊖風水勢 入力側)

(1) 風水的 陽宅環境 Energy場

① 風水的 陽宅環境 Energy場의 形成秩序

前記에서 잠시 언급한 바와 같이 地球核 Energy場과 天體 Energy場 間에 形成되는 同調 Energy場은 具體的으로 地球表面에서 發散과 循環이라는 두 가지 形態의 Energy 構造틀을 만들게 되는데, 前者의 發散構造틀은 火山이라는 폭발형태로 地核 Energy를 發散하여 地球 Energy體 離散 Cycle를 조성해가고, 後者의 循環 構造틀은 山脈이라는 集合 Energy體로 地核 Energy 循環移動을 擔當케 함으로써 地球 Energy體 循環 Cycle을 조성해간다.

地球라는 核 Energy體는 太初 生成始作부터 그치는 날까지, 生起 還元的인

循環 Cycle과 消滅 還元的인 離散 Cycle의 兩極軸을 부단히 지속적으로 進行함으로써, 한 軸으로는 生命 創造의 生起的 環境 Energy場 秩序를 구축하고, 한 軸으로는 生命 壞滅의 消滅的 環境 Energy場 秩序를 構築하여 地球表面이라는 兩極軸上에 生滅이 共存하는 生滅的 生態 環境 Energy場 構造秩序를 組織하게 된다.

이와 같이 形成된 生態環境 Energy場 構造體의 具體的 現象形態는, 크게는 地表面의 山脈 Energy 構造體를 形成하여 生態 環境 Energy를 集合・同調・凝縮・核化하고, 작게는 地表上에 風・水・熱의 空間 Energy 및 그 Energy場을 合成하여 地表生命 Energy體의 生命活動秩序를 한층 圓滿케 同調 變易시킴으로써 地球表面體와 空間上에 生起的 生氣 Energy 運行이 원활한 生態環境 Energy場 維持秩序가 再創造되게 한다.

② 生態環境秩序에 따른 人間生命 Energy 形成秩序

地球表面 Energy體와 空間上에서 形成되는 生態 環境 Energy場의 維持秩序 背景에는 地球核力에 의한 核力場, 地球重力에 의한 重力場, 그리고 地球 引力에 의한 引力場과 地磁氣에 의한 地磁氣力場, 地電氣에 의한 地電氣力場, 地電子力場, 陽子力場, 弱力場 그리고 또 기타 風力場・ 水力場・ 熱力場 등 各種의 環境 Energy場이 함께 合成하여 同調하는 統一的 Energy場이라는 커다란 同調 Energy 틀이 存在하게 되는데, 위와 같은 地表 生態環境의 合成 同調 Energy場 組織틀 속에는 無限帶의 다양한 生命 同調 Energy場 채널이 無量으로 存在하게 된다.

이 多樣한 無限同調 Energy場 채널에 의해서 地表 現象 環境界에는 無限種의 生體 Energy 및 그 Energy場이 無量으로 供給되게 되고 이에 의한 無限種의 生命 Energy體 탄생과 그 集合들이 이루어져 現象으로 形體를 나투이게 된다.

같은 原理를 좇아 人間 個體別 生命 Energy體에서 發現되는 生體 Energy場 構造秩序 역시 統一的인 地表의 生態 環境 Energy場 構造特性에 從屬되어 遺傳的이고 相續的이면서 그리고 從屬的이고 廻向的인 새로운 生命 Energy 秩序體系로 再創造 變易되어간다.

이상에서 살펴본 바와 같이 生態環境秩序에 따른 一切의 Energy場 秩序의

틀은 基本的으로 同調的이며 相續的이고 從屬的인 統一的 Energy 흐름 構造를 지니고 있다.

따라서 이러한 Energy 移動 循環秩序原理를 反하는 여하한 Energy場 配置構造도, 根源的인 生態 Energy場의 同調나 相續이나 從屬的 特性 領域에서 벗어나게 되면, 그 相互的 關係秩序는 여지없이 破壞 消滅되고 만다. 이것은 人間의 生命文化에도 마찬가지다.

人間이 삶의 편리를 위해 만들어가는 生體 Energy場의 安定 노력이나 生命文化를 위한 人爲的 一切 Energy場 構造들이, 統一的이고 근원적인 生態 組織秩序를 順應하지 아니하고 破壞시켜갈 때 이들 無分別한 人爲的 一切 行爲들은, 곧바로 人間 生體自身들의 個體 生命 Energy場을 破滅케 하는 從屬的이고 應報的인 不幸을 초래할 수밖에는 없을 것이다.

③ 地表 Energy體의 構造秩序와 生態 Energy 特性

㉠ 板 Energy 構造秩序와 生態 Energy 特性

地表 板 平面 Energy 分布秩序로서 均等 Energy 分布特性은 維持하고 있으나 單位 Energy 密度가 빈약하여 他 Energy體의 保持量보다 훨씬 못 미치는 Energy 量을 지니고 있다. 따라서 生態的 人間生命 Energy 發生은 미약하다.

㉡ 立體 Energy 構造秩序와 生態 Energy 特性

ⓐ 板 Energy 間 凝縮秩序 : 集合 Energy體 立體特性으로 Energy 凝縮秩序가 他力的 同調作用에 의해 形成된다. 生態的 生命 Energy 發生特性은 强健하나 부드러움이 부족하다.

ⓑ 地核 Energy 隆起秩序 : 地核 隆起에 依한 立體 Energy 特性으로 Energy 凝縮秩序가 自力的 同調作用에 의해 形成된다. 生態的 生命 Energy 特性은 부드러우나 强健함이 不足하다.

㉢ 線 Energy 構造秩序와 生態 Energy 特性

ⓐ 板凝縮 安定過程에서의 線 Energy 構造體 : 外部周邊 Energy體의 同調安定特性이 良好한 반면 外部 Energy體의 刑沖破害殺干涉이 크기도 하다. 生命同調 Energy와 干涉 Energy가 함께 强直하다.

ⓑ 隆起 Energy 凝縮安定에 依한 線 Energy 構造體 : 內部 隆起 Energy體의 聚突 安定特性이 良好한 반면 外部 Energy體의 刑沖 破害殺干涉이 적다. 生命同調 Energy가 圓滿하나 그 Energy 量이 比較的 不足하다.

(2) 生態 建築計劃과 그 Energy場 設計

① 地表 生態環境과 建築環境 計劃

지금까지 地表生態環境 Energy場을 說明하면서 人間 生命 Energy場이 全的으로 生態環境 Energy場에 從屬되어 相續 同調하고 있음을 發見하였다.

善美·溫和한 生態環境 Energy場 속에서는 人間生命 Energy場도 善美·溫和한 構造를 維持할 수 있으며, 生態環境 Energy場이 凶暴 不良하게 되면 마찬가지로 人間生命 Energy場도 凶暴 不良한 것이 되게 마련이다.

人間의 住居生活이 이 地球上에서 營爲되고, 삶의 文化가 地表 Energy體 上에서 이루어지는 한, 地表 Energy體의 善·惡·美·醜나 大·小·强·弱 特性이 人間生命 Energy體에 미치는 相續的이고 從屬的인 영향력은 절대로 벗어날 수가 없다.

따라서 地表의 生態環境 Energy場 속에 設置計劃되는 人間文化 施設들은 반드시 生態環境 Energy場 特性을 破壞하거나 拒逆하거나 損傷시켜서는 아니 된다.

人間 必要 構造物의 建築計劃은 親環境的이라기보다는 順應的 設計이어야 마땅하고 生態 Energy場의 Energy 흐름을 把握하지 않는 反生態的 建築設計는 어떤 경우에도 排除되지 않으면 아니 된다.

建築構造物의 配置計劃은 地表生態 環境 Energy場의 Energy 흐름 配置와 合致해야 하고, 그러기 위한 建築構造物의 Energy場 設計는 보다 合理的으로 計劃되어야 한다.

아무리 地表 生態環境 Energy場의 Energy 回路를 파악하였다 할지라도 建築構造物의 Energy場 回路가 分析的으로 設計되지 않았다면 이들의 合理的 同調配置는 不可能하게 될 수밖에 없기 때문이다.

風水學的 建築環境을 論하는 이유는 위와 같은 地表 生態環境 Energy場의 Energy 回路를 확실하게 파악하자는 것이고, 風水學的 建築構造를 設計코저 하는 까닭은 보다 合理的인 建築 構造物의 善 Energy場 設計를 도모하여 建築空間 Energy의 흐름을 安定케 하자는 것이다.

建築空間 Energy場의 安定된 秩序構築이야말로 우리 人間生命의 生體 Energy場 리듬을 가장 확고하게 安定시킬 수 있는 유일한 手段일 수밖에 없다.

理想的 生態環境 Energy場의 同調 속에서, 合理的인 建築構造 善 Energy 體를 配置計劃하고, 安定되고 쾌적한 建築空間 Energy를 再創造 循環케 하여 生體 Energy를 極大化 善性化하는 것은, 우리 人間의 生命文化를 가장 善美하게 維持 發展시키고 最强하게 相續시킬 수 있는 理想的인 패러다임(Paradigm)이 될 것이라 確信한다.

② 風水學的 Energy場 計劃

㉠ 風水學的 生態環境 Energy場에 同調하는 理想的 建築構造 Energy場 計劃

ⓐ 主 地勢入力 Energy 及 그 Energy場과 建築 Energy 及 그 Energy場 同調

- 善美强大한 地勢 Energy 入力과 建築 Energy 坐의 合一
- 穴場 Energy 及 그 Energy場 中心과 建築 Energy 構造의 中心 合一
- 穴場 Energy 及 그 Energy場의 大小强弱에 따른 建築物의 規格 決定

ⓑ 局 地勢 Energy 及 그 Energy場과 建築 Energy 及 그 Energy場 同調

- 局 左右 地勢 Energy 及 그 Energy場과 建築物 左右 Energy 構造와의 同調設計
- 局 前後 地勢 Energy 及 그 Energy場과 建築物 前後 Energy 構造와의 同調設計
- 全體 局 Energy 及 Energy場에 따른 建物高의 同調設計

ⓒ 風水勢 Energy 及 그 Energy場과 建築 Energy 及 그 Energy場 同調

- 風水勢 Energy의 大小强弱善惡美醜에 따른 建築 Energy 構造設計
- 風水勢 Energy의 左右 旋到에 따른 建築 Energy 構造設計
- 風水勢 Energy의 刑沖破害殺에 對한 建築 Energy 構造 補完設計

ㄴ 風水學的 生態環境 Energy場에 同調하는 個體 建築構造物의 設計

ⓐ 個體構造物 設計配置와 全體構造物의 同調

ⓑ 個體構造物 設計配置와 穴 Energy場과의 同調

ⓒ 個體構造物 Energy場 設計와 內部構造物 Energy場과의 同調

ㄷ 風水學的 生態建築 Energy 及 그 Energy場과 인테리어

ⓐ 內部設計構造의 配置

ⓑ 內部構造의 色相

ⓒ 內部構造의 大小 强弱 設計

(3) 生態建築 計劃의 施行方法

① 理想的 建築環境 Energy場의 選擇

人間生命體나 建築構造物이 그 自體로서의 本然的 壽命을 다하기 爲하여서는 무엇보다 먼저 理想的인 建築環境 Energy場을 確保할 수 있는 同調 Energy를 얻어야 하는데 이러한 同調 Energy 들은 理想的인 風水 空間 Energy場의 選擇으로부터 얻어지는 것이다.

風水的 善 空間 Energy場이 維持되고 있는 理想的 生態環境 Energy場의 選擇事項에 對해서 좀 더 살펴보기로 한다.

ㄱ 都市 施設計劃에 따른 理想的 生態環境 Energy場

ⓐ 地勢入力 Energy의 善惡 美醜 大小 强弱 選擇

ⓑ 局勢 Energy場의 善惡 美醜 大小 强弱 選擇

ⓒ 風水勢 Energy場의 善惡 美醜 大小 强弱 選擇

㉡ 農漁村 施設計劃에 따른 理想的 生態環境 Energy場

ⓐ 地勢의 選擇

ⓑ 局勢의 選擇

ⓒ 風水勢의 選擇

㉢ 道路 施設計劃에 따른 理想的 生態環境 Energy場

ⓐ 山勢의 保護計劃

ⓑ 水勢의 利用計劃

㉣ 共同 住居 施設計劃에 따른 理想的 生態環境 Energy場

ⓐ 地氣 入力 Energy 優先

ⓑ 局勢의 安定優先

ⓒ 風水勢의 安定優先

㉤ 單獨 住居 施設計劃에 따른 理想的 生態環境 Energy場

ⓐ 穴場의 測定

ⓑ 水勢의 測定

ⓒ 局勢의 安定計劃

㉥ 事業用 建築施設計劃에 따른 理想的 生態環境 Energy場

ⓐ 主入力 地勢 Energy와 水勢 Energy의 同調計劃

ⓑ 局 安定 Energy와 風勢 Energy의 安定同調

㉦ 商業用 建築施設計劃에 따른 理想的 生態環境 Energy場

ⓐ 主勢入力 Energy와 白虎 Energy와의 同調計劃

ⓑ 案山 Energy 同調計劃

ⓒ 水勢 Energy 優先 計劃

㉧ 國家公共機關 施設計劃에 따른 理想的 生態環境 Energy場

ⓐ 主入力 地勢 Energy의 優先 計劃

ⓑ 主勢와 青・白・案山 Energy와의 同調計劃

㋜ 教育機關 施設計劃에 따른 理想的 生態環境 Energy場

ⓐ 主勢入力 優先 計劃

ⓑ 青龍 Energy 優先 計劃

ⓒ 地勢安定 優先 計劃

㋝ 宗教 施設計劃에 따른 理想的 生態環境 Energy場

ⓐ 地氣 入力 Energy 安定

ⓑ 局凝縮 Energy 安定

ⓒ 風水 Energy 安定

㋞ 病院等 福祉 施設計劃에 따른 理想的 生態環境 Energy場

ⓐ 地勢 安定 計劃

ⓑ 水勢 安定 計劃

ⓒ 風勢 安定 計劃

㋟ 各種 文化施設計劃에 따른 理想的 生態環境 Energy場

ⓐ 自然空間調和 優先 計劃

ⓑ 空間 Energy 安定 優先 計劃

㋠ 其他 構造物 施設計劃에 따른 理想的 生態環境 Energy場

ⓐ 上下水 施設 環境 優先 計劃

ⓑ 燃料施設 環境 優先 計劃

ⓒ 各種 Energy 施設環境 優先 計劃

② 理想的 建築構造 Energy場의 細部設計

理想的 建築構造가 完成되기 爲하여서는 理想的인 生態環境 Energy場과 構造體인 立體空間 Energy場이 相互同調 合一的으로 關係함으로써, 窮極的으로 人間 生體 Energy場과 空間 Energy場이 最適의 條件에서 同調合一할 수 있는 安定된 空間 Energy場을 具體的으로 設計하는 것이 重要한 計劃 事項이라 할 것이다.

㉠ 都市 施設 建築構造의 理想的 Energy場 設計

ⓐ Building構造의 安定 Energy場 設計

ⓑ 街路施設의 Energy場 設計

ⓒ 上下水 燃料施設의 Energy場 設計

㉡ 農漁村 施設 建築構造의 理想的 Energy場 設計

ⓐ 住居施設의 Energy場 設計

ⓑ 家畜施設의 Energy場 設計

ⓒ 農水產施設의 Energy場 設計

㉢ 公園 施設 建築構造의 理想的 Energy場 設計

ⓐ 公園空間 施設의 Energy場 設計

ⓑ 公園樹石 施設의 Energy場 設計

ⓒ 公園構造物 施設의 Energy場 設計

ⓓ 公園水環境 施設의 Energy場 設計

㉣ 共同 住居 施設 建築構造의 理想的 Energy場 設計

ⓐ A.P.T. 構造의 Energy場 設計

ⓑ 駐車空間의 Energy場 設計

ⓒ 冷煖房, 上下水 施設의 Energy場 設計

㉤ 單獨 住居 施設 建築構造의 理想的 Energy場 設計

ⓐ 垈地 Energy場 設計

ⓑ 建物 Energy場 設計

ⓒ 庭園 Energy場 設計

㉥ 事業用 施設 建築構造의 理想的 Energy場 設計

ⓐ 外部 Energy場 設計

ⓑ 內部 Energy場 設計

㉦ 商業用 施設 建築構造의 理想的 Energy場 設計

ⓐ 매장의 Energy場 設計

ⓑ 駐車空間의 Energy場 設計

ⓞ 國家公共機關 施設 建築構造의 理想的 Energy場 設計

ⓐ 全體構造 Energy場 設計

ⓑ 內部構造 Energy場 設計

ⓩ 教育機關 建築構造의 理想的 Energy場 設計

ⓐ 教育施設의 Energy場 設計

ⓑ 研究施設의 Energy場 設計

ⓒ 其他施設의 Energy場 設計

ⓒ 宗教施設 建築構造의 理想的 Energy場 設計

ⓐ 祈禱施設의 Energy場 設計

ⓑ 集會施設의 Energy場 設計

ⓒ 住居施設의 Energy場 設計

ⓚ 病院等 福祉施設 建築構造의 理想的 Energy場 設計

ⓐ 治療施設의 Energy場 設計

ⓑ 療養施設의 Energy場 設計

ⓒ 福祉施設의 Energy場 設計

ⓔ 各種文化施設建築構造의 理想的 Energy場 設計

ⓐ 文化 觀覽施設의 Energy場 設計

ⓑ 文化 製作施設의 Energy場 設計

ⓒ 文化 保管施設의 Energy場 設計

ⓟ 其他 附帶施設 建築構造의 理想的 Energy場 設計

ⓐ 上下水 施設의 Energy場 設計

ⓑ 燃料施設의 Energy場 設計

ⓒ 各種 Energy 施設의 Energy場 設計

③ 生態 環境 Energy場에 대한 理想的인 構造物 配置計劃

風水的 善 Energy場인 生態環境 Energy場에는 地勢 固有의 Energy 位相特性과 地勢 部分別 Energy 大小强弱特性이 建築코저 하는 構造物의 Energy

及 그 Energy場 特性과 각기 다르게 內在되어 나타나가기 쉽다.

이때에는 生態環境 Energy場의 建造物 Energy場이 合一 同調할 수 있도록 建物構造 配置改善에 依한 生氣 Energy場 同調를 도모하지 않으면 아니 된다.

㉠ 都市 施設 建築 構造物의 理想的 配置計劃
 ⓐ 都市 施設環境의 Energy場 測定
 ⓑ 都市 施設物의 Energy場 配置設計
 ⓒ 合一 同調 Energy場 設計

㉡ 農漁村 施設 建築 構造物의 理想的 配置計劃
 ⓐ 農漁村 施設環境의 Energy場 測定
 ⓑ 農漁村 施設物의 Energy場 配置設計
 ⓒ 合一同調 Energy場 設計

㉢ 公園 施設 構造物의 理想的 配置計劃
 ⓐ 公園 施設 環境의 Energy場 測定
 ⓑ 公園 施設物의 Energy場 配置設計
 ⓒ 合一同調 Energy場 設計

㉣ 共同 住居 施設 建築 構造物의 理想的 配置計劃
 ⓐ 共同住居 施設環境의 Energy場 測定
 ⓑ 共同住居 施設物의 Energy場 配置設計
 ⓒ 合一同調 Energy場 設計

㉤ 單獨 住居 施設 建築 構造物의 理想的 配置計劃
 ⓐ 單獨住居 施設環境의 Energy場 測定
 ⓑ 單獨住居 施設物의 Energy場 配置設計
 ⓒ 合一同調 Energy場 設計

㉥ 事務用 施設 建築 構造物의 理想的 配置計劃
 ⓐ 事務用 施設環境의 Energy場 測定
 ⓑ 事務用 施設物의 Energy場 配置設計

ⓒ 合一同調 Energy場 設計

ㅅ 商業用 施設 建築 構造物의 理想的 配置計劃

ⓐ 商業用 施設環境의 Energy場 測定

ⓑ 商業用 施設物의 Energy場 配置設計

ⓒ 合一同調 Energy場 設計

ㅇ 國家公共機關 施設 建築 構造物의 理想的 配置計劃

ⓐ 國家公共機關 施設環境의 Energy場 測定

ⓑ 國家公共機關 施設物의 Energy場 配置設計

ⓒ 合一同調 Energy場 設計

ㅈ 教育機關 施設 建築 構造物의 理想的 配置計劃

ⓐ 教育機關 施設環境의 Energy場 測定

ⓑ 教育機關 施設物의 Energy場 配置設計

ⓒ 合一同調 Energy場 設計

ㅊ 病院等 福祉 施設 建築物의 理想的 配置計劃

ⓐ 病院 施設環境의 Energy場 測定

ⓑ 病院 施設物의 Energy場 配置設計

ⓒ 合一同調 Energy場 設計

ㅋ 宗教施設 建築 構造物의 理想的 配置計劃

ⓐ 宗教施設環境의 Energy場 測定

ⓑ 宗教 施設物의 Energy場 配置設計

ⓒ 合一同調 Energy場 設計

ㅌ 各種 文化施設 建築 構造物의 理想的 配置計劃

ⓐ 各種 文化施設環境의 Energy場 測定

ⓑ 各種 文化 施設物의 Energy場 配置設計

ⓒ 合一同調 Energy場 設計

㉣ 其他 施設 建築 構造物의 理想的 配置計劃

ⓐ 上下水 施設의 Energy場 配置設計

ⓑ 燃料 施設의 Energy場 配置設計

ⓒ 各種 Energy 施設 Energy場 配置設計

④ 理想的인 建築 構造物의 個體 Energy場 設計

理想的 生態環境 Energy場의 選擇이 理想的 建築構造 Energy場과 그 配置特性에 의해서 生氣 同調 Energy場 增大를 實現시켜나가는 것 못지않게 建築構造物 個體別 材料의 生氣的 Energy 及 그 Energy場을 精密하게 分析 把握設置하는 것도 全般的 生體 同調 Energy를 確保함에 있어서는 매우 重要한 事項이라 할 것이다.

特히 建築材料의 諸般 Energy 特性이 人體에 미치는 영향에 대해서는 더더욱 細密한 檢討와 利用方法의 硏究가 뒤따르지 않으면 안 될 것이다.

㉠ 都市 施設 建築 構造物個體의 理想的 Energy場 設計

ⓐ 都市 建物 個體의 Energy場 設計

ⓑ 個體別 材質의 Energy場 設計

ⓒ 其他 周邊 構造物 及 全體同調 Energy場 設計

㉡ 農漁村 施設 建築 構造物個體의 理想的 Energy場 設計

ⓐ 農漁村 建物 個體의 Energy場 設計

ⓑ 個體別 材質의 Energy場 設計

ⓒ 其他 周邊 構造物 及 全體同調 Energy場 設計

㉢ 公園 施設 建築 構造物個體의 理想的 Energy場 設計

ⓐ 公園施設 個體의 Energy場 設計

ⓑ 個體別 材質의 Energy場 設計

ⓒ 其他 周邊 構造物 及 全體同調 Energy場 設計

㉣ 共同 住居 施設 建築 構造物個體의 理想的 Energy場 設計

ⓐ 共同 住居 施設 個體의 Energy場 設計

ⓑ 個體別 材質의 Energy場 設計

ⓒ 其他 周邊 構造物 及 全體同調 Energy場 設計

㉤ 單獨 住居 施設 建築 構造物 個體의 理想的 Energy場 設計

ⓐ 單獨 住居 施設 個體의 Energy場 設計

ⓑ 個體別 材質의 Energy場 設計

ⓒ 其他 周邊 構造物 及 全體同調 Energy場 設計

㉥ 事務用 施設 建築 構造物個體의 理想的 Energy場 設計

ⓐ 事務用 施設 個體의 Energy場 設計

ⓑ 個體別 材質의 Energy場 設計

ⓒ 其他 周邊 構造物 及 全體同調 Energy場 設計

㉦ 商業用 施設 建築 構造物個體의 理想的 Energy場 設計

ⓐ 商業用 施設 個體의 Energy場 設計

ⓑ 個體別 材質의 Energy場 設計

ⓒ 其他 周邊 構造物 及 全體同調 Energy場 設計

㉧ 國家公共機關 施設 建築 構造物個體의 理想的 Energy場 設計

ⓐ 國家公共機關 施設 個體의 Energy場 設計

ⓑ 個體別 材質의 Energy場 設計

ⓒ 其他 周邊 構造物 及 全體同調 Energy場 設計

㉨ 教育機關 施設 建築 構造物個體의 理想的 Energy場 設計

ⓐ 教育機關 施設 個體의 Energy場 設計

ⓑ 個體別 材質의 Energy場 設計

ⓒ 其他 周邊 構造物 及 全體同調 Energy場 設計

㉩ 宗教 施設 建築 構造物個體의 理想的 Energy場 設計

ⓐ 宗教 施設 個體의 Energy場 設計

ⓑ 個體別 材質의 Energy場 設計

ⓒ 其他 周邊 構造物 及 全體同調 Energy場 設計

㉪ 病院等 福祉 施設 建築 構造物個體의 理想的 Energy場 設計

ⓐ 病院等 福祉 施設 個體의 Energy場 設計

ⓑ 個體別 材質의 Energy場 設計

ⓒ 其他 周邊 構造物 及 全體同調 Energy場 設計

㉫ 各種 文化 施設 建築 構造物個體의 理想的 Energy場 設計

ⓐ 各種 文化施設 個體의 Energy場 設計

ⓑ 個體別 材質의 Energy場 設計

ⓒ 其他 周邊 構造物 及 全體同調 Energy場 設計

㉬ 其他 施設 建築 構造物個體의 理想的 Energy場 設計

ⓐ 上下水 施設 材의 Energy場 設計

ⓑ 燃料施設 材의 Energy場 設計

ⓒ 各種 Energy 施設 材의 Energy場 設計

(4) 基頭點의 測定과 建築物의 坐向

① 建造物의 基頭點 測定

陽 Energy體 基頭點이란 立體構造 Energy體의 凝縮 Energy 中心點을 말하는 것으로서, 그 具體的인 質量的 Energy 中心點은 立體 空間構造의 形態特性에 따라 다음과 같이 각각 다르게 設定된다.

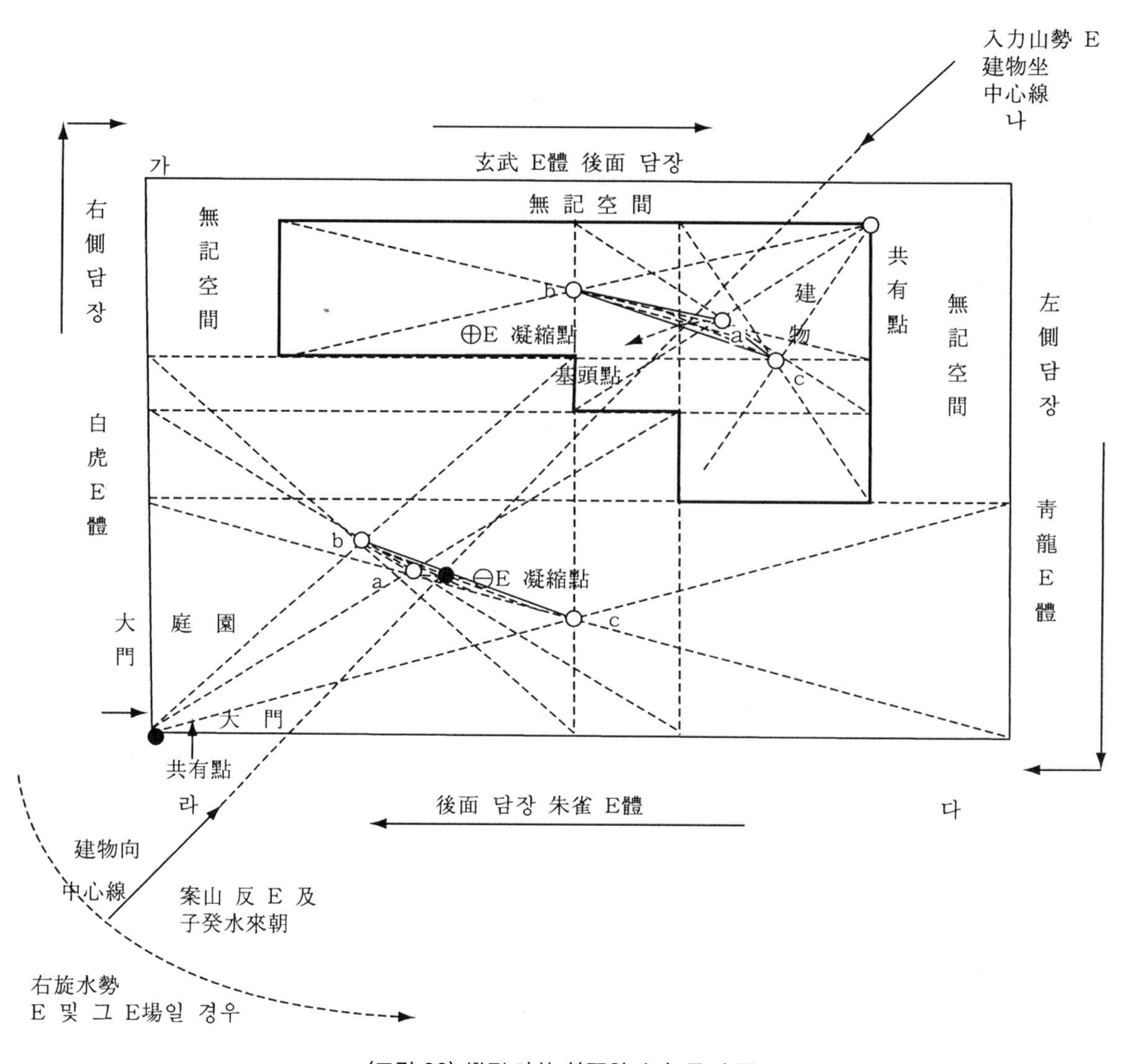

〈그림 29〉 變形 建築 基頭와 坐向 及 大門

※ 案山勢 及 水勢 Energy 及 그 Energy場에 의해 建造物의 坐向線이 變更되는 建築 構造를 設計하는 境遇에는 반드시 入力 山勢 Energy 中心線이 建物 담장의 (나)코너點을 넘어서지 않아야 한다.

위의 〈그림 29〉에서 보는 바와 같이 立體空間 Energy體의 凝縮 Energy 中心點인 基頭點은 水勢나 案山勢 Energy 及 그 Energy場의 反 Energy와 關鎖特性에 依하거나, 玄武 入力 Energy와 案山 Energy의 相互 對稱 中心線에 따

라 建物 坐向線을 變更할 境遇에 設計되는 構造 形態에서는 多少 複雜한 方式에 의해 그 基頭點 設定이 이루어지게 된다.

즉, 建造物을 한 邊角을 共有하는 四角構造로 分解한 後 그 各各의 空間 中心點을 얻고, 그 中心點 a, b, c를 잇는 三角構造의 中心點을 다시 얻어 立體空間 Energy體의 凝縮 中心點을 삼는다.

'ㄱ' 字形의 建造物에서는 2개 四角構造로 分解되므로 다음과 같이 設定된다 (〈그림 30〉 참고).

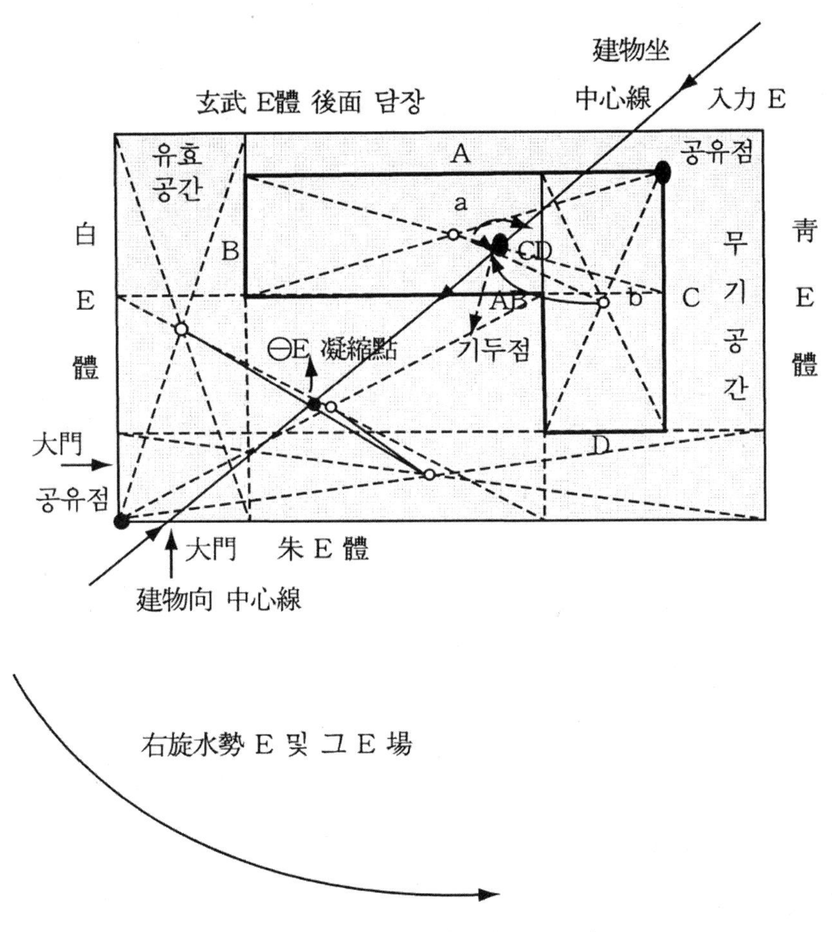

〈그림 30〉 ㄱ 字形의 建築 基頭와 坐向

6) 陽宅 配置의 同調秩序(四神砂 同調原則) - 四神砂 補完 原則

(1) 建物의 立體的 Energy 構造體 特性

① 集合 Energy 構造體로서의 諸特性

建造物이란 平面 Energy體 空間上에서 意志的 集合에 의해 構造化된 立體形態의 Energy體이다.

비록 意志的인 Energy體이라 할지라도 構造體가 지닌 基礎的 形成秩序는 平面 Energy體 空間上에서 이루어져야 한다는 基本的 原則이 適用되는 까닭에, 平面 分布 Energy와 立體集合 Energy 間에는 相互 維持에 必要 不可缺한 均衡的 調和와 安定的 合成 特性이 發現되지 않으면 아니 된다.

이러한 의미는 곧 自然의 秩序가 表現하고 있는 陰陽 Energy 及 그 Energy 場의 調和와 合成이 最善의 均衡과 最適의 安定條件 속에서만 形成維持되어야 한다는 大 原則을, 自然的 平面 Energy 空間과 人爲的 立體 Energy 空間 間의 關係에서도 適用하고 需用하지 않으면 아니 된다는 것을 말하고 있다.

따라서 自然的인 것이건 人間의 意志에 依한 人爲的인 것이 되었건 間에, 모든 一切存在의 因緣物은 반드시 그 現象體가 지니고 있는 調和와 合成의 Energy 及 그 Energy場 特性이 가장 均衡的이고 가장 安定的인 關係 속에서 維持 存續되는 것을 最吉한 것으로 보아야 한다는 忍識이 確立되어야 할 것이며, 나아가 이러한 調和 合成의 Energy 特性은 보다 細部的으로 分析됨으로써 平面 Energy體上의 集合構造 Energy體 特性이 相互 間 또는 自體的으로 어떻게 陰陽關係를 維持 同調하고 있는가에 대해서도 좀 더 具體的이면서 細密하게 硏究되고 把握되어야 할 것이다.

위와 같은 基本的 槪念 定立에 의해 建造物과 垈地 及 庭園 等은 相互 調和 合成되는 不可分의 陰陽的 Energy 及 그 Energy場 關係秩序가 現象化하고 있음을 알 수 있고 이러한 秩序는 建造物의 集合 Energy體를 ⊕(陽) Energy 또는 ⊕ Energy場으로, 垈地 及 庭園의 平面空間 Energy體를 ⊖(陰)Energy 또는 ⊖ Energy場으로 各各 特性 變易케 하여 相互 相依的 關係 作用을 形成 及 維持케 하고 있음을 發見할 수가 있다.

卽, 各各의 Energy體로 分離된 設置資料들을 立體的 構造物로 組立 合成하

게되면, 個別 個體 Energy 特性으로 旣形成된 個體 Energy體들은, 一定한 形態의 立體的 Energy 構造體인 集合 調和의 Energy群이 되어 建造物 全體가 지닌 集合特性의 Positive (⊕, 陽) Energy 及 그 Energy場이 이루어지게 된다.

이것은 분명 垈地 及 庭園空間이 지닌 平面的 Nagative(⊖, 陰) Energy場 特性 間의 相對的 關係秩序 속에서 安定 平等을 向한 Energy 調和場 構造의 형태 Balance가 가장 理想的으로 維持되어야 한다는 것을 認識케 하고 있다.

이렇게 하여 形成되는 集合 Energy 또는 그 Energy體는 그것과 關係하는 垈地 及 庭園의 平面空間 Energy 또는 그 Energy場이, 地勢 及 地理的 諸 Energy場 特性과 因緣하여 또 다른 形態의 綜合的特性 形態를 나타내게 된다는 事實 亦是 함께 認識하여야 할 事項인 것이다.

그러면 여기서 集合 Energy 構造體로서의 建造物이 지닌 諸特性들에 대해서 보다 具體的인 把握을 해보기로 하자.

우선 먼저 基礎가 되는 特性으로서 集合 Energy體 個體가 나타내고 있는 個體的 Energy 及 그 Energy場의 善惡, 美魂, 大小, 强弱 特性과 이들의 合成인 全體的 Energy 及 그 Energy場의 立體的 諸 特性 關係를 좀 더 상세히 살펴볼 필요가 있다.

立體構造 Energy體란 各種의 個體 單位 Energy體가 組合되어 構造化된 까닭에 個體 部分 Energy體가 지닌 材質的 Energy 及 그 Energy場 特性의 調和와 合成은 매우 중요한 立體 Energy體의 質的 特性을 決定한다고 볼 수 있다.

그러나 建造物의 지닌 質的 特性 못지않게 重要한 것이 建造物의 內部 單位 構造物이 지닌 立體 Energy와 平面空間 Energy 間의 調和이며, 이보다 더더욱 重要한 것은 單位 構造物 合成에 의한 集合 構造體의 全體 Energy 特性이 어떻게 單位 構造 Energy體 特性과 調和롭게 合成 同調하고 있는가? 하는 것이다.

內部房이나 居室 等의 自體 Energy 及 그 Energy場 特性은 相互 合成 同調함으로써만 全體 또는 個體 Energy 及 그 Energy場 特性이 向上되는 것이고, 個體 Energy體 特性은 또한 全體 Energy體 特性과 相互 同調함으로써 비로소 集合 Energy 特性이 善, 美, 强, 大해지는 것이다.

全體 構造物의 集合 Energy 及 그 Energy場 特性은 個體 構造物의 個別 Energy 及 그 Energy場을 保護 育成 同調 凝縮할 수 있는 建造物이어야 하

고, 個體 構造物의 個別 Energy 及 그 Energy場은 全體 構造體의 Energy 及 그 Energy場을 支持 補完 運行 及 維持 安定시킬 수 있는 同調體로 形成되어야 한다.

그러기 爲해서는 個體構造를 形成하는 個別 Energy體가 지닌 Energy의 質的 特性이 善, 美, 强, 健함을 要求하게 되는 것이고, 그 構造的 形態 特性 또한 善吉하지 않으면 아니 된다.

따라서 建造物의 內部를 構成하는 材料의 選擇과 構造 形態의 設計는 그 建造物의 集合 Energy 及 그 Energy場을 特性化하는 決定的 要因이 된다고 할 수 있다.

위와 같은 觀點에서 살펴볼 때 建造物을 構成하는 材質의 選擇 事項으로서는 다음 사항에 대한 細心한 配慮가 絶對必要하다.

- 人體 Energy場에 有益한 物質 Energy를 發生하는 것
- 壽命이 오래가는 것
- 安定的 構造와 쾌적한 色相인 것
- 全體 建造物과의 調和를 增進시키는 材料인 것 等

② 材質의 構造 及 內外部 構造의 Energy 形態特性

㉠ 材質 及 內部 構造 Energy體는 그 安定秩序를 維持할 것.

Energy의 基本 安定秩序는

⊕Energy : ⊖Energy = 1 : 0.577~0.866
(⊕Energy場) : (⊖Energy場) = (길이) : (폭)

이므로 建造物의 內容 材質 及 構造 規格 등의 特性이 위의 比率에 合當한 것이어야 하며, 房이나 居室 及 內部 構造物 亦是 위와 같은 Energy 安定秩序를 維持하는 것이 理想的이다.

㉡ 全體 構造 及 Energy場의 安定秩序를 維持할 것.

全體 構造物이 지닌 Energy體의 安定秩序 또한 前記 Energy의 基本 安定秩序 原則에 合當하는 構造 特性을 維持할 수 있도록 設計하여야 한다.

㉢ 各 構造物 及 全體 構造物의 安定高 特性을 理想的으로 設計할 것.
各 內部房이나 居室이 確保하여야 하는 最少 安定高는

⊕Energy 空間 : ⊖Energy 空間 = 1 : 0.577~0.866 (構造物外高) : (構造物內高) = (活動安定高) : (人體高)

㉣ 公共 及 集合場 建造物의 安定高는 地勢 Energy場이 미치는 領域으로 한다. 卽 地磁氣가 미치는 領域인 地表上 20~30m 程度까지일 것.

(2) 垈地 及 庭園과 因緣하는 均衡 安定 調和體로서의 諸 特性

建築 構造物은 어떠한 形態이건 간에 地上이란 空間 Energy場 속에서 立體 Energy體로 構造化한다.

그러한 까닭에 垈地 及 庭園과 建築物과의 均衡 調和는 安定的 住居環境 Energy場을 形成 維持함에 있어서 不可分의 因緣關係를 지니고 있다고 하겠다.

立體空間 Energy體와 平面空間 Energy體가 維持하고 있는 最善의 Energy場은 두 Energy 關係에서 形成될 수 있는 均衡과 調和로운 同調場의 形態에 依한 것이어야 비로소 全美에 가까운 것이 될 수 있는데, 주어진 垈地의 平面的 空間 Energy場과 그 地上에 設置되는 立體的 空間 Energy場을 理想的으로 同調케 한다는 것은 매우 어려운 작업이라 하겠다.

建造物이 제아무리 理想的인 立體 Energy 安定과 均衡調和를 維持한다 할지라도, 立體 Energy體의 基礎安定空間인 垈地나 庭園과의 均衡 安定 秩序가 調和롭게 維持되지 못한다면 全體的이고 持續的인 安定 秩序는 도저히 期待할 수가 없는 것이다.

以上과 같은 觀點에서 다음과 같은 立體 Energy體 均衡 安定의 同調的 諸 特性을 觀察해보기로 한다.

① 建築 構造物과 垈地間의 均衡 同調 關係特性

建築 構造物이 垈地 及 庭園의 크기에 比해 너무 크거나 너무 작은 것은 立體 Energy 及 그 Energy場과의 平面空間 Energy 及 그 Energy場과의 調和安定을 무너뜨리는 結果가 되기 때문에 이들 間에는 가장 理想的이고 적절한 空間

Energy比를 維持하지 않으면 아니 된다.

따라서 立體空間 Energy 及 그 Energy場과 平面空間 Energy 及 그 Energy場 間에는 다음과 같은 空間 Energy 比를 形成 維持함이 最善의 條件이 된다.

立體空間 ⊕Energy : 平面空間 ⊖Energy = 0.577~0.866 : 1 　　　　　　　　　　또는 1 : 0.577~0.866 全體空間 ⊕Energy : 立體空間 ⊖Energy = 1 : 0.5 全體空間 ⊕Energy : 平面空間 ⊖Energy = 1 : 0.5~0.866

卽, 建築 構造物의 크기가 100坪이면 마당이나 庭園의 크기는 57坪 乃至 170坪 程度가 가장 理想的이라 할 수 있다. 建築 構造物의 크기가 너무 크면 動的 突出特性이 强하여 住居 安定이 무너지는 活動的 Energy場을 形成하게 되고, 마당이나 庭園이 너무 크면 靜的 停滯 特性이 太强하여 陽氣運이 停滯되는 침잠적 Energy場이 形成되게 된다.

② 建築物의 前面 空間과 後面 空間의 調和

같은 平面空間 中에서도 建築物의 前面 空間 Energy 及 그 Energy場을 ⊕Energy 又는 ⊕Energy場으로 後面 空間 Energy 及 그 Energy場을 ⊖Energy 又는 ⊖Energy場으로 볼 때

⊕Energy場 : ⊖Energy場 = 1 : 0.577 程度가 좋고 ⊕Energy場 > ⊖Energy場 ⇒ 前進的이고 陽明한 同調場 ⊕Energy場 < ⊖Energy場 ⇒ 退步的이고 隱暗한 同調場

따라서 가급적이면 建築物의 前面 空間은 恒常 밝고 풍부한 것이 이상적이며, 後面 空間은 絶對 必要한 것을 除外하고는 되도록이면 줄이는 것이 이상적이라 하겠다.

亦是 住居 空間에서 ⊕Energy場은 陽性的이고 男性的인 特性을 지닌 까닭에 ⊖Energy場인 庭園이나 마당 空間이 不調和를 維持한다는 것은 安樂한 家庭 空

間을 創出함에는 매우 不合理한 要素가 된다고 볼 수 있기 때문이다.

이와 같은 原理와 마찬가지로 側面空間은 前面空間에 對하여 ⊖Energy場 空間이 되는 것이므로 必要 以外의 여유 공간을 確保하지 않는 것이 바람직한 調和라고 할 수 있겠다.

③ 建築物과 담장과 대문의 立體的 同調 關係 特性

建築 構造物의 立體 Energy場은 담장이나 대문에 依한 立體的 Energy場과는 不可分의 相互 補完的 同調 Energy場을 形成하지 않으면 아니 된다.

담장이나 대문에 比해 너무 지나치게 큰 建造物은 그 住居的 安定條件을 喪失한 것이 되어 靜的 安定보다는 活動的 Energy場 空間을 創出하게 되는 것이고, 반대로 담장이나 대문에 比해 너무 지나치게 작은 建築物은 오히려 靜的 安定이 깨어져 침잠한 Energy場을 形成하게 된다.

따라서 이들 間에는 다음과 같은 安定된 Energy場 特性 關係를 具體化하는 것이 理想的이다.

㉠ 住居 特性의 同調場

建築物의 高 : 담장의 高 =1 : 0.577 以下 ~ 0.5까지.

建築物의 高 : 대문의 高 =1 : 0.866 以下 ~ 0.577까지.

㉡ 商業 及 業務 特性의 動的 同調場

建築物의 高 : 담장의 高 = 1 : 0.5 以下

建築物의 高 : 대문의 高 = 1 : 0.577 以下

㉢ 담장의 크기와 대문의 數

담장은 정원과 마당을 需用하면서 그 이음이 中斷되지 않아야 하며, 대문의 數는 必要한 出入口 以外 非常門만이 必要하다.

㉣ 담장과 建物의 거리

後面 及 側面 = 建物 높이 × 0.5

前面 = 建物 높이의 1.732배의 길이로 띄울 것.

㉤ 大門의 位置와 立體 Energy場 同調

담장을 四神砂의 Energy場으로 살피고 大門을 그中의 補完處에 設置함으로써 本體 建築物이 지닌 地勢, 局勢, 風勢, 水勢의 不足 Energy場을 補完 維持한다.

勿論 이보다 우선하는 것은 本體 Energy場에 對한 地勢, 局勢, 風勢, 水勢의 同調的 役割이며 이에 따른 大門의 位置와 크기가 理想的으로 選擇되지 않으면 아니 된다.

즉 地勢, 局勢, 風勢, 水勢의 最適 安定 維持點으로서 風水 Energy와 合成 同調하는 水勢 入力點에 大門을 設置하는 것이 가장 理想的이고, 담장을 四神砂의 Energy場으로 살필 경우 亦是 水勢 入力點에 大門을 設置하여 立體 Energy場에 대한 同調 Energy를 적절히 공급하는 것이 가장 합리적이라 하겠다.

④ 立體 Energy場의 調節 及 補完

建築 構造物의 크기를 決定함에 있어서 그 크기는 대개가 用途와 目的에 따라서 定해지는 것이 原則이기 때문에 垈地나 庭園에 關係하여 決定되는 住居用 建物 以外에는 거의 대부분이 垈地나 庭園에 關係없이 그 크기를 決定하는 것이 보통이다.

이러한 境遇 立體構造의 空間 Energy場과 平面構造의 空間 Energy場 間에는 그 均衡 安定의 調和를 維持하기가 매우 곤란하다.

따라서 이와 같은 不調和를 改善할 수 있는 方法으로서 平面空間 Energy場을 擴大하는 方案과 立體空間 Energy場을 擴大하는 方案의 2가지를 들 수 있다.

立體空間 Energy場이 平面空間 Energy場보다 지나친 크기로 不均衡이 일어날 境遇는 平面空間을 擴大시켜 그 Energy場을 增加시킴으로써 陰陽 Energy場의 安定秩序를 維持하여야 하고, 立體空間 Energy場이 平面空間의 既存 Energy場보다 훨씬 미치지 못할 程度로 작은 規模일 境遇에는 石物이나 나무에 依한 造景으로 立體空間 Energy場을 擴大시켜 陰陽 Energy場의 安定秩序를 確保해야 한다.

勿論 單一構造의 條件에서 建造物을 增築하는 것도 한 좋은 方案이 될 수 있다.

나무나 庭園石 及 造形物 等은 一種의 立體構造의 Energy體로서 ⊕Energy 及 그 Energy場을 補完 增加시켜준다고 볼 수가 있으며 이러한 ⊕Energy場의 擴大方法은 어디까지나 補完의 次元을 超過하여서는 아니 되기 때문에 本體 建造物 ⊕Energy體의 25% 以內에서 補完되는 것이 合理的이라 하겠다.

建造物을 增築하는 境遇에 있어서도 增築 構造體를 本體構造와 同一한 Energy場 속에서, 旣存의 本體構造와 分離 干涉되지 않는 범위 內에서의 增築構造를 形成하여 ⊕Energy場을 增加시켜야 한다. 이와 같은 原則은 ⊕Energy場이든 ⊖Energy場이든 그 同種의 Energy場이 分離되어 維持된다는 것은 Energy場 同調를 위해서는 매우 不安定한 갈등의 構造 形態가 된다는 것을 意味한다. 왜냐하면 分離設置된 Energy體 間에는 또 다른 形態의 ⊕ 및 ⊖ Energy場이 形成되고 새로운 構造의 陰陽 關係秩序가 나타나기 때문이다.

(3) 立體空間 Energy體의 安定과 基頭點의 役割

① 立體空間 Energy體의 安定 條件

建造物 構造體가 立體空間 Energy體로서의 役割과 機能을 다하기 爲하여서는 다음과 같은 몇 가지의 必須的 安定 條件이 前提되지 않으면 아니 된다.

첫째, 立體 構造 建造物의 最安定 設置를 爲해서는 무엇보다 먼저 背山 臨水 原則을 지켜야 한다.

主山 龍勢의 來脈 Energy와 穴場을 감아 도는 元辰水 及 周邊水勢 Energy는 穴場의 骨肉과 穴核의 氣血을 形成하는 根本 陰陽性의 Energy가 되고 있다(地表 Energy 循環 秩序에 의해).

이러한 根本 陰陽 Energy 及 그 Energy場은 穴場上에 建造된 建造 空間과 그 속의 生命體 現象에 對해 同調的이고 生起的인 生命 Energy 及 그 Energy場을 供給하여 生體의 骨肉과 氣血을 形成하는 까닭에 穴場上에서의 構造物과 生命體는 당연히 後面으로부터의 ⊕山 入力 Energy를 ⊖등에 업고, 穴前으로부터의⊖ 水勢 Energy를 ⊕발아래 거느림으로써만, 最善 最强의 山勢 陽氣 Energy와 最良 最美의 水勢 陰血 Energy를 人體 Energy場과 同調 醇化케 하여 性情과 骨肉과 氣血을 增長시킬 수가 있는 것이다.

따라서 山勢 Energy는 반드시 主 建造物의 中心에 머물러 安定케 해야 하고, 水勢 Energy는 主 建造物의 中心線上 前面을 크고 길게 감아 도는 것을 原則으로 해야 한다.

둘째는, 地盤의 平垣과 地氣 及 水氣의 安定이다. 地盤은 立體 構造物의 基底가 되는 까닭에 基礎地盤이 傾斜지고 함몰된 곳에서는 제아무리 훌륭한 建造物을 設置한다고 하더라도 이는 建造物의 持續的 均衡과 安定을 完成시킬 수는 없는 것이다. 아무리 傾斜진 곳을 깎아내거나, 깎여지고 무너진 곳을 메우고 다진다고 할지라도 이러한 穴場은 周邊 Energy場의 繼續的인 干涉作用은 勿論이려니와 主山 Energy體의 不實에 의해 結局은 破壞되어 安定을 잃고 말 것이기 때문이다.

地盤이 平垣한 곳에서는 良質의 地氣 Energy가 形成되게 마련인데 이러한 地氣 Energy場 속에서는 모든 生命活動이 보다 旺盛한 生命 Energy를 供給받게 된다는 것이며, 보다 質 높은 價値의 快適과 보다 善美한 平安을 保障받을 수가 있게 된다. 良質의 地氣 Energy 及 그 Energy場을 維持 保全시키고 地質 Energy의 質的改善과 增進을 도모해주는 또 하나의 Energy源으로서는 水氣 Energy 及 그 Energy場을 들 수 있다.

善美한 地氣는 善美한 水氣에 의해서 發達하는 것이므로 훌륭한 穴場은 반드시 良質의 水氣同調를 받지 않으면 아니 된다. 一般的으로 水脈은 構造物을 破壞시키고 人體 Energy場을 교란시켜 生命 活動을 크게 干涉하는 매우 否定的인 Energy源으로 認識하게 되기 쉬우나, 이러한 境遇는 대개가 强大한 水脈上이거나 길고 깊은 골짜기, 늪, 또한 水脈 Energy의 破壞線上 及 離脫線上에 建造物이 設置되어있는 것이 대부분이고, 實質的으로 穴場 內에서는 周邊 凝縮 Energy를 維持 保全시키고 入力側으로부터의 Energy 傳達을 活性化시키며 凝縮된 穴核 Energy를 保護, 育成, 增長시키는 매우 重要한 同調 Energy가 되고 있음을 잊어서는 아니 된다.

셋째로, 立體構造 空間 設計와 그의 配置는 Energy體 陰陽 安定 調和의 基本秩序를 따라야 한다.

立體 構造物의 安定은 그 空間 自體가 지닌 集合的 構造體 調和와, 空間과 空間 間의 質量的 特性 關係가 지니고 있는 相互體的 陰陽 調和, 그리고 空間과 공

간 間의 配置的 特性 關係가 지니고 있는 位相的 陰陽 調和 等의 調和 秩序에 의해 그 成就 程度가 決定된다고 볼 수 있다.

空間 自體가 지닌 構造物 調和 安定은 무엇보다 構造物의 基底 Energy體가 立體 構造體를 充分히 支持 安定시켜낼 수 있는 적절한 面積과 幅을 確保하지 않으면 아니 되고, 이러한 條件을 充足시키기 爲하여서는 立體 構造物의 中心 垂直線과 基底 平面線의 끝이 만나는 角을 $\theta = \angle 60°$의 길이와 $\theta = \angle 30°$의 幅이 각각 넘도록 設計하는 것이 가장 理想的이다. 즉 建造物의 높이가 1이라고 하였을 때 建造物의 最少長은 2×1.732 이상을 確保해야 하고 建造物의 最少幅은 2×0.5 이상을 確保해야 한다.

主 立體 構造 空間과 副 立體構造 空間 間의 相互 質量的 調和 問題나 主 立體空間과 周邊 平面空間 間의 質量的 特性 調和 問題 亦是 이는 반드시 Energy體의 陰陽 Energy 及 그 Energy場 安定原理에 合致하는 均衡 調和를 維持하도록 設計함이 緊要하다.

建造物과 建造物, 建造物과 庭園間의 配置 特性이 지니고 있는 相互 位相的 均衡 調和 또한 陰陽的 主從 秩序를 原則으로 하여 上下左右를 決定하여야 하고 그 配置方式에 따라 靜的安定 秩序를 擇할 것인가? 動的 安定 秩序를 擇할 것인가? 하는 事項은 全的으로 設計者와 使用者의 用途와 活用條件에 따른 選擇事項이 될 것이다.

卽, 商業用이나 集會用 事務室 及 室內 敎育場 等의 用途에 쓰이는 建造物과 庭園의 質量的 均衡秩序 또는 配置秩序는, 動的 陰陽 安定 調和 秩序 原則에 따라 活動的 Energy 及 그 Energy場을 增加시켜주는 設置 計劃이 되어야 하고, 住居用이나 祈禱處 病院 療養施設 等의 建造物과 庭園과 均衡 及 配置 秩序는 靜的 陰陽 安定 調和 秩序 原則에 따라 平穩 廻向的 Energy 及 그 Energy場을 增長시켜주는 設置 計劃이 되어야 할 것이다.

例를 들어 主 建築物과 副 建築物의 크기와 配置를 設計함에 있어서, 主建物인 ⊕Energy 及 그 Energy場을 1로 보았을 때 副建物인 ⊖Energy 및 그 Energy場을 0.5~0.577로 하여 設計하고, 그 配置 또한 主建物의 前面과 左右에다 陰陽 秩序에 適合한 充分한 距離를 確保하여 附屬建物을 配置함으로써 陰陽의 Energy흐름을 圓滿케 構造化하는 것이 매우 중요한 사항이라 할 것이다.

勿論 이때의 主建物과 附屬建物 間의 距離設計는 動的 安定秩序에 따르는 用途에서는 主建物高의 0.577 倍를 最少 距離로 維持하고, 靜的 安定秩序에 따르는 用途일 境遇에는 主建物高의 1.732倍를 最少距離로 하여 配置計劃하는 것이 마땅하다.

그리고 建物과 庭園間에 있어서도 住居用이나 祈禱處, 病院, 療養院 等의 施設物 設計는 建物의 ⊕Energy 及 그 Energy場과 庭園의 ⊖Energy 및 그 Energy場을 0.5~0.577 : 1의 比率로 하여 靜的 安定 秩序 原理에 맞추어 計劃하고, 事務室이나 集會場 及 商業用으로 使用되는 施設物의 設計는 建物과 庭園의 比를 1 : 0.5~0.577이 되게 하여 動的安定秩序를 維持케 하는 것이 가장 理想的이라 하겠다.

넷째, 建造物 施設의 構造的 設計는 山勢 及 水勢와의 Energy同調를 原則으로 해야 한다.

入力되는 山勢 Energy가 主建造物의 中心에 머물도록 設計하는 것 못지않게 重要한 것은 좋은 水勢 Energy가 좋은 穴場을 감고 안아주어야 하는 것이고, 또 이에 못지않게 緊要한 事實은 建造物의 立體構造 Energy 及 그 Energy場이 위의 良好한 山勢와 水勢 Energy 及 그 Energy場을 充分히 同調받을 수 있느냐 없느냐 하는 問題이다.

建造物의 設置計劃에 있어서 山勢 入力 Energy는 背面에서, 水勢 育成 Energy는 前面에서 同調醇化케 하는 것이 根本原則이라 하였으나, 비록 이와 같은 計劃이 아무리 잘 設計되어있다 할지라도 建造物 全體의 構造設計가 山勢 Energy를 逆하거나 水勢 Energy를 거부하는 如何한 形態의 設置 計劃도 결코 許容되어서는 아니 된다.

建造物의 背面을 建物全面과 같은 構造體 形態로 設計하여 창호가 너무 크고 많아진다거나 아니면 前面 凹凸과 같은 構造를 背面에도 凹凸케 設計하는 것 等은 모두가 建物 構造 Energy體가 山勢 Energy를 거역하는 것이 되는 것이고, 또 建造物의 前面 構造가 水勢의 進行을 지나치게 가로막아 거역하거나 아니면 水勢의 進行을 建物의 등으로 가로막아 그 水氣 入力을 拒否하는 것 等의 이러한 設計計劃은, 水勢 Energy 及 그 Energy場의 同調를 얻지 못하고 干涉 Energy만을 加重시켜 建造物 全體에 消滅 及 破壞 Energy를 充滿케 한다.

따라서 建造物의 背面은 凹凸의 入力 Energy 陷穽이 發生되지 않도록 設置計劃해야 함은 勿論이고, 建造物 前面은 반드시 물을 거두어들여서 庭園의 中心에 水氣 Energy 及 그 Energy場이 適切히 供給 維持되도록 設計 配置함이 가장 理想的이라 할 것이다.

위의 原理에 따라서 大門과 玄關의 位置 設計 또한 山勢와 水勢 Energy 及 그 Energy場을 拒逆하거나 거부하지 않아야 하는데, 建造物의 背面인 山勢 Energy 入力側에 大門이나 玄關이 設置됨으로써 산(陽) Energy 入力을 집(陰) Energy 背 全體로 받아들이지 못하고 집(陽) Energy 面으로 받아들이게 되어 결국은 陽來陰受의 Energy 基本 同調秩序를 깨뜨리게 된다거나, 또는 大門과 玄關의 陽 Energy 面이 水勢의 陰 Energy 入力을 拒否하여 등을 돌리게 設置됨으로써 陰來陽受해야 할 建造物 前面의 Energy場 秩序가 根本的으로 消滅的 干涉을 받아 무너지게 되는 陰來陰受가 되고 만다면, 좋은 明堂 위에서 제아무리 호화롭게 建造物을 設置하여 使用한다고 할지라도 이는 時間이 흘러가면 갈수록 보다 크고 急速한 Energy 離脫現象이 發生하게 되는 것이 되므로 建造物 構造體의 Energy나 그 속에서 活動하는 生命體 Energy는 머지않아 반드시 破壞되고 消滅되는 死滅 curve를 맞이하게 된다.

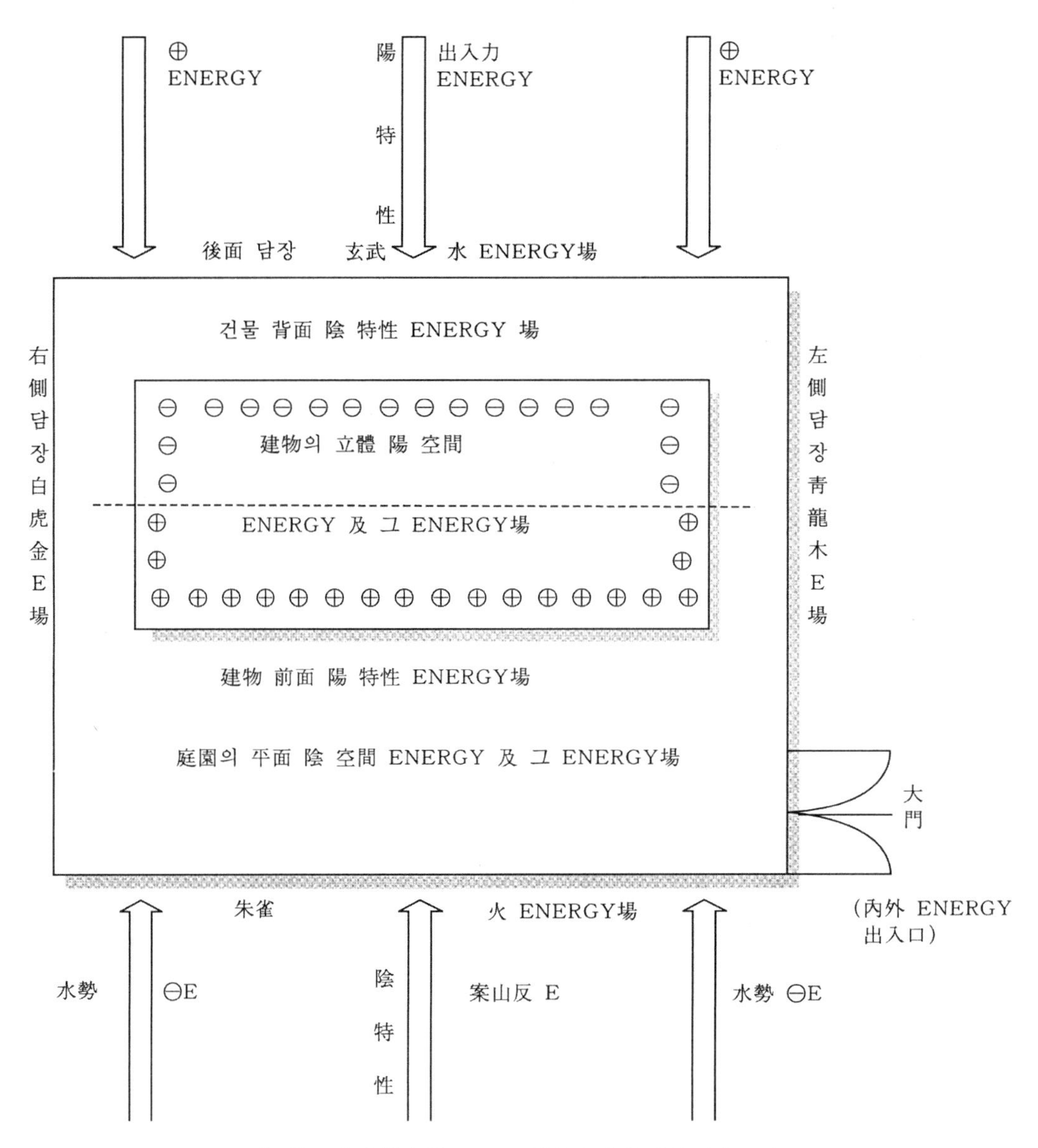

〈그림 31〉 立體空間 Energy體의 陽來陰受와 陰來陽受

② 基頭點의 安定

基頭點이란 建造物의 立體的 Energy 凝縮 中心點을 意味한다. 窮極的으로 建造物 自體가 理想的인 安定 基頭點을 얻기 爲하여서는 建造物의 立體的 中心點과 構造體 무게의 中心點이 同時에 一致하는 곳에 立體 構造 陽 Energy體의 Energy 凝縮 中心이 設定되어야 한다.

構造的으로는 最善美의 均衡 安定體를 形成하여야 하고 質的으로는 最良質의 立體 Energy場 凝縮 同調를 構成하여야 하며, 地勢的으로는 入力 中心 Energy의 同調 醇化를 확보해야 하고 水勢的으로는 環抱 Energy의 同調 育成을 함께 確保하지 않으면 아니 된다.

따라서 基頭點의 理想的 安定은 全建造物 構造體의 立體 Energy 及 그 Energy場 安定은 勿論 地氣 Energy 及 水氣 Energy의 效率的이고 安定的인 同調 醇化 育成을 增長 發達시킴으로써 善吉한 家相과 善美한 生命 Energy를 再創出하게 한다.

이와 같은 安定되고 均衡된 基頭點을 設計하기 爲하여서는 亦是 前記에서 說明한 Energy體의 陰陽 安定 配合秩序 原理를 따라 그 計劃이 樹立되어야 할 것이다.

우선 먼저, 建造物의 길이와 幅의 比는 1 : 0.577~0.866에 該當하는 것이 理想的이고, 建造物의 幅과 單位 層當 高의 比 또한 1 : 0.577이 되게 하여 그 建造物의 幅이 最少한 건물 높이의 1.732倍가 넘도록 設計하는 것이 보다 安定的이라 할 것이다.

또 庭園의 平面空間 Energy體의 基頭 中心點은 建造物의 基礎 面積을 除外한 담장 內 全體空間의 Energy場 凝縮 中心點으로 하여야 하는데, 위의 建造物인 ⊕Energy 及 그 Energy場이 지닌 立體空間 Energy 凝縮 中心點과, 庭園인 ⊖Energy 及 그 Energy場이 지닌 平面空間 Energy 凝縮 中心點은 同時에 家相全體의 中心軸이 되어 地氣 Energy 入力 中心軸과 一致하는 一直線上에 놓여야 한다.

이렇게 地氣入力 Energy 疑縮 中心軸과 立體空間 Energy 疑縮 中心軸 그리고 平面空間 Energy 凝縮 中心軸과 案山 反 Energy 凝縮 中心軸(水勢 Energy 中心軸)의 四軸 一切가 一直線上에서 合一하는 家相構造가 만들어질 때, 이를 最上 最善의 最吉 安定構造를 形成한 福된 家相이라고 말할 수 있다.

7) 陽宅 內部의 同調秩序(內外 Energy場 同調原則)
- Interior 同調 及 內部 入出 Energy 同調

※ 四柱(風水易學에 의한) 또는 陰·陽宅의 혈장 부위에 따른 太過 不及 調節 原理圖

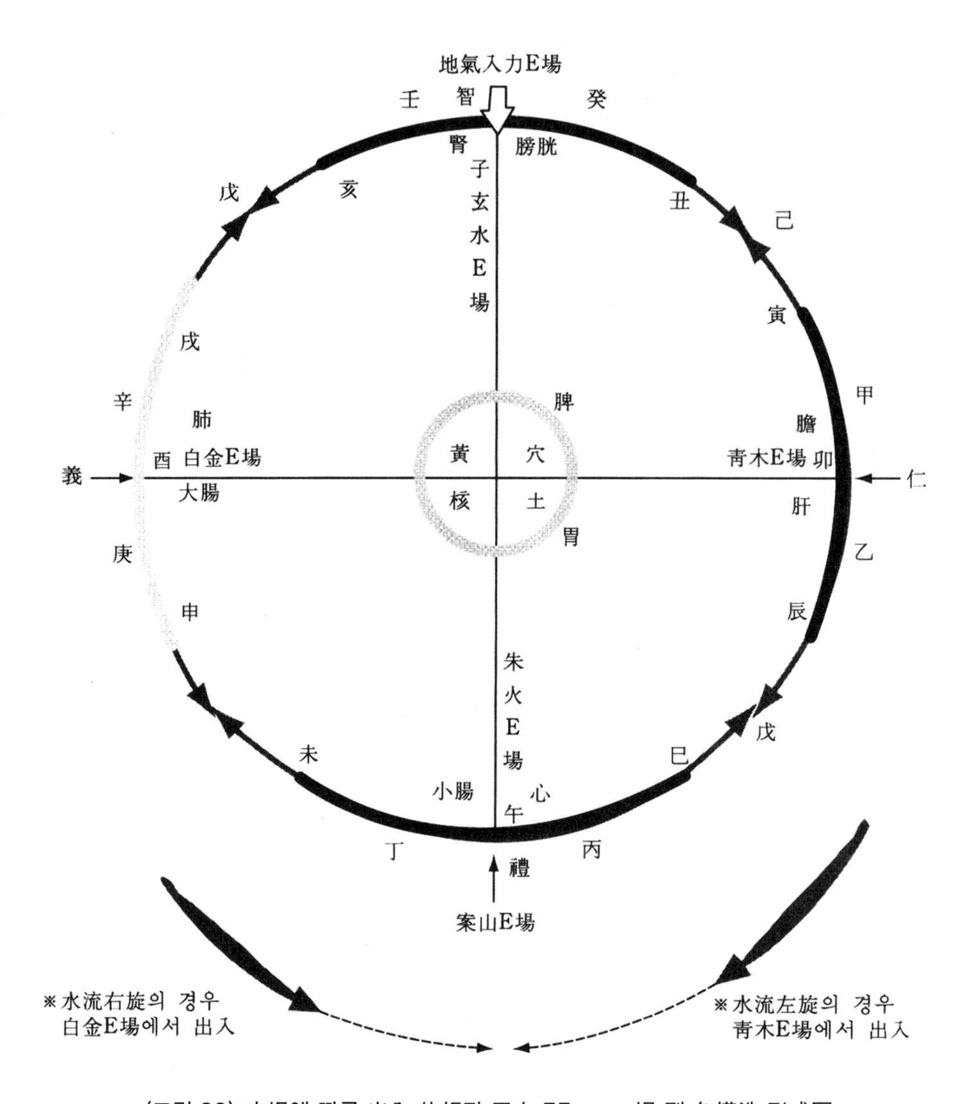

〈그림 32〉 穴場에 따른 出入 位相과 五大 EEnergy場 別 色構造 形成圖

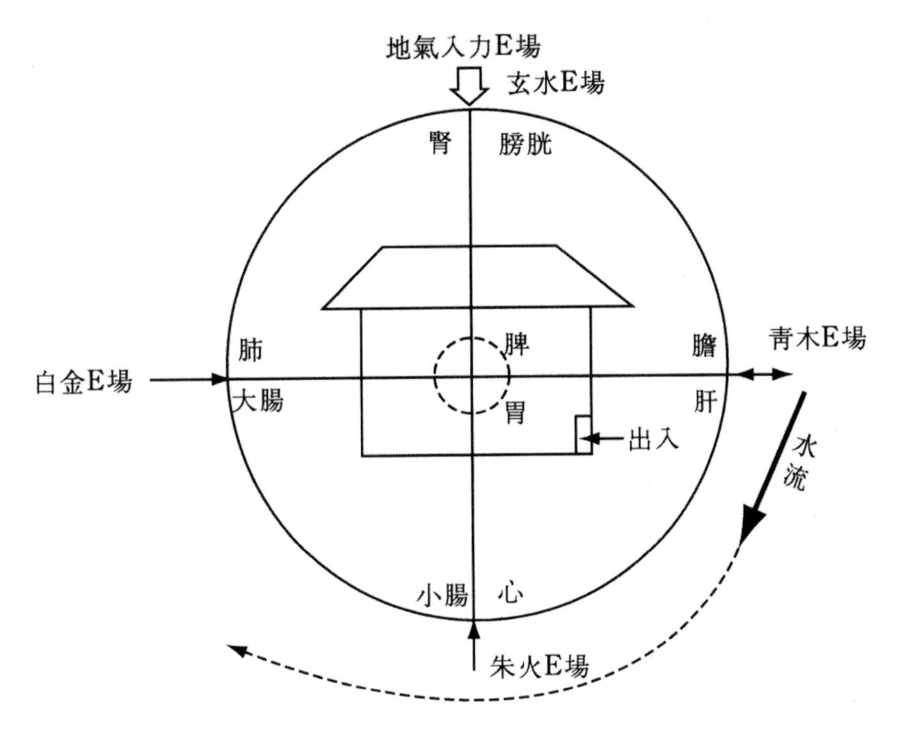

〈그림 32-1〉 地氣入力 氣運에 따른 家宅配置

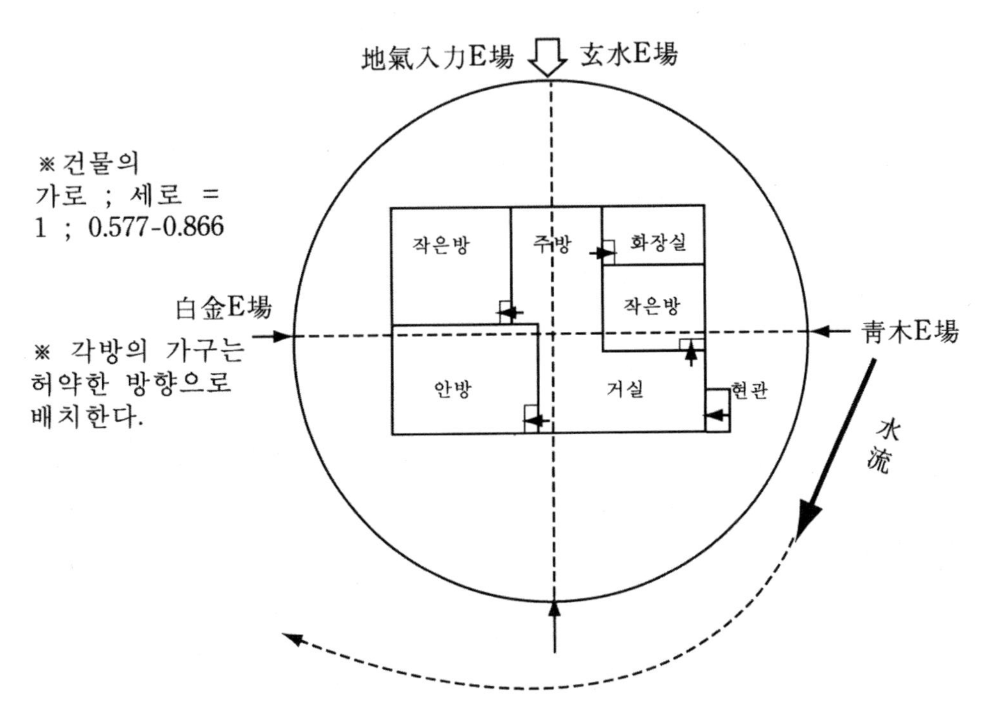

〈그림 32-2〉 地氣入力 氣運에 따른 家宅配置

8) 陽宅 庭園의 同調秩序(⊖空間 Energy場 同調原則)

(動 同調 ⊕Energy場 : ⊖Energy場 = 1 : 0.577~0.866)

(靜 同調 ⊖Energy場 : ⊕Energy場 = 1 : 0.577~0.866)

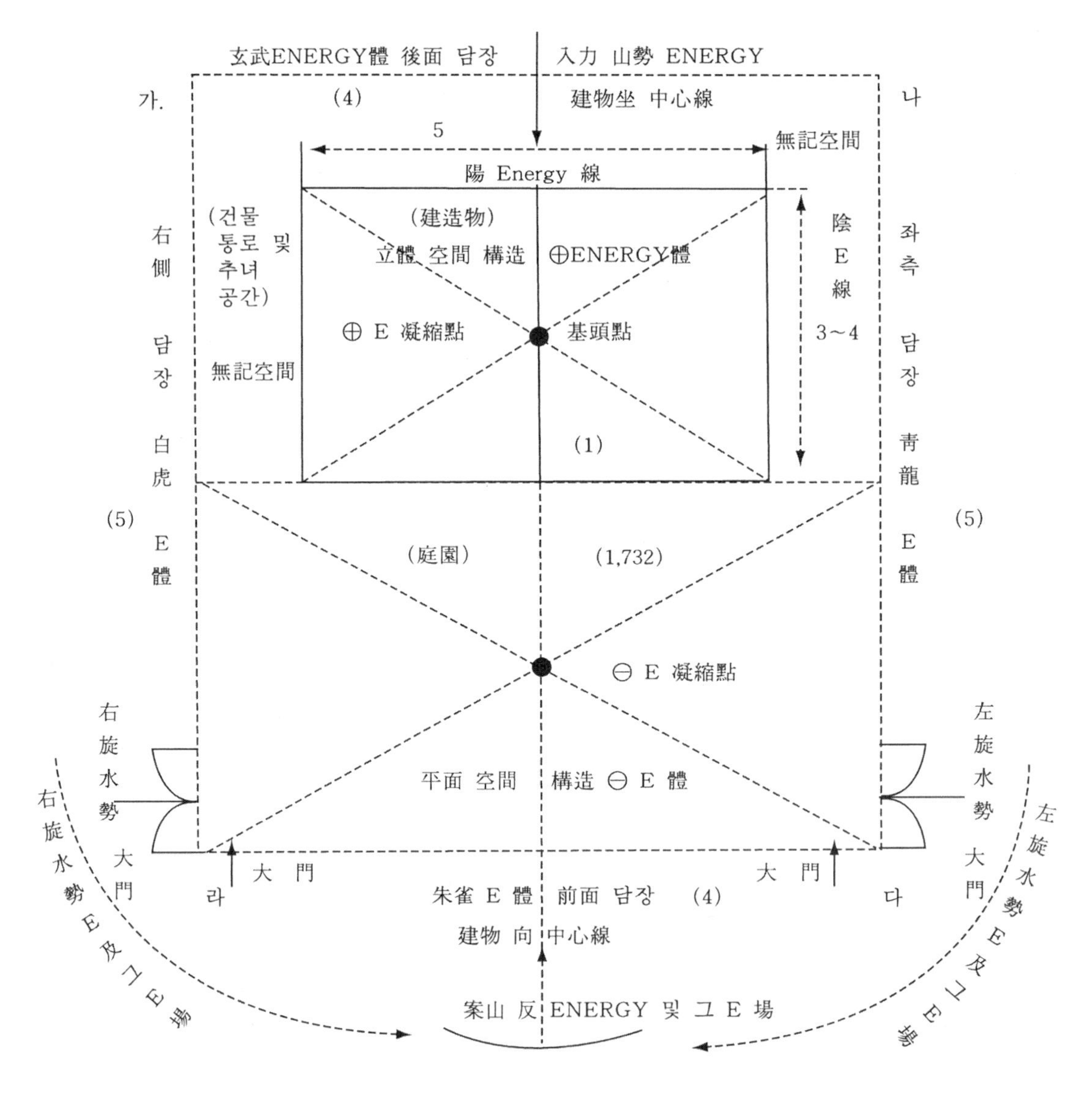

※ 入力 山勢 E 線中心 - 案山 反 E線 中心이 建造物 基頭點 - 庭園 E 凝縮點과 함께 一直線上에서 均衡 安定되어야만 理想的인 家相이 된다.

〈그림 33〉 標準建築 基頭와 坐向 및 大門

(1) 庭園의 Energy 凝縮 中心點 測定

庭園이 지닌 陰 Energy體 凝縮點이란 平面空間 內 陰 Energy 및 그 Energy場의 凝縮中心點을 意味하는 것으로써, 담장內 建造物의 추녀와 그 立體空間을 除外한 全體 平面空間 Energy體의 Energy 疑縮 中心點을 말한다.

이는 建築物의 構造形態 及 配置에 따라, 庭園의 크기와 形態가 달라지기 때문에 그 具體的인 凝縮點의 位置는 다음과 같이 設定된다.

위의 그림에서의 境遇, 庭園은 매우 安定的인 位置에서 그 凝縮點이 設定되었으므로, 陽特性 Energy體인 建築物의 基頭點과 함께 家相을 바르고 均衡되게 形成하는 理想的 設計가 되었다고 말할 수 있다. 建物 通路 及 建造物의 추녀를 無記空間으로 보고 이를 除外한 나머지 全 平面空間에서 그 Energy 中心點을 찾았다.

이와 같은 平面空間 Energy體의 Energy 凝縮 中心點은 建物의 基頭點 設計와 同一한 方式으로 測定하여 設定함으로써 陽 Energy體 凝縮點과 陰 Energy體 凝縮點이 함께 同調 安定을 期할 수가 있다. 그러나 入力 山勢나 案山 水勢 Energy 及 그 Energy場의 形成 條件에 따라 터의 形態 條件이 不得已할 境遇에는 이와 같은 空間 配置가 可能하다.

立體 構造 陽 空間 Energy體에서는 兩分된 中心의 平衡點이 Energy體 基頭點으로 測定되는 反面, 平面 構造 陰 空間 Energy體에서는 三分된 中心의 凝縮點이 庭園의 基頭點이 되므로 各 中心의 合成 凝縮이 되는 三角 凝縮點을 찾아 全體 凝縮 中心點을 잡는다.

즉, 庭園 마당의 無記 空間인 추녀 및 通路空間을 除外한 有效平面 空間을 四角構造 平面空間으로 分解하여 그 各各의 Energy體 中心點을 찾고, 이 各各의 3等分된 中心點이 만나는 線을 연결하면 三角構造의 Energy 集合틀이 形成되고, 이 三角틀 속의 凝縮點을 3 꼭짓점과 3邊의 中心을 연결하여, 3線이 만나는 點으로 하면 全體 陰 Energy體 平面空間 構造의 凝縮 中心點이 測定된다.

(2) 建築物의 坐向과 Energy 中心線

建築物이 지닌 立體的 陽 空間 Energy 及 그 Energy場의 疑縮點은 庭園이

지닌 平面的 陰 空間 Energy 及 그 Energy場의 疑縮點과 一直線 上에서 만나게 되는데, 이때 두 凝縮點의 連結線은 建造物의 坐向 中心線이 되고 이 坐向 中心線의 後端 入力側은 陽宅의 坐, 坐向 中心線의 前端 案山側은 陽宅의 向이 된다.

여기서 반드시 살펴야 할 것은 建造物의 坐向 中心線은 陽宅 Energy 及 그 Energy場을 形成하는 陰陽 Energy 交流 通路의 中心線이 되는 까닭에, 그 坐의 中心은 入力 山 Energy 中心線과 一致해야 하고 그 向의 中心은 案山 及 水勢 Energy의 凝縮 中心線과 合一하지 않으면 아니 된다.

즉, 入力 山勢 Energy 中心과 案勢 凝縮 Energy 中心은 建造物의 坐向 中心線인 陽宅 Energy 交流 通路를 따를 때, 보다 效率的인 Energy 同調가 發達하게 되고 보다 强力한 Energy 合成 凝縮이 일어나게 되어 能率的이고 善美한 良質의 凝縮 Energy 同調場을 形成케 한다.

따라서 入力 山 Energy 中心線과 案山 及 水勢 Energy 中心線이 만나는 一直線上에, 建物 陽 Energy 中心과 庭園 陰 Energy 中心이 함께 놓이게 되는 陽宅設計가 完成되었다고 한다면 이는 安定되고 善美强大한 Energy 中心線上에 가장 理想的인 坐向을 設定하였다고 말할 수가 있다.

第3節 結論

1. 韓半島의 自生的 風水思想

1) 地球表面 Energy體의 構造的 特徵

地球表面 Energy體의 基礎構造는 地板 Energy體 構造로서 마그마 隆起過程에서 形成된 隆起 立體 Energy 構造體와 隆起 地表 移動過程에서 形成되는 線 Energy 構造體 그리고 隆起 過程에서 爆發 發散되는 火山 立體 Energy 構造體 及 複合 Energy 構造體로 循環과 發散의 活動類形을 달리하고 있다.

2) 韓半島의 地表 Energy體 構造와 文化

다행히 韓半島는 白頭山과 漢拏山의 地表 Energy 爆發 發散을 제외하고는 거의 대부분이 隆起 立體 Energy 構造體에서 線 Energy 移動 構造體로 轉換하는 장엄한 白頭大幹을 그 骨格으로 하고 있다.

東高西低의 山脈 地形 地氣 Energy場은 一般的으로 木旺 金虛의 風水的 生命 Energy場을 形成하여 進取的이고 發展 指向的이며 纖細하고 勇猛的이며 創意的이고 分析的인 반면, 西低 地氣 特性을 補完하는 白衣民族 文化의 純粹 多樣과 獨自 正直의 地勢 地氣 親和的 諸 文化를 形成해왔다.

까닭에 韓半島의 信仰的 風水思想은 독특한 特性의 原理와 理論을 完成하게 됨으로써 他 周邊國과는 매우 다른 自生的 風水思想을 發展시켜왔다고 하겠다.

3) 韓半島 自生風水의 具體的 特徵

(1) 陽宅理論의 特徵

地表構造 差異에서 오는 山 Energy 흐름과 그에 따른 山 Energy體의 機能的 役割特性이 서로 差別的이다.

例 1) 立體 構造 Energy體의 聚氣 構造와 線 構造 Energy體의 聚氣 構造는 서로 다르다.

- 立體 聚氣 : 最終 上部 立形 構造가 支配的(板構造 凝縮 集合體)
- 線構造 聚氣 : 最終 上部 線型 또는 板構造가 支配的(隆起構造 凝縮 集合體)

例 2) 立體構造의 分擘秩序와 線構造 Energy體의 分擘秩序가 서로 다르다.

- 立體分擘 : 支脚 構造 特性을 주로 하는 分擘 構造
- 線 Energy體 分擘 : 支脚과 分擘脈은 전혀 그 出身 原理로부터 形態別 特性에 이르기까지가 서로 다르다.

例 3) 板構造 地氣 Energy場과 線構造 地氣 Energy場의 特性이 다르다.

- 板構造 地氣 Energy場 : 分布 均一하고 調和的이나 Energy 密度가 낮고 集中이 不足하다.
- 線構造 地氣 Energy場 : 多發的이고 集中的이며 Energy 密度가 높다.

例 4) 天體 Energy場의 緣分比率이 서로 다르다.

- 板構造 地氣 Energy場 : 天體 Energy 緣分比率이 相對的으로 높이 認識됨으로써 方位 Energy를 중요시한다.
- 線構造 地氣 Energy場 : 地勢, 局勢, 水勢에 의한 穴場 力量 評價가 主因이며, 方位 Energy場에 대한 認識比率이 相對的으로 낮다.

例 5) 陽宅의 坐向法이 他國과 다르다.

- 他國 板構造 Energy 及 立體 Energy 構造 : 八卦 方位에 의한 東西 舍宅論
- 韓國 線 Energy 構造 : 十二 Energy場 方位에 의한 主 地勢, 局勢, 風水勢에 의한 建物 配置 及 坐向 決定(東西 舍宅論 排除)

例 6) 인테리어 設計 基準이 다르다.

- 他國 板構造 Energy 及 立體 Energy 構造 : 八卦 方位의 東西 舍宅論 根據原則 設計
- 韓國 線 Energy 構造 : 周邊 地勢 Energy場에 의한 坐向과 風水勢

入力 Energy場 側 出入原則 設計

2. 韓半島 周邊國의 터전觀

中國을 中心으로 한 臺灣 日本 等 아세아 권역 전반은 中國 大陸의 立體 Energy 構造에 適合한 風水理論이 發展 전파되었고, 화북 화남을 中心으로 한 八卦方位論과 東西 舍宅論이 主流를 이루고 있다고 할 수 있다.

分明 陽宅의 24山論이나 八卦 方位論 等의 東西 舍宅論은 우리의 線構造 特性 地氣 Energy場에서는 마치 局 Energy場을 確認하는 程度의 限界性的일 뿐 穴場을 把握하는 詳細한 穴 Energy 測定 理論으로는 不可할 뿐 아니라 매우 適合지 않다고 볼 수 있다.

3. 自生的 風水 地理學의 發展 課題

어느 地域, 어느 國家, 어느 民族이든 그들이 살아가는 方式과 文化는 그들만의 自然 生態的 特性場에 支配되어 發展하고 消滅해왔다. 生命 基盤의 地勢 地氣 Energy場의 善惡美醜, 大小强弱, 高低長短, 正斜平峻의 吉凶에 따라 地域 民族의 性相과 興亡盛衰가 決定되었고, 生命 Energy場의 氣質 形象에 따라 그들 나름대로의 生命文化가 形成되어 進行되고 있다.

때문에 보다 鮮明한 삶의 文化가 가치롭게 發展되기 위해서는 보다 分明하고 細密한 地域特性의 生命 Energy場 研究가 先行되어야 할 것이고, 이에 따르는 國土 地域別 地氣 及 環境 Energy場 研究 Center가 國家 主導的 次元에서 設立되어야 할 것은 勿論, 地區 地域別 地氣 環境 Energy場 Diagram이 風水 地氣別 디테일한 地區目錄으로 전산화되어 國家 民族 運營 計劃에 크게 利用되어야 할 것이다.

이것이 千態萬象의 地域別 自生的 風水 環境 Energy場 原理를 思想化하고 學文化하고 應用化하여 弘益케 하는 가장 좋은 方案이 될 것이라 본다.

2 東西 舍宅論의 虛와 實*

1. 東西 舍宅論의 理論的 背景

1) 東西 舍宅論의 展開過程

(1) 太極兩儀 思想에 依한 陰陽 配位論 : (+)配 (-)位

(2) 陰陽 配位論에 立脚한 四象 配位論 :
(少陰一配位一少陽)(太陽一配位一太陰)

(3) 四象 配位論에 立脚한 八卦 配位論 :
太陽 配位 太陰 → (乾 配位 坤)(艮 配位 兌) → 西 舍宅稱하고
少陰 配位 少陽 → (離 配位 坎)(震 配位 巽) → 東 舍宅稱한다.

2) 八卦 方位論

乾 → 西北間, 坤 → 西南間 艮 → 東北間, 兌 → 正西	→ 西 舍宅方位
離 → 正南, 坎 → 正北 震 → 正東, 巽 → 東南間	→ 東 舍宅方位

---

* 風水原理講論, 第4編 陽基論, 第1章 陽氣總論 第6節.

3) 八卦方位 陰陽五行과 相生相剋論

乾(金) ← 坤(土) 艮(土) → 兌(金)	→ 西 舍宅 五行 相生 剋
乾座坤門(土生金) 兌座艮門(土生金)	→ 大吉
離(火) ← 坎(水) 震(木) → 巽(木)	→ 東 舍宅 五行 相生 剋
離座坎門(水剋火相剋) (堂門破) 震座巽門(木比和木) (座門同一方)	→ 次吉

4) 八卦 人事 陰陽論의 再構成

乾 (老父陽) 配 - 坤 (老母陰) 位 艮 (少男陽) 配 - 兌 (少女陰) 位	→ 配合 大吉
坎 (中男陽) 配 - 巽 (長女陰) 位 震 (長男陽) 配 - 離 (中女陰) 位	→ 配合 大吉

※ 上記 3)의 東 舍宅 五行 相生 剋의 矛盾點과 座와 門의 位相的 矛盾을 補完시켰다.

5) 東西 舍宅論 適用의 優先과 次先 原則

(1) 八卦人事 陰陽論 → 優先

(2) 八卦陰陽 配位論 → 次先

(3) 五行 相生相剋論 → 次次先

(4) 座와 門의 Energy 入出特性 → 無視

(5) 座와 門의 位相的 方位 特性 → 不考慮

6) 八卦組織에 따른 東西舍宅論의 展開圖

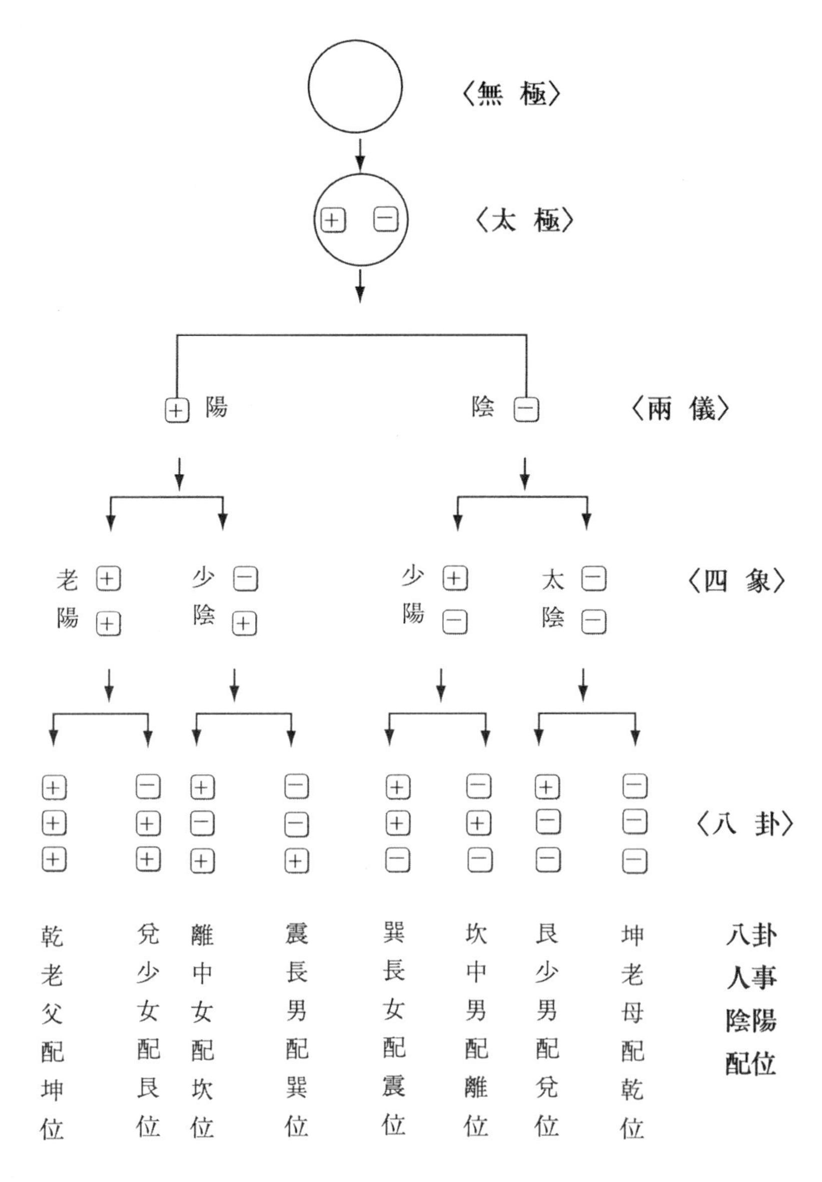

〈그림 1〉 八卦組織에 따른 東西舍宅論의 展開圖

7) 八卦 人事陰陽配位 組織의 再構成 原理 및 五行構成

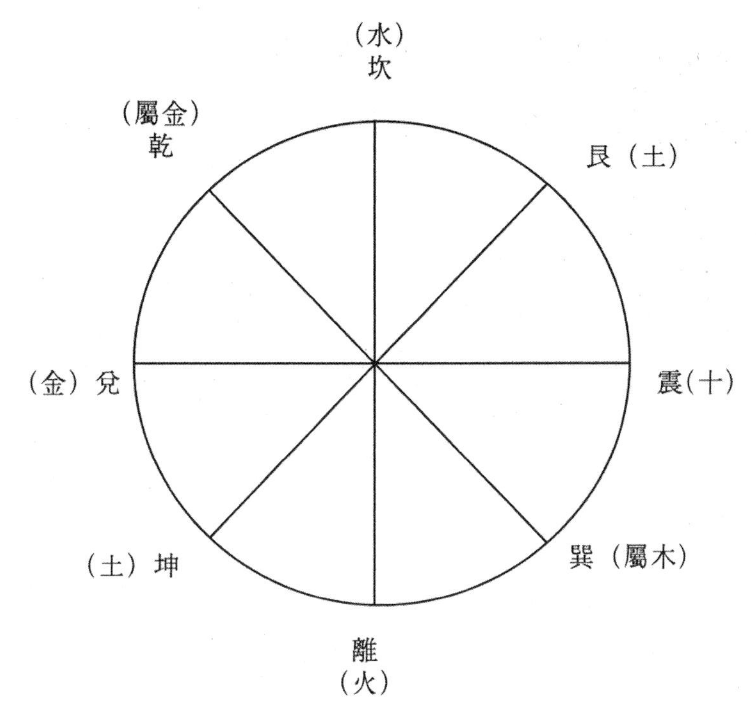

〈그림 2〉 八卦 人事陰陽配位 組織의 再構成 原理 및 五行構成

(1) 東舍宅에 있어서 坎座의 離門이나 離座의 坎門과, 震座의 巽門이나 巽座의 震門은 陰陽 配位論으로는 合理的이나, 方位構造 및 五行相生의 論理에는 不合當하므로, 이를 再構成 配置하여 坎配位 巽, 震配位 離의 原則을 再 定立하였음. 즉 巽座 坎門과 離座 震門을 合當한 陰陽 配位로 再整理하였음.

(2) 西舍宅의 乾座坤門, 兌座艮門은 陰陽 配位, 八卦人事 陰陽配位, 五行相生에 合當하여 그대로 둠.

2. 東西 舍宅論의 論理的 矛盾

1) 陰陽 四象 配位論의 原則과 八卦人事 陰陽論의 原則乖離

(1) 陰陽四象 配位論의 原理

① 少陽 配位 少陰

卽 { 坎 陽 配, 離 陰 位 / 震 陽 配, 巽 陰 位 } 가 東 舍宅原理이고,

② 老陽 配位 老陰

卽 { 乾 陽 配, 坤 陰 位 / 艮 陽 配, 兌 陰 位 } 가 西 舍宅原理이다.

(2) 八卦人事 陰陽論의 原理((1)의 原理原則과는 別個의 原則으로)

① 少陽 配位 少陰

卽 { 坎 (中男陽) 配, 巽 (長女陰) 位 (少陽同一母體) / 震 (長男陽) 配, 離 (中女陰) 位 (少陰同一母體) } 가 東 舍宅이 되었고,

② 老陽 配位 老陰

卽 { 乾 (老父陽) 配, 坤 (老母陰) 位 / 艮 (少男陽) 配, 兌 (少女陰) 位 } 가 西 舍宅이 되었다.

이상 (1)(2)에서 살펴본 바와 같이, 陰陽四象 配位論의 原理에 立脚하여 展開된 論理 原則이 그 構造的 矛盾에 의해 八卦人事 陰陽論으로 代替되는 結果를 초래했고, 그 八卦人事 陰陽論의 代替는 곧 根本 陰陽四象 配位論의 秩序를 破壞하는 矛盾을 낳았다.

3. 東西 舍宅論의 方位的 矛盾과 陰陽五行相生의 諸 矛盾

1) 東舍宅의 方位的 矛盾 및 陰陽五行相生의 矛盾

① 坎座의 坎門 … Energy 入出의 位相的 矛盾(五行相生의 矛盾)
② 坎座의 離門 … Energy 入出의 位相的 矛盾(五行相生의 矛盾)
③ 坎座의 震門 … 八卦 人事陰陽의 矛盾
④ 坎座의 巽門 … 陰陽四象配位의 矛盾
⑤ 離座의 離門 … Energy 入出의 位相的 矛盾(五行相生의 矛盾)
⑥ 離座의 坎門 … Energy 入出의 位相的 矛盾(五行相生의 矛盾)
⑦ 離座의 震門 … 陰陽四象配位의 矛盾
⑧ 離座의 巽門 … 八卦人事陰陽의 矛盾
⑨ 震座의 坎門 … 八卦人事陰陽의 矛盾
⑩ 震座의 離門 … 陰陽四象配位의 矛盾
⑪ 震座의 巽門 … Energy 入出의 位相的 矛盾(五行相生의 矛盾)
⑫ 震座의 震門 … Energy 入出의 位相的 矛盾(五行相生의 矛盾)
⑬ 巽座의 巽門 … Energy 入出의 位相的 矛盾(五行相生의 矛盾)
⑭ 巽座의 震門 … Energy 入出의 位相的 矛盾(五行相生의 矛盾)
⑮ 巽座의 坎門 … 陰陽四象 配位의 矛盾
⑯ 巽座의 離門 … 八卦人事陰陽의 矛盾

2) 西舍宅의 方位的 矛盾 및 陰陽五行相生의 矛盾

① 乾座의 乾門 … Energy 入出의 位相的 矛盾(五行相生의 矛盾)
② 乾座의 坤門 … 合當
③ 乾座의 艮門 … 八卦人事陰陽의 矛盾
④ 乾座의 兌門 … Energy 入出의 位相的 矛盾(五行相生의 矛盾)
⑤ 坤座의 坤門 … Energy 入出의 位相的 矛盾(五行相生의 矛盾)
⑥ 坤座의 乾門 … 非合當
⑦ 坤座의 艮門 … 陰陽四象配位의 矛盾(五行相生의 矛盾)

⑧ 坤座의 兌門 … Energy 入出의 位相的 矛盾(五行相生의 矛盾)
⑨ 艮座의 艮門 … Energy 入出의 位相的 矛盾(五行相生의 矛盾)
⑩ 艮座의 乾門 … 八卦人事陰陽의 矛盾
⑪ 艮座의 坤門 … 陰陽四象配位의 矛盾
⑫ 艮座의 兌門 … 非合當(五行相生의 矛盾)
⑬ 兌座의 兌門 … Energy 入出의 位相的 矛盾(五行相生의 矛盾)
⑭ 兌座의 坤門 … Energy 入出의 位相的 矛盾
⑮ 兌座의 乾門 … 陰陽四象配位의 矛盾
⑯ 兌座의 艮門 … 合當

4. 東西 舍宅論의 大門位相에 따른 Energy 出入特性과 水勢位相에 따른 Energy 同調特性의 乖離

1) 東西 舍宅論의 大門位相에 따른 Energy 出入特性關係

大門은 建築物의 立體的 空間 Energy場과 庭園의 平面的 空間 Energy場을 循環 同調시켜주는 Energy 再充積 機能役割을 담당한다. 따라서 平面的 空間 陰 Energy場의 活動을 補完하고 立體的 陽 Energy場의 急變을 防止하기 위해서는, 庭園의 橫 中心線 外側에 大門을 設置 함으로써 그 Energy 通路를 원만 安定케 하는 것이 理想的이라 하겠다.

이러한 觀點에서 살펴볼 때, 東舍宅論에서의 理想的 大門配置로는

① 坎座時 巽門
② 坎座時 震門
③ 坎座時 離門이 可能하나 全部가 矛盾的 相關關係를 지녔고
④ 離座時 坎門
⑤ 離座時 震門
⑥ 離座時 巽門이 可能하나
⑥만이 吉하고
⑦ 震座時 坎門

⑧ 震座時 離門이 可能하나 ⑦만이 吉하다.

또 西舍宅論에서의 理想的 大門配置로는

① 乾座時 坤門
② 乾座時 艮門이 可能하나 ①만이 吉하고
③ 坤座時 乾門
④ 坤座時 艮門이 可能하나 吉한 方位가 전혀 없고 (五行相生이 矛盾)
⑤ 艮座時 乾門
⑥ 艮座時 坤門
⑦ 艮座時 兌門이 可能하나 吉한 方位가 없고
⑧ 兌座時 艮門이 可能하며 吉함이 있다.

2) 東西 舍宅論의 水勢位相에 따른 Energy 同調 特性關係

水勢 Energy 및 그 Energy場은 風 Energy 및 그 Energy場과 함께 同伴되는 空間 Energy 및 地氣 Energy를 保護 維持 同調해주는 매우 중요한 善的 要素이면서, 반대로 干涉 消滅케도 하는 대단히 否定的인 惡的 要素이기도 하다.

이러한 까닭에 水勢 및 風勢와 同一한 方位位相에 大門이 設置되거나 建築物이 施設되었을 때는, 東西 舍宅의 吉凶方에 關係없이 무서운 破壞 Energy 및 그 Energy場이 形成되어 生命現象을 壞滅시킨다.

따라서 반드시 大門과 建物의 方位形態는 水勢와 風勢의 安定 位相上에 設置하지 않으면 아니 되고, 東西 舍宅의 大門位相 또한 위의 原則에 따르지 않으면 아니 되는데, 前記의 東西 舍宅理論에서는 大門과 水勢 및 風勢의 關係를 乖離시켰다.

5. 結論

以上의 諸 觀點에서 分析 把握한 바와 같이 東西 舍宅論의 論理的 配景이 方位概念에 그 基本 原則을 于先함으로써, 地勢 Energy의 入力 特性이나 水勢

Energy의 入出 特性에 대해서는 전혀 고려하지를 못한 風水學的 論理展開에 있어서의 原理的 缺陷을 안고 있다는 것을 發見하였다.

다음의 矛盾點으로서 學說의 論理的 體系秩序가 不合理하다는 點이다. 根本論理의 原則과 秩序를 四象의 陰陽 配位論에 根據하였음에도 불구하고, 그 展開過程에 있어서는 根本論理의 原則인 四象의 陰陽 配位原則을 適用치 아니하고, 八卦人事 陰陽 配位論을 適用함으로써 東西 舍宅論의 基礎的인 論理根據가 乖離消滅 되고 마는 矛盾이 發生하였다.

마지막으로 나타나는 矛盾點은 陰陽五行의 相生相剋 理論 適用이 매우 不適當하다는 점이다.

建物과 大門의 關係란 반드시 主 Energy 및 그 Energy場과 從屬 Energy 및 그 Energy場과의 關係로서 이들 關係는 分明하고 確固한 相生 同調 關係를 維持해야 함에도, 本 東西 舍宅論에 있어서는 建物 Energy體가 大門으로부터의 外部 Energy 및 그 Energy場을 相生 同調 받지 못하고, 오히려 大門의 外部 Energy 및 그 Energy場이 建物로부터의 Energy를 相生 同調 받게 되는 洩氣的 形態 構造가 發生하는 것을 發見하게 된다.

이와 같은 論理는 分明하게 Energy場 흐름의 相生 相剋과 Energy의 洩氣實體를 確然히 區別하지 못한, 무리한 原理展開過程에서 派生된 結果라 把握된다.

6. 周易의 再構成

1) 存在形成의 原理

旣存의 陰陽兩性 存在形成原理를 陰陽無記 三性의 存在形成原理로 再構成함이 마땅하다.

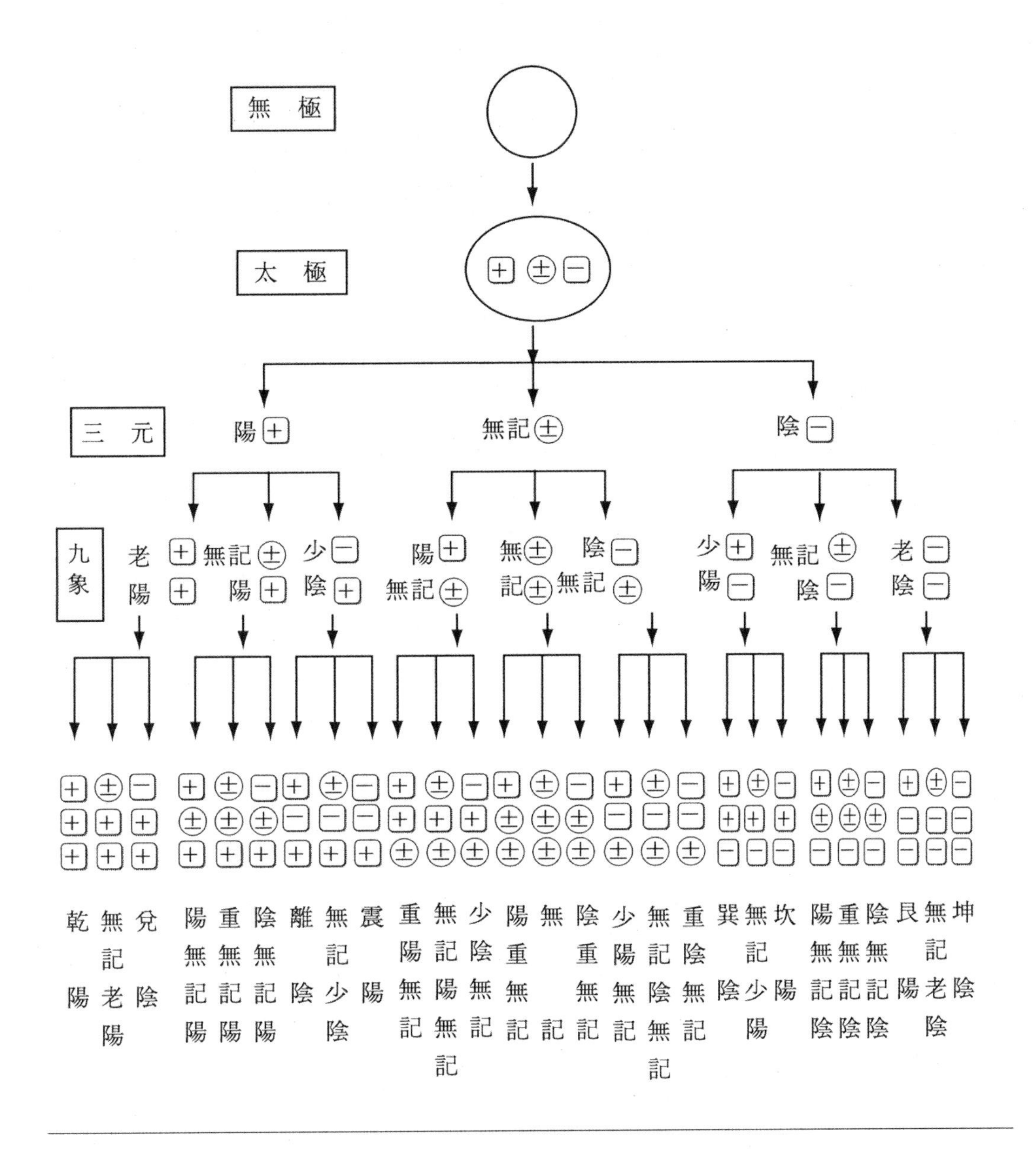

二七卦 ⟶ 729爻

〈그림 3〉 存在形成의 原理

3

生死 文化의 風水地理學的 재조명*

第1節 研究 動機 및 目的

1. 研究의 動機

현재 한국의 장례 문화는 극심한 혼돈과 혼란에 빠져 있다. 과거 삼국시대 이후 고려조까지 성행하였던 화장 문화가 이조 500년간의 유교적 매장 위주의 장례 문화에 밀려 일부 승려와 전염병자의 火葬禮를 제외한 거의 대부분의 일반 대중과 사대부들은 매장을 선호하는 문화로 바뀌지게 되었다.

그러나 일제강점기 이후부터 일본식 火葬葬禮가 늘어나기 시작하면서 1902년 신당동 화장장, 1907년 만리현 화장장, 1929년 홍제동 화장장 등이 건설 운영되었고 이는 일반 대중에게 있어서 시신 처리를 위한 가장 편리하고 효율적인 장례 시설로 인식되고 각광받게까지 되었다.

이러한 결과 2013년 보건복지부 자료에 의하면 현재의 화장률은 전국 평균 73%를 넘어섰고, 매년 급격한 화장 추이에 따른다면 2017년엔 80%의 화장률을 보일 것으로 전망하고 있다. 바야흐로 대한민국도 화장 문화의 중요한 국가로 변모해가고 있는 것이다.

그러나 과연 이러한 화장 문화가 바르게 온당하게 이상적 방향으로 흘러가고

* 영남대학교 환경대학원 환경설계학과 풍수지리 전공, 풍수세미나 발표자료, 2013년 6월 1일.

있는 것인가 하는 것은 전혀 별개의 문제이다. 대부분의 화장을 선호하는 부류의 인식 속에 조상에 대한 올바른 생사관이 구조적으로 정립되고 정리되어있는 것이 확실한가 하는 것이다.

과거에도 그러했고 현재에도 그러하듯이 火葬葬禮 절차를 자세히 들여다보면 모두가 한결같이 너무도 무지한 장례 인식과 죽음에 대한 진정한 이해 부족 현상으로 마치 조상의 시신을 모심에 있어서 귀찮은 듯, 혐오스러운 듯 아니면 빨리 인연을 끊어버려야 할 대상인 듯 자손의 눈앞에서 보이지 않게 내다버리는 절차를 아무런 부끄럼 없이 시행하고 있다는 느낌이 이를 바라보는 전문가들의 공통된 견해라고 봐야 할 것이다.

물론, 이와 같은 화장 문화는 현재의 어렵고 바쁜 세상을 살아가는 서민 대중에게는 어쩔 수 없는 불가피성도 있다고 하겠지만, 조상에 대한 예절과 사랑은 지금 현재의 장례 절차와 사후 처리 방식으로는 도저히 불성실과 불효적 몰이해란 비난을 면할 수가 없다고 본다. 이는 매장 문화에서도 예외 없이 잘 드러나고 있음은 마찬가지이다.

이와 같은 현상은 우리들 전문가 지도 그룹들의 책임도 너무 많다. 올바른 장례 문화를 선도하고 재창조해야 할 책임은 누가 뭐래도 그 전문가 지도 그룹이 당당해야 할 몫이기 때문이다.

2. 研究의 目的

위와 같은 현실을 접하면서 우리는 장례 문화의 올바른 인식과 그 실천을 위해 어떠한 노력들이 선행되어야 할 것인가에 대하여 심각하게 고민하지 않을 수가 없다.

매장 문화의 매장 풍습 또한 만족스러운 장법이 되고 있지 못한 것을 안타까워하였지만 현재 화장 문화 속의 화장 절차와 그 사후 처리 과정을 지켜보노라면, 이는 그 절차와 풍습이 不見識을 넘어 不可見의 경지에까지 이르러 있다.

매장 시의 매장지 선택은 물론 그 장사 과정 중에서 일어나는 장비 사용으로 인한 風水害의 피해를 간과하는 일이라든가, 화장의 개념을 죽은 자의 모든 것은 불살라 없애는 것이 가장 깨끗한 죽음이라고 생각하는 자기 위안적 災처리 방식들. 이 모든 장례 인식과 풍습은 오로지 우리 인간들의 我田引水格 자손 편의적 虛禮가 만들어가고 있는 악습 중의 최악습이 상식화되고 보편화된, 인간 생명 윤리의 파괴 현상 발로라고 봄이 마땅할 것이다. 참으로 가슴 아픈 일이다.

인륜지 대사이며 단 한 번 태어나 단 한 번 돌아가는 내 부모 내 조상의 그 고귀한 뒷마무리 절차마저 귀찮듯이 내다버리는 듯한 수단과 절차로 바뀌어가고 있는 오늘의 장례 현실이 과연 이러하여도 되는 것인가?

나를 낳은 부모 조상의 시신과 유골이 물, 바람 속에서 뒹굴도록 사후 처리에 소홀했다면, 과연 우리 자손은 벌받지 아니할 것인가?

현재의 장례 문화는, 특히 火葬葬禮 문화는 결단코 생명 문화가 아닌 죽은 자의 시체 처리 수단일 뿐이요, 태만한 자손의 폐습일 뿐이다.

내가 다시 죽어갈 때에 나의 죽음 앞에선 자손들의 패륜적 장례 행위를 다시 한 번 들여다보자. 이대로가 과연 현명한 죽음 처리 방식인가?

더 밝고 지혜로운 인간 환원 방식은 더 이상 발전될 수가 없는 것인가?

이러한 물음은 정녕 어디에서부터 시작되고 어디까지 해답해야 할 것인가?

오늘을 살아가는 전문 지식인들의 중대 사명이요, 일생의 과제임을 뼈저리게 느끼면서 본 논고에서 그 해결의 일단을 찾아보고자 한다.

3. 研究의 범위 및 한계

(1) 研究 범위

생명 문화를 논함에 있어서 그 생명의 한쪽 모습인 삶의 논리와 철학적, 종교적 사유에 대해서는 너무도 많은 시간 속에서, 너무도 많은 선각자들에 의해 폭넓게 깊숙이 논증되고 정리되어왔다.

그러나 생명현상의 뒤편에 앉은 다른 한쪽의 모습인 죽음의 논리와 철학적, 종교적 사유에 대해서는, 비교적 좁고 얕은 범위에서만 취급되고 논증되어온 것이 오늘의 현실이다. 오히려, 종교 철학적 사유의 측면에서 來世觀에 의한 죽음의 모습이 그려지고 있을 뿐, 올곧은 죽음과 그 사후 관리가 어떻게 조직적으로 이루어져야 한다는 것에 대해서는 보다 극명한 대답의 자료가 부족하다.

그것은 현생의 죽음이 현세의 것이 아닌 단멸된 내세의 것으로 단념화하는 대중적 경향성이 올바른 생명의 죽음관을 바르게 선도하지 못하는 장애적 한 원인 요소가 되고 있음일 것이다.

지금까지 수많은 철학적, 종교적 지도자들의 끊임없는 연구와 발견에도 불구하고 오늘날의 대중적 죽음 문화를 선도하고 바르게 이끌어가는 절대적이고 평등적인 실천적 죽음 마중 방식은 아직도 확고히 정립되어있지 못한 것이 현실이다.

이러한 생명 현상의 올바른 재창조 문화를 재정립 실천하기 위해서는 사회적, 종교적, 교육적 지도자들의 실현 의지와 책무가 너무도 크고 많다.

이와 같은 당면의 난제 앞에서, 본 연구자의 논거 범위는 방대한 문제의 해결, 노력을 삼가고, 다만 생사문화를 風水地理的으로 재조명하는 과정에서 심각하게 대두되고 있는 죽음 문화, 특히 매장 문화와 화장 문화의 올바른 장례관과 의식 절차 및 장법에 관한 풍수지리 이론의 실천적 설계와 시행에 대해서 짧게나마 그 해답을 풀어가고자 한다.

第2節 喪葬禮 文化의 세계적 현황

1. 東洋 각국의 喪葬禮 文化와 火葬葬禮 현황*

(1) 중국의 喪葬禮 文化와 火葬葬禮 현황

중국의 喪葬禮는 天葬, 水葬, 火葬, 土葬의 4가지 형태가 있다. 중국의 漢族은 埋葬 문화이나 소수민족은 여러 가지 장법을 쓴다. 묘지가 1930년대에 들어 중국 본토의 총 경작지의 11%를 차지하게 되면서 1950년대의 자유화 이래 정부는 경작 토지를 보호하기 위해 火葬葬禮 정책을 추진하고 있다. 그러나 시장경제의 도입으로 부자들이 늘면서 호화 假墓가 증가하여 묘지가 차지하는 면적이 갈수록 늘어나고 있는 현실이다. 정부는 매장 풍습의 폐해를 부각시키면서 火葬葬禮를 유도하고 있다.

티베트의 일반적인 장례는 목재가 귀하기 때문에 승려와 部落長은 火葬을 하고, 귀족과 일반 티베트인들은 天葬으로, 아이와 전염병에 의한 사망자에 한해서 水葬을 한다.

2) 인도의 喪葬禮 文化와 火葬葬禮 현황

인도 국민의 85%가 힌두교도로서 화장과 수장을 행한다. 그들의 희망은 생전에 성지인 Benares를 참배하고 성스러운 갠지스강에서 목욕을 하는 것이며 사후에는 갠지스강에 화장된 骨灰를 흘러 보내는 것이다. 뉴델리 시내 갠지스 강변의 니겜바스가트 공공화장터에는 시신을 화장하는 가로 세로 2m 크기의 시멘트 제단 30여 개가 바둑판처럼 가지런히 있다.

(3) 일본의 喪葬禮 文化와 火葬葬禮 현황

1910년대까지만 해도 매장이 화장보다 훨씬 많았으나 1950년대부터 화장이 급격히 늘어나기 시작하면서 화장이 보편화되었다. '죽으면 곧 화장한다'는

---

* 조종식, 세계 각국의 화장제도, 한국토지법학회, 1997년, pp. 93~104.

의식이 철저히 관철되어있어 천황을 제외한 모든 사망자는 100% 화장을 거쳐, 가족 납골 묘지나 납골당에 안치한다.

일본인들은 유골을 작은 돌무덤에 봉안하여 가족이 사용할 수 있는 가족묘로의 형태로 이용하거나, 시신을 화장해서 강이나 산에 뿌려 영혼이 극락에 가도록 기원한다. 그러나 散骨은 법적으로 정해져 있지 않고 환경오염의 우려가 있어 1999년 수목장이 처음 실시된 이후 자연장(수목장) 장례가 환경보전의 취지와 함께 인기가 높아지고 있다.

(4) 태국의 喪葬禮 文化와 火葬葬禮 현황

태국 국민의 95% 이상이 불교신자로서 극히 소수인을 제외하고는 사후 분골시켜 유골항아리에 넣어 납골당이나 집안의 佛壇內壁에 안치한다. 일부 돈 많은 중국계 타이인들의 가족묘지 몇 개를 제외하고는 산에 무덤이 없다.

2. 서양 각국의 喪葬禮 文化와 火葬葬禮 현황*

(1) 영국의 喪葬禮 文化와 火葬葬禮 현황

세계화장협회의 본부가 있는 영국은 유럽의 화장 운동 중심 국가이다. 일정기간이 지난 무연고 묘역을 정비하는 대부분의 유럽 국가들과는 달리 법으로 영구보존토록 규정하고 있다. 묘지가 엄청나게 많아 묘지난이 매우 심각하여 묘지공간이 턱없이 부족하다. 런던의 화장률은 90%에 육박하고 있고, 그 외 도시지역에서도 60% 이상의 화장률을 나타내고 있다. 일반적으로 화장된 骨灰는 잔디에 뿌려지거나 나무 혹은 관목 밑에 뿌려지며 극소수가 가족 묘지에 묻히거나 납골당에 안치된다.

(2) 오스트리아의 喪葬禮 文化와 火葬葬禮 현황

국민의 86%가 가톨릭 신자인 오스트리아는 1965년부터 현대식 화장시설이

---

* 조종식, 세계 각국의 화장제도, 한국토지법학회, 1997년, pp. 104~115.

등장하고 정부에서 관리하는 납골당이 본격적으로 보급되기 시작하였다. 1970년 이후 시행령을 3번 개정하여 1인 매장 가족묘 덮개 및 상석 매장 장소, 무덤 이용에 관한 조항 등을 구체적으로 명시하였다. 장례비용이 묘지비용보다 더 비싼 편이며, 화장보다 매장이 더 많이 이루어지고 있다. 땅을 파 석곽을 만들 경우 2m 70cm 깊이까지 매장이 허용되어 가족 네 사람이 한 자리에 층층이 묻힐 수 있다.

(3) 프랑스의 喪葬禮 文化와 火葬葬禮 현황

전형적인 가톨릭 국가인 프랑스는 오랜 매장 관습으로 화장이 일반화되는 것을 기대하기는 힘들다. 그러나 1963년 프랑스 가톨릭 주교단이 화장이용을 허락한 이후 매년 0.7%의 성장률을 보이고 있다. 가족묘 형태로 매장 장례가 이루어지고 있으며, 1묘당 분묘 면적은 반 평 정도이다.

(4) 스위스의 喪葬禮 文化와 火葬葬禮 현황

자연과 조화를 이루는 실용적인 장묘 문화를 지향하고 있는 스위스는 지방자치제가 발달하여 지자체마다 실정에 맞는 장묘제도를 시행하고 있다. 누구나 죽으면 지자체가 운영하는 공동묘지에 묻히고 무덤의 크기와 사용기간을 엄격히 제한하여 무분별한 토지 잠식으로 인한 경관훼손을 막고 국토이용에 장애를 주지 않는다. 화장률은 70% 이상으로 묘지 문제를 해결하는 데 한 몫하고 있다. 1999년 시작된 수목장은 2007년 전국에 60개의 수목장림을 운영할 정도로 인기를 끌고 있다.

(5) 미국의 喪葬禮 文化와 火葬葬禮 현황

뿌리 깊은 매장 국가인 미국도 화장이 점점 증가하는 추세이다. 화장장과 납골당은 국립/사설 묘지에 의해 운영되고 있다. 재산이나 지위고하를 막론하고 매장은 1평의 면적을 넘지 않고 平葬 형식이다. 장묘 방법은 지하매장, 지상매장, 화장 후 납골 안치 혹은 散骨 등의 방식이 있다. 장례예식장을 중심으로 장묘문화가 발달된 것은 20세기에 들어 보편화되었고, 장례서비스 산업이 체계적으로 잘 발달되어있는 나라이다.

3. 東西洋 喪葬禮 文化의 특성

(1) 埋葬葬禮 文化의 특성

일반적으로 불교 국가(아시아의 많은 국가)는 화장을, 가톨릭 국가(유럽 및 미국 등)는 매장을 선호한다. 인구 대비 토지이용률이 넓은 국가는 주로 매장을 하는 관습이 있다. 그러나 동서고금을 막론하고 매장 장례는 세계적으로 가장 보편화된 장법이다. 다만 그 지역의 고유 지형지세에 따라 수장, 화장, 조장, 토장 등의 예외적 형태의 특수 장법이 행해진다. 토양이 척박하여 토질이 건조하고 지진 등으로 지반이 불안정한 나라는 매장을 선호하지 않는다. 반대로 산림이 부족한 국가에서는 화장을 지양하고, 風水害가 심한 나라는 오히려 조장 등의 방법으로 시신을 처리한다.

(2) 火葬葬禮 文化의 특성

火葬葬禮 문화는 그 나라의 종교색에 따라 그 절차와 방법이 다르다 할지라도 대부분은 骨灰를 가족묘로 조성된 곳에 봉안하거나 납골당에 안치한다. 화장제도는 근세기에 들어 세계인구의 폭발적인 증가로 인해 토지 부족 현상이 심화되면서 한정된 토지를 효과적으로 이용하기 위해 정부 차원에서 제도화하여 실시하고 있다. 그러나 납골묘에 엄청난 양의 석재가 사용됨에 따라 미래 자연환경에 큰 부작용이 발생하고, 납골시설이 점점 호화스럽고 대형화되어 화장 후 유골처리 문제가 사회적 문제로 대두되고 있다. 이러한 인식 가운데 1999년, 2001년 스위스와 독일의 자연장 및 수목장*이 성공적으로 정착되면서 환경보전의 취지에서 '골회 후 수목장의 방법으로 장례를 치루는 방식'대한 관심이 빠르게 확산되고 있다.

---

* 이윤희, 독일·스위스의 수목장림 운영 관리 실태 및 국내 정착을 위한 선결 과제, 장례문화연구 제4권 제2호, 2007년, p. 46.

第3節 韓國 火葬 文化의 기원과 역사*

1. 古代 韓國의 火葬葬禮 기원과 역사

(1) 삼국시대 이전의 火葬葬禮

진주시 대평면 상촌리 신석기시대 중기 주거지 중 제14호 주거지에서 한 개의 독널이 발견되었는데, 그 안에서 화장한 인골편이 검출된 것으로 보아 신석기시대에도 화장이 있었던 것으로 확인된다. 청동기시대에는 다수의 옹관묘가 신석기시대의 독널에 안치되었던 방법과 동일하여 그 개연성을 입증한다.

(2) 삼국시대, 고려시대의 火葬葬禮

기록상 우리나라에서 최초로 화장을 한 인물은 신라의 고승 慈藏(590~658)일 것이다. 그 외 신라시대에 화장을 하였을 것으로 추정되는 승려는 모두 13명 정도이다. 화장을 한 신라의 왕은 모두 8명으로 추정된다.

백제는 불교를 국가 통치이념으로 삼고 있었으므로 불교를 신봉하던 귀족 집단 내부에서도 화장을 하였다.

화장이 가장 성행한 시기는 통일신라와 고려시대이다. 고려시대는 매장과 화장, 풍장 등의 다양한 장법이 공존하였고, 가장 일반적인 것은 매장이었다. 고려시대의 화장은 집이나 사찰에 빈소를 마련하여 일정 기간 모셨다가 좋은 날을 받아 산록이나 사찰 주변의 화장지에서 화장을 한 후 유골을 수습하여 용기에 담아 葬骨하여 화장절차를 마친다.

---

* 김시덕, 화장 문화 확산에 따른 전통상례의 변화, 장례문화연구 제5권 제1·2호 합본호, 2008년, pp. 19~41.

2. 근세 한국의 火葬葬禮 기원과 역사

(1) 조선왕조 500년의 火葬葬禮

조선은 불교를 배척하고 유교를 권장하였기 때문에 화장이 쇠퇴하고 매장이 일반화되었다. 17세기 초가 되면서 유교적인 문화와 의례가 보편화되어 이를 바탕으로 매장의 고도화로 이어지게 되었다. 특히 매장의 규칙을 정할 목적으로 태종 4년(1404)에 제정된 묘지의 步數制定은 유교식 상례를 정착시키기 위한 제도임과 동시에 유교식 상례의 특징인 매장을 공고히 하는 것이었다. 그러나 전염병으로 인한 사망자 처리 등을 위한 화장과 승려의 화장은 여전히 잔존하였다.

(2) 일제강점기의 火葬葬禮

일본은 화장을 강제하지는 않았지만 화장을 법적으로 인정하고 적절히 권장하였다. 1902년 신당동에 화장장을 건립하고, 만리현화장장(1907), 홍제동화장장(1929) 등이 세워지면서 일본식 화장이 한국의 장법 중의 하나로 자리 잡게 된다. 1934년에는 儀禮準則을 발표하여 화장을 공식적인 장법의 하나로 인정하였고, 장례의 한 부분으로 인정함에 따라 전통적인 상례와 장법에 상당한 영향을 미치게 된다.

(3) 해방 후 동란시의 火葬葬禮

조선총독부에 의한 일본식 화장의 일방적 도입과 보급은 반일감정이 겹치면서 한국사회에서 화장을 기피하고, 화장을 혐오시설로 인식하게 만든 원인이 되었다. 이로 인해 매장의 극단적 선호로 나타나면서 매장이 친숙한 우리의 문화적 전통이라는 인식을 정착시키게 되었다.

(4) 현재 한국의 火葬葬禮

도시화, 핵가족화, 세계화 등의 사회변화는 화장에 대한 부정적 인식을 변화시켰다. 전통적으로 효 실천의 일환으로 조상 묘를 돌봐왔던 기성세대와는 다르게 젊은 세대들에게는 편의주의가 확산되어 있어 손쉽게 장례를 치를 수 있는 장례식장을 이용하고 사후 관리가 편한 화장을 선호한다. 또한 한정된 국토를 효율적으로 사용하기 위한 정부의 정책변화와 시민단체의 화장 장려 활동이 함께 맞물려 화장률이 급상승하게 되었다.

문중 조상의 무덤 관리도 조상 묘를 효율적으로 관리하고 실천하는 방법으로, 기존의 흩어져 있는 조상의 매장 무덤을 한곳으로 이장하여 火葬墓地로 만들거나 門中奉安當을 건립하고 있다. 그렇다고 하더라도 매장이 완전히 사라지지는 않는다. 현재 한국 사회는 매장과 화장이 공존하고 있다.

第4節 韓國 火葬 文化의 현황과 추이

1. 火葬葬禮 선호도와 화장률

보건복지부 'e하늘' 홈페이지 '일반자료' 월별 화장동계 집계치에 의하면 2012년 화장자수는 194,730명으로 사망자수 267,300명의 72.9%를 차지하고 있다. 화장률이 가장 높은 지역은 인천으로 85.1%이고, 가장 낮은 지역은 전남으로 55.7%이다.

2013년 4월 4일 보건복지부의 보도 자료에 의하면, 사망자 추이는 2017년에는 328천명으로 약 79.9%의 화장률을 보일 것으로 전망하고 있다.

보건복지부는 화장시설이 설치된 지역이 설치되지 않은 지역보다 화장률이 7 ~ 22% 더 높은 점을 참고하여 2017년까지 화장로 68로를 증설하고, 노후화되고 오염방지시설이 미비된 화장시설의 단계적 재건축 및 설비보완을 추진하여 증가하는 화장수요에 효과적으로 대응한다는 방침이다.

그러나 1980년대까지 10%대에 머물던 화장률이 1990년대에 들어와 20%로 증가한 후, 20년이 채 안 된 기간 동안 73%에 육박할 정도로 화장 위주의 장사문화로 변화됨에 따라 火葬葬禮의 폐단이 사회의 문제로 대두되고 있다. 화장 후 석물 위주의 대형 납골묘 설치가 무분별하게 이루어지면서 자연환경이 훼손되는 문제점을 개선하기 위해 2008년 5월 26일부터 자연장제도가 시행되었다. 정부는 현재 친환경 자연장 활성화를 위해 개인, 가족 자연장지에 한하여 자연장지 조성이 제한되었던 주거지역 등에 설치, 조성이 가능하도록 장사법령을 개정중(2013년 6월 시행 예정)에 있다.

1) 장사시설 유형별 설치기준*

〈표 1〉 사설 자연장지

구분		개인·가족	종중·문중	종교단체	재단법인
조성지역	면적	$100m^2$ 미만	$2,000m^2$ 이하	$30,000m^2$ 이하	$50,000m^2$ 이상
	신고 등	신 고 (종·문중은 '12.8.2부터)		허 가	
	고려사항	지형·배수·토양		지형·배수·토양·경사도, 폭 5m 이상의 진입로, 주차장 등	

〈표 2〉 사설 봉안시설 - 봉안묘

구분		개인·가족	종·문중	종교단체	재단법인
조성지역	면적	$10m^2/30m^2$ 이하	$100m^2$ 이하	$500m^2$ 이하	-
	고려사항	지형·배수·토양 등을 고려하여 붕괴·침수가 없는 곳 (법인봉안묘 : 폭 5m 이상의 진입로와 주차장 마련, 면적의 20/100 녹지조성)			
	조성장소	사원, 묘지, 화장시설이나 지자체의 조례로 정하는 장소			

〈표 3〉 사설 봉안시설 - 봉안당

구분		가족 또는 종·문중	종교단체	재단법인
조성지역	면적	민법상 친족, $100m^2$ 이하	신도 및 그 가족, 5천구 이하	500구 이상
	장소 등	사원·묘지·화장시설, 조례	폭 5m 이상의 진입로와 주차장 등 마련	

* 화장시설 등 장사시설 수급 종합계획 수립·시행: 전국 장사시설 정정 수급을 위한 5개년(2013~2017) 계획 발표, 보건복지부 노인복지과, 배포일 2012년 11월 23일.

〈표 4〉 사설 봉안시설-사설묘지

구분		개인	가족	종 · 문중	재단법인
조성 지역	면적	30m^2 미만	100m^2 이하	1,000m^2 이하	100,000m^2 이상
	신고 등	신고		허가	
	봉분규모	봉분의 높이는 지면으로부터 1m, 평분의 높이는 50cm 이하			
	고려사항	(법인묘지 : 폭 5m 이상의 도로와 주차장 마련, 면적의 20/100 녹지조성)			
	조성장소	도로에서 300m 이상, 인가밀집지역에서 500m 이상 떨어진 곳			

2011년 보건복지부의 장사시설현황을 보면, 자연장지는 총 359개로 종, 문중이 171개, 개인과 가족이 151개, 종교단체에서 14개가 조성되어 있고, 봉안당 설치 현황은 공설이 130개, 법인 52개, 종교단체 173개, 기타가 1,305개로 총 1,660개의 시설이 있다.

화장시설은 2012년 8월 말 기준으로 전국에 53개소, 화장로수는 287로가 있다. 이 중 공설이 53개소, 수도권(서울, 인천, 경기) 5개소, 기타 지역에 47개소가 있다. 53개소의 시도별 화장시설 설치현황은 경남이 10개소로 가장 많고, 제주, 부산, 대구, 인천, 광주, 대전, 울산이 각 1개소의 화장시설을 갖추고 있다.

2) 전국 시도별 화장 현황(잠정)

〈표 5〉 2011년/ 2012년 전국 시도별 화장 현황

구분	2011년(보건복지부 통계)*				2012년(e하늘 자료에 의한 잠정)**			
	사망자수	화장자수	화장률(%)	증가율(%)	사망자수	화장자수***	화장률(%)	증가율(%)
총계	257,396	182,946	71.1	3.6	267,300	194,730	72.9	1.8
서울	40,320	31,751	78.7	2.8	41,500	33,544	80.8	2.1
부산	19,643	16,848	85.8	2.3	20,500	17,199	83.9	△1.9
대구	12,355	8,713	70.5	3.3	12,400	9,128	73.6	3.1
인천	12,504	10,589	84.7	3.6	12,900	10,975	85.1	0.4
광주	6,593	4,348	65.9	4.6	6,900	4,715	68.3	2.4
대전	6,336	4,488	70.8	4.2	6,600	4,626	70.1	△0.7
울산	4,462	3,560	79.8	2.1	4,600	3,709	80.6	0.8
세종	-	-	-		800	264	-	-
경기	48,394	37,526	77.5	3.7	50,800	40,471	79.7	2.2
강원	10,521	6,940	66.0	1.9	11,000	7,437	67.6	1.6
충북	10,176	5,564	54.7	4.7	10,500	5,917	56.4	1.7
충남	14,025	7,531	53.7	5.3	14,000	7,889	56.4	2.7
전북	13,126	8,011	61.0	4.0	13,700	8,780	64.1	3.1
전남	16,090	8,351	51.9	3.5	16,800	9,353	55.7	3.8
경북	20,237	11,586	57.3	4.5	20,700	12,409	59.9	2.6
경남	19,593	15,222	77.7	3.6	20,400	16,311	80.0	2.3
제주	3,021	1,657	54.8	6.5	3,200	1,853	57.9	3.1
미상	-	261	-	-		150	-	-

* 2011년도 통계 : 보건복지부 보도 자료(2012.9.27.), 「2011년 화장률, 처음으로 70% 넘어」
** 2012년 사망자 통계 : 통계청 보도 자료(2013.2.26.), 「2012년 출생 · 사망통계(잠정)」
*** 2012년도 화장자 수 : 보건복지부 'e하늘' 홈페이지 '일반자료' 월별 화장통계

第5節 韓國 火葬葬禮의 선호 배경과 불가피성

1. 火葬葬禮의 선호 배경

근세 한국 사회의 火葬葬禮 선호는 과거 승려 사회의 다비식 화장례와 전염병사나 사고사에 의한 죽음의 처리 방식 이외에는 거의가 유교식 매장 형식에 따라 장례 절차가 이행되어왔다.

그러나 1990년도 이후부터 불기 시작한 장례 절차 간소화 운동과 장묘 문화 개선운동 및 국토의 이용 효율화 운동 등의 본격적 시민 계몽 운동이 전개되면서 화장 喪葬禮의 편의성적 간편 효율화 풍속 문화는 현재 전국 화장률 평균 75%를 육박케 하는, 세계에서 화장 중심 선호국 수준에까지 이르게 되었다.

이러한 화장률이 급속히 증가할 수 있었던 배경에는 물론 정부의 생활 간소화 정책, 국토 효율 이용 정책, 장묘 문화 개선책 등의 정책적 유도와 각 시민단체 및 언론의 여론 조성도 있었지만, 그보다 더 중요한 요인은 핵가족화와 가족계획으로 인한 喪葬禮의 경제적, 정신적, 생활환경적 부담감이 훨씬 크게 합일되어 나타난 결과라 할 수 있을 것이다.

사실 조상을 잃고 그 죽음을 앞에 둔 많은 자손들의 면면을 구석구석 들여다본다면, 그 하나하나가 슬퍼하고 애통해하는 모습은 분명함에도 조상의 죽음을 받아들이고 사후 처리를 실행하는 마음자세는 너무도 편의적이고 불효스럽다는 것이다. 다시 말해서 부모 조상의 죽음 마중에 대한 정성과 예의가 너무도 소홀하고 무성의하다는 것을 발견할 수 있다.

예를 들어서,

① 조상은 죽으면 모든 것이 끝나는 것이요, 무의미한 것이라는 생각이다.
② 죽은 조상은 다만 우리의 생각 속에만 있을 뿐, 영적으로, 육체적으로 아무런 존재가치가 없는 그냥 잊고 버려야 할 대상으로 여긴다는 것이다.
③ 그러하기 때문에 죽은 조상과 자손 간에는 아무런 영육의 거래 내왕도 없고, 해야 할 것도 바랄 것도 전혀 없다는 생각이다.

이러한 사고의 오류가 종래는 喪葬禮를 혐오의 대상으로 보게 되었고, 조상의 죽음에 대한 사후 처리의 버리기식 사유가 퇴폐와 패륜의 극치를 낳고 말았다.

매장지 조성을 중장비를 사용하여 물구덩이를 만드는 일이라든가, 화장 후 납골 처리를 물바람 속에 버려두는 일 등은 조상 주검에 대한 지나친 무성의의 결과로 봐야 할 것이다.

오늘날 조상의 유해를 이렇듯 버리듯 마구잡이로 처리하는 과정에는 조상에 대한 예경심의 부족도 있지만 그보다 이를 집행하는 장지 업주나 장사 관리를 담당하는 장례지도인들의 태만심이 이러한 문화를 만들어가고 있다고 해야 할 것이다.

2. 火葬葬禮 선호의 불가피성

앞으로 한국의 화장 선호도는 역시 급격히 올라간다고 봐야 할 것이다. 왜냐하면 우선 먼저 매장할 수 있는 산지 확보가 어렵다는 것이다. 좋은 땅 좋은 환경의 매장지를 구하기란 정말 하늘의 별을 따는 듯하다.

야산에 내려온 산줄기 하나에 겨우 穴場 하나가 맺히면 다행인 것이 우리 한국의 산지 실정이고 보면 누구나가 아무 데나 가서 穴場을 얻을 수 있는 것도 아니다. 더구나 그러한 것이 있다고 하여도 그것을 구입하기란 역시 하늘의 별을 따는 듯 더 어렵다. 아마도 인구 100명당 한 사람이 그러한 행운을 잡는다면 이는 크게 다행한 기쁨이라 할 것이다. 때문에 아무리 노력을 한다고 해도 100명 중 한 사람이 그나마 無害地 정도의 穴處를 얻을 수 있기가 쉽지 않고 보면 오늘날의 화장률 75% 정도는 아직도 미약하다. 멀지 않아 99%까지는 상승되어야 한다는 것이 현재 국토 이용 실정의 풍수지리적 바람이다. 매장 穴場을 구할 수 있는 다른 대안이 결코 없기 때문이다. 그래서 화장의 喪葬禮 개선 노력은 더더욱 필요한 것이고, 그중 장법의 합리적 설계는 더 이상 말할 수 없이 중요한 것이라 하겠다. 특히 이 부분은 본론 말미에서 자세히 더 논하기로 하겠다.

第6節 生命 價値觀의 재발견

1. 生命 사회의 生死觀 문제

언제부터인가는 몰라도, 우리네 인간들의 삶의 역사는 처절하리만큼 생명의 애착과 집착의 굴레에서 헤어나지 못한 채 삶의 가치에만 매몰되어 오늘까지를 이어져왔다.

물론 살아있다는 것은 이 세상 어느 것과도 바꿀 수 없는 지고한 선이고 행운이며, 기쁨일 수 있다.

그러나 삶만큼 고달프고 험하고 슬픈 것도 또한 이 세상에는 없다. 그것은 삶이 지닌 肉體識의 喜怒哀樂愛惡慾 생명심이 가져오는 피할 수 없는 인간적 생사관의 소산이 그러할 수밖에 없기 때문이라 여겨진다.

그러함에도 불구하고 우리들 인간은 태어나면서부터 죽음에 이르기까지 삶과 죽음의 올바른 과정이 과연 어떠한 것이어야 하는지의 문제에 대해서는 모두들 시간과 정열을 너무 많이 아끼고 사는 현실이 되고 있다. 죽음의 의식에 대해서는 특히 더욱더 그러하다.

삶의 과정 중에서는 그 삶의 질과 가치가 어떠한가를 사려도 하고 분별도 하고 살피기도 하고 더러는 챙기기도 해본다. 비록 그 과정과 결과가 어긋나고 도처에서 가치 실현의 문제들이 여러 가지로 파생될지라도, 그래도 삶의 문제는 꾸준히 해결코저 해왔고 그러기에 삶의 애착은 집착을 넘어 몰입에까지 다다르고 있다.

그러나 정작 소홀히 해서는 아니 될 삶과 동질 동격의 인간 문제임이 분명한, 죽음에 대한 문제를 우리는 쉽게 잊어버리고 지나쳐가고 또 방관하고 있음을 심각하게 걱정하지 않을 수가 없다. 삶이 어떠해야 하는 것만이 문제가 아니라 죽음 또한 어떻게 해야 하는가의 문제가 오늘을 살아가고 또 죽어가야 하는 현대인들의 가장 큰 화두요 챙김의 과제라는 것을 명심하지 않을 수 없다.

2. 生과 死의 가치 실현과 지속적 효율성 관리

생명의 가치가 보다 성스럽고 보람된 삶의 구현에 있는 것이라면 죽음의 가치 또한 보다 성스러운 것이어야 하고 거룩한 것이어야 한다. 가치로운 삶 못지않게 중요한 것은 가치로운 죽음이어야 한다. 가치로운 삶은 거룩한 죽음에서 열매 맺고, 가치로운 죽음은 거룩한 삶에서 그 열매를 맺는다. 때문에 삶이 무엇을 어떻게 하고 살았느냐의 가치보다 더 중요한 것은 죽음이 무엇을 어떻게 재창조하고 있느냐에 대한 가치 구현이다. 이러한 물음은 어쩌면 종교적일수도 있고 철학적인 문제일 수도 있다.

그러나 분명한 것은 종교적이거나 철학적인 사유 이전에 가장 확고히 드러나는 생명 Energy의 영원성을 명료하게 깨닫고 그 가치를 드높이며 실현해 나아가는 데에 인간 의지가 멈추어서는 아니 된다는 것이다.

그러한 생사가치의 실현의지는 최선의 것이어야 하고 최대의 효율성을 지녀야 한다. 생명의 한쪽 모습인 삶의 실천이 최선의 아름다움과 최대의 효율성으로 恒常할 수 있다면 그 생명의 다른 모습인 죽음의 실천 또한 최선의 아름다음과 최대의 효율성을 恒常할 수 있는 것이어야만 비로소 참 생명의 가치가 실현될 수 있다고 보기 때문이다.

3. 生死觀의 재인식

무릇 생명은 영원한 것이다.

생명 현상의 질료인적 모습 또한 영원한 것이요, 그 생명체의 의지 또한 영원 불멸한 것이다. 질료인적 원소 입자들이 모여들어 움직이면 생명의 한 모습인 삶이 되고 그들이 흩어지며 제자리로 돌아가게 되면 생명의 또 다른 모습인 죽음이 된다.

삶과 죽음은 생명의 각각 다른 모습이요, 한 모습이다. 다만 생명의 의미가 그들을 각각 다르게 현상화하고 있을 뿐 본질적 모습은 언제나 변함없다.

생명 현상 중 삶과 죽음은 無常性의 법칙을 따라 오고 감을 되풀이한다. 삶의 리듬이 변함없이 지속된다면 삶은 죽음을 맞이하지 못할 것이다. 죽음 또한 그

리듬이 변함없이 지속된다면 무상성의 법칙을 따라 이어져야 할 삶의 리듬 또한 맞이할 수 없을 것이다. 삶이 삶답고 죽음이 죽음다울 때 참 삶은 참 죽음을 만나는 것이고 참 죽음은 참 삶을 맞이하는 것이다. 이것이 생명 현상이 지닌 참 삶과 참 죽음의 윤회 사이클이다.

이러한 생명의 본질을 재인식하고 그 생명 현상의 리듬인 삶과 죽음의 효율적 웨이브(Wave)를 성스럽고 거룩하게 그려가야 한다는 것은 오늘을 살아가고 미래를 재창조해야 하는 현대인들의 공통된 과제요, 실천해갈 의무라고 할 것이다.

4. 生命 文化의 올바른 認識 구조와 재발견

생명 현상의 삶과 죽음이 서로 다른 개체의 독자적 모습으로 구별 지어진 별개의 것이라면, 삶은 삶으로서 영원해야 하고 죽음은 죽음으로서 영원한 것이어야 한다.

어떠한 삶도 영원한 것은 없다. 역시 어떠한 죽음도 영원한 것은 없다. 어떠한 생명현상도 일정한 형태의 삶의 모습이거나 죽음의 모습을 恒常시키지는 않는다. 생명의 본 모습은 언제나 恒常한 것이기 때문에 삶의 한 모습이 영원할 수 없다면, 삶의 한 모습으로 끝나고 만다면 이는 생명의 영원성에 너무도 어긋난다. 마찬가지로 죽음의 한 모습이 영원할 수 없다면 죽음의 한 모습으로 끝나고 만나면, 이는 역시 생명의 영원성에 너무도 어긋남이 될 것이다.

이러한 생명의 항상성 원리가 다만 삶과 죽음을 바꾸어가며 영원해가는 까닭에 삶은 삶으로 그치지 아니하고 죽음으로 이어져가는 것이며, 죽음 또한 죽음으로 그치지 아니하고 삶으로 다시금 이어져가는 것이다.

여기서 우리 인간은 삶과 죽음이 한 몸이요 한 의지임을 재발견하고 재인식해야 할 것이며 다만 삶과 죽음으로 그 모습을 바꾸어갈 뿐이라는 것을 깨달아야 할 것이다.

5. 死後 文化의 올바른 認識 구조와 재발견

삶의 모습이 이어져가는 것이 죽음의 모습이며 죽음의 모습이 이어져가는 것이 삶의 모습이다. 생명 현상 리듬의 한 자락들이 분명 이러할진대, 삶의 모습 속에만 갇혀 그 굴레를 벗어나지 못하는 우리 인간들의 반쪽 생명 인식관은 하루바삐 개선되고 재정립되지 않으면 아니 된다.

모든 일반 대중이나 識者層에서조차 삶의 생명은 죽는 그 순간에 모든 것이 끝난다고 믿고 있고 또 그렇게 말한다.

과연 생명은 삶의 형태에서 완전히 단절되고 마는 것인가?

과연 죽음의 형태에서는 생명의 현상이 없어져버린 것인가?

삶의 움직임이 없어지고, 죽음의 고요만이 있다고 해서 정녕 우리의 생명현상은 단절된 것인가?

이 물음의 대답은 결단코 '아니오'이다.

물질적으로 우리의 몸은 수많은 원소들의 집합과 그들의 상호작용으로 움직이고 있다. 이러한 원소들의 집합 고리가 이완되고 서서히 부서져 원래의 왔던 곳으로 되돌아가면 그것이 곧 죽음의 고요가 된다.

이때의 생성 집합과 이산 환원의 주체 의지는 절대 생명의 자율 의지에 의존하여 무상성을 나투어갈 뿐, 결코 생명 현상의 한쪽 편에서 영원히 머물러 있지 아니한다. 삶이 다한 한쪽 편에서 죽음이 가고, 죽임이 다한 한쪽 편에서 삶이 간다.

때문에 삶이 다하여 죽음이 되고 죽음이 다하여 삶으로 이어진다. 따라서 삶은 죽음의 앞 과정이요 죽음은 삶의 앞 과정일 뿐, 삶과 죽음은 한 몸 한 의지에서 나타나고 돌아간다. 보다 거룩한 삶의 모습을 갖고 싶다면, 역시 보다 거룩한 죽음의 모습을 창조해가야 한다.

죽음의 시작과 그 과정과 그 끝은 너무도 소중한 삶의 시작과 과정과 그 끝이 될 수 있다는 것을 재인식할 필요가 있다. 삶의 문화에 몰입하고 있는 인간 생명체들이 올바른 생명 현상인 생사관을 확고히 정립할 때만이 죽음의 가치와 死의 문화는 새롭게 재발견, 재탄생될 것이며, 죽음의 올곧은 과정 행로가 광명한 진리의 지침을 따라 바르고 밝게 펼쳐져갈 것이다.

6. 生死觀의 一體性과 一果性

1) 생사관의 일체성

(1) 생사 본체 → 생명현상 ⇒ 生死 一如 一體 → 絶對平等

(2) 삶의 과거 생명 현상 → 죽음

(3) 죽음의 과거 생명 현상 → 삶

} 생명본체 : 죽음(因) → 삶(果) → 죽음(因果)
래생윤회 생명상

(4) 삶의 미래 생명 현상 → 죽음

(5) 죽음의 미래 생명 현상 → 삶

} 생명본체 : 삶(因) → 죽음(果) → 삶(因果)
전생윤회 생명상

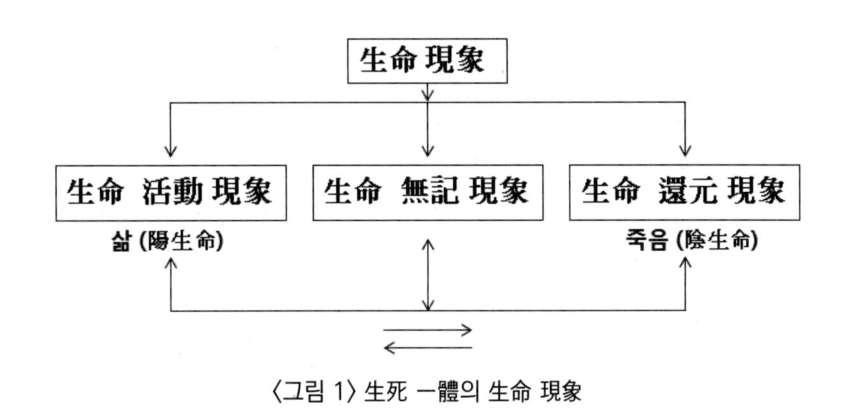

〈그림 1〉 生死 一體의 生命 現象

2) 생사관의 일과성

(1) 生因輪廻 → 死果

(2) 死因輪廻 → 生果

(3) 生死因 一切 輪廻 → 本體果

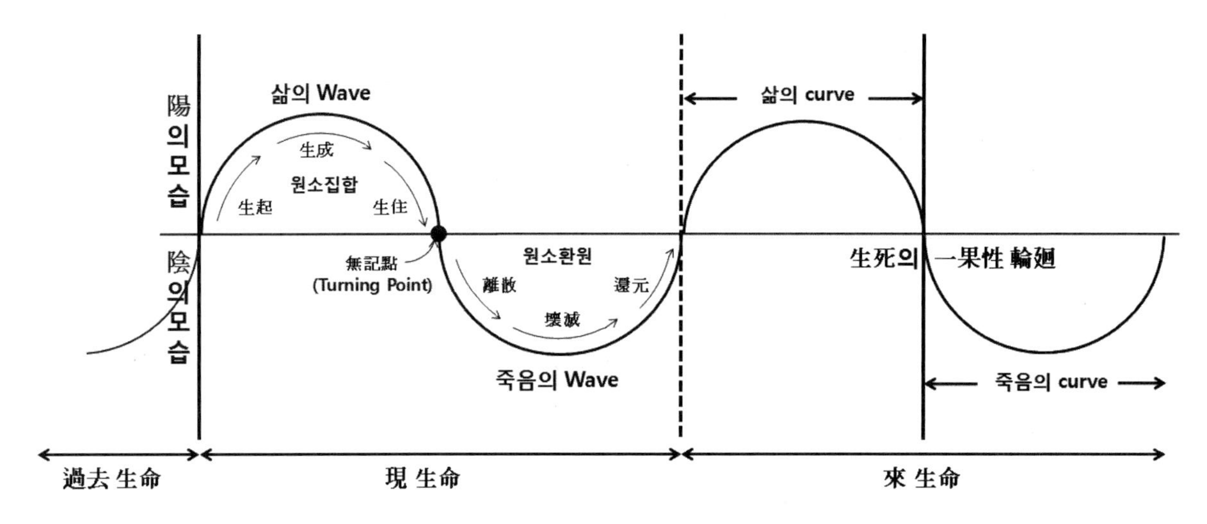

〈그림 2〉 生死 一果의 輪廻 現象

7. 生死 文化의 재창조

1) 생사관의 대중적 인식 개선

(1) 생명관의 재인식 확대 → 종교적, 철학적, 생명 공학적 생명관의 재인식
(2) 생명관의 재정립과 대중 의식화 운동 → 사회교육, 시민운동 생명 윤리학의 재교육
(3) 死後觀에 입각한 바른 죽음 마중 → 바른 죽음관, 바른 내세관, 바른 인생관 정립

2) 바른 생사관의 실천적 확산 운동

(1) 生死一如觀의 신념화 교육
(2) 바른 생사 문화 확립의 실천 운동
(3) 死의 문화 창달을 위한 학술 연구 및 전문적 지식 보급

3) 생사 문화의 재발견과 재창조

(1) 생사 문화 의식의 평준화 작업(평준화, 표준화, 대중화)

(2) 생사 문화 개발을 위한 학술 연구

(정치, 사회, 교육, 예술, 경제 등 각종 분야의 집합적 연구)

(3) 생사 문화 재창조 작업 전문 기관 설립

(정책 입안, 시행, 감독, 분석 평가 등의 지속화)

第7節 火葬 文化의 韓國的 當爲性과 合理性

1. 火葬 文化의 당위성

1) 埋葬 가용 면적의 부족

(1) 이용 산지의 부족
(2) 穴場 형성의 부족
(3) 산지 구입 가용지의 부족

2) 埋葬 선호 사상의 변화

(1) 매장 절차의 어려움
(2) 동기감응론의 불신
(3) 관리의 불편

3) 火葬葬禮의 편의성

(1) 의식 절차상의 편의성
(2) 장법의 간소성
(3) 관리상의 편리성

2. 火葬 文化의 합리성

(1) 매장 가용적 부족난에 따른 차선책 → 대중성적 합리성
(2) 장례 절차에 따른 사후 처리의 신속성 → 편의성적 합리성
(3) 장례 사후 관리상의 효율성 → 관리효과적 합리성

3. 火葬 文化의 합일성

1) 사회 환경적 합일성

(1) 서민의식의 대중적 합일

(2) 경제 환경적 합일

(3) 정책 환경적 합일

2) 장례 환경적 합일성

(1) 대중, 서민생활의 환경적 합일

(2) 종교 활동의 환경적 합일

(3) 도시 미관의 환경적 합일

3) 국토 환경적 합일성

(1) 산지보호의 국민운동

(2) 환경오염의 국민운동

(3) 국토 관리의 효율화 운동

第8節 埋葬 文化의 韓國的 當爲性과 合理性

1. 埋葬 文化의 당위성

1) 전통적 孝 사상과 조상 음덕 사상

(1) 효행 윤리 의식
(2) 조상 안정 평안
(3) 조상 음덕 사상

2) 명산 발복 기원과 地靈人傑 신앙

(1) 명산 안장 → (2) 동기감응 → (3) 지령인걸

3) 전통 매장 의식의 관습성과 지속성

(1) 전통의식
(2) 효의 상징적 관습 표현
(3) 풍속의 지속성

2. 埋葬 文化의 합리성

1) 韓國的 地勢地氣와 매장의 합리성

(1) 한국 지세지기의 형성과정의 특이성 → 융기구조
(2) 한국 지세지기 특성과 민족성의 조화
(3) 한국적 지세지기 특성의 문화창조

2) 전통적 묘지 조성 관리의 한국적 정서관

(1) 장구한 풍속과 효 문화
(2) 산 숭배 사상과 회향심의 정서
(3) 땅에 대한 모성적 향수와 애정

3) 매장의 효율성과 안정성

(1) 인간 환원처의 이상향
(2) 환원 효율의 극대와 안정성
(3) 부모 조상의 유택관 실현

3. 埋葬 文化의 합일성

(1) 보유 산지에 대한 이용률 제고의 합일
(2) 전통 장례 의식에 대한 풍습의 일관성과 지속성의 합일
(3) 매장 사상에 대한 신념과 철학의 합일

第9節 火葬 文化의 社會的 指向點과 不合理性

1. 火葬 文化의 사회적 지향점

1) 화장 선호의 사회적 동의와 비판

(1) 화장 선호관의 바른 사색과 통찰
(2) 화장 장법의 바른 이해와 실천
(3) 풍수지리 자연관의 재인식

2) 화장 문화의 사회적 지향점

(1) 화장의 편의성과 편리성의 재인식
(2) 관습의 바른 선도
(3) 효 사상의 재정립

3) 화장 문화의 順기능과 逆기능

(1) 장례의 간소화 → 윤리의식 결여
(2) 납골처리의 신속화 → 풍수적 과오
(3) 조상관, 생명관의 재정립 → 전도 의식의 개혁

2. 火葬 文化의 환경적 불합리성

(1) 화장 과정의 의식환경적 불합리성 → 의례의 소홀과 형식성
(2) 화장 사후 처리 과정의 장례환경적 불합리성 → 물바람의 침입에 대한 몰이해
(3) 火葬葬禮의 인습환경적 불합리성 → 납골당, 납골탑, 석실, 봉안관습 등의 전도된 인습

3. 火葬葬禮 文化의 폐단과 문제점

(1) 생명 가치관의 왜곡된 인식구조

(2) 사후 처리 및 관리의 문제점

(3) 윤리 의식의 퇴화와 Moral Hazard

第10節 生死 文化의 風水地理學的 재조명

1. 葬禮 文化의 風水地理學的 合理性과 不合理性

1) 風水地理學的 합리성

(1) 매장 문화의 풍수지리학적 합리성

① 이상적 혈장 확보로 인한 安葬의 완성

② 효도의 성취, 조상의 이상적 환원

③ 安葬地 사용에 따른 자손 안정과 同期感應 성취

④ 자손의 사회 안정 기여와 창조적 결실

⑤ 매장 산지의 최소 이용으로 인한 자연 파괴의 최소화

⑥ 산소 基當 면적을 최소화할 수 있고 산지 표피의 파괴 현상은 100년 이후면 완전 회복된다.

⑦ 화장 장묘 설치 석물 생산지의 지기 파괴율에 훨씬 못 미치는 산지 표피 이용이다.

⑧ 매장 시 화장 장묘의 석물 설치로 害를 더하면서 해마다 쌓여가는 공해적 심각성이 거의 없다.

⑨ 1000년 동안 현재의 화장 장묘와 같은 석물들이 쌓여간다면 1000년 동안 산지로 회복되는 현재 매장방식은 훨씬 우월하다.

(2) 화장 문화의 풍수지리학적 합리성

① 장례 절차 및 의식의 간소화

② 사후 관리의 간소화

③ 非穴處 흉지 매장 시보다 후손들의 피해가 감소된다.

④ 유골 처리의 간소화

⑤ 화장 시 석물 사용만 하지 않는다면 산지 파괴의 면적이 훨씬 줄어든다.

2) 풍수지리학적 불합리성

(1) 매장 문화의 풍수지리학적 불합리성

① 산지의 과다 사용에 의한 국토 훼손

② 非穴處 흉지의 이용 확장으로 인한 자손 폐해 급증

③ 장례 의식 절차의 과도로 인한 부작용 발생

④ 매장 후 묘소 관리상의 諸 문제 발생이 크다(짐승, 자연 폭우, 바람, 나무의 침입 등).

⑤ 관리상의 경제적, 시간적, 인력 투입이 보다 크다.

(2) 화장 문화의 풍수지리학적 불합리성

① 석물의 과다 채취로 인한 자연 훼손 면적이 증가한다.

② 자연 환원 불가능으로 인한 후손 건강이 취약해지고 자손과 조상 간의 동기감응 Energy 同調가 불가능하게 되어 인간 생명 재창조가 이루어지지 않는다. → 인간 도태 현상이 일어난다.

③ 석물 설치는 자연 복구가 불가능하고 오랜 세월 천년 이상 쌓이게 되면 전 국토가 납골당의 유령국이 될 것이 확실하다.

④ 납골 장묘의 현재 방식은 어떠한 경우라도 風水害의 침입을 막을 수 없어 부패하거나 침수됨을 방지할 수 없다.

⑤ 화장 시 구성 원소의 급격한 강제 이산 변화로, 매장 시의 단순 환원 환경보다 복잡한 산화 환경의 다양한 윤회가 형성되고, 이로 인해 자손의 효도 의식과 영적 깨우침 그리고 육체 Energy場 조절에 많은 혼돈이 온다. → 영육적 방황이 발생함에 따라 정신적, 육체적 건강이 파괴된다.

2. 火葬葬禮 文化에 대한 풍수지리 이론의 확립과 그 실천

1) 풍수지리 이론으로 본 한국의 화장 문화 개선방안

(1) 화장 문화 문제점의 풍수적 개선과제

현재의 화장 문화가 지닌 문제점을 풍수지리적 관점에서 살펴본다면 크게 다음과 같이 나누어볼 수 있다.

① 화장장 유골 연소방식의 문제점 개선 → 완전 소골화보다 불완전 연소 방식에 의한 미완소골이 동기감응 효율을 높일 수 있다.
② 동기감응 불가능에 대한 대책(조상 유골의 완전 환원화 노력 → 동기감응 同調 촉진)
③ 소골 처리 방식의 이상적 선택 → 지하 매장 방식의 최선책 강구
④ 풍수해 방지대책 → 매장 지하 및 지상의 풍수해
⑤ 장법의 개선 등

(2) 유골의 환원 증대 방안

돌아가심이라고 하는 것은 조상의 모든 구성 물질이 원래의 원소로 되돌아가는 완전 환원을 의미한다.

화장 소골 연소상태의 조상유해는 각종 원소 및 분자들과 더불어 전신의 완전 산화를 급격히 맞이하게 되는데, 이때의 모든 구성 물질분자는 O_2를 얻은 제3의 물질로 변화하게 된다. 이러한 상태의 제3물질로의 산화 물질은 공기 중 또는 집진 상태 이후의 공업 원료로나 건축용재 및 기타 제품 가공용 원재료로 제3윤회를 진행하게 되고 이 제3윤회물질은 본래 조상이 지니고 있던 산화 이전의 원래 물질과는 전혀 다른 구조의 분자가 되고 말기 때문에 자손과의 환원 Energy 주파수 同調 감응 작용은 절대로 발생하지 않는다. 따라서 화장장에서의 완전 소골은 바람직하지 않으며 분쇄 가능한 정도로만 소골 연소하여 조상 유골이 지닌 물질 Energy를 보다 많이 확보한 상태로 매장하는 것이 가장 유익하다.

(3) 소골처리 방식의 풍수 원리적 선택

① 납골당 봉안 방식의 부당성

현재 진행 사용되고 있는 납골당 봉안 방식은 실내목함 납골당 봉안방식과 노천 석재용 납골 봉안 방식, 납골 묘 안장방식 그리고 수목림장 방식의 몇 가지가 있다. 그러나 위의 모든 방식이 風水害의 침입으로부터 보호되지 않는다면 조상 소골의 산화 촉진 피해는 결코 방어하지 못한다. 이는 깊이 있는 관찰로 자세히 살펴 쉽게 확인할 수 있다. 현재 거의 대부분의 납골처리 방식이 이와 같이 부실하게 처리되고 있음이니 이는 하루바삐 개선되지 않으면 아니 될 중대한 사안이다.

② 납골 장지의 효율적 선택

조상의 화장 유해가 燒骨된 연후에 그 자손들이 지닌 조상 납골에 대한 정서적 애착을 살펴보면 생전의 조상에 대한 태도나 매장시의 매장 조상에 대한 효성의 태도보다 훨씬 가볍고 소홀한 정성스럽지 못한 모습이 많이 나타난다. 심지어는 조상 납골을 산천이나 강, 바다에 내다버리듯 뿌려버리는 경우도 너무 많다. 이는 조상에 대한 효행심은 물론 예경마저도 잃어버린 무지한 자손들의 만행이다.

반드시 양지바르고 안정된 장소에 묻어드리는 것이 최상이다. 납골당, 납골탑, 납골묘들보다는 수목장지의 단단한 땅에 평안히 묻어드리는 것이 가장 이상적이다.

③ 납골의 풍수적 최선 처리 방식

㉠ 납골의 소골 연소율을 낮출 것 → 분쇄 가능 한도에서 소골을 최소화한다.

㉡ 납골 저장 용기의 선택 → 질그릇 옹기류로서 서서히 토질 환원이 가능하고 호흡할 수 있는 용기

㉢ 사후관리상의 풍수적 피해를 막을 것 → 수목, 홍수, 짐승 등의 피해

2) 수목림장 장법의 풍수적 계획(장법설계 참조)

(1) 안장처 선택

조상의 유해를 화장하여 그 납골을 처리하는 것 역시 매장 시의 유해를 안정처에 모시는 방법과 일치해야 한다. 때문에 납골의 안장처는 물바람이 들지 않는 비석비토가 제일 좋다. 산화 과정에서 공중으로, 땅으로, 바람으로, 물로 뿔뿔이 흩어져 모두 없어져버리고 그나마 남은 내 부모 내 조상의 한줌 죽음을 허망히 물바람이 들거나 말거나 가림 없이 처리만 하면 된다는 형식적 장법은 우리네 자손들이 언젠가는 후회할 화근을 키워가고 있음을 명심해야 한다. 따라서 풍수적으로는 나무의 뿌리가 침입치 않고 물바람의 침입을 허용치 않는 편안한 토질을 선택하는 것이 최우선 과제라 할 것이다.

(2) 풍수적, 수목림 장법 계획 지침

수목림 장법설계를 풍수지리 원리에 맞추어 계획하려면 다음과 같은 지침을 준수해야 한다.

① 납골 매장 장소가 물바람이 들지 않도록 주변의 물매와 표면을 경사지게 다듬고 단단한 곳에 광중을 팔 것(장법 참조)
② 납골함은 세월이 흐른 후 토질로 환원 가능토록 土器를 사용할 것
③ 납골함의 뚜껑은 반드시 밀봉하여 물바람이 드나들지 않게 할 것
④ 납골함의 바닥을 제외한 전 부분을 생석회 혼합토로 회단이 할 것
⑤ 이와 같은 작업이 끝나면 역시 생석회 혼합토로 광중 전체와 뚜껑을 채워 외부로부터의 풍수목해 침입을 방지할 것

3. 喪葬禮의 風水地理學的 계획과 장법 설계 및 시공

1) 喪葬禮 계획

(1) 喪葬禮 儀式

① 종교적 喪葬禮 의식과 절차

㉠ 불교식 의식과 절차 : 다비식

㉡ 기독교식 의식과 절차 : 매장식, 화장식

㉢ 유교식 의식과 절차 : 매장식, 일부 화장식

㉣ 기타 종교식 의식과 절차 : 대순진리회 - 매장식, 남녀호랑계교 - 화장식, 증산교 - 일부 매장, 화장 등

② 일반 대중의 喪葬禮 의식과 절차

㉠ 일반 自然死 : 매장 또는 화장식

㉡ 일반 病死 : 매장식이나 주로 화장식

㉢ 특수 事故死 : 화장식

③ 기타 지역별 喪葬禮 의식과 절차

㉠ 도서지역 : 초분장, 매장

㉡ 해안지역 : 초분장, 매장, 수장

㉢ 농촌지역 : 매장, 화장

㉣ 산림지역 : 매장, 화장

④ 화장 喪葬禮의 제반 문제 사항

㉠ 주로 惡死의 경우

㉡ 경제적 이유

㉢ 풍수원리의 이해 부족

㉣ Moral Hazard(윤리 의식 결여) → 효 사상의 도태화

㉤ 2012년 현재 화장률 : 72.9% → 화장 선호국 대열 진입
추이 보건복지부 자료 2017년 약 80% 예견 → 화장국

ⓑ 人才 재창조 능률의 저하

화장 후손의 특성 → 도태적 종성화 촉진

매장 후손의 특성 → 종성 재창조 촉진

ⓢ 매장의 可用地 선택폭이 너무 좁다. → 風水的, 경제적 사유

ⓞ 無害地級 이상의 成穴處가 태부족인 관계로 100명 중 1인 사용 穴處가 가능한 정도밖에는 산지 이용이 불가능하다. 따라서 나머지 99명의 사망자는 화장 방식의 장례가 불가피하다(실질적으로 수백 년 이후의 산지 이용은 거의 불가능에 가까울 것이고 이렇게 되면 화장의 대중화는 필연적이다).

ⓙ 석물치장의 폐해

(2) 현상적 喪葬禮의 穴場 亂 대처방안

① 매장의 대처방안(風水의 피난처 확보 방안)

㉠ 生龍脈處 확보(무기맥이나 사맥처는 제외)

㉡ 풍수 침투 방지

ⓐ 水脈處를 피할 것

ⓑ 지표수는 돌린다(땅을 파지 않고 成土 방식으로 물매를 돌린다).

ⓒ 脈上 水侵處는 水路를 복구한다.

ⓓ 지표의 風水 侵投土를 걷어낼 것 - 최대 1.2m까지 허용(침투선의 깊이가 1.2m를 초과할 경우 집중 호우 시 토압 붕괴를 감당치 못하거나 수맥이 형성되어 결국 穴場을 파괴한다).

ⓔ 木根 침투를 방지할 것

ⓕ 서류의 침투를 방지할 것

ⓖ 짐승피해를 막을 것

㉢ 風吹의 예방

ⓐ 바람 길을 막는다(성토, 담장, 造林).

ⓑ 성토 작업 시 風水害를 방지하기 위한 灰 혼합 성토 작업이 필수(회 : 흙 = 1 : 5)

㉣ 風水害 방지를 위한 광 중 회단이 작업

② 造山과 裨補

㉠ 四神砂 造山 → 일부 수정에 한함

㉡ 水口砂 비보 → 요감법 또는 성토작업, 수림대 설치

㉢ 穴場 四果 裨補

ⓐ 入首頭腦 裨補 → 성토, 알 바위 설치(바위 결 확인)

ⓑ 纏脣 裨補 → 朱雀石 설치(바위 결 확인)

ⓒ 青白蟬翼 裨補 → 성토, 바위 설치(바위 결 확인)

㉣ 균형 비보 원칙

㉤ 성토 質의 善 선택 : 양질의 마사토

㉥ 알 바위 결의 선택 기준

ⓐ 入首頭腦 裨補石의 결 : 원형 上下 수평 球 결

ⓑ 纏脣 裨補石의 결 : 원형 또는 사각 수직 결, 從帶 長

ⓒ 青白蟬翼 裨補石의 결 : 시립형 구조석, 橫帶 長

㉦ 裨補水貯 조성 → 水口處 비보 穴場 洩氣 방지

導引水路 설치 → 穴場 得水를 위한 도수 비보

㉧ 吹風 비보- 전후좌우 취약처 성토 및 담장 또는 樹林帶 설치

(3) 葬法의 설계와 시공

① 埋葬 장법의 설계와 시공

㉠ 마사토 : 강회(가루생석회)는 3~5 : 1의 비율로 섞는다(표준은 3 : 1). 사용 1일 전에 회 마사 혼합토를 물과 함께 섞은 후 다져둔다. 1일 동안 잠재운다.

① 마사토의 중심을 오목하게 한다.

② 가루생석회를 넣고 섞은 후 물을 붓는다.

③ 물과 마사 혼합토를 섞는다.

④ 혼합토가 끓어오르기 시작하면 열이 발생하므로 조심한다. 1일 동안 재워둔 후 사용한다.

〈그림 3〉 혼합토 만드는 과정

㉡ 전체 외광을 판다. 외광을 파낸 후 그 흙은 다시 보관한다. 광 내부에서 머리위치는 살짝 높게 한다.

ⓐ 깊이 : 최하 1.8~2.0m 정도
넓이 : 1.2~1.5m

ⓑ 길이 : 1.8~2.4m

㉢ 내광 본뜨기 작업

ⓐ 내광깊이 : 45~50cm

ⓑ 가로 폭 : 50 ±20cm, 횡대(세로) 폭 : 80~90cm
내광 가장자리 좌우 : 각 10cm씩, 上下 : 각 20cm

ⓒ 외광 폭 : 1~1.2cm

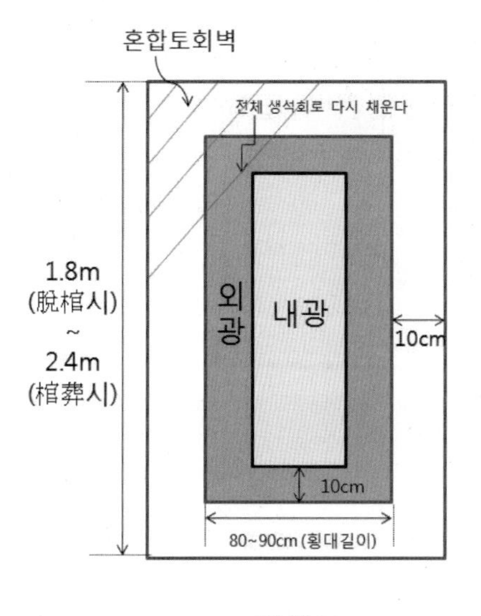

< 평면도 >

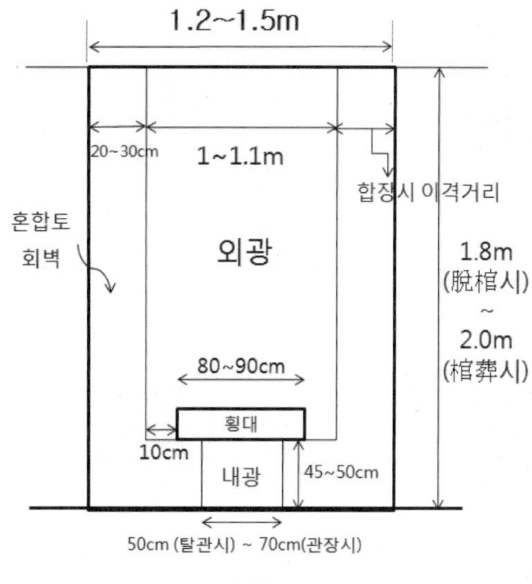

< 단면도 >

〈그림 4〉 내광, 외광 작업도

ⓓ 모시기 → 혈토로 내광 충광 → 횡대 덮기 → 외광 회닫이 충광 작업(내광은 혈토나 마사토로 채운 후 외광을 채운다.)

회닫이 비율 ⇒ 마사토 : 회 = 3~5 : 1

① 전체 외광을 파낸 후 평평하게 다진다.

② 내광 본뜨기 작업을 위해 가로세로 폭을 재단한다.

③ 내광을 판다.

④ 합장인 경우 2개의 내광을 판다.

⑤ 관을 모신 후 횡대를 덮는다.

⑥ 내광에서 파냈던 고운 흙으로 충광한다.

⑦ 외광을 회닫이한다.

⑧ 혼합토로 덮개를 만든다.

〈그림 5〉 회닫이 작업 과정

※ 혼합토 회벽

Ⓐ 외광 전체 혼합토 충광 후 회벽을 만든다(〈그림 5〉 ①, ②번).

Ⓑ 외광을 파내고 다시 관을 모신 후 충광한다.

Ⓒ 내광을 외광과 함께 파내고 마지막 내광만 파낸 후 관을 모시고 다시 충광한 후 횡대를 덮고 회닫이 한다(〈그림 5〉 ⑤, ⑥, ⑦번).

※ 합장인 경우 먼저 돌아가신 분을 모실 때 부득이한 경우를 제외하고는 1구 모실 내광만 판다.

※ 내광을 채울 때에는 내광에서 파낸 흙으로 시신을 덮은 후(머리에서 발끝까지, 얼굴 부위도 흙으로 덮는다) 꼭꼭 다져 넣는다. 횡대를 덮고, 횡대 밖으로 10cm 정도의 외광 여분을 둔다. → 외광을 회로 채운다.

㉤ 회(혼합토)로 덮개를 만들어 덮는다(마사토 : 회 = 3 : 1).

ⓐ 덮개 길이 : 외광보다 양쪽 사이드 15cm ~ 30cm 넓게

ⓑ 덮개 두께 : 15cm

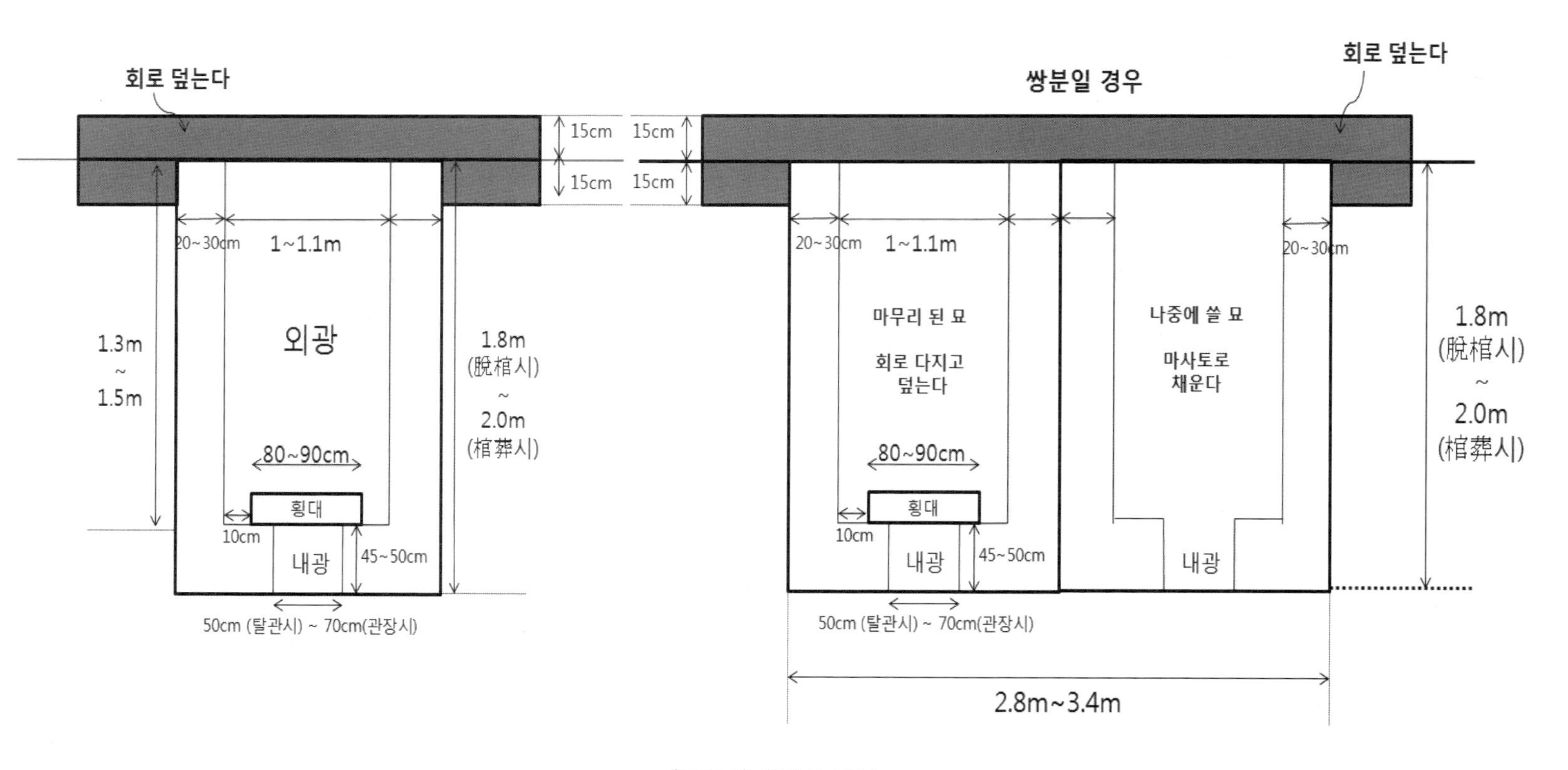

회로 덮는다
15cm
15cm
1~1.1m
20~30cm
외광
1.3m ~ 1.5m
1.8m (脫棺시) ~ 2.0m (棺葬시)
80~90cm
횡대
10cm
내광
45~50cm
50cm (탈관시) ~ 70cm(관장시)
쌍분일 경우
회로 덮는다
15cm
15cm
20~30cm
1~1.1m
마무리 된 묘
회로 다지고 덮는다
나중에 쓸 묘
마사토로 채운다
20~30cm
1.8m (脫棺시) ~ 2.0m (棺葬시)
80~90cm
횡대
10cm
내광
45~50cm
내광
50cm (탈관시) ~ 70cm(관장시)
2.8m~3.4m

〈그림 6〉 혼합토 덮개

ⓑ 봉분 쌓기

ⓐ 회 : 흙 = 1 : 5~6의 비율로 한다.

ⓑ 봉분 각도 평균 ∠60° : 바람이 직접 봉분을 치지 않고 비껴 나가는 각도이다. 봉분이 평균 ∠60°보다 낮거나 높을 경우 바람이 봉분을 직접 때리게 된다. 토양에 질소(N)가 침입하게 되면 토질이 건조해지면서 푸석해지고 잔디가 쉽게 죽는다.

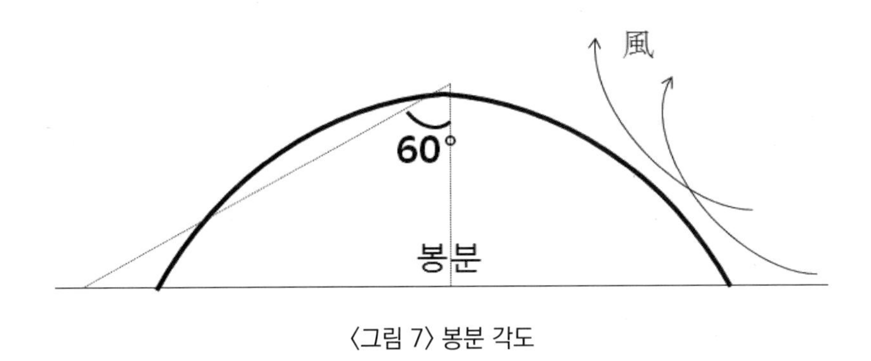

〈그림 7〉 봉분 각도

② 火葬 장법의 설계와 시공

㉠ 火葬葬禮의 올바른 이해

ⓐ 장례의 효심과 효행 : 효도에 입각치 아니하면 특히 火葬葬禮의 경우 조상에 대한 애정이 소홀해지고 가벼워진다.

- 부모 조상과 자손의 同體 인식 : 내가 곧 부모요, 부모가 곧 나이다. '나'는 아버지 정자와 어머니 난자가 만나서 자라난 것(三世一體觀)이기 때문에 나와 부모와 자식은 한 몸이라는 인식이 정립될 때 비로소 효행심이 발로하는 것이다.
- 조상 죽음 사체와 자손 간의 同期 同調 인식 : 동질 유전형질의 조상 환원 Energy場은 자손의 집합 Energy場과 상호 同調 일체화한다. 따라서 조상은 과거의 '나'이므로 조상의 죽음은 곧 '나'의 죽음과 같다.
- 조상 영혼과 자손 영혼의 一體性 확인, 영혼관 확립 : '나의 영혼'은 아버지 정자 영혼이 어머니 난자 영혼과 만난 것 → 조상의 죽음이

나의 죽음으로 각인되어야 한다.

ⓑ 祖上觀의 정립

- 자손의 삶과 조상의 죽음에 대한 일체관 정립 : 조상 Energy場과 자손 Energy場은 동일 遺傳 형질, 동일 Energy 파장, 동일 주파수에 의한 동일 Energy場 同調로서 일체화 → 同期感應
- 자손 본체의 근본관, 은혜관, 同體觀, 효도관, 생명 가치관 등의 諸생명관 확립
- 조상 장례에 대한 바른 사고와 경외심
- 조상 죽음에 대한 올바른 還元 儀禮 : 영혼 기도, 의례 절차를 眞情으로 해야 한다.

ⓛ 화장 장법의 바른 설계와 시공

ⓐ 죽음의 올바른 인식

- 효심을 다하라
- 禮敬을 다하라
- 정성을 다하라
- 두려움을 가져라
- 환생을 신념화하라 : 오늘의 나는 어제의 내가 환생한 것, 나는 조상의 환생처, 자손은 나의 환생처
- 최선의 환생을 도우라
- 최선 장법을 설계하라
- 자손으로서의 도리를 다하라

ⓑ 火葬葬禮 설계의 기초- 장례 방식의 결정

- 화장 장법 선택
- 가급적이면 燒骨을 가벼이 할 것(덜 태울 것)
- 소골은 전량 회수할 것
- 소골함은 질그릇 옹기류(숨 쉬는 옹기)를 사용할 것
- 소골함은 습기나 바람이 드나들지 않게 밀봉할 것

ⓒ 葬地의 선택 계획

- 人體의 환원 효율을 높여라(좋은 터의 환원 환경을 만들 것).

- 능률적 장지를 선택하라(편리적, 관리의 편의, 地氣가 양호한 곳).
- 風, 水, 濕熱, 燥寒暑의 邪氣, 侵投를 막을 것(온도변화가 있으면 안 된다. 평균 5~10° 유지)
- 유지, 보존, 관리의 이상적 환경을 확보하라(물, 바람이 들면 안 된다).
- 가장 이상적 보존 환경은 지표 下 1.5m 이상의 風濕의 침입이 없는 것이다(유사 환경 필요).

㉣ 장법 설계와 시공

ⓐ 燒骨 매장 설계 : 〈그림 8〉과 같이 1.0~1.5m의 風濕 침투가 없는 지하 깊이에 밀봉된 소골 항아리를 세우고 소골 항아리의 밑 부분 1/3 지점까지를 1.0m 이상의 땅속 고운 흙으로 채운 뒤 그 위에 회 : 마사 = 1 : 3~5의 생석회 혼합토로써 지표까지 광중을 채워 風水 濕燥暑熱의 피해를 막을 수 있게 하고 그 위에 약 15~30cm의 두께로 뚜껑을 덮고 물의 흐름을 원활하게 물매와 물도랑을 열어준다. 물매와 물도랑 공사는 흙을 성토하여(둑 설치) 시공하는 것을 원칙으로 하고, 파거나 깎아서 물도랑 물매를 잡는 것을 삼간다.

ⓑ 지상풍의 害를 막기 위해 樹林 벽 조성이나 담장을 설치한다. 좋은 길지가 아니 되는 곳에는 주로 바람이 많다. 화장 후 납골 유골을 매장하는 곳에는 명당 확률이 많이 떨어지는 곳이기 때문에 바람길이 나든가, 바람골의 영향을 많이 받는 곳이 되기 쉽다. 따라서 이러한 곳에는 나무나 성토, 또는 담장을 설치하여 그 바람의 해악으로부터 보호해주지 않으면 아니 된다.

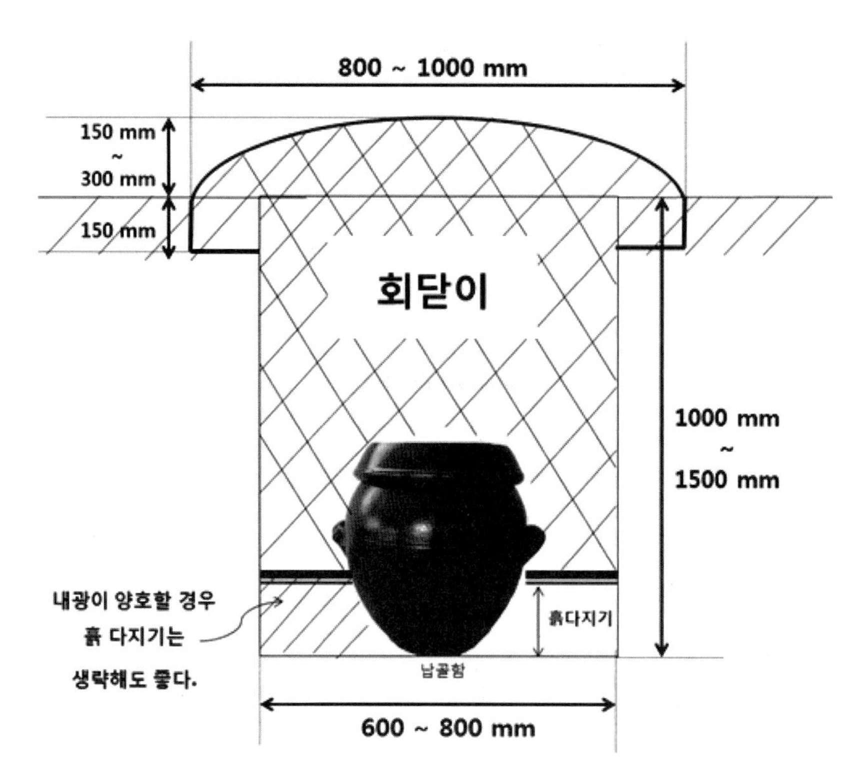
800 ~ 1000 mm
150 mm
~
300 mm
150 mm
회닫이
1000 mm
~
1500 mm
내광이 양호할 경우
흙 다지기는
생략해도 좋다.
흙다지기
납골함
600 ~ 800 mm

〈그림 8〉 화장 장법 설계도

第11節 結論

1. 火葬 文化의 풍수지리학적 이해와 실천방향

현재 喪葬禮의 이상적(風水地理的) 실천 방안으로는 국공유지를 이용하는 법적 제도적 마련이 급선무이고, 이에 따른 매장과 화장의 양립적 방식이 기회균등원리에 따라 조화롭게 실행되어야 함이 마땅하다고 본다.

(1) 火葬葬禮의 불가피성과 그 대중적 합일의 순방향 선도 및 장법 합리화의 계도
(2) 전문가 그룹을 포함한 화장 문화 연구기관의 창조적 연구 및 실천 관리
(3) 火葬葬禮의 표준화와 사후 관리를 위한 법률제도적 제조치
(4) 풍수지리학적 순방향 화장 문화의 민속화, 사상화 운동과 학술단체 활동의 제도적 지원 협조의 원활화
(5) 국가 공유지 산지 활용의 이용 계획 수립과 장례지 확보 방안에 대한 지속적 연구 및 제도장치 마련

2. 埋葬 文化의 風水地理學的 이해와 실천방향

(1) 매장 장례의 불가피성과 그 대중적 합일의 순방향 선도 및 장법 합리화의 계도
(2) 전문가 그룹을 포함한 매장 문화 연구기관의 창조적 연구 관리
(3) 매장 장례의 표준화와 사후 관리를 위한 법률제도적 제조치
(4) 풍수지리학적 순방향 매장 문화의 민속화, 사상화 운동과 학술단체 활동의 제도적 지원 협조
(5) 국가 공유지 산지 활용의 이용 계획 수립과 매장지 확보방안에 대한 지속적 연구 및 제도장치 마련

3. 理想的 喪葬禮 문화의 재창조

(1) 매장과 화장의 양립성 문화 사상의 재정립과 재창조 : 매장선호와 화장선호의 양립적 성향에 대한 기회를 균등히 하고 그 선호에 따른 실천적 사상체계를 재정비 수립함으로써 양립적 喪葬禮 文化가 장구한 시공간적 틀 속에서도 상호 보완적 同調 관계로서 양존할 수 있도록 재창조되어야 할 것이다.

(2) 장례의식 개발과 장법설계 시공의 재발견과 계도정책의 필요성 → 전담행정기구 설치, 범국민 보급 운동

(3) 미래 지속적 장례문화 창조에 대한 전문적 학술연구 및 관리기구 설립과 정책 기구 설립 : 장례의 개발과 장법설계시공의 의식 논리와 장법기술 개발을 전담할 수 있는 범정부적 행정 기구를 창설하고, 제도적으로 그 발전 방향을 모색함과 동시에 대중적 시민사회의 계몽운동을 위한 관민합동 장례 발전 기구를 운영하는 것이 바람직하다고 본다.

(4) 국공유지 선용계획을 위한 법률제정 : 보다 향상된 喪葬禮의 질적 생활을 위해 국가가 이를 미래 지향적으로 참여해야 한다. 왜냐하면 죽음의 문화는 삶의 문화와 동등한 국가 경영의 한 축이기 때문이다.

(5) 喪葬禮의 효 사상 정립을 위한 정책 입안과 시민운동의 지속화 : 보다 거룩한 삶보다 아름다운 죽음, 그리고 그 거룩한 삶과 아름다운 죽음이 한마당-한세 간의 틀 속에서 평화롭고 복되게 가치로워질 수 있는 가장 큰 원동력은 다름 아닌 효 사상에 입각한 三世一體的 효행밖에는 더 이상 아무것도 없다.

4

東九陵의 풍수지리적 특이성에 관한 고찰*

第1節 序論

1. 연구 목적과 의의

1) 동구릉의 풍수사적 가치 인식

신라, 백제, 고구려로부터 고려를 거쳐 조선시대 오백 년에 이르는 동안, 왕실의 태동과 왕조 건설 도읍지의 선정 과정에서는 가장 중심이 되는 주체 사상적 이론이 그 주권을 이어가게 되었는데, 그것이 바로 풍수지리라는 감여 사상과 도참적 세계관이었다.

선길한 복지에 터를 잡아 궁궐을 짓고 나라를 다스리며 충과 효로서 나라를 지키고 가정을 지켜가는 정신적 범윤리관은, 근원적으로 그 뿌리가 감여와 도참사상에서 출발하였음이 명백하다.

한 국가, 한 사회를 지탱하고 이끌어가는 사상적 질서 체계는 군주에 대한 충성심과 조상에 대한 효도관을 확립시키지 않으면 아니 되었고, 이러한 충효적 의식 질서 체계는 풍수지리와 도참적 사상을 바탕으로 하는 지령 인걸론과 생기 발복론을 생활관화하고 세계관화하기에까지 이르렀다.

* 영남대학교 대학원 환경설계학과 풍수지리 전공, 풍수세미나 발표자료, 2011년 12월.

국가의 운명, 왕실과 왕조의 운명, 그리고 나라 백성들의 미래를 보다 안정적이고 평화적으로 열어가기 위한 선지적 결정능력을 확보한다는 것은, 예나 지금이나 원력적 사상 측면에서는 다를 바가 없다.

이러한 까닭에 왕실은 도읍이나 궁궐터, 왕릉 등을 설계하고 결정키 위한 감여 도참사상의 전문 왕사 발굴을 선호하였고, 이를 이용한 정치권력의 세력 축은 풍수지리나 도참사상의 전문 학설을 아전인수 격으로 해석하거나 악용함으로써, 정치권력과 재물을 악의적으로 쟁취 유지해가려는 세속적 이념 파쟁의 도구로 삼기도 하였다.

특히 동구릉의 풍수 문화적 배경과 그 역사를 살펴볼 때, 조선시대 오백 년을 이씨왕조가 이어오는 동안 풍수 발복론과 도참 이기사상은 정치 권력자들의 권력쟁취 수단으로 방편화되지 않은 적이 거의 없었다고 하여도 과언이 아닐 정도로 정치권력 세력과 밀착하여 오용되고 있었다.

경복궁의 풍수적 설계가 권신들의 세력 확장을 위한 왕권 약화지에 설립 조성됨으로써, 풍수적 배산 임수 원칙에 절대 위배되는 경회루와 향원정의 연못을 파게 된 점이라든가, 왕궁들의 천궁, 왕실능원의 신설 및 천장 계획 등에 이르는 제반 풍수적 논쟁들이 모두 그러하였다.

도읍 천도에서 왕실 국 장례 절차, 왕릉 입지 선정과 천장 결정 과정, 왕실 능원의 설치 계획과 천궁 결정 등에 이르는 제반 일체의 풍수적 논쟁들이 모두 그러하였으며, 심지어 정적을 제거하기 위한 당쟁의 무기로까지 악용하였던 사실들은 무수히 많다.

국가 정사의 근간을 설계하고 국가 권력의 중심을 장악하는 어떠한 세력들의 파쟁 속에서도, 풍수 논쟁의 우월적 승리자가 되지 못하면 왕실 측근 세력으로서나 정치권력 일선에선 절대 살아남지 못했던 것이 조선시대 오백 년의 풍수적 정치문화 현실이었다.

이와 같은 조선 519년간의 왕실 역사 흐름이 한 폭의 그림처럼 오롯이 한 자리에 남아있는 곳이, 바로 2009년 세계 문화유산으로 지정된 동구릉의 풍수 문화적 왕실 역사 유산이다. 비록 주변의 국세 일부가 공동묘지와 주거지 침입으로 파괴 훼손된 것이 안타깝긴 하여도, 조선 단성 왕조로서 519년간을 이어온 왕실의 풍수문화 역사가 한눈에 과현미로 압축되어 드러나, 후세 학인들로 하여금 분석되고 평가되며 학습할 수 있도록 원형 보존되고 있다는 것은 너무도 다행스럽고 반가운 일이라 할 것이다.

2) 과거 풍수사상의 재평가 자료 발견

동구9릉 17위의 519년 조선왕조 장례문화 역사는 우리 후손들이 구체적이고 심층 깊게 학습하고 평가할 수 있는 가장 훌륭한 풍수지리학적 연구 자료가 되고 있다는 것은 언급한 바와 같이 두말할 여지가 없다.

과거 우리 왕실 문화의 풍수사적 배경과 풍수사상적 논리를 보다 명확하고 근원적으로 파악, 분석, 재발견할 수 있는 진실적 현장이 보존, 유지, 관리되고 있음으로 해서, 후일 이 땅에서 살아갈 후손들의 역사 속에 긴 획을 그어갈 후학인들의 풍수 문화적 사명관이, 한층 깊이 재인식되고 보다 높이 재창조되어 인류문화발전에 크게 기여할 수 있게 된다면 이보다 더 큰 보람과 의의를 다시 찾을 수는 없을 것이다.

2. 연구 방법과 범위

1) 현장 답사를 통한 자료 수집

(1) 비봉지리 연구회 관산을 통한 수차 답사 자료
(2) K. B. S. 사회교육원 지도 답사 자료
(3) B. B. S. 불교 문화원 지도 답사 자료
(4) 동국대학교 사회교육원 지도 답사 자료
(5) 경기대학교 석사학위논문 지도 답사 자료
(6) 건국대학교 박사학위논문 지도 답사 자료
(7) 한국 건축가 협회 문화탐방지도 답사 자료
(8) 기타 학술회원 지도 답사 자료

2) 학술지를 통한 자료 수집

(1) 문화재청 학술자료
(2) 박경정의 "동구릉의 풍수지리적 고찰" (2007 석사학위논문)
(3) 기타 인터넷 자료
(4) 국회 도서관 자료

3) 실록 및 의궤류 참고

(1) 왕조실록, 승정원일기
(2) 산릉도감의궤류, 국조오례의

4) 관계 서적류에 의한 자료

(1) 시중 관계 문헌들

5) 연구 범위

(1) 동구릉의 일반론적 풍수론은 본인이 경기대학교에서 지도한 박경정의 석사학위논문으로 대신하고, 그 특이성에 관한 자료만을 골라 연구 분석하였다.
(2) 주로 풍수 Energy장론을 주 이론으로 하여 각 능침별, 국세별 특이성을 파악, 분석하였다.
(3) 미래 풍수학자들의 학술적 연구대상과 문제 해결과제에 대하여 집중적으로 조사하였다.

3. 研究 概要

1) 동구릉의 풍수 문화적 가치 확인

동구릉이 조선시대 519년간의 왕실정치문화와 왕실의례 전반을 한눈으로 읽게 하는 산 역사의 장이 되고 있다는 사실은, 왕실역사 속에 숨어있는 시대적 풍수문화와 국가 생활 이념이 지향하는 사회적 세계관이 어떻게 조화롭게 융화되고 있는가를 여실히 보여주는 증거자료가 되고 있음을 말한다.

중국 고분 능원의 거대 장중함에서 발견되는 인공 지향적 왕릉조산형태와 지나치리만큼 허례의식적인 장례풍수문화와는 별도로, 우리는 기존 자연 그대로의 풍수입지 선정과 비교적 독창적이고 자생적인 방식으로 상장례와 능원을 조성하고 있었다. 이는 우리 후손에게 충분히 자랑스럽고 소중한 풍수 문화적 가치임이 분명하다.

특히 조선왕실의 산능도감의궤, 국조오례의, 국장도감의궤, 빈정도감의궤 등의 유산은 오늘날 풍수 후학들에게는 더없이 온고이지신할 수 있는 중요한 학술적 자료가 되리라 사료된다.

2) 동구릉의 풍수지리적 특이성 조사

어느 나라 어느 궁궐 어느 왕실 능원에서도, 그 지역 그 시대 그 민족 나름대로의 풍수지리적 문화 특성은 역사적 유산 속에서 매우 정교하고 확연하게 드러나 있다.

조선 519년 기간의 왕실과 사회문화 전반에 있어서도 마찬가지로 역사 속에 남겨진 문화유산들에 의해 그 시대, 그 사회의 풍수지리적 사상체계와 논리적 합리성, 고유성, 독창성, 모방성, 오류성, 허구성, 비약성, 도구성 등이 각각의 특성화를 안고 여여하게 잘 나타나고 있다.

본론에서는 동구릉이 지니고 있는 조선 500여 년의 풍수적 문화 전반을 고찰하고 분석 평가하기보다는 그 문화가 지니고 있는 특이성만을 골라 재확인, 조사, 분석하고 평가함으로써, 지금까지 확인하고 있는 풍수 일반론적 논제들을 보다 한 차원 높은 관점에서 심층 연구, 분해하고 발전시킬 수 있도록 작은 징검다리를 놓고자 한다.

3) 風水地理 학문의 이론 재정립과 학술적 발견

과거 한반도의 풍수지리적 무덤문화는, 고대 고인돌장법, 돌무덤장법, 옹관장법 및 가야 고분군이나 고구려, 신라, 백제의 무덤형태 등에서 잘 드러나듯이 매우 자생적이고 독창적이며, 고유, 우수한 합리적 장법문화임이 확실하다. 물론 외세문명이 어떠한 형태로든 접합되지 않았다고는 볼 수 없으나, 고대 옹관묘의 설치기법이나 고인돌장법, 고분군, 돌무덤 형태 등은 분명히 중국 풍수문화가 꽃을 피운 당의 시대 이전부터 발달하였음을 역사가 증명한다.

신라 말 도선국사가 영향을 받았다는 중국의 풍수문화가 도래하기 이전에도 신라 초중기의 무덤 역사만 보더라도 이미 수준 높은 장법문화를 열어가고 있었음이 분명하다.

이렇게 볼 때 우리 한반도는 나름대로의 자생적 풍수문화가 중국문화 못지않게 발달되고 있었다는 것을 확인 할 수 있다. 조선시대에 들어오면서 억불승유정책에 의해 중국 동부지방 문화사조인 성리학이 도래함에 따라, 以小事大的 모방식 유교문화가 창궐하여 우리의 전통과 고유문화를 지배 말살하기에까지 이르렀고, 이에 따른 풍수적 장례문화역시 중국식 문화에 밀려 변질되고 소멸되기에까지 이르렀다.

중국의 지질구조는 거의가 우리 한반도의 마그마 융기산 Energy體의 선구조 중심산맥 질서체계와는 매우 다른 지판구조의 재응축 입체구조 중심산맥 질서체계이다. 에베레스트 산맥의 2차 응축을 향해 아세아대륙판, 유라시아판, 인도양판, 비율빈판, 태평양판 등이 재응축하고 있는 과정의 산맥질서가 중국대륙인 까닭에, 중국대륙판 2차 응축 입체구조 Energy體의 산맥 흐름 질서는 매우 단조롭고 포괄적이며, 섬세하거나 조직적이지 못하다.

그런가 하면 한반도판 마그마 융기구조 線Energy體의 산맥 흐름 질서는 매우 정교하고 섬세하며 조직적인 체계이다.

그러나 조선왕조의 권신들은 중국의 지질구조에서 태생한 풍수지리적 사상이론이 한반도 지질구조에서 태생한 자생적 풍수지리사상과 완벽하게 적합하다는 어떠한 논리적 증거와 검증도 없이 중국 동부의 풍수문화를 받아 지니고 뿌리를 내리게 하고 말았다.

이러한 중국판 대륙 문화와 한반도의 자생적 풍수문화가 갈등하는 가운데, 조선왕조능원의 거의 대부분이 정도전, 하륜을 필두로 한 중국식 이기학자들에 의해 선정, 조성, 설치됨으로써, 조선왕조의 왕릉원들은 한결같이 점혈 오류나 재혈 불합리 결과를 비교적 염려스러울 만큼 많이 안고 있게 되었다.

다행스럽게도 우리 민족의 섬세성과 정교함이 왕릉입지선정이나 설치방식에서 자생적 원리를 버리지 않고 산맥 입혈 원칙과 穴場 成穴 원칙을 애써 지키려고 노력한 흔적이 동구릉을 비롯한 조선 왕릉 군에서 잘 나타나고 있다.

우리의 장법은 중국의 평지 조산식 塚형태의 능침 설치방식에 비해 산맥 入穴을 우선하는 자연무덤형태의 설치방식이 이를 잘 설명해주고 있다. 더욱이 봉분주변의 조성방식이나 부속시설 설치에 있어서도 보다 세밀 정교하고 보다 자연친화적인 기술적 배려가 충실하게 드러나고 있음도 또한 다행함이라 할 것이다.

이와 같은 측면에서 금차의 동구릉을 살펴보는 것을 계기로, 중국 동부 문화권의 풍수적 학문이론을 재검증하고 한반도 고유의 자생적 풍수이론을 재발견하여 정립시킴으로써, 지질 구조가 서로 다른 조건에서 태동한 서로 다른 풍수문화를 진실되고 새롭게 특성화하는 노력을 지속시켜가야 하는 것은 오늘을 바로 보고 내일을 재창조하는 풍수 후학들의 지고한 사명이 아닌가 사료된다.

4) 동구릉의 風水地理的 특이성 전개 개요

동구릉의 풍수지리적 특이성을 설명함에 있어서는 크게 입지선정론, 조종산맥론, 래룡맥세론, 국세론, 혈장세론, 수세론, 방위Energy場론, 재혈론, 혈장조성론, 안장론, 공간구성론, 비보론, 사후관리 및 조경론 등으로 세분하여 분석파악하고 해설함이 가장 이상적인 논단정리방식이 될 수 있겠으나, 본 세미나에

〈그림 1〉 왕릉 능침 전경

서는 그 방대한 사항들을 전부 설명치 못하고 그중 일부를 본인의 지도하에 완성한 박경정의 "동구릉의 풍수지리적 고찰"(2007 경기대학교 풍수지리학과 석사학위논문)로써 대신하기로 하고, 나머지 부분에 대해서는 중요 요점들만을 골라 해당 사항별 특이성을 간략하게 분석 설명하고 평가하는 것으로서 본 논단을 전개하고자 한다.

第2節 本論

1. 東九陵의 풍수문화적 특이성

〈그림 2〉 동구릉의 입지 사진

1) 조선시대 풍수문화의 특이성

가야로부터 삼국을 거쳐 고려시대에 이르기까지의 한반도의 태생적 풍수문화는, 인간 영육의 영원한 안식과 사후세계로 돌아가는 길목에서의 평안 회향처가 과연 어떻게 선정되고 설치되어야 하는가에 대한 끊임없는 궁구와 시행착오로부터 진화 발전되어왔다.

때문에 그러한 안식처와 회향처는 우리의 산하 지질과 토착적 환경에 가장 적합한 방식과 형태로 선정, 계획되고 시행, 관리되어왔다. 까닭에 사후택지입지나 구조설계 및 설치관리에 이르는 모든 풍수적 생활문화나 의식절차는 다분히 한반도적이면서 자생적 경향성이 두드러진 것이었음이 분명하였다.

그런데 조선시대에 들어오면서부터 그 자생적 풍수문화는 정치이념의 소용돌이에 묻히면서 점차적으로 중국식 풍수문화를 끌어들이기 시작하였고, 조선왕실의 능침계획입안과 입지선정계획과정은 권신들의 정치 야욕적 갑론을박식 논란 와중에 소모적 혼란기를 맞이하게 되었다.

이러한 혼돈된 풍수문화의 대표적 유산인 동구릉을 비롯한 한강 남북과 수도 동서에 남아있는 왕실의 능원들이 이와 같은 역사적 현실들을 잘 증명해주고 있다. 즉 왕실능침의 설치계획과정 중 입지선정과 국세결정과정에서는, 비전문적 풍수이론가인 권신들에 의한 편의주의적 중국 방식이 많이 이용되었고, 실질적 장례 실행 과정에서는 과거 실무에 밝았던 전문인들에 의해 한국적 자생 풍수 방식이 보다 많이 적용되고 있었다는 점이 특이하였다고 살필 수 있다.

2) 동구릉의 입지선정 배경과 공간 계획의 특이성

앞서 언급한 바와 같이 중국의 풍수문화와 한국의 풍수문화가 갑론을박식으로 혼재된 와중에서 비전문가집단인 권신들은 비체계적 기록을 지닌 한국의 자생적 풍수논리보다는, 보다 더 체계적이고 성리적 특색을 풍기는 중국식 풍수논리를 더욱 선호하게 되었고, 이러한 성향은 당시의 논쟁지향적인 정치현실에서는 너무도 당연한 것이 되고 말았다. 따라서 왕실의 능침계획 중 비전문지식이 허용되는 듯한 입지선정에 관한 논란에서는 비전문적 논리가인 권신들의 주장이 앞설 수밖에 없었고, 그 앞선 논리적 주장은 결국 정치권력의 투쟁에서도 승자가 될 수밖에 없는 비풍수적 왕실문화를 억새풀처럼 자라나게 하고 말았다.

그런데 좀 더 자세히 동구릉의 특이성들을 살펴보노라면, 비록 왕실 측근 권신들이 선호했던 중국식 풍수논리가 능침입지 선정과정에서는 비전문적 주장세력들에 의해 오용 내지는 남용될 수 있었으나, 실질적 능침설치시설 계획과정에서는 보다 전문적인 지리원리를 터득한 실무적 작업계획이 보다 우선하여 적용될 수밖에 없었다. 즉 능침입지선정은 매우 정교한 상지기술을 크게 요하지 않는 국세판단 능력만으로도 가능한 것이라고 본 입장이 권신들의 주장이었다면, 입지의 선정을 두고 좌지우지한 권력세력 간의 논쟁은 충분히 가능할 수밖에 없는 사항이었다고 할 수 있겠다.

그러나 실질적 능침설치 계획에 있어서는 이와는 달랐다. 혈장조성 설계상이나 능침주변의 조형물 배치계획 등 자연형성적 혈명당 중심의 장법설계의지는 중국의 인위적 혈장조성 장법방식을 따르지 않고 자연친화적으로 형성된 전통적 고유설계방식을 따랐다는 것이다.

특히 산 來龍脈의 입력혈처에 혈장의 특성과 적합한 장법설계를 구체화하려고 애쓴 점과, 입수처의 허약과 혈명당의 지기안정을 위해 설치한 곡담장의 설계기법, 혈핵 속 조상의 생기보호를 위한 병풍석과 석물구조의 배치설계, 조상의 사후 안녕과 광명을 기원하는 명당배치와 명당석물의 설치계획 등 능침공간에서의 전통적 풍수원리 적용은 보다 더 정교하고 세밀하였다는 것이 특이하다.

3) 동구릉이 지닌 사후세계관과 同期感應論의 특이성

(1) 동구릉의 풍수에서 본 조선왕실의 사후세계관

동구릉을 중심으로 한 왕조실록이나 국장도감의궤, 산릉도감의궤, 국조오례의, 경국대전 등에서 나타나는 조선왕실의 사상적 사후관은 매우 현실적이고 진지한 生死一如觀이었다.

신라, 고려를 통해 안착되었던 見性成佛的 공존재 영혼불멸관과 조선의 성리학적 이기존재 사상에서 싹튼 尊心養性的 천인합일관은, 조선왕실과 권신세력은 물론 사대부 백성들에게 범도덕적 생활관과 영원 불멸적 생사관을 갈등적으로 접합시키고 재창조해가면서 조선의 풍수문화를 이끌어왔다.

이러한 과정에서 인간 생명 탄생과 인간 사후 세계에 대한 진지한 궁구는 매우 현실적이고 실천적 고뇌 대상이 될 수밖에 없었다.

이와 같은 고뇌의 해결점은 사후 망자의 영혼 안녕과, 생명 탄생의 실천적 열쇠인 천인지 삼원의 일체적 존재 합일 방법과, 실행수단의 개발이었다.

천인지 합일적 존재관은 천인지 일체적 同氣觀으로 발전하였고, 이는 다시 천지인 生氣同氣觀으로 재발전되면서 결국은 인간 생명체에 대한 天地氣 同氣感應論으로 탄생하게 된 것이다.

천지만물 중에 유주하고 있는 인간 생명 기운은 그 운용 여하에 따라 인간을 이롭게 감응하기도 하고 불리하게 하기도 한다. 즉 동기적 구조를 어떻게 설치계획하는가에 따라서 유불리를 결정한다는 논리이다.

동구릉의 능침 설계 현황을 자세히 들여다보면서, 조선왕실의 사후세계관은 중국의 사후세계관과는 다소 다른 세부적 차별성이 同氣感應論에서 구체적으로 나타나고 있다는 사실을 발견하였다.

중국 황실의 사후세계관은 황실망자의 영혼불멸과 안녕평화에 관념적 무게를 더 많이 둠으로 인해, 황제의 사후택지는 지하 궁궐현현처에 생사일체의 지속적 생명활동 공간을 설치함으로써, 동기감응으로 인한 자손의 생기감응설계보다는 망자에의 지령감응구조를 보다 더 효과적으로 설계하여 망자 사후세계를 보다 안락 평온케 하려는 同氣感應的 의도가 분명하다.

그에 반해 한국 왕실의 사후세계관은 왕실망자의 영혼안녕을 사후택지공간 속에서 도모함도 중요하지만 오히려 자손의 영혼과 육체 속에서 생명현현 현상으로 드러나 나와 영생 안녕하려는 同期感應的 의지가 보다 더 강하게 나타나고 있다는 것이다.

(2) 동구릉이 지닌 同氣感應論의 특이성

한반도식 왕릉의 사후택지는 중국의 그것과는 사뭇 달라, 우선 먼저 산맥의 생명지기가 강력, 건실한 입력처에 입지를 선택하고 그 입력된 지기가 보전 유지될 수 있는 국세 보호처에 혈판을 다듬은 후, 보다 안정되고 왕성한 천지기 생명기운이 응축된 혈장핵과 속에 왕실 망자를 갈무리함으로써, 천지에서 집합 응축된 생명지기가 망자의 영혼과 육체를 평온하고 안녕되게 함은 물론, 천지생기에 순화 감응된 망자의 영육환원 생명 Energy가 동일 유전체계를 형성하고 있는 자손에게 보다 크게 증폭되어 감응 전달되도록 정교하게 설계하였다.

망자의 영육이 지령지기로부터 순화감응 받아 확대 증폭된 생령생명기운이 그 Energy場보다 더 큰 생명기운으로 변환되어 자손에게 전달될 수 있는 감응적 질서체계는 동서양을 막론하고 매장식 장례 구조 형태에서는 모두가 대동소이하다.

그러나 입지의 선정과 지기의 특성 및 장법의 방식 선택과 설치의 구조적 기법 운용에 따라서는 너무도 현격한 차별성이 나타나고 있음이 또한 풍수적 同氣感應論의 특이성이다.

(3) 중국 풍수사상의 同氣感應논리와 한국 풍수사상의 同期感應 논리체계

풍수사상의 기본적 요체는 葬者乘生氣的宅地선정과 同氣感應的 재혈기법에 있다. 이러한 풍수적 기본사상은 천지기가 지니고 있는 인간생명 Energy를 망자나 생자에게 醇化同調시키고, 醇化同調된 생령 Energy를 자손생명 Energy體에 生氣同調시킴으로써, 인간의 조상과 자손이 함께 천지인 통일경계 Energy場으로 합일되어가도록 하는 것이 주된 풍수사상의 生氣感應 구조체계이다.

따라서 천지기와 인간 망자 간 순화적 생기동조체계를 同氣感應이라 하고, 인간망자와 자손간의 유전적 생기동조체계를 同期感應이라 한다.

전자는 천지기 생명 Energy場에 의한 점차적 순화과정을 통해 인간 생명 Energy를 공급받는 체계이고, 후자는 순화된 인간망자의 遺傳相續體에 의한 Energy體 同期同調과정을 통해 인간생명 Energy를 공급받는 체계이다.

동서양 어디서나 풍수사상의 중심은 태생적 지질구조와 토착적 장법 질서체계로부터 형성되고 발전되어가는 것이 그 근원적 원리이다.

지질구조의 한국적 특이성과 중국적 특이성에 관하여는 다음 장에서 보다 구체적으로 설명키로 하고, 본란에서는 동기감응론의 사상적 특이성과 논리적 차별성에 대해서 간략하게 논거하고자 한다.

판 2차 응축 입체구조 질서가 활발한 중국 대륙의 지기 Energy작용특성은 線Energy 이동 순환 특성이 지닌 同期同調的 응축 Energy효과보다는, 입체

Energy場의 同氣化특성이 지닌 同氣感應的 醇化應氣효과가 오히려 더 큰 능률적 生氣感應현상을 일으킨다.

그런가 하면 판 융기 산맥구조질서가 활발한 한반도의 지기Energy작용 특성은, 입체구조 산맥 Energy場의 同氣化特性에 의한 醇化的應氣 Energy場 효과보다는, 線構造 산맥 Energy體가 지닌 이동 순환적 同期化特性의 同期感應 효과가 오히려 더 큰 능률적 生氣感應 현상을 일으킨다.

이러한 까닭에 중국식 동기감응사상은 지기 Energy場 순화라는 同氣的 생명 Energy 감응원리에 충실하고 친숙한 반면, 한반도식 동기감응사상은 인간유전 Energy體 同調라는 同期的 생명 Energy 감응 원리에 보다 친숙하고 충실해 있다는 점이 서로 다르다.

망자의 사후세계 공간 속에 천지기의 인간생명 Energy를 순화, 증폭시킴으로써 망자의 영육안녕과 還元廻向을 점차적으로 극대화시키고, 망자의 극대화된 환원회향 Energy를 유전 상속체 후손에게 급속히 동조 전달케 하는 同期感應의 질서체계는 풍수지리 사상의 과학적 대원리이며 자연이 인간에게 준 지상 최대의 대지혜이다.

이러한 대지혜와 원리체계는 동서의 지역에 따라 지질구조의 특성에 따라 각기 다르게 이해되고 운영되어야 하며, 시공간적 특성에 따라 변역 환경적 특성에 따라 새로운 발견과 이론이 지속적으로 궁구되어야 한다.

중국의 同氣感應사상이 인체 Energy 同期同調보다는 地氣 Energy 同氣醇化에 더 큰 비중과 친숙함을 나타내는 데에는 다음과 같은 몇 가지 사유가 있어서이다.

그중 하나는 앞서 언급한 바와 같이 입체중심 지질구조 Energy場 특성이 순환이동 Energy體 특성보다 포괄적이며 순화적이기 때문에 이 순화적 지기감응 쪽으로 더 많은 친밀감과 친숙함이 형성되었다는 점이다.

또 다른 하나는 地氣地質 특성에 맞는 장법을 구사할 수밖에 없다는 점이다. 포괄적이고 광폭적인 지기 Energy場 속에 할 수 있는 장법설계는 역시 거대한 지하 공간 Energy場을 포괄, 수용할 수 있는 거대 지하 塚이나 대형무덤일 수밖에 없다.

셋째는 망자사후의 세계관이 친자감응에 의한 인도환생의 윤회보다 영원불

멸의 영혼안녕을 더욱더 선호하였기 때문에 지하층의 공간을 현생의 생활공간과 동등하게 설계, 시공함으로써 지하 공간 Energy場의 同氣感應을 보다 비중 있게 다루었다는 점이다.

이에 반해 한반도의 同期感應 사상체계는 우선 먼저 지표 지질 Energy場 질서가 중국의 그것과 다르다는 데에서 출발함으로써 生氣感應 논리 역시 다르게 운용, 해석하고 있다는 점이다.

한반도 지질구조인 線 Energy 특성원리에 맞는 집중집합적인 장법구조를 설계함으로써 정교하고 섬세한 지기 Energy를 직접 집중적으로 공급받자는 것이다.

둘째, 이렇게 집중집합된 인간생명 Energy를 가장 효율적으로 자손에게 전달하자는 것이다. 이는 혈핵 명당에 대한 철저한 검증확인과 재혈기법이 동원되어야 한다는 것을 전제로 한다.

셋째, 혈핵 명당 Energy의 효율적 관리만이 조상과 자손 간의 同期同調感應을 극대화시킨다는 점이다.

이와 같은 원리는 지기 생명 Energy場의 同氣醇化感應 효과도 극대화시키지만, 조상과 자손 간의 同期同調感應 효과도 극대화시키려는 의지가 보다 더 능률적이라는 것이다.

이와 같이 형성된 생기 감응적 풍수사상의 질서체계는 오랜 세월을 거쳐 오면서 지역별 지구 특성에 알맞은 장례기법과 풍수논리 체계를 정립하게 되었고, 이러한 논리는 조선의 왕릉설치 과정에서도 충분 명확하게 적용되고 있었음을 재발견할 수 있었다.

2. 東九陵의 입지선정과 설치계획의 특이성

1) 한국판 隆起凝縮구조 Energy體 지질의 풍수설계상 특이성

한반도의 백두산 중심판 지표 Energy體의 지질구조체는 비록 백두산 천지에서 그 융기 Energy가 폭발 발산되어 산맥 형성을 위한 근저 Energy 부족현상을 다소는 나타내고 있지만, 그러나 대체적으로 핵 융기 Energy에 의해 형성된 입체 및 선 구조 산맥 Energy體가 거의 대부분을 차지하고 있다.

따라서 융기 입체 취기봉 → 線 Energy 순환 이동 산맥 → 보호국 형성 → 혈 Energy 凝縮 안정 등으로 순환안정 되는 지질구조체계는, 백두대간을 비롯한 한반도 산맥 전체에 그 특성을 동일 구조형태로 질서화시키면서 한반도의 지표 Energy 특성체계를 형성해왔다.

이러한 특성체계를 이어받고 있는 동구릉의 지질 구조체에도 역시 조종산세, 래룡맥세, 국세, 혈장세, 수세, 방위 Energy場勢 등에 있어서, 중국이나 타국 왕실 능원들의 지질구조 질서체계와는 매우 다른 한반도적 풍수의 특이성을 지니고 있다.

특히 중국 황실의 황릉 입지가 거의 대부분 대규모 조산 형식의 평원 구릉을 조작하여 설계한 것과 비교해볼 때, 우리의 동구릉 설계는 9개릉 17위 중 어느 것 하나라도 다를 바가 없이 모두가 다 산맥 Energy가 정교 섬세하게 입력된 산릉을 따라 혈장처의 훼손과 조작을 극소화키는 기법으로 설계되었다. 자연의 변형이나 파괴가 없는 가장 이상적이고 자연 합일적인 설계원칙을 정함으로써 중국의 광활하고 거대한 塚형태의 지하공간 Energy場 집합식 황릉설계보다는 오히려 단정 명료하고 정교 섬세한 지기 Energy 응축식의 왕릉설계로 자연 친화적인 능침 구조가 계획되었다는 것이 보다 특이한 점이라 하겠다.

2) 중국판 移動凝縮構造 Energy體 지질의 風水설계상 특이성

중국 대륙의 기저판은 유라시아판, 인도판, 비율빈판, 태평양판 등 주변들의 지표판에 의해 2차적으로 응축되어가는 지판-이동-응축-입체 Energy 구조체 형성과정 중의 지질형태가 대부분이다.

따라서 한국판이 지니고 있는 융기산맥의 이동질서인 Energy 變位角 $\theta = \angle 30° \times n$의 산 Energy體 형성질서원리를 중국산맥에서 찾아보기는 비교적 힘들다.

때문에 중국판 지질구조에서는 이동응축입체 Energy體가 지닌 포괄적, 광활적, 개략적인 지질형태 특성이 발달되었고, 이러한 풍수적 지질특성에서는 理氣論的이거나 九星論的이 아니면 단순한 形氣的 원리의 산맥래룡과 혈장구조의 이론 체계가 형성되어갈 수밖에 없었다.

그러한 까닭에 중국판 지질특성구조에서는 왕실이나 일반인들의 무덤설치계획이 한국과 같은 집중 응축식 穴 Energy 감응의 장법설계가 아닌 포괄 집합식 혈Energy 감응의 장법설계가 발달할 수밖에 없게 되었다는 것이 서로 다른 특이점이다.

물론 龍, 穴, 砂, 水, 方位論이 지질적 차별성에도 불구하고 대동소이하게 일괄적으로 적용되는 것처럼 일반 초학자들에게는 비춰질지 모르나, 지역 생태별 지질형성론이나 조직구조론을 보다 심층적으로 연구 분석해가노라면 반드시 그 차별특성을 확연히 발견하여 깨달을 수 있게 될 것이라 확신한다.

3) 동구릉의 설치계획상 특이성

앞에서도 거듭 논한 바와 같이 한반도판의 지질구조는 지하 마그마 융기의 응축진행질서에 따른 산맥 Energy體 이동과, 그 과정 중에서 만들어지는 정지안정질서의 혈장 및 혈핵 Energy體 발달, 그리고 이를 보호 유지해주고 육성 관리해주는 사신보호사와 국풍수세 Energy場 등으로 구조화되어있어서 비교적 정교하고 섬세하며 응축활동적이고 진취적인 혈핵 Energy場을 보유하고 있다.

따라서 이러한 한국판 지질구조체계에 적합한 왕릉침의 풍수설계는

첫째, 기본적으로 태생적 지질구조특성에 적합한 것이어야 하고,

둘째, 자연친화적이고 자연 순응적이며 자연 보호적이어야 하고,

셋째, 生氣感應과 同期感應 효율이 극대화되어야 함이 마땅하다.

동구릉에서 본 한반도적 풍수설계는 대체적으로 위의 제 설계조건들을 잘 갖춘 매우 아름다운 설계방식이었다고 사료된다.

비록 중국의 황릉설계구조와 비교해볼 때 장법 면에서나 규모 면에서 너무 외소하고 단조로운 측면은 있으나, 자연 순화적이고 생기 감응적이며 효율 극대적 측면에서는 오히려 한반도의 동구릉 설계기법이 대형적, 인공적, 비효율적인 중국 황릉설계기법보다 더 이상적이고 합리적이며 능률적이라는 것을 발견할 수 있었다.

3. 東九陵의 공간구성과 능침배치의 특이성

〈그림 3〉 동구릉의 공간구성과 능침배치도

1) 동구릉 공간구성의 풍수학적 특이성

동구릉의 왕릉공간구성은 태조 이성계의 건원릉이 조성되면서부터 시작하여 8릉 16위의 왕과 왕비들의 능이 추가로 설계, 배치되었다.

그 공간구성과 능침배치설계의 대부분이 고려왕조의 능원구조설계를 참고하고 본떴으며 그 양식만을 일부 수정하였다.

한반도의 고대 장법문화에서 살펴보듯이 지석묘, 옹관묘, 돌무덤묘, 고분군의 총묘, 삼국시대의 능원장법들은 배산임수의 기본적 풍수원리는 물론이고 산래맥 Energy의 입력 중심점과 사신사 공간 Energy場의 집합 응축점을 核 同調 응축Energy 생기점으로 파악한, 섬세하고 정교한 공간계획의 지혜로운 기법들이다. 이는 우리 한반도 산맥 Energy 구조체의 특성 작용만이 만들어낼 수 있는 자생적 설계 능력의 위대함이라 할 것이다. 특히나 조선왕실능원의 대표적 문화유산인 동구릉의 공간적 구조배치설계는 너무도 지혜롭고 아름답다.

좀 더 구체적으로 동구릉의 풍수적 설계의지가 담긴 공간배치의 특이성을 찾아본다면 제일 먼저 진입공간설계의 특이성을 발견할 수 있다. 그리 크지 않은 참배길은, 흐르는 局內 수로를 따라 廻曲의 기법으로 처리함으로써 국내 Energy場의 이탈과 훼손을 최대한 방지하였고, 홍살문을 설치하여 국 Energy場의 關鎖의지를 최대한 높였으며, 참배진입로의 설계를 경건하게 하고 진입공간의 Energy場 안정을 극대화하는 데 중점을 둔 점 등은 다분히 서사적이고 자연친화적이다.

이는 공간설치계획의지가 현실 공간 개념의 운영의지를 떠나 영적, 철학적, 윤리적 공간개념으로 승화시켜 가려는 데 성공적인 설계를 한 사례라고 볼 수 있다.

제향공간설계의 특성 또한 진입공간의 관쇄적 특성보완과 참도의 충효의지에 못지않은 명당보호와 경배의지를 구체화함으로써 정자각을 세워 명당의 설기를 안정시켰고, 정자각 내에는 제향소를 설치하여 조상에 대한 공경심과 흠모심을 고양시키며 전통적 조상숭배관을 설계의지에 담아 백성들의 충성과 효행을 국가 근본이념으로 삼으려고 계획하였다.

능침공간의 풍수학적 특이성도 한결 뚜렷하다.

중국의 광활한 지하 공간 능침설계의 가장 큰 단점은 순환 지기 Energy 입력의 비효율과 혈장 생기감응의 비능률이다.

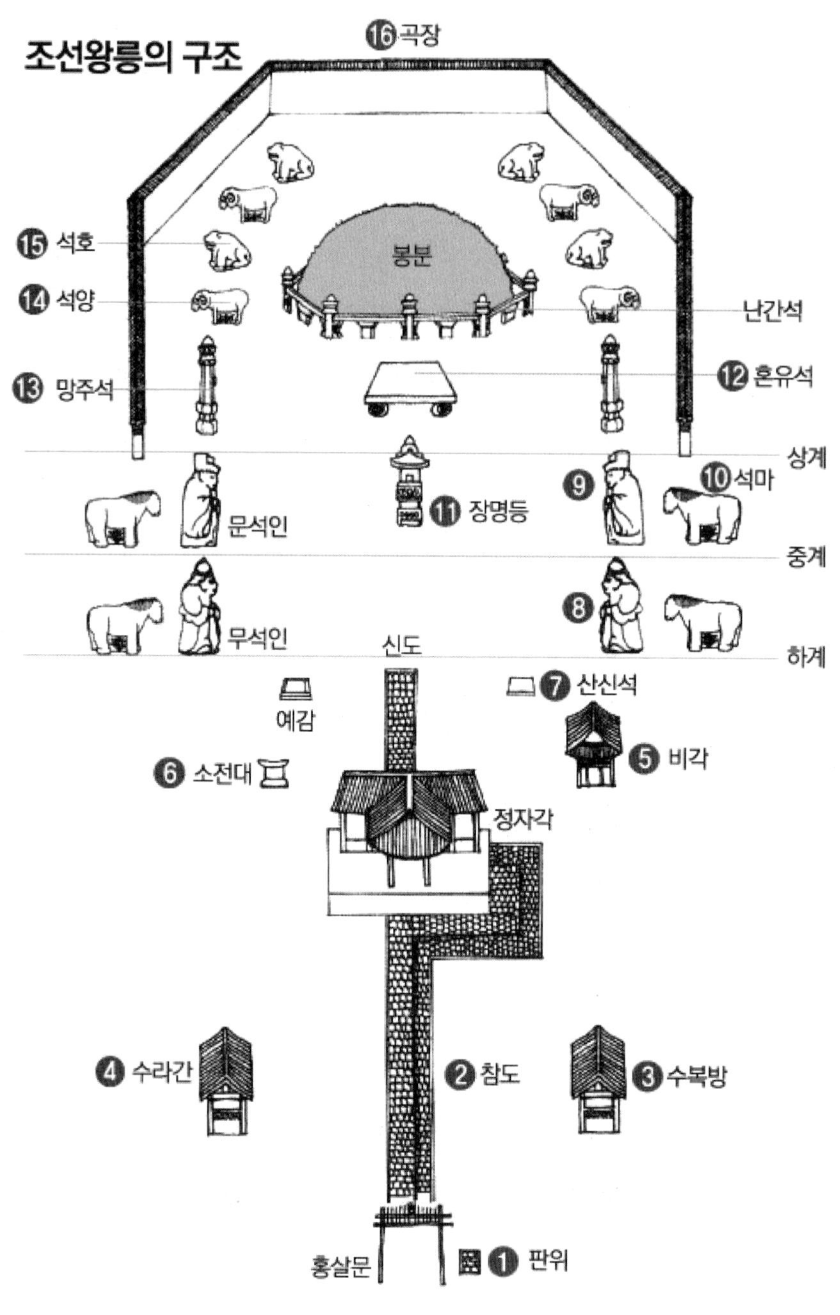

〈그림 4〉 동구릉의 공간 배치도

이에 반해 조선 왕릉능침의 지하 공간 설계는 매우 효율적이고 효과적이다. 좁은 산맥 통로를 따라 입력되는 山 穴 Energy를 효율적으로 공급받기 위해서 산 Energy 중심 입력선을 정확히 파악하려 애썼고, 혈핵 Energy의 생기감응을 효과적으로 상승시키기 위하여 최소한의 망자공간을 최적의 재혈기법으로 설계함은 물론, 혈핵 Energy의 최상안정과 외부로의 이탈 방지를 위한 최선의 봉분 조성을 연구계획하고 설치하였다.

곡담장을 시설하여 入首, 入穴 Energy의 이산과 파괴를 방지하였고, 혈장 주변에 병풍석, 혼유석, 장대석 등의 석물들을 장치하여 혈핵 지기를 안정시켰으며, 양석, 호석, 망주석, 문무인석, 마석, 장등석 등을 명당에 설치하여 영혼의 안녕과 내세 광명을 기원하였다.

홍살문이 지닌 關鎖的 풍수의지는 진입공간의 신성한 참도 구조설계와 맞물려 비길 데 없는 충효사상의 이념적 공간이 되었고, 정자각이 지닌 비보적 풍수의지는 제향공간의 제례의식적 구조설계와 맞물려 더할 데 없는 예경의 실천적 의식공간이 되었으며, 곡담장과 석물들이 지닌 지기보호적 풍수의지는 능침 공간 명당의 영혼안녕적 구조설계와 맞물려 생자와 망자의 영원한 생사합일적 공간을 재탄생시켰다. 조선 500년의 왕실이 낳은 풍수 문화적 지혜가 한반도 후손들의 무궁한 영광과 등불이 되어 재창조의 역사를 이어갈 수 있도록 조심스럽게 그리고 거룩하게 설계되었다고 본다.

2) 능침배치의 특이성

동구릉의 전반적인 배치구조 특성을 살펴보면 다소의 풍수지리학적 문제점들은 지니고 있으나, 전체적으로는 매우 아름답고 정서적이며 질서적이고 조화롭다.

태조 건원릉의 능침배치는 사신국 내수세의 최초발원지를 청룡원진수로 삼아 혈장재혈을 높이 함으로써, 래룡맥에서 부족한 지기와 안산주작에서 부족한 응축 Energy場을 국세와 수세 Energy場으로 보완, 守成하려는 흔적이 매우 강렬하게 나타나고 있었다.

가급적 중국식 인공조성을 피하고 산 래룡맥의 생기혈처를 찾아 자연 합일적 형태의 장법을 선택함으로써 산맥과 혈처의 괴리손상을 최대한 방지하였고, 주밀하고 엄격한 설치기법으로 효율적 능침을 배치하려한 선인들의 노력은 매우 가치롭다.

그러한 관점에서 살펴보았을 때 전체 중 일부의 부분적 불합리점은 나타나고 있으나 전반적으로는 능침의 배치조화가 크게 잘 이루어졌다고 볼 수 있다.

비록 경릉의 3연릉 장법에 의해 혈장, 혈판이 다소 허약해지긴 하였으나 그 외 다른 왕릉침의 배치는 단릉과 쌍릉 및 합장릉의 혈장균형과 혈심안정 기법으로 배치, 설계함으로써 비교적 입수맥과 혈장 명당 등이 안정되었고 능침, 당판, 재혈 등이 선미 수려하게 조성되었다. 특히 제18대 현종과 그의 비 명성왕후 김씨가 잠든 숭릉 능침의 풍수적 배치설계는 매우 우수하고 경이롭다.

동구릉 내 제1의 사신사 국 Energy場 동조계획과 타 능원에서 발견할 수 없는 이상적인 입체 朱火 Energy場의 응축을 的確하고 精巧하게 설계하였으며, 국내 원진수의 용량을 최대화하고 국외 조래수의 융취를 가장 극대화한 배치계획은 동구왕릉이 지닌 명당 품격을 한층 더 높여준 우리 조상들의 특이로운 지혜였다고 말할 수 있다.

3) 東九陵寢 배치계획의 풍수사적 특이성

앞서 잠시 언급한 바와 같이, 조선 519년간의 왕실 역사는 그 시말이 대부분 풍수적 논쟁에서 시작하여 풍수적 논쟁으로 마감된 역사라 해도 과언이 아닐 정도로 왕실과 그 중심 정치세력 속에는 풍수와 도참의 두 물줄기가 도도히 흐르고 있었다. 도읍 궁궐 결정과정이 그러하였고 왕실의 능원 설치계획 대부분이 왕과 권신들의 이기적 풍수논쟁 속에서 좌왕우왕하였다.

조선의 당파투쟁 역시 왕실의 풍수 논쟁으로부터 시작하여 노론과 소론, 동서와 남북 세력판이 사분오열 갈리고 찢기는 참혹한 당쟁의 슬픈 역사를 전개하고 있었다. 이러한 까닭에 목릉과 숭릉을 제외한 다른 능침 어느 한곳의 혈장도 풍수원리 정격에 합당하게 설계, 시공, 조성된 결과물은 없다는 것이 우리를 더욱 놀라게 하고 있다.

태조 건원릉침이 호순신의 지리신법을 주장한 하륜에 의해서 불합리하게 설치된 이래로, 거의 대부분의 능침들이 전문풍수지리가가 아닌 왕실 세력가나 권신들에 의해서 이기적으로 또는 의도적 논리비약으로 계획 설치되었다는 것이 조선왕조 실록이나 승정원일기, 국조오례의, 산릉도감의궤 등에서 잘 나타나고 있다.

조선의 왕실과 권신들이 아전인수격 풍수논리로 갑론을박하는 가운데 계획 시공된 동구왕릉들의 설치오류를 간략하게 짚어봄으로써 동구릉침 계획과정에서 발생한 풍수사적 왜곡이 어떠하였는가를 살펴보자.

태조 이성계의 건원릉은 지세론과 지기입력론 및 수세론의 논쟁결과로 인해 혈맥 Energy가 불합리한 입력 특성의 혈장에 재혈하는 오류를 범했고, 목릉 중 선조릉을 제외한 두 왕비의 능에서는 지세지기 입력 특성 불량과 수세 Energy 場 불리의 융취처에 혈장당판을 조성하였으며, 현릉 중 문종왕릉은 역시 지세지기의 입력특성 불량과 국세 수세의 불합리 응축처에 당판 재혈을 하였고, 현덕왕후릉은 입지선택이 무난하였으나 역시 재혈에서 下手하였다.

휘릉은 사신사 Energy場과 수세 Energy場의 불합리 융취처에 재혈되었고, 경릉은 지세지기 및 수세 Energy 적합 융취처에 재혈 하였음에도 3연릉 장법으로 실수하였으며, 혜릉과 수릉은 모두 지세지기 입력특성과 사신사 및 국 수세 Energy場 특성의 불합리성으로 전반적 혈판안정을 잃었다.

목릉의 선조릉과 현릉의 현덕왕릉 등은 혈판의 선익Energy 불량성이 다소

〈그림 5〉 숭릉의 전경

발생하였으나 무난한 국세와 수세를 확보함으로써 혈장 혈핵의 안정성을 확보할 수 있었다. 그러나 동구릉을 선택하고 동구릉에 조선왕조 체백을 갈무리함으로 인해 조선 오백 년을 지켜오게 한 가장 큰 善 결정 가치처는 바로 다름 아닌 현종과 그의 비 명성왕후가 잠들어 있는 숭릉이다.

수려한 사신사 국세 Energy場을 끌어안고 왕성 강건한 입수 지세지기 Energy를 얻어 지닌 채, 내원진수와 외조래수 Energy場을 함께 장악하고 있는 동구릉 최대의 길지를 설계하지 못했다면 왕실과 측근 권신들의 한 많은 악업장은 씻어내기 어려웠을 것이었고 조선의 519년 역사는 이루어지지 않았을 것이다.

4. 東九陵의 풍수지리학적 특이성

1) 祖宗山 및 래룡맥의 풍수지리학적 특이성

동구릉의 조종산격 래룡맥 구조체를 살펴보면 백두대간의 (백두산)이 → (원산) → (낭림산) → (두류산)을 거쳐 추가령 지구대인 분수령에 다다르는데 이 분수령 이후 분벽된 좌우출맥 중 좌출맥은 백두대간을 이어가고 우출맥은 한북정맥이 된다.

한북정맥의 첫 시작봉은 백빙산(천산)이고 이어서 (쌍령)을 거쳐 (오갑산) → 대성산(1175m) → 광덕산(1046m) → 백운산(904.4m) → 국망봉(1168m) → 운악산(936m) → 국사봉(326m) → 축성령(185m)에 이른다.

축석령 고개에서 다시 중좌우 3분벽을 하는데 그중 불곡산(361m)으로 가는 중출맥은 한북정맥으로 계속되고, 천보산(423m)으로 가는 우출맥은 소요산(559m)을 낳고, 용암산(475.4m)으로 가는 좌출맥은 비루고개 → 깃대봉(288.3m) → 수락산(640.6m) → 불암산(508m) → 태릉 새우고개를 거쳐 동구릉으로 들어온다.

한북정맥이 동구릉에 입력되기 직전 두 개의 예비봉이 동구릉산을 취기시키는데 그 제1예비봉은 135.4m요, 제2예비봉은 160m이다. 이 두 봉의 강력한 우선취기분벽점 형성 특성은 드디어 동구릉의 사신국세 Energy場과 酉坐卯向

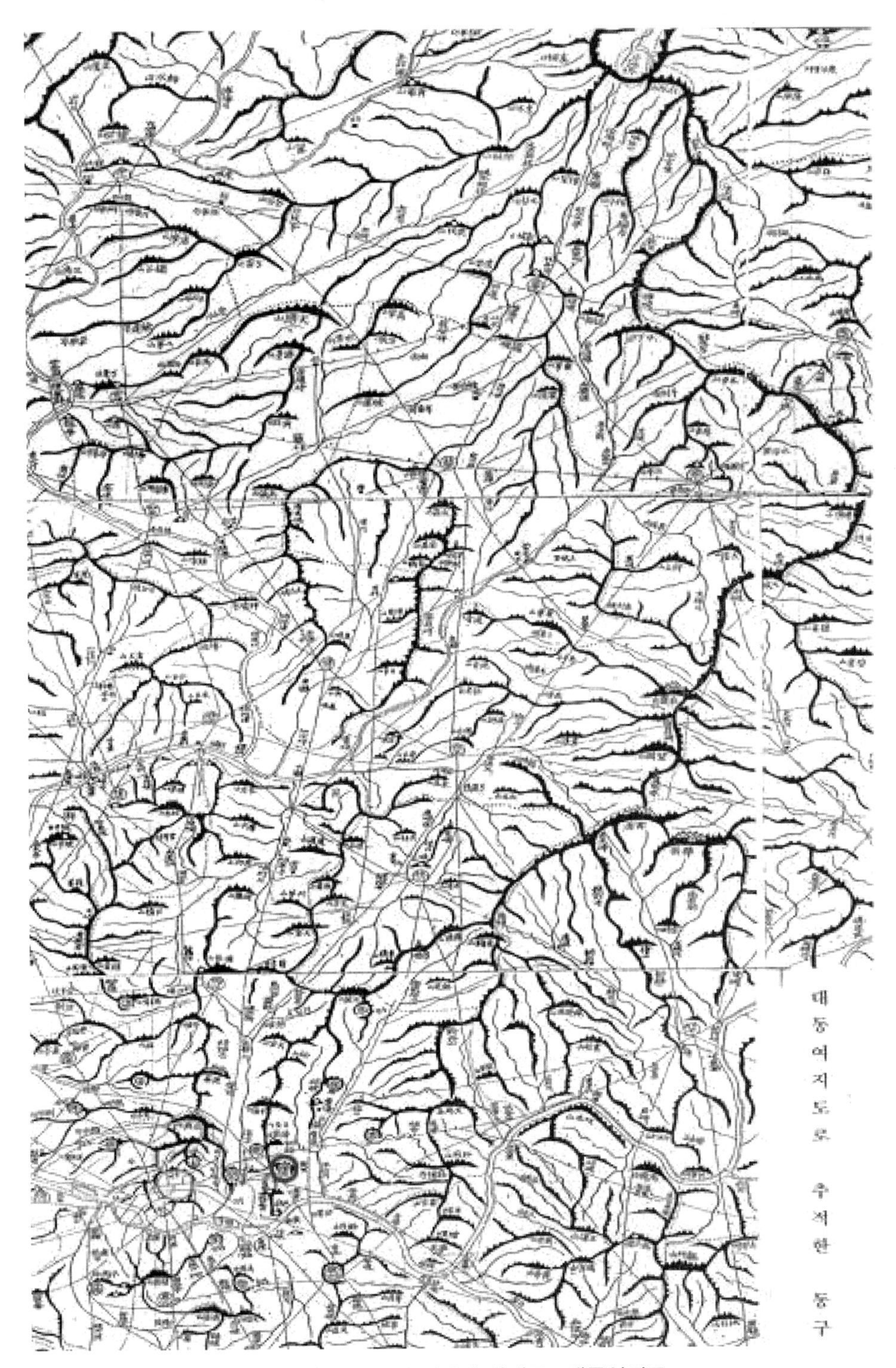

〈그림 6〉 동구릉의 래룡맥 상세도- 대동여지도

〈그림 7〉 동구릉 입수래맥도 1/5000 복사

의 입수맥 Energy場, 主 혈판 Energy場 등을 낳아주는 171.4m의 동구릉 主 소조산을 만들게 된다.

동구릉 主 소조산(171.4m)에 입력된 來龍脈 Energy體는 좌우 2분벽을 하게 되는데 劣性分擘 좌출맥은 제1차로 靑木제1차(141m)봉 그리고 靑木제2차(141m)봉→靑木제3차(120m)봉→靑木제4차(155m)봉을 만든다. 靑木제4차봉에서 우출맥은 辛戌용맥이 되어 원릉으로 들어가고, 좌출맥은 계속하여 靑木제5차(113.4m)봉으로 들어가 그 우출맥은 乾亥룡맥이 되어 휘릉을 낳고, 좌출맥은 계속 靑木제6차(108.6m)봉→靑木제7차(111.2m)봉→靑木제8차(107.8m)봉을 만든다.

靑木제8차봉에서 낙맥일절후 분벽우출 壬子맥은 건원릉을 만들고 좌출맥은 계속 진행하여 靑木제9차(96.7m)봉으로 간다.

靑木제9차봉 우출맥은 壬子맥이 되어 목릉 선조대왕릉으로 가고, 좌출맥은 다시 靑木제10차(83m)봉을, 그리고 그 우출맥에서 壬子맥으로 입혈하여 의인왕후릉을 만들었으며, 靑木제10차봉의 좌출맥은 靑木제11차(108.2m)봉으로 가 좌선하면서 정남진한다. 靑木제11차봉 3절후단분벽 우출 甲卯 입수맥에서

인목왕후릉를 낳고, 좌출맥은 계속 남진하여 青木제12차(97.9m)봉을 낳아 甲卯 우출맥은 문종왕 현릉을 만들고 艮寅 좌출맥은 현덕왕후릉과 수릉을 낳았다. 青木제12차봉의 주맥은 青木제13차(96.5m)봉을 만들고 계속 진행하여 青木제14차(97.8m)봉을, 그리고 마지막으로 青木제15차(97.6m)봉에 이은 작은 정지봉(80m)을 만든 후 관리사무소 후면으로 결맥함으로써 동구릉국 청룡 래룡맥은 백호 후착이 되어 마감되었다.

青木제15차봉 형성 이후 선도한 白金제11차(74.3m)봉과 조우하기 위해 마감하는 青木 종단 Energy의 정지안정특성은 매우 극적인 과정을 연출하였다.

먼저 青木제14차봉으로부터 분벽된 좌출맥은 산수동거 기운을 수습하면서 분벽성 요도 Energy를 발생하여 青木제15차봉으로 종단 Energy 안정을 도모하였고, 青木제15차봉의 진행Energy는 2회에 걸친 변화 과정을 시도하며 소봉(80m)지점에서 穴核果 형성의지를 보이기도 하였다. 白金제11차봉의 입체 정지 안정구조를 만나기 시작하면서 青木 종단 Energy는 止脚을 발생시키지 않을 수 없었고, 이러한 와중에서 구릉산(177.9m)과 白金제3차(150m)봉 그리고 白金제4차(161.1m)봉 현무 Energy場의 혈형성(숭릉) 同調를 위한 수구관쇄 명령을 받게 되니 출산을 앞둔 青木 종단의 잉태 혈핵과가 익기도 전에 고뇌를 맞으며 정지하게 된 것이다.

동구릉 局 조산인 171.4m봉의 우측 優性 분벽 용맥은 白金제1차(157m)봉 그리고 白金제2차(177.9m)봉의 구릉산을 만든다. 白金제2차봉 우출맥은 망우리→용마산→아차산으로 진행하고 좌출맥은 白金제3차(150m)봉으로 진행 후 白金제4차(161.1m)봉에 이르러 십자맥 입체 Energy場을 그리면서 입체 분벽한다. 분벽 후 좌출맥은 숭릉 입수맥의 좌측 보조사가 되었고 우출맥은 역시 숭릉 입수맥의 우측 보조사가 되었다. 중출 천심맥은 진행하여 숭릉의 입수두뇌사인 白金제5차(125m)봉을 만들어 동구릉이 지닌 진혈 핵과를 탄생시켰다. 白金제5차봉의 좌출맥은 丁未룡으로 입맥하여 경릉을 낳고 숭릉 내청룡이 된 좌출맥 庚酉룡은 혜릉을 낳았다.

白金제5차봉의 우출맥은 숭릉의 내백호를 만든 후 白金제6차(84.8m)봉→白金제7차(65.7m)봉→白金제8차(63m)봉→白金제9차(56m)봉→白金제10차(65m)봉에서 잠시 쉬었다가 마지막 白金제11차(74.3m) 입체 취기봉을 만들어 전후좌우의 지기 정지 안정장치를 발달시킴으로써 백호 Energy體는 물론 청룡 종단 Energy體와 국내 지기 및 수세 Energy場을 모두 안정시켰다.

위와 같이 동구릉의 조종산 래룡맥과 국내 사신사 래룡맥의 전반적 특성상황을 살펴보았을 때 局 소조산 분벽점의 Energy體 구조가 青木 Energy場 우성 특성이 아니고, 白金 Energy場보다 오히려 열성 특성인 까닭에 건원릉 또는 목릉에서 크게 형성되었어야 할 국내 제1의 혈장이 오히려 白金 Energy體로 옮겨져오게 됨으로써 장손발복지와 지손발복지는 이미 태초에 결정이 모두 다 이루어지고 말았다. 물론 건원릉의 玄水 Energy體 후단맥이 북진하여 사노동 두레물골로까지 들어가 귀사 Energy體 역할을 담당한 것은, 숭릉의 玄水입수맥 구릉산 우단 분벽지가 망우리 아차산으로 흘러가 한강을 거수한 역할만큼이나 혈장 응축을 위해서는 매우 다행스러운 노력들이었지만, 결과적으로 白金 Energy 및 그 Energy場의 逆成을 青木 Energy體로서는 감당키가 괴로웠던 것이 동구릉 래룡맥 특성의 특이사항이라 할 것이다.

그러나 이러한 배경을 형성한 보다 근본적 원인사항이 특이하게 나타나고 있는 것은 다름 아닌 래룡맥구조의 단맥현상과 휴맥현상 및 방맥구조현상에서 찾아볼 수가 있겠다.

그것은 바로 추가령 구조대에서 발생한 근원Energy 단맥 특성과 휴면 특성에서 기인한 제 원인들임을 발견할 수 있다.

조종산 래룡맥을 자세히 관찰해보면 추가령 구조대 분수령을 지난 조종산맥 Energy는 취기집합처를 형성하는 과정마다 휴식과 단절을 거듭하면서 래맥하는 관계로 그 흐름특성이 강건 선미하지 못하고, 추루 나약함이 곳곳에서 드러나고 있었다. 동구릉국 소조산 내에서도 이와 같은 특성은 여전했다.

소조산 분벽 직후의 과정에서도 그 나약함이 여실히 드러났고 숭릉의 입수맥과 목릉의 입수맥을 제외한 전릉의 입수맥 특성이 건원릉을 필두로 모두 허약하고 방맥화하여 부실하였음을 답사과정에서 여실하게 확인할 수 있었다.

2) 東九陵 局 Energy場의 특이성

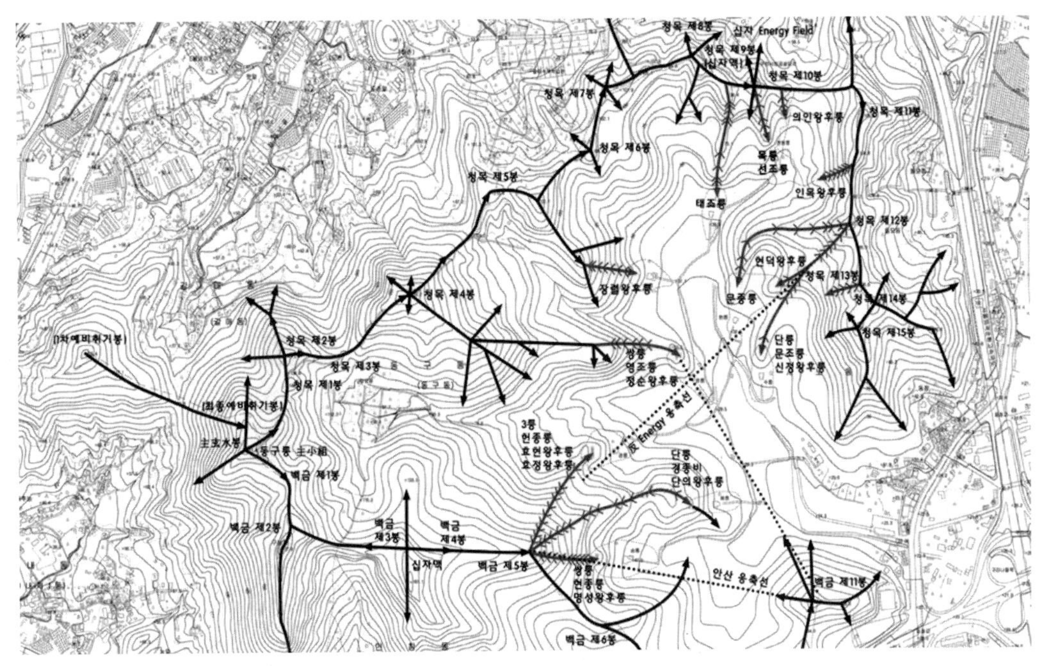

〈그림 8〉 동구릉의 국세도 1/5000 복사

〈그림 9〉 동구릉의 능침별 수세도 1/5000 복사

동구릉의 국세를 크게 보면, 주 조종산맥인 한북정맥과 동구릉의 주 외국세 산맥인 한남금북정맥이 한강을 희롱하면서 서로 정답게 마주하고 앉아 있다. 한북정맥은 우로는 용마산, 아차산이 한강에 그 다리를 드리우고, 좌로는 팔당 예봉산의 자락이 한강을 적시면서 한남금북정맥을 기다리고, 한남금북정맥은 우로는 천현동 검단산이 한강에 다리를 드리우며 예봉산과 마주하고, 좌로는 둔촌동, 천호동에서 남한산의 이성산 자락이 멀찌감치 한강을 가득히 안아담고 서 있다.

先到後着 원리적 측면에선 당연히 한남금북정맥의 자락에 음양택의 혈처가 열려야 할 것이고, 선도한 한북정맥은 마땅히 한남금북정맥의 혈장결혈을 도와줬어야 할 것이다.

그러나 한남금북정맥은 한북정맥에 비해 너무 긴 여정에서 지쳐있고, 한북정맥은 한남금북정맥에 비해 너무 적은 근원 Energy가 공급되었다.

따라서 선도후착의 혈형성 특성의지는 서울수도의 혈형성 의지형태와 동일한 자체적, 자위적 선도후착의 혈형성 의지 특성 발현에 따라 생존적 변이특성으로 전환되고 말았다.

때문에 강남에도 음양택 成穴의지가 나타났고 강북에도 음양택 成穴의지가 동시에 나타나게 된 것은 바로 이러한 원리를 설명하는 의미가 되고 있음이다.

이렇게 선도후착원리에서 만들어진 한강수는 그 생명활동을 현실적으로 적응해가면서 강남, 강북을 成穴의지에 합일토록 위이하게 꾸부렁대며 이쪽저쪽을 감아 돈다.

동구릉 국세 역시 비록 한남금북정맥보다는 선도한 래룡맥세이지만 왕숙천 건너 진건읍 배양리에서 내맥한 지금동과 도농동의 조안산 선도 Energy體가 동구릉 앞 왕숙천을 거수하여 동구혈장에 善美 안정된 응축 朱火 反 Energy場을 공급하게 됨으로써 숭릉의 수세와 조안세는 화려하면서도 평화로운 것이 되었다.

이와 같은 자체적 자발적 선도응축안정 Energy場을 확보하는 가운데 成穴의지가 강렬한 국세 Energy場을 접하게 되면 후착 산맥 Energy體 및 그 Energy場은 기존 상대 成穴場을 재차 응축 보호하는 강력한 成穴 전호의지를 발생하게 되는데, 이렇게 되면 결과적으로는 후착 산맥 Energy는 전체적 보호 응축 朱火 Energy場으로 바뀌어 朝案砂 Energy體로 전환되는 결과가 된다.

이러한 까닭에 동구릉이 자체 선도 朱火 Energy場을 확보한 후 외국세의 재응축 Energy場을 공급받을 수 있는 혈장이 되는 곳은, 먼저 청룡 종단 Energy體가 그의 산수동거 설기 Energy를 수습할 수 있는 백호 종단 거수 Energy體를 만나야 하고, 이 두 만남은 외국세의 선도 안정 Energy場에 의해 재응축되어야 하며, 이와 같은 제반 전호 응축 Energy場 중심점이 정확하게 적중 원형응축하는 곳이 되어야 한다는 조건이 성립한다.

위의 제 조건을 완성시키고 있는 곳은 동구 9릉 17위 중 숭릉의 혈장만이 최적 안정 조건임을 다시 한 번 확인할 수 있겠다.

3) 東九陵의 능침별 풍수학적 특이성

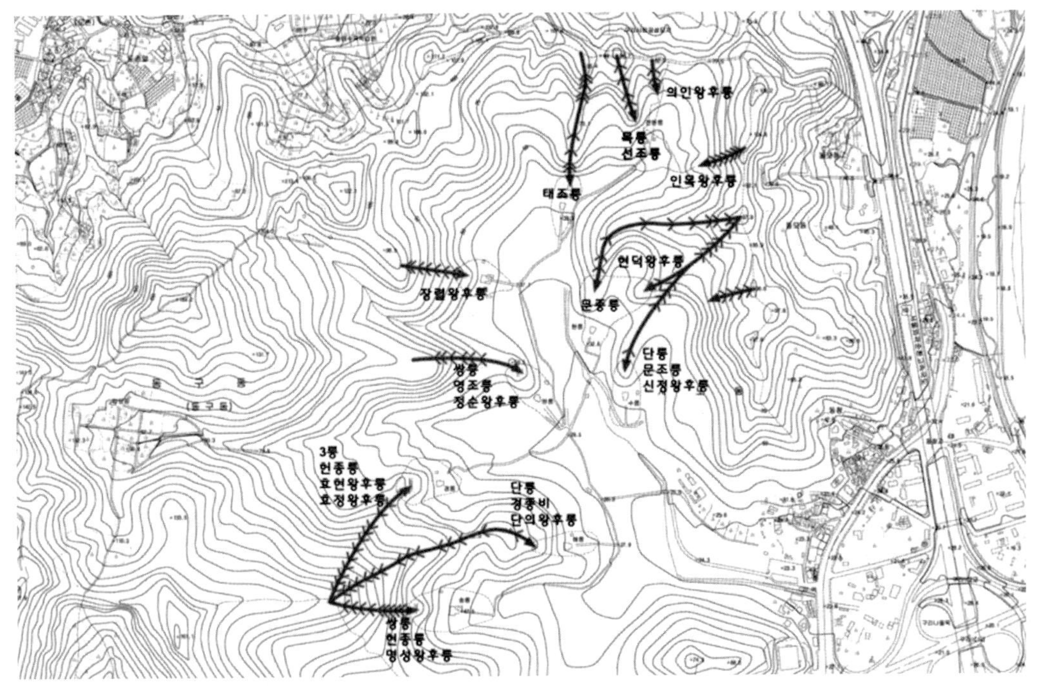

〈그림 10〉 동구릉의 능침별 입수맥 상세도 1/5000 복사

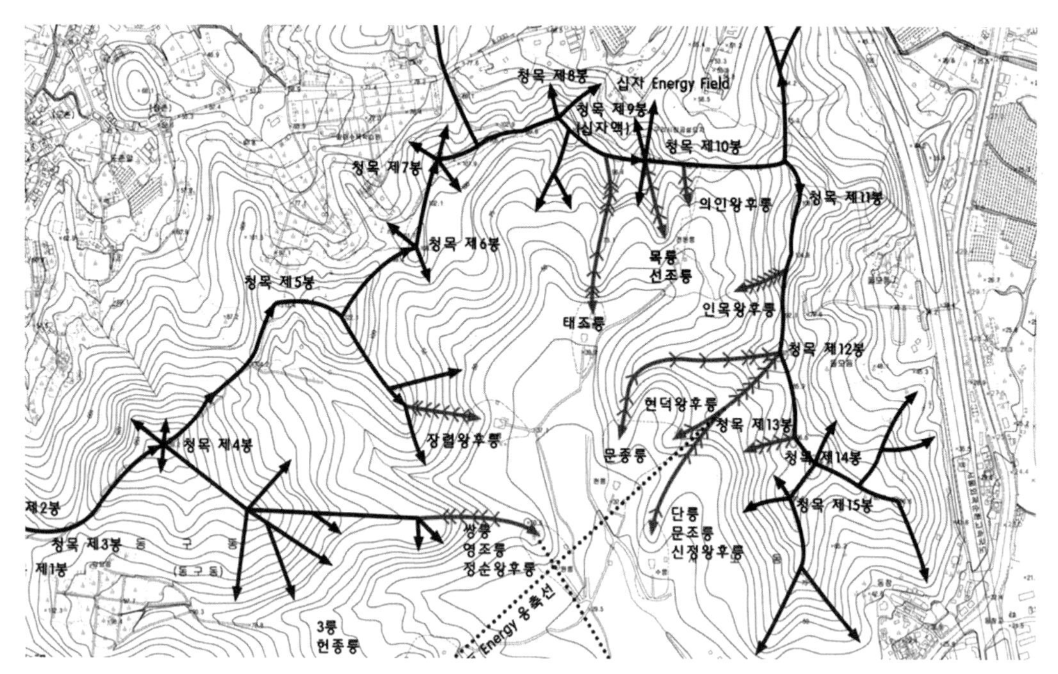

〈그림 11〉 청룡측 능침별 사신사 상세도 1/5000 복사

(1) 건원릉의 풍수지리학적 특이성

건원릉의 입수 래룡맥은 동구릉 소조 주산 분벽 좌출맥으로부터 내맥한 입수맥이 青木 제8차(107.8m)봉에 이르러 기봉 후 낙맥하여 분벽 우출맥에서 壬子룡으로 입맥하였다.

그러나 낙맥과정이 불안정하였고, 낙맥 분벽후 3절 후단에 당도하여 과협을 형성하기 직전에 이르러 조종산맥질서가 낳은 방맥 특성의 상속의지가 되살아나, 결국은 입수래룡이 방맥화되었고 이에 따른 혈장 또한 壬子 방맥입수의 癸丑입혈이 됨으로써 부득이 青木 선익 Energy 및 그 Energy場의 손실을 보게 되었다.

그러나 백호 Energy 및 그 Energy場이 선미하고 광대하며 국내 최초의 青木 원진수를 득하였고 近局은 쓸쓸하나 遠局은 안정되었으니, 혈장수가 산수동거함을 원망하다가도 외청룡 지룡맥이 거수를 돕는 귀인을 만났다. 외청룡의 지맥 말단 지표 암반이 원진수와 전순 餘氣를 끌어안고 충성을 맹세하였다.

역시 훗날 후궁 자손과 지차 손에게서 조선왕조 519년이 우여곡절을 겪으면서도 이어져갔음은 결국 이를 증명함이련가….

(2) 목릉 선조왕릉의 풍수지리학적 특이성

목릉의 입수래맥은 靑木제9차(96.7m)봉에서 십자맥으로 입력된 壬子 입혈맥 Energy이나, 成穴의지가 부실한 靑木 선익 Energy場에 의해 다소 불안정하게 결혈되었다.

백호 측 선익사와 曜官砂가 훌륭하여 청룡 원진수를 이상적으로 거수하여 혈장을 윤택케 했다.

近靑木 Energy場은 다소 불리하였으나 靑木제11차봉 이후의 靑木 주세는 매우 수려하고 아름답다.

靑木제12차봉의 지룡이 주안사 Energy場이 되었으나 배주 부실하였음이 안타깝다. 때문에 후일 조선왕조는 결국 선조의 지차 자손에게서 이어가고 마감되었다. 그러나 광해군 인조반정 영창대군 사건 등은 모두 주안사와 靑木제10차봉 이후, 靑木제11차봉까지의 청룡 비주 부실에서 비롯되었음을 후일 역사가 증명하였다.

(3) 의인왕후릉의 풍수지리학적 특이성

의인왕후릉의 입수래맥은 靑木제10차(83m)봉에서 분벽점의 부실을 안고 壬子맥으로 입혈하였다.

청룡의 飛走 무정함이 (靑木제10차봉 83m 직거 → 靑木제11차봉 108.2m) 본신 입혈 특성과 靑木 선익 특성을 약화시켜 혈판이 허약해졌다. 수세는 비교적 안정이나 朱案勢가 배주 불리하여 成穴의 노고만 쌓였다.

소생 없이 영민하였으므로 만대 향화지지로서의 가치는 충분하다.

(4) 인목왕후릉의 풍수지리적 고찰

靑木제11차(108.2m)봉에서 우출 甲卯맥으로 입혈하였다.

청룡Energy의 이탈지향적 요도 反 Energy가 혈장선익을 일시 감싸안음으로써 혈응축은 시도하였으나 白金 Energy場이 역성을 지녔고 백호 원진수의 융취가 효율적이지 못했다.

선조왕릉과 건원릉의 전순이 관쇄사 Energy場을 공급하긴 하였으나 청룡 말단의 분벽성 요도작용에 의한 국 수세 Energy場 이탈이 혈장을 불안정하게 하였다.

그러나 아들인 영창대군이 7세의 나이로 방 안 열기 속에서 죽어감을 겪었던, 한 많았던 어머니가 죽어서라도 그 한을 달랠 수 있는 영혼의 안식처로서의 신위지지는 충분하고도 남음이 있다.

(5) 현릉 문종과 현덕왕후릉의 풍수지리학적 특이성

현릉의 입수래맥은 青木제12차(97.9m)봉에서 甲卯맥으로 입력된 산수동거형 혈장이 문종왕의 능혈판이 되었다. 입혈과정이 늘어졌고 좌우의 선익이 전무한 곳에서 물길 따라 흘러간 단종의 운명처럼 혈판이 외롭고 처량하다.

1452년에 묻혀 5년 만에 자손을 잃고 후손마저 단절되니 풍수에 밝았다는 세조와 그의 권신들의 장택이 이렇게도 야멸친 것이었던가?

현덕왕후릉은 艮寅 입수맥에 甲卯坐를 택함으로써 산수동거는 피하였고 정혈처는 못되나 비교적 안정처를 확보하였다. 1513년 그나마 중종의 도움으로 천장하여 영혼안녕을 구하였으니 다행스럽고 평안한 혈장이 되었다. 朱火 Energy場이 밝고 아늑하니 영혼은 과거생을 잊고 영원 청정하리라.

(6) 수릉 문조와 신정왕후릉의 풍수지리학적 특이성

수릉의 입수래맥은 青木제12차(97.9m)봉에서 艮寅坐로 낙맥한 후 좌출맥에서 壬子坐로 입혈함으로 산수동거 하였다. 사신사가 불안정하고 청백이 무정하며 안산 Energy場이 유정하게 응축하는 듯하나 과맥 정체 Energy場에 의해 갈등만을 야기하였다.

혈장에 잠들기도 전에 이미 후손을 마감하였는바 그의 아들 헌종이 후사를 얻지 못하였음이 어찌 이와 같은 모습일런가?

(7) 휘릉 장렬왕후릉의 풍수지리학적 특이성

휘릉의 입수래맥은 青木제5차(122.1m) 쌍봉에서 우출 분벽하여 乾亥 입수맥을 얻은 후 辛戌坐로 입혈하였다.

문종의 입수맥이 반배한 朱火 Energy場을 공급하였고 青木 Energy場이 배주를 거듭하여 청룡선익을 잃었다. 다행히 백호선익이 후부함에 그나마 청룡 원진수를 얻을 수 있었음이니 후사가 없는 영혼에게야 얼마나 고마운 혈장이 되었는가?

(8) 원릉 영조와 정순왕후릉의 풍수지리학적 특이성

원릉의 입수래맥은 青木제4차(155m)봉에서 우출 분벽하여 辛戌룡으로 낙맥한 후 다시 庚酉맥으로 변화하였다가 다시 辛戌坐로 입맥하였다.

당판이 강건한 입수두뇌 입력에 의해 건실 장중하며 청룡선익의 뛰어난 응축 Energy場에 의해 혈핵과가 안정되었다.

안산이 다소 멀리 있으나 白金 제11차(74.3m)봉의 Energy場을 공급받음으로 당판이 다소 늦추어졌을 뿐 재혈만 上手하였으면 좋은 혈핵과를 얻을 수 있었을 것이다.

현재 재혈처로서는 입수의 거리가 멀고 下手 점혈인 관계로 장손의 절손을 막을 길이 없다. 정순왕후는 소생이 없었으니 백호선익은 허약하나 그 영혼 안식처로서는 무난하다.

(9) 숭릉 현종과 명성왕후의 풍수지리학적 특이성

숭릉의 풍수지리학적 의미는 숭릉이 동구릉의 조선왕조 풍수를 논함에 있어서 빼놓을 수 없는 대표적 재조명처임은 물론, 동구릉의 전반적 局 Energy場 集合点을 재확인하고, 穴 형성 품격과 그 가치를 재평가 분석할 수 있는 가장 이상적인 대표혈장으로서 자리매김 되어있다는 것이다.

때문에 숭릉에 대한 풍수지리학적 특이성은 가장 먼저 入首來龍脈 특성상황을 살펴봄으로써 그 파악이 가능하다.

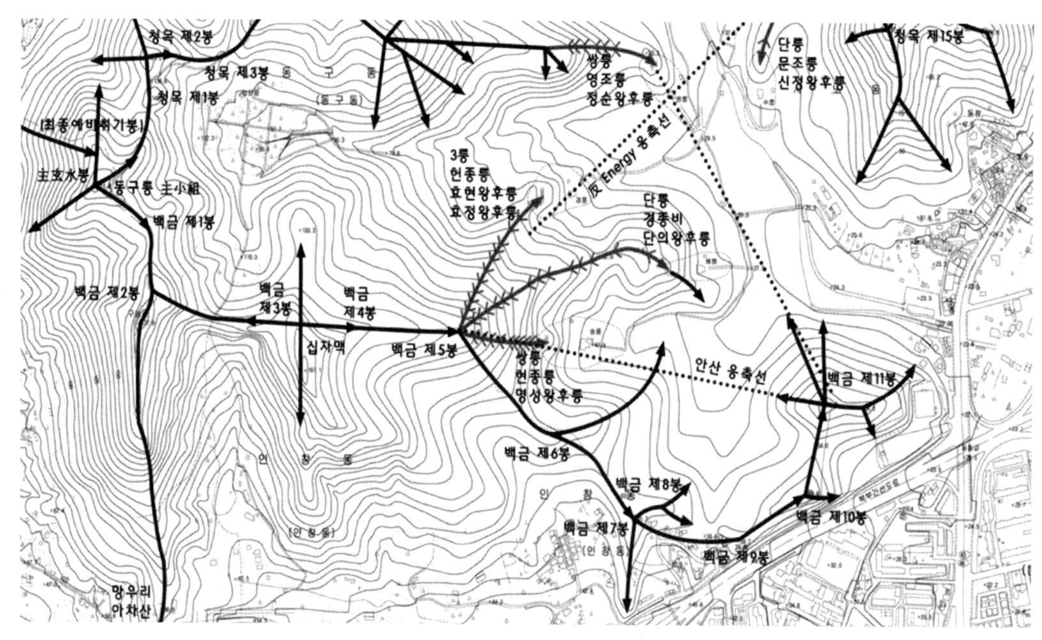

〈그림 12〉 백호측 능침별 사신사 상세도 1/5000 복사

동구릉 소조산 분벽점에서 우출맥으로 진행한 백호 Energy體가 청룡의 내맥 열세를 끌어안고 白金 제4차(161.1m)봉을 만들면서 十字脈 원형 입체 Energy場을 형성하였다. 여기가 구릉산 정상이다. 이 십자 Energy場 중출맥은 白金제5차(125m)봉에 이르러서도 원형 입체 Energy場을 형성하였고 이 白金5차 Energy 중출맥은 좌로 경릉과 혜릉 입수맥을 발달시켜 각각 외청룡 내청룡으로 전호케 하였으며, 우로는 白金제6차(848m)봉, 白金제7차(65.7m)봉 내맥을 내백호로, 白金제8차(63m)봉, 白金제9차(56m)봉 내맥을 외백호로 전호케 하였다.

진행하던 백호 Energy體는 白金제10차(65m)봉, 白金제11차(74.3m)봉에 이르러 지진했던 청룡 Energy體가 수습하지 못하는, 국 정지 안정 의무를 이행하기 위해 드디어 정지 입체구조 Energy體 및 그 Energy場을 발달시켜 머물기 시작한다. 이때 이 입체구조 정지 Energy場의 특성의지에 동조한 白金제5차(125m)봉에서는 강건하고 선미한 中出 入穴脈을 진행케 하여 혈장에 성혈의지 Energy를 도달케 한다.

白金제5차입수봉과 白金제11차 입체구조 정지Energy場 응축선이 일치하는 辛戌↔乙辰의 정교하고 섬세한 두 만남이 이루어져 상서로운 核果가 結穴되었음은 실로 경이롭다 하겠다.

그러나 이러한 과정에도 불구하고 동구릉 소조산 분벽점으로부터 좌출한 청룡국 Energy體는 그 역수 회룡맥의 사명인 결혈의지를 가늠하지 못하고 委迤하며 기웃거리다가 결국 부실한 분벽래맥을 청룡국 Energy 및 그 Energy場을 형성하는 사명에다 모두 소진하고 만다.

그나마 더 이상 방황하여 비주하지 않고 수습된 것만으로도 동구릉 局 同調 Energy場 안정을 위해서는 크게 다행한 것이었다.

종합적으로 숭릉의 成穴的 특이성을 살펴보았을 때, 입수맥의 玄水 Energy體는 보기 드문 십자형 Energy場을 이루었고, 좌우 청백 호종 Energy體는 매우 유정한 균형Energy場을 만들었으며, 안산 Energy場의 응축 입체 구조는 玄水 십자 원형 Energy場과 기하학적으로까지 정확하게 同調하였다.

다만 수세의 흐름이 다소간 설기하는 듯이 보이나 성실한 청백의 관쇄를 얻어 충분히 안정되었고, 특히 白金제11차 입체봉은 青木 종단 Energy體와 평화롭게 조우함으로써 局內 元眞水와 外朝來水를 동시에 융취시키고 평등화시킬 수 있었으며, 또한 국세안정과 혈세안정 및 수세안정을 혈응축 동조장으로 변환시켜내는 충성스러운 주인공이 되었다.

청백이 주밀하게 사귀고 玄水와 朱火가 기이하게 동조하게 되면 局內는 물론이고 局外의 風 Energy場까지도 역시 함께 갈무리되고 안정이 된다는 것을, 숭릉의 成穴 내력을 살핌으로써 자세히 확인할 수 있었다. 결론적으로 동구릉의 진혈처는 다소간의 청룡부진과 부득이한 백호국 역성의지를 담고는 있으나, 그러나 화려한 사신국과 화평한 朝來水가 강건 선미한 핵동조 응축장을 지니고 있음으로써 숭릉 현종과 명성왕후의 능에 성스럽고 포근한 참 혈장을 완성하였다. 다만 하수재혈이 조금은 아쉬울 뿐이다.

내국세 사신사의 안정은 물론이고 외국세 사신사의 안정도 함께 성취하였음은 왕숙천 건너 도농동의 외조안사가 왕숙천과 동구릉 내 혈장수를 거수 응축한 모습에서도 잘 나타나고 있다.

(10) 경릉의 풍수지리학적 특이성

경릉의 혈장은 현종과 그의 비 효현 효정 두 왕후가 함께 나누어 3연릉을 이루었다.

입수래룡맥은 白金제5차(125m)봉에서 승릉의 외청룡이 되어 좌출 입맥한 방맥성의 丁未 坤申 辛戌 入穴 穴場이다. 그러나 재혈은 현재 庚酉坐이다.

玄水, 朱火, 青木, 白金의 사신사 Energy場이 부실 미약하고, 수세 또한 융취 기운을 잃었다.

혈 형성 효율이 불량함에도 3연릉 재혈을 시도한 것은 당시의 사연이야 어찌되었건 풍수지리학적 장법에서는 전혀 불가한 사항이다. 불행 중 다행하게도 후사가 모두 없으니 만대향화지지로서 그렇게 재혈할 수도 있었지 않았겠으랴 하고 영혼의 안식처로서 마음을 달랠 곳이다.

(11) 혜릉 경종비 단의왕후릉의 풍수지리학적 특이성

入首來龍脈은 白金제5차(125m)봉으로부터 좌출 입맥한 숭릉의 內青龍砂이다. 辛戌로 入穴하여 혈판을 조성하였으나 穴場 4果가 전혀 없고 수세 역시 국세와 더불어 배주한다. 자손 후사 없이 묻혔음에 그 영혼만이라도 안녕하였으면 얼마나 기쁜 일일까?

第3節 結論

1. 東九陵의 풍수문화적 특이성

동구릉은 조선왕조 519년간의 흥망성쇠를 기록한 대역사서요 실록이다. 왕실의 슬픔과 기쁨이 서려있고 신하들의 충성과 야망이 함께 그려져 있다.

고대 한반도 풍수문화의 잊히지 않는 희미한 흔적들이 나타나 있고 한반도 자생풍수의 시발이 거기에 어리어 있다.

고구려 신라 백제의 풍수적 문화 형태를 살필 수 있고, 고려의 장묘 문화를 체험할 수도 있다. 외래의 풍수문화 사조를 읽을 수도 있고, 그들의 옳고 그름을 이해할 수도 있다.

어찌되었건 동구릉의 풍수문화는 이제 우리의 것이 되어있고 그 문화의 善果惡果는 모두가 현재 우리가 감당하고 짊어져야 할 미래의 선물들인 것이다.

2. 東九陵의 풍수지리학적 특이성

풍수지리학적으로 동구릉을 살펴보는 것은 후손으로서도 후학자로서도 매우 큰 의미와 환희심을 갖게 한다.

타국과 다른 한반도적 자생풍수가 적용되고 있음을 혈형성 원리를 밝힘으로써 자연스럽게 알게 되고, 태생적 지질구조와 사후세계관에 따라 그 풍수지리적 이론과 장법이 각기 달라져야 한다는 것도 확인하였다.

유감스럽게도 입지선정과정과 택지선정과정에서는 외래 풍수 이론이 이용 남용되고 있었으나, 장법과정과 재혈기법에서는 입혈맥의 중심좌 원칙을 크게 벗어나진 않았다.

혈핵처의 점혈 판단이 다소 아쉬운 점이 몇 군데 있었고 목릉, 숭릉을 비롯한 거의 대부분 능침혈장의 재혈에 대하여는 아쉬움이 많았다. 上聚穴에 下手裁穴이 많았고 朱火 Energy場 응축 원리에 충실치 못한 점도 아쉬움이 남는다.

外局의 朝案勢 Energy場과 朱案勢의 Energy場이 다소 불안정하니 자연히

풍수세의 안정도 불안함에 안타까움도 많았다.

다행히도 숭릉은 동구릉의 왕릉 지위를 격상시키는 유일한 명당혈이 되어있음에 후학들의 학술연구가 크게 향상될 학습장을 제공하였음이 또한 더욱 기쁘다.

3. 東九陵의 학술적 가치 발견과 재창조

동구릉의 풍수지리학적 특이성을 조사 분석하면서 가장 큰 학술적 가치를 발견한 것은 앞으로의 한반도 풍수지리학적 연구 방향이 다분히 중국이나 외국의 일반론적 학술 이론에 예속되거나 모방함에 따른, 자생적 고유 원리 체계의 개발 확대가 저해되어서는 아니 된다는 것이다.

지표 Energy體 특성별, 지질구조의 형성유지체계별로 각기 다른 원리 이론들이 땅마다 지역마다 각각의 질서원리를 좇아 이론화되고 설계화되어야 한다.

만약에 지구별 특성원리에 적합한 풍수지리논리가 각각 다르게 적용되지 않고 이용 설계된다면, 이는 마치 중국 황실의 대형 지하 塚 구조의 황릉들의 설계 이론이 이상적이고 좋다 하여 동구릉 局 한복판에 그와 같은 왕릉설계를 시도한 것과 같은 꼴이니, 그렇게 되었을 때 세계에 유례없는 단일 성씨의 조선왕조가 519년간이나 왕권을 유지해갈 수가 있었겠는가?

가야문화를 이어오고 삼국시대의 자생적 풍수문화를 계승하며 고려시대의 개선된 장법원리를 저버리지 않았기에 억불숭유정책에 의한 중국식 황실 풍수문화와 장법이 한반도의 신문화사조를 확산시키는 와중에서도 우리 지세지형에 알맞게 전래된 장법문화를 조선왕조는 이어올 수 있었던 것이다.

이와 같은 사실이 재조명되는 동구릉의 풍수적 유산은 우리 후손들에게 있어서는 너무도 값진 선물이고 영광이다. 풍수역사와 풍수문화와 풍수기법과 풍수리논들이 과거 현재 미래를 통해 한자리에서 만나 어울려질 수 있는 재창조적 Energy가 담겨 넘치는 곳, 이곳이 바로 동구릉의 9왕릉 17위가 남긴 풍수문화 유산이다. 보다 깊은 혜안으로 보다 먼 미래 역사를 위해 올바른 풍수문화가 어떻게 연구되고 재창조되어야 할 것인가를 깊이 고민하는 계기가 되었으면 더 이상 바랄 것이 없겠다.

5 穴場核 Energy Field의 형성 원리와 그 Circuit에 관한 연구*

제1절 서론

1. 연구 배경과 목적

1) 연구 배경

우리 한반도의 산세는 중국과 달라, 그 생성의 원리 구조와 형질 구성이 서로 각기 상이함을 인지하지 아니하고는 그 지역, 그 풍토에 적합한 문화와 생명 현상을 이해하기는 매우 곤란하다.

더욱이 지질 구조적 특성에 의해 형성되는 각종의 인간 생명 문화 현상을 파악, 분석, 재창조해가는 풍수적 학문연구에 있어서는 더욱 중대한 사안임을 다시 한 번 강조하지 않을 수가 없다.

즉, 근본적으로 우리의 지질 구조는 隆起的 線 에너지 구조임에 비해, 중국은 板 에너지 재응축 질서에 의한 立體 에너지 구조체라는 상호 특이한 지질적 구조에서 각기 서로 다른 생활문화와 생명 질서를 이어오고 있다는 점이다.

따라서 서로 다른 지질 형성 구조의 토질 특성에서 태동하는 모든 문화와 생명 질서는 서로가 각기 다른 특성의 형태로 나타날 수밖에 없다.

* 영남대학교 대학원 환경설계학과 풍수지리 전공, 풍수세미나 발표자료, 2012년 11월 3일.

물론 인간의 본성과 근본 생명 조직 자체가 상이함을 의미한다는 것은 결코 아니다. 지구의 생명 에너지가 지니고 있는 인간 생명 조직 특성은 동서간이나 中, 韓을 통해서 모두가 대동소이하다 할 것이나 그 지역 그 토질 구조 특성에 따른 생명 현상의 변화적 요인과 구체적 활동 특성은 매우 다르게 나타나고 있음을 다시 한 번 확인할 필요가 있다.

특히 풍수지리의 원리적 생명 현상과 그 변화적 특성에 있어서는 보다 더 깊은 통찰력과 분석 파악이 요구된다고 할 것이다.

위와 같은 이유를 따라 살펴보건대, 우리는 아직까지도 우리 토질 특성과 우리 생명 특성에 맞는 합리적이고 자생적인 풍수이론이 견고하게 확립되어있지 않음을 애석하게 생각할 수밖에 없는 반면에

그러함에도 불구하고 일부 학자들의 자생적 풍수이론을 재정립해가려는 부단한 노력들이 도처에서 나타나고 있음도 또한 희망이요 반가움이라 하지 않을 수 없다.

이러한 관점에서 한반도의 자생적 풍수이론을 재정립하고 한반도의 생명문화를 최선의 가치로 발전시켜 나아감에 한 가닥 촛불을 밝히는 토대가 되기를 바라는 마음에서 본 주제를 던지고 그 방향을 제시해보고자 한다.

2) 연구 목적

풍수지리의 가장 핵심적인 요소인 龍, 砂, 水, 穴場, 方位 중 혈장의 核 형성 원리적 측면과 그 혈핵 Energy Field가 지니는 혈핵 생명 질서 Circuit의 실체가 과연 어떠한 것인가에 대하여 보다 과학적이고 심층적인 분석과 파악을 본 연구의 목적으로 하였다. 이러한 실체를 파악해봄으로써 혈핵 Energy Field의 올바른 Circuit 구성과 그 방향성 및 작용특성에 대한 구체적 평가를 도출하고 재확인할 수 있는 질 높은 학술연구에 도움을 주고자 한다.

2. 연구 방법과 범위

1) 연구 방법

현재까지의 혼재된 풍수지리 이론을 답습하기보다는 이를 바탕으로 한 현대 과학적 탐구원리인 Energy Field 작용 원리론을 중심 이론으로 하여 현실적이고 실증적인 방법을 모색해보고자 한다.

특히, 山 Energy體의 Energy Field 분포와 그 작용이 래룡맥을 통과하여 사신사와 혈장, 그리고 그 혈핵 Energy Field 형성에 어떠한 영향력을 미치게 되고, 그리하여 그 형성된 혈핵 Energy 및 그 Energy Field의 구조 형태가 어떠한 질서체계와 작용선을 지니고 있는가를 과학적이고 명료한 입증방법으로 도출해보고자 한다.

2) 연구 범위

본 논지는 지면과 시간 제약상 풍수지리의 5대 핵심요소를 모두 다 논거할 수 없는 관계로 다만 혈핵 Energy Field의 형성에 따른 제반 원리 파악과 그 Energy Field의 Circuit 형성 질서 및 그 작용 특성과 방향성의 구조적 특성 분석에 대하여 한정적으로만 연구 분석하고자 하였다.

제2절 본론*

1. 祖宗山 입체 Energy體의 혈핵 형성 동조 의지와 그 Energy Field Circuit

1) 祖宗山 입체 Energy體의 혈핵 형성 동조 의지

산 Energy體의 근본은 그 조종산 Energy體에서부터 시작된다. 따라서 그 생성 근원이 마그마 융기 구조 Energy 이동체이건, 습곡 변화 구조 Energy 이동체이건, 아니면 板 구조 재응축 Energy 이동체이건, 그 Energy 특성 효율에 관한 穴核 형성 동조 의지의 능률적 차별은 다소 발생할 수 있을지라도 그 Energy體가 나타내는 Energy Field의 Circuit Diagram에 있어서는 그 형성 원리나 질서가 대동소이하다고 볼 수 있다. 이러한 원리는 아인슈타인의 Energy 등가원리인 $E=MC^2$에서 Energy Field ≒ Energy라는 에너지 불변의 이론 원칙에 따라 모든 Energy體는 그 질량에 비례하는 Energy Field를 발생하게 된다는 이론에 기인한다. 따라서 모든 Energy體는 그 Energy를 지닌 물질의 질량에 비례하는 Energy 파장을 발생함으로써 그 Energy 파장이 그려내는 Energy Field의 이동 질서가 형성됨과 동시에, Energy 이동 질서에 의한 혈핵 동조 Energy Field Circuit의 Diagram이 구조화되게 된다. 즉, 穴核 형성을 위한 동조적 Energy가 발생하는 Positive的 Circuit Diagram과 穴核 형성 의지가 상실된 Negative的 Energy Field의 Circuit Diagram이 서로가 매우 다른 질서체계와 방향성을 드러내며 그려지고 있음을 다음과 같이 발견할 수 있다.

* 風水原理講論, 第2編 風水原理論, 第4章 穴場論, 第11節.

2) 祖宗山 입체 Energy體의 혈핵 형성 동조 Energy Field Circuit (⊕Circuit)

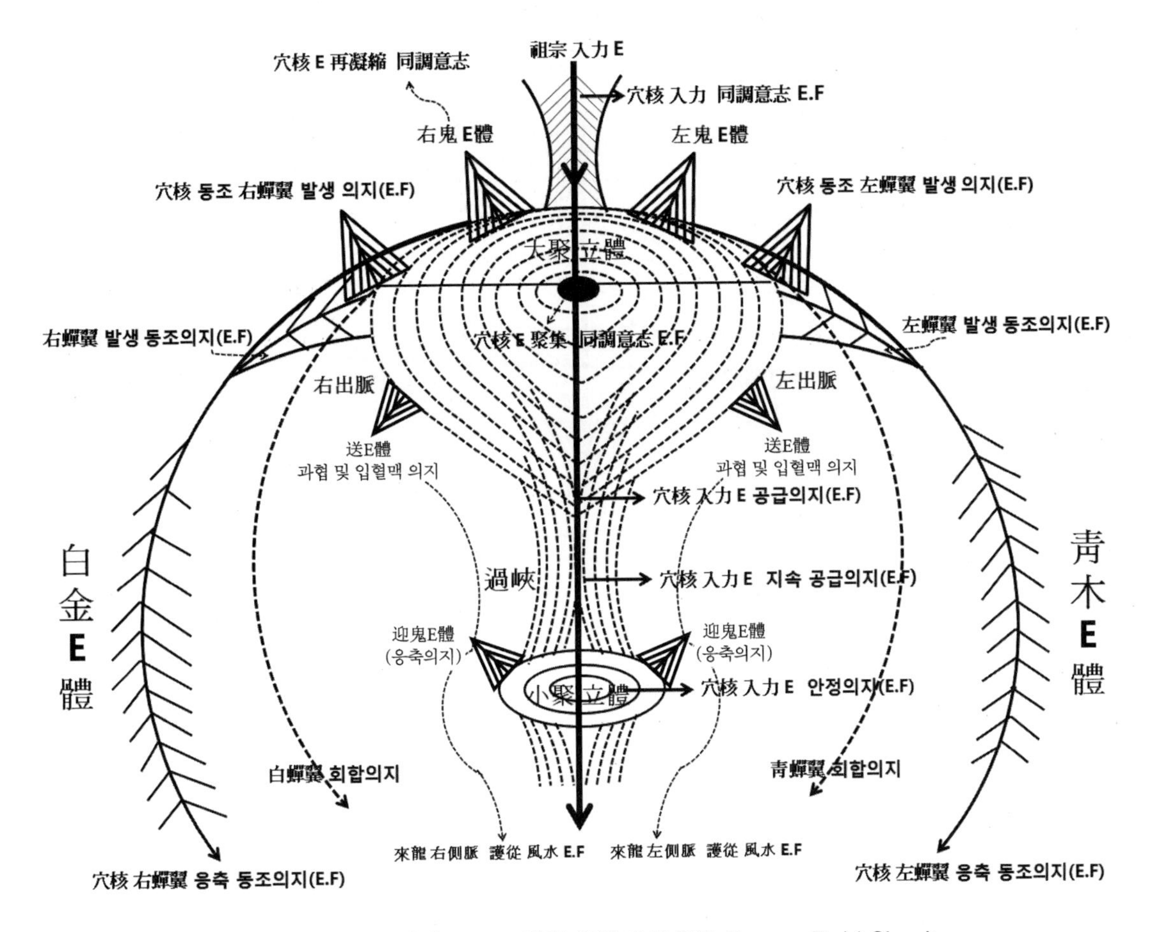

〈그림 1〉 祖宗山 입체 Energy體의 혈핵 형성 동조 Energy Field Circuit

3) 祖宗山 입체 Energy體의 혈핵 형성 非同調 Energy Field Circuit(⊖Circuit)

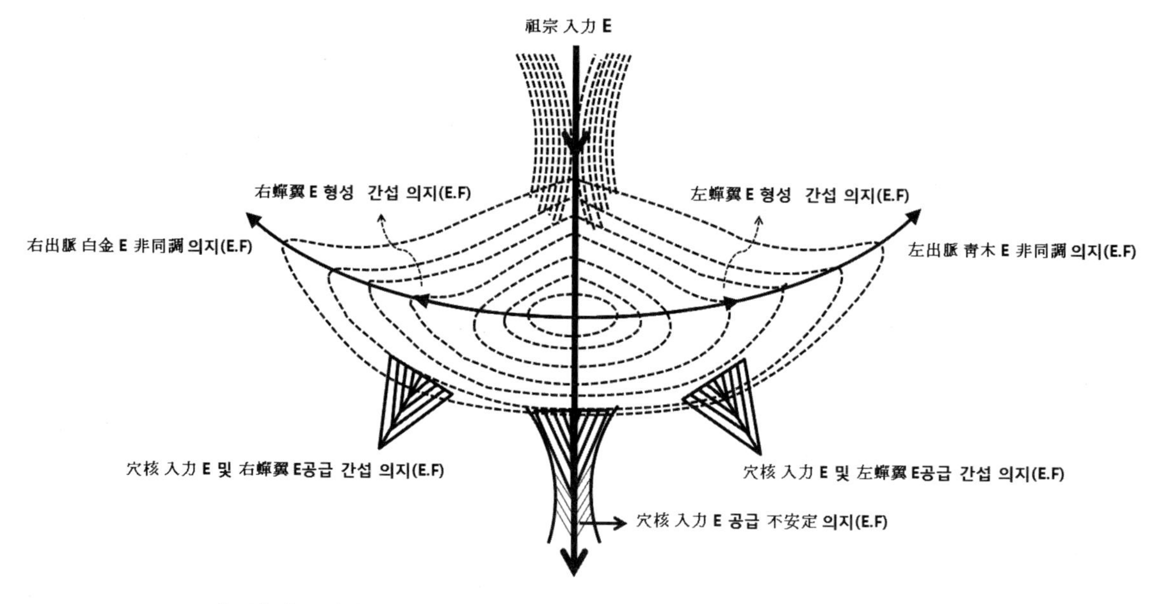

〈그림 2〉 祖宗山 입체 Energy體의 혈핵 형성 비동조 Energy Field Circuit

2. 래룡맥 Energy體의 혈핵 형성 동조 의지와 Energy Field Circuit

1) 래룡맥 Energy體의 혈핵 형성 동조 의지

祖宗山 입체 구조 Energy體가 지닌 穴核 형성 동조 의지는 래룡맥 Energy體 구조에도 그 특성 의지가 그대로 상속되어 래룡맥의 變易 구조 특성별 각기 다른 형태의 혈핵 형성 동조 의지 및 그 Energy Field Circuit가 형성 발달하게 된다. 이러한 래룡맥의 Energy Field는 반드시

① 聚氣 Energy 집합 안정 동조 특성
② 穿心 入穴 Energy 직진 안정 동조 특성
③ 左旋 응축 Energy 纒護 育成 응축 안정 동조 특성
④ 右旋 응축 Energy 균형 안정 동조 특성
⑤ 혈핵 Energy 永久 안정 동조 특성의 안정 성혈 동조 의지를 지니게 된다.

(1) 正變易 래룡맥 Energy體의 혈핵 형성 동조 의지

正變易 래룡맥의 혈핵 형성 동조 의지는 무엇보다 穿心 來脈 Energy體에 그 주된 특성 의지 Energy 및 그 Energy Field를 적극적으로 공급하게 됨으로써 穿心 래룡맥 Energy體에 모든 成穴 기능과 穴核成果 種性을 확립시킴은 물론 주변 四神砂의 회합 동조 의지를 유도 재고케 하여 穴核成果를 보다 효율적이고 향상된 Energy 품격으로 승화시켜간다.

Energy Field의 질서 구조가 직진 강건성이고 균등 포용적으로서 入穴脈에 核 Energy를 공급하려는 성혈 동조 의지가 매우 높고 강하게 나타나 래룡맥 형태 중 가장 능률적인 Energy Field Circuit라고 할 수 있다.

(2) 縱變易 래룡맥 Energy體의 혈핵 형성 동조 의지

縱變易 래룡맥의 혈핵 형성 동조 의지는 正變易 來脈 Energy 및 그 Energy Field를 공급할 수 있는 山 Energy 용량과 역량을 유지 보전 강화시키지 못한 Energy體인 경우로서 그 中出 穿心 來脈 成穴 의지를 발달시키지 못하고 橈棹 및 分擘性 橈棹 反 Energy에 의한 左旋 또는 右旋의 래룡맥 Energy를 발달시킬 수밖에 없는 底 능률 Energy Field를 지니게 된다.

이러한 Energy體는 전적으로 左右의 사신사 Energy體가 안정적 Energy Field를 확보할 때까지 左右上下로 縱變易을 지속하면서 左右旋의 안정된 래룡맥 Energy Field를 발달시킬 때까지 계속 진행하게 된다.

궁극적으로 祖宗山 Energy Field와 그로부터 發出된 래룡맥 Energy Field가 최적의 사신사 안정 Energy Field를 만나게 되면 비로소 좌측 또는 우측의 안정 Position 位相을 찾아 穴核 Energy를 동조케 되는데 이때의 중요 특성 발현으로는 聚集 특성, 穿心 특성, 左旋 응축 특성, 右旋 균형 안정 특성, 혈핵 안정 동조 특성 등의 기본적 成穴 동조 의지 중 특히 左右旋 응축 균형 안정 특성과 혈핵 안정 동조 특성을 보다 집중적으로 발로케 된다.

따라서 左旋 縱變易 래룡맥 Energy體 및 그 Energy Field는 左旋 縱變易 혈핵 Energy 및 그 Energy Field를 형성하는 동조 결과를 가져오게 되고 右旋 縱變易 래룡맥 Energy體 및 그 Energy Field는 右旋 縱變易 혈핵 Energy 및

그 Energy Field를 형성하는 동조 결과를 가져오게 된다.

(3) 橫變易 래룡맥 Energy體의 혈핵 형성 동조 의지

橫變易 래룡맥의 穴核 형성 동조 의지는 祖山 래룡맥의 직진 Energy 진행 특성 구조가 상대 안정 Energy의 太過 不及的 장애 요인을 만나게 됨에 따라 진행 래룡맥은 직진 穿心 의지를 일시 중단하고 橫變易 진행의 새로운 안정 질서 체계를 구조화한다. 이 橫變易 래룡맥 Energy 및 그 Energy Field는 진행 과정의 縱的 구조 Energy Field를 지속적으로 유지하지 못한 채 新 질서인 橫的 구조 Energy體 및 그 Energy Field의 특성 형태와 조직 체계를 재정립하게 됨으로써 래룡맥 본래의 생명 Energy 보전과 생명 재창조적 成穴 의지의 지속성을 유지하게 된다. 이러한 경우, 일시 안정 과정에서의 分擘, 纏護 聚氣 集合의 안정적 Energy Field를 조직적 成穴 질서 체계로 구조화하게 되는데 이때 本身 橫變易 來脈 입체 Energy體는 주변의 원형 응축 Energy Field를 필연적으로 만나게 되고 이러한 Field현상은 橫變易 成穴 질서인 橫凝縮 혈핵 Energy 및 그 Energy Field를 발달시켜 결국 혈핵 Energy體 동조 Energy Field를 형성시키게 된다.

(4) 垂變易 래룡맥 혈핵 형성 동조 의지

垂變易 래룡맥의 혈핵 형성 동조 의지는 祖山 래룡맥의 진행 구조체가 융기 응축 진행의 질서 체계를 弱化시킨 채 주변산 Energy體로부터 刑沖破害의 간섭적 Energy Field 영향을 받았거나 分擘의 穿心 中出 의지를 다소 상실한 左右出 來脈상태에서, 靑白 전호 육성 응축 의지가 약화 축소 변질된 채 형성되는 Energy體 및 그 Energy Field의 의지이다.

즉, 래룡맥 본체의 Energy 및 그 Energy Field가 허약해지면 자연히 독자적 中出 穿心 成穴 의지를 실현시킬 수 없고 다만, 靑白 Energy體나 傍脈 Energy體 형성 의지로 돌아서기 쉬운데, 이때에 주변 山 Energy體의 일시적 원형 Energy Field를 만나면 그 안정 局 Energy Field에 의해 다소 불완전한 원형 성혈 응축 Energy 및 그 Energy Field를 공급하려는 의지가 발로되게 된다.

(5) 隱變易 래룡맥 혈핵 형성 동조 의지

隱變易 래룡맥의 혈핵 형성 동조 의지는 祖山 래룡맥의 순환 진행 Energy 이동 질서 체계가 天體 Energy Field의 동조 틀 속에서 형성되지 못하고 지표면 속에서 잠재적 成穴의지를 축적하면서 진행되는 Energy 및 그 Energy Field 의지이다. 이는, 다만 지상으로 그 특성이 표출되지는 않았을지라도 그 Energy 크기나 질량은 다소간의 허약적 구조일 뿐 그 혈핵 성혈 의지를 상실한 상태는 아니다.

따라서 주변산 Energy體의 원형 Energy 및 그 Energy Field를 만나게 되면 언제라도 그 成穴 의지를 발로하게 되고, 窩鉗乳突의 四象的 Energy體를 충분히 조직화할 수 있는 成穴 Energy구조 특성의 절서 체계가 된다.

2) 래룡맥 Energy體의 혈핵 형성 동조 Energy Field Circuit Diagram

(1) 正變易 래룡맥 Energy體의 혈핵 형성 동조 Energy Field Diagram

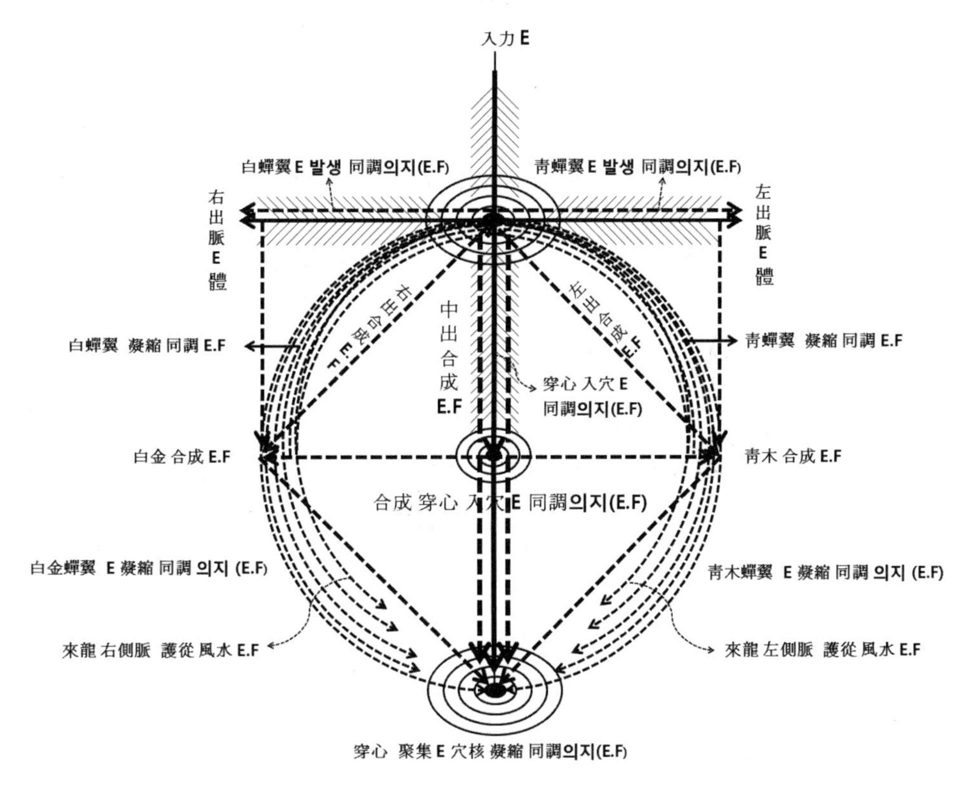

〈그림 3〉 正變易 래룡맥 Energy體의 혈핵 형성 동조 Energy Field Diagram

(2) 縱變易 래룡맥 Energy體의 혈핵 형성 동조 Energy Field Diagram

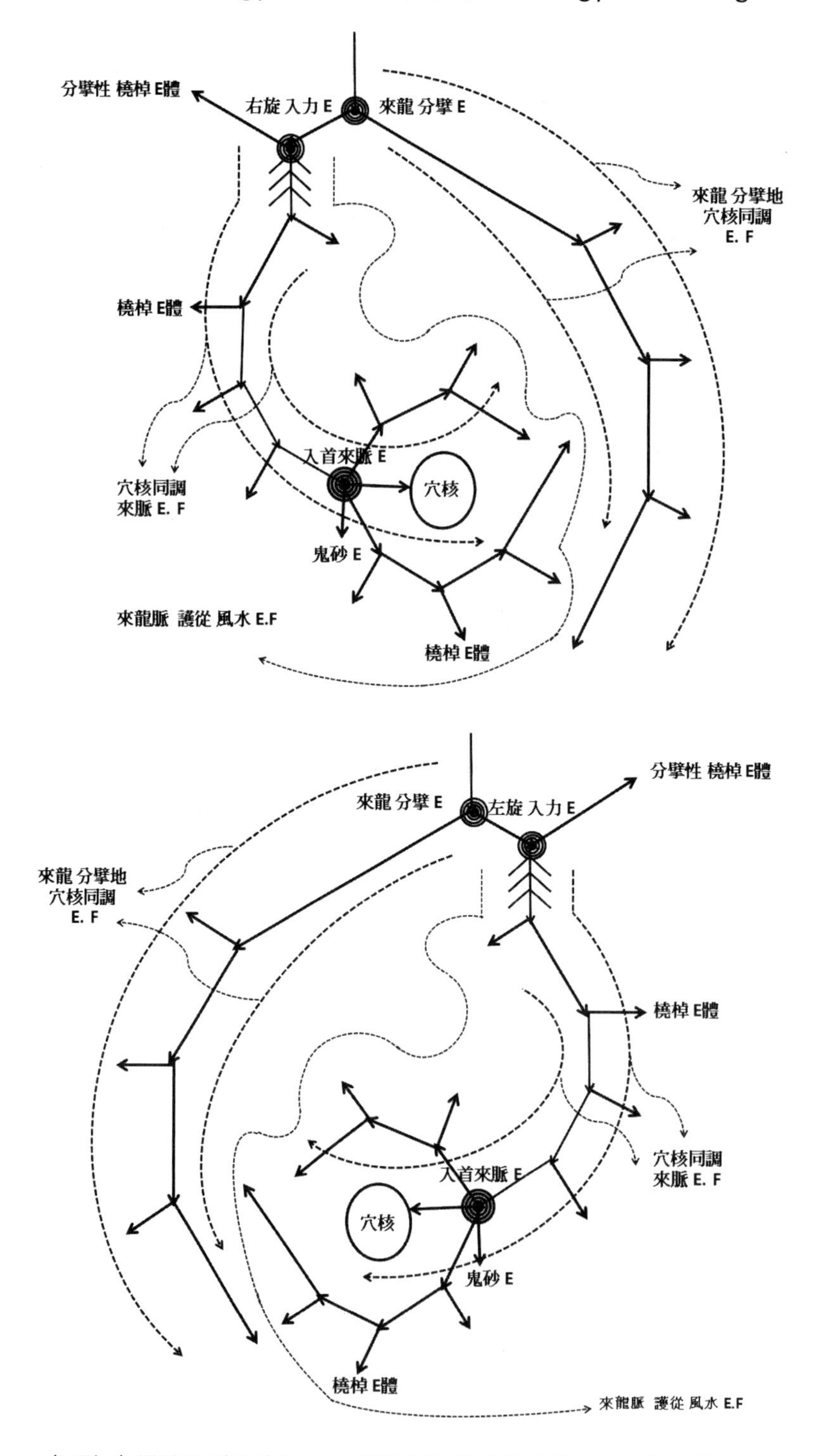

〈그림 4〉 縱變易 래룡맥 Energy體의 혈핵 형성 동조 Energy Field Diagram

(3) 橫變易 래룡맥 Energy體의 혈핵 형성 동조 Energy Field Diagram

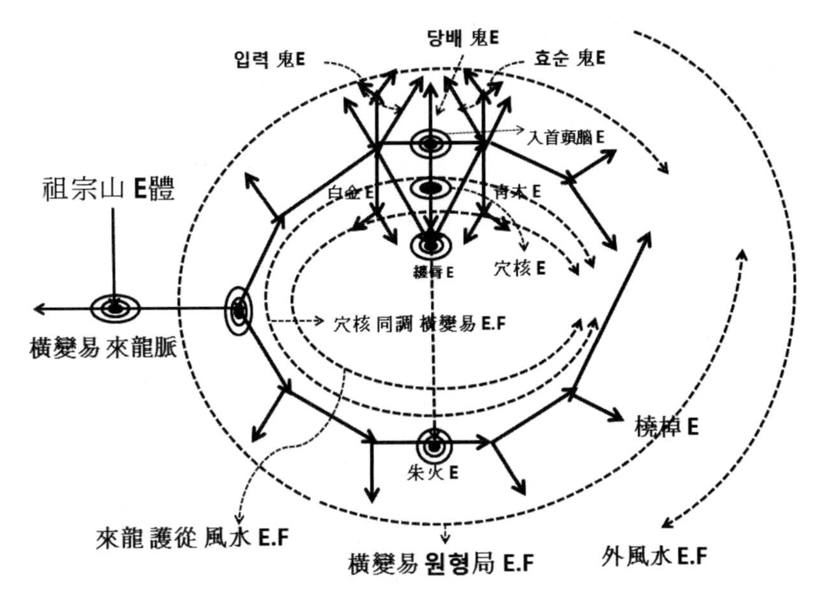

〈그림 5〉 橫變易 래룡맥 Energy體의 혈핵 형성 동조 Energy Field Diagram

(4) 垂變易 래룡맥 Energy體의 혈핵 형성 동조 Energy Field Diagram

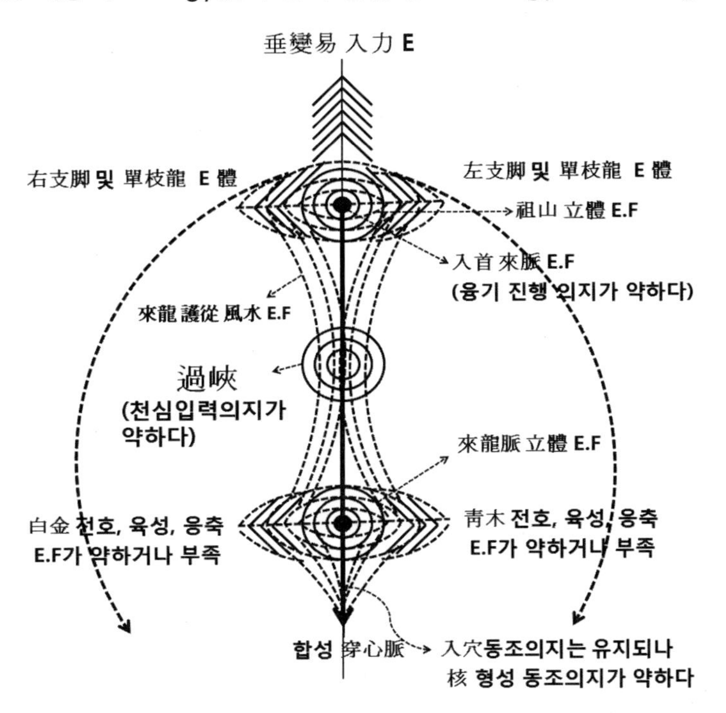

〈그림 6〉 垂變易 래룡맥 Energy體의 혈핵 형성 동조 Energy Field Diagram

(5) 隱變易 래룡맥 Energy體의 혈핵 형성 동조 Energy Field Diagram

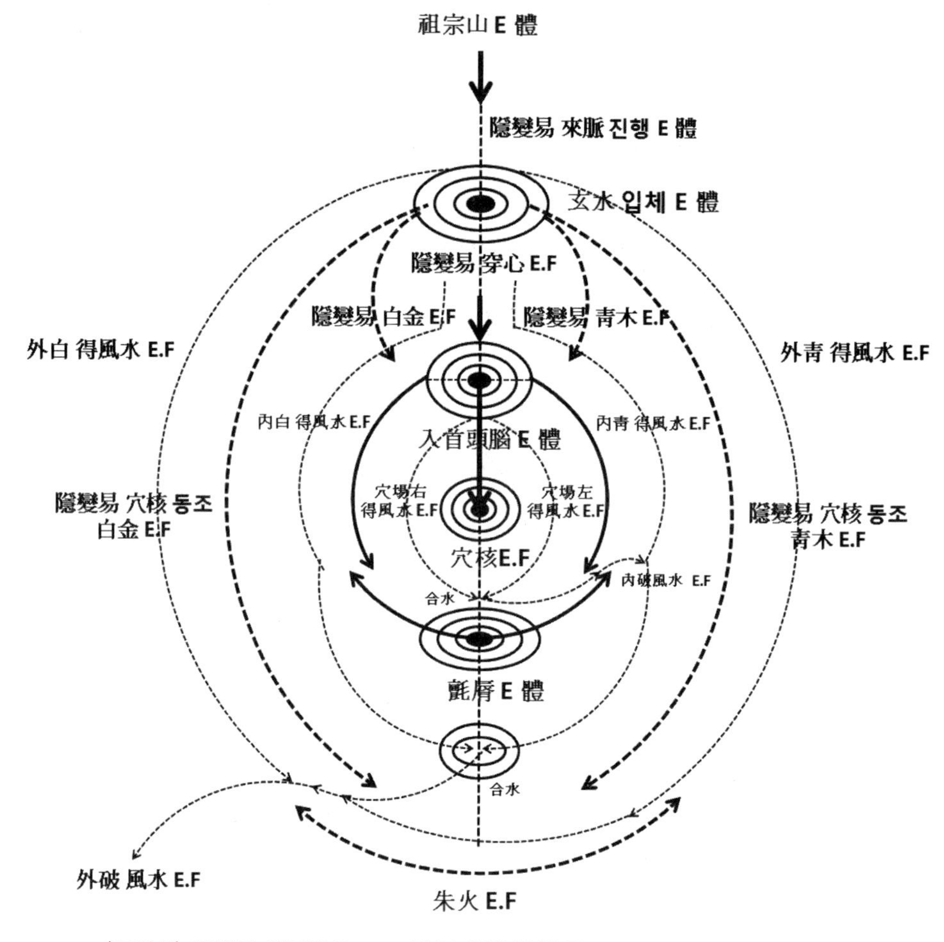

〈그림 7〉 隱變易 래룡맥 Energy體의 혈핵 형성 동조 Energy Field Diagram

3. 四神砂 Energy體의 穴核 형성 동조 의지와 그 Energy Field Circuit

1) 사신사 Energy體의 혈핵 형성 동조 의지

(1) 玄水 Energy體의 혈핵 형성 동조 의지

① 入力 Energy 聚氣 집합 의지

② 入首 來脈 Energy 直進 穿心 의지

③ 朱火 配位 Energy 발생 의지

④ 青木 Energy 발생 의지
⑤ 白金 Energy 발생 의지
⑥ 穴核 Energy 안정 의지
⑦ 玄水- 朱火 Energy Field 균형 안정 성취 의지

(2) 朱火 Energy體의 혈핵 형성 동조 의지

① 先到 Energy, 入力 聚氣 集合 안정 의지
② 聚氣 集合 Energy, 左右 開場 環抱 의지
③ 聚氣 集合 環抱 Energy Field, 青白 회합 응축 의지
④ 聚氣 集合 環抱 Energy Field, 穴場 蟬翼 응축 의지
⑤ 聚氣 集合 環抱 Energy Field, 穴場 氈脣 응축 의지
⑥ 聚氣 集合 중심 Energy Field, 穴核 안정 응축 의지
⑦ 朱火 - 玄水 Energy Field, 균형 안정 성취 의지

(3) 青白 Energy體의 혈핵 형성 동조 의지

① 玄水 Energy 안정 상속 出脈 侍立 의지
② 穴場 Energy Field 纏護 육성 응축 의지
③ 青白 相互 Energy Field 균형 안정 동조 의지
④ 朱火 Energy Field 안정 수급 동조 의지
⑤ 青白 餘氣 纏脣 Energy 穴場 응축 동조 의지
⑥ 穴場 蟬翼 Energy 응축 동조 안정 의지
⑦ 穴核 中心 Energy 집합 안정 동조 의지

2) 四神砂 Energy體의 혈핵 형성 동조 Energy Field Circuit Diagram

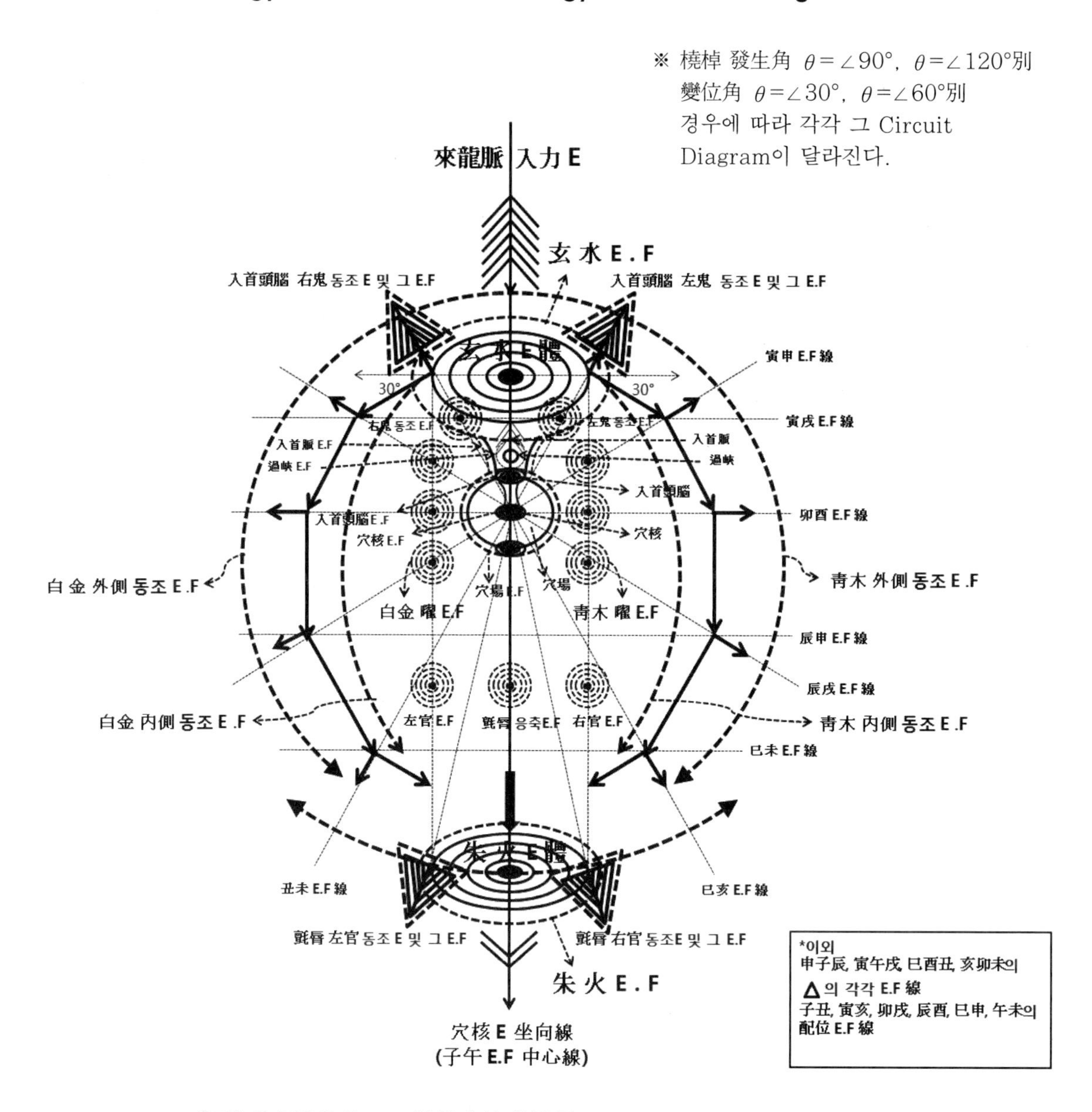

〈그림 8〉 四神砂 Energy體의 穴核 형성 동조 Energy Field Circuit Diagram

4. 혈장 Energy體의 혈핵 형성 동조 의지와 그 Energy Field Circuit

1) 혈장 Energy體의 혈핵 형성 동조의지

(1) 入首頭腦 Energy體의 入力 Energy 聚氣 집합 응축 안정 동조의지
(2) 入穴脈 Energy體의 穴核 Energy 유지 공급 안정 동조의지
(3) 左蟬翼 Energy體의 左旋 核 생명 Energy 응축 안정 동조의지
(4) 右蟬翼 Energy體의 右旋 核 균등 Energy 응축 안정 동조의지
(5) 氈脣 Energy體의 朱火 안정 Energy Field 穴核 공급 동조의지
(6) 丑 左鬼 Energy體의 靑木 Energy 공급 안정 동조의지
(7) 亥 右鬼 Energy體의 白金 Energy 공급 안정 동조의지
(8) 戌寅 曜 Energy體의 穴核 兩肩 재응축 동조의지
(9) 卯酉 曜 Energy體의 穴核 中心 재응축 동조의지
(10) 申辰 曜 Energy體의 穴核 兩腕 재응축 동조의지
(11) 未巳 官 Energy體의 穴核 兩顎 재응축 동조의지
(12) 子午 正中 官 Energy體의 혈핵 位相 재안정 동조의지

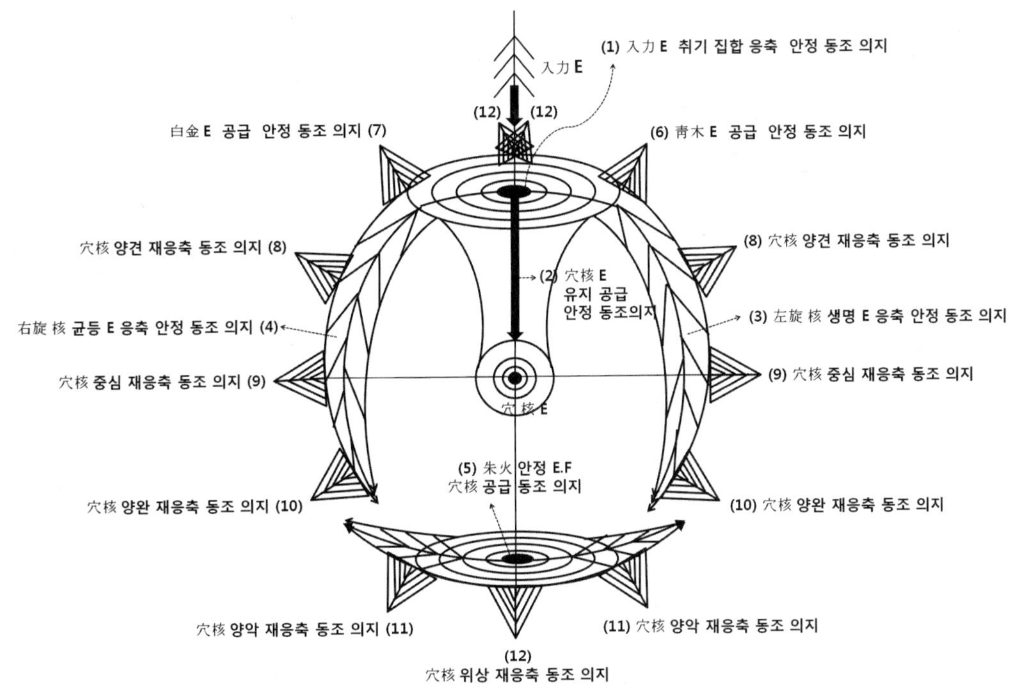

〈그림 9〉 穴場 Energy體의 혈핵 형성 동조의지도

2) 혈장 Energy體의 혈핵 형성 Energy Field Circuit Diagram

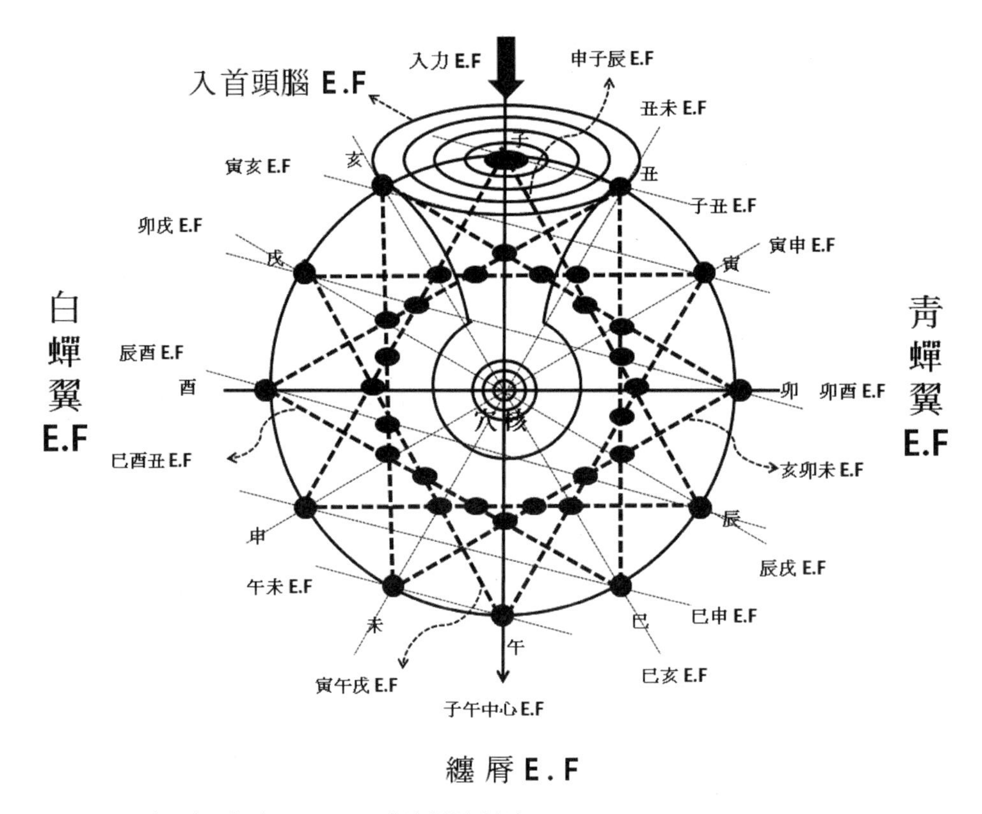

〈그림 10〉 穴場 Energy體의 혈핵 형성 Energy Field Circuit Diagram

5. 풍수 Energy體의 혈핵 형성 동조 의지와 그 Energy Field Circuit

1) 풍수 Energy體의 穴核 형성 동조의지

(1) 祖宗山 來龍脈 Energy體를 護從하는 風水 Energy體는 一切의 刑沖破害殺을 발생시키지 않는다.

(2) 穿心 래룡맥을 護從하는 풍수 Energy體는 결코 용맥을 뚫거나 뛰어넘지 않는다.

(3) 纏護 枝龍脈을 護從하는 풍수 Energy體는 반드시 終端에서 회합 의지를 발현한다.

(4) 모든 祖宗 主勢 및 보호사 용맥 護從 풍수는 穴前에서 반드시 취합 융취

한다.

(5) 사신사를 護從하는 풍수 Energy體는 그 고유의 보호 육성 응축 의무를 다한다.

(6) 풍수의 득파는 龍穴砂 전반에서 中道 안정 원리에 합당하며 刑沖破害나 태과 불급의 발생이 없다.

(7) 모든 山 Energy體의 風水的 동조의지는 혈핵 혈장 풍수의 태과 불급을 中道케 하는 근본적 질서 체계를 지니고 있다.

(8) 위와 같은 諸 동조의지 질서 체계는

① 護從 纏護 角 질서 → 穴核 중심 360°의 원형 선상으로부터 $\theta=\angle 30°$ 초과 ⊕衝 또는 ⊖沖이 발생치 않는 질서(沖(衝)殺 방지 護從砂가 有할 시 護從砂 기준)

② 穴前 조래수 및 환포수는 반드시 穴前에서 융취한다.

③ 穴前破水는 반드시 穴前 중심선으로부터 $\theta=\angle 30°$를 초과해서 지나가되 拒水砂를 동반해야 한다.

④ 去水의 진행이 穴前에 비치지 않는다.

2) 풍수 Energy體의 혈핵 형성 동조 Energy 및 그 Energy Field Circuit Diagram

풍수 Energy體의 혈핵 형성 동조 Energy 및 그 Energy Field Circuit Diagram은 각종 혈핵 형성 Energy Field Circuit Diagram 내에 그려진 풍수 Energy Field Circuit를 확인 참조한다.

- 〈그림 1〉 祖宗山 立體 Energy體의 혈핵 형성 동조 Energy Field Circuit 참조
- 〈그림 3〉 正變易 來龍脈 Energy體의 혈핵 형성 동조 Energy Field Diagram 참조
- 〈그림 4〉 縱變易 來龍脈 Energy體의 혈핵 형성 동조 Energy Field Diagram 참조
- 〈그림 5〉 橫變易 來龍脈 Energy體의 혈핵 형성 동조 Energy Field Diagram 참조

- 〈그림 6〉 垂變易 來龍脈 Energy體의 혈핵 형성 동조 Energy Field Diagram 참조
- 〈그림 7〉 隱變易 來龍脈 Energy體의 혈핵 형성 동조 Energy Field Diagram 참조

6. 혈핵 형성 동조 Circuit 특성 질서 및 혈핵 Energy Field Circuit 특성 Diagram

1) 祖宗山 래룡맥 Energy Field의 혈핵 형성 동조 Energy Field Circuit 특성

祖宗山 래룡맥의 Energy 및 그 Energy Field가 本體 고유의 Energy 본성을 유지 보전 관리하면서 발생하는 혈핵 형성 동조적 Energy Field Circuit는 다음과 같은 몇 가지의 기본적 질서 구조 특성을 지니고 있음을 발견할 수 있다.

(1) 生氣 生起的 생명 Energy 및 그 Energy Field Circuit의 聚氣, 集合, 凝縮 同調 특성 질서

① 래룡맥 聚氣 질서의 생기 Energy 立體化 특성 과정과 穴場 入首頭腦 입체 Energy 형성의 동조적 특성 원리는 상호 동일하다.

② 래룡맥 집합 질서 生氣 Energy Field Circuit의 Capacity(容量) 확보 의지와 穴場 Energy體의 생명 核 Energy 확보 의지인 혈장 회합 의지 특성 원리는 상호 동일한 상속 의지의 작용이다.

③ 래룡맥 응축 질서 生氣 Energy Field Circuit 재창조 의지 특성과 혈장 Energy體의 入首頭腦, 穴核, 氈脣, 兩蟬翼 등의 재응축 鬼官曜 작용 특성 원리는 상호 동일한 상속 의지 작용이다.

(2) 生氣 生起的 생명 Energy 및 그 Energy Field Circuit의 變易 진행 회향 의지 특성 질서

① 래룡맥 변역 Energy 및 그 Energy Field의 질서 형성 과정과 그 Circuit 작용특성 의지는 혈장 형성 Energy 및 그 Energy Field의 변역 질서인 상호 동조 상속적인 五變易 질서 원리와 의지 작용 특성을 지니고 있다.

② 래룡맥 진행 Energy 및 그 Energy Field의 질서 형성 과정과 그 Circuit 작용 특성 의지는 혈장 형성 Energy 및 그 Energy Field의 진행 안정 질서인 $\theta = \angle 30° \times n$ 질서 원리와 상호 동조 상속적인 의지 작용 특성을 지니고 있다.

③ 래룡맥 廻向 Energy 및 그 Energy Field의 질서 형성 과정과 그 Circuit 작용 특성 의지는 혈장 형성 Energy 및 그 Energy Field의 지속 廻向 질서인 절대 지속적 순환 안정 원리와 상호 동조 상속적인 의지 작용 특성을 지니고 있다.

(3) 生氣 生起的 생명 Energy 및 그 Energy Field Circuit의 균형 授受 核 안정의지 특성 질서

① 래룡맥 균형 Energy 및 그 Energy Field의 질서 형성 과정과 그 Circuit 작용 특성 의지는 혈핵 형성 Energy 및 그 Energy Field의 균형 유지 확대 질서인 지속 평등 안정 원리와 상호 동조 상속적인 의지 작용 특성을 지니고 있다(入首頭腦, 氈脣, 兩蟬翼, 穴核의 상호 평등 균형 의지).

② 래룡맥 授受 Energy 및 그 Energy Field의 질서 형성 과정과 그 Circuit 작용 특성 의지는 穴核 생명 Energy 및 그 Energy Field의 入出 授受 질서인 Energy 재수급 동조 원리와 상호 상속적인 의지 작용 특성을 지니고 있다.

③ 來龍脈 中出 穿心 核 안정 Energy 및 그 Energy Field의 질서 형성 과정과 그 Circuit 작용 특성 의지는 穴核 응축 Energy 재안정 질서인 고요 적멸적 생명 재창조 지향 원리와 상호 상속적 의지 작용 특성을 지니고 있다.

2) 사신사 Energy Field의 혈핵 형성 동조 Energy Field Circuit 특성

(1) 사신사 局 Energy Field 生氣 Energy 및 그 Energy Field Circuit의 聚突的 회합 재축적 특성 질서

① 사신사 局 Energy Field 中 玄水 Energy Field와 朱火 Energy Field의 聚突的 聚氣 특성 구조는 혈장 Energy體 中 入首頭腦와 氈脣, 穴核이

지닌 聚突的 聚氣 Energy 및 그 Energy Field 구조 특성과 상호 동일한 동조 상속적 의지 작용 원리이다.

② 사신사 局 Energy Field 中 靑木 Energy Field와 白金 Energy Field의 균등 회합적 동조 의지는 穴場 Energy體 中 左右 蟬翼 Energy 및 그 Energy Field가 지닌 회합적 집합 의지와 상호 동일한 동조 상속적 의지 작용 원리이다.

③ 사신사 局 Energy Field 中 鬼官曜의 합성적 재축적 Energy Field 동조 의지는 穴場 四果의 재축적 혈핵 Energy 및 그 Energy Field 동조 의지와 상호 동일한 동조 상속적 의지 작용 원리를 지니고 있다.

(2) 사신사 局 Energy Field의 전호 육성 원만 응축적 生氣 Energy 및 그 Energy Field Circuit 특성 질서

① 사신사 局 Energy體 纏護 Energy 및 그 Energy Field의 生氣的 특성 구조 질서는 혈장 Energy 및 그 Energy Field가 지닌 穴核 생명 Energy 纏護 보호 의지와 상호 동일한 동조 상속적 의지 작용 원리를 지니고 있다(四神砂 纏護角 질서는 혈장 構造角과 동일한 조건이거나 $\theta=\angle 30°$ 이내의 變位角에 한하는 질서이다).

② 사신사 局 Energy體 육성 Energy 및 그 Energy Field의 生氣的 특성 구조 질서는 혈장 Energy 및 그 Energy Field가 지닌 穴核 생명 Energy 육성 발달 의지와 상호 동일한 동조 상속적 의지 작용 원리를 지니고 있다(四神砂 育成角 질서는 혈장 構造角과 $\theta=\angle 30°$ 이내의 凝縮角을 허용하는 질서이다).

③ 사신사 局 Energy體 Energy 및 그 Energy Field의 生氣的 원만 응축 특성 구조 질서는 혈장 Energy 및 그 Energy Field가 지닌 혈핵 생명 Energy 원만 응축 生起 의지와 상호 동일한 동조 상속적 의지 작용 원리를 지니고 있다(사신사 원만 응축각 질서는 穴核 원만 Energy Field와 동일한 원형 응축각 $\theta=\angle 30°\times n$ 질서를 발달시키는 구조이다).

(3) 사신사 局 Energy Field의 평등 안정 재창조적 생명 Energy 및 그 Energy Field Circuit 특성 질서

① 사신사 局 Energy體 평등 Energy 및 그 Energy Field의 생명 특성 구조 질서는 穴核 Energy 및 그 Energy Field가 지닌 평등적 생명 Energy 유지 보전 의지와 상호 동일한 동조 상속적 의지 작용 원리를 지니고 있다(사신사의 상호 평등적 Energy 분배 원리는 혈장 혈핵의 상호 평등적 분배 Energy 응축 원리와 동조 상속적인 구조이다).

② 사신사 局 Energy體 안정 Energy 및 그 Energy Field의 생명 특성 구조 질서는 혈핵 Energy 및 그 Energy Field가 지닌 지속 안정적 생명 Energy 관리 시스템과 상호 동일한 동조 상속적 의지 작용 원리를 지니고 있다(사신사 局 Energy 및 그 Energy Field Circuit 구조 원리는 生氣 생성적 생명 안정 질서인 응축 동조 Energy Field 구조를 지녔고, 혈장 혈핵 Energy의 생명 안정 질서 역시 核 응축 동조 Energy 및 그 Energy Field 질서 구조를 지니고 있다).

③ 사신사 局 Energy體가 지닌 재창조 Energy 및 그 Energy Field의 생명 生起 특성 구조 질서는 혈핵 응축 동조 생명 Energy 및 그 Energy Field가 지닌 지속적 재창조 순환 의지 질서 체계와 상호 동일한 동조 상속적 의지 작용 원리를 지니고 있다(사신사 局 Energy Field의 생명 재창조 生起 의지는 혈핵 응축 동조장 Energy의 생명 재창조 순환 의지 질서와 상호 동조한다).

3) 풍수 Energy Field의 혈핵 형성 동조 Energy 및 그 Energy Field Circuit 특성 질서

(1) 水 Energy Field의 혈핵 형성 동조 Energy 및 그 Energy Field Circuit 특성 질서

① 래룡맥 護從水 Energy 및 그 Energy Field의 穴核 형성 동조 특성 질서

㉠ 祖宗 래룡맥 護從水 Energy 및 그 Energy Field의 主山 外局 동조 특성 질서 → 穴核 동조 水 Energy Field Circuit 형성

㉡ 祖山 入首脈 護從水 Energy 및 그 Energy Field의 內局 동조 특성 질서 → 穴核 동조 水 Energy Field Circuit 형성

㉢ 靑白 纏護脈 護從水 Energy 및 그 Energy Field의 靑白 元辰 동조 질서 → 穴核 동조 元辰水 Energy Field Circuit 형성

㉣ 朝宗 래룡맥 護從水 Energy 및 그 Energy Field의 朝宗 外局 동조 특성 질서 → 혈핵 동조 朝來水 Energy Field Circuit 형성

㉤ 朱火 案山 護從水 Energy 및 그 Energy Field의 혈장 동조 특성 질서 → 穴核 동조 朱雀水 Energy Field Circuit 형성

㉥ 혈장 外側 陰屈 得水 Energy 및 그 Energy Field의 혈장 동조 특성 질서 → 혈핵 동조 혈장 外得水 Energy Field Circuit 형성

㉦ 혈장 內側 分界 得水 Energy 및 그 Energy Field의 혈장 동조 특성 질서 → 혈핵 동조 界明 得水 Energy Field Circuit 형성

(2) 風 Energy Field의 혈핵 형성 동조 Energy 및 그 Energy Field Circuit 특성 질서

일반적인 得風 Energy 및 그 Energy Field의 穴核 응축 동조 의지 특성은 水 Energy Field가 지닌 穴核 형성 동조 의지 특성과 大同小異한 Energy Field Circuit 특성을 그리나 특수한 기후변화나 폭풍 시의 Energy Field 변화는 역시 장마나 폭우 시의 水 Energy Field 특성 변화와 같이 불규칙함이 특이한 특성이라 할 수 있다.

4) 혈장 혈핵 형성 질서 원리와 그 Energy Field Circuit*
(五變易 秩序別, 鬼官曜 發生 變位別)

※ 鬼, 官, 曜의 발생 특성에 따라 窩, 鉗, 乳, 突의 특성도 달라진다.

※ 左旋穴, 右旋穴일 경우 坐와 向의 선택각은 玄水 E・F와 朱火 E・F의 혈핵 응축 동조각 $\theta = \angle 30°$ 이내에서 선택되어야 한다.

* 그림 확대본 참고 : 風水原理講論, 第2編 風水原理論, 第4章 穴場論, 第11節.

(1) 兩 蟬翼 發生角 $\theta=\angle 30°$ 경우(특수穴場)

① 卯酉 橈棹 變位角 $\theta=\angle 60°$, 靑蟬翼餘氣纏脣

② 卯酉 橈棹 變位角 $\theta=\angle 60°$, 白蟬翼餘氣纏脣

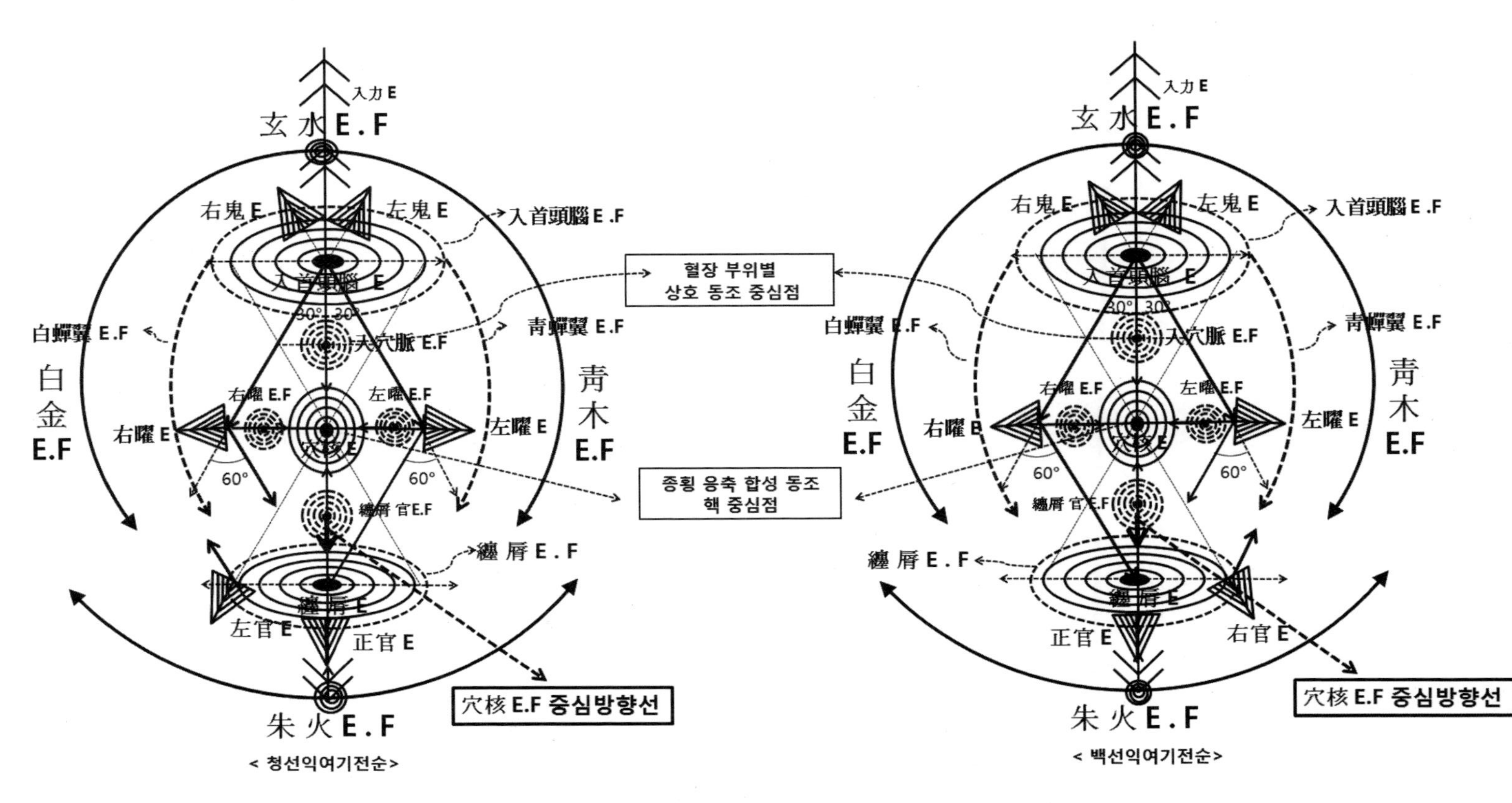

〈垂變易, 縱變易, 隱變易 穴核 E · F Circuit 구조, 鉗穴 구조〉

③ 卯酉 橈棹 變位角 $\theta = \angle 60°$, 青白蟬翼餘氣合脈纒脣

④ 卯酉 橈棹 變位角 $\theta = \angle 60°$, 穴核餘氣氈脣

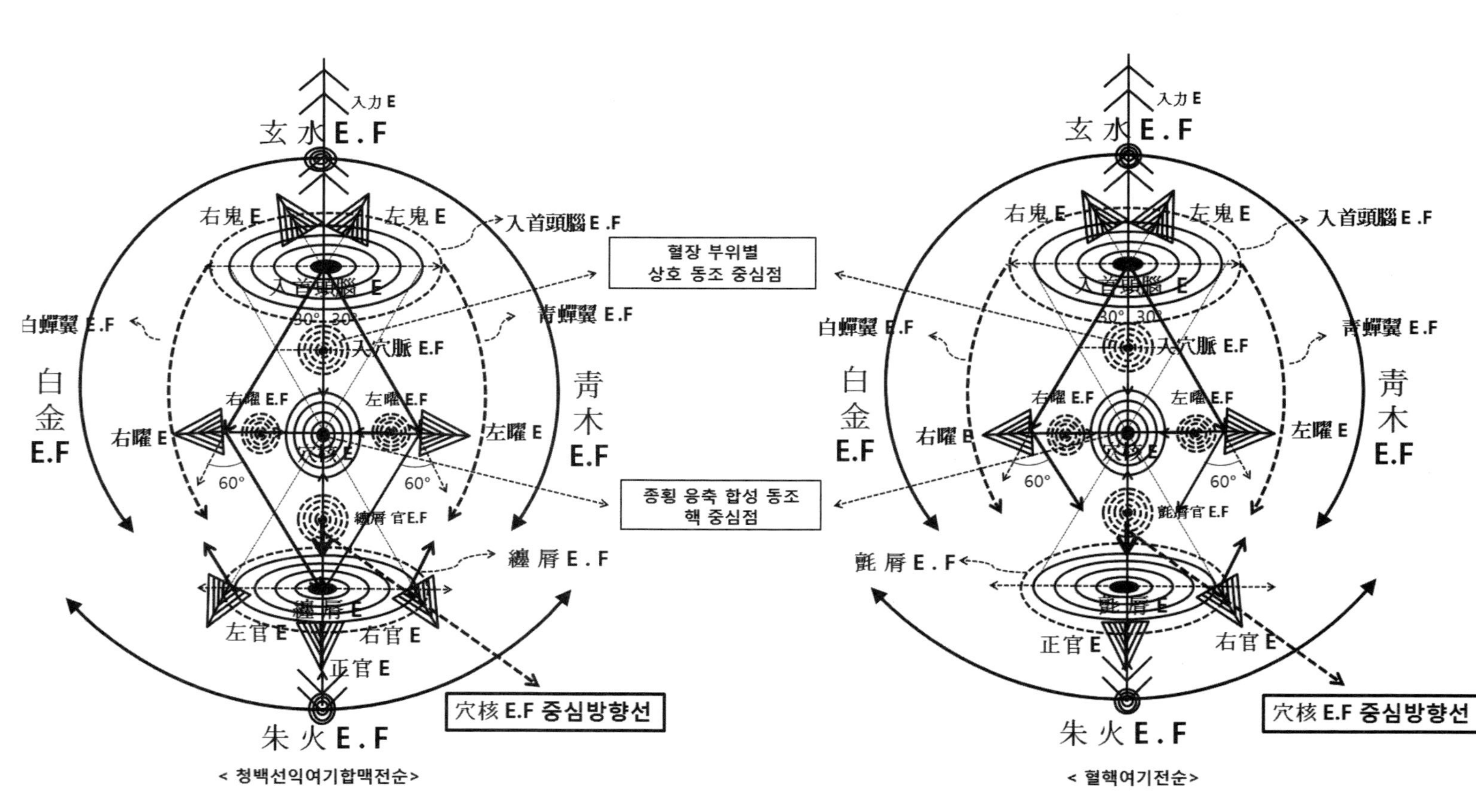

〈垂變易, 縱變易, 隱變易 穴核 E · F Circuit 구조, 鉗穴 구조〉

(2) 兩 蟬翼 發生角 $\theta=\angle 30°$, 二重 변위인 경우(특수穴場)

① 卯酉 橈棹 變位角 $\theta=\angle 60°$, 橈棹 發生角 $\theta=\angle 90°$, $\theta=\angle 120°$, 青蟬翼餘氣纏脣

② 卯酉 橈棹 變位角 $\theta=\angle 60°$, 橈棹 發生角 $\theta=\angle 90$, $\theta=\angle 120°$, 白蟬翼餘氣纏脣

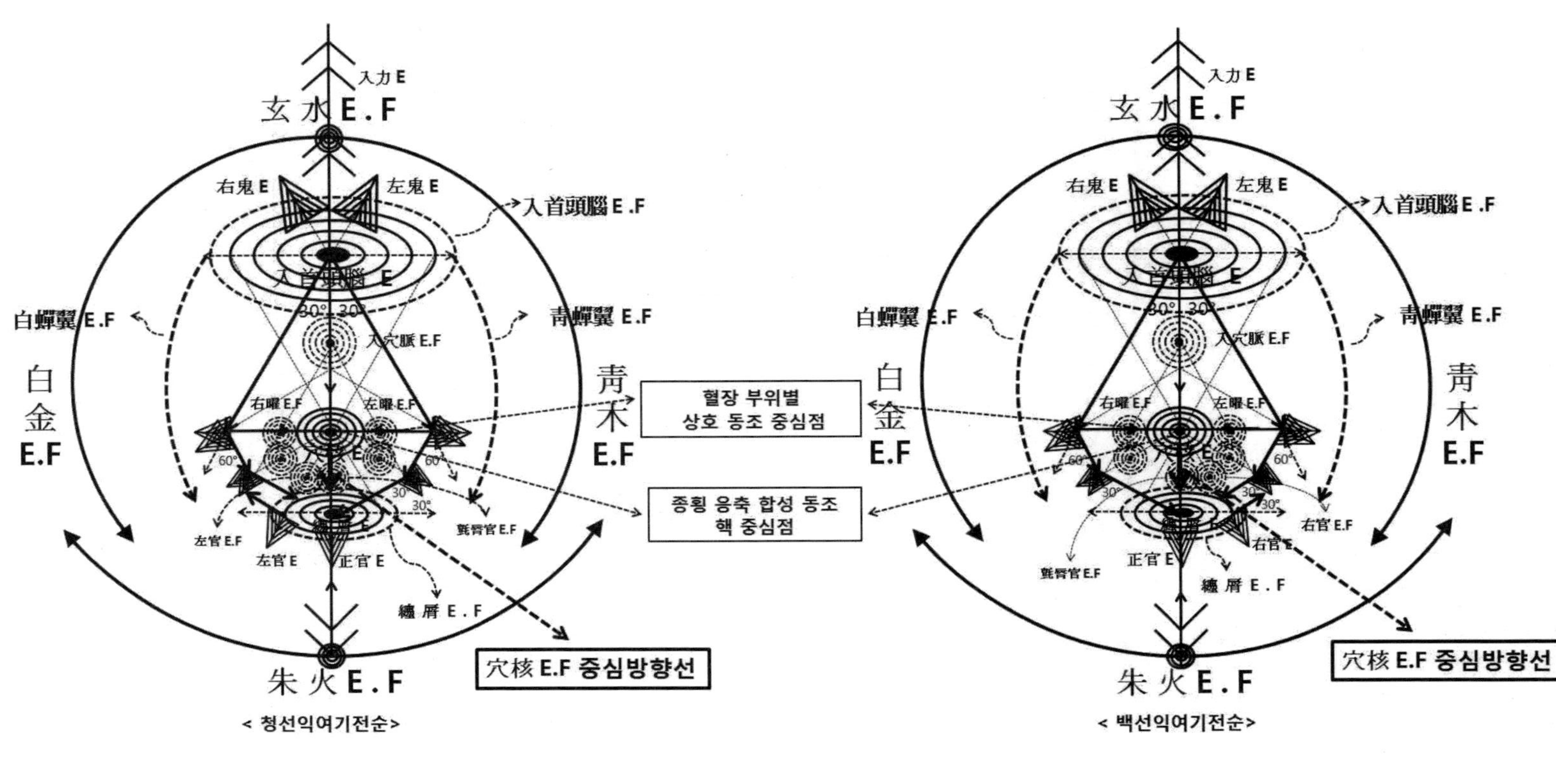

└ 白蟬翼餘氣纏脣 그림은 전순 방향이 右旋임

└ 青蟬翼餘氣纏脣 그림은 전순 방향이 左旋임

〈垂變易, 縱變易, 隱變易 穴核 E · F Circuit 구조, 鉗穴 구조〉

③ 卯酉 橈棹 變位角 $\theta=\angle 60°$, 橈棹 發生角 $\theta=\angle 90°$, $\theta=\angle 120°$, 青白蟬翼餘氣合脈纒脣

④ 卯酉 橈棹 變位角 $\theta=\angle 60$, 橈棹 發生角 $\theta=\angle 90$, $\theta=\angle 120°$, 穴核餘氣氈脣

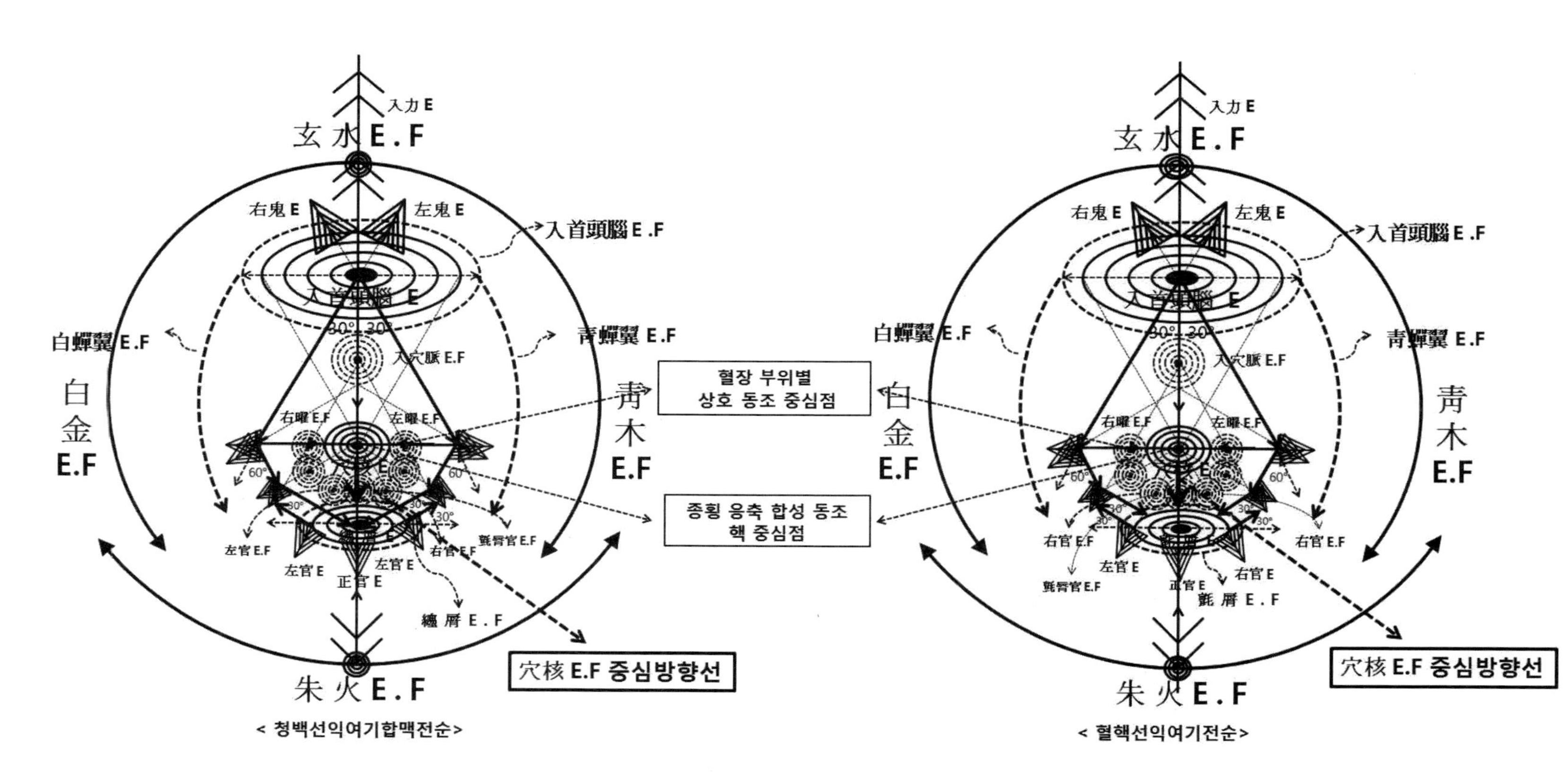

〈垂變易, 縱變易, 隱變易 穴核 E · F Circuit 구조, 鉗穴 구조〉

(3) 兩 蟬翼 發生角 $\theta=\angle 30°$, 卯酉 橈棹 變位角 $\theta=\angle 60°$, 辰申 橈棹 變位角 $\theta=\angle 30°$일 경우

① 입수두뇌 左右端 蟬翼 발생 시 橈棹 發生角 $\theta=\angle 90°$, 青蟬翼餘氣纏脣

② 입수두뇌 左右端 蟬翼 발생 시 橈棹 發生角 $\theta=\angle 120°$, 白蟬翼餘氣纏脣

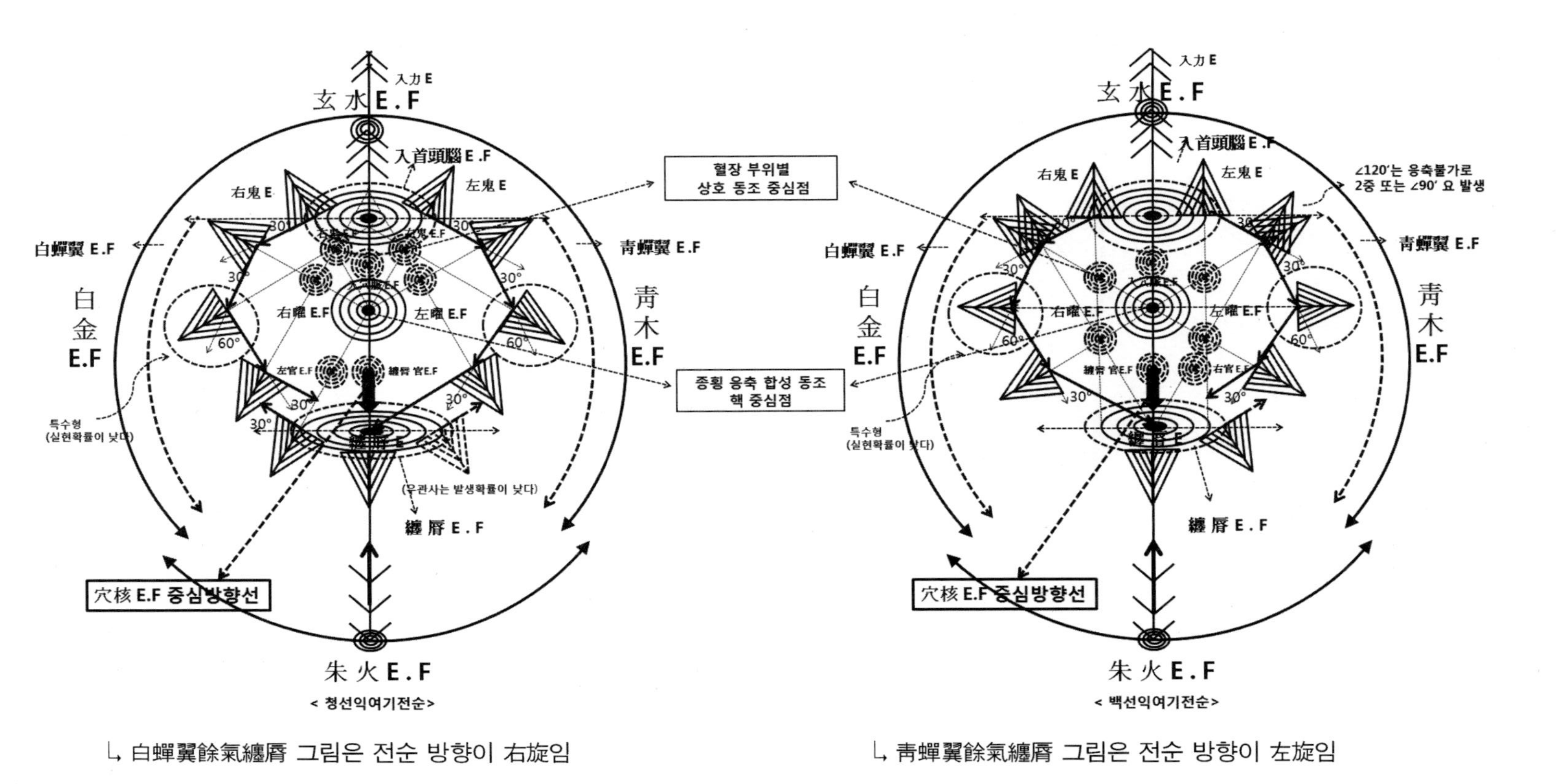

ㄴ 白蟬翼餘氣纏脣 그림은 전순 방향이 右旋임

ㄴ 青蟬翼餘氣纏脣 그림은 전순 방향이 左旋임

〈橫變易 穴核 E · F Circuit 구조, 窩/乳/突穴 구조〉

③ 입수두뇌 左右端 蟬翼 발생 시 卯酉 二重 橈棹, 橈棹 發生角 $\theta=\angle 90°$, $\theta=\angle 120°$, 靑白蟬翼餘, 橫入首 橫穴 形成 가능하나 특수한 확률이다.

④ 입수두뇌 左右端 蟬翼 발생 시 卯酉 二重 橈棹, 橈棹 發生角 $\theta=\angle 90°$, $\theta=\angle 120°$, 穴核餘氣氈脣, 橫入首 橫穴 形成 가능하나 특수한 확률이다.

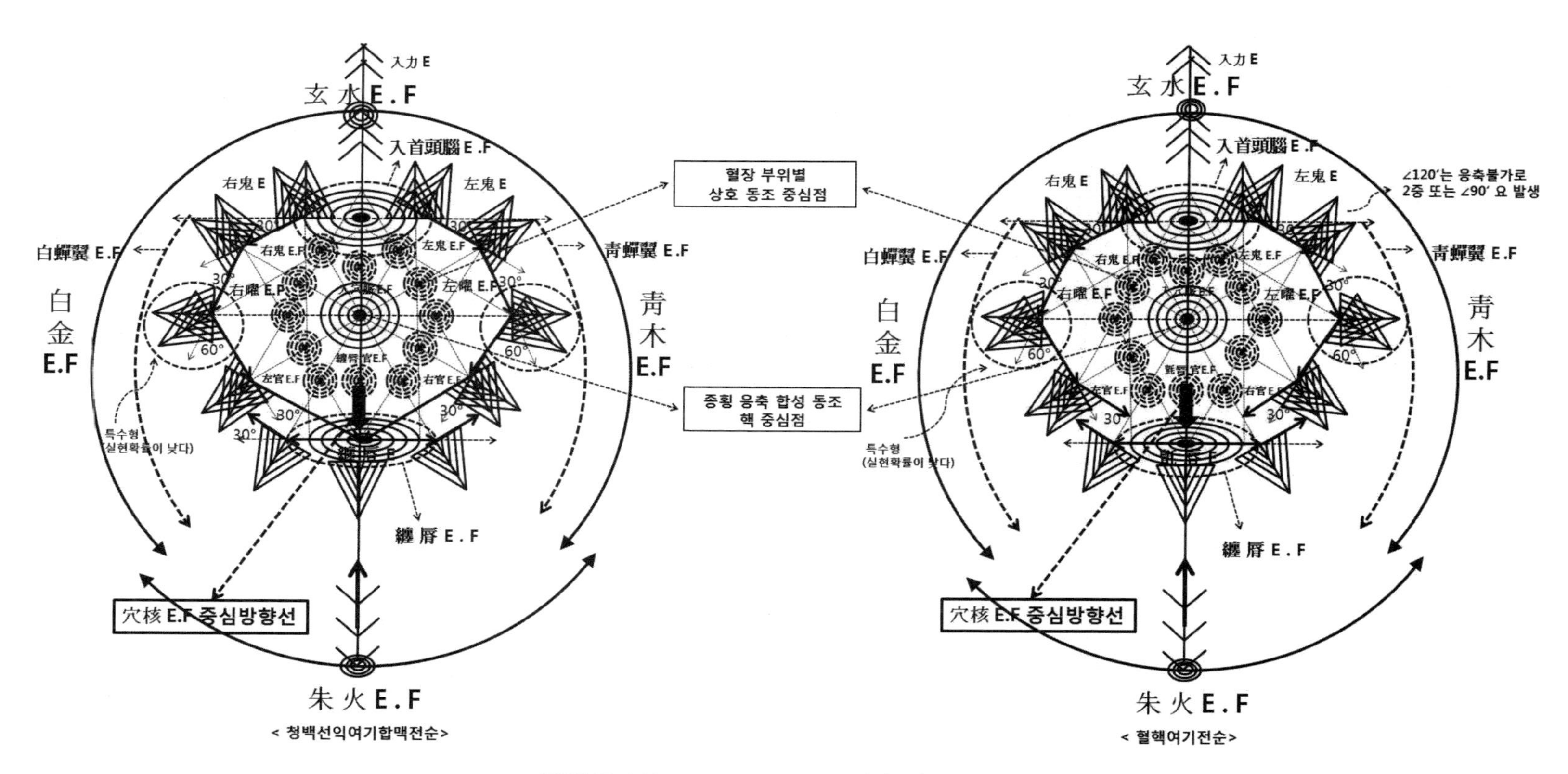

〈橫變易 穴核 E · F Circuit 구조, 窩/乳/突穴 구조〉

⑤ 입수두뇌 중심 $\theta=\angle 60°$ 正分劈 蟬翼 발생 시 卯酉 橈棹 二重 變位角 $\theta=\angle 60°$, 橈棹 發生角 $\theta=\angle 90°$, $\theta=\angle 120°$, 青白蟬翼餘氣合脈纏脣

⑥ 입수두뇌 중심 $\theta=\angle 60°$ 正分劈 蟬翼 발생 시 卯酉 橈棹 二重 變位角 $\theta=\angle 60°$, 橈棹 發生角 $\theta=\angle 90°$, $\theta=\angle 120°$, 穴核餘氣氈脣

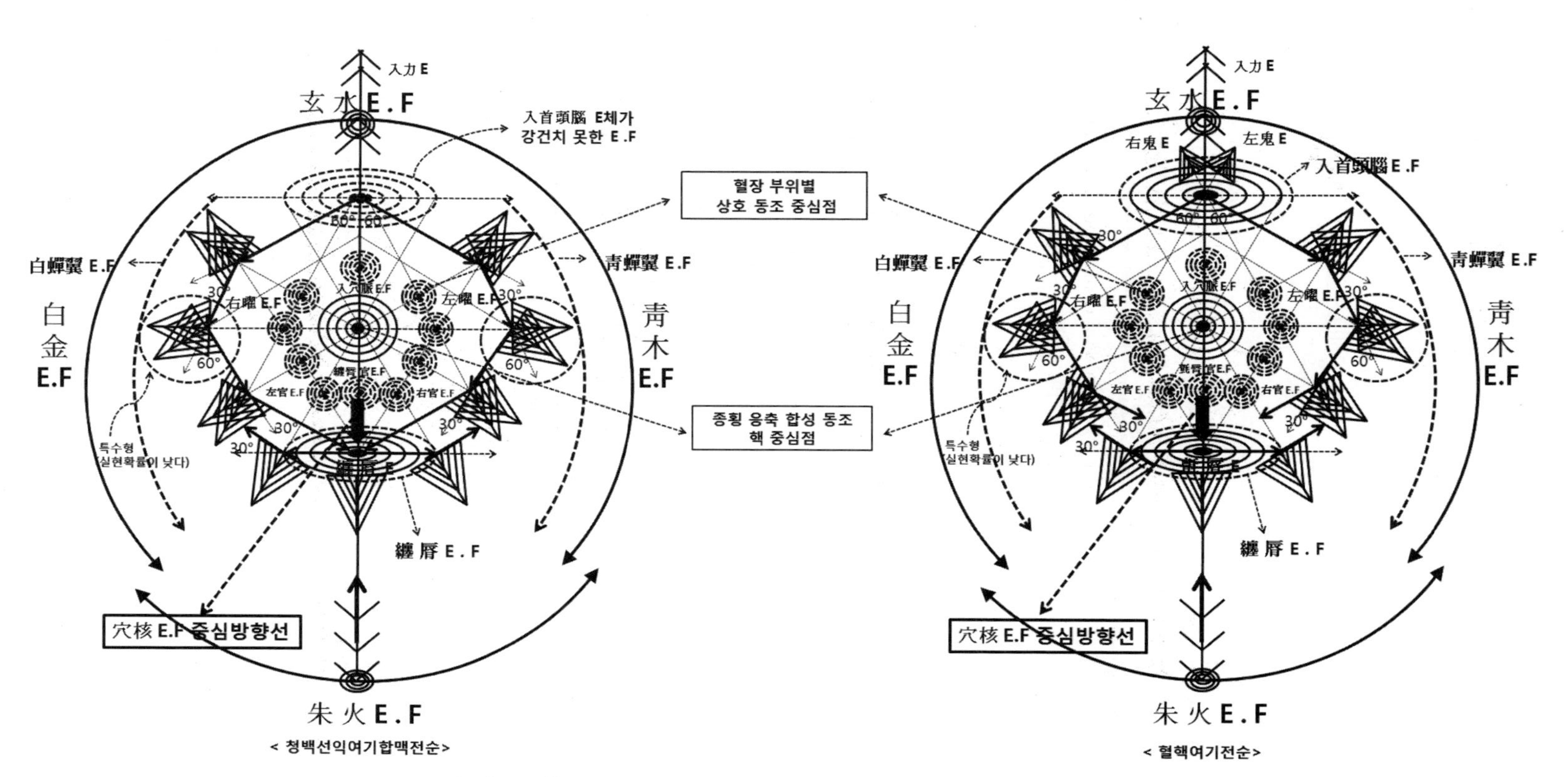

〈正變易, 縱變易, 橫變易 穴核 E · F Circuit 구조, 突/乳/窩穴 구조〉

(4) 兩 蟬翼 發生角 θ=∠30°, 卯酉 橈棹 變位角 θ=∠30°, 辰申 橈棹 變位角 θ=∠60° 경우

① 입수두뇌 左右端 蟬翼 발생 시 橈棹 發生角 θ=∠90°, 下端 응축 변위, 青蟬翼餘氣纏脣

② 입수두뇌 左右端 蟬翼 발생 시 橈棹 發生角 θ=∠120°, 下端 응축 변위, 白蟬翼餘氣纏脣

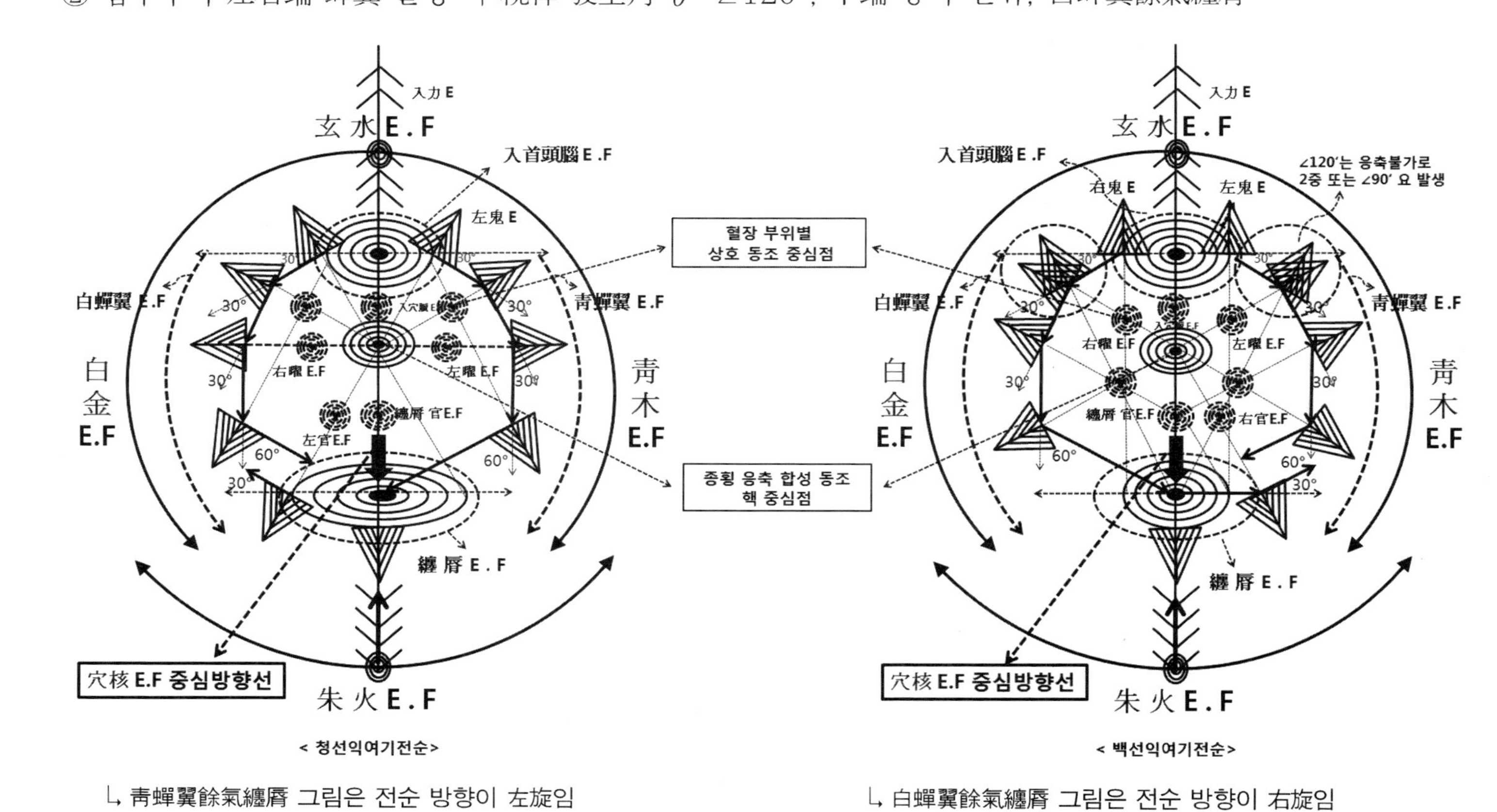

↳ 青蟬翼餘氣纏脣 그림은 전순 방향이 左旋임

↳ 白蟬翼餘氣纏脣 그림은 전순 방향이 右旋임

〈正變易, 縱變易, 橫變易 穴核 E · F Circuit 구조, 突/乳/窩/鉗穴 구조〉

③ 입수두뇌 左右端 蟬翼 발생 시 卯酉 二重 橈棹, 下端 응축 변위, 青白蟬翼餘氣合脈纏脣

④ 입수두뇌 左右端 蟬翼 발생 시 卯酉 二重 橈棹, 下端 응축 변위, 穴核餘氣氈脣

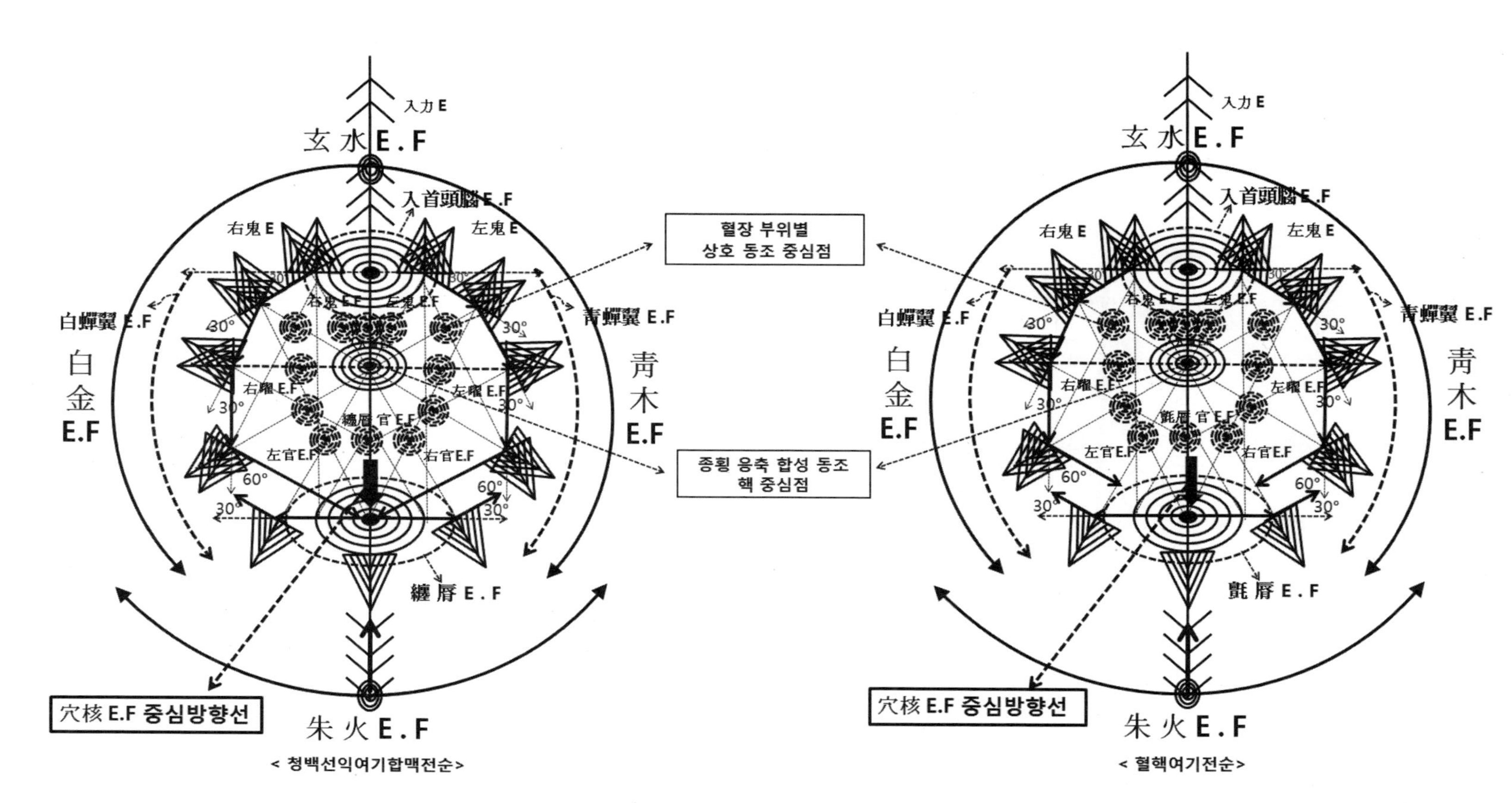

〈正變易, 縱變易, 橫變易 穴核 E · F Circuit 구조, 突/乳/窩/鉗穴 구조〉

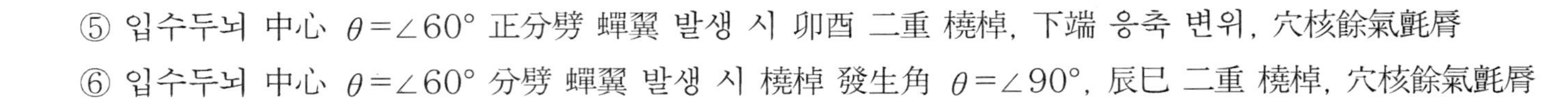

⑤ 입수두뇌 中心 $\theta=\angle 60°$ 正分劈 蟬翼 발생 시 卯酉 二重 橈棹, 下端 응축 변위, 穴核餘氣氈脣

⑥ 입수두뇌 中心 $\theta=\angle 60°$ 分劈 蟬翼 발생 시 橈棹 發生角 $\theta=\angle 90°$, 辰巳 二重 橈棹, 穴核餘氣氈脣

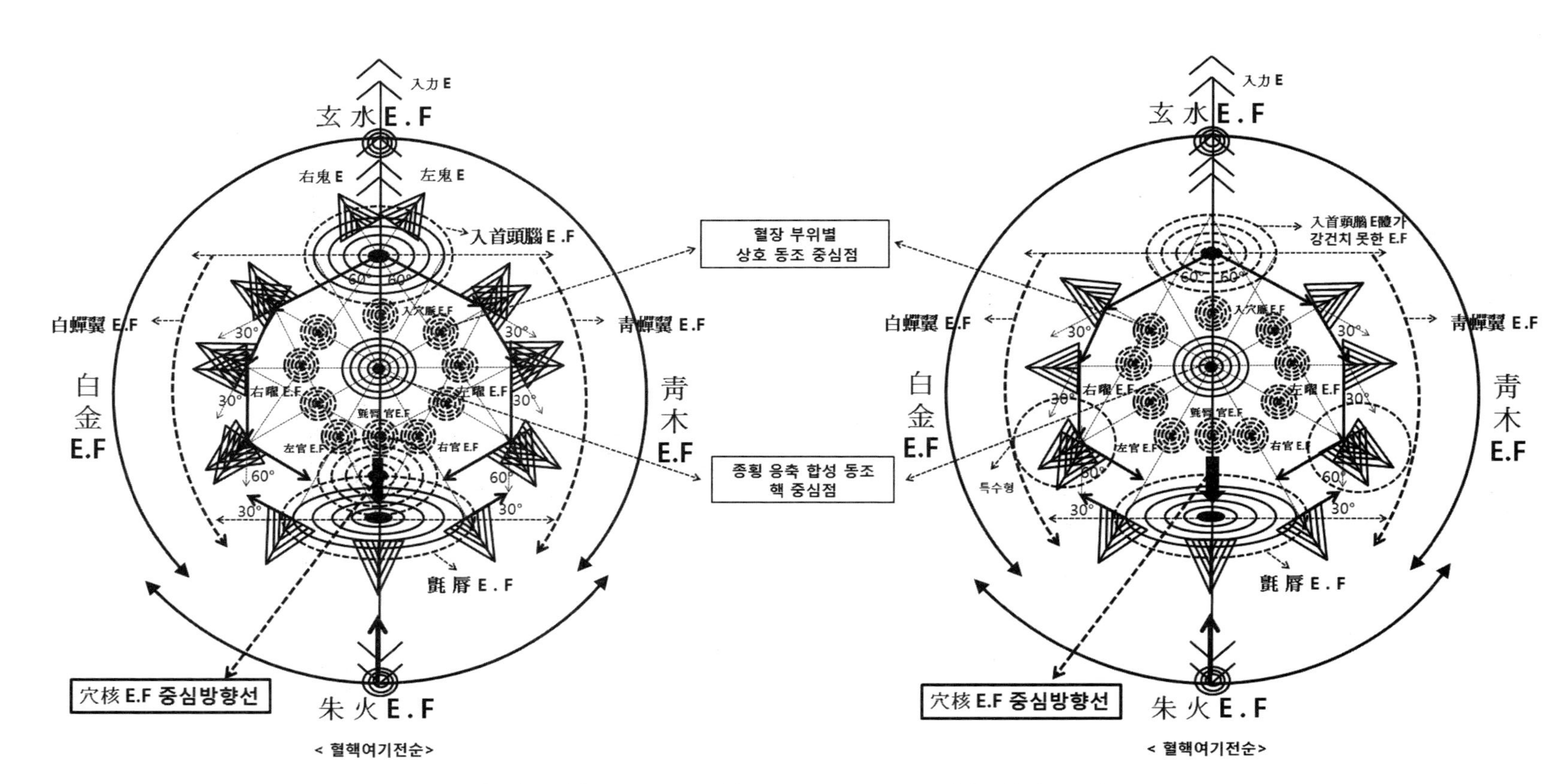

〈正變易, 縱變易, 隱變易 穴核 E · F Circuit 구조, 突/乳/窩穴 구조〉

⑦ 입수두뇌 中心 $\theta=\angle 60°$ 分劈 蟬翼 발생 시

橈棹 發生角 $\theta=\angle 120°$, 卯酉 二重 橈棹, 穴核餘氣氈脣

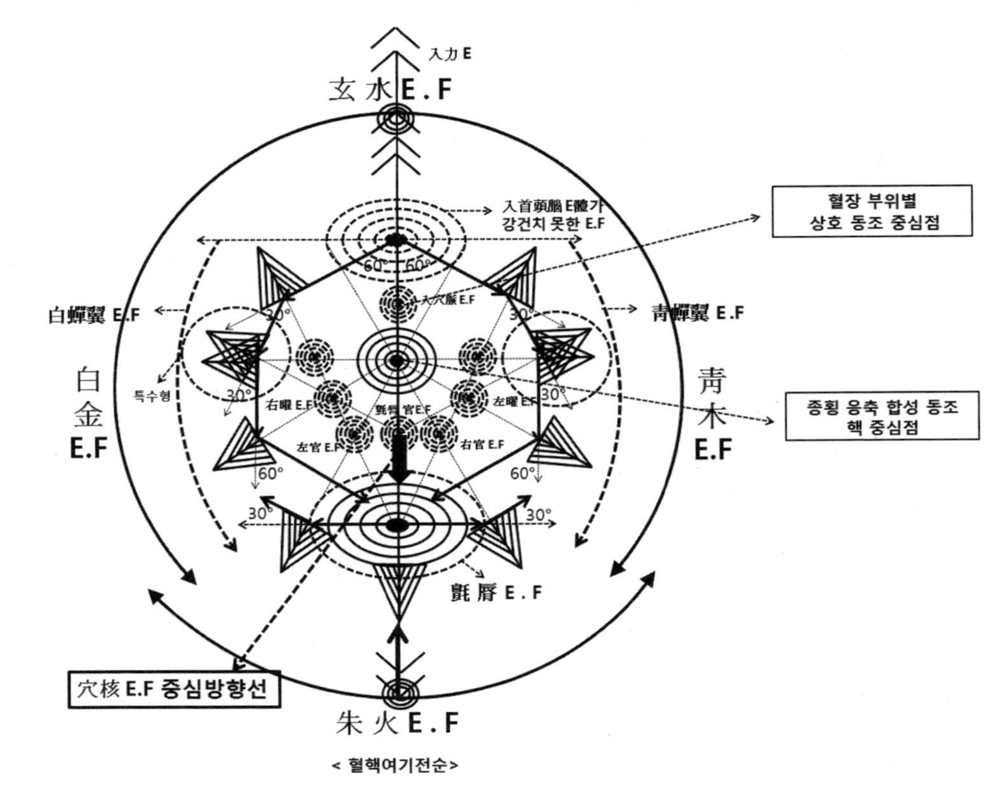

〈正變易, 縱變易, 隱變易 穴核 E · F Circuit 구조, 突/乳/窩穴 구조〉

(5) 兩 蟬翼 發生角 θ=∠30°, 卯酉 橈棹 變位角 θ=∠30°, 二重 변위, 左右 止脚 발생, 穴核餘氣氈脣

① 氈脣 中心 官砂 발생, 辰申 橈棹 變位角 θ=∠30°, 靑白止脚, 氈脣止脚 발생

② 氈脣 左右端 官砂 발생, 辰申 橈棹 變位角 θ=∠30°, 靑白止脚 발생

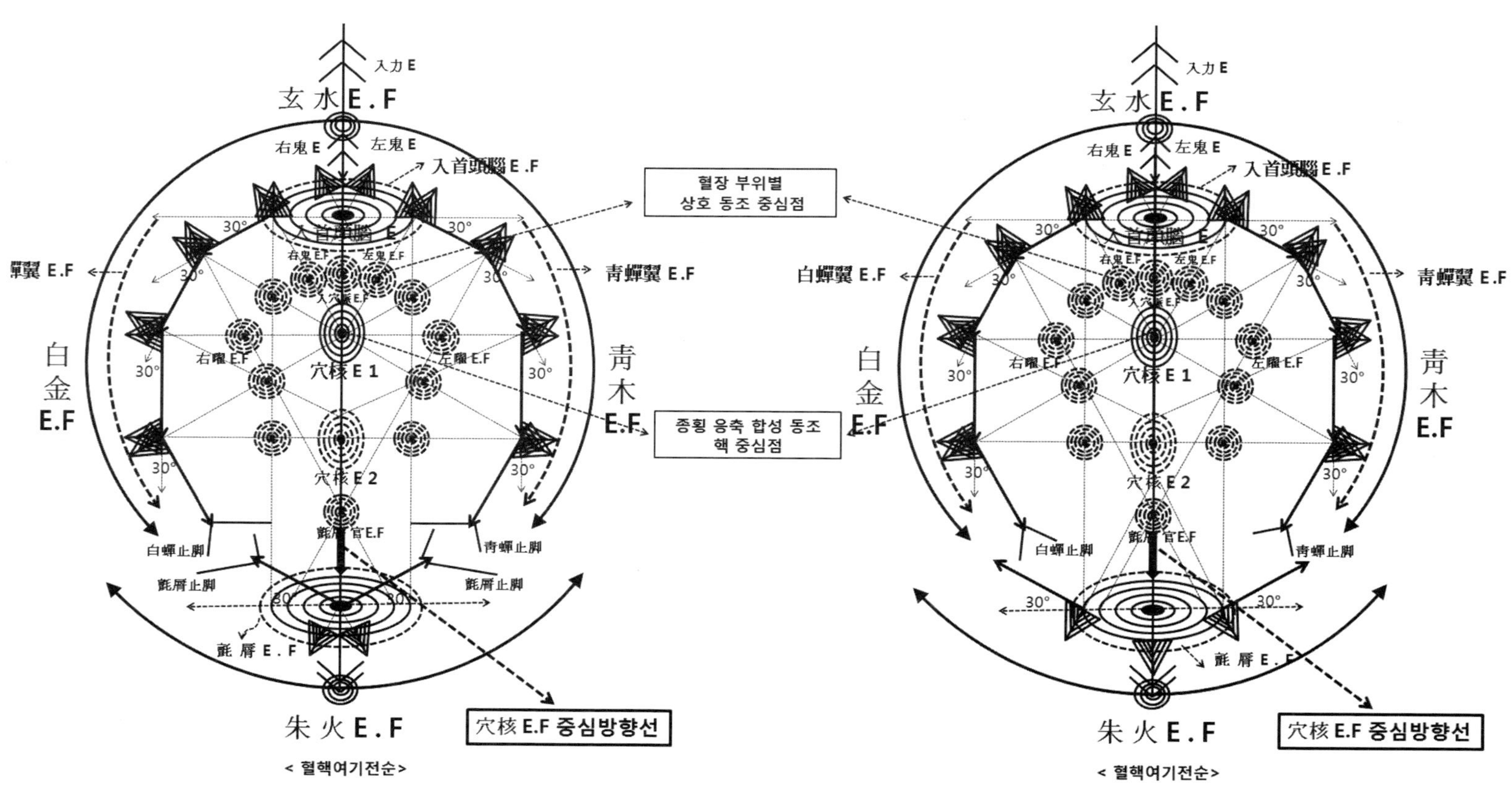

〈正變易, 縱變易, 隱變易 穴核 E · F Circuit 구조, 突/乳/窩穴 구조〉

③ 氈脣 左右端 官砂 발생, 下端 橈棹 變位角 $\theta = \angle 60°$

④ 氈脣 左右端 官砂 발생, 下端 橈棹 變位角 $\theta = \angle 30°$, 青/白/官砂 止脚 발생

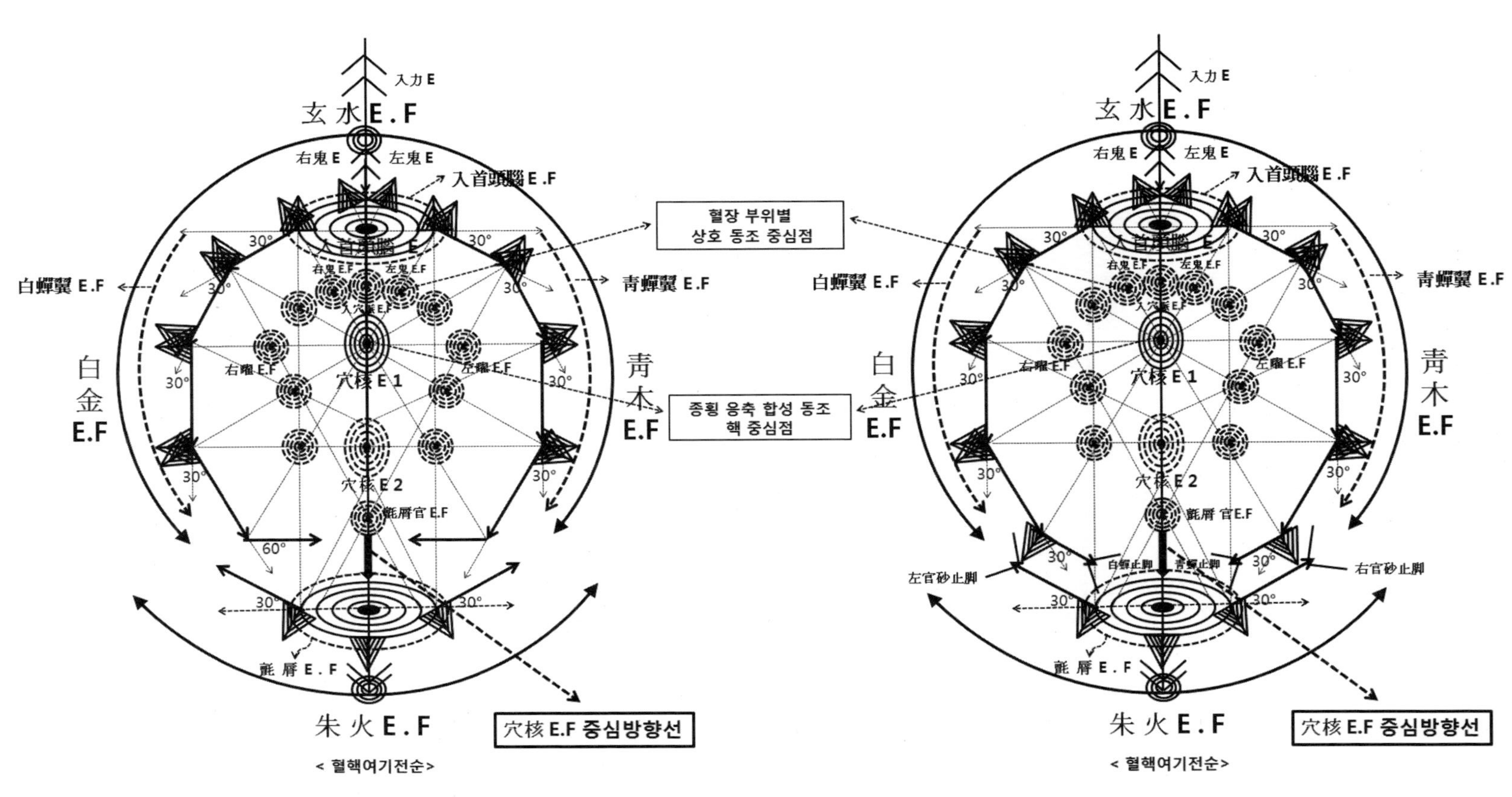

〈正變易, 縱變易, 隱變易 穴核 E · F Circuit 구조, 突/乳/窩穴 구조〉

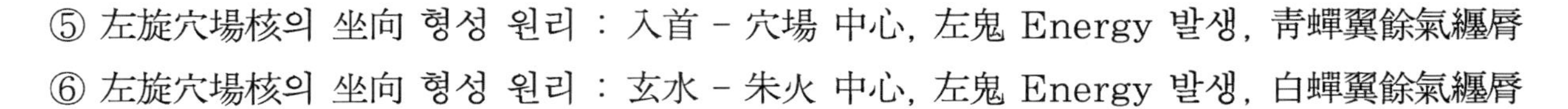

⑤ 左旋穴場核의 坐向 형성 원리 : 入首 – 穴場 中心, 左鬼 Energy 발생, 靑蟬翼餘氣纒脣

⑥ 左旋穴場核의 坐向 형성 원리 : 玄水 – 朱火 中心, 左鬼 Energy 발생, 白蟬翼餘氣纒脣

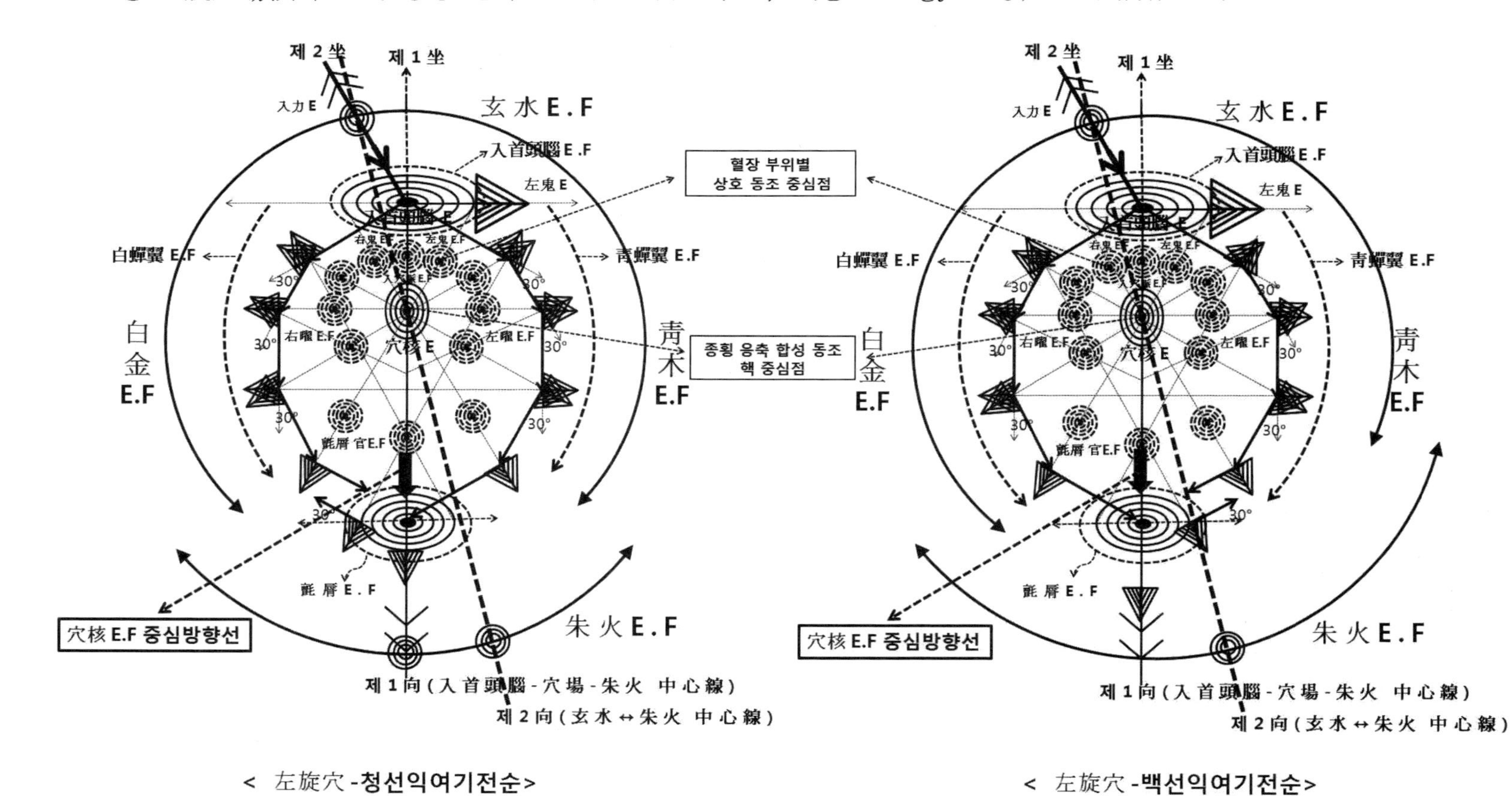

< 左旋穴 -청선익여기전순>

* 제2좌향혈일 경우 백선익 종단은 청선익 종단보다 1절 더 길어진다.

< 左旋穴 -백선익여기전순>

* 제2좌향혈일 경우 청선익 종단은 백선익 종단보다 1절 더 길어진다.

〈縱變易 穴核 E · F Circuit 구조, 突/乳/窩穴 구조〉

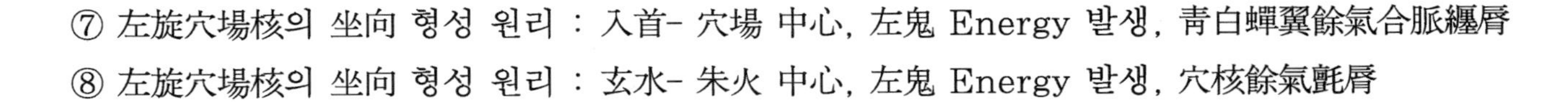

⑦ 左旋穴場核의 坐向 형성 원리 : 入首- 穴場 中心, 左鬼 Energy 발생, 靑白蟬翼餘氣合脈纒脣

⑧ 左旋穴場核의 坐向 형성 원리 : 玄水- 朱火 中心, 左鬼 Energy 발생, 穴核餘氣氈脣

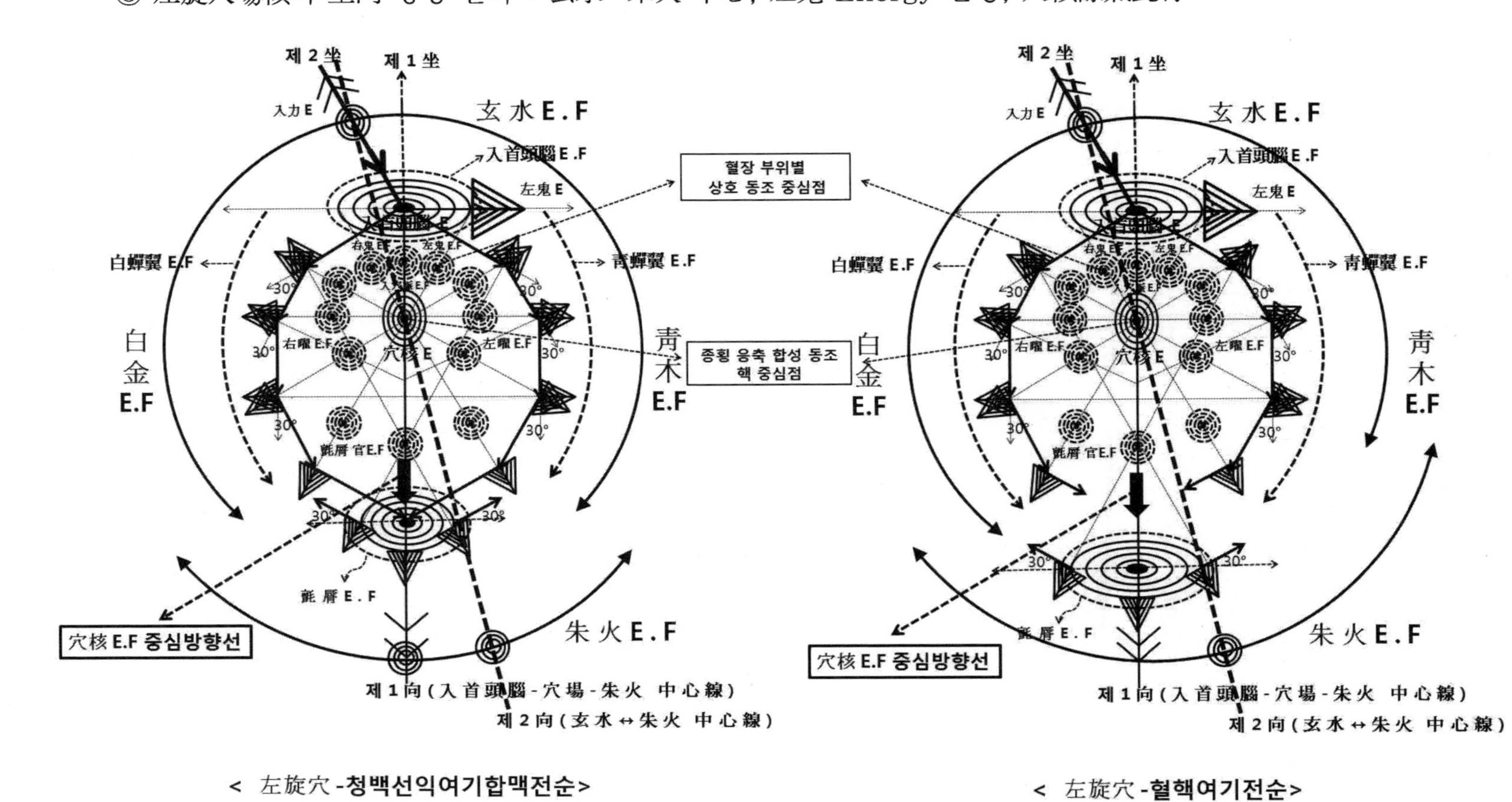

< 左旋穴 -청백선익여기합맥전순>

< 左旋穴 -혈핵여기전순>

* 제2좌향혈일 경우 백선익 종단은 청선익 종단보다 1절 더 길어진다.

〈縱變易 穴核 E · F Circuit 구조, 突/乳/窩穴 구조〉

⑨ 右旋穴場核의 坐向 형성 원리 : 入首- 穴場 中心, 右鬼 Energy 발생, 青蟬翼餘氣纒脣

⑩ 右旋穴場核의 坐向 형성 원리 : 玄水- 朱火 中心, 右鬼 Energy 발생, 白蟬翼餘氣纒脣

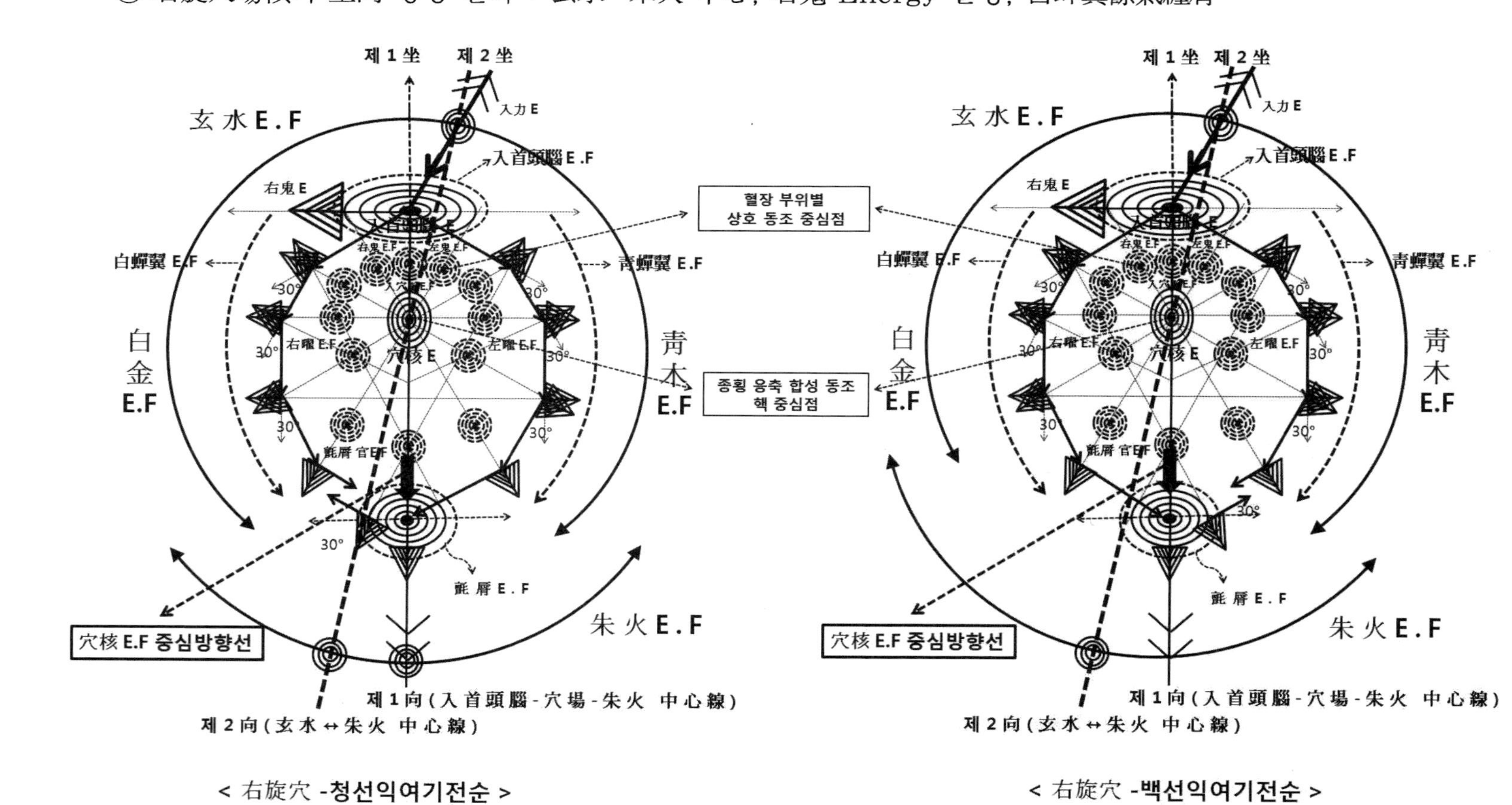

< 右旋穴 -청선익여기전순 >

* 제2좌향혈일 경우 백선익 종단은 청선익 종단보다 1절 더 길어진다.

< 右旋穴 -백선익여기전순 >

* 제2좌향혈일 경우 청선익 종단은 백선익 종단보다 1절 더 길어진다.

〈縱變易 穴核 E · F Circuit 구조, 突/乳/窩穴 구조〉

⑪ 右旋穴場核의 坐向 형성 원리 : 入首- 穴場 中心, 右鬼 Energy 발생, 靑白蟬翼餘氣合脈纏脣

⑫ 右旋穴場核의 坐向 형성 원리 : 玄水- 朱火 中心, 右鬼 Energy 발생, 穴餘核氣氈脣

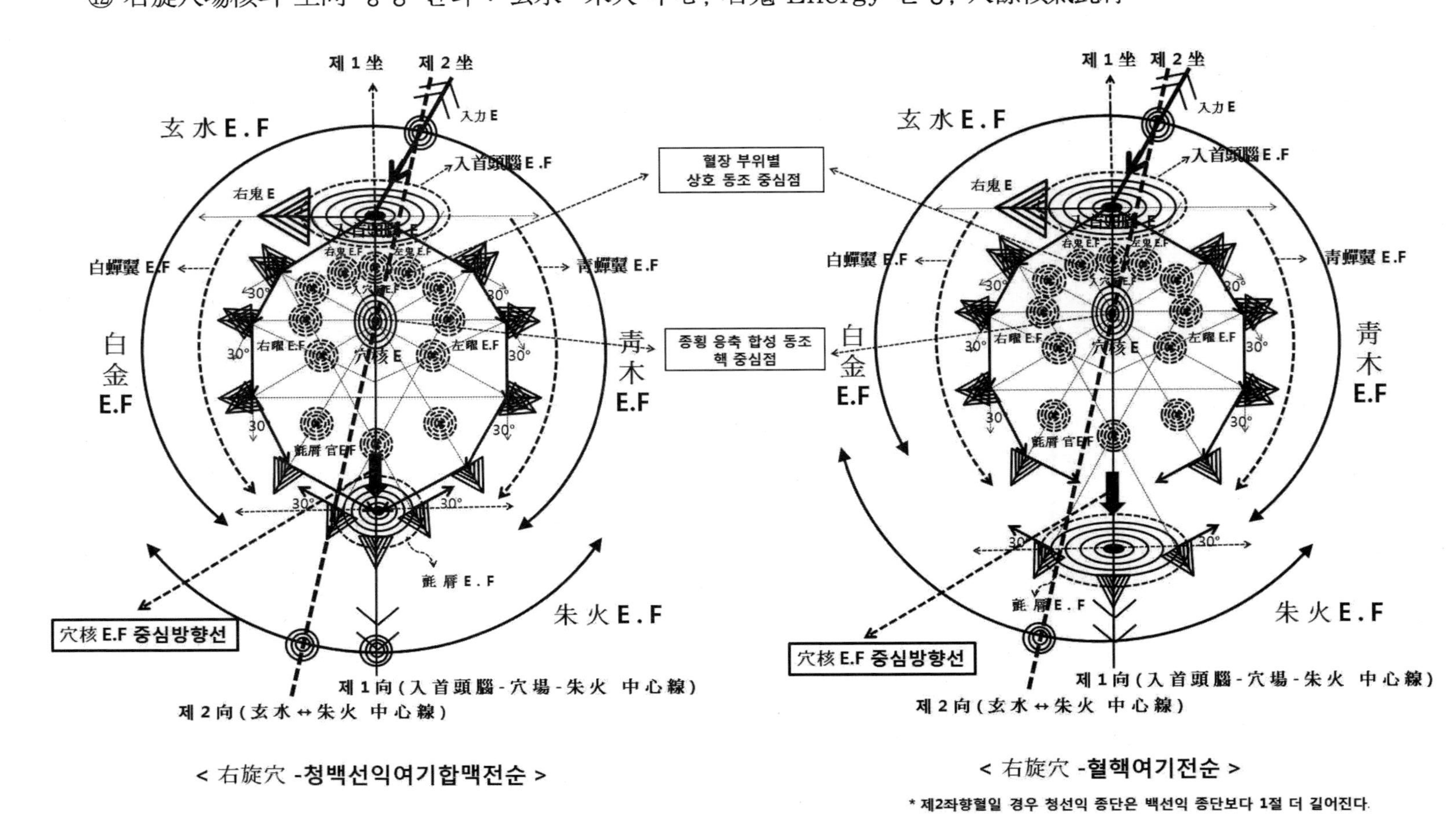

< 右旋穴 -청백선익여기합맥전순 >

< 右旋穴 -혈핵여기전순 >

* 제2좌향혈일 경우 청선익 종단은 백선익 종단보다 1절 더 길어진다.

〈縱變易 穴核 E · F Circuit 구조, 突/乳/窩穴 구조〉

(6) 입수두뇌 중심 $\theta=\angle 30°$ 正分劈 蟬翼 발생 시 兩蟬翼 寅戌 變位角 $\theta=\angle 30°$, 卯酉 橈棹 變位角 $\theta=\angle 30°$(특수형)

① 靑白蟬翼餘氣合脈纏脣, 橈棹 發生角 $\theta=\angle 120°$

② 穴核餘氣氈脣, 橈棹 發生角 $\theta=\angle 90°$

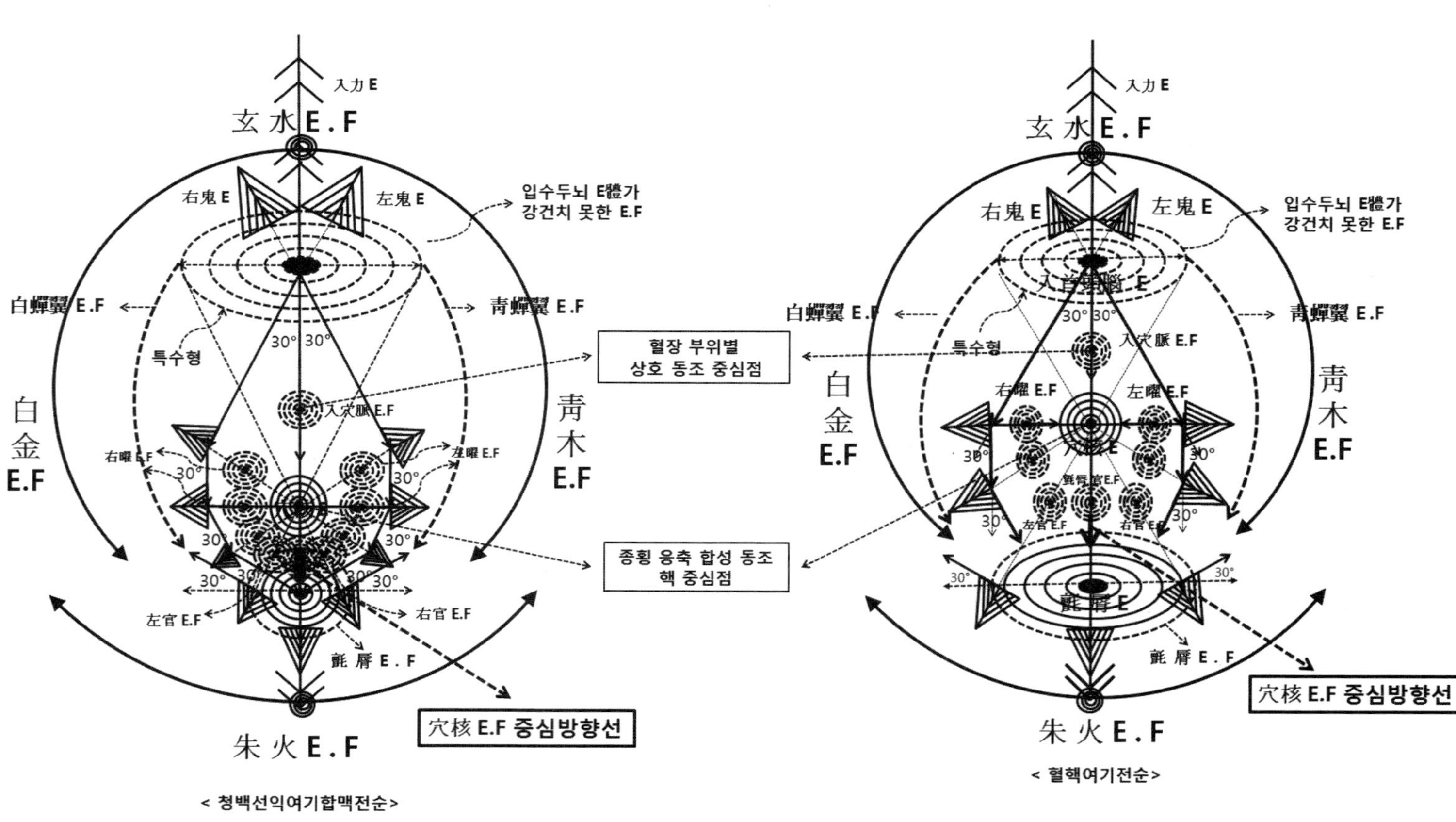

〈正變易, 縱變易, 隱變易, 垂變易 穴核 E · F Circuit 구조, 鉗穴 구조〉

③ 靑白蟬翼餘氣合脈纒脣 橈棹 發生角 $\theta=\angle 90°$, $\theta=\angle 120°$

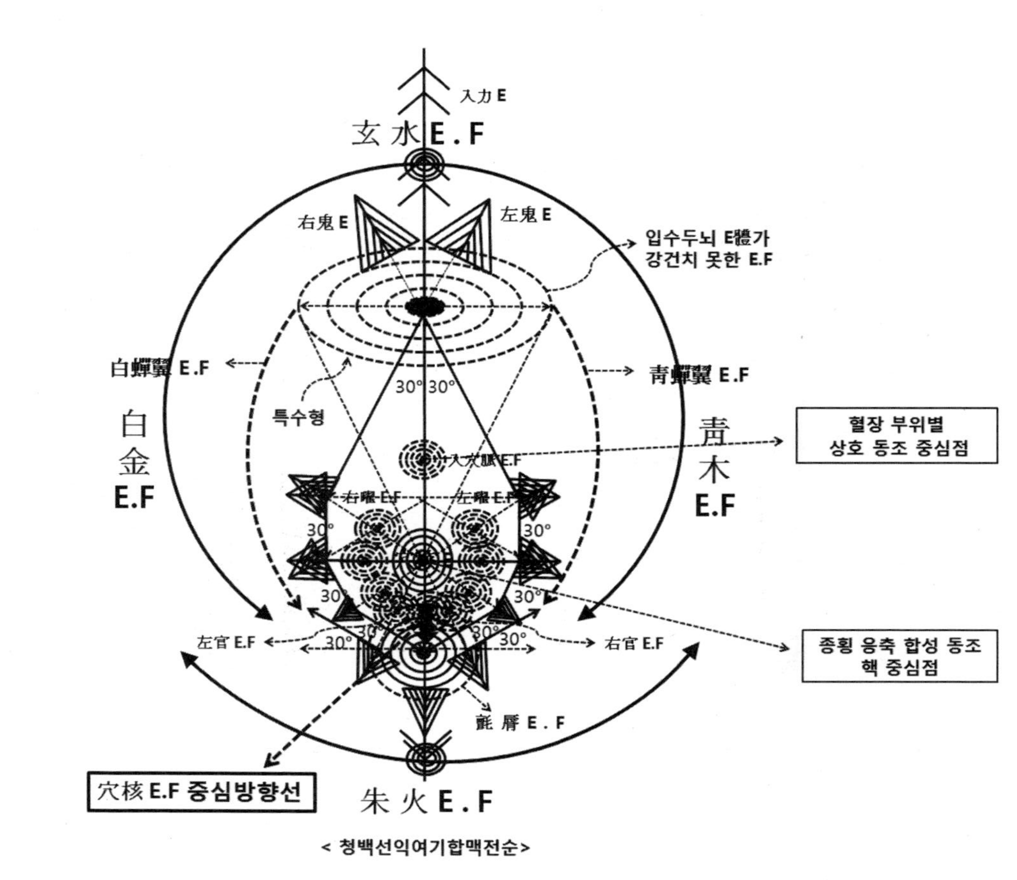

〈正變易, 縱變易, 隱變易, 垂變易 穴核 E · F Circuit 구조, 鉗穴 구조〉

(7) 兩 蟬翼 發生角 $\theta=\angle 30°$, 寅戌 橈棹 變位角 $\theta=\angle 60°$, 卯酉 橈棹 變位角 $\theta=\angle 30°$ 경우

① 입수두뇌 左右端 蟬翼 발생 시 橈棹 發生角 $\theta=\angle 120°$, 靑蟬翼餘氣纏脣

② 입수두뇌 左右端 蟬翼 발생 시 橈棹 發生角 $\theta=\angle 90°$, 白蟬翼餘氣纏脣

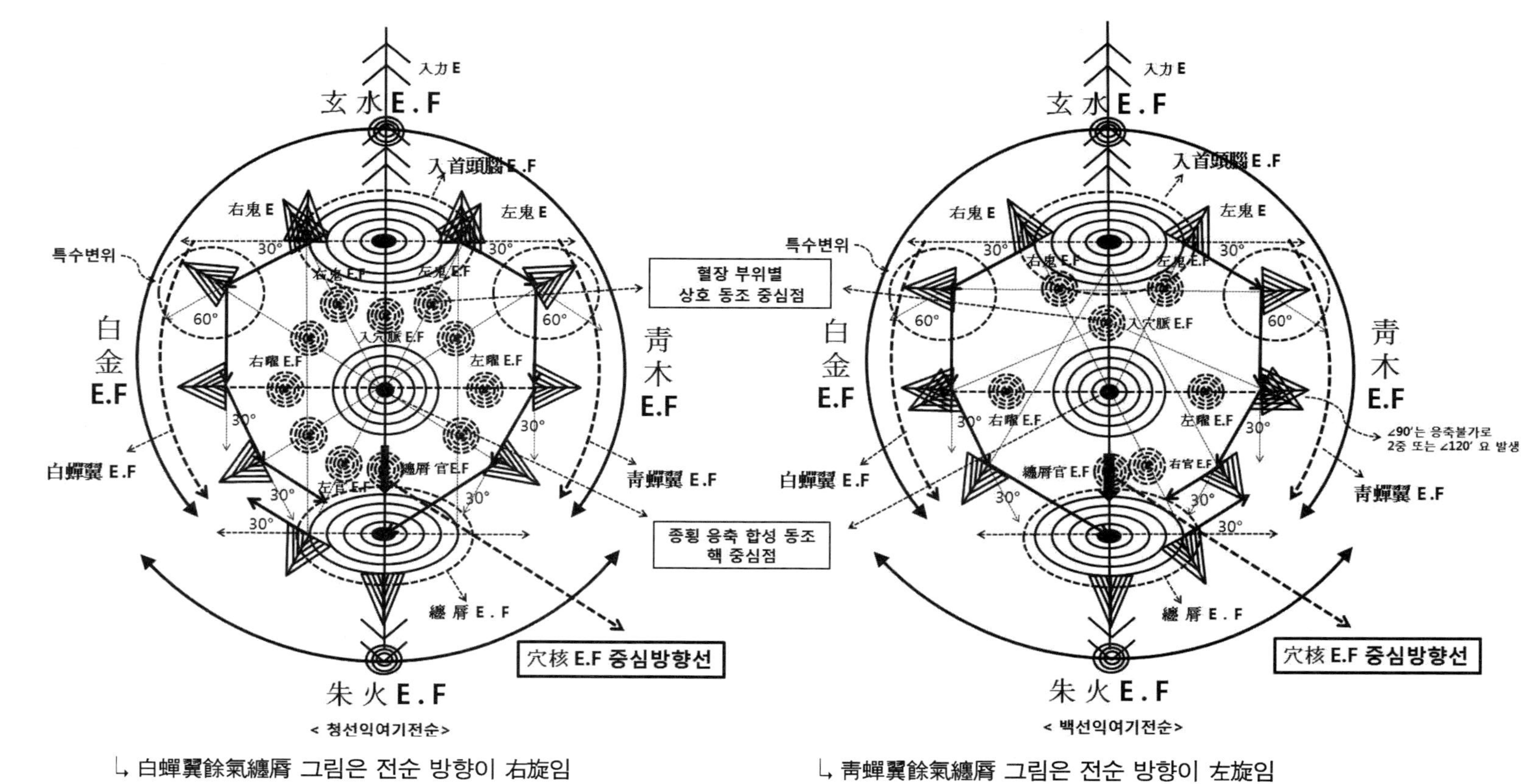

< 청선익여기전순>

↳ 白蟬翼餘氣纏脣 그림은 전순 방향이 右旋임

< 백선익여기전순>

↳ 靑蟬翼餘氣纏脣 그림은 전순 방향이 左旋임

〈正變易, 縱變易, 隱變易, 橫變易 穴核 E · F Circuit 구조, 突/乳/窩/鉗穴 구조〉

③ 입수두뇌 左右端 蟬翼 발생 시 二重 橈棹 변위, 橈棹 發生角 $\theta=\angle 90°$, $\theta=\angle 120°$, 靑白蟬翼餘氣合脈纒脣

④ 입수두뇌 左右端 蟬翼 발생 시 二重 橈棹 변위, 橈棹 發生角 $\theta=\angle 90°$, $\theta=\angle 120°$, 穴核餘氣氈脣

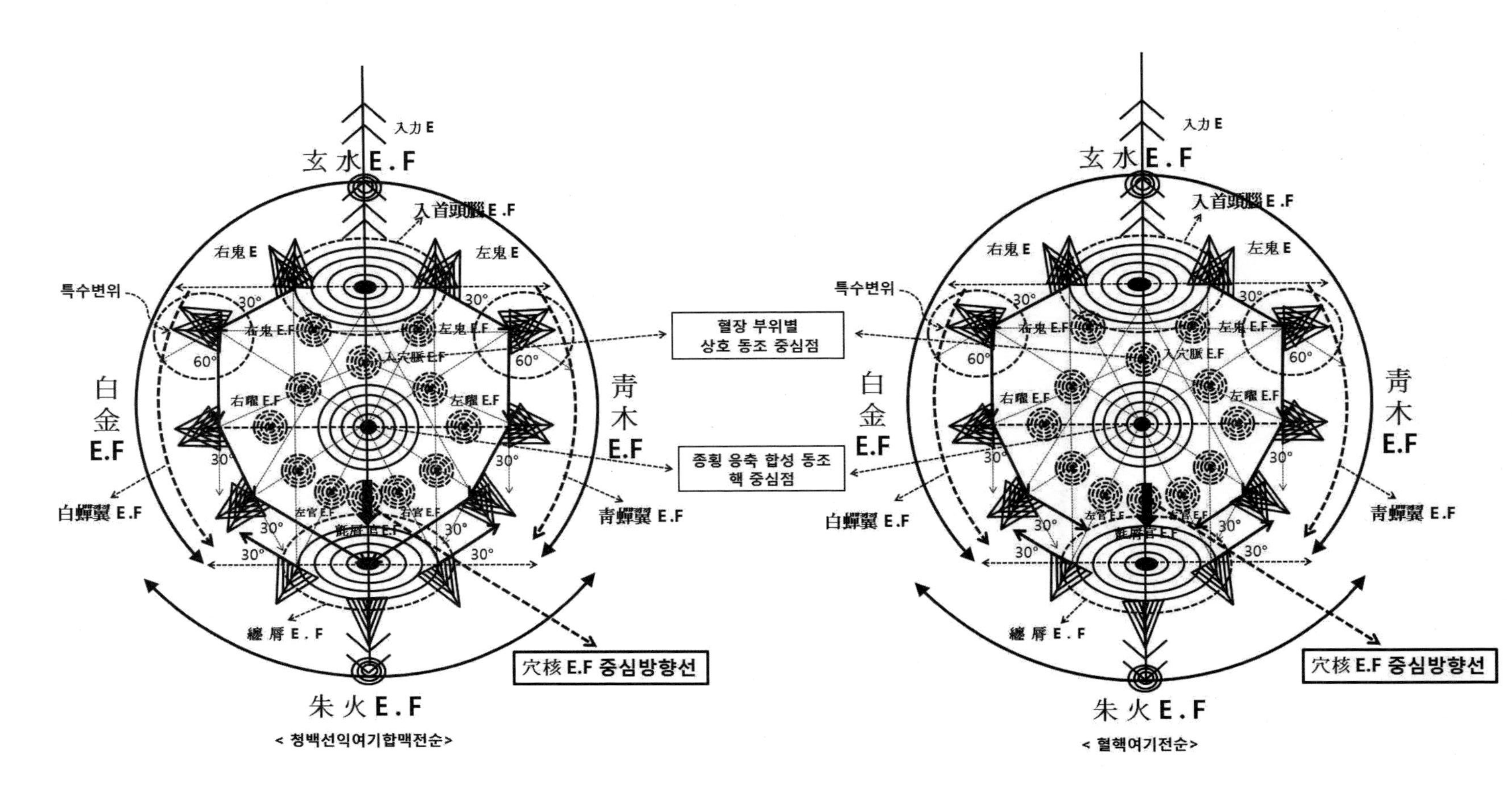

〈正變易, 縱變易, 隱變易, 橫變易 穴核 E · FCircuit 구조, 突/乳/窩/鉗穴 구조〉

⑤ 입수두뇌 중심 $\theta=\angle 60°$ 分劈 蟬翼 발생 시 青蟬翼餘氣纏脣

⑥ 입수두뇌 중심 $\theta=\angle 60°$ 分劈 蟬翼 발생 시 穴核餘氣氈脣

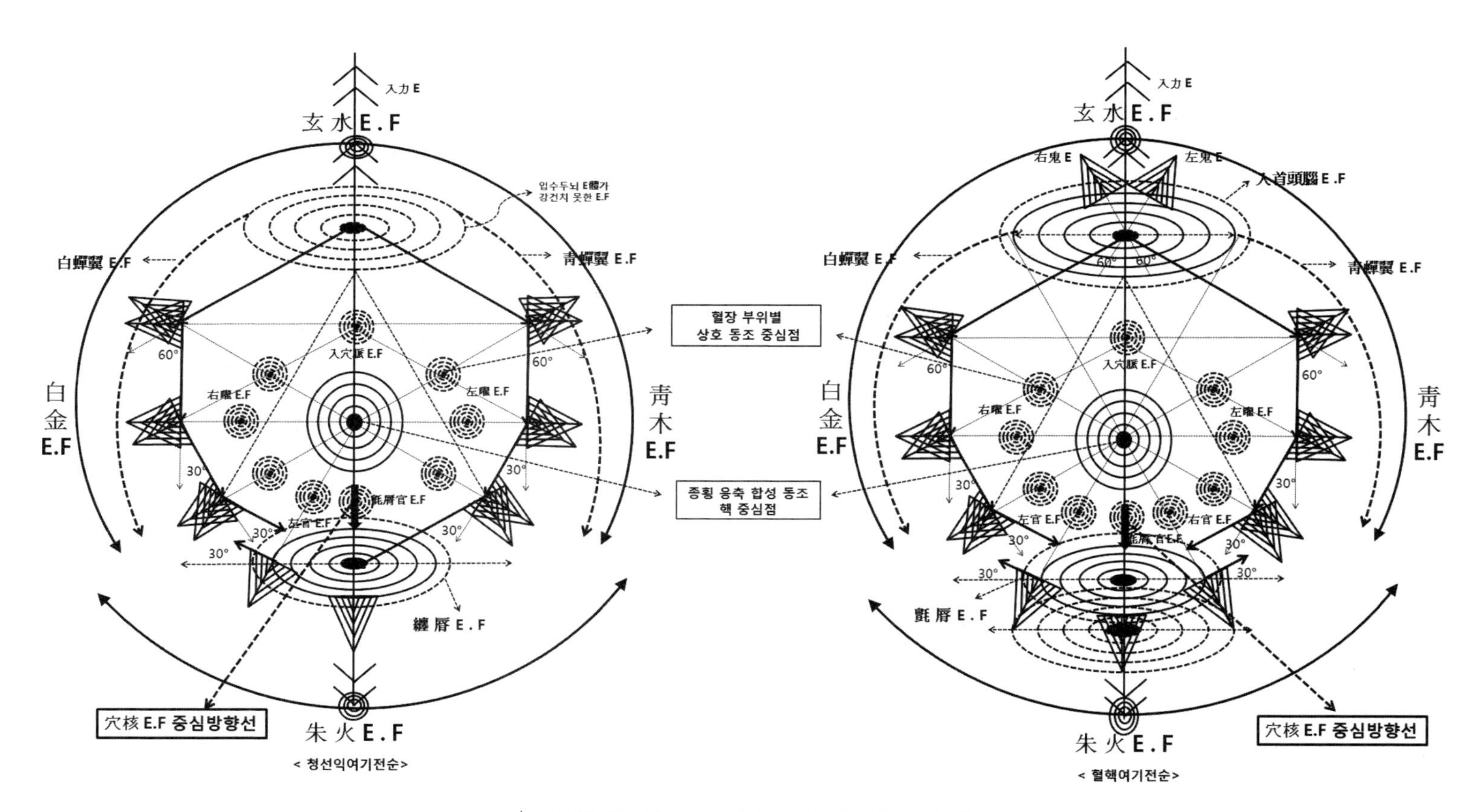

└ 白蟬翼餘氣纏脣 그림은 전순 방향이 右旋임

〈縱變易, 隱變易 穴核 E · F Circuit 구조, 乳/鉗穴 구조〉

(8) 兩 蟬翼 發生角 $\theta=\angle 30°$, 寅戌 橈棹 變位角 $\theta=\angle 60°$, 卯酉 橈棹 變位角 $\theta=\angle 60°$ 경우

① 입수두뇌 左右端 蟬翼 발생 시 二重 橈棹 변위, 橈棹 發生角 $\theta=\angle 90°$, $\theta=\angle 120°$, 青白蟬翼餘氣合脈纏脣

② 입수두뇌 左右端 蟬翼 발생 시 二重 橈棹 변위, 橈棹 發生角 $\theta=\angle 90°$, $\theta=\angle 120°$, 穴核餘氣氈脣

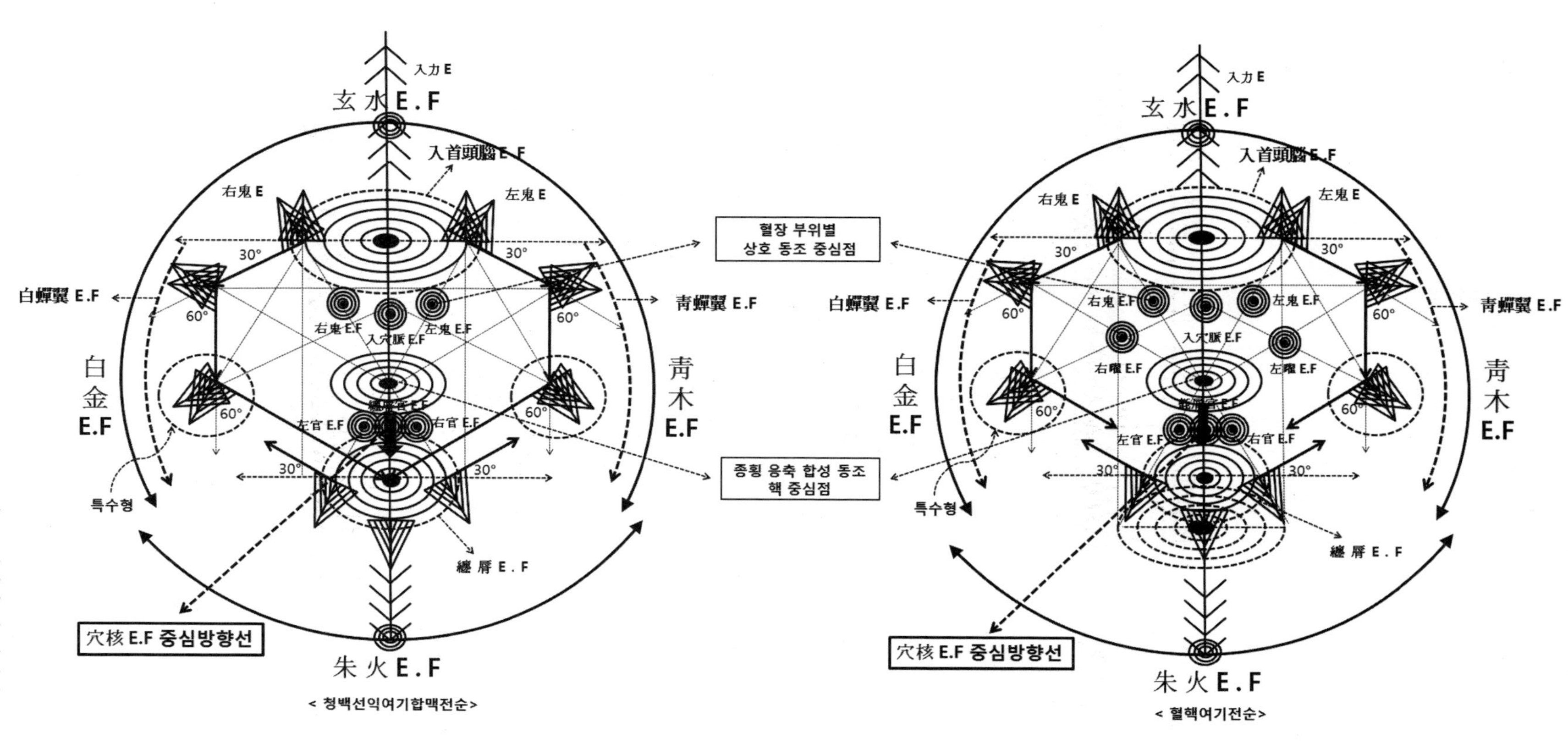

〈正變易, 隱變易, 縱變易, 橫變易 穴核 E · F Circuit 구조, 窩/鉗/乳/突穴 구조〉

(9) 兩 蟬翼 發生角 θ=∠60°, 寅戌 橈棹 變位角 θ=∠30°, 卯酉 橈棹 變位角 θ=∠30°, 辰申 橈棹 變位角 θ=∠30° 경우

① 입수두뇌 左右端 蟬翼 발생 시 橈棹 發生角 θ=∠120°, 青蟬翼餘氣纏脣

② 입수두뇌 左右端 蟬翼 발생 시 橈棹 發生角 θ=∠90°, 白蟬翼餘氣纏脣

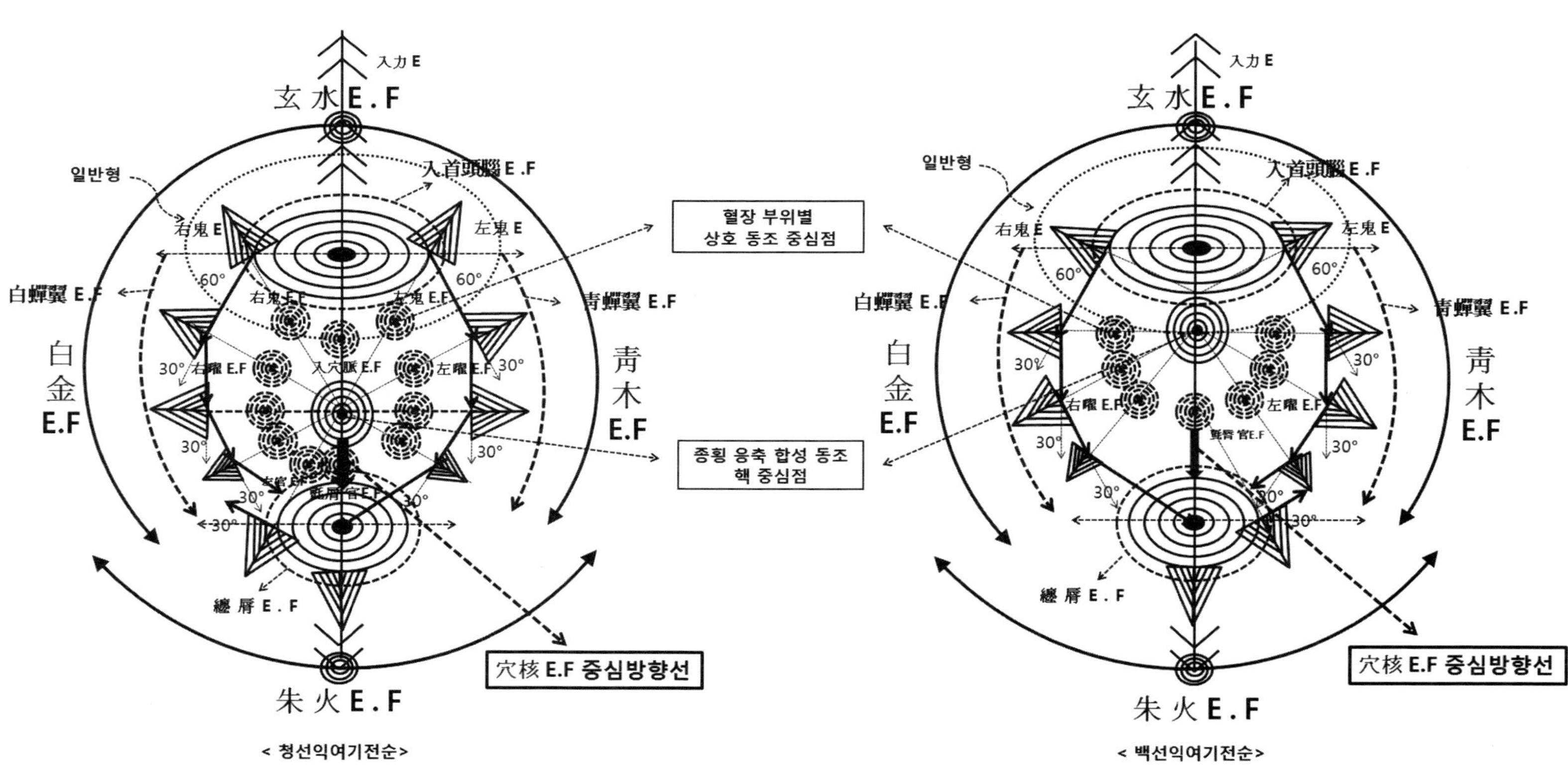

< 청선익여기전순>

└ 白蟬翼餘氣纏脣 그림은 전순 방향이 右旋임

< 백선익여기전순>

└ 青蟬翼餘氣纏脣 그림은 전순 방향이 左旋임

〈正變易, 縱變易, 隱變易, 橫變易 穴核 E · F Circuit 구조, 窩/鉗/乳/突穴 구조〉

③ 입수두뇌 左右端 蟬翼 발생 시 二重 橈棹 변위, 橈棹 發生角 $\theta=\angle 90°$, $\theta=\angle 120°$, 青白蟬翼餘氣合脈纏脣

④ 입수두뇌 左右端 蟬翼 발생 시 二重 橈棹 변위, 橈棹 發生角 $\theta=\angle 90°$, $\theta=\angle 120°$, 穴核餘氣氈脣

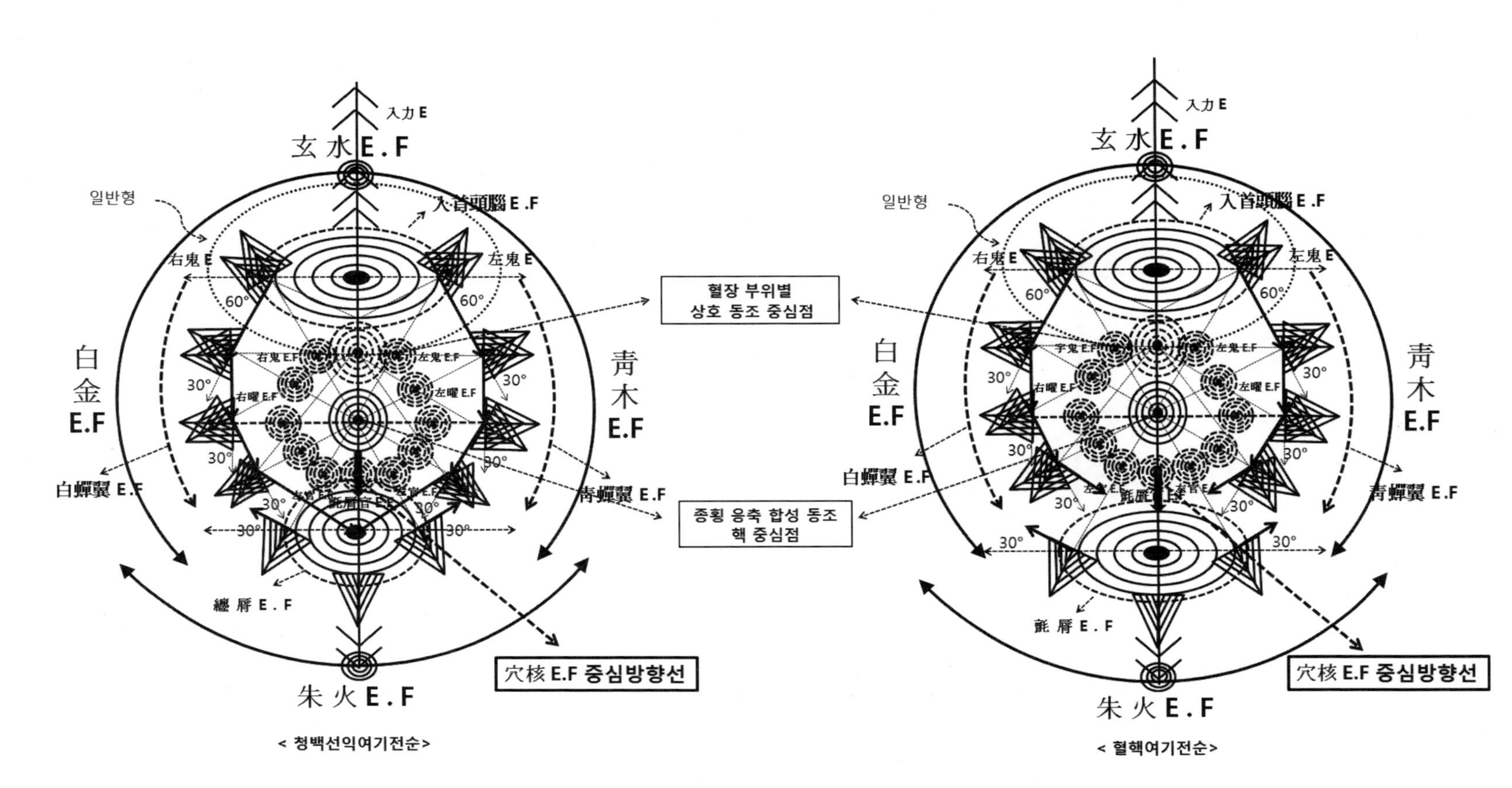

〈正變易, 縱變易, 隱變易, 橫變易 穴核 E · F Circuit 구조, 窩/鉗/乳/突穴 구조〉

(10) 兩 蟬翼 發生角 θ=∠60°, 卯酉 橈棹 變位角 θ=∠60° 경우

① 입수두뇌 左右端 蟬翼 발생 시 橈棹 發生角 θ=∠120°, 靑蟬翼餘氣纏脣

② 입수두뇌 左右端 蟬翼 발생 시 橈棹 發生角 θ=∠90°, 白蟬翼餘氣纏脣

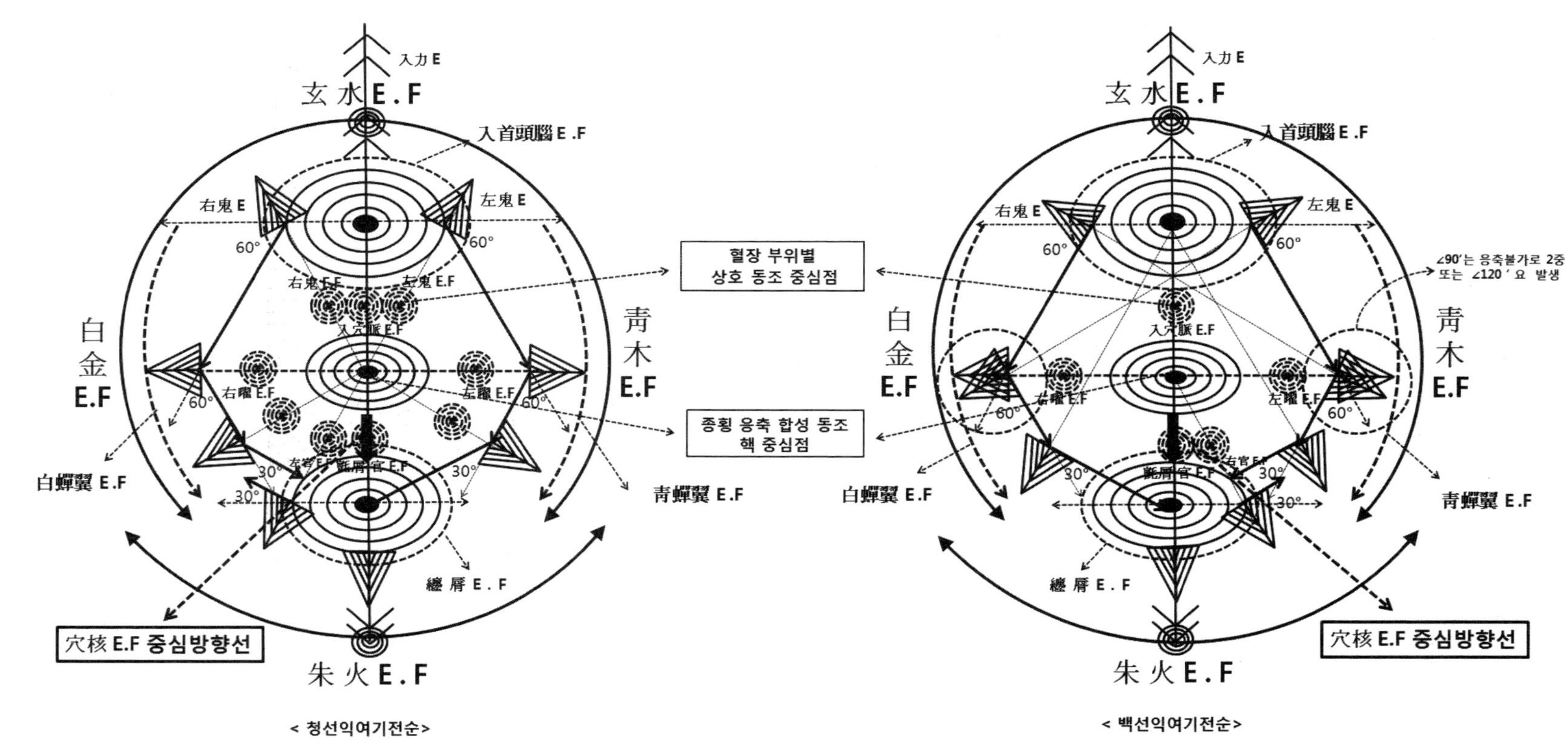

< 청선익여기전순 >

ㄴ 白蟬翼餘氣纏脣 그림은 전순 방향이 右旋임

< 백선익여기전순 >

ㄴ 靑蟬翼餘氣纏脣 그림은 전순 방향이 左旋임

〈正變易, 隱變易, 縱變易, 橫變易 穴核 E · F Circuit 구조, 窩/鉗/乳/突穴 구조〉

③ 입수두뇌 左右端 蟬翼 발생 시 二重 橈棹 변위, 橈棹 發生角 $\theta=\angle 90°$, $\theta=\angle 120°$, 青白蟬翼餘氣合脈纒脣

④ 입수두뇌 左右端 蟬翼 발생 시 二重 橈棹 변위, 橈棹 發生角 $\theta=\angle 90°$, $\theta=\angle 120°$, 穴核餘氣氈脣

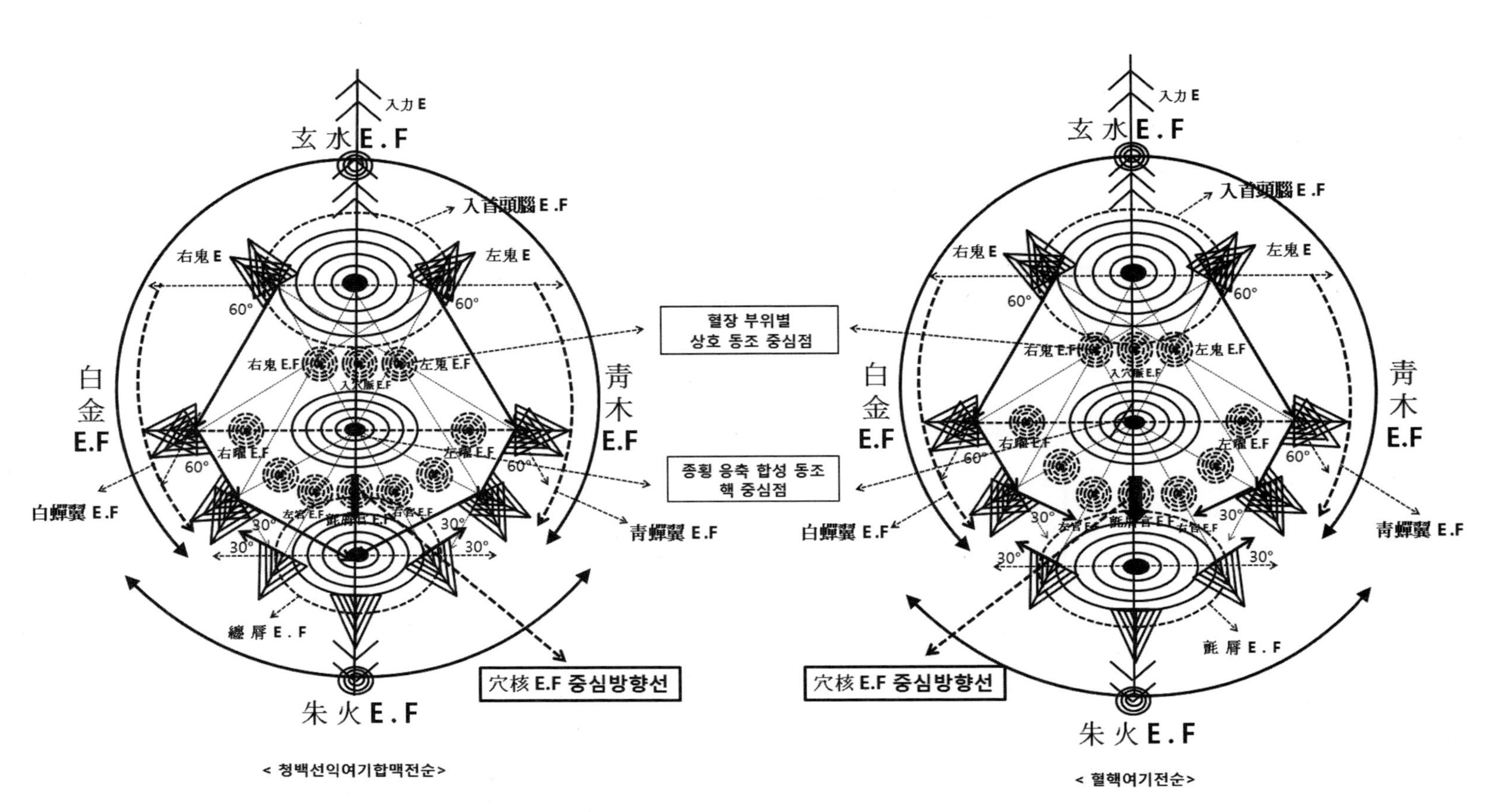

〈正變易, 隱變易, 縱變易, 橫變易 穴核 E · F Circuit 구조, 窩/鉗/乳/突穴 구조〉

제3절 결론

1. 혈장 핵 형성 원리로 본 核 Energy Field Circuit의 특성 평가 설정

1) 혈장 Energy體의 각 부위별 자체 Energy Field 중심기점 평가 설정

(1) 入首頭腦 Energy體의 基底 Energy Field 중심기점 평가 설정
(2) 入穴脈 Energy體의 Energy Field 중심기점 평가 설정
(3) 左 蟬翼 Energy體의 Energy Field 중심기점 평가 설정
(4) 右 蟬翼 Energy體의 Energy Field 중심기점 평가 설정
(5) 穴核 基底 Energy體의 Energy Field 중심기점 평가 설정
(6) 入首頭腦 Energy體의 입체 Energy Field 중심기점 평가 설정
(7) 纏脣 Energy體의 立體 Energy Field 중심기점 평가 설정
(8) 玄水 左 鬼砂 Energy體의 Energy Field 중심기점 평가 설정
(9) 玄水 右 鬼砂 Energy體의 Energy Field 중심기점 평가 설정
(10) 穴核 Energy體의 立體 Energy Field 중심기점 평가 설정
(11) 入首頭腦 Energy體의 2次 立體 Energy Field 중심기점 평가 설정
(12) 入穴脈 및 朱火 正 官砂 Energy體의 Energy Field 중심기점 평가 설정
(13) 青 曜砂 Energy體의 Energy Field 중심기점 평가 설정
(14) 白 曜砂 Energy體의 Energy Field 중심기점 평가 설정
(15) 穴核 Energy體의 2次 立體 Energy Field 중심기점 평가 설정
(16) 入首頭腦 Energy體의 3次 立體 Energy Field 중심기점 평가 설정
(17) 朱火 左 官砂 Energy體의 Energy Field 중심기점 평가 설정
(18) 青 曜砂 左 下端 Energy體의 Energy Field 중심기점 평가 설정
(19) 白 曜砂 右 下端 Energy體의 Energy Field 중심기점 평가 설정
(20) 穴核 Energy體의 3次 立體 Energy Field 중심기점 평가 설정
(21) 入首頭腦 Energy體의 4次 立體 Energy Field 중심기점 평가 설정
(22) 入穴脈 및 朱火 右 官砂 Energy體의 Energy Field 중심기점 평가 설정

(23) 青 曜砂 左 下端 Energy體의 Energy Field 중심기점 평가 설정

(24) 白 曜砂 右 下端 Energy體의 Energy Field 중심기점 평가 설정

(25) 穴核 Energy體의 4次 立體 Energy Field 중심기점 평가 설정

(26) 玄水 및 朱雀 青白 補助砂와 風水 Energy體의 Energy Field 중심기점 평가 설정

(27) 天體 上下 Energy體의 Energy Field 중심기점 평가 설정
(穴場 穴板의 전반적 Energy Field 중심기점 부위에서 결정됨)

※ 〈그림 8〉, 〈그림 10〉, 〈그림 11〉 참조

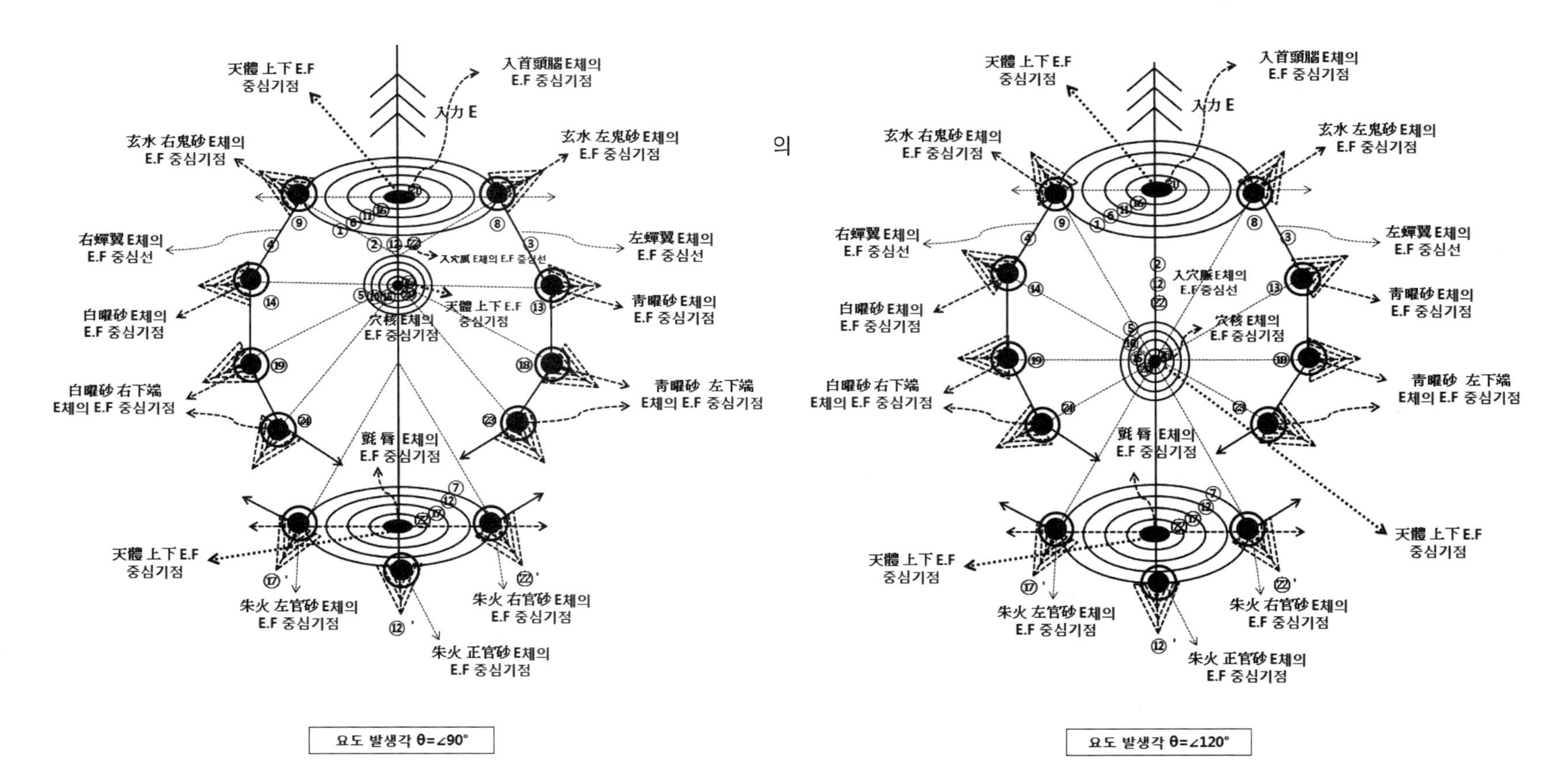

〈그림 11〉 혈장 Energy體의 각 부위별 자체 E · F 중심점

2) 혈장 부위별 Energy體 間 상호 동조 Energy Field 중심점 평가 설정

(1) 入首頭腦 E・F 중심기점 ↔ 纏脣 E・F 중심기점 間 상호 동조 중심점 평가 설정 → 〈그림 12〉-(1)

(2) 左鬼 E・F 중심기점 ↔ 左官 E・F 중심기점 間 상호 동조 중심점 평가 설정 → 〈그림 12〉-(2)

(3) 右鬼 E・F 중심기점 ↔ 右官 E・F 중심기점 間 상호 동조 중심점 평가 설정 → 〈그림 12〉-(3)

(4) 左曜 E・F 중심기점 ↔ 右曜 E・F 중심기점 間 상호 동조 중심점 평가 설정 → 〈그림 12〉-(4)

(5) 左蟬翼 E・F 중심기점 ↔ 右蟬翼 E・F 중심기점 間 상호 동조 중심점 평가 설정 → 〈그림 12〉-(5-1), (5-2)

(6) 기타 補助砂 E・F 중심기점 ↔ 穴場 E・F 중심기점 間 상호 동조 중심점 평가 설정 → 〈그림 12〉-(6)

(7) 上下 天地氣 E・F 間 상호 동조 중심점 평가 설정 → 〈그림 12〉-(7)

(8) 內外 風水勢 E・F 중심기점과 穴場 E・F 중심기점 間 상호 동조 중심점 평가 설정 → 〈그림 12〉-(8)

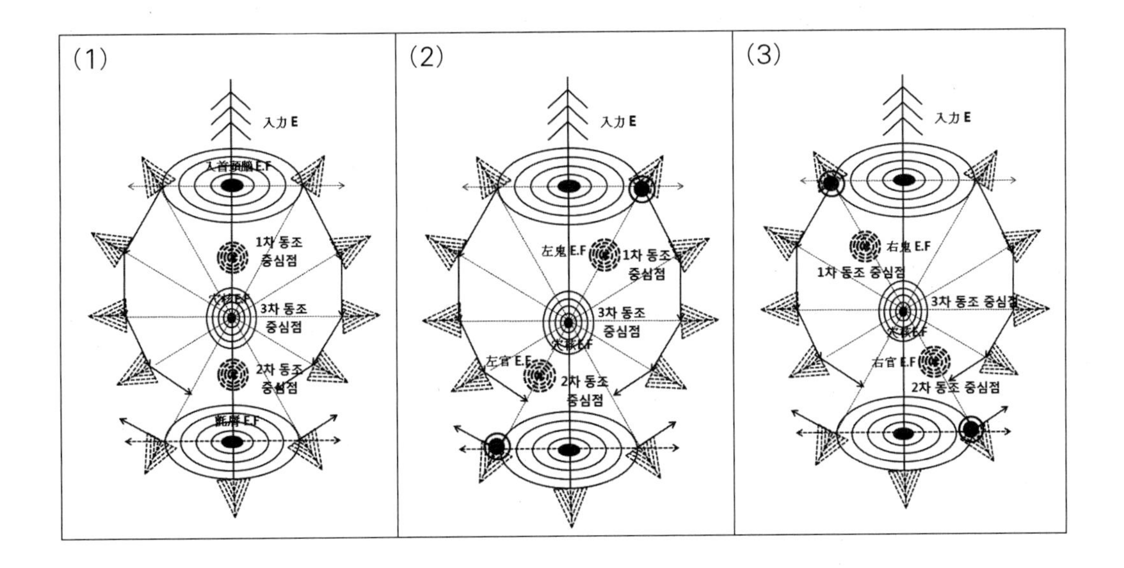

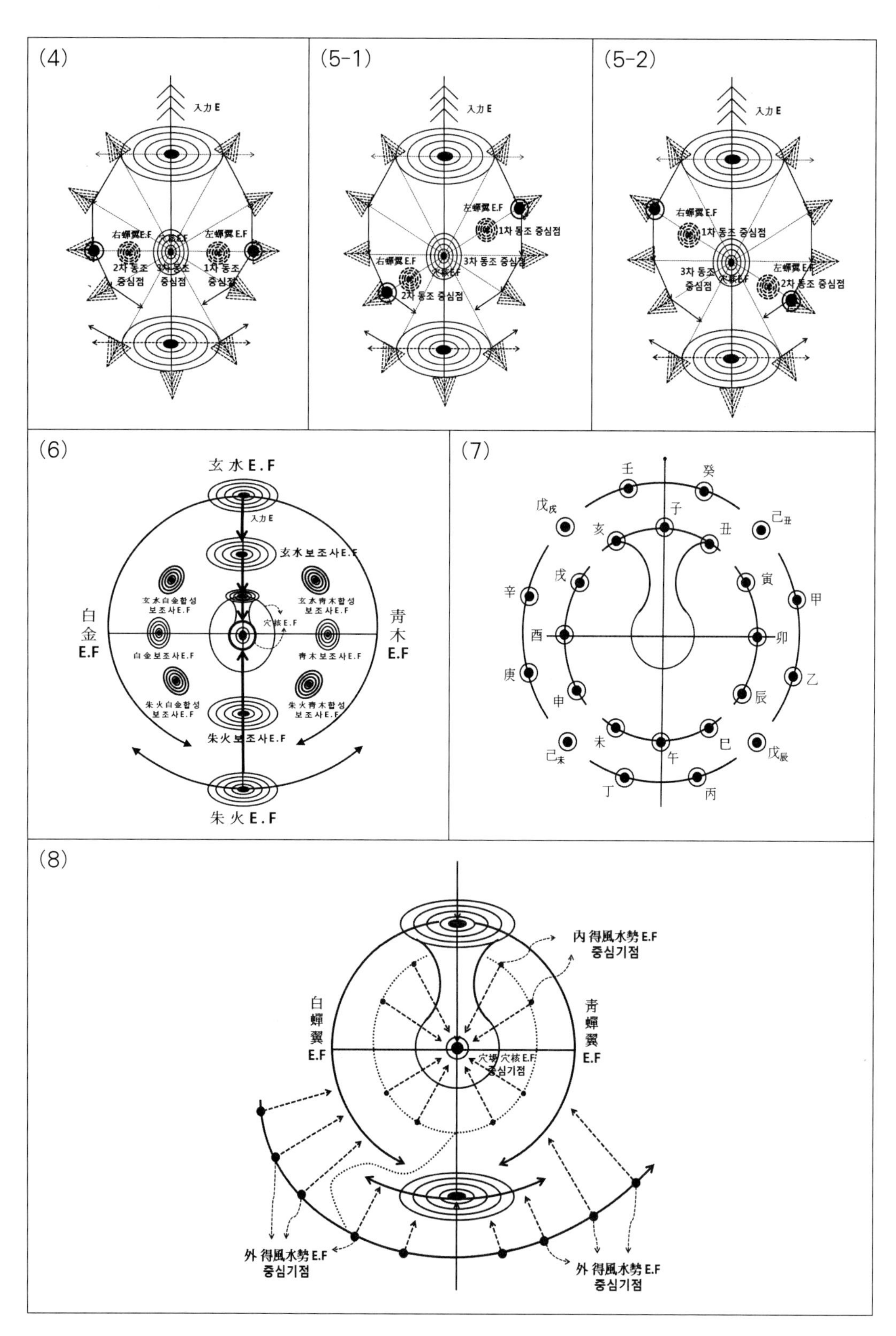

〈그림 12〉 혈장 부위별 Energy體 間 상호 동조 Energy Field 중심점

3) 局 Energy Field Circuit의 穴核 Energy體 응축 합성 동조 중심점 평가 설정

(1) 玄水(子) ↔ 朱火(午) Energy Field 縱응축 합성 동조 核 중심점 평가 설정

玄水 Energy Field와 朱火 Energy Field 間의 혈장 縱응축선상 Positive(⊕) Energy Field 동조 중심점을 종합평가 확인하고 선택함으로써 穴核 중심점과 동일한 縱軸線 Energy Field 응축점이 상호 합일하고 있는지를 결정한다.

(2) 靑木(卯) ↔ 白金(酉) Energy Field 縱응축 합성 동조 核 중심점 평가 설정

靑木 Energy Field와 白虎 Energy Field 間의 혈장 橫응축선상 Negative(⊖) Energy Field 동조 중심점을 종합평가 확인하고 선택함으로써 혈핵 중심점과 동일한 橫軸線 Energy Field 응축점이 상호 합일하고 있는지를 결정한다.

(3) 辰 ↔ 戌, 丑 ↔ 未, 寅 ↔ 申, 巳 ↔ 亥 Energy Field의 응축 합성 동조 核 중심점 평가 설정

역시 辰 ↔ 戌, 丑 ↔ 未, 寅 ↔ 申, 巳 ↔ 亥 間 각각의 Energy Field 응축 동조 중심점을 종합평가 확인하고 선택함으로써 穴核 중심점과 동일한 四邊土와 四生地의 Energy Field 응축점이 상호 합일하고 있는지를 결정한다.

(4) 風水勢 Energy Field의 합성 동조 核 중심점 평가 설정

풍수세 Energy Field 중심점 이동선의 對 혈핵 응축각이 혈핵 Energy體 Energy Field 중심점과 상호 동조적 합일을 유지하고 있는가를 평가 확인하여 그 이동 동조 중심점을 결정한다.

(5) 天體 Energy Field의 上下 응축 합성 동조 核 중심점 평가 설정

혈핵과 혈장 부위별 Energy體 및 그 Energy Field에 동조하는 천체 Energy Field의 諸 응축 특성을 파악 분석함으로써 穴核 및 각 부위별 상단부의 원만 응축 淨潔 입체 세밀도와 質的 善美 調潤 안정도를 재평가 확인하여 最上 동조 중심점을 결정한다.

2. 혈장 핵 Energy體의 동조 Energy Field Circuit 방향성

(1) 玄水(子) ↔ 朱火(午) 동조 Energy Field Circuit 방향성

〈그림 13〉~〈그림 17〉을 참조해보듯이 正變易, 垂變易, 横變易, 隱變易에서의 기본적 穴核 Energy體 Energy Field의 방향성은 거의가 대동소이하게 결정적으로 이루어진다.

(2) 靑木(卯) ↔ 白金(酉) 동조 Energy Field Circuit 방향성

혈장핵 Energy體를 응축 동조하는 靑白 Energy Field Circuit 방향성은 상호 180°의 상대적 位相角을 확정하면서 혈핵 Energy體 중심기점에 정확히 두 Energy Field의 Balancing Point를 형성한다. 이에 따라 靑白의 이상 동조적 Energy Field Circuit 균형 중심점과 그 방향성은 玄水 ↔ 朱火 Energy Field Circuit 동조 중심점과 동일 Point에서 만나게 됨으로써 縱的 Energy Field Circuit 중심기점과 横的 Energy Field Circuit 중심기점이 혈핵 Energy體 중심기점에서 상호 합일하여 결정되게 된다.

(3) 辰 ↔ 戌, 丑 ↔ 未, 寅 ↔ 申, 巳 ↔ 亥 동조 Energy Field Circuit 방향성

위의 (1), (2)와 같은 원리체계에 따라서 辰 ↔ 戌, 丑 ↔ 未, 寅 ↔ 申, 巳 ↔ 亥의 상호 동조 Energy Field Circuit의 중심점 역시 (1), (2)의 Energy Field Circuit 중심기점과 합일점을 결정하게 된다.

(4) 기타 보조사 Energy體의 동조 Energy Field Circuit 방향성

四神砂內에 발생하는 玄朱日月砂, 독봉사, 금수사, 수구사 등의 동조 Energy Field Circuit가 혈핵 Energy體 중심기점과 동일 Point에서 합일하여 결정되게 된다.

(5) 風水勢 동조 Energy Field Circuit 방향성

풍수세 동조 Energy Field Circuit의 방향성 역시 局 동조 Energy Field

Circuit 四神砂 Energy Field Circuit 각종 보조사 Energy Field Circuit의 합성 동조 Energy Field Circuit에 의해 그 풍수세 Energy Field Circuit 동조가 형성되게 됨에 따라 결국 혈핵 Energy體 중심기점에 그 Energy Field Circuit 중심점을 합일시켜 결정하게 된다.

(6) 天體 동조 Energy Field Circuit 방향성

천체 동조 Energy Field Circuit 방향성은 入力 Energy가 입수두뇌에 공급되어 혈장을 형성하는 순간 그 전체 入力 Energy Field 間에는 상호 동조적 응축현상이 발생하게 된다. 이와 동시에 천체 Energy Field는 혈판 내의 혈핵을 둘러싸고 있는 入首頭腦, 纏脣, 左右 蟬翼의 Energy Field를 동조 응축하게 되고 그 穴核 Energy體의 중심점에 집합 응축 Energy를 지속적으로 공급하게 된다. 따라서 위의 6단계 穴場 동조 Energy Field 응축 Circuit와 집중 집합적인 천체 Energy Field가 합성 응축 동조하여 혈판 Energy Field를 형성하게 되고 그 중심기점에 穴核 Energy體 및 그 Energy Field를 결정하게 됨으로써 그 Circuit의 방향성이 결정된다.

※ 본론 6. 4) 그림 참조

3. 五變易 穴場四象 別 혈핵 Energy Field Circuit 방향 설정론

1) 正變易 혈장의 四象別 穴核 Energy Field Circuit 방향 설정

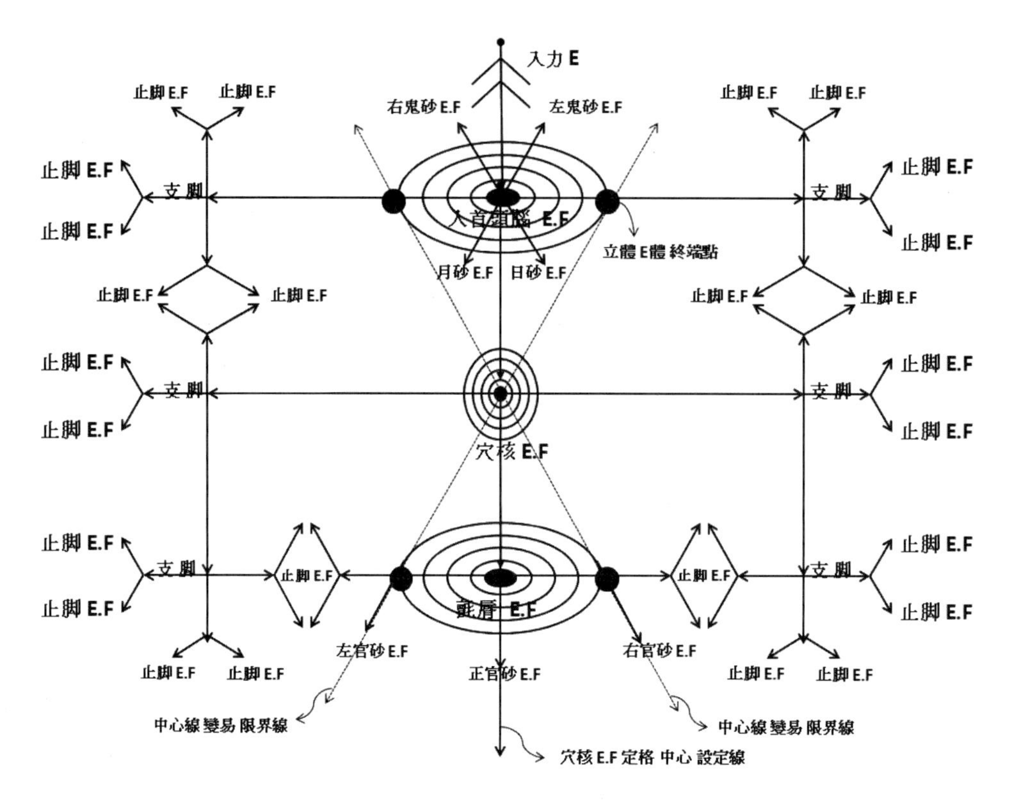

〈그림 13〉 正變易 혈장의 좌향 이동 설정

2) 縱變易 혈장의 四象別 혈핵 Energy Field Circuit 방향 설정

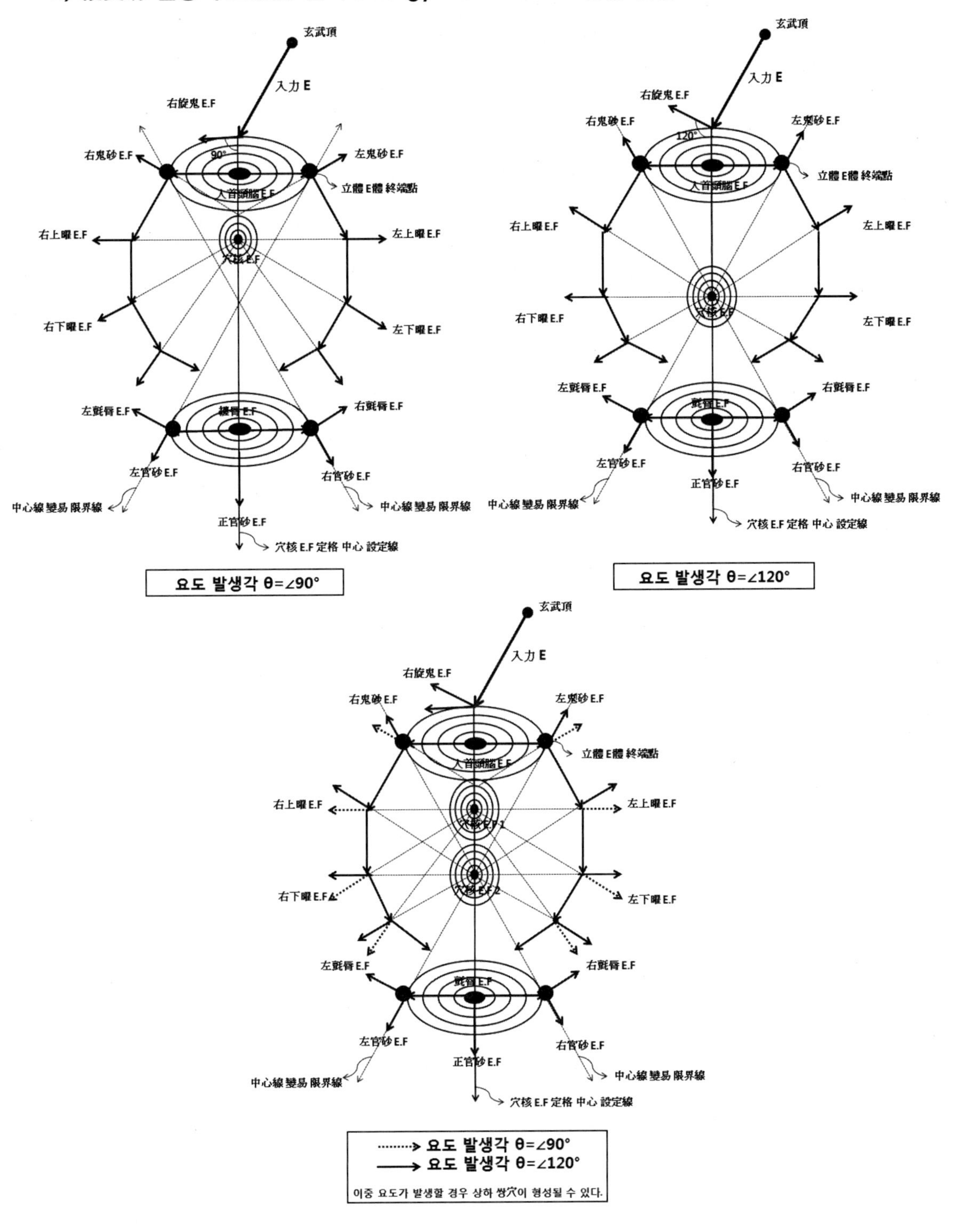

〈그림 14〉 縱變易 혈장의 좌향 이동 설정

3) 橫變易 혈장의 四象別 혈핵 Energy Field Circuit 방향 설정

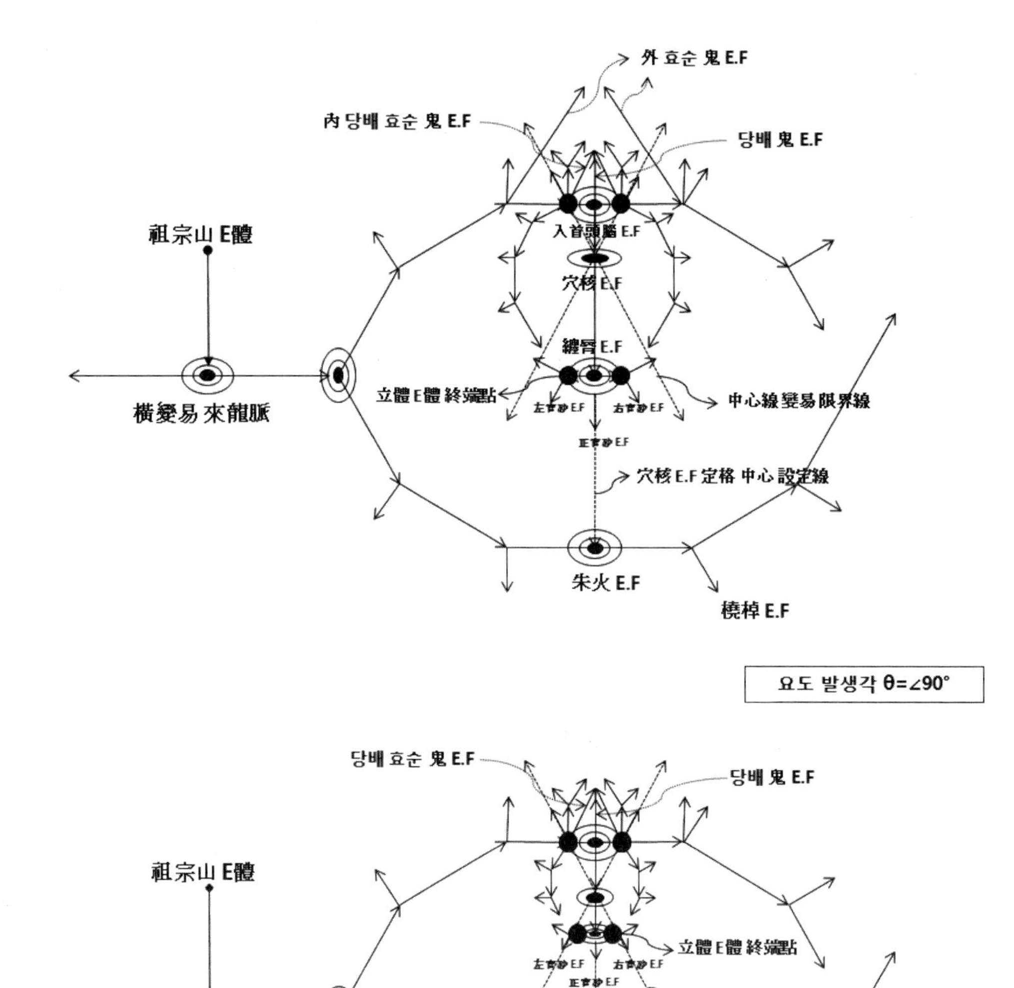

〈그림 15〉 橫變易 혈장의 좌향 이동 설정

4) 垂變易 혈장의 四象別 혈핵 Energy Field Circuit 방향 설정

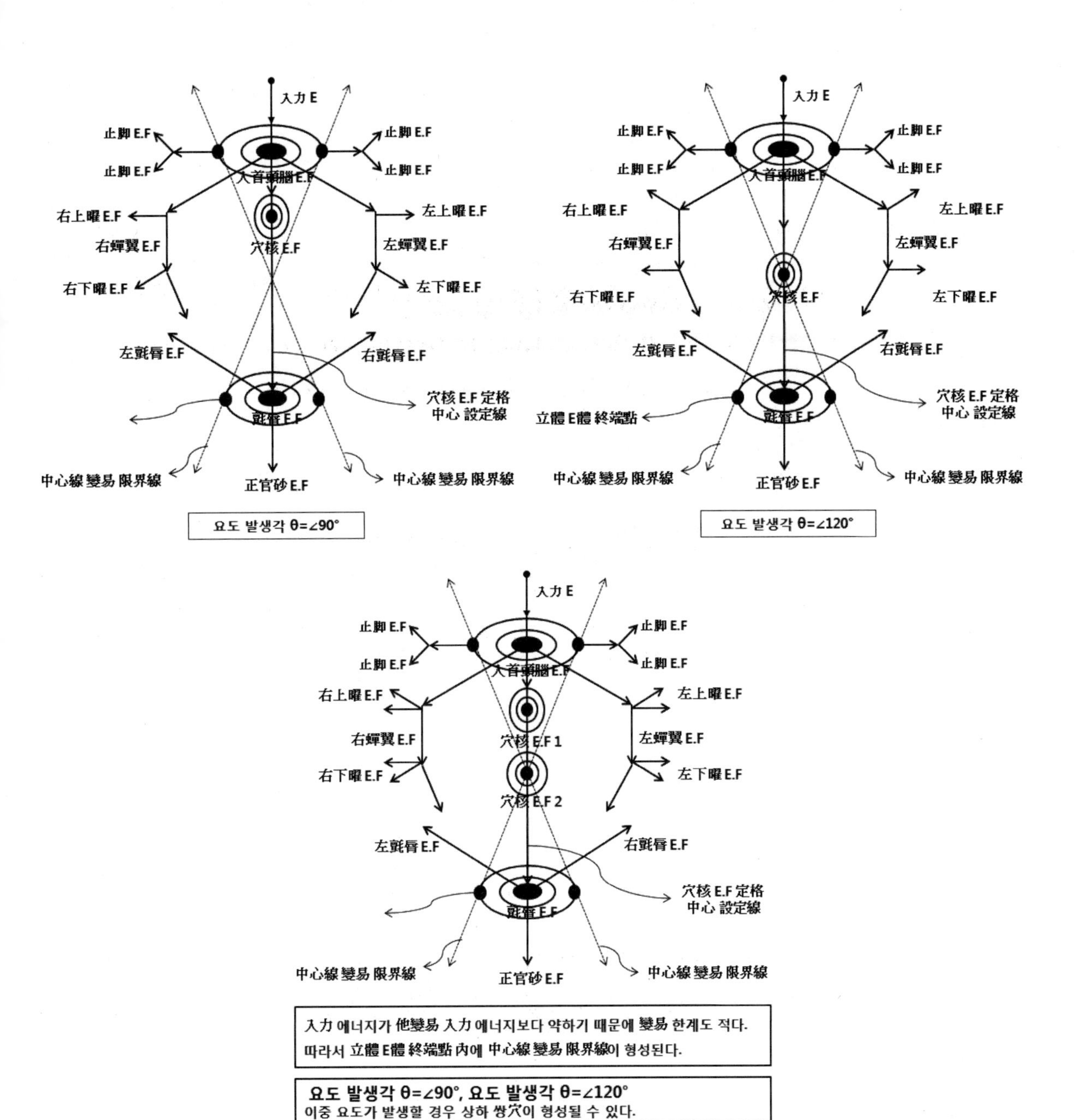

〈그림 16〉 垂變易 혈장의 좌향 이동 설정

5) 隱變易 혈장의 四象別 혈핵 Energy Field Circuit 방향 설정

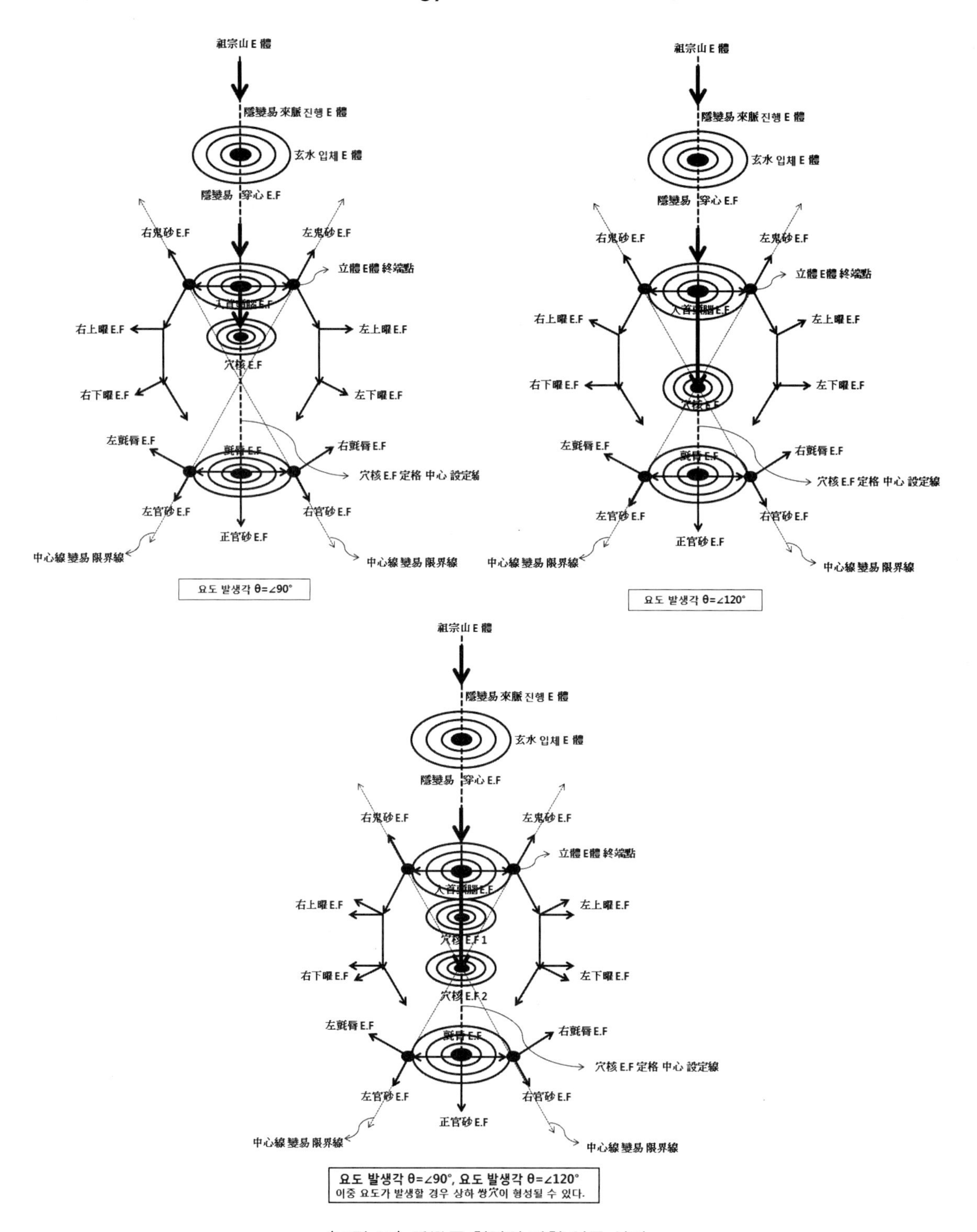

〈그림 17〉 隱變易 혈장의 좌향 이동 설정

6

穴場 Energy Field(E·F)와 穴核 同調凝縮 理論에 관한 연구*

제1절 서론

1. 연구 배경과 목적

1) 연구목적

현대적이고 과학적인 실증적 학문 가치를 재고시키는 데 그 목적이 있다.

2) 연구배경과 동기

과거로부터의 가치롭고 소중한 풍수지리 이론이 우리 일상생활에서 일반화되고 상식화되면서 재발견, 재창조되기엔 너무나 어려운 현 실정임이 안타깝고 답답하여 이제 현대적 감각과 실용적 인식이 보다 가능한 방법을 찾아 풍수원리 이론 중 Energy場論을 활용하여 그 논리적 설명체계를 재정립하고자 하였다. 그중에서 풍수지리의 근본 핵심인 혈장의 穴核 Energy Field가 형성되는 기본 원리인 혈핵 Energy 동조 응축 이론을 중심 테마로 설정하여 간단히 그 원리체

* 영남대학교 대학원 환경설계학과 풍수지리 전공 풍수세미나 발표자료, 2012년 6월 2일.

계를 설명하고자 한다.

3) 연구방법과 범위

(1) 연구방법 : 물리학적, 지질학적 또는 전자공학적 에너지 등가이론에 입각한 Energy Field론을 도입한다. $E=MC^2$, $E=E_m field$ 이론의 도입

(2) 연구 범위 : 혈장 Energy Field의 穴核同調 凝縮原理 질서파악과 그 특성작용 분석에 한한다.

2. 연구의 중점사항

(1) 來龍脈 E · F의 혈장성혈 특성분석
(2) 四神砂 E · F의 혈장성혈 특성분석
(3) 風水砂 E · F의 혈장성혈 특성분석
(4) 方位 E · F의 혈장성혈 특성분석
(5) 穴場 E · F의 혈핵 Energy 동조응축 특성 분석
(6) 天體 E · F의 혈핵 Energy 동조응축 특성 분석

3. 혈장 E · F의 穴核 동조응축 이론의 개념과 정의

1) Energy Field 동조이론의 개요

(1) 一切現象은 Energy 불멸적 존재계다(생명 Energy).

(2) 一切存在는 그 고유의 Energy 및 E · F를 지닌다.
($E=MC^2$, $E=E_m field \propto$ 조직밀도)

(3) 동일한 주파수를 지닌 E · F는 상호 동조한다(주파수 동기동조).

(4) 상호 Circle 동조 Field가 원형으로 합성되면 그 중심에는 핵응축동조 E · F가 형성된다(혈장 형성).

(5) 핵응축동조 E · F 내부에 일정 Energy가 入力되면 그 중심에는 강력한

핵 응축 Energy가 형성된다(혈핵 형성).

2) E · F 동조이론의 개발 필요성

(1) 래룡맥 취기의 입체구조 형성이론 정립을 위한 필요성
(2) 각종 分擘 枝龍, 橈棹, 支脚, 止脚의 발생원리 설명을 위한 필요성
(3) 사신사 E · F의 局 동조 Energy場 형성원리를 정립하기 위한 필요성
(4) 혈장 E · F의 穴核 응축동조원리를 설명하기 위한 필요성
(5) 천체 E · F와 地氣 E · F의 동조원리를 재정립하기 위한 필요성

3) Energy場 동조이론의 발전적 대안

(1) 차원 높은 풍수 학문의 이론 정립을 위한 물리학적, 지질학적, 천체공학적, 인체공학적 諸 분야의 학술 연구가 보다 구체적이고 조직적으로 집중학습 되어야 한다.
(2) E · F 이론을 실증하기 위한 각종 계기 장치 개발의 필요성이 시급하다.

제2절 본론

1. 板構造運動論*

1900년대 초에 大陸移動說이 발표된 후 지진파를 통해 지구 내부 모습을 알게 되면서 지구 표면을 이루는 지각은 약 10여 개의 움직이는 판으로 이루어져 있고 이 판들은 고정된 것이 아니라 이동하면서 새로운 암석권과 부딪혀 지진, 화산작용, 습곡산맥 형성 등 각종 지각변동을 일으킨다는 사실을 발견하였다. 100km 두께에 달하는 지구표면의 지각과 맨틀 아래에는 철 성분을 띤 뜨거운 핵이 있어 이들 지각, 맨틀과 핵 사이의 온도차이로 인해 對流現想이 발생하여 판의 운동이 시작되었고, 판의 밀도에 따라 밀치기도 하고 아래로 밀려들어가기도 하면서 지구표면에는 다양한 지각현상이 일어나고 있다.

지구를 덮고 있는 약 10여 개의 판은 주로 해저로 이루어진 해양판과 육지로 이루어진 대륙판, 해양과 육지가 반반으로 이루어진 판이 있다. 판의 종류는 크기에 따라 7개의 커다란 판- 북아메리카판, 남아메리카판, 유라시아판, 태평양판, 아프리카판, 인도-호주판, 남극판과 중간크기의 6개의 판으로 분류된다. 각 판의 경계에서는 지구 깊은 곳으로부터 마그마가 분출되어 지진활동을 발생시켜 해양지각을 생성시키는 발산형 경계(divergent boundaries)와 한 판이 다른 판 아래로 끌려 들어가 소멸되는 수렴형 경계(convergent boundaries), 이 두 경계를 연결시켜주는 변환단층형 경계(transform boundaries)가 있는데 각 판이 어떻게 반응하느냐에 따라 진행되는 지각현상도 각각 다르게 나타난다.

지진의 발생과 화산 폭발, 육지의 산과 산맥의 솟음과 바다의 해저계곡이 생기는 등의 지각현상이 일어나고 있는 곳을 보면 대부분 판의 경계를 따라 일어나고 있다. 일본의 경우 4개의 판(북아메리카판, 태평양판, 유라시아판, 필리핀판) 경계에 위치하여 지진이 빈번하게 발생하며, 칠레, 아이티, 일본은 환태평양 화산대와 태평양판의 가장자리에 위치하여 소위 '불의 고리(Ring of Fire)'라

* 국가지식포털, 과학/정보통신, www.knowledge.go.kr

불릴 만큼 화산활동과 지진이 활발하게 진행된다. 알프스나 히말라야 산맥은 판의 운동결과를 가장 잘 보여주는 곳으로 대륙과 대륙판이 충돌하면서 두 판 중 한쪽이 아래로 들어가는 것이 아니라 서로 상승하여 지각이 위쪽과 옆쪽으로 접히면서 습곡을 형성하게 된 곳으로 히말라야 산맥은 유라시아판과 인도판의 충돌에 의해 형성된 것이다. 우리나라는 판 구조상 유라시아판에서 동쪽 부근에 위치하고 있지만 경계가 아닌 대륙의 가장자리에 놓여 있어 판 경계를 따라 일어나는 지진과 화산폭발의 위험은 다소 낮다.

2. 지형에 따른 에너지 구조체 분류

지구표면 에너지체는 지구가 태양으로부터 분리된 이래, 지구 核 에너지와 태양을 포함한 주변 천체 에너지장 간의 상호 同調場 變易에 의해 폭발과 대류, 산맥과 地水가 형성, 變易하여 成·主·壞·空의 주기적 반복과정을 거치면서 지속적으로 형성되었다.

이 同調場 변역형태는 제1차적으로는 板構造의 에너지 表面體를 형성하다가, 제2차적으로 판구조 에너지체의 이동에 따른 집합 및 離散 현상을 통해 입체구조 표면 에너지체를 형성하기도 하고, 板分離 현상에 따른 내부핵 분출이 일어나기도 하면서, 제3차적으로 입체구조 표면 에너지체의 振動 및 餘氣 이동현상 발생으로 線構造 형태의 표면 에너지체를 형성하기도 하고, 核噴出 이동에 의한 입체구조 에너지체 末端部의 선구조 에너지체의 地表 山脈을 형성하기도 한다.

이렇게 變易된 지표 에너지체는 제4차적 變易過程에 들면서, 線構造 에너지체였던 지구 표면 에너지체를 점차적으로 板構造 에너지체로 還元, 變易시키면서 또다시 集合과 移動, 凝縮 및 離散, 分離가 지표면상에서 끊임없이 계속 되풀이되어 지구 에너지체가 그 수명을 다할 때까지 輪廻하게 되는 것이다.

그러면 이와 같은 지구표면 에너지체의 輪廻的 變易過程에 따른 각 地表變易 에너지체의 구조형성 원리를 보다 구체적으로 고찰 검토해보기로 한다.

1) 板構造 Energy體

(1) 板構造 에너지體의 형성원리

지구 核 에너지가 주변 천체 에너지장의 平等維持 同調場 영향을 받게 되면, 지구표면 에너지체는 천체 에너지장과 同和된 地球 核 에너지장의 균형 유지 동조장에 의해 형태변역을 일으키며 에너지 이동현상을 나타내는데, 이것이 맨틀을 對流케 하는 지표 에너지 이동작용이며, 이 맨틀 대류작용에 의해 지표 에너지체는 移動과 凝固를 반복하면서 판구조 형태의 기초적인 지구표면 에너지체를 형성, 構造變易을 지속해간다.

따라서 지구표면 에너지체는 천체의 균형유지 에너지장과 지구 핵 에너지의 안정유지 에너지장이 상호 동조하여 만들어가는 에너지장 합성의 모습 그대로이며, 그 형태 변역특성 또한 동조장 변역질서에 따라 모습을 바꾸어가는 매우 합리적이면서도, 복잡한 원리를 지닌 지표현상이다.

이러한 지표현상은 과도기적 핵 분출을 일으키다가 비교적 안정기에 접어들면 대체적으로 지구표면에 균등한 에너지 분포를 일으키며 구조화되는데, 이것이 板構造 에너지체의 지구표면 현상이다.

이 板構造 에너지체는 지구표면을 구성하는 제1차적 基礎 에너지 구조로서, 균등한 組織密度와 균일한 에너지 분포를 형성하는 까닭에 평등 균일적이며 조화 안정적인 특성은 있으나, 제2, 3차적으로 형성되는 입체구조 에너지체나, 線구조 에너지체에 비해 에너지 응축특성 및 집중도가 훨씬 못 미친다는 점과 單位 에너지체에 있어서의 단위 에너지장 세기와 크기가 보다 弱小하다는 것이 특징적이다.

(2) 板構造 에너지體의 특성과 그 변역질서

板構造 에너지체는 지구표면 에너지체의 기본특성 유지체로서, 均一平面을 원칙으로 하는 均衡維持秩序에 의해 에너지 특성을 變易시켜간다. 따라서 모든 에너지 구조체가 되기 위한 기초에너지 특성체로서의 역할과, 모든 에너지 구조체의 환원매체로서의 역할을 동시에 담당하고 있다. 板構造 에너지체가 집합 응축 에너지체를 공급받으면 입체구조 에너지체가 되고, 核 분출 에너지를 만나면

隆起 凝固하여 입체화한다. 맨틀 에너지 파동을 만나면, 線구조 에너지체로 변역하고 그 수명이 다한 에너지체의 還元處가 되기도 한다.

그러나 엄격한 의미에서의 板構造 에너지체의 특성은 그 형성과정과 변역질서에 따라 매우 다른 에너지 작용특성을 나타내고 있음을 再인식하지 않으면 안 된다. 즉 그 형성과정이 Positive(⊕) 집합과정의 에너지체이냐, Negative(⊖) 이산과정의 에너지체이냐에 따라서 그 에너지체가 지닌 구조적 특성과 각각의 에너지 특성이 크게 달라짐은 물론, 구조조직이 지닌 밀도나 응축 강도 및 그 수명 또는 단위 에너지장에 대한 에너지 세기와 크기 등이 많은 차이를 나타나게 된다.

이와 같은 특성 현상은 지표판 구조체의 지질 분석 자료를 참고하거나 단위 구조체별 에너지 특성 분석을 통해서도 충분히 확인할 수 있는 방법이지만, 각 구조가 지닌 변역질서에 의해서도 응축 합성인가, 분출적 응고인가에 따라 서로 다른 물질 및 에너지 작용이 나타난다는 것을 쉽게 알 수 있다.

2) 立體構造 Energy體

(1) 立體構造 에너지體의 형성원리

板構造 에너지체는 天體 에너지장과 지구 核 에너지장과의 평등유지 동조특성에 의한 맨틀 對流體의 표면 凝固현상이다. 그런데 이 맨틀 대류는 응고된 지구표면 에너지체를 이동시키면서, 판구조 형태의 지표면을 상호 집합 응축시키기도 하고 또 상호 분리 이산시키기도 한다. 이때에 집합하는 판구조 에너지체는 상호 응축하여 지표면상으로 융기 돌출되면서 거대한 입체구조의 지표 에너지체를 형성하게 되는데, 이것이 곧 육지의 근원이 되는 산맥이다. 또한 상호 분리 이산되는 판구조 에너지체는 그 진행이 離續되면서 내부 核 에너지의 분출을 惹起, 지표 융기와 더불어 핵폭발을 일으키게 하고, 이 폭발된 核 에너지체는 지표의 판구조 에너지체를 基底로 하여, 융기지표를 동반한 입체구조의 에너지체로 變易한다.

이와 같은 원리에 의해 형성된 입체구조의 지표 에너지체는, 최소한 2개군 이상의 판구조 에너지체 합성응축에 의해서 구조화되거나, 또는 내부 地核 에너지 합성을 통해서 형성되는 것이므로, 기초적 판구조 에너지체에 비해 단위 체적당 에너지장 밀도와 세기 및 총량은 보다 더 크게 나타난다고 볼 수 있다.

(2) 입체구조 에너지체의 특성과 그 변역질서

입체구조 에너지체가 형성되는 원리는 다음과 같은 두 가지 변역질서에 의해서 이루어지고 있음을 알 수 있다.

첫째는 天體 에너지 및 지구 核 에너지와 판구조 에너지체 상호 간의 집합응축질서에 의한 입체구조 에너지체 형성이고,

둘째는 天體 에너지 및 지구 核 에너지와 판구조 에너지체 상호 간의 이산분리질서에 따른 분출 에너지체 凝固와 隆起 에너지체 합성의 입체구조 에너지체의 형성이다.

엄격히 구별하여 두 질서의 입체 에너지원을 비교해본다면, 기본적으로 형성된 기초 에너지 부분에서 전자의 것은 판구조 에너지체인 지구표면 에너지체이고, 후자의 것은 지구내부의 核 에너지 분출인 마그마 에너지체인 점이 각각 서로 다르기 때문에 그 구성 질량별 에너지 특성도 다른 것은 물론이려니와 그 구조 형태별 형성 특성 및 에너지 특성이 모두 크게 다르다는 것을 재인식할 필요가 있다.

3) 線構造 Energy體

(1) 線構造 에너지體의 형성원리

입체구조의 에너지체 형성원인은 판구조 에너지체의 집합응축과 이산응고의 질서에서 비롯된다. 이 집합응축과 이산응고질서가 어떠한 진행과정 속에서, 어떻게 그 에너지 변역을 지속해가는가 하는 것에 대해 보다 세밀하고 구체적인 관찰로 파악해보기로 한다.

〈집합응축질서의 기본진행과 그 變易 과정〉

① 천체 에너지장 + 지구 에너지장의 동조현상 → ② 평등유지동조 작용 → ③ 지표상의 천체-지구 동조 에너지장 형성 → ④ 맨틀대류 및 지표이동현상 →

⑤ 지표 板 에너지체의 집합응축 작용 → ⑥ 입체구조 에너지체 형성 → ⑦ 산맥 형성 → ⑧ 산맥 에너지 파동현상에 따른 線 에너지 이동질서 발생 → ⑨ 線구조 에너지체 형성과 기초판 에너지 이동 및 분포 변역

〈이산응고질서의 기본진행과 그 변역 과정〉

① 천체 에너지장 + 지구 에너지장의 동조현상 → ② 평등유지동조 작용 → ③ 지표상의 천체-지구 동조 에너지장 형성 → ④ 맨틀대류 이동현상 → ⑤ 지표 에너지체의 이산분리 → ⑥ 지각의 박피화 현상 → ⑦ 지구내부 核 에너지 분출로 인한 화산 및 지각 융기 현상 → ⑧ 지표 에너지 합성 및 응고작용 → ⑨ 입체구조 에너지체 형성 → ⑩ 지각의 진동 및 지표 에너지체의 파동 작용 → ⑪ 입체구조 末端 및 板구조 전반에 線 에너지 이동질서 발생 → ⑫ 선구조 에너지체 형성

위의 변역질서에서 보는 바와 같이, 집합과정에서는 기존의 지표판 에너지체 상호 간의 합성응축작용에 의해 입체구조 에너지체와 선구조 에너지체가 형성되는 까닭에 板 에너지체의 균일 분포 에너지가 합성응축과정을 거치면서 입체적 에너지 집합과 線形 에너지 집합으로 그 모습을 바꾸게 된다.

그리고 離散과정에서는, 기존의 지표판 에너지체 상호 간이 상호 분리되는 작용에 의해 지구내부 核 에너지를 분출케 하고 지표판을 隆起케 하므로 기존의 板 에너지는 그 특성을 약화시키고, 신생 核 분출 에너지와 융기 波動에 의한 線 에너지체로 그 모습을 바꾸게 된다.

이러한 까닭에 집합응축과정의 에너지체 구조는 집합응축의 에너지 특성을 지니고, 이산응고 과정에서의 에너지체 구조는 전반적으로 확산응고의 에너지 특성을 지닌다.

(2) 線구조 에너지體의 특성과 그 변역질서

線구조 에너지체의 형성원인이 집합과정에서나 이산과정에서나 입체구조 에너지체의 말단부 진동과 板 에너지 파동에 의한 線 이동현상임에는 두 과정 모두가 다를 바 없으나, 그 변역질서를 상세히 관찰해보면 그 속엔 집합이동의 에너

지체 특성인자와 분리이동의 에너지체 특성인자가 서로 다른 구조적 배열조직을 형성하고 있음을 발견할 수 있다.

즉, 집합과정의 응축질서 속에서의 에너지체 특성은 Positive(⊕) 특성의 응축배열 조직이고, 이산과정의 噴出物 응고질서 속에서의 에너지체 특성은 Negative(⊖) 특성의 응고 배열조직이 주이다. 이는 판구조 파동현상에서 형성된 線 에너지체에서도 진동현상에서 형성되는 線 에너지체 조직특성과 동일한 조직배열로 구성되어 있는 것이 원칙이다.

4) 複合構造 Energy體

(1) 複合構造 에너지體의 형성원리

복합구조 에너지체는 집합응축 질서와 이산응고 질서의 복합 형태로서, 지구 에너지체가 생성 이래로 끊임없는 긴 세월을 집합과 이산, 응축과 분리, 분출과 진동, 파동과 응고로 되풀이해 변역하는 과정에서, 板 이동 합성응축과 板 분리 분출응고, 또는 板 에너지 파동질서와 분출 에너지 응고질서가 복합되어 형성된 에너지체를 말한다.

현재의 지표구조 에너지체는 점차적이면서 반복적인 변역질서 속에서 오랜 기간 동안 형태 변역을 유지해온 까닭에 지금까지 고찰해온 입체구조 에너지체나 線구조 에너지체 및 板구조 에너지체가 단일한 형성과정과 변역질서 속에서만 유지하지 못하고, 집합과 이산이 응축과 응고가 되풀이되어 복합질서의 복합구조 에너지체 특성이 지표 에너지체 곳곳에서 발생하게 되었다.

(2) 복합구조 에너지體의 특성과 그 변역질서

산맥 진행체 중에서 화산발달이 일어나 복합구조를 형성하는 경우도 있고, 화산분출 지표면 상에서 판구조 응축이나 파동이 합성되어 복합구조를 만들어가는 경우도 많다. 주로 많이 발달하는 복합구조 에너지체 형태는 이산 과정의 분출 에너지 응고체와 집합과정의 응축 에너지체 합성구조 에너지체라 할 수 있다. 특히 線 구조 에너지체가 진동과 파동의 복합질서에 의해 형성될 때는 그 구조특성 및 에너지 특성은 매우 복잡한 형태로 나타나게 됨으로써, 그 정확한 특성을 조사 확인하기 위하여서는 보다 세심한 관찰과 특성 계산을 필요로 한다.

3. 한반도 지질구조 에너지 및 그 에너지장 체계와 중국판 지질구조 에너지 및 그 에너지장의 체계

1) 한반도의 지형과 지질구조

한반도는 전체적으로 안정된 땅으로 대부분의 지층이 고생대 이전에 형성되었고, 신생대에 만들어진 지층은 상대적으로 적다. 평남지향사와 옥천지향사의 퇴적암층은 수차례의 造陸運動과 海浸을 받으면서 고생대 전반에 걸쳐 형성된 것이며, 대규모의 지각운동으로 습곡, 단층작용을 받으며 지질구조가 매우 복잡해진 중생대에는 지각의 융기로 인한 화강암의 관입으로 설악산이나 관악산과 같이 경사가 급한 바위산들이 생성되었다. 우리나라는 신생대 지층이 많이 존재하지는 않으나 이 시기에 발생한 지질구조선의 차별침식으로 인한 傾動性 撓曲운동으로 인해 동・서의 비대칭적인 융기, 침강 작용으로 東高西低形의 지형이 형성되어 연속성이 뚜렷한 태백산맥과 함경산맥(백두대간) 같은 1차 산지가 형성되게 되었고, 신생대 3기~4기 사이에 일어난 화산활동으로 백두산, 제주도, 울릉도, 독도와 철원용암지대가 형성되기도 하였다. 우리나라에서는 경사도가 ∠5° 이하의 평탄한 지역은 국토면적의 약 23%에 불과하며 70% 이상이 산지로 이루어져 험한 산지는 동쪽과 북쪽에 편재하고 있다. 그러나 1,500m 이상의 산지는 전 국토의 약 4% 정도에 불과하고 이를 제외한 대부분의 산지는 미약한 융기와 침식의 진전으로 低起伏 산지를 이루고 있다.

2) 한반도 지질구조 에너지 및 그 에너지장 체계

국토 면적의 약 70% 이상이 산지인 우리나라는 유라시아 대륙에 연결된 안정된 地塊로 한반도의 백두산 중심판 지표 에너지체의 지질구조체는 비록 백두산 천지에서 그 융기 에너지가 폭발 발산되어 산맥형성을 위한 根柢 에너지 부족현상을 다소는 나타내고 있지만, 그러나 대체적으로 핵 융기 에너지에 의해 형성된 立體 및 線 구조 산맥 에너지체가 거의 대부분을 차지하고 있다. 따라서 융기 입체 취기봉 → 線 에너지 순환 이동 산맥 → 보호국 형성 → 穴 에너지 응축 안정 등으로 순환안정 되는 지질구조체계는, 백두대간을 비롯한 한반도 산맥 전체에 그 특성을 동일 구조형태로 질서화 시키면서 한반도의 지표에너지 특성체계를 형성해왔다.

한반도판이 지니고 있는 융기산맥은 山 에너지체 형성질서원리인 에너지 變位角 $\theta=\angle 30^{\circ}\times n$의 형태로 진행 변역한다. 그 과정에서 만들어지는 정지안정질서의 穴場 및 穴核 에너지체 발달, 그리고 이를 보호 유지해주고 육성 관리해주는 四神保護砂와 局風水勢 에너지장 등으로 지질구조 에너지 및 그 에너지장 체계가 구조화되어, 한반도판의 지질구조는 비교적 정교하고 섬세하며 응축 활동적이고 진취적인 穴核 에너지장을 보유하고 있다.

따라서 이러한 한국판 지질구조체계에 적합한 무덤설치계획은 자연의 변형이나 파괴가 없는 가장 이상적이고 자연 합일적인 설계원칙을 정함으로써, 단정 명료하고 정교 섬세한 地氣에너지의 生氣感應을 극대화시키고 있다.

한반도식 동기감응사상은 線 구조 산맥 에너지체가 지닌 이동 순환적 同期化 特性의 同期感應 효과로 인해 인간유전 에너지체 동조라는 同期的 생명에너지 감응원리에 보다 친숙하고 충실하다.

3) 중국판 지질구조 에너지 및 그 에너지장의 체계

중국대륙의 기저판은 유라시아판, 인도판, 필리핀판, 태평양판 등 주변의 지표판에 의해 2차적으로 응축되어가는 지판-이동-응축-입체 에너지 구조체 형성 과정 중의 지질형태가 대부분이다. 판 2차 응축 입체구조 질서가 활발한 중국 대륙의 地氣 에너지 작용특성은 線 에너지 이동 순환 특성이 지닌 同期同調的 응축 에너지 효과보다는, 입체 에너지장의 同氣化 특성이 지닌 同氣感應的 醇化應氣 효과가 오히려 더 큰 능률적 生氣感應 현상을 일으킨다.

따라서 한반도판이 지니고 있는 융기산맥의 이동질서인 에너지 變位角 $\theta=\angle 30^{\circ}\times n$의 山 에너지체 형성질서원리를 중국산맥에서는 찾아보기 힘들다. 때문에 중국판 지질구조에서는 이동응축입체 에너지체가 지닌 포괄적, 광활적, 개략적인 지질형태 특성이 발달되었고, 이러한 풍수적 지질특성에서는 理氣論的이거나 九星論的이 아니면 단순한 形氣的 원리의 山脈來龍과 혈장구조의 이론 체계가 형성되어갈 수밖에 없었다.

포괄적이고 광폭적인 地氣 에너지장 속에 할 수 있는 장법설계는 거대한 지하 공간 에너지장을 포괄, 수용할 수 있는 거대 지하 塚이나 대형무덤의 형태로 중국판 지질특성구조에서는 무덤 설치 계획이 한국과 같은 集中凝縮式 穴 에너지 감응의 장법설계가 아닌 包括集合式 穴 에너지 감응의 장법설계로 대형적, 인공적인 장법이라는 데 그 특징이 있다.

4. 龍, 砂, 水, 穴場, 方位 Energy Field(이하 E · F)의 成穴 의지

1) 祖宗山 來龍脈 E · F의 成穴 同調意志

(1) 祖宗山 E · F의 成穴 동조의지

① 祖宗山 ↔ 朝宗山 E · F의 상호회합동조특성의지 발로
② 隆起 祖宗山 Energy의 穴核 Energy 공급을 위한 入力 특성동조 의지 발로
③ 祖宗 주변 護從砂의 穿心, 入力 Energy 공급특성동조의지 발로

(2) 來龍脈 E · F의 成穴 동조의지

① 隆起 Energy 유지 보존 의지에 의한 E · F 동조
② 集合 Energy 유지 보존 의지에 의한 E · F 동조
③ 移動 Energy 유지 보존 의지에 의한 E · F 동조
④ 分擘 Energy 회합 취집 의지에 의한 E · F 동조
⑤ 成穴 Energy 천심 입력 의지에 의한 E · F 동조

(3) 來龍脈 開場 E · F의 成穴 동조의지

① 局 E · F의 공간 확보 동조의지
② 局 E · F의 善 구조 확장 동조의지
③ 穿心脈 E · F의 善 질서 공급 동조의지

(4) 來龍脈 分擘 枝龍 E · F의 成穴 동조의지

① Energy 재집합 聚氣 동조의지 → 成穴 E · F의 혈판 극대화

② Energy 재회합 동조의지 → 成穴 E · F의 蟬翼 Energy 극대화

③ 중심 Energy 穿心 동조의지 → 成穴 E · F의 入力 Energy 극대화

(5) 來龍脈 橈棹 변환 E · F의 成穴 동조의지

① 진행 Energy의 재응축 동조의지

② 진행 Energy의 善 방향전환 동조의지

③ 래룡맥 E · F의 증폭 동조의지

④ 青白 Energy體 형성 동조의지

⑤ 成穴 응축 Energy 형성 동조의지

(6) 來龍脈 支脚 Supporting E · F의 成穴 동조의지

① 래룡맥 Energy體 균형유지 및 직진안정 동조의지

② 래룡맥 Energy體 일시정지안정 동조의지

③ 래룡맥 Energy體 자력보호 유지안정 동조의지

(7) 來龍脈 止脚 Stopping E · F의 成穴 동조의지

① 래룡맥 Energy體의 영구정지안정 동조의지

② 래룡맥 Energy體와 주변 Energy體 간 상호동조 안정의지

③ 래룡맥 Energy體의 主副脈 상호동조 안정의지

2) 四神砂 E · F의 成穴 동조의지

(1) 玄水 E · F의 成穴 동조의지

① 入首頭腦 入力 E · F의 용량 극대화 형성 동조의지(聚集안정의지)

② 藏風 E · F의 穴 안정 효율 극대화 동조의지(通氣 안정의지)

③ 元辰水 E · F의 穴 응축 효율 극대화 동조의지(地氣 조윤 안정의지)

④ 穴場 Energy 안정공급 동조의지(入力 안정의지)
⑤ 善 入力 E·F의 극대화 형성 동조의지(H Energy 공급, 善性 生起의지)

(2) 朱火 E·F의 成穴 동조의지

① 靑白 E·F의 재응축 동조의지
② 穴場 E·F의 재응축 동조의지
③ 穴場, 入首頭腦, 纏脣, 明堂, 蟬翼 E·F의 善性化 동조 의지(O Energy 공급)

(3) 靑木 E·F의 成穴 동조의지

① 靑蟬翼 左旋 E·F 형성동조의지
② 靑白 균형 E·F 형성동조의지
③ 玄水 ↔ 靑龍 동조 E·F의 형성의지
④ 靑龍 ↔ 朱火 동조 E·F의 형성의지
⑤ 穴核 E·F 응축동조의지(N Energy 공급)

(4) 白金 E·F의 成穴 동조의지

① 白蟬翼 균형 E·F 형성 동조의지
② 白靑 안정 E·F 형성 동조의지
③ 玄水 ↔ 白虎 동조 E·F의 형성의지
④ 白虎 ↔ 朱火 동조 E·F의 형성의지
⑤ 穴核 E·F 응축동조의지(C Energy 공급)

3) 風水 환경 E·F의 成穴 동조의지

(1) 風 E·F의 성혈 동조의지

① 地氣 E·F의 生氣 안정 동조의지(N, O Energy 유지보전)
② 局 E·F의 通氣 안정 동조의지
③ 閉塞 E·F의 生起 동조의지

④ 水 E · F의 안정 공급 동조의지

⑤ 穴核 E · F의 안정 응축 동조의지

(2) 水 E · F의 成穴 동조의지

① 地氣 E · F 生氣 안정 동조의지(H Energy 유지보전)

② 局 E · F 調潤 안정 동조의지

③ 穴場 E · F의 생기 Energy공급, 유지보전 동조의지

④ 穴板 E · F의 소멸방지 동조의지

(3) 기타 환경 E · F의 成穴 동조의지

① 적정 온도 E · F의 성혈 동조의지

② 적정 습도 E · F의 성혈 동조의지

③ 전기장 및 자기장 E · F의 성혈 동조의지

4) 天體 E · F의 成穴 동조의지

(1) 祖宗 래룡맥상 천체 E · F의 성혈 동조의지

(2) 四神砂 局內 천체 E · F의 성혈 동조의지

(3) 風水砂 Energy場 중 천체 E · F의 성혈 동조의지

(4) 穴場 중 천체 E · F의 성혈 동조의지

5) 穴板 E · F의 혈핵 응축 동조의지

(1) 入首頭腦 E · F의 혈핵 응축 동조의지

① 入首來脈 Energy 재응축 동조의지

② 入力 Energy 안정入穴 동조의지

③ 纏脣 Energy 안정공급 동조의지

④ 青蟬翼 Energy 안정공급 동조의지

⑤ 白蟬翼 Energy 안정공급 동조의지

⑥ 穴核 E · F 재응축 동조의지

(2) 左蟬翼 E · F의 穴核 응축 동조의지

① 入首頭腦 Energy 안정수급 동조의지
② 纏脣 Energy 안정공급 동조의지
③ 白蟬翼 E · F 균형안정 동조의지
④ 穴核 Energy 재응축 동조의지

(3) 右蟬翼 E · F의 穴核 응축 동조의지

① 入首頭腦 Energy 안정수급 동조의지
② 纏脣 Energy 안정공급 동조의지
③ 青蟬翼 E · F 균형안정 동조의지
④ 穴核 Energy 재응축 동조의지

(4) 纏脣 E · F의 穴核 응축 동조의지

① 入首頭腦 Energy 균형안정 동조의지
② 穴場 餘氣 Energy 안정수급 동조의지
③ 青蟬翼 Energy 안정수급 동조의지
④ 白蟬翼 Energy 안정수급 동조의지
⑤ 穴核 Energy 재응축 동조의지

(5) 鬼砂 E · F의 穴核 응축 동조의지

① 左鬼 E · F의 青蟬翼 Energy 안정증폭 동조의지
② 右鬼 E · F의 白蟬翼 Energy 안정증폭 동조의지
③ 入穴脈 E · F의 안정증폭 동조의지
④ 穴核 Energy 재응축 증폭 동조의지

(6) 曜砂 E · F의 穴核 응축 동조의지

① 青木蟬翼 曜砂 E · F의 穴核 Energy 재응축 증폭 동조의지
② 白金蟬翼 曜砂 E · F의 穴核 Energy 재응축 증폭 동조의지

③ 穴核 E・F의 원형 Energy場 재형성 동조의지

(7) 官砂 E·F의 穴核 응축 동조의지

① 明堂 E・F의 안정형성 동조의지

② 青蟬翼 Circle E・F의 안정형성 동조의지

③ 白蟬翼 Circle E・F의 안정형성 동조의지

④ 穴核 E・F의 원형 Energy場 재형성 동조 응축의지

(8) 穴板 天體 E·F의 穴核 응축 동조의지

① 入首頭腦 E・F의 상하응축 동조의지

② 纏脣 E・F의 상하응축 동조의지

③ 青蟬翼 E・F의 상하응축 동조의지

④ 白蟬翼 E・F의 상하응축 동조의지

⑤ 穴核 E・F의 상하응축 동조의지

(9) 穴場 基底板 地氣 E·F의 穴核 응축 동조의지

① 入首頭腦 E・F의 상하응축 동조의지

② 纏脣 E・F의 상하응축 동조의지

③ 青蟬翼 E・F의 상하응축 동조의지

④ 白蟬翼 E・F의 상하응축 동조의지

⑤ 穴核 E・F의 상하응축 동조의지

(10) 穴核 E·F의 자력적 成穴의지

① 入穴脈 Energy의 안정수급 성혈의지(玄水 入力 Energy 集合隆聚 응축질서)

② 纏脣 E・F의 안정수급 성혈의지(朱火 反 Energy 集合隆聚 응축질서)

③ 青蟬翼 E・F의 안정수급 성혈의지(青木 育成 Energy 集合隆聚 응축질서)

④ 白蟬翼 E・F의 안정수급 성혈의지(白金 育成 Energy 集合隆聚 응축질서)

⑤ 천체 E · F의 안정수급 성혈의지(상하 안정 Energy 集合隆聚 응축질서)

6) 기타 補助砂 E · F의 成穴 동조의지

(1) 玄水 補助砂 E · F의 成穴 동조의지

① 玄水 E · F 내에서 형성된 立體 E · F의 성혈 동조의지
② 玄水 E · F 내에서 형성된 分擘 E · F의 성혈 동조의지
③ 玄水 E · F 내에서 형성된 岩砂 E · F의 성혈 동조의지

(2) 朱火 補助砂 E · F의 成穴 동조의지

① 朱火 E · F 내에서 형성된 입체 E · F의 성혈 동조의지
② 朱火 E · F 내에서 형성된 分擘 E · F의 성혈 동조의지
③ 朱火 E · F 내에서 형성된 岩砂 E · F의 성혈 동조의지

(3) 靑木 補助砂 E · F의 成穴 동조의지

① 靑木 E · F 내에서 형성된 입체 E · F의 성혈 동조의지
② 靑木 E · F 내에서 형성된 曜砂 E · F의 성혈 동조의지
③ 靑木 E · F 내에서 형성된 岩砂 E · F의 성혈 동조의지

(4) 白金 補助砂 E · F의 成穴 동조의지

① 白金 E · F 내에서 형성된 입체 E · F의 성혈 동조의지
② 白金 E · F 내에서 형성된 曜砂 E · F의 성혈 동조의지
③ 白金 E · F 내에서 형성된 암사(岩砂) E · F의 성혈 동조의지

7) 方位 E · F의 成穴 동조의지

(1) 玄水 ↔ 朱火 상대 E · F의 成穴 동조의지

① 중심 상호 E · F의 성혈 동조의지
② 左右 상호 E · F의 성혈 동조의지

③ 陰陽 상대 E · F의 성혈 동조의지

(2) 青木 ↔ 白金 상대 E · F의 成穴 동조의지

① 中心 상호 E · F의 성혈 동조의지
② 上下 상호 E · F의 성혈 동조의지
③ 陰陽 상대 E · F의 성혈 동조의지

(3) 玄水 ↔ 青木 상대 E · F의 成穴 동조의지

① 中心 상호 E · F의 성혈 동조의지
② In ↔ Out 상호 E · F의 성혈 동조의지
③ 陰陽 상대 E · F의 성혈 동조의지

(4) 玄水 ↔ 白金 상대 E · F의 成穴 동조의지

① 中心 상호 E · F의 성혈 동조의지
② In ↔ Out 상호 E · F의 성혈 동조의지
③ 陰陽 상대 E · F의 성혈 동조의지

(5) 朱火 ↔ 青木 상대 E · F의 成穴 동조의지

① 中心 상호 E · F의 성혈 동조의지
② 左 관쇄 상호 E · F의 성혈 동조의지
③ 陰陽 상대 E · F의 成穴 동조의지

(6) 朱火 ↔ 白金 상대 E · F의 成穴 동조의지

① 中心 상호 E · F의 성혈 동조의지
② 右 관쇄 상호 E · F의 성혈 동조의지
③ 陰陽 상대 E · F의 성혈 동조의지

5. 穴核 E · F 동조응축의 원리적 고찰

1) 主祖宗山 來龍脈의 穴核 地氣 공급 E · F 동조원리

(1) 聚氣 分擘 과정에서의 穴核 E · F 동조원리

① 聚氣 立體 E · F의 穴核 Energy 공급 동조질서원리

② 分擘 래룡맥 E · F의 穴核 Energy 공급 동조질서원리

③ 分擘 래룡맥 회합 E · F의 穴核 E · F 동조질서원리

(2) 來龍脈 開帳 과정에서의 穴核 E · F 동조원리

① 開帳 聚氣 E · F의 穴核 Energy 공급 동조질서원리

② 開帳 枝龍脈 E · F의 穴核 Energy 공급 동조질서원리

③ 開帳 穿心脈 E · F의 穴核 Energy 공급 동조질서원리

(3) 來龍脈 진행 과정(枝龍脈)에서의 穴核 E · F 동조원리

① 正變易 질서 E · F의 穴核 E · F 동조원리

② 垂變易 질서 E · F의 穴核 E · F 동조원리

③ 橫變易 질서 E · F의 穴核 E · F 동조원리

④ 從變易 질서 E · F의 穴核 E · F 동조원리

⑤ 隱變易 질서 E · F의 穴核 E · F 동조원리

(4) 來龍脈 변환 과정(橈棹)에서의 穴核 E · F 동조원리

① 左突橈棹에서의 穴核 E · F 동조원리

② 右突橈棹에서의 穴核 E · F 동조원리

③ 分擘性橈棹에서의 穴核 E · F 동조원리

(5) 來龍脈 균형안정 과정(支脚)에서의 穴核 E · F 동조원리

① 聚氣點 支脚에서의 穴核 E · F 동조원리

② 過峽點 支脚에서의 穴核 E · F 동조원리

③ 上昇脈 支脚에서의 穴核 E · F 동조원리

④ 下降脈 支脚에서의 穴核 E · F 동조원리

(6) 來龍脈 정지안정 과정(止脚)에서의 穴核 E · F 동조원리

① 枝龍脈 정지안정 止脚에서의 穴核 E · F 동조원리

② 橈棹脈 정지안정 止脚에서의 穴核 E · F 동조원리

③ 支脚 정지안정 止脚에서의 穴核 E · F 동조원리

(7) 來龍脈 穿心 과정(中出脈)에서의 穴核 E · F 동조원리

① 穿心 來龍脈 聚氣點에서의 穴核 E · F 동조원리

② 穿心 來龍脈 過峽點에서의 穴核 E · F 동조원리

③ 穿心 來龍脈 束氣點에서의 穴核 E · F 동조원리

2) 四神砂 Energy場의 穴核 E · F 동조응축원리

(1) 玄水 Energy場의 穴核 E · F 동조응축원리

① 玄水 立體 원형 E · F에 의한 穴核 E · F 동조응축질서

② 玄水 開帳 원형 E · F에 의한 穴核 E · F 동조응축질서

③ 玄水 穿心 직진 E · F에 의한 穴核 E · F 동조응축질서

(2) 朱火 Energy場의 穴核 E · F 동조응축원리

① 朱火 입체 원형 E · F에 의한 穴核 E · F 동조응축질서

② 朱火 開帳 원형 E · F에 의한 穴核 E · F 동조응축질서

③ 朱火 관쇄 E · F에 의한 穴核 E · F 동조응축질서

(3) 靑木 Energy場의 穴核 E · F 동조응축원리

① 靑木 侍立 E · F에 의한 穴核 E · F 동조응축질서

② 靑木 曜星 E · F에 의한 穴核 E · F 동조응축질서

③ 靑木 보호 육성 응축 E · F에 의한 穴核 E · F 동조응축질서

(4) 白金 Energy場의 穴核 E · F 동조응축원리

① 白金 侍立 E・F에 의한 穴核 E・F 동조응축질서

② 白金 曜星 E・F에 의한 穴核 E・F 동조응축질서

③ 白金 보호 육성 응축 E・F에 의한 穴核 E・F 동조응축질서

3) 風水 環境 Energy場의 穴核 E · F 동조응축원리

(1) 風 Energy場의 穴核 E · F 동조응축원리

① 入首風 Energy場에 의한 穴核 E・F 동조응축질서

② 青白風 Energy場에 의한 穴核 E・F 동조응축질서

③ 朱雀風 Energy場에 의한 穴核 E・F 동조응축질서

(2) 水 Eenergy場의 穴核 E · F 동조응축원리

① 穴場 元辰水 Energy場에 의한 穴核 E・F 동조응축질서

② 青白 元辰水 Energy場에 의한 穴核 E・F 동조응축질서

③ 左右旋 纏護水 Energy場에 의한 穴核 E・F 동조응축질서

④ 來朝 融聚水 Energy場에 의한 穴核 E・F 동조응축질서

(3) 기타 환경 Energy場의 穴核 E · F 동조응축원리

① 수목림 Energy場에 의한 穴核 E・F 동조응축

② 저수지 시설에 의한 穴核 E・F 동조응축

③ 인공산, 인공뚝, 인공제방에 의한 穴核 E・F 동조응축

4) 穴板 Energy場의 穴核 E · F 동조응축원리

(1) 入首頭腦 Energy場의 穴核 Energy 동조응축원리

① 入力 Energy 集合 聚氣에 의한 穴核 Energy 동조응축질서 → 원형 入力 E・F 공급원리

② 入力 Energy 開帳 垂頭에 의한 穴核 Energy 동조응축질서 → 원형 보호

E · F 공급원리

③ 入力 Energy 穿心 入穴에 의한 穴核 Energy 동조응축질서 → 중심 穴核 Energy 直入 直投원리

(2) 左蟬翼 Energy場의 穴核 Energy 동조응축원리

① 靑木 入力 Energy 左旋 안정원리에 의한 穴核 Energy 동조응축 → 穴核 Energy 纏護질서

② 靑木 入力 Energy 侍立 안정원리에 의한 穴核 Energy 동조응축 → 穴核 Energy 育成질서

③ 靑木 Energy 회합 안정원리에 의한 穴核 Energy 동조응축 → 穴核 Energy 회합응축질서

(3) 右蟬翼 Energy場의 穴核 Energy 동조응축원리

① 白金 入力 Energy 右旋 균형 안정원리에 의한 穴核 Energy 동조응축 → 穴核 Energy 纏護질서

② 白金 入力 Energy 侍立 안정원리에 의한 穴核 Energy 동조응축 → 穴核 Energy 育成질서

③ 白金 Energy 회합 안정원리에 의한 穴核 Energy 동조응축 → 穴核 Energy 회합응축질서

(4) 纏脣 Energy場의 穴核 Energy 동조응축원리

① 入穴 餘氣 反 Energy 형성원리에 의한 穴核 Energy 동조응축 → 撞背 朱火 反 Energy 공급질서

② 靑蟬翼 餘氣 反 Energy 형성원리에 의한 穴核 Energy 동조응축 → 左旋 反 Energy 공급질서

③ 白蟬翼 餘氣 反 Energy 형성원리에 의한 穴核 Energy 동조응축 → 右旋 反 Energy 공급질서

(5) 鬼砂 Energy場의 穴核 Energy 동조응축원리

① 入力 Energy 재공급 入穴 원리에 의한 穴核 Energy 동조응축 → 穴核 Energy 직진력 증폭질서
② 入力 Energy 左旋 응축 원리에 의한 穴核 Energy 동조응축 → 穴核 Energy 左旋力 증폭질서
③ 入力 Energy 右旋 入穴 원리에 의한 穴核 Energy 동조응축 → 穴核 Energy 右旋力 증폭질서

(6) 曜砂 Energy場의 穴核 Energy 동조응축원리

① 入力 左旋 Energy 원형응축원리에 의한 穴核 Energy 동조응축 → 靑蟬翼 反 E·F 재응축질서
② 入力 右旋 Energy 원형응축원리에 의한 穴核 Energy 동조응축 → 白蟬翼 反 E·F 재응축질서

(7) 官砂 Energy場의 穴核 Energy 동조응축원리

① 朱雀 E·F 反 작용원리에 의한 穴核 Energy 동조응축 → 撞背 反 Energy 재응축질서
② 左旋 朱雀 E·F 反 작용원리에 의한 穴核 Energy 동조원리 → 左旋 反 Energy 재응축질서
③ 右旋 朱雀 E·F 反 작용원리에 의한 穴核 Energy 동조원리 → 右旋 反 Energy 재응축질서

(8) 穴板 天體 Energy場의 穴核 Energy 동조응축원리

天體 Energy → 地氣 Energy 陰陽동조질서

(9) 穴場 基底板 Energy場의 穴核 Energy 동조응축원리

地氣 Energy → 天體 Energy 陰陽동조질서

5) 기타 補助砂 Energy場의 穴核 E · F 동조원리

(1) 玄水 補助砂 Energy場의 穴核 E · F 동조원리

① 입체 원형 Energy體의 원형 E · F에 의한 穴核 Energy 동조 응축원리 → 원형 E · F 형성질서

② 開帳 分擘 Energy體의 보조 Circle E · F에 의한 穴核 Energy 동조 응축원리 → Circle E · F 형성질서

③ 立體 岩砂 Energy體의 입체 E · F에 의한 穴核 Energy 동조 응축원리 → 재응축 E · F 형성질서

(2) 朱火 補助砂 Energy場의 穴核 E · F 동조원리

① 입체 朱火 보조사의 원형 E · F에 의한 穴核 응축동조 → 원형 입체 E · F 反 작용질서

② 朱火 分擘砂의 Circle E · F에 의한 穴核 응축동조 → Circle E · F 反 작용질서

③ 水口砂 Energy體에 의한 穴核 응축동조 → 특수 E · F 反 작용질서

(3) 青木 補助砂 Energy場의 穴核 E · F 동조원리

① 青木 입체 보조사 원형 E · F에 의한 穴核 E · F 동조 → 원형 입체 E · F 재응축질서

② 青木 曜砂 E · F에 의한 穴核 E · F 동조 → 원형 E · F 재응축질서

③ 青木 岩砂 E · F에 의한 穴核 E · F 동조 → 특수 입체 E · F 재응축질서

(4) 白金 補助砂 Energy場의 穴核 E · F 동조원리

① 白金 입체 보조사 원형 E · F에 의한 穴核 E · F 동조 → 원형 입체 E · F 재응축질서

② 白金 曜砂 E · F에 의한 穴核 E · F 동조 → 원형 E · F 재응축질서

③ 白金 岩砂 E · F에 의한 穴核 E · F동조 → 특수 입체 E · F 재응축질서

6) 方位 E · F의 상호 동조 관계 작용 원리

(1) 玄水 ↔ 朱火 E · F의 상호 동조 관계 작용 원리

主體 入力 Energy 및 그 E · F와 客體 入力 Energy 및 그 E · F의 상호 E · F 동조작용에 의한 陰陽 합일적 응축 E · F 형성 → 穴核 Energy 및 그 E · F의 동조응축질서 형성

(2) 青木 ↔ 白金 E · F의 상호 동조 관계 작용 원리

青白 균형 의지에서 형성된 원형 E · F가 좌우에서 균등안정응축 Energy場을 형성하고 이 E · F는 穴核 E · F를 응축 동조함으로써 善美 强健한 안정 원형 Energy場이 穴核 Energy에 공급된다. → 穴核 좌우 균형 응축 안정질서

(3) 玄水 ↔ 青木 E · F 동조 관계 작용 원리

玄水의 입체 원형 E · F가 青木 원형 E · F를 재창조해가는 과정에서 穴核 Energy 및 그 Energy場을 재응축 동조케 하는 원형 E · F를 발생하게 된다. → 穴核 Energy 左旋 재응축 동조질서

(4) 玄水 ↔ 白金 E · F 동조 관계 작용 원리

玄水의 입체원형 E · F가 白金 원형 E · F를 재창조해가는 과정에서 穴核 Energy 및 그 Energy場을 재응축 동조케 하는 원형 E · F를 발생하게 된다. → 穴核 Energy 右旋 재응축 동조질서

(5) 朱火 ↔ 青木 E · F 동조 관계 작용 원리

先到한 朱火 Energy 반작용에 의해 青木 末端 Energy場이 원형 Circle E · F로 발전하여 左下端 穴核 Energy를 응축동조하게 된다. → 朱火 右端 穴核 E · F 응축질서

(6) 朱火 ↔ 白金 E · F 동조관계작용 원리

先到한 朱火 Energy 반작용에 의해 白金 末端 Energy場이 원형 Circle E · F로 발전하여 右下端 穴核 Energy를 응축동조하게 된다. → 朱火 左端 穴核 E · F 응축질서

7) 天體 Energy場의 穴核 E · F 동조원리

(1) 祖宗來龍脈上의 천체 Energy場의 穴核 E · F 동조원리

① 聚氣 集合 立體 E · F 상하 안정 동조질서 Energy場 공급

② 分擘 枝龍 E · F의 상하 안정 진행질서 Energy場 공급

③ 附屬砂, 撓棹, 支脚, 止脚 등의 상하 안정 발생 질서 Energy場 공급

(2) 四神砂局內 天體 Energy場의 穴核 E · F 동조 응축원리

① 玄水 E · F의 상하안정구조 형성질서 Energy場 공급

② 朱火 E · F의 상하안정구조 형성질서 Energy場 공급

③ 靑木 E · F의 상하안정구조 형성질서 Energy場 공급

④ 白金 E · F의 상하안정구조 형성질서 Energy場 공급

(3) 風水砂 天體 Energy場의 穴核 E · F 동조응축원리

① 風 E · F의 상하안정구조 형성질서 Energy場 공급

② 水 E · F의 상하안정구조 형성질서 Energy場 공급

(4) 穴場 內 天體 Energy場의 穴核 E · F 동조응축원리

① 入首頭腦 E · F의 입체, 취기, 집합, 상하안정구조 형성질서 Energy場 공급

② 左右 蟬翼 E · F의 전호, 육성, 응축, 상하안정구조 형성질서 Energy場 공급

③ 纏脣 明堂 E · F의 穴核 容器, 재응축 상하안정구조 형성질서 Energy場 공급

④ 穴核 Energy의 상하 원만구조 형성질서 Energy場 공급

6. 祖宗山 來龍脈 E · F의 成穴 동조 및 간섭작용

(1) 동조 E · F의 성혈 Energy 공급작용

祖宗山으로부터 발달한 래룡맥 전반의 Energy 및 그 E · F는 전적으로 消滅性 E · F를 제외하고는 전체적인 陰陽 합성 동조 E · F를 형성하여 穴場 成穴 E · F를 형성하는 데에 모든 成穴 동조의지 실현의 책무와 사명을 다한다. → 成穴 Energy 入力 동조작용

① 聚氣 집합 동조 → 원만 성혈동조
② 分擘 Energy 공급동조 → 3合 성혈동조
③ *左右 纏護砂* Energy 공급동조 → 2合 성혈동조
④ 橈棹 변환 Energy 공급동조
⑤ 支脚 안정 Energy 공급동조

(2) 刑 간섭 E · F의 성혈 Energy 간섭작용

祖宗山 래룡맥이 성혈의지를 실현하고자 래룡맥을 발달시키고 재집합 聚氣하는 과정에서도 주변의 산맥과 상호 간섭하거나 천체 E · F의 간섭 또는 風水 E · F의 간섭으로 약 75%의 Energy體 및 그 E · F가 소멸된다. → 그중에서 가장 강한 것 중 하나인 것이 刑 간섭 E · F의 작용이다.

(3) 沖 간섭 E · F의 성혈 Energy 沖 간섭작용

刑 간섭 작용원리와 동일한 E · F의 간섭 소멸작용이다(枝龍과 枝龍 間, 橈棹와 橈棹 間 Energy體 간섭 소멸작용이다).

(4) 破 간섭 E · F의 성혈 Energy 破 간섭작용

刑沖 간섭 E · F보다는 다소 약한 특성의 간섭 소멸작용이다(주로 風水害 또는 劫龍과 橈棹에 의한 용맥 파괴 E · F이다).

(5) 害 간섭 E · F의 성혈 Energy 害 간섭작용

破 간섭 E · F보다 다소 약한 간섭소멸작용이다(주로 支脚과 支脚 간에서 발생한다).

(6) 怨嗔 간섭 E · F의 성혈 Energy 怨嗔 간섭작용

상호 갈등적 소멸 진행적 E · F 간섭작용이다(주로 橈棹와 橈棹, 支脚과 支脚 간에서 발생한다).

7. 四神砂 E · F의 성혈동조 및 간섭작용

1) 동조 E · F의 상호작용

(1) 玄水 ↔ 朱火 E · F의 상호동조작용(子-午 水火 Energy 동조작용)

四神砂의 陰陽 동조 E · F로서 穴場 Energy 및 그 E · F를 형성함에 있어서 가장 중요한 상호 동조 生氣작용이다.

(2) 靑木 ↔ 白金 E · F의 상호동조작용(寅-戌, 辰-申, 卯-酉 木金 Energy 동조작용)

穴場 Energy 및 그 E · F를 균형 안정시키고 穴核 Energy의 縱 구조 특성을 원만케 결정하는 매우 생산적 특성의 E · F 상호동조작용이다.

(3) 玄水 ↔ 靑木 E · F의 상호동조작용(子-寅 · 辰 Energy 동조작용)

入力 Energy의 효율적 진행 정지안정과 穴核 Energy의 이상적 원만구조를 형성시키는 데 필요한 陽 Energy 형성특성의 동조작용이다. 생산과 진취의지를 실현코저 하는 활동적 E · F작용이다.

(4) 玄水 ↔ 白金 E · F의 상호동조작용(子-戌 · 申 Energy 동조작용)

靑木 E · F 간 균형안정을 위해 玄水 入力 Energy를 右旋 서클화함으로써 穴核 E · F를 원만 안정시키고 극대화한다. 주로 穴場 의지를 결속시키고 안정

시키며 강건케 한다.

(5) 朱火 ↔ 青木 E · F의 상호동조작용(午-寅 · 辰 Energy 동조작용)

朱火 右端 反 Energy 및 그 E · F를 공급받음으로써 青木 E · F를 안정시키고 穴核 Energy를 재응축케 한다. 결속의지가 강하고 성혈의 横 응축 E · F를 공급한다.

(6) 朱火 ↔ 白金 E · F의 상호동조작용(午-戌 · 申 Energy 동조작용)

朱火 左端 反 Energy 및 그 E · F를 공급받음으로써 白金 E · F를 안정시킴은 물론 穴核 Energy를 재응축 안정시키고 성혈의 横 凝縮 E · F를 공급한다.

2) 간섭 E · F의 상호작용

(1) 玄水 ↔ 朱火 E · F의 상호간섭작용

玄水 ↔ 朱火 E · F의 상호 刑沖破害怨嗔 간섭작용 → 入首頭腦와 纏脣에 刑沖破害怨嗔 발생(子-午의 刑沖破害怨嗔 작용)

(2) 青木 ↔ 白金 E · F의 상호간섭작용

青木 ↔ 白金 E · F의 상호 刑沖破害怨嗔 간섭작용 → 青龍과 白虎의 내면부에 刑沖破害怨嗔 발생 → 역시 青蟬翼-白蟬翼-穴場 좌우에 간섭결과가 드러난다(卯-酉, 寅-申, 辰-戌의 刑沖破害怨嗔 작용).

(3) 玄水 ↔ 青木 E · F의 상호간섭작용

玄水, 青木 간 E · F 간섭작용이 형성되면 青龍 過峽 간섭 E · F에 의한 左蟬翼 어깨側 刑沖破害怨嗔殺이 발생한다(子寅辰의 刑沖破害怨嗔 작용).

(4) 玄水 ↔ 白金 E · F의 상호간섭작용

역시 玄水, 白金 간 E · F의 간섭작용이 형성되면 백호 過峽 간섭 E · F에 의한 右蟬翼 어깨側 刑沖破害怨嗔殺이 발생한다(子戌申의 刑沖破害怨嗔 작용).

(5) 朱火 ↔ 青木 E · F의 상호간섭작용

朱火 反 E · F와 靑木 左下端部의 간섭작용으로 靑側 관쇄특성이 불량한 E · F에 의해서 刑沖破害怨嗔殺이 발생한다. → 左 관쇄 불량(辰-巳, 午의 刑沖破害怨嗔 작용)

(6) 朱火 ↔ 白金 E · F의 상호간섭작용

朱火 反 E · F와 白金 右下端部의 간섭작용으로 白側 관쇄특성이 불량한 E · F에 의해서 刑沖破害怨嗔殺이 발생한다. → 右관쇄 불량(午, 未-申 刑沖破害怨嗔 작용)

8. 風水 E · F의 성혈동조 및 간섭작용

1) 風水 E · F의 성혈동조작용

(1) 元辰水, 風 E · F의 성혈동조작용

元辰 계곡을 타고 흘러드는 風水 E · F에 의해 穴場板 지질의 Energy 및 그 Energy場 안정과 보존육성의 효율성이 재고된다. 혈장 ∠180° 방향을 지나가는 風水 E · F만이 穴核 Energy를 동조할 수 있다.

(2) 左旋水, 風 E · F의 성혈동조작용

左旋 계곡을 따라 穴前 ∠180° 방향을 안고 도는 風水 E · F는 穴核 Energy 및 그 Energy場을 증폭 확대시킴은 물론 靑白砂 Energy體에도 안정된 기운을 공급한다.

(3) 右旋水, 風 E · F의 성혈동조작용

右旋 계곡을 따라 穴前 ∠180° 방향을 안고 도는 風水 E · F는 역시 穴核

Energy 및 그 Energy場을 증폭 확대시킴은 물론 靑白砂 Energy體에도 안정된 기운을 공급한다.

(4) 朝來水, 風 E · F의 성혈동조작용

穴場 面前을 향해 들어오는 來朝風水 E · F는 직접 穴場 E · F를 응축 안정시킴은 물론 玄水, 靑白 E · F를 효과적으로 안정 동조시키기도 한다.

(5) 融聚水, 風 E · F의 성혈동조작용

穴前 融聚水는 모든 風水 Energy가 穴前에 모여 들어오는 E · F인 까닭에 穴核의 Energy 증폭 동조는 물론 穴板과 주변 穴場 部屬砂 E · F를 두루 안정시키는 데 효과적인 작용을 한다. 穴場을 때리는 風水 E · F는 穴前 纏脣砂를 刑함은 물론 靑白砂를 刑함으로써 궁극적으로 穴核 Energy 및 그 E · F를 파괴시킨다.

2) 風水 E · F의 간섭작용

(1) 刑 水風 E · F의 穴核 Energy 간섭작용

① $\theta = \angle 180°$의 刑 水風殺

② $\theta = \angle 90°$의 刑 水風殺

(2) 沖 水風 E · F의 穴核 Energy 간섭작용

① $\theta = \angle 180°$의 沖 水風殺

(3) 破 水風 E · F의 穴核 Energy 간섭작용

① $\theta = \angle 90°$의 破 水風殺

(4) 害 水風 E · F의 穴核 Energy 간섭작용

① $\theta = \angle 30°$의 害 水風殺

(5) 怨嗔 水風 E · F의 穴核 Energy 간섭작용

① $\theta=\angle 30°$의 怨嗔 水風殺

9. 方位 Energy Field의 성혈동조 및 간섭작용

1) 方位 E · F의 穴核 Energy 동조작용

(1) 玄水 ↔ 朱火 E · F의 穴核 Energy 동조작용
(子-午 水火 동조응축작용)

(2) 靑木 ↔ 白金 E · F의 穴核 Energy 동조작용
(卯-酉, 寅-戌, 辰-申 木金 동조응축작용)

(3) 玄水 ↔ 靑木 E · F의 穴核 Energy 동조작용
(子-寅 · 辰 通氣 응축동조작용)

(4) 玄水 ↔ 白金 E · F의 穴核 Energy 동조작용
(子-戌 · 申 通氣 응축동조작용)

(5) 朱火 ↔ 靑木 E · F의 穴核 Energy 동조작용
(午-辰 · 寅 재응축 동조작용)

(6) 朱火 ↔ 白金 E · F의 穴核 Energy 동조작용
(午-申 · 戌 재응축 동조작용)

2) 方位 E · F의 穴核 Energy 간섭작용

(1) 玄水 ↔ 朱火 E · F의 穴核 Energy 간섭작용
(子-午 Energy 刑沖破害怨嗔殺)

(2) 靑木 ↔ 白金 E · F의 穴核 Energy 간섭작용
(卯-酉, 寅-戌, 辰-申 Energy 刑沖破害怨嗔殺)

(3) 玄水 ↔ 靑木 E · F의 穴核 Energy 간섭작용
(子-寅 · 辰 刑沖破害怨嗔殺, 丑-寅 · 辰 간섭살)

(4) 玄水 ↔ 白金 E · F의 穴核 Energy 간섭작용

(子-戌 · 申 刑沖破害怨嗔殺)

(5) 朱火 ↔ 青木 E · F의 穴核 Energy 간섭작용

(午-辰 · 寅 刑沖破害怨嗔殺)

(6) 朱火 ↔ 白金 E · F의 穴核 Energy 간섭작용

(午-申 · 戌 刑沖破害怨嗔殺)

10. 穴場 E · F의 穴核 Energy 응축동조 및 간섭작용

1) 穴場 E · F의 穴核 Energy 응축동조작용

(1) 入首頭腦 E · F의 穴核 Energy 응축동조작용

① 入力 Energy 변환 → 입체 집합 聚氣 E · F에 의한 穴核 Energy 응축작용

② 入穴脈 발생 → 穴核 入力 E · F에 의한 穴核 Energy 공급작용

③ 纏脣 상대 E · F 발생 → 穴核 Energy 容器 형성의지와 纏脣 明堂 E · F 안정의지에 의한 穴核 Energy 재응축 동조작용

(2) 左蟬翼 E · F의 穴核 Energy 응축동조작용

① 入力 Energy의 左旋 회합의지에 의한 穴核 Energy 육성응축 동조작용

② 陰陽 Energy 균형 유지의지에 의한 穴核 Energy 원만응축 동조작용

③ 左旋 餘氣 E · F 안정의지에 의한 穴核 Energy 원형응축 동조작용

(3) 右蟬翼 E · F의 穴核 Energy 응축동조작용

① 入力 Energy의 右旋 회합의지에 의한 穴核 Energy 육성응축 동조작용

② 陰陽 Energy 균형 유지의지에 의한 穴核 Energy 원만응축 동조작용

③ 右旋 餘氣 E · F 안정의지에 의한 穴核 Energy 원형응축 동조작용

(4) 纏脣 E · F의 穴核 Energy 응축동조작용

① 朱火 反 Energy의 회향의지에 의한 穴核 下部 Energy 응축동조작용

② 朱火 右下端 反 Energy 회향의지에 의한 穴核 左下部 Energy 응축동조작용

③ 朱火 左下端 反 Energy 회향의지에 의한 穴核 右下部 Energy 응축동조작용

(5) 鬼砂 E · F의 穴核 Energy 응축동조작용

① 入首頭腦 Energy 및 그 Energy場의 재융취 동조작용

② 入穴脈 Energy 및 그 Energy場의 再入力 응축동조작용

③ 穴核 Energy 左右旋 특성 증폭 동조작용

(6) 曜砂 E · F의 穴核 Energy 응축동조작용

① 青曜砂 左旋의지에 의한 穴核 左方 재응축 동조작용

② 白曜砂 右旋의지에 의한 穴核 右方 재응축 동조작용

③ 그중 曜砂 左右旋의지에 의한 穴核 Energy 원만응축 재동조작용

(7) 官砂 E · F의 穴核 Energy 응축동조작용

① 穴核 餘氣의 朱火 反 Energy 안정응축의지에 의한 穴核 Energy 下部 중심 재응축 동조작용

② 青蟬翼 餘氣의 朱火 反 Energy 안정응축의지에 의한 穴核 Energy 左下部 재응축 동조작용

③ 白蟬翼 餘氣의 朱火 反 Energy 안정응축의지에 의한 穴核 Energy 右下部 재응축 동조작용

(8) 穴 基底板 E · F의 穴核 Energy 응축동조작용

① 基底 융기 중심 Energy의 穴核 중심응축 동조작용

② 基底 융기 중심 주변 Energy의 穴場 응축 동조작용

③ 天體 E · F 균형유지의지에 의한 상하응축 동조작용

2) 穴場 E · F의 간섭작용

(1) 入首頭腦 E · F의 穴核 Energy 간섭작용

① 入力 Energy 및 그 E · F의 刑沖破害怨嗔 간섭작용
② 聚氣 집합 융취 과정의 刑沖破害怨嗔 간섭작용
③ 入穴과정의 刑沖破害怨嗔 간섭작용
④ 左右旋 蟬翼 Energy 공급과정의 刑沖破害怨嗔 간섭작용
⑤ 纏脣 明堂 균형안정과정의 刑沖破害怨嗔 간섭작용
⑥ 天體 E · F 간 동조과정의 刑沖破害怨嗔 간섭작용

(2) 左蟬翼 E · F의 穴核 Energy 간섭작용

① 入首頭腦 Energy 左旋수급과정의 刑沖破害怨嗔 간섭작용
② 青木 E · F 수급과정의 刑沖破害怨嗔 간섭작용
③ 纏脣 E · F 수급형성과정의 刑沖破害怨嗔 간섭작용
④ 青白 蟬翼 균형안정과정의 刑沖破害怨嗔 간섭작용

(3) 右蟬翼 E · F의 穴核 Energy 간섭작용

① 入首頭腦 Energy 수급과정의 刑沖破害怨嗔 간섭작용
② 白金 E · F 수급과정의 刑沖破害怨嗔 간섭작용
③ 纏脣 E · F 수급형성과정의 刑沖破害怨嗔 간섭작용
④ 青白 蟬翼 균형안정과정의 刑沖破害怨嗔 간섭작용

(4) 纏脣 E · F의 穴核 Energy 간섭작용

① 朱火 反 E · F 수급과정의 刑沖破害怨嗔 간섭작용
② 青蟬翼 餘氣 Energy 수급과정의 刑沖破害怨嗔 간섭작용
③ 白蟬翼 餘氣 Energy 수급과정의 刑沖破害怨嗔 간섭작용

(5) 鬼砂 E · F의 穴核 Energy 간섭작용

① 入首頭腦 Energy 재응축과정의 刑沖破害怨嗔 간섭작용

② 左旋 Energy 재공급과정의 刑沖破害怨嗔 간섭작용

③ 右旋 Energy 재공급과정의 刑沖破害怨嗔 간섭작용

(6) 曜砂 E · F의 穴核 Energy 간섭작용

① 靑木 Energy 수급과정의 刑沖破害怨嗔 간섭작용

② 穴核 Energy 재응축과정의 刑沖破害怨嗔 간섭작용

③ 纏脣 Energy 공급과정의 刑沖破害怨嗔 간섭작용

(7) 官砂 E · F의 穴核 Energy 간섭작용

① 朱火 E · F 수급과정의 刑沖破害怨嗔 간섭작용

② 靑白蟬翼 Energy 재응축과정의 刑沖破害怨嗔 간섭작용

③ 入首頭腦 Energy 균형안정과정의 刑沖破害怨嗔 간섭작용

(8) 穴基底板 E · F의 穴核 Energy 간섭작용

① 基底板 核 융기과정의 刑沖破害怨嗔 간섭작용

② 基底板 穴場 형성과정의 刑沖破害怨嗔 간섭작용

③ 基底板 天體 E · F 동조과정의 刑沖破害怨嗔 간섭작용

3) 天體 E · F의 穴核 Energy 동조 및 간섭작용

(1) 天體 E · F의 穴核 Energy 동조작용

① 入首頭腦 Energy의 원만 Energy 및 그 E · F 형성을 위한 동조작용

② 入首頭腦 Energy의 入穴 Energy 및 그 E · F 형성을 위한 동조작용

③ 左右蟬翼의 원만 Energy 및 그 E · F 형성을 위한 동조작용

④ 纏脣의 원만 Energy 및 그 E · F 형성을 위한 동조작용

⑤ 穴核 Energy 원형응축 E · F 형성을 위한 동조작용

(2) 天體 E · F의 穴核 Energy 간섭작용

① 入首頭腦 E · F 간섭작용

② 入穴 Energy 간섭작용

③ 左右蟬翼 E · F 간섭작용

④ 纏脣 Energy 간섭작용

⑤ 穴核 Energy 간섭작용

제3절 결론

1. 穴場 및 穴核 형성 질서와 그 E · F의 동조원리 해설

1) 穴場 및 穴核果 穴場形成原理

혈장은 묘지나 집터의 穴核果로서 중앙 최중심에 혈핵을 담고 있는 용기와도 같다. 혈장이 형성되기 위한 래룡맥의 흐름은 太祖山에서 出脈한 수많은 聚氣 集合 입체 Energy體 分擘과 변역과정을 거듭하면서 中祖山과 小祖山을 거쳐 玄武頂을 비롯한 四神砂 局 E · F를 형성하기에까지 이른다.

玄武頂에서 다시 出脈한 入首脈은 四神砂 E · F의 同調凝縮場 안정처에서 각종 E · F의 緣分砂를 만나 穴場을 형성하게 되는데, 바로 이 穴場에 대자연의 생명 에너지가 동조 응축되는 것이다. 여기서 각종 E · F 緣分砂란 穴場을 保護, 育成, 凝縮해주는 局四神砂를 비롯한 24방위의 모든 砂와 水의 E · F를 말하며 이들이 형성해놓은 穴場 4果 즉, 入首頭腦 Energy體, 纏脣 Energy體, 靑白蟬翼 Energy體 그리고 天體 E · F까지 함께 포함한다.

이들의 각종 緣分砂 E · F는 항상 혈장보다 먼저 穴 주변에 도달하여 동조 E · F의 穴場 form을 형성하게 되는데 이때 래룡맥으로부터의 성혈의지 穿心脈 Energy體가 그 본연의 核 생명 생기 의지를 발로하면서 동조 E · F form 속에 穿心 入脈 核 Energy를 공급하게 된다.

이와 같은 과정에서 入穴된 核 생명 Energy體는 주변 각종 E · F 연분의 응축 동조질서에 따라 核 생명 Energy를 증폭 강화시키게 되고 이 증폭 확대된 穴核 Energy體는 모든 생명현상의 근본 Energy 및 그 E · F를 재창조적으로 개선 공급하게 된다.

2) 四神砂 凝縮同調 穴核 Energy場 형성질서

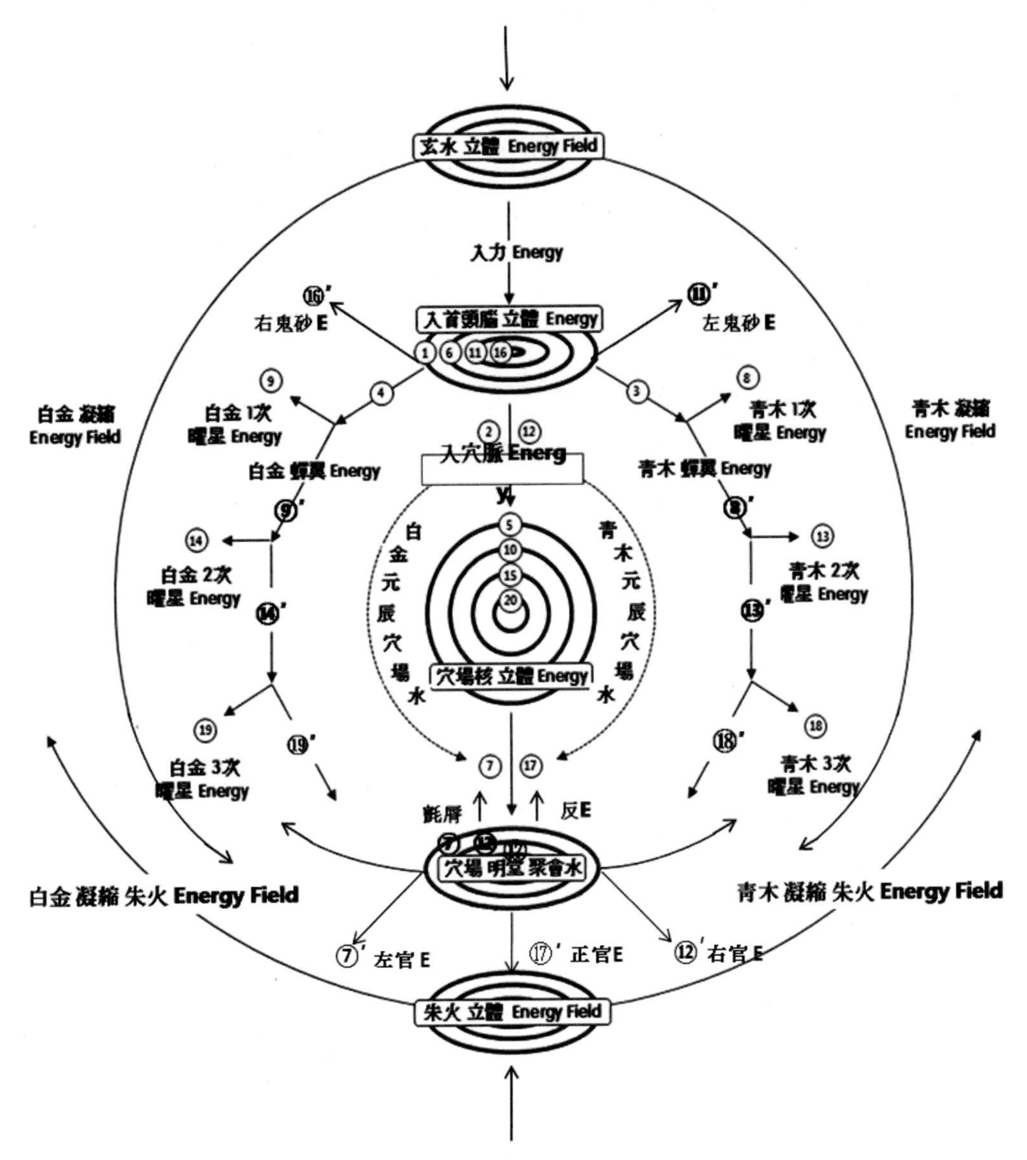

〈그림 1〉 四神砂 응축동조 穴核 Energy場 형성질서도

3) 穴場 및 穴核 형성의 秩序構造

혈장의 혈핵 Energy 및 그 E・F 형성 구조를 자세히 살펴보면 다음과 같은 질서에 의해 穴場이 형성되고 있음을 알 수 있다.

첫째, 入首脈의 入力에너지는 聚氣集合 질서원리에 의해 제1차 安定聚集点

을 형성하여 入首頭腦 Energy 및 그 E·F를 형성한다. 入首頭腦 Energy體는 立體構造로서 聚集安定특성과 凝縮組織結 생성구조를 지니고 있으며, 마치 結球배추가 생성되는 모습과 유사한 형식으로 1單位 Energy場化되어 반복적으로 형성된다. 이때 발생하는 鬼砂에너지는 橈棹발생질서를 따라 발달한다.

둘째, 入首頭腦 Energy體에서 공급된 入穴 入力 에너지는 Energy 直進秩序原理에 의해 혈장으로 들어가는 入穴脈 Energy가 되어 穴場을 만들기 위한 기초 Energy 및 그 E·F 기반을 형성한다. 동시에 案山의 朱火 Energy 및 그 E·F 역시 그 Energy 직진원리에 의해 직진성 Energy 및 그 E·F를 穴場으로 응축하면서 제2차 纏脣 Energy體 안정을 취하게 된다. 동시에 入力에너지는 直進慣性特性 Energy 생성구조를 지니고 있으며, 朱火 E·F와 陰陽 균형안정을 이루게 된다.

셋째, 제3차 入首頭腦의 안정에너지는 태양에너지의 左旋秩序原理에 의해 左旋 에너지인 線構造의 Energy 및 그 E·F인 靑龍蟬翼을 만들어 左旋 Circle 穴核 응축 동조 E·F를 형성한다.

넷째, 제4차 入首頭腦의 안정에너지는 均衡 平等安定原理에 의해 右旋에너지인 線構造의 Energy 및 그 E·F인 白虎蟬翼을 만들어 右旋 Circle 穴核 응축 동조 E·F를 형성한다.

다섯째, 제5차 入首頭腦의 안정에너지는 四神砂인 玄武, 朱雀, 靑龍, 白虎의 相互同調凝縮과 入穴脈 에너지의 最適安定秩序維持原理에 의해 穴場 중심에 天心成穴意志 穴核 Energy를 공급하여 穴核 Energy 및 그 E·F를 형성하게 된다.

여섯째, 제1차 入力 來龍으로부터 재공급된 성혈 Energy는 1차로 취집 안정된 入首頭腦 Energy體에 제6차로 재결집 응축된다.

일곱째, 제6차 入首頭腦 취집 응축 Energy로부터 직진성 질서원리에 의해 入穴맥 또는 纏脣으로 재공급 응축되는 성혈 Energy 및 그 E·F를 형성한다. 제2차 入穴 Energy 餘氣는 朱火 E·F의 陰陽 동조원리에 의해 제7차로 纏脣 Energy 및 그 E·F를 형성하고 이때 발달한 官砂 에너지는 橈棹 발생질서에 의해 형성된다.

여덟째, 入首頭腦로부터 출발한 제3차 左旋 Circle E·F가 제8차 靑龍蟬翼

Energy 및 그 E · F를 형성하게 되는데 이때에 발달한 曜砂에너지는 橈棹 발생 질서원리에 의해 형성된다.

아홉째, 入首頭腦로부터 출발한 제4차 右旋 Circle E · F가 또다시 제9차 白虎蟬翼 Energy 및 그 E · F를 형성하게 되는데 이때에 발달한 曜砂 에너지는 역시 橈棹 발생질서원리에 의해 형성된다.

열 번째, 入首頭腦로부터 출발한 제2차 入穴脈 직진특성의 Energy는 다시 제10차로 혈장 중심에 穴核 Energy 및 그 E · F를 공급하면서 최적안정을 유지한다. 이는 혈장 四果의 凝縮同調 질서원리에 의해 형성된다.

이와 같은 순서로 순환 반복되면서 혈장에는 穴核果 Energy 및 그 E · F가 형성되게 된다.

4) 穴凝縮同調秩序

(1) 入首頭腦 Energy 및 그 E · F 형성원리 → Energy體 停止安定廻向 특성질서
(2) 入穴脈 Energy 및 纏脣 Energy 형성원리 → 凝縮 Energy 직진 右先 특성과 朱火 Energy 陰陽 균형안정 특성 질서
(3) 左蟬翼 Energy 형성원리 → 태양-地氣 Energy 左旋 특성질서
(4) 右蟬翼 Energy 형성원리 → 左右蟬翼 Energy 간 陰陽 균형안정 특성 질서
(5) 穴核果 형성원리 → 穴場 四果 : 入首頭腦, 纏脣, 兩蟬翼, 穴核 凝縮同調 Energy 최상 정지 안정 특성질서(=생명 Energy 형성원리)
(6) 穴場 鬼砂 Energy 형성원리 → 玄水 側 後樂砂 Energy場 凝縮 反作用 특성질서
(7) 穴場 官砂 Energy 형성원리 → 朱火 側 凝縮 反作用 Energy 특성질서
(8) 穴場 曜砂 Energy 형성원리 → 青白 Energy體 凝縮 反作用 특성질서

2. 穴場 및 穴核 Energy Field의 제반 特性分析

1) 形勢論的 特性分析

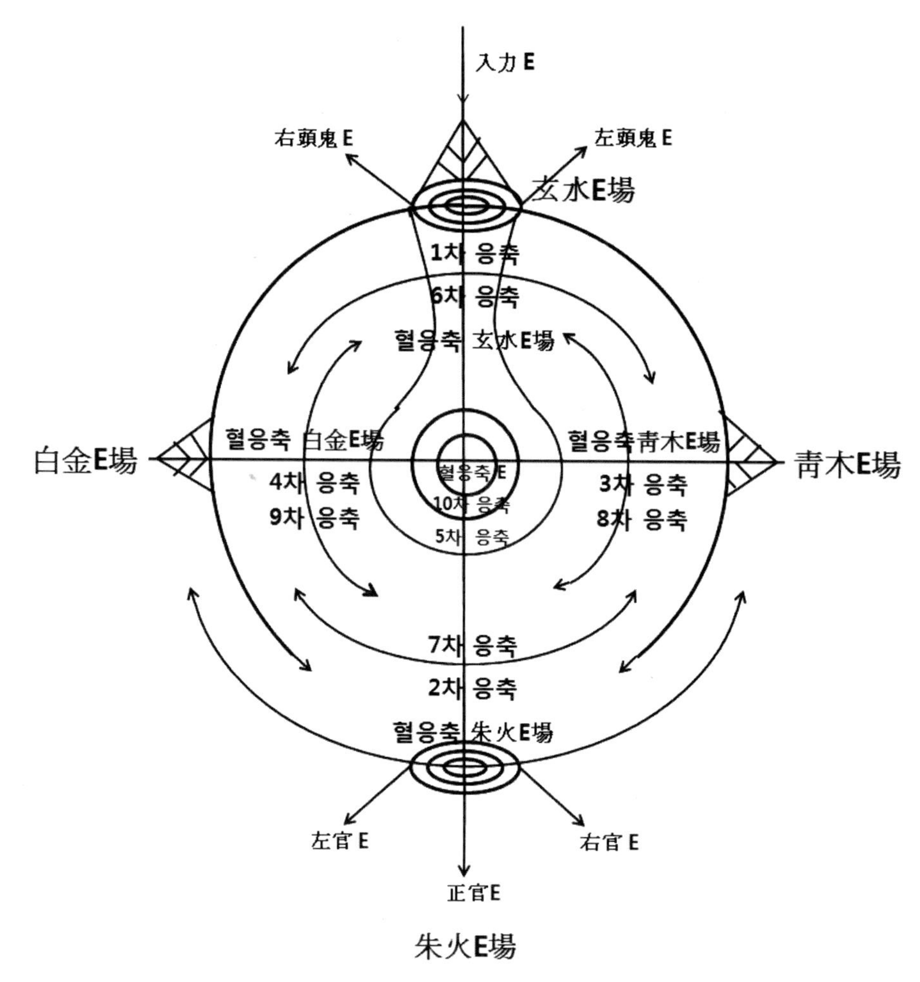

〈그림 2〉 형세론적 특성분석도

〈形勢論 特性〉

(1) 四象 陰陽 特性分析

- 窩鉗穴場 : ⊖Energy場(窩鉗陰陽~窩 : ⊖Energy場, 鉗 : ⊕Energy場) 特性分析
- 乳突穴場 : ⊕Energy場(乳突陰陽~乳 : ⊖Energy場, 突 : ⊕Energy場) 特性分析

(2) 長短 陰陽 : 長方穴場 ⊖Energy場 特性分析

短圓穴場 ⊕Energy場 特性分析

(3) 縱橫 陰陽 : 縱垂穴場 ⊕Energy場, 橫垂穴場 ⊖Energy場 特性分析

2) 構造組織論的 特性分析

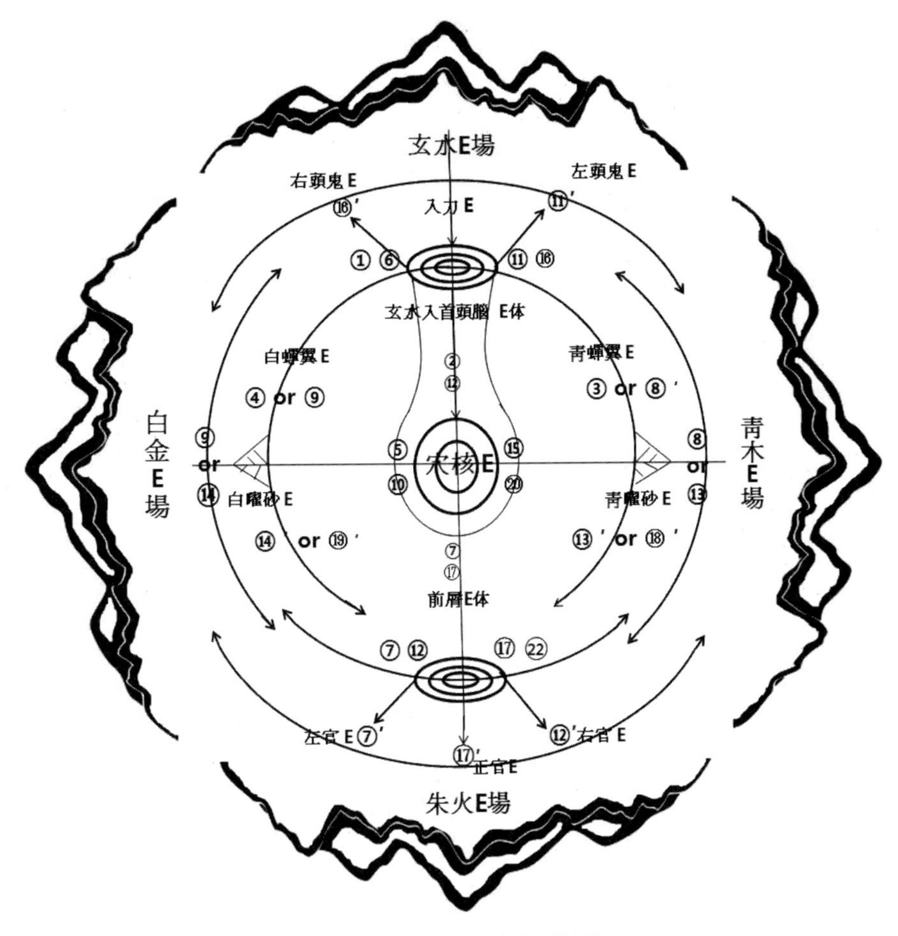

〈그림 3〉 구조조직론적 특성분석도

〈구조적 특성〉

(1) 立體구조 Energy 및 그 E · F 특성분석(立體面 凝縮 組織 構造)

(2) 線구조 Energy 및 그 E · F 특성분석(線面 進行 組織 構造)

(3) 複合구조 Energy 및 그 E · F 특성분석(立體面 先發生 線面 後發生의 複合 組織 構造)

3) 陰陽論的 특성분석

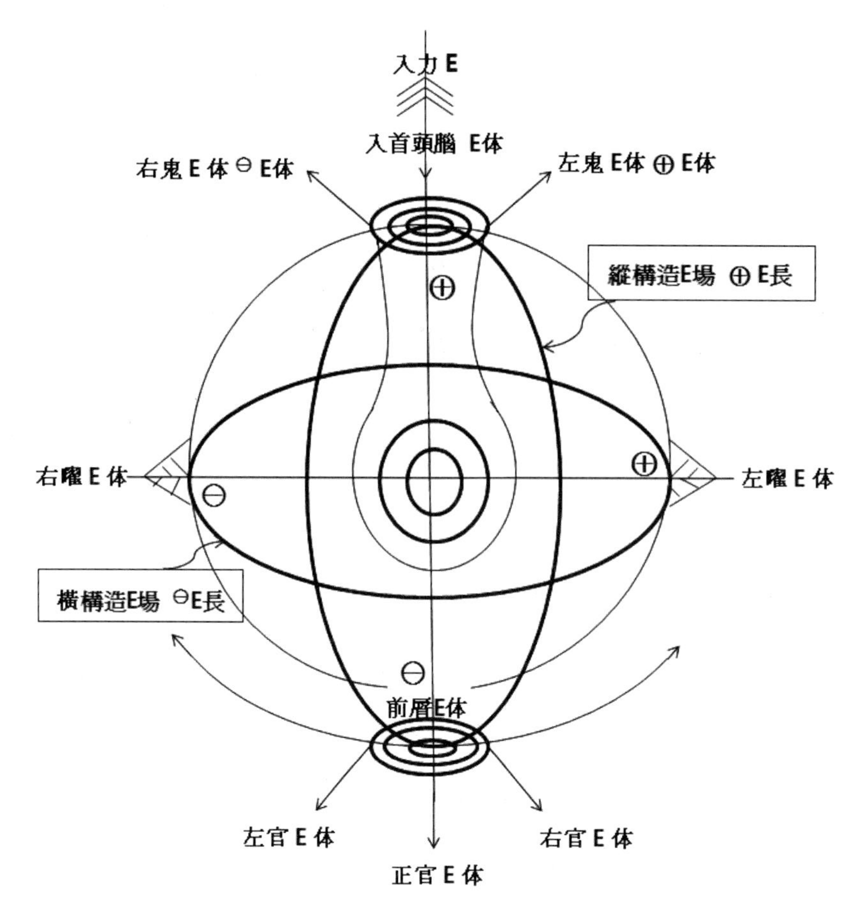

〈그림 4〉 음양론적 특성분석도

〈陰陽的 특성〉

(1) 玄-朱 陰陽 ~ 玄水 Eenrgy體 : ⊕Energy體
朱火 Energy體 : ⊖體 특성분석

(2) 靑-白 陰陽 ~ 靑木 Enerhgy體 : ⊕Energy體
白金 Energy體 : ⊖體 특성분석

(3) 縱-橫 陰陽 ~ 玄朱 동조 Energy場 : 縱동조 ⊕Energy場 특성분석
靑白 동조 Energy場 : 橫동조 ⊖Energy場 특성분석

4) 五行論的 특성분석

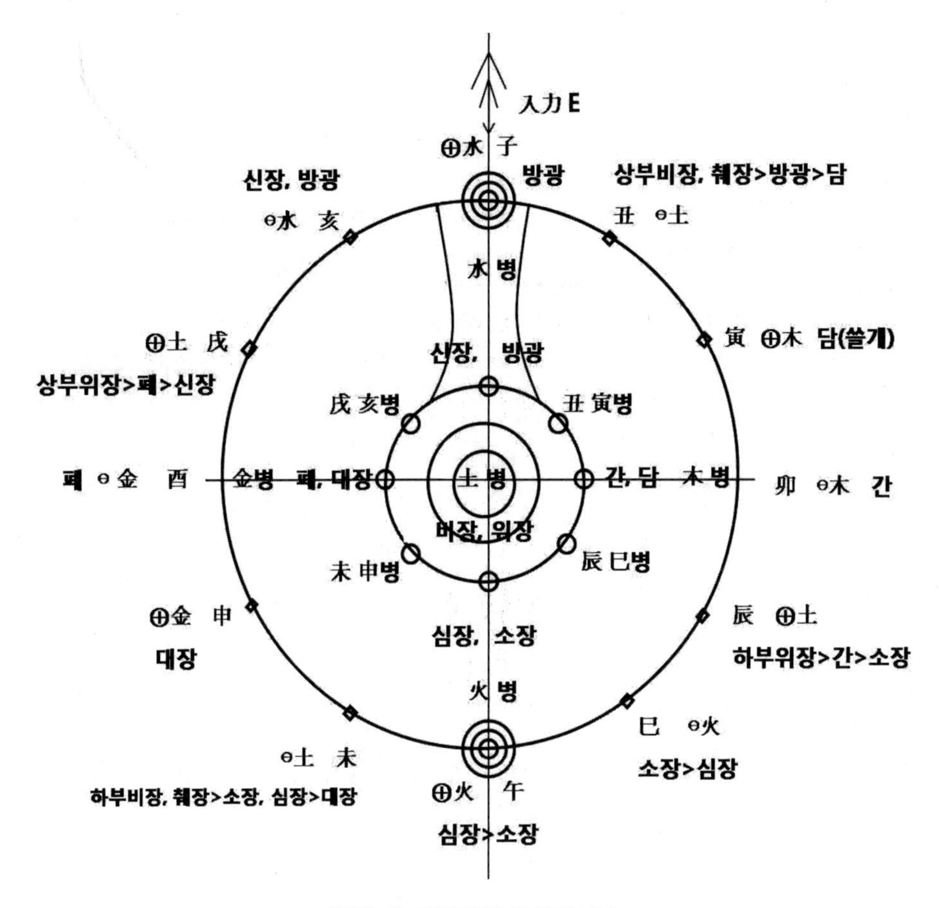

〈그림 5〉 오행론적 특성분석도

〈五行論 특성〉

水火木金土 五行理氣別 穴場 및 穴核 Energy 특성분석

5) 性象論的 특성분석

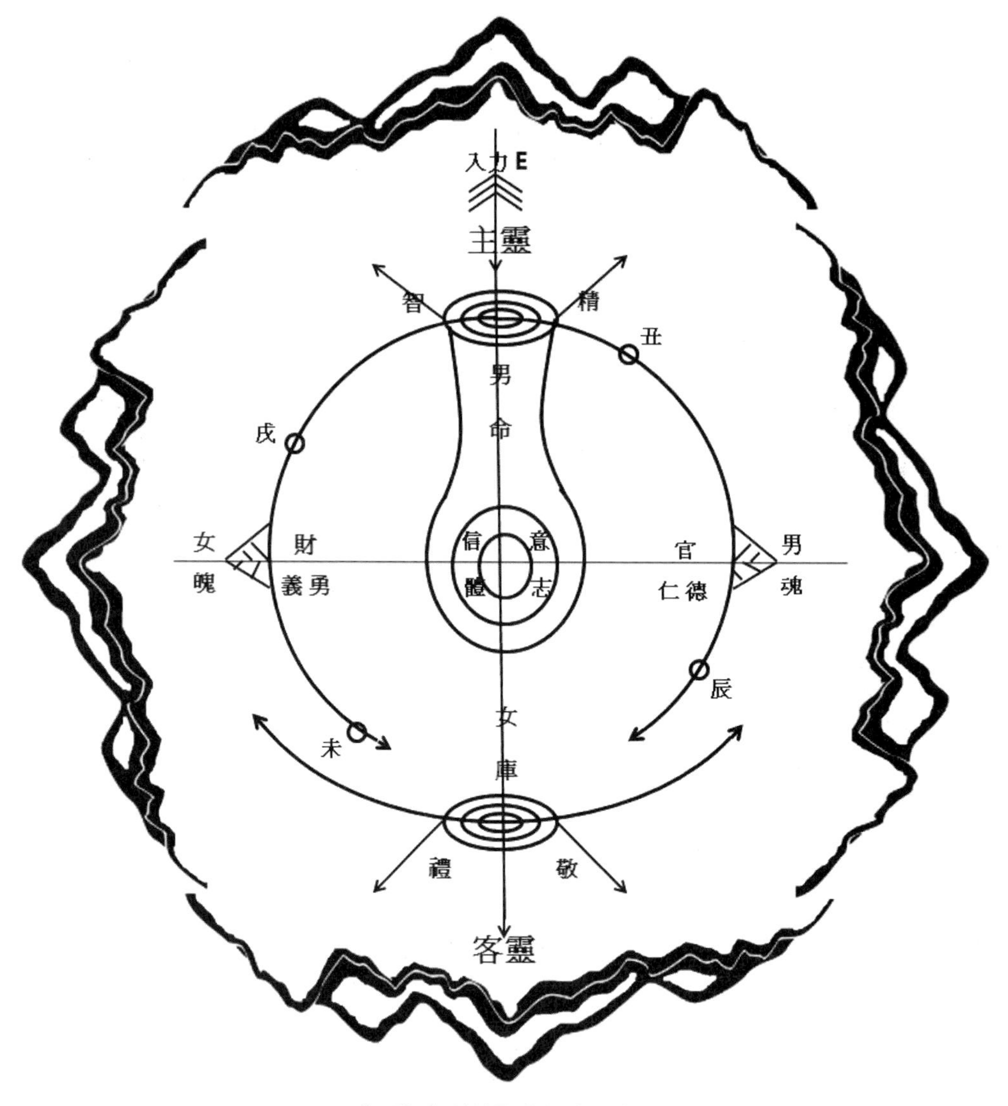

〈그림 6〉 성상론적 특성분석도

〈性象的 특성〉

善惡, 美醜, 尊卑, 貴賤, 遠近, 立坐, 聚突, 散漫, 凹凸, 深淺, 大小, 强弱, 高低, 長短, 圓方, 曲直, 正斜, 平埈, 端偏, 腹側, 生死, 老少, 起伏, 狹闊, 突起, 陷沒, 背走, 回歸, 背面, 行止 別 특성분석

3. 결언 : 혈장 형성의지와 그 결과핵

이상에서 연구 검토해본 바와 같이 혈장 형성의지는 먼 조종산 래룡맥 Energy體로부터 출발하여 여러 형태의 진행과정을 거치면서 결국은 사신사 Energy 및 그 Energy Field를 형성하여 장풍국을 이루고 주변으로부터의 동반수를 이끌면서 원진득수 Energy Field를 취합하며 전후좌우상하의 원만응축동조 Energy Field를 형성케 한 연후에 핵 생명 Energy인 혈핵과를 結果한다. 이것은 차원 높은 지기생명 에너지체의 생명 Energy 유지 보전 재창조 활동이며 존재계의 거룩한 의지라고 말할 수 있다. 이러한 핵 생명 Energy 및 그 Energy Field의 정교하고 수승한 활동의지를 바로 읽고 바로 깨달아 바르고 올곧게 살아가야 할 책무와 사명이 만물의 영장인 우리 인간에게 달려있다고 하겠다.

이와 같이 깊고 오묘한 지구의 핵생명 진리를 더욱 궁구하고 터득하여 일반대중에게 낱낱이 회향 증득케 하는 것은 물론, 먼 훗날을 이어갈 우리 인류의 참 삶과 행복을 위해 크게 이바지하고 홍익케 해야 함은, 풍수진리를 탐구하는 우리들의 지대한 일대사 과업이요 당연함이라 할 것이다.

새삼 깊이 깨우치고 더욱더 정진합시다!

5. 역대 대통령 묘역 조성 자료

1

故 金大中 大統領 국장 묘역선정 및 조성작업 결과보고서

대한민국 제15대 대통령이신 김대중 전 대통령께서 2009년 8월 18일(화) 14시 서거하셨습니다. 이에 서거하신 다음 날인 8월 19일(수) 우리는 유족 측의 선임을 받아 작업지침수립과 함께 묘역선정 및 조성작업 집행단을 구성하여 본 작업에 착수하였습니다.

8월 20일(목) 20시 국무회의에서 국장(8/18~23일, 6일간)으로 결정하자, 우리 집행단은 국립서울현충원 내에 묘역위치를 선정하고 긴급공사를 통하여 8월 23일 국장을 치렀습니다.

국장 이후 묘역 조성작업을 계속하여, 9월 27일까지 총 40일간(8월 19일~9월 27일)의 작업 끝에 1차 마무리하였고, 9월 29일 작업결과 보고와 함께 공사비용을 청구하였습니다.

10월 6일 묘비제막식이 있었고, 국립서울현충원측이 의뢰한 사단법인 감우회 경영회계연구원에서 11월 9일까지 공사내역에 대한 실사를 거쳐 11월 10일 모든 공사비용을 수령하였습니다.

이에 그동안의 과정을 총정리하여 결과보고서를 제출합니다.

2009년 11월

고 김대중 전 대통령 묘역 선정 및 조성작업 집행단 일동

① 묘역 선정 및 조성 총괄책임자 : 황영웅

② 묘역공사 책임자 : 박경정
③ 설계자 : 종합건축사 매우람 이재복 건축사
④ 조경 자문 전문가 : 영남대학교 박찬용 교수
⑤ 문화재 자문 전문가 : 건국대학교 김기덕 교수
⑥ 시공자 : 청수건설조경 대표 이충호
⑦ 공사 감리자 : (주) 유탑엔지니어링 이사 이두호

1. 묘역의 위치 선정단계

(1) 묘역의 위치 선정은 정통 풍수지리 학문 원리에 입각하여, 주변 4대(현무, 주작, 청룡, 백호) 局 에너지場이 갖추어진 지역을 선정하고, 혈장의 원만한 地氣에너지 응축점을 확인한다.
(2) 묘역 혈장조성에 필요한 제반 보완작업이 원활하게 이루어질 수 있는 지역이어야 한다. 즉, 혈장의 부족점 보완의 용이성, 묘역 출입의 편의성, 주변경관과의 조화, 참배의 편의성 등을 고려하여 위치를 결정한다.
(3) 묘역의 유지보전관리가 편리해야 하고, 가급적 밝은 방향을 선택한다.

2. 묘역기반 정비계획 수립단계

(1) 묘역의 기초설계를 한다.
(2) 현장 실측 계획을 수립한다.
(3) 묘역의 기초조성 계획을 한다.
(4) 묘역 조경계획을 수립한다.
(5) 지석 및 석물 계획을 수립한다.
(6) 묘역 토지에 대한 법률적 검토를 한다.
(7) 묘역 주변 환경과 문화재에 대한 전문교수의 자문을 받는다.

3. 본 공사 실시 단계

(1) 공사구획 표시 및 설치작업

① 입수 두뇌점 확인 표시한다.

② 백호 선익 및 청룡 선익의 확인 표시를 한다.

③ 전순점 확인 표시를 한다.

④ 혈장 중심선 확인 표시를 한다.

⑤ 조경선 설치를 확인한다.

(2) 진입로 설치작업

① 진입로 설계에 의한 노반공사를 한다.

② 진입로면 석판설치를 한다(공사완료 공정 중에 마감재 처리작업).

③ 진입로 좌우 잔디를 설치한다.

④ 진입로변 좌우 조경을 한다.

(3) 묘역 기초 조성작업

① 묘역 내 기초 작업을 한다.

② 부엽토 및 표토 제거 작업을 한다.

③ 묘역 내 불필요한 잡설치물을 제거하는 작업을 한다.

④ 묘역 후단 및 주변 배수구배 조정 작업을 한다.

⑤ 보충토 수배・반입・하차작업을 한다.

(4) 터파기 작업

① 입수두뇌 보완 조성작업을 한다.

② 입혈맥 보완작업을 한다.

③ 양 선익 보완 조성 작업을 한다.

④ 전순 보완 조성작업을 한다.

⑤ 명당 보완 설치작업을 한다.

(5) 혈장 조성 공사(안장 전일까지 완료)

① 광중 중심점 확인 및 설치작업을 한다.

② 광중 외곽정비작업을 한다.

③ 광중 외광터파기 작업을 한다.

④ 강회운반 하역작업을 한다.

⑤ 광중 토출 흙의 강회 섞기 작업을 한다.

(6) 장례식전 준비 작업

① 임시 출입로 설치작업을 한다.

② 임시 계단 설치작업을 한다.

③ 임시 잔디 조경작업을 한다.

(7) 광중 내광작업

① 내광중 흙 파기 작업은 안장 당일 하관예정시간 2시간 전까지 완료한다.

② 내광 충광을 위한 토출 흙은 정결히 보호관리하여 일체 잡물 혼입을 방지한다.

(8) 안장 당일 작업

① 안장식 하관작업을 주관하며 하관직후 패철분금 확인 작업은 정밀히 실시한다.

② 하관 후 내충광 작업은 정교히 횡대선까지 실시한다.

③ 횡대 덮기 작업과 허토(취토)작업은 유족 측과 함께 한다.

④ 회다지기 작업은 1광중 작업당 5회 이상을 다져야 한다.

⑤ 지석 설치작업은 지표로부터 1/3 깊이의 발(足)측에 설치한다.

⑥ 성분작업을 기존 현충원 봉분 규격에 따라 조성하되, 봉분 성토의 흐름 및 미끄러짐이 없도록 한다.

(9) 장례식 완료 후속 작업

① 임시공사 복구 작업을 한다.

② 잔디공사 복구 작업을 한다.
③ 조경 복구 작업을 한다.
④ 행사용 임시계단 부위에 대한 되메우기 작업을 한다.

(10) 잔디 식재작업

① 잔디 수배 및 운반, 하역작업을 한다.
② 사성 외곽 잔디식재 작업(입수 두뇌, 양 사성)을 한다.
③ 사성 내곽 잔디식재 작업(당판, 명당 및 제절)을 한다.

4. 묘역조경 작업단계

(1) 기존 주변수목 정비작업 및 자연 소나무 살리기 작업을 병행한다.
(2) 조경설계에 의한 신규 조경작업을 하며, 외부 조경전문가의 자문을 받아 추진한다.
(3) 조경석 수배 및 확인작업을 한다.
(4) 조경석 운반 및 하차작업을 한다.
(5) 조경석 쌓기 작업을 한다.
(6) 조경 흙받기 작업 및 흙넣기 작업을 한다.
(7) 造景石間 식재작업을 한다.
(8) 조경수 수배 및 확인작업을 한다.
(9) 주변 꽃나무 식재작업을 한다.
(10) 묘역 잔디 및 맥문동 식재작업을 한다.
(11) 잔디 및 조경수 보완 작업을 한다.
(12) 식재 조경수와 잔디에 물 주기작업을 한다.
(13) 묘역 안내석 설치작업(자연석 운반설치, 자연석 다듬기 및 「김대중 대통령 묘소」 글자 넣기)을 한다.

5. 석물설치 작업단계(묘역 조성공사와 별도 추진)

(1) 비문 글자체와 내용 작성(유족 측 의견 반영)을 확인한다.

(2) 석물현장설치를 위한 실측작업(묘비, 상석, 향로대, 추모비 4개)을 하여 작업을 마무리한다.

(3) 석물 발주 작업→석재 검사 확인→가공작업→가공과정 확인을 거쳐 추진한다(현충원 측과 규격 협의).

(4) 석물설치(석물가공 완료 후 설치작업)를 추후 지원한다.

6. 그 밖의 묘역 조성 관련 작업단계

(1) 통신선로 이설작업 및 수도관 개설 작업을 한다.

(2) 방문객 서명대 설치작업을 한다.

(3) 기타 묘역 조성작업에 대한 총괄점검과 유지관리 작업을 한다.

1. 서론

1) 김대중 전 대통령 묘역 조성작업에 관한 개요

김대중 전 대통령의 국장 시 묘역의 전반적 입지 선정과 조성 작업을 총괄한 본인으로서 유족 측의 뜻에 따라 구체적 산택기와 풍수적 해석서의 확대 발표를 삼가게 된 점을 후학들께 양해 바란다.

늦은 감은 있으나 본 영남 대학에서 김대중 전 대통령 묘소에 대한 바른 이해와 학술적 토론을 실시하게 됨으로 인해 미미하게나마 보다 구체적 학술자료를 공급하고 바른 해석의 이정표를 설정해줌으로써 후학들과 풍수학계에 작은 도움이라도 줄 수 있어야 마땅한 도리라 사료되어 몇 가지 주안점에 대해 소고하고자 한다.

본 소고의 주론에 앞서 김대중 전 대통령 국장시 묘역 선정과 조성작업에 대한 경과보고서를 작성하게 된 동기에 대해서 먼저 설명하고자 한다.

대한민국 건국 이래 국장의 역사는 박정희 전 대통령 서거 이후 김대중 전 대통령 서거 시가 두 번째가 된다. 국가 행정기관에서 소장된 국가 원수의 국장에 관한 선례의 구체적 자료는 전혀 없었다. 다만 '국장, 국민장에 관한 법률 제5조, 동 시행령 제2조에 의한 국장 과정 중 묘역 선정 및 조성에 관한 사항, 그리고 현행 국립 묘역의 설치 및 운영에 관한 법률'의 해당 사항에 따라 집행할 수 있는 근거만 존재하였을 뿐 기타 상세한 국장 선례 자료를 확보할 수 없었고 이는 행정안전부 관계 산하에서도 마찬가지였다.

이러한 현실에서 국장을 집행하는 관계 기관이나 유족 측 역시 진행 절차와 작업 방식 및 제반 사항에 대해서 이를 주도면밀하게 처리할 수 있는 근거와 규정이 미비함을 파악하게 되었고, 우연히 국장 집행을 담당하게 된 본인으로서는 이에 대한 확고한 집행 절차와 작업 지침 및 제반 관계 사항을 긴급히 설정, 원만한 국장 집행을 책임질 수 있는 시스템 구축이 보다 시급하였다.

따라서 1차로 묘역 작업 집행단을 구성하여 이를 관계 기관과 유족 측에 허락을 득하는 절차를 먼저 밟아야 했다. 이는 대통령 서거 시 특정 법률 지침이나 국장 지관 선정에 따른 예규가 없음에 따라 중구난방 식 관계자들의 참여, 또는 간섭 형태가 드러나고 이에 대한 제재나 일관성적 작업 진행이 불가능한 관계로 무엇보다 중요한 제1차적 과제였다.

다음으로 주요한 것은 국장 시 묘역 선정 및 조성에 관한 작업 지침을 마련하는 것이었다. 현재까지 행정안전부나 국방부가 확보하고 있는 현행 국장 과정 중 묘역 선정 및 조성에 관한 사항은 현행 국립묘역의 설치 및 운영에 관한 법률의 해당 사항뿐이고 실질적 작업 지침이나 설치 방법이 현실과(본인의 설치 작업 방법과) 많은 차이점을 보이고 있었다.

그 한 가지 예로 국가 원수 묘역 선정에 관한 구체적 사항이 없어서 서울 동작동 국립묘지로 결정하느냐, 대전 국립묘지로 선정하느냐 하는 결정 사항을 관계 장관 또는 해당 부처 담당자가 결정해야 하는 문제, 그리고 현행 국가 원수 묘역 조성작업의 관계 규정이 현실적으로 작업 불가능한 기준에 따르고 있다는 점 등이다.

그 실례를 들면 현행 국가 원수 묘역의 봉분은 둘레 직경을 5m, 높이 2.7m로 하여 둘레석 설치를 기본으로 규정하고 있으나 사실상 5m 직경 속에는 합장 시 침수 우려와 풍침에 노출될 수 있는 가능성이 대단히 높아 이의 수정이 절대 필요한 실정이었다. 봉분 둘레가 5m일 경우 합장 내광의 폭과 길이는 각각 3m×3m인 고로 중심으로부터의 반경은 사실상 $1.5\text{m} \times \sqrt{2} = 2.12\text{m}$가 되어 반경 2.5m 둘레석과는 겨우 0.38m밖에 남지 않아 이는 풍습에 노출될 수밖에 없는 설치거리가 된다.

또 중요한 것은 둘레석 설치 규정인데 이는 작업 및 유지 관리상 강수 시 완전 배수가 불가능하고 수침 우려가 발생하여 묘소 내광에 물이 고인다는 것을 간과한 점이다. 사실상 현 규정에 의해 묘역 조성을 할 수 없는 것은 분명한 사실이고 이를 해결하는 것은 난제 중의 난제였다.

따라서 이러한 제반 사항을 고려하여 별도 작업 지침을 설정하였으며 성분 작업은 기존 현충원 봉분 규정을 따르되 봉분 성토의 흐름과 미끄러짐을 방지하기 위하여 둘레석 설치를 하지 않고 자연묘 상태를 유지하여 풍수해를 방지코자 하는 등 작업과 정상의 제반사항을 지침으로 정하여 승인을 득하였다.

위와 같은 묘역 조성작업 지침을 결정한 후 이의 집행과 예산 처리에 관한 제 원칙들을 결정, 승인을 득하였고 사후 관리에 대한 지침도 마련하여 후사 시 국장 및 국가 원수 묘역 선정 및 조성작업에 관한 승인 및 사후 처리 절차가 원활토록 하는 선례를 만드는 작업도 중요하게 인식되어 이를 함께 처리하였다.

다음 단계로 작업과정 중 래룡맥 재답사 확인과 사신사 에너지체의 재분석 검토를 거쳐 혈장의 입수점 재확인과 창빈안씨 묘소의 청룡사 특성 성향 분석을 면밀히 재조사하였고, 안산 에너지체의 응축 반 에너지 발생점 확인과 백호 선익의 재확인을 거쳐 혈장 당판의 중심점 선정 작업에 들어갔다.

혈장의 중심점을 창빈안씨 곡담장 우측 어깨 부분에 노출된 청룡 선익사와 혈장 백호측 어깨에 붙어 있는 백호 선익사, 당판 하단부에 노출된 전순사 등의 제 특성을 파악하여 정중상단에 설치 안장하였다.

물론 본 혈장의 진혈 여부에 관한 검토는 십수 년 전부터 비봉지리연구학회와 개인적 답사에서 확인되었고 경기대학교 국제문화대학원 학습 답사 연구에서도 재확인된 지점이었으므로 보다 당판 조성 작업 속도가 빠르게 진행되었고 3일간의 짧은 장례 기일 내에 완성할 수 있는 원인이 되었다.

2) 국립 서울 현충원의 풍수지리적 개황

국립 서울 현충원의 옛 이름은 동작릉이었다. 1550년 양주 장흥리에 있던 선조의 할머니 창빈안씨 묘를 현재의 동작동 창빈안씨 묘소 자리로 이장한 후 그 이름을 동작릉이라 하였고 이 일대를 동작릉 묘역으로 지정하였다.

1955년 이 묘역 142만m^2의 영역을 국군묘지라 이름 짓고 9만여 평의 공간에 무덤 터를 설치하였다. 1965년 국립묘지로 그 격을 높이고 국가 유공자 및 국가 원수를 안장하게 되었다.

예로부터 공작이 알을 품었다는 형국론이 일컬어지기도 하여 한반도 내에서는 손꼽히는 명국 명당이라고도 하였다. 그러나 그러한 담론가들의 주장과는 정반대로 현 서울 국립묘지는 만대 향화지지는 될 수 있어도 만대 영화지지는 될 수 없는 난해한 터라고 일컬어지기도 하였다.

어찌되었건 예로부터 명당국이라 하여 동작릉이 조성되었고 이승만 박사 묘를 비롯하여 박정희 대통령 및 국가원수와 국가유공자, 전사자 등이 묻힐 수 있는 명혈장이 되어 있다.

특조하는 한강수의 수려한 기상을 맞아 역진 역수하는 동작봉의 좌우 날개는 마치 공작이 알을 품은 듯 했고 반포의 주작사 역시 보기 드문 혈전 국을 형성하여 현무 주작 청룡 백호의 기상을 충분히 발휘한다고도 하였다.

이러한 많은 풍수지리 학자들의 담론에도 불구하고 서울국립 현충원의 풍수지리적 제반 특성분석 및 평가에 대한 재조명과 재해석이 필연적으로 재정리되어야 하는 당위적 현실로 나타나게 되는 것이 금차 김대중 전 대통령의 국장지 선택과정에서의 입지선택에 대한 피할 수 없는 논리적 마찰이었다.

현재까지 동작동에는 과거에서나 현재에서나 많은 학자들에 의해 풍수지리적 해석설명들이 무수히 전개되어 왔고 또 이승만 박사 묘소나 박정희 전 대통령 묘소에 대해서도 마찬가지의 풍수적 해석들이 분분했다.

물론 금번 김대중 전 대통령의 묘소 선택과정에서도 많은 논란들이 있었던 것 또한 사실이다.

그러나 본 서울 국립 현충원의 풍수지리적 제반사항에 대해서 오랜 기간 동안을 연구 분석 해석하면서 재조명과 재평가를 거듭해본 본 논자로서는 현시점에 이르러 이에 대한 냉철하고 확고한 학술적 이론평가가 분명하게 재정리되고 재확립되지 않으면 아니 된다는 사실을 발견하게 되었다.

제일 먼저 정리되어야 할 사항은 현재의 서울 국립 현충원의 전반 국세에너지장에 대한 재평가이다.

서울 국립 현충원의 전반 국세는 일반에서 알려진 바와 같이 공작포란형 또는 봉황장익형에 장군봉이 알을 품고 있는 대명당국이라는 형국론적 담론이다.

물론 대하 한강수를 역수하여 펼쳐지는 동작봉 이하 청룡과 백호의 양 날개는 역시 봉황의 날개와도 같고 공작이 알을 품은 듯도 하다.

그러나 엄밀히 관찰해보면 정말 좋기만 한 형국들인가?

우선 대하를 역수하는 청룡사는 백호사의 에너지체 및 에너지장에 비해 짧고 왜소하여 그 거수 의지가 나약하게 되어 있다.

그 나약함은 결국 한강의 거대한 풍수세를 견디지 못하고 청백 간 파구처를 넓고 깊게 만들면서 주작사 형성의지를 원천적으로 꺾고 말았다. 그러한 까닭에 수구는 넓고 직파가 되어 동작릉 내국에너지를 suction 하는 결과를 가져왔다.

다음으로 제기될 수 있는 문제는 국 조안산 에너지체 및 그 에너지장의 부재

현상이다.

담론자들의 사신관으로는 주작 안산을 반포섬으로 간주하여 대단히 길격의 주작사라 일컫는다.

그러나 이 또한 세심히 관찰해보면 반포의 모래밭은 한강수세의 변화 과정에서 발생한 모래톱의 이동이 그 전부일 뿐 특이한 주작안산 에너지체로서의 융기조직이 보이지 않는다는 점이다.

더구나 이러한 모래톱의 이동현상은 내외 백호사 아래 부분에만 쌓였을 뿐 국 전체 중심 에너지체에 조안 에너지 및 그 에너지장을 공급할 수 있는 구조적 system으로 형성되어 있지 않다는 점이다.

마지막으로 정리해야 할 부분이 국 형성의 선도 후착 특성이 매우 빈약하다는 점이다.

다행히도 외국의 선도국은 북한산과 북악 및 남산 안산 응봉 등의 응축 에너지장으로서 그 선도 특성을 담당하였으나 후착한 동작봉 이하 사신사 에너지장은 그 세력 형성이 부족하여 玄水 青木 및 白金 에너지장의 동조는 이루어내었으나 가장 중요한 조안 에너지 및 그 에너지장은 체안정 자체마저 구조화하지 못한 채 특래 조수와 그에 대한 모래 톱 인연에만 의존하는 허약한 조안사 에너지장을 확보할 수밖에 없었다.

이것은 조안사 에너지체 및 그 에너지장이 현충원 주국의 조산 현무 에너지체 및 그 에너지장 특성과 동조되지 않았다는 것을 의미하는 까닭에 조안사 에너지장이 부족할 때 일어날 수 있는 청백 에너지체의 관쇄 부실적 현상이 본 현충원 성국과정에서 여실히 나타나게 되었다.

그러함에도 불구하고 사신사국의 원만동조 에너지장 특성을 보상하려는 주세 에너지체의 주작사 형성 의지 역시 태부족하여 좌우 청백 에너지체 관쇄점에 별도의 주작 관쇄사를 형성할 수 없었다는 점이 본 현충원의 결함이요, 명당국 중에서도 가장 아쉬운 부분이었다.

위와 같은 제반 분석에 따라 본 김대중 전 대통령 묘소의 점혈지로는 이상의 결함과 부족점을 보상받을 수 있는 주작사 에너지체 및 그 에너지장 특성의 원만한 응축처를 발견하는 것이 명국 내 에서의 명당혈장을 얻을 수 있는 가장 합리적인 방법이라 사료되어 현재의 혈장으로 선택 결정을 하게 되었다.

2. 김대중 전 대통령 묘소의 조산 래맥 근간에 관한 고찰

김대중 전 대통령 묘소가 위치해 있는 서울 동작동 국립묘지는 우리나라 남북 2,200km를 이어가는 백두대간의 속리산 분벽맥 중 한남 금북정맥을 따라 한남 정맥으로 이어진 의왕 백운산 지맥의 관악산에서 입력된 동작봉의 중심 혈장 중 하나이다.

답사를 통해서나 조선일보사의 신산경표 또는 신경준의 산경표를 편집한 강석기의 "금수강산의 산줄기"와 각종 지도를 살펴보면 백두대간을 따라 속리산 천황봉 우출맥에서 시작한 한남 금북 정맥은 갈목재 말티재 광대수산 좌구산 칠보산을 지나 한금령 장고개 사창고개 등을 거치면서 안성 죽산의 칠장산에 이른다.

안성 죽산의 칠장산(492m) 지점에서 한남 금북 정맥은 남으로는 금북정맥을, 북으로는 한남 정맥을 이어가는데 분벽된 한남 정맥이 구봉산 석성산 아차치 광교산 백운산에 이르러 서로는 한남 정맥이 계속되어 오봉산 수리산 소래산 계양산 문수산에서 그 정맥을 마감하고, 우출 북으로는 바라산 청계산 관악산 봉천고개 상도고개에서 동작봉으로 치솟아 좌우 분벽을 이룬 후, 우출맥 중3차 기봉 분기점 중출맥 에너지가 장군봉으로 입력되어 취기 현무가 되고, 이로부터 1차, 2차, 3차의 입체 취기점을 형성한 후 김대중 전 대통령 묘소 혈장에 그에너지체 최종안정을 도모하였다.

즉 태조산인 함경북도 백두산(2,744m)으로부터 출발한 백두대간이 강원도 추애산(1,530m)에서 일단 멈추었다가 추가령(586m)을 거쳐 철령(658m) - 도납령(661m) - 기대령(1,056m) - 금강산(1,638m) - 진부령(529m) - 강원도 인제 설악산(1,707m) - 평창 진부 강릉 연곡 동대산(1,433m) - 강릉 옥계 석병산(1,055m) - 덕항산(1,521m) - 삼수령(1,303m) - 매봉산(한 줄기는 함백산으로, 다른 줄기는 낙동 정맥으로 흐름) - 함백산(1,573m) - 황지 태백 태백산(1,567m) - 봉화 물야 박달령 - 영춘 형제봉(1,179m) - 남대 마구령 - 영주 순흥 상월봉(1,394m) 영주 순흥 소백산(1,439m), 죽령 풍기 도솔봉(1,314m), 문경 저수령 - 문경 동로 황정산(1,077m) - 문경 대미산(1,115m) - 문경 괴산 연풍 조령산(1,025m) - 괴산 연풍 이화령(529m) - 문경 가은 회양산(999m) - 농암 화북 청화산(964m) - 상주 화북 밤티재 - 보은 내속리 속리산(1,058m)(한 줄기는 백두대간을 거쳐 지리산으로 가고, 다른 한 줄기는 한남 금북정맥으로 가 코바위로 감) - 한남 금북 정맥(우출분벽단 좌출분벽맥) 코바위 - 보은 내속리 갈목재 말티재 - 내속리 산외 광대수산(631m) - 보은 내북 구룡산(549m) - 청원 낭성 대항산(483m) - 미원 증평 좌구산(657.8m) - 괴산 청안 칠보산(541.5m) - 괴산 사리 보광산(539m) - 괴산 소수 보천 고개 - 괴산 소수 음성 원남 한금령 - 음성 금왕 소속리산(431.8m) - 음성 금왕 꽂님이재 장고개 - 음성 금왕 사창고개 - 형제고개 - 음성 삼성 마이산(472.5m) - 죽산 걸미고개 - 죽산 칠장산(491.2m)(한 줄기는 금북정맥 칠현상 덕숭산 지령산, 다른 줄기는 한남 정맥 분벽점) - 한남 정맥 - 안성 삼죽 관해봉(456m) - 국사봉(435m) - 안성 보개 구봉산(464m) - 용인 원삼면 문수봉(404m) - 무너미 고개 학고개 - 용인 모곡읍 석성산(471.5m) - 용인 구성동 아차치 - 용인 봉정동소실봉(88.2m) - 용인 신봉동 형제봉(448m) - 용인 신봉동 광교산(582m) - 의왕 왕곡 백운산(561m)(한 줄기는 한남정맥 오봉산 수리산 소래산 문수산 강화로, 다른 줄기는 의왕 청계 바라산으로) - 의왕 청계 바라산(428m) - 의왕 청계 국사봉(542m) - 과천 청계산(618m) - 과천 응봉(348m) - 과천 의왕 절레미 고개 - 과천 관악산(629m) 봉천동 봉천고개 - 상도고개 - 동작동 사당동 동작봉(159m) - 좌출맥(청룡 래맥) 우출맥 백호 래맥-장군봉 한 줄기는 김대중 전 대통령 묘소 穴場, 다른 줄기는 이승만 박사 묘소로 간다.

3. 조종산 래룡맥 근간 에너지체의 제반 특성

1) 백두대간의 산맥 에너지체 특성 개요

한반도의 지질 구조는 중국의 판 대륙과는 다소 차이가 난다. 중국 대륙의 지판 구조는 융기와 동시에2차 응축 활동을 통해 형성된 판 응축 입체구조 에너지체 특성이 매우 크다. 이러한 지질 구조 형성과정은 현재까지도 지속되고 있는 까닭에 아시아 대륙판, 몽골판, 유라시아판, 인도양판, 인도네시아판, 필리핀 태평양판 등 다방면에서의 히말라야 산맥 응축 활동이 지속되고 있음으로 인해 현재 에베레스트산은 매년 그 높이를 달리하고 있다.

이와 같은 지표 에너지 활동에 의해 중국 대륙의 지질 구조는 평야 지대를 제외하고는 거의 대부분의 조직이 입체적 에너지체 구조 형태를 유지하고 있다고 보아야 한다.

일부 중국 동북부를 제외하고는 선구조 에너지체보다 입체 구조 에너지체의 발달 현상이 두드러진다고 말할 수 있다. 이는 산맥 형성의 에너지체 특성이 우리 한반도의 선 에너지체 특성 구조와는 다소 다른 입체 에너지 집합구조 특성으로 변역됨으로 인해 선 에너지체 특성의 산맥과 입체 에너지체 집합특성이 조화된 우리나라 산맥 에너지 이동현상에서 나타나는 인간 구조적 문화형태적 특성 차이는 매우 크다고 봐야 할 것이다.

구체적으로 우리 한반도의 지표 에너지체 흐름 현상을 살펴본다면 2,744m 고지의 백두산을 중심으로 한 한반도판 지하 융기 에너지체는 2차, 3차에 의한 화산 폭발에 의해 그 지표 융기에너지를 소실했고, 그로 인해 백두대간을 잇는 강력한 선구조 에너지체 흐름이 원활치 못하게 되는 안타까운 결과를 초래케 함으로써 많은 진행과정에서 부분 부분의 산맥에너지 단속현상이 발생하게 된 것을 확인할 수 있다.

현재 나타나고 있는 백두산 천지의 장백 폭포 형성 위치와 둥베이 평원 동북부를 흐르는 송화강의 젖줄이 장백 폭포를 출발하여 아무르강까지 이어지는 지세 구조 형태를 살펴보더라도 역시 백두산 판의 지하 융기 에너지 손실 흐름이 어떠하였는가를 잘 알 수 있다.

백두산 판 지하 융기 에너지가 백두산 화산 폭발로 인해 이상적 융기 안정을 이루지 못한 증거로서 위의 사실 외에도 산맥 에너지체의 이동현상을 자세히 살펴보면 더욱더 명확히 알 수 있다.

백두산 영봉에서 출발한 융기 에너지는 백두대간을 필두로 장백 정간과 13개 정맥을 일으키면서 금수강산의 아름다운 국토를 형성하였다. 그러나 그 1대간 1정간 13정맥을 하나하나 살펴보노라면 백두산 주변 산맥의 무기 입체적 에너지체 특성 현상과 백두산 북쪽을 따라 아무르강까지 흩어지는 소멸적 융기 에너지의 이산 현상, 그리고 백두대간 에너지체 흐름과 간섭적 특성을 지니고 분벽하는 장백 정간 등은 모두가 한반도의 융기 래맥 구조 에너지를 간섭, 소멸케 하는 요인이 되며 차후 형성 발전될 수 있는 백두대간의 불안정한 산맥 에너지 다운 리듬(Energy down rhythm) 현상을 잉태케 하였다.

실질적 현상으로 위에서 언급한 백두대간이 시작되는 백두산 천지의 화산 폭발, 장백 폭포로부터의 송화강 호종 산맥 에너지 이산 현상, 장백 정간의 에너지 이탈 현상 등이 가져오는 백두대간의 에너지체 흐름 특성을 자세히 분석해보면 백두산 정점으로부터 백두대간과 장백 정간이 분벽되는 설령봉(1,836m) 분기점까지 허한령(1,402m), 북설령(1,772m), 최가령(1,572m), 석개령(1,877m) 등에서 무려1,000m 높이 정도의 융기 에너지 감소 결과가 나타났고, 설령봉 이하 명당봉 분기점(1,831m)까지는 동점령(1,861m), 남대령(1,727m), 황토령(1,589m), 천수령(1,250m), 후치령(1,325m), 통팔령(1,446m), 금패령(1,637m), 불개미령(1,657m)이 또한 잦은 융기 에너지 감소 형태를 드러냈다.

명당봉 분기점으로부터 마대산 분기점(1,744m)까지는 부전령(1,355m), 황초령(1,208m)이, 마대산 분기점으로부터 두류산 분기점까지는 검산령(1,130m), 장포령(870m), 거차령(566m), 신재령(913m)이, 두류산 분기점으로부터 추가령 구조대(식개산 분기점)까지는 마식령(768m), 노인치(985m), 봉수령(1,083m), 추가령(586m) 등의 잦은 재와 령이 발생하면서 융기 에너지 다운 현상을 일으켰고,

추가령 구조대 분기점으로부터 금강산 비로봉(1,638m)까지는 배등령(841m), 철령(685m), 도납령(661m), 기대령(1,056m) 등이 발생하였고, 금강산 비로봉으로부터 오대산 두로봉 분기점(1,422m)까지는 심재령, 진부령(529m) 새이령, 미시령, 마등령(1,326.7m), 한계령(1,004m), 단목령, 북암령, 조침령, 구룡령 등이, 오대산 두로봉으로부터 매봉산 분기점(1,130m)까지는 대관련(832m) 닭목재, 삽당령, 백봉령, 댓재, 구부대령, 건의령 등이 나타나면서 그 융기 에너지는 급격히 하강하였다.

매봉산 분기점으로부터 속리산 천황봉(1,058.4m)까지는 화방재, 고직령, 마구령, 미내재, 고치령, 죽령, 묘적재, 뱀재, 저수령, 문봉재, 벌재재, 차잣재, 하늘재, 이화령, 은치재, 밀치, 눌재 등 무려 60여 곳 이상의 크고 작은 재, 령에서 지표 융기 에너지 휴식 리듬 과정을 형성함으로써 백두산 시발 융기 에너지체

높이가 2,744m였던 상태가 속리산 천황봉에 이르러서는 1,058.4m 높이라는 60% 정도의 융기 에너지 손실이 발생된 에너지 다운 리듬 특성의 결과를 가져왔다.

이러한 융기 에너지 다운 현상은 속리산 천황봉으로부터 추풍령을 거쳐 남 덕유산 분기점, 지리산 천왕봉(1,915m)에 이르는 구간까지 지기재, 큰재, 추풍령, 궤방령, 바람재, 질매재, 밀목령, 신풍령, 동엽령, 육십령, 중고재재, 사현여원재 등을 거치는 동안 그 세력을 하강 지속하다가 지리산에 이르러 다시 융기 에너지가 증강되기 시작하여 천왕봉 말미에 다다라 해발 1,915m 높이의 융기 에너지체를 이루면서 백두대간 흐름을 마감하였다.

물론 13개의 정맥이 분벽되는 과정에서 지표 융기 에너지 분산 현상은 불가피하였다 하더라도 백두산 판 근본 융기 에너지의 폭발 이탈 현상 등이 이러한 에너지 다운 리듬 특성을 일으킨 원인인 것만은 분명하다고 해야 하겠다.

또 이러한 현상은 백두대간의 산맥 융기 에너지 특성이 폭발 후 다소 허약한 구조적 결함을 안정시키는 과정에서 형성된 은변역 에너지체 구조 특성 내재에서 기인하고 있음을 의미하기도 한다.

이와 같은 백두대간 산맥의 에너지체 흐름 특성은 차후로 전개되는 13 정맥과 그의 지맥 에너지 흐름 특성에 있어서도 동일한 형태의 은변 에너지 이동 특성을 나타내게 되는 은변역 래룡맥 에너지체 구조가 많아진 결과를 초래한다.

2) 한남 금북 정맥의 산 에너지체 특성 개요

백두대간의 주 융기 에너지체가 백두산 천지에서 폭발 과정에 의해 발산된 이후 장백 정간으로의 간섭 에너지와 송화강 동북으로의 에너지체 이산 등의 과정이 60여 곳 이상의 재, 령을 만들면서 약화된 까닭에 보다 안정된 대간맥으로서의 에너지체 구조가 원만하게 형성 발달 진행되지 못한 채 은변하고 있음은 차후의 산에너지체 특성 발달 구조상에도 너무나 많은 아쉬움을 남겼다.

그러나 다행히도 태백산(1,567m), 소백산(1,439m)이 강건 우렁찬 기맥으로 변하여 서남진하면서 속리산 천황봉(1,068m)에 이르러서는 백두대간의 융기 에너지 재기를 드러내는 집합 입체 에너지체 구조의 산맥 에너지 이동 특성을 발로하기도 하였다.

이러한 백두대간 산맥 에너지체의 은변역적 입체 구조 특성은 한남 금북 정맥의 산맥 내룡 특성에서도 그대로 나타난다.

속리산 천황봉(1,068m)에서 남진한 입체 에너지체 분벽 중 1,068m 고지의 우단 좌출맥으로부터 시작하는 한남 금북 정맥은 청룡 특성인 좌출 백두대간과 서로 분벽하여 갈라서면서부터 외로운 독립적 산맥의 에너지체 안정을 도모하기 위해 서북진하는 백두대간의 남서진 특성과는 서로 다른 독자산맥 에너지 흐름 특성을 나타낸다.

바꾸어 말하면 백두대간의 정행 남진 래맥과는 반대 방향의 북진 에너지체 진행 특성을 나타냄으로써 이에 따른 백두대간의 본맥 에너지체와 한남 금북 정맥인 지룡맥 에너지체와는 상호 간섭 분벽하는 비동조 위상 특성의 진행맥 출발이 되고 말았다.

물론 이러한 경우 정분벽 에너지체 질서에 의한 충분한 용량의 융기 에너지체 이동 특성이라면 독자적 래맥 질서와 국 안정 질서 확보에 의한 양질의 혈장 형성은 보다 용이하게 만들어갈 수 있다고 본다. 그러나 분벽 출맥 과정에서 본래맥인 백두대간 에너지체의 동조를 얻지 못한 한남 금북 정맥은 보은 내속리 인자바위(코바위)를 거쳐 갈목재(갈무재), 말티재에 이르러서는 이미 속리산 에너지체의50% 정도에 불과한 500m 융기 높이의 축소된 산맥 에너지체로 변하였고, 이후 융기된 보은 내북의 구룡산(549m), 청원 낭성의 선도산(547m), 미원 증평의 좌구산(657m), 청안의 칠보산(542m), 괴산 사리의 보광산(539m)까지는 다소 응축된 에너지체 특성을 드러내게 된다.

그런가 하면 좌구산으로부터 이어지는 본 정맥 래룡맥은 미원의 질마재, 청안의 칠보치, 청안의 모래재, 고리터 고개, 괴산 소수의 보천고개, 음성 원남의 한금령 등을 거쳐 음성 금왕의 소 속리산(431.8m), 꽃님이재, 음성 금왕의 장고개(말무덤 고개), 사창 고개, 음성 금왕의 형제고개, 음성 삼성의 마이산(472.5m), 죽산의 걸미고개 등 죽산의 칠장산(491.2m)에 이르는 동안 약화된 융기 에너지를 재집합 응축하는 기복적 은변역 특성 구조를 형성하기도 하였다.

3) 한남정맥의 산 에너지체 특성 개요

한남 금북 정맥에서 금북 정맥과 한남 정맥이 분기되는 칠장산(491.2m)의 에너지체 구조는 좌우 남북으로 에너지 분벽을 하면서 좌출 북진맥은 한남 정맥으로 이어지고 좌출 남진맥은 금북 정맥을 형성하는데 칠장산 우단 북진 좌출맥인 한남 정맥은 도덕산(366.4m)을 거쳐 안성의 국사봉(435m)에 이르면서 삼죽 내강리를 은변역 특성으로 건너고, 다시 가현치를 지나 구봉산(464m), 문수봉(404m)과 용인의 무너미 고개, 학고개를 건너 용인 포곡의 석성산(471.5m), 용인 구성의 아차치, 용인 신봉동의 광교산에 이르는 동안 수차례의 기복 변역으로 은변 특성을 드러내고 있다.

이러한 한남 정맥의 산 에너지체는 용인 신봉동의 형제봉(448m), 광교산(582m), 의왕 왕곡동의 백운산(561m)에 이르러 그 융기 에너지 집합 입체 특성을 발현시키면서 오봉산(204m), 수리산(469m), 계양산(394.7m), 문수산(376m)으로 한남 정맥을 마감하고,

백운산으로부터 북진하는 산맥 에너지체는 잠시 진행을 늦추면서 청계의 바라산(427.5m), 국사봉(542m), 응봉(369.2m) 등에서 그 융기 세력을 일으키다가 다시 엎드려 의왕 과천의 갈현 절레미 고개를 은변역으로 크게 머문 후 과천 관악산(629m)에서 마지막 집합 입체 에너지 구조를 발달시켰다.

관악산의 에너지체 특성구조는 과천 갈현의 은변역 특성 에너지체가 한남 금북 정맥 내룡의 전반적 특성을 총괄 표출하듯이 크게 쉬고 크게 일어난 까닭에 한강 이북 한북 정맥으로부터 북한산 백운대(836.5m)를 거쳐 이어온 북악(342.5m), 남산(262m), 응봉(175m), 안산(295.9m)의 선도 에너지체 응축 에너지 반작용 특성 역할은 후착한 관악산 융기 에너지체를 더욱더 크고 강한 입체 에너지로 형성하는 데 크게 기여한 것과 같은 결과를 가져왔다.

이러한 까닭에 북한산은 한북 정맥 말단인 북악의 조종산이 되어 주세로서의 역량은 크나 그 혈장인 북악(342.5m)이 후착한 관악(629m)에 비해 에너지체 세력 형성을 보다 허약하게 동조한 결과를 초래케 함으로 인해 북악과 관악의 에너지체 및 그 에너지장은 상호 동조적이면서도 간섭적 특성을 지닌 결과가 되고 말았다.

이와 같은 주세혈장 북악의 에너지장 특성이 후착한 관악의 안세 에너지장 특성과 상호 동조적 간섭적 형태가 되어 선도 후착 질서 원리에 원만히 합일하지 못한 결과를 낳고 만 것은 결국 주세 혈장 동조 응축 에너지장 형성을 위한 사신사 에너지장 특성 부실현상을 초래한 결과와 마찬가지가 되었다.

즉, 북악의 주혈장세가 인왕의 백호세 에너지장 이탈을 방지하지 못했고, 삼청동의 청룡세 에너지장 이산 활동 역시 충분히 보완 단속하지 못하였으며, 하물며 내안 주작인 남산의 에너지장 반배 현상마저도 수습하지 못한 결과를 낳고 말았다.

그렇다면 위와 같은 주세 에너지장인 북한산과 북악의 에너지장 특성이 조안세인 광교, 백운산 및 관악의 에너지장 특성과 상호 원만한 동조 에너지 특성을 유지하지 못하게 된 원인은 어디에 있는 것인가?

이의 첫째 해답은 간단하다. 앞에서도 언급한 바와 같이 한반도 판의 중심 융기 에너지체는 바로 백두산 천지점에 있었다. 한반도 판이 흔들리게 된 1차의 원인은 백두산 천지점의 대폭발로 인한 지판 구조의 흔들림과 이완 현상에 있다.

둘째의 원인으로는 추가령 구조대의 단층 이완 현상이다.

한북 정맥의 근본 에너지 발생은 바로 이 추가령 구조대의 에너지장 흔들림 이후에 동시적으로 형성된 지판 융기 에너지체 구조로서 그 불안정한 환경 조건에서 시작된 출맥 에너지 특성은 역시 불안정한 한북 정맥 에너지체를 형성하게 되는 결과를 낳게 되었다.

한북 정맥의 래룡맥 과정을 면밀히 살펴보면 여러 곳에서 그 불안정한 에너지체 흐름 현상이 발견되고 있음을 확인할 수 있다.

은변역 특성의 래룡맥 구조 형태와 주세 에너지체 흐름 과정의 주 융기점 이탈 현상은 이를 증명하는 중요한 자료이다.

이 부분은 본론과 간접적 원리가 되어 추후에 논하기로 하고 본론으로 다시 돌아가보자. 그러면 우리가 살펴본 한남 정맥이 마감하는 관악산의 에너지체 및 그 에너지장 특성은 과연 원만 안정된 것인가?

북한산과 북악의 선도에 비해 후착한 관악의 에너지체 및 그 에너지장이 혈 형성의 선도 후착 원리에 충실하였다면 오히려 원만한 혈 에너지장을 관악에서 형성하여야 마땅하지 않았겠는가?

이 해답 역시 전술한 바와 같이 백두산 천지점 폭발에 의한 한반도 융기 에너지 발산 현상과 추가령 구조대에 의한 산맥 에너지의 뒤틀림 현상, 그리고 이에 따른 융기 에너지 감소와 진행 특성의 약화가 그 원인이라고 볼 수 있다.

다시 말해 산맥의 자력 에너지 및 그 에너지장에 의한 혈장 국 형성 특성 의지가 불안정함으로써 최종 혈 생성 안정조건인 조안 에너지체 및 그 에너지장 동조 형성의 의지 약화가 결국은 북한산 혈장에 대한 관악산 조안 특성의 불안정과 관악산 혈장에 대한 북한산 조안 특성의 불안정 등의 상호 불완전 혈장 형성이라는 無全美 성혈의 결과를 낳고 말았다.

물론 관악의 북쪽 한수 이남 강변 지역으로 크고 작은 소규모 양택 혈장들이 형성되고 있는 것은 사실이나 실질적으로 한강이 환포하는 내포지에 형성된 대혈 양기 혈장으로서는 한북의 북한산하를 따를 만한 곳이 한수 이남 관악산 하에는 없다고 볼 수 있다.

그러나 음양택 혈장의 전반적 혈 형성 과정을 살펴보면 양기 혈장은 한수 이북이 더 유리한 듯 하였으나 음기 혈장 혈 형성은 오히려 한수 이남이 더욱 유리한 현상인 것 또한 사실적이다.

이렇게 볼 때 북한산하 혈 형성 조건과 관악산 하 혈 형상 조건 간에는 상호 보완적이면서도 충돌하고 충돌적이면서도 보완하는 대립적이면서도 양보적인 에너지장 특성이 존재하고 있다는 것을 알 수 있다.

즉 관악 혈의 장풍 특성 구조는 북한산 에너지체가 담당하였고 북악 혈의 득수 특성 구조는 관악산 에너지체가 담당함으로써 불안정 혈장이기는 하나 상호 보완적 동조장 관계 특성을 유지하는 음양택 혈장을 함께 형성하고 있다고 볼 수 있다.

결과론적으로 한북 정맥 에너지체 및 그 에너지장과 한남 정맥 에너지체 및 그 에너지장은 상호 동조적이면서도 자력 에너지 부실에 따른 동조 부족의 간섭적 특성 또한 함께 드러낸 불균형 현상 존재 에너지체 및 그 에너지장이 되고 말았다.

선도 후착 질서에 부합하는 혈 형성 에너지 및 그 에너지장 특성에 대해서는 다른 기회에 논하기로 하고 어찌 되었건 부족하나마 한수 이북 한북 정맥에서는 득수 우선의 서울 양기 혈장을 만들었고 한수 이남 한남 정맥에서는 장풍 우선의 음기 혈장을 만들었음이 대체적인 특성이라 하겠다.

한남 정맥에서 형성된 우수 혈장 중 여주 영릉과, 동작동의 음택혈 형성 구조 특성이 그중 대표적이고 그밖에 영동의 선릉, 인릉, 광교의 심원 묘소, 상적동 이경헌의 묘소, 오봉산의 청풍 김씨 묘소 등이 그 예가 된다.

한수 이북에서도 음택 혈장으로 동구능, 서오능 등의 예를 들 수는 있으나 이를 제외하고는 거의가 양택 혈장으로서의 역량이 보다 뛰어나다고 분석하는 것이 옳을 것이다.

이상에서 논거한 바와 같이 한남 정맥의 본맥 에너지가 의왕의 백운산으로부터 시작하여 오봉산 수리산, 계양산, 문수산으로 이어져 강화에 이르는 동안 한북 정맥의 선도 래룡맥 동조 에너지장 특성은 그다지 훌륭하게 펼쳐져 있지를 못한 관계로 김포 강화 에너지는 일산 덕양의 에너지장 응축을 공급받지 못한 채 이탈되며 나아갔다고 볼 수 있고, 또 일산 덕양지구 에너지체 역시 김포 강화 판의 응축 동조를 벗어나듯 그 자력 에너지체 특성이 허약하게 형성되었다고 볼 수 있다.

한편 백운산에서 분벽된 한남 정맥의 우출 지맥은 청계산, 관악산의 융기 에너지체를 집합시키면서 강남의 혈장 형성 의지를 드러냈으나 북한산 에너지체 및 그 에너지장의 동조 부족으로 대취의 양택 혈장이나 대원만의 음택 혈장을 완성치는 못하고 소규모의 양택 혈장과 소국의 음택혈을 만드는 데 그쳤다는 것을 강남, 영동, 서초, 동작, 영등포 등지의 양택지와 동작동의 음택국 형성 의지에서 찾아볼 수가 있다.

4. 동작동 국립 현충원의 입력에너지 특성과 국세 에너지장 특성 고찰

1) 동작동 현충원의 산에너지 입력 현황과 국세도(1 : 5000 지도 참조)

현재 논하는 혈장국 형성은 장군봉 76.3m에서 입수되며 장택상 묘소 지점에서 1차 취기를 하여 숨을 고르다가 좌출맥은 이승만 박사 묘소의 입수맥이 되고 우출맥은 백두진 묘소에서 재응축 취기하여 김대중 전 대통령 묘소와 창빈안씨 묘소의 입수두뇌를 만들었고, 이로부터 좌출맥은 창빈안씨 묘소 우출맥은 연상홍 꽃밭으로, 중출맥은 辛戌坐 乙辰向으로 정출을 만들었다.

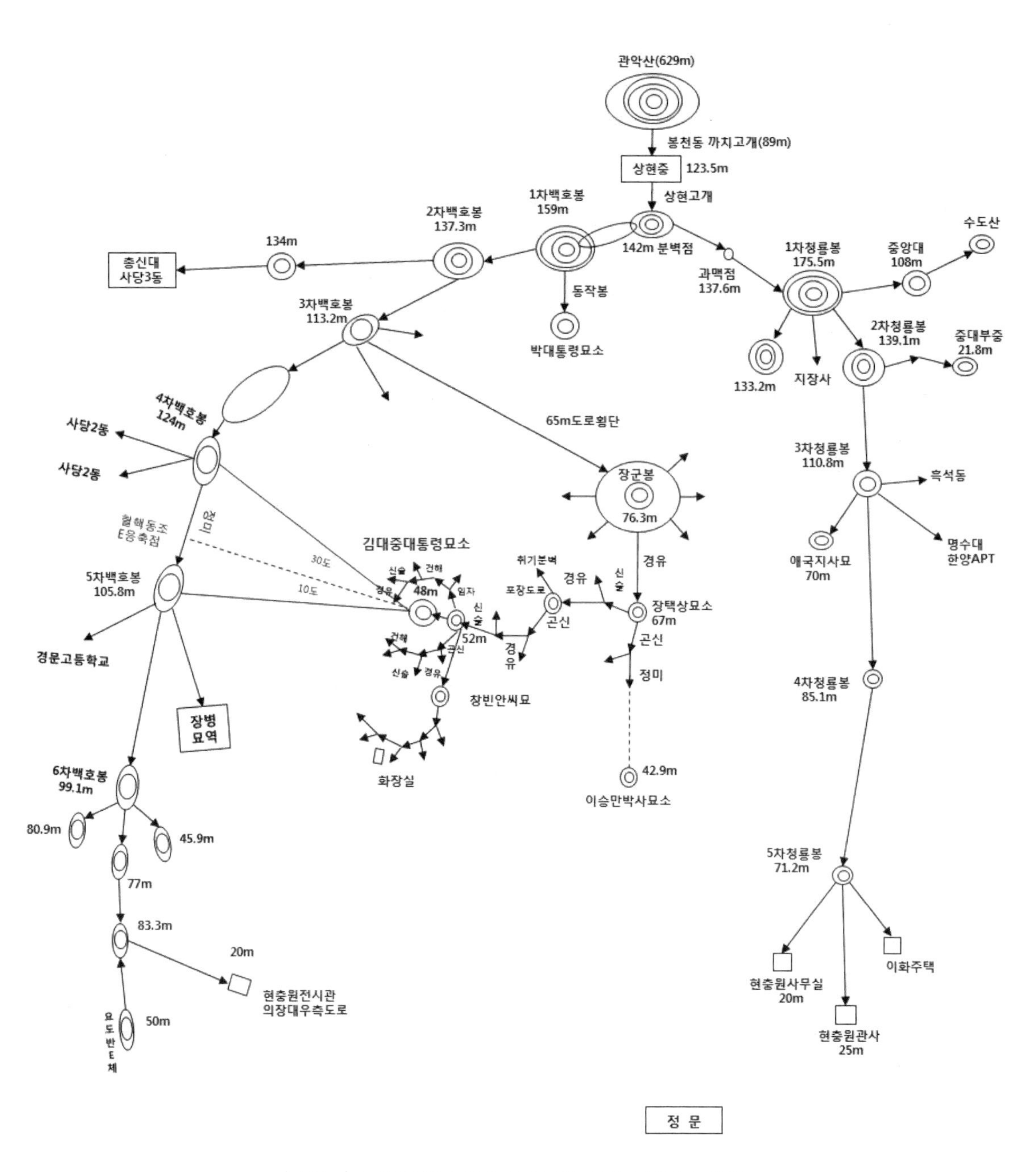

〈그림 1〉 동작동 현충원의 산에너지 입력현황과 국세도

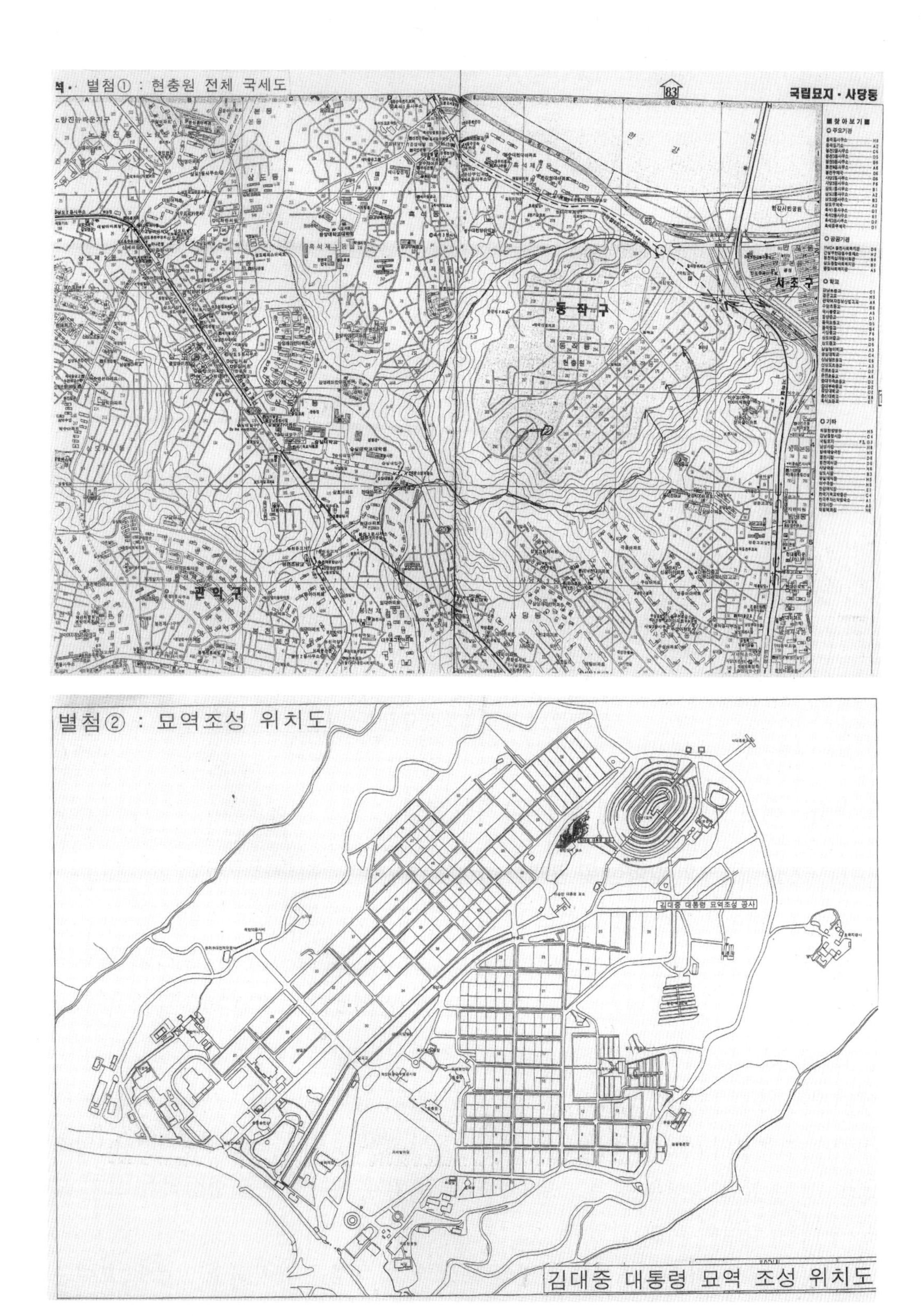
별첨① : 현충원 전체 국세도
국립묘지 · 사당동
동작구
서초구
관악구
별첨② : 묘역조성 위치도
김대중 대통령 묘역조성 공사
김대중 대통령 묘역 조성 위치도

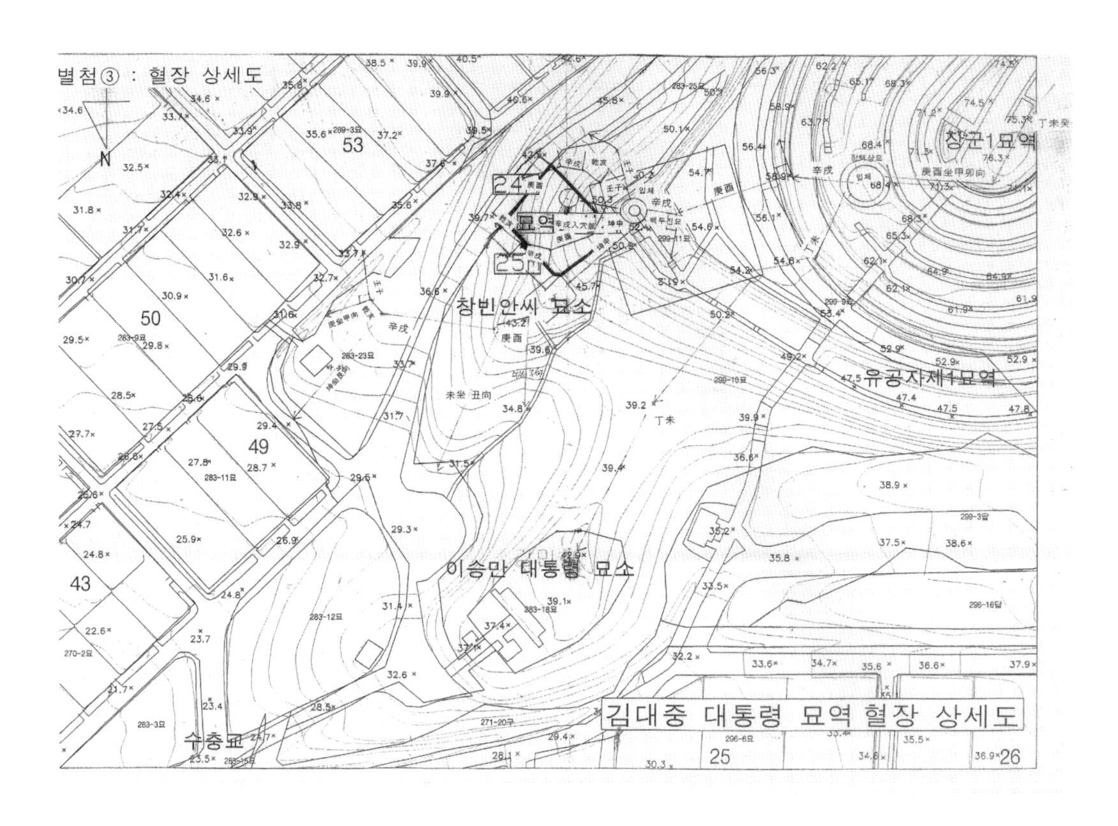

〈그림 2〉 김대중 대통령 묘역 조성도

2) 동작동 국립 현충원의 국세 에너지장 특성 분석

(1) 玄水 래룡맥의 입력점 및 분벽점 특성 분석

상기1/5000 지도에서 나타나는 바와 같이 동작 현수봉에 입력되는 부분은 해발123.4m의 상현중학교로부터 137.6m에 이르는 구간이 되는데, 이 부분은 답사 과정에서 살펴본 바로는 역시 은변역 특성을 지닌 과협적 입력에너지 특성이나, 그 입력의 기봉에 이르는 140m 지점에서는 입체 에너지체 특성보다는 선 에너지체 분벽 특성이 오히려 지배적인 관계로, 분벽 이후의 양 청백 기봉 에너지체가 청룡봉 175.5m와 백호봉 159m로서 분벽점보다 무려 청룡 38m, 백호 22m가 더 높은 특성의 청백 분벽1차 기봉점 입체 에너지체를 형성하는 보기 드문 형태의 입력이 되고 말았다.

이러한 현상은 출신 조산맥의 진행 특성과 그 특성을 같이하고 있음을 보여준다. 즉 선 에너지체 분벽의 입력 과맥 특성이 청백 분벽 후 137.6m 분벽지점에서도 계속 유지되다가 선 분벽 이후부터 외 국세 에너지장에 의해 재응축 취기하는 특수 형태의 분벽 에너지 특성을 지니고 있음으로써 이는 동작 혈장 형성 과정이 자력 취기 입수 두뇌 혈 형성 특성보다는 좌우 안산의 응축 특성에 의해 형성될 수 있는 와혈 또는 겸혈 형태의 혈성이 주혈로 예견되는 과정임을 쉽게 확인할 수 있다.

(2) 靑木 에너지체 및 그 에너지장의 특성 분석

동작릉 국의 내룡세는 그림과 답사에서 살핀 바와 같이 청룡기봉 175.5m 에너지체가 백호 기봉 159m 에너지체보다 오히려 더 큰 세력을 발로하면서 한강을 거수하여 진행한다. 그러나 그 분벽 형태와 진행맥상의 조직을 살펴보면 주맥의 흐름이 분벽 맥의 간섭에 의해 시립치 못한 채 다소 불안정한 상태를 유지하여 청룡사가 지닌 전호 육성 응축의 3대 의무를 완벽하게 수행하지 못하는 특성이 엿보인다.

이는 청룡사 에너지체로서의 특성보다는 주성혈 의지를 지닌 내룡 특성으로 살피는 것이 오히려 타당하다 할 것이다. 이는 후일 더 상세한 답사과정에서 나타날 수 있는 성혈 의지를 읽을 수 있을 것이다. 미루어 보건대 현재까지 드러난 창빈안씨 묘소, 박정희 대통령 묘소, 이승만 박사 묘소 등은 그 혈장마다 청룡사 에너지체 및 그 에너지장의 보호 육성 응축의 부실함이 발생하고 있음이 이를 증명하고 있다.

(3) 白金 에너지체 및 그 에너지장의 특성 분석

동작릉 국의 백금세는 청룡세에 비해 그 답사 과정과 도상에서 나타나는 바와 같이 비교적 원만 성실한 보호 육성 응축의 에너지체 조직을 지니고 있다고 볼 수 있다.

159m 동작봉에서의 취기 형태가 원만 후부하고 안정되었으며 이로부터 발생되는 137.3m 지점과 113.2m 지점, 그리고 124m 지점, 105.8m 지점, 99.1m 지점 등의 분벽 현상 역시 비교적 입체 정분벽 또는 요도성분벽 형태를 취하고 있으면서 그 래맥 조직 형태 역시 청목 에너지체 보다는 더욱 성실 양호

하다고 볼 수 있다.

다만 담론이 될 수 있는 종단부 63.3m 지점의 전호 육성 응축 기능에 대한 고찰은 좀 더 깊은 지점 답사와 도로 절개 이전의 원상 파악 및 그 조직 확인이 필요한바, 금번 자세한 답사 재확인 결과 세간의 이현령 비현령식 마무리 현상이라는 논지와는 확연히 다른 요도 반작용 에너지의 분명한 래룡 응축 질서에 따른 혈 전호 육성 기능 발달로 백호 에너지 특성이 매우 원만하게 이루어졌다는 것을 확인하였다.

(4) 안산, 朱火 에너지체 및 그 에너지장의 특성 분석

결론부터 논하자면 동작릉 국의 안산 에너지체는 사실상 존재하지 않는다. 다만 반포의 모래 더미 안사와 한강물의 특조 현상이 매우 선미한 에너지장을 공급하고는 있으나 실질 에너지체 응축에 의한 positive的 에너지장은 미약하고 그 에너지 필드만이 존재함으로써 한남 정맥의 말단 거수지 혈장인 동작릉원의 가장 안타까운 약점이 되고 말았다.

그러한 까닭에 이승만 박사의 래맥 입수가 무기적 노화현상을 일으켰고 수구사가 발달치 못함으로써 혈장 내 원진수인 동작천이 직거직수로 청백 외부까지 길게 파고 빠져나갔다. 이는 과거 한강 수위가 만조 시에만 내수 안정이 발생하였을 뿐 현재까지도 내수 suction현상은 지속되고 있음을 보여준다.

이러한 풍수적 결함을 보완하기 위하여 국방부와 행정부에 내수 안정 방안을 건의하였는바 수구내사 설치와 내수 저장 공사를 현재 시공 중에 있음도 동작릉원의 혈장 보전을 위한 커다란 성과라 할 수 있다.

(5) 국내 원진수 발생과정과 내국 주 수세에너지 및 그 에너지장의 특성 분석

현충원국 에너지체 주봉에서 좌우 중출맥을 일으켜서 발생하는 원진수가 있었다면 이는 좌우 도수를 형성하며 중출맥 혈장 전순을 감아돌아 청백 내사를 어슬렁거리다가 외명당에서 취회한 후 청백 관쇄 파구를 빠져나갔을 것이다.

그러나 불행하게도 본 국에서는 중출 천심 맥이 존재하지 않는다. 주봉인 동작봉은 어디까지나 청룡1차 기봉점에 불과하며 이 동작봉 역시 좌우 중출의 3분벽을 이루지 못하고 종변역 단일맥을 끌고 나와 좌우 맥의 보호를 받지 못하였기 때문에 천심맥 에너지체를 발달시키지 못하였다.

이러한 현상은 결국은 주 수세의 음양 에너지체 배위를 얻지 못한 취회 불능의 명당수 아닌 직거수가 되고 말았다. 따라서 본 국내 주 수세는 140m 양 분벽점으로부터 흘러내리는 분벽 특성의 직거 수세 에너지체 및 그 에너지장이 되어 원진수로서의 선미 수려한 특성은 전혀 찾아볼 수 없다. 때문에 취회수 명당 형성은 도저히 불가능하며 주 수세가 백호 원진수 또는 청룡 원진수로 작용하는 회룡혈장이 아닌 한 주 천심좌주 주작향의 성혈은 불가능한 주 수세에너지 특성임을 확인 분석할 수 있다.

3) 김대중 전 대통령 묘소 혈장 에너지체 형성과정과 그 성혈적 특성 분석

(1) 입수 분벽 에너지체 및 그 에너지장의 특성 분석

혈장 래맥 입수 분벽은 대개의 논사들이 동작봉에서 직발한 래룡맥이 박대통령 내 백호를 통해 장군봉으로 입력된 것으로 오인하고 있으나 답사 결과 1차로는 113.2m 고지의 입체 에너지체로부터 좌단 중출맥을 따라 분벽 진입한다.

100m 능선과 75m 능선을 따라 60m 능선 아래에서 또다시 내부 순환도로에 의해 파손되어 은변역으로 진행한 후 75.3m 장군봉으로 올라와 입체 에너지체를 형성하였다.

丁未-癸丑하의 장군봉은 다시 76.3m 고지에서 입체 에너지체를 형성한 후 庚酉룡으로 낙맥하다가 68m 지점에서 입체 분벽하면서 좌출맥은 이승만 박사 묘소의 입수맥이 되었고 辛戌 분벽 우출맥은 庚酉 입체 재분벽 후 坤申 庚酉 辛戌로 변화하며 백두진국회의장 묘소에서 재응축 취기하여 창빈안씨 묘소와 김대중 대통령 묘소의 입수맥을 낳았다.

52.5m 고지에서 입체 입수 두뇌를 형성한 이후 좌출맥은 坤申맥으로서 창빈안씨 묘소로 들어가 庚酉 辛戌 乾亥 壬子의 청룡 에너지체 및 그 에너지장을 형성하였고 우출맥은 壬子 乾亥 辛戌 庚酉로 백호 에너지체 및 그 에너지장을 형성하였으며 중출맥은 辛戌로 들어가 김대중 대통령 묘소 혈장을 성혈하였다.

(2) 창빈안씨 묘소의 청룡사 특성 역할에 관한 분석

① 입혈맥 특성에 관한 분석

창빈안씨의 묘소가 동작릉의 혈이냐 아니냐를 두고 풍수가들의 담론은 여러 가지이다. 이에 대한 분명한 분석의 필요를 느끼는 이유는 우선 입수 두뇌로부터 혈장까지의 입혈 특성이 문제가 된다는 점이다.

첫째, 坤申으로 입혈한 입혈맥이 52.5m 고지의 입수두뇌로부터 45m 고지의 혈장 묘소중심까지는 무려 40m 이상의 산수동거 직래맥 거리를 유지하는바 이는 사실상 혈장의 입혈맥 거리 형태로서는 정상적이라고 볼 수가 없다.

둘째, 혈장 입혈맥 구조상(현황 측량 성과도 참조) 설계도 +15.4 선상 47m 고지점 형태를 심찰해 볼 때 현재 현충원과 협의하에 보토작업을 하였음에도 불구하고 negative的 함몰 현상을 보이고 있는 점은 입혈맥의 비효율성을 드러낸 증좌라 할 수 있다.

셋째, 김대중 대통령 묘 조성과정에서 드러난 사실로서 창빈안씨 곡담장 우측 귀퉁이와 김대중 대통령 묘소 사성 간에 드러난 혈장 응축 조직구조가 창빈안씨 묘소방향이 아닌 김대중 대통령 묘소 청룡선익 보조형태를 취하고 있는 점이다(현재 일부 조직사가 노출되어있음).

② 선익사 유무에 관한 분석

창빈안씨 혈장 좌우, 어느 부분을 심찰해봐도 혈장 선익사가 없다. 곡담장 좌우측은 분명히 자연 선익이 없었고 현재 상황은 본토에 의한 급경사로서 인공적 조성이 확실하다.

③ 전순 에너지체의 좌선 특성에 관한 분석

창빈안씨 묘소의 전순 에너지체는 제절 당판 하단부 43m 고지에서 丙午 요도맥에 의해 庚酉맥으로 변위하고 다시 丁未 요도맥에 의해 辛戌로 전환되어 겨레길 도로를 건넜고 다시 화장실 모퉁이 뒤 35m 고지에서(도로 개설에 의해 원형이 파손되었음을 참조) 坤申 요도맥에 의해 乾亥룡으로, 마지막 화장실 우측면 35m 고지에서 庚酉 요도맥에 의해(현재 요도 일부 암석이 노출되어 있음)

壬子맥으로 마감하였다.

위와 같이 창빈안씨 묘소의 전순사 흐름을 살펴보았을 때 이상과 같은 에너지체 흐름은 전순사로서는 그 변화 거리상 너무 길게 4절 이상의 설기적인 형태를 취하고 있음을 확인할 수 있다.

④ 창빈안씨 묘소의 래룡맥 및 혈장 전순 특성에 관한 종합검토

㉠ 창빈안씨 묘소의 입수두뇌점은 김대중 대통령 묘소의 입수두뇌점과 동일하다. 따라서 창빈안씨 묘소 래룡은 입체 입수두뇌로부터 직입력된 김 대통령 묘소 입혈에너지보다 후순위의 산수동거 입력에너지가 되어 실질 성혈 에너지 공급이 부실하며, 또 요도발생에 의한 우선 입혈맥으로 간주하더라도 역시 좌선익 부재한 산수동거 입혈 에너지체가 되어있다(2회의 요도 반에너지 발생은 현재의 상황 조건으로는 불가능하다).

㉡ 입혈맥 특성은 좌측 공결이면서 너무 길게 늘어져 있다.

㉢ 좌우 선익사는 존재하지 않는다.

㉣ 전순의 좌선 특성은 이상적이나 좌선 이후의 특성이 지나치게 진행적이다.

㉤ 좌우의 청백 에너지체 및 에너지장이 허약하다.

㉥ 안사 에너지체의 부실로 원진수가 직거수한다.

⑤ 풍수세 에너지장의 특성 분석

창빈안씨 묘소 혈장에서의 전후좌우를 통한 풍수세를 살펴보면 입수두뇌 측 풍수세를 제외하고는 전순 하단부로부터 샛강까지 전체적으로 설기하는 직거수 직사 풍지가 되어있다.

따라서 창빈안씨 묘소를 형성하고 있는 래룡맥은 주혈장 형성의 조건보다는 김대중 전 대통령 묘소의 청룡 에너지체 및 그 에너지장 특성의지를 발현하는 성향이 더욱 두드러진 현상을 나타내고 있다는 결론을 얻을 수 있다.

(3) 백호 에너지체 및 백호 선익 에너지체의 특성 분석

현충원의 백호 주 에너지체가 본 묘소의 외백호가 되고 있고 내백호로는 52.5m 고지상의 입수두뇌 에너지체로부터 우측 壬子맥을 형성하여 김대중 대

통령 묘소의 혈장을 형성하는 데 크게 기여하고 있음을 묘소선정 및 작업과정에서 확인하였다.

현재 시설되어있는 백호 사성 뒤편 언덕이 전체적으로 암반 구조로 형성되어 매우 가까운 내백호를 형성하였고 壬子로 출발한 백호선익사 구조는 乾亥 辛戌 庚酉로 회전하면서 혈장 에너지체를 크게 응축하였음이 현장에서 증명되고 있다(현재 백호 선익과 요도맥이 2개 지점에서 노출되어있음).

(4) 청룡 선익사 에너지체의 특성 분석

창빈안씨 묘소 래룡맥의 청목 에너지체 특성에 의해 응축된 청룡 선익사는 약맥으로 형성된 2중 선익사였다. 이를 조성과정에서 2중 사성으로 보완, 강화하였고 기존 소나무 및 벗나무의 위치 형태와 동일한 선익사 언덕을 보존키 위해 조경석으로 마감하였다.

입수두뇌로부터 백호선익사보다는 다소 부족한 坤申 庚酉 辛戌 乾亥의 선익사가 발달되어 혈핵에너지를 비교적 건실하게 응축하였다.

(5) 안산 에너지체의 특성 분석

김대중 전 대통령 묘소의 안산 에너지체는 외국에서 얻을 수 없는 조안사 에너지체 및 그 에너지장 보상을 위해 외청백 관쇄점으로 좌향을 정하는 대신 乙辰향으로의 백호맥 안산 중 102.0m 고지의 요도반작용에 의한 丁未 래룡 능선으로부터 180도 방향의 반에너지 및 그 에너지장을 공급받았다.

즉, 백호 래맥 124m 기봉점으로부터 105.8m 기봉점까지 전개되는 일자 문성의 丁未 래룡맥 에너지체로, 동작릉 전체 국안 중 가장 이상적 안사 에너지장을 공급받을 수 있는 유력한 에너지체 중 하나이다.

(6) 전순 에너지체의 특성 분석

김대중 대통령 묘소의 전순 에너지체는 본래가 후부 원만하였으나 현충원 설치 당시 겨레길 조성과정에서 약 1/3 정도가 파손되었다. 이를 보토하였고 조경석으로 마감 처리하였다.

(7) 혈장 에너지체 및 그 에너지장의 특성 분석

김대중 대통령 묘소의 혈장은 동작동의 입수 래룡맥 특성에서 지적된 바와 같이 국 사신사 에너지장과 혈장 四果 에너지체 및 그 에너지장 응축 질서에 의한 전형적인 와형구조 에너지체이다.

辛戌 입혈맥에 의한 辛戌坐가 정상이었으나 후손들의 평등을 고려하여 장군봉의 현수 에너지장 응축선인 庚酉坐도 고려하였다.

안산 에너지체인 외백호 124m에서 105.8m에 이르는 대체적 丁未래룡의 일자문성은 본 혈장을 안정 응축시킬 수 있는 동작국 내 보기 드문 이상적 안대구조 에너지체로서 辛戌坐 乙辰向이나 庚酉坐 甲卯向 어느 방위도 에너지 응축선상에서는 이상이 없다.

다만 방위론적 입장에서 다소의 논란이 있을 수 있으나 현수 에너지장 응축특성을 고려치 않는 방위론적 담론은 역시 논거의 여지가 있다고 본다.

즉 庚酉坐 甲卯向은 현수 에너지장 응축선이 보다 합일하여 장손 발전이 유리하고 辛戌坐 乙辰向은 안산 응축선이 보다 합일하여 지손 발전이 유리한 고로 좌향 설정론은 가족 후사를 위해 기밀로 한다.

(8) 혈토에 관한 특성 분석

그림에서 살펴본 바와 같이 작업 시 혈장 핵심은 입수두뇌(52m 고지)로부터 辛戌坐 乙辰向 18m 하단 지점까지로 입혈맥이 끝나는 부분(48m 고지)에서 천광하였다. 깊이는 본토 표피에서 1.5m를 박피 평토하였고 그로부터 1.3m를 외광 0.5m를 내광 총 1.8m를 광중으로 작업하였다.

본토 표피로부터 1.5m 지점에서 황토질의 혈토층이 드러났고 1.3m 외광 구조 역시 비석 비토의 누런색 황토로 자연 내광작업이 가능하여 회 몰드를 사용치 않았다. 0.5m 내광 또한 오색 토질의 비석 비토 혈토로서 동작동 내 토질 구조 중 최우량 구조임을 국방부측 전문가인 유해발굴단에서 증언하였다.

(9) 혈장 풍수세 에너지장에 관한 특성 분석

① 동작봉 140m 고지 분벽 계수의 주 수세 에너지장이 미치는 특성 분석

동작봉 140m 지점에서의 분벽점에서 발생한 주 내국 수세는 박정희 전 대통령 묘소의 청룡수가 되어 연못에 이른다. 이후 연못으로부터 흘러나와 이승만 박사 묘소의 본입수 청룡맥과 혈장을 간섭하기도 하면서 직거수로 청룡수가 되어 장병묘역 중앙을 흘러 한강의 샛강으로 빠져나간다.

동작릉 전체의 주 수세 에너지 및 그 에너지장 특성으로서는 비교적 불안정한 것으로 중출 천심맥 발달이 불가능한 상태에서 발생되는 수세 특성의 형성 원리상 이러한 현상은 내국 주작사 에너지장을 확보하지 못하는 한 그 개선은 불가능하다.

현재 이승만 박사 묘소의 지표고가 39m임에 반하여 한강 샛강까지 이르는 1km 지점에서의 표고는 무려 11m 정도에 달하는 직사수세가 되어 수세 에너지 및 그 에너지장의 이탈 현상은 심각하다고 봐야 한다.

따라서 주 수세 에너지를 혈장 원진수로하여 청백수세를 도모하는 거수지 혈장을 동작동 현충원 내에서 기대하는 것은 대단히 곤란한 현실이라는 것이 김대중 전 대통령 묘소입지를 현재 위치로 선택하는 원인의 하나가 되었다고 할 수 있다.

② 김대중 전 대통령 묘소의 백호 원진수세 에너지장 특성 분석

전기 주 수세 에너지장 특성에서 살핀 바와 같이 직거 주 수세 에너지장을 원진수로 하는 좌우측에서 산수동거하는 혈장 형성은 불가능하다는 결론에 따라 본 묘역 조성의 1차적 입지 선택은 창빈안씨 묘역이 청룡사로 되어 있는 현 위치를 선택할 수밖에 없고 이 또한 청룡 원진수의 결함을 안고는 있으나 백호 원진수가 득수 효율상 확실히 뛰어난 점임을 높이 평가하였다.

백호 에너지체의 3차 분벽점 우출단 80m 고지에서부터 출발하는 백호 원진수원은 4차 백호 분벽점의 내분수를 취회하면서 혈전 25m 전방까지 그 에너지장을 공급함으로써 혈장 취득수로서의 효율성을 높이고 있다.

본 백호 원진수는 창빈안씨 묘소의 전순 끝자락에 의해 국세도 그림과 같이

60도 이상 거두어지면서 혈장 수기 에너지장 응축을 돕고 있음으로써 파구 이후의 거수가 드러나지 않는 충분한 원진수 에너지장을 형성하였다고 볼 수 있다.

③ 혈장 풍세 에너지장에 관한 특성 분석

주 수세 에너지장 특성이 동작동 현충원의 국전반에 걸쳐서 득수 에너지장을 충분히 공급하지 못하고 부분적 득수 에너지장을 공급하고 있다는 것은 이에 따른 풍세 에너지장 특성 역시 현충원 청룡내국의 일부를 제외하고는 장풍적 에너지장 응축구조를 형성하기가 매우 어렵다는 것을 답사 확인과정에서 알 수 있었다. 때문에 대용량의 득수 에너지장이나 풍 에너지장 공급을 얻을 수 있는 혈장은 중출 천심 선상에서는 성혈이 불가능한 현실이므로 소국의 소용량 장풍 득수처를 얻지 않으면 아니 된다.

이러한 원리에 따라 결정된 김대중 전 대통령의 묘소 혈장에서의 장풍 에너지장 특성은 매우 안정적이고 원만하다.

우선 주 혈장 래맥 과정에서의 장풍 의지는 장군봉 입수맥 과협처 60m 지점의 도로 설치에 의한 파손 吹風, 그리고 겨레길 개설에 의해 파손된 청룡 에너지체의 거수사 손실 취풍 현상을 빼고는 전반적으로 안정된 풍세 에너지장을 공급하는 원만한 장풍 에너지장 특성을 유지하고 있다고 볼 수 있다.

즉 백호 에너지체이면서도 안산 朱火 에너지장이 되고 있는 丙午 巽巳 乙辰 甲卯 艮寅 향의 지표 50m 상 100m 고지까지의 능선 흐름은 거의 원만한 일자문성의 丁未 래룡맥 산 에너지체를 유지하고 있고, 이에 따른 풍세 에너지장 특성 역시 선미 안정된 에너지체 흐름을 유지함으로써 50m 이하 고지인 본 혈장에는 이상적이고 안정된 풍세 에너지장이 공급될 수 있다는 것을 답사 과정과 도상 분석에서 확인하였다.

④ 전반적 풍수세 합성 에너지장의 특성 분석

동작동의 전반적 풍수세는 사실상 직수 직풍 구조로서 외조수 한강이 존재치 않았다면 사실상 무혈처다. 그러나 한강 조래수가 반포 주작사에 의해 안정구조를 취하였고 특히 본 혈장은 동작릉의 백호수가 원진이 되어 46m 고지 혈장을 36m~38m 고지의 임수가 25m 전방에서 우선수 좌도하므로 길격 원진수가 되었다. 바람길 역시 겨레길에 의해 불안정한 점은 있으나 본 혈장 내에서는 충분히 안정된 장풍구조가 되었다. 동작릉 국에서는 현재 유일하게 백호 원진수를 거두었고 파구수 역시 청룡사 내지 선익사가 거수하여 합격이다.

5. 결론

1) 김대중 대통령 묘소 혈장 특성에 관한 종합적 분석 및 평가

(1) 조산 래룡맥과 외 국세에 대한 종합 특성 분석 및 평가

백두대간을 따라 속리산 천황봉으로부터 출발한 한남 금북 정맥은 그 출발점부터 태동한 은변역 에너지체 특성에 의해 여러 구비의 재, 령을 넘으면서 한남정맥에 이르러서는 그 세력이 크게 감소되었다. 이러한 연고로 봉천동 상현중학교를 기점으로 일어난 동작봉의 기봉 특성은 매우 불안정한 불평등 분벽 특성을 지녔으나, 다행히도 외국세 에너지장의 특성과 선도한 한북 정맥의 삼각산 및 북한산 에너지장 동조에 의한 한강 조래수를 득하게 됨으로 인해, 동작봉이 현수에너지체의 주세 장이 되고, 청룡사 에너지체의 청목 에너지장과 백호사 에너지체의 백금 에너지장 및 백호 안산 에너지체의 주화 에너지장 질서가 매우 원만하게 형성될 수 있는 외국세 에너지장 동조 장풍구조의 大明局을 낳게 되었다.

(2) 현충원 입수맥과 사신사에 관한 종합 특성 분석 및 평가

전기 언급한 바와 같이 동작봉 입력점의 분벽 에너지체 특성은 매우 허약한 선구조 에너지체 특성을 유지하고 있는 관계로 현충원 외곽의 외국 에너지장이 부실할 경우 자력 성혈이 불가능한 입수맥 특성이 되고 있으나, 선도 외국이 뛰어나고 래조수가 훌륭한 관계로 청백 에너지체 구조는 다소 불안정한 몇 개소 부분을 제외하고는 대체적으로 안정된 구조를 형성하였다.

또 자력 에너지 및 그 에너지장이 부족한 관계로 수구사 또는 안산 에너지 및 그 에너지장 특성이 전혀 발현되지 못하였음은 본국이 지니고 있는 최대의 불안정 요소라 지적할 수 있으나, 백호사 말미 7차 백호봉(83.3m) 기봉에서의 요도 반작용 에너지체에 의한 국 응축 에너지가 의장대 우측 도로까지 그 에너지체를 발달시킴으로써, 현충원 전체의 국에너지장 동조안정은 물론 본 혈장 전반의 핵 응축 동조 에너지장을 비교적 원만히 성취시킬 수 있는 丁未 래룡의 안산 응축점 형성 결과를 낳을 수 있게 하였다. 이는 본 혈장이 역량 있는 혈핵을 발달케 하는 가장 중요한 요소가 되었다고 크게 평가하여야 할 것이다.

(3) 본 혈장 입혈 과정에 관한 종합 분석 및 평가

은변역 특성을 거듭하던 래룡맥 에너지체의 특성상 한남 정맥의 지말단인 관악산에서 북한산 외국세에 의해 최대 입체 에너지 응축을 마무리는 하였으나 역시 그 에너지 특성이 원만 안정치는 못하고, 좌로는 삼성산을 통하여 영등포 당산동에 이르고 우로는 우면산을 통하여 강남 탄천 종착지에 이르면서, 중으로 봉천동 까치산 고개를 넘어 상현중학교 고개에 이르는 것이 본 혈장 입수 래룡맥의 과정이었다. 이러한 입수 과정의 에너지체 불안정에 의한 제반 특성들은 성혈 입력 측 에너지 특성에서도 여실히 드러난다.

우선 봉천동 까치 고개(80m)의 은변역과 상현중 고개(123.4m)에서의 은변역 에너지체는 봉천동 국사봉에 이르는 분벽지맥에 의해 그 융기 에너지 손실을 가져왔고, 그 결과 공작봉 140m 지점에서의 청백 분벽 현상은 매우 불안정한 특성을 나타내게 됨으로써 선 에너지체 분벽의 무중출 특성으로 인한 중출 천심 입혈맥 에너지체 발달구조는 영원히 불가능하게 되었다.

이와 같은 입수 에너지 입력 과정의 불안정 특성이 안정세를 회복하고 입혈 에너지 입력 특성을 발로하게 되는 안정점은 현충원 백호래맥의 3차 분벽 기봉점에서 비로소 실현된다.

이곳의 입체 에너지체 분벽 특성 회복은 장군봉 하 입수두뇌점까지 충실한 성혈 에너지를 공급하였고 입수두뇌점으로부터의 입혈맥 과정은 창빈안씨 묘소의 장절맥 특성에 의해 다소 불안정한 부분이 없지는 않았으나 대체적으로 후부건실한 암반 취집구조의 입수두뇌와, 강건한 암반 응축 조직으로 구성된 청백 선익사를 동반하고 있는 충실한 입혈맥으로서의 혈핵 에너지 진입 특성구조를 확보하고 있음을 분석 평가할 수 있었다.

(4) 혈핵 에너지 특성에 관한 종합 분석 및 평가

동작릉국 사신사 에너지체 및 그 에너지장의 특성상, 청백 좌우 맥에서 좌선 또는 우선에 의해 형성되어야만 하는 혈핵 응축 동조 에너지 특성 원리상, 본 혈장 혈핵은 좌선 입혈맥 에너지체 입력 특성과 입수 두뇌 응축 그리고 양 청백 선익사 에너지와 주작 전순 에너지체 응축에 의해 비교적 원만한 응축 밀도와 용적을 확보한 오색 혈토의 비석비토 혈핵이 완성되어있었다. 이는 혈장이 지닌 성혈의지와 혈핵응축 국동조 에너지장이 상호 조화되어 결정된 이상적 성과라고 보아야 할 것이다. 작업 과정 중에서 그 혈장의 크기와 깊이를 충분히 확인하였고, 짙은 황색 혈토의 외내 광중은 보기 드문 자연 천광으로 횡대 작업 후의 외광 회닫이 작업만을 요하는 상급 혈핵 에너지체임을 분석 평가하였다.

(5) 현충원 전체 국내에서의 혈장 형성 조건에 관한 분석 및 평가

이상의 사실 파악과 분석 결과 현재 현충원 내에서는 다음과 같은 사신사 내국 혈장 형성조건을 갖추어야 한다는 원칙을 발견하게 된다.

① 입수두뇌점의 취기 특성이 부실할 수 있는 취약성을 고려할 것(국 입력에너지 분벽점 특성이 선 에너지 분벽 특성임. 입체 분벽 의지가 부족함)
② 타력 응축 동조 에너지장 특성이 자력 응축 동조 에너지장 특성에 비해 보다 안정적인 성혈점일 것(현주 동조 조건과 입력 특성이 안정될 것)
③ 중출 천심맥 발달 의지가 허약하므로 유돌 특성의 혈장 에너지체보다 와겸 특성의 혈장 에너지체 발달이 용이한 position일 것
④ 성혈 위치상 天穴 人穴場(장풍국 우선 혈장) 특성보다 地穴場(득수국 우선 혈장) 특성이 양호한 position일 것
⑤ 직거수 직래풍 혈장이 아닐 것(特朝風水地인 고로 혈장 노출은 불가)
⑥ 자력 장풍, 자력 득수가 가능한 position일 것(전체 국 장풍 득수가 원만선미하지 못하므로)
⑦ 주작사 에너지체나 조안산 에너지장을 필히 확보할 것(입력 에너지가 허약하고 주화 응축 에너지가 부족하므로)

⑧ 회룡 의지가 강력한 입수 입혈맥 특성을 지닐 것(내수세 설기 에너지 보완과 외수세 형충파해살 방지 의지가 강해야 하기 때문)

⑨ 원진수 에너지장을 원만히 확보할 것(국내 원진수의 혈응축 특성 저하가 전반적으로 발생하는 사신사 국세이기 때문)

⑩ 혈장 전순 성취 의지가 강한 특성일 것(무조안국의 취약점은 전순 에너지체 형성이 불리하기 때문)

(6) 천광작업 및 봉분 작업/ 사성 작업과 조경 작업에 관한 종합 분석 및 평가

① 천광 작업

좋은 혈장, 밝은 혈핵을 만난다는 것은 일생 동안 산을 공부하여도 직접 만나기가 힘든 일이라고 생각한다. 하물며 준비 없는 과정에서 국장을 준비하고 지정된 지역 내에서 밝은 혈을 찾아낸다는 것은 난사 중 난사이다. 그러나 다행히도 좋은 인연이 되어 밝은 혈장, 강한 혈토를 만난 것은 아마도 천명이요 천운이었으리라 생각된다. 이렇듯 하늘이 점지한 좋은 혈장도 그 다스림이 바르지 못하면 끝내 혈핵을 깨고 파괴시키게 되어 머지않아 침수나 취풍을 당하게 하는 어리석은 우를 범하는 경우가 많다.

물론 혈장이 부실하면 물바람이 들어오게 된다는 것은 정해진 이치이다. 다소의 불안이 있을 때에는 강회 몰드를 뽑아 광중 작업을 하는 것도 하나의 방편이 될 수는 있다.

그러나 혈토가 맑고 밝아 단단한 비석 비토의 황토 혈핵이면 당연히 자연 천광으로서 내외광을 마감하는 것 또한 상식이다. 그런데 자연 천광시 외광 작업을 소홀히 하여 물바람을 침입케 하는 예는 허다하다. 이의 방지와 안전을 위해서는 외광중 강회 충적 다지기 작업을 신중하고 명확히 해야 함이 그중 가장 중요한 요소가 된다. 외광의 회 다지기 작업은 약 1.3m 외광 전체를 회다지기하고 그 상부 약 30cm 정도 이상을 외광 면적보다 사방 30cm 정도 더 넓게 추가 다지기 작업을 해야 한다. 이 작업 부분은 내광 중에 물바람이 들어가지 않게 하는 중요한 필수 작업이다.

② 봉분과 사성 작업

봉분과 사성은 천광내 혈토와 유골에 물바람의 파괴물질이 절대 들어올 수 없게 하는 중요 혈핵 보호 작업이다. 혈핵은 물바람에 의해 그 핵 에너지 발생 역할이 방해되거나 유실된다. 이러한 까닭에 영구히 핵 에너지를 보호할 수 있는 방법으로는 1차로 봉분 작업을 크게 해야 한다.

금번 국장의 경우, 봉분 면적은 5.5~6m 직경의 원형 성분으로 강회와 穴場土를 3 : 7 정도로 다져서 쌓았다. 폭우 시 사태와 겨울바람에 의한 파손을 방지하기 위해서이다.

그리고 다시 외곽에 2중 사성을 쌓고 외부로부터의 풍수를 보호하기 위해 안정된 경사각을 만들었다(설계도 참조).

③ 전순 보완 작업과 조경 작업

어느 명당 어느 혈장을 가보아도 전순 에너지체가 원형대로 안정되어 있는 혈장은 거의 없다. 대개의 경우 오랜 세월 동안 풍우에 깎이고 부서져 원형을 유지하기가 매우 어려운 것이 현실이다. 이러한 파손 현상을 보상하고 보완 복구하는 것이 전순 명당 조성 작업이다.

특히 금번 김대중 전 대통령 묘소의 전순부분은 겨레길 도로공사 과정에서 약 1/3 정도가 파손 유실되어 있는 실정이었다.

이런 부분은 조경석 쌓기와 전순사 보완작업으로 충분히 보완하였는바, 겨레길 공사로 인해 절단된 전순 부분을 충분히 보상하기 위하여 면적 손실분 대신 조경석 하중으로 전순지력을 보상하고 혈핵 혈장 에너지 손실을 방지하는 데 신중한 처리를 하였으며 양선익사 절단부분에 대해서도 조경석 쌓기와 흙다지기 마감 작업으로 실질적 혈핵에너지 이탈을 충분히 방지하였다.

이상으로 김대중 대통령 묘역 조성에 관한 풍수적 해석에 대한 소고를 마친다.

고 김대중 대통령 묘역 작업 사진일지

2009.08.19.(수) ~ 2009.09.27.(일)

◉ 광중 명당 및 외곽 조성 작업

DOOSAN

내광 흙 파기 작업 1(안장전일 1.2m 판 후, 안장일 오후에 하관 임박하여 내광 파기 시작)

내광 흙 파기 작업 2

내광 5색 혈토(단단한 비석비토)

내광 파기 완성 후 나타난
5색 혈토와 혈장 응축에너지선

謹
故 김대중 前 대통령 국장
2009. 8. 23.
弔

◉ 사성 내곽 및 당판 잔디 식재 작업

제15대 대통령 김대중의 묘

대통령 김대중의 묘

2 故 김영삼 대통령 묘역의 지리환경적 에너지장 배경 및 설계

1. 祖宗山 來脈 에너지장 설계배경

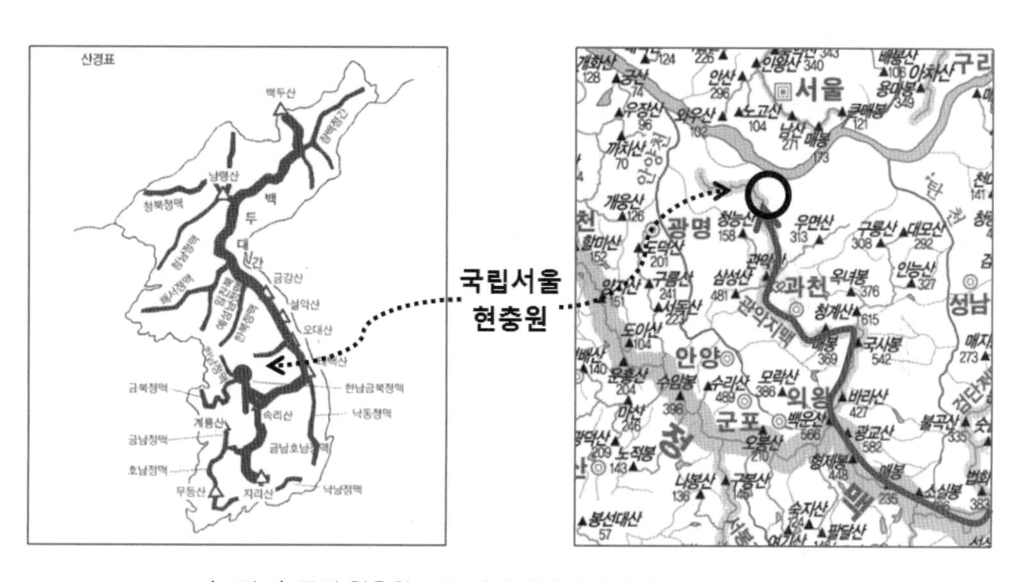

〈그림 1〉 국립 현충원 조종 래맥 에너지장 선택 설계 및 分析

故 김영삼 대통령 묘역이 위치하는 국립서울현충원 입수 래맥 에너지체 및 그 에너지장의 선택 과정을 살펴보면, 최초 출발지는 백두산으로서 백두대간에서 전진한 래맥 에너지는 태백산(1587m) → 속리산(1058m)에서 분벽 후 그중 左出脈은 南進하여 지리산(1915m)을 거쳐 낙남정맥에서 그 대장정을 마감하

였고, 右出脈은 北進하여 안성 죽산의 칠장산(492m) 지점에서 분벽하였다. 그 중 우출맥이 한남정맥 에너지체로 진입하여 안성, 용인, 수원을 거쳐 광교산(582m) → 백운산(566m)에서 취기한 후 다시 좌출 분벽맥은 서북진하여 오봉산(210m) → 수암봉(398m) → 계양산(394m)으로 진행 후 문수산(376m)에서 한강을 만나 마감하였고, 백운산의 우출 분벽 래맥 에너지체는 관악지맥이 되어 바라산(427m) → 국사봉(542m) → 청계산(615m)에서 융기 세력을 일으켜 크게 취기하였다.

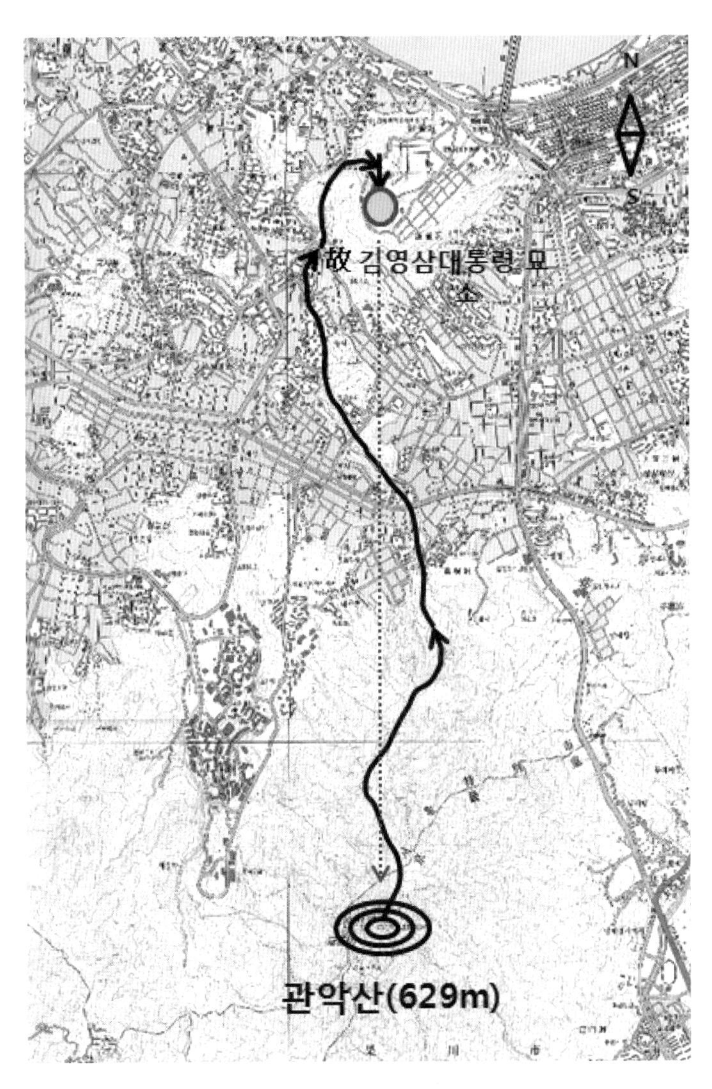

〈그림 2〉 조종산 래맥 에너지체 현황 分析 및 그 에너지 진행과정도 1

자료 : 2014년 조사, 국토지리정보원, 1/25000 지도

〈그림 3〉 조종산 래맥 에너지체 현황 分析 및 그 에너지 진행과정도 2

자료 : Google 지도

당 穴場으로 선택된 래맥 에너지는 청계산 좌출 지맥 에너지체로서, 청계산 지맥의 좌출 에너지는 이후 그 세력을 갈무리하며 엎드려 진행하는데, 래맥 에너지체의 진행구조특성은 隱變易 특성으로 從變 북진하면서 의왕 과천의 갈현 절레미 고개에서 크게 숨을 고른 후 재기봉하여 청계산과 대등한 최종 입체 관악산(629m) 에너지체 및 그 에너지장을 형성하게 된다.

관악지맥의 최종 집합 입체 에너지체 구조인 관악산에서 진행한 래맥 에너지는 이후 그 세력을 서서히 순화 안정화시키며 봉천동 봉천고개 → 상도고개에서 동작봉(서달산)으로 치솟은 후 반포천과 한강을 만나 동작동 국립묘지의 음택국을 형성하고 백두산의 지기 에너지를 최종 마감하였다. 이와 같은 래맥 에너지 진행 배경에 따라 묘소를 중심으로 한 관악산은 故 김영삼 대통령 묘역의 祖宗山으로 설계됨이 마땅하였다.

2. 국립서울현충원의 四神砂 局 에너지장 특성 배경 및 설계

1) 전체 局 에너지장 배경 분석

〈그림 4〉 래맥 에너지장 형식도(회룡고조형)

자료 : Google 지도

해발 629m의 관악 조종산 에너지체는 한강 방향으로 연속 북진하여 현충원 서달산(약 142m)에 이르는 동안 약 470m 이상의 고도를 낮추며 순차적으로 안정화된 후 입체취기한다. 서달산 국립현충원의 좌출 지맥 에너지체는 관악 조종산을 向으로 하며 한강을 逆으로 거스르고 이동 정지하였다. 이러한 관악산 에너지체는 조종산이자 朝案山 역할상태가 되어 回龍顧祖의 형세를 이루게 됨으로써 역시 관악산 祖山 에너지체 및 그 에너지장을 朝案山 에너지체 및 그 에너지장으로 선택설계하는 것이 타당하였다.

국립서울현충원은 한국전쟁 이후 국군묘지에서 국립묘지로 승격되어 안장범위가 확대됨에 따라 현재까지 묘역이 지속적으로 확장 조성되고 있는 곳이다. 故 김영삼 대통령의 묘역은 1981년 조성된 장군 제3묘역의 좌측에 근접 위치한다(현충원 국세 현황도 참고, 현충원 홈페이지).

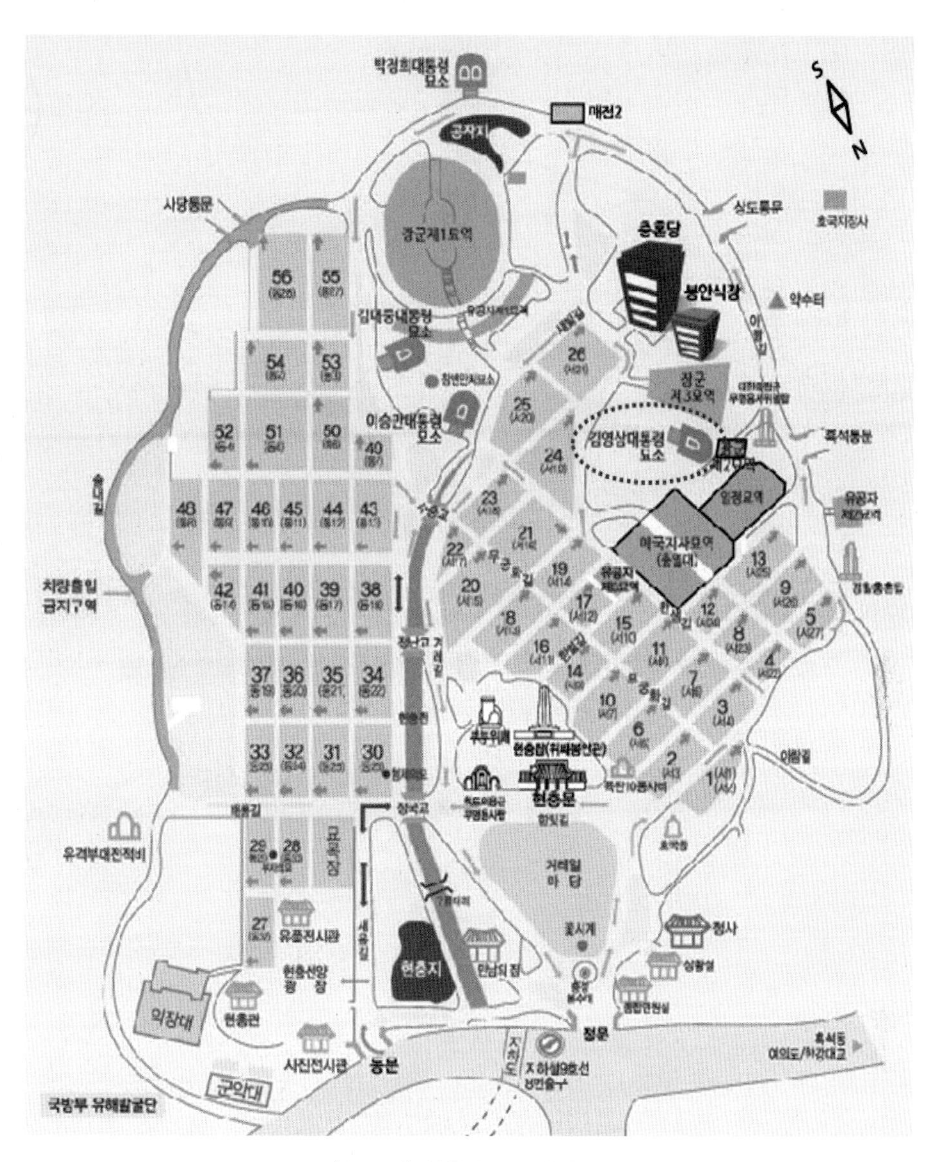

〈그림 5〉 현충원 국세 현황도

국립현충원의 사신사 局 특성 배경조사 및 세부적 설계를 위해서는 국토지리정보원에서 발행한 1/5000 지도를 참고하여 故 김영삼 대통령 묘역의 전체 局 에너지장을 지리환경적 측면에서 고찰함이 보다 유용하다고 보았다.

그 첫째로 현충원을 좌우로 감싸고 있는 취기봉들을 살펴봄이 우선되어야 하므로 다음의 지적도 〈국립현충원 전체 局 에너지장세 설계도 1, 2〉를 기준하였고, 그 해석의 정확도를 위해 입체봉의 순서대로 번호를 부여하여 설계하였다.

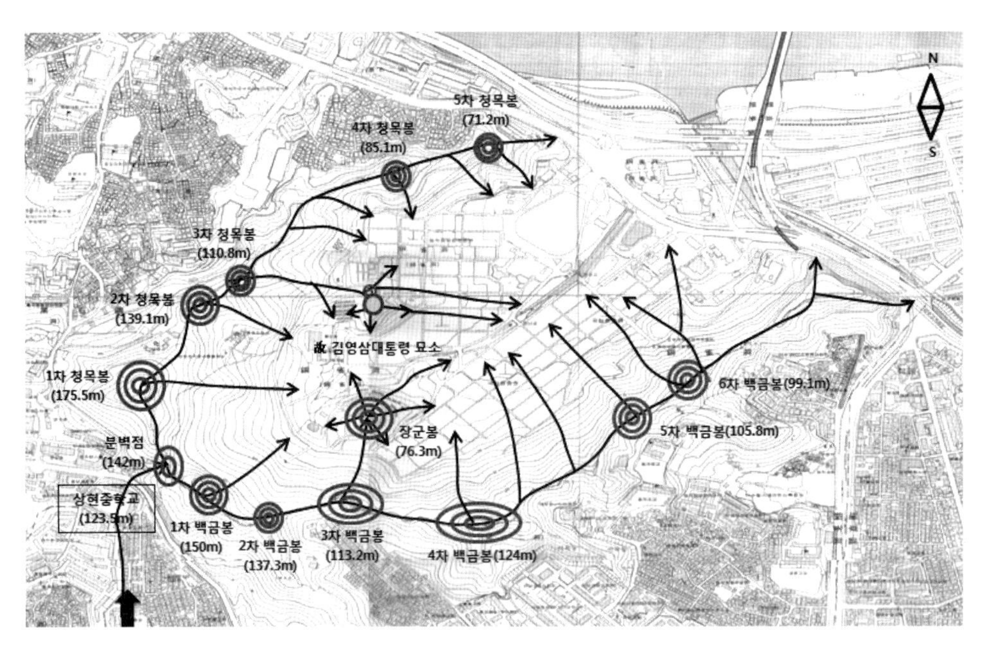

〈그림 6〉 국립현충원 전체 局 에너지장 설계도 1: 入首 來脈 損傷 以後圖

자료 : 국토지리정보원, 2011년 발행, 1/5000 지도

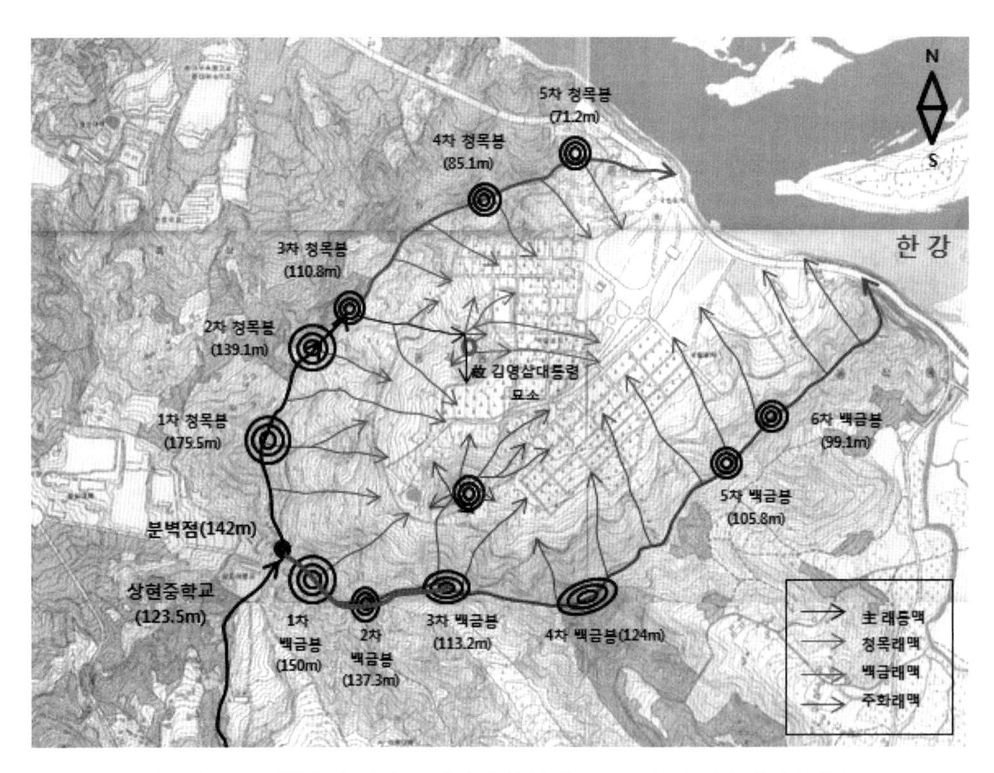

〈그림 7〉 국립현충원 전체 局 에너지장 설계도 2: 入首 來脈 損傷 以前圖

자료 : 국토지리정보원, 1968년 발행, 1/5000 지도

2) 入力 에너지장 설계 및 특성분석

관악 조종산에서 진행한 산줄기는 동작동 상현중학교(123.5m)를 거쳐 그 정상(분벽점, 142m)에서 취기 후 좌우로 크게 진행함을 볼 수 있다. 국립 현충원 전체 국 에너지장 설계도에서 보는 바와 같이, 정상에서 분벽 좌출한 래맥 에너지체는 국립현충원의 외청목이자 묘소의 중심맥이 되어 최종 5차 청목봉(71.2m)을 일으킨 후 관리사무실 뒤에서 그 진행을 마감하였고, 우출맥은 외백금이 되어 현충원의 우측을 감싸안으며 최종 입체 취기(6차 白金봉, 99.1m) 후에 동작역 방향으로 진행하여 반포천과 한강을 만나 멈추었다. 분벽점을 기준으로 좌우로 형성된 입체봉들은 175.5m의 1차 청목봉을 제외하면 전체적으로 평균 150m를 넘지 않는 야트막한 야산의 형태를 이루며 감싸안았다. 세간에서는 국립현충원의 전체 형국을 봉황이 아름다운 날개를 감싸고 있는 鳳凰抱卵形에 비유하기도 한다. 따라서 본 혈장을 위한 래맥 에너지체는 乳突穴(抱卵)의 혈장을 형성할 수 있는 에너지체 특성과 그 에너지장 흐름을 선택 설계하였다.

(1) 환경 에너지장 설계를 위한 지적 현상 변화 분석

국립서울현충원은 1953년 9월 29일 이승만 대통령의 재가를 받아 국군묘지 부지로 확정된 후 1954년 3월 1일 공사를 착공한 이래 3년에 걸쳐 묘역 238.017m^{2}를 조성하고, 그 후 연차적으로 1968년 말까지 광장 99.174m^2, 임야 912,400m^2 및 공원행정지역 178.513m^{2}를 조성하였다. 1965년 3월 30일 국립묘지령으로 재정립된 이후에는 군인 위주의 안장에서 애국지사, 경찰관 및 향토예비군, 소방공무원, 의사사상자 등도 안장대상자에 포함됨으로써 동작국 내의 묘역 조성이 확대되었는데, 이 과정에서 산줄기의 일부가 완만 평탄화되어 지적도의 변화가 부득이 발생될 수밖에 없었다(국립서울현충원 홈페이지 역사 및 연혁 참고).

따라서 故 김영삼 대통령 묘역의 전체 국 에너지장을 설계하기 위해서는 주변 산세의 원형이 최대한 보존된 지적도를 참고할 필요가 있어 손상 이전의 지적도인 1968년의 것으로 설계 기준을 잡았다.

국토지리정보원에서 발행된 2011년 국립현충원 지적도와 1968년의 혈장 주변 지적도를 비교 분석하면, 다음 장소에서 지적도상 변화가 발견되었다.

① 임정묘역, 애국지사묘역
② 장군 제3묘역
③ 충훈당, 봉안식장
④ 장군 제1묘역

이에 묘역의 원형이 최대한 보존되어있었던 1968년 지적도를 기준으로 제반의 지리환경 에너지장 설계를 도모하였다.

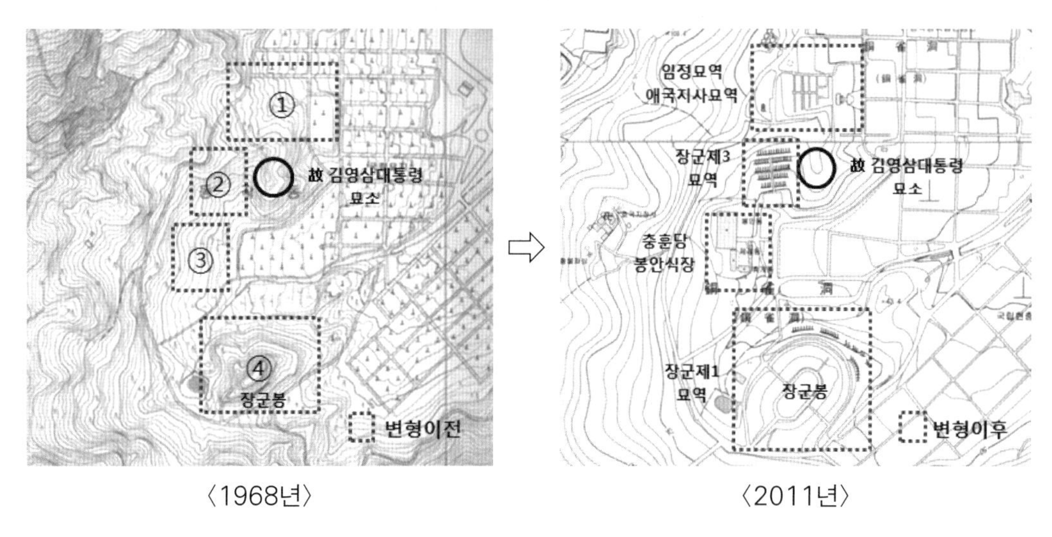

〈1968년〉 〈2011년〉

〈그림 8〉 국립현충원 1968년, 2011년 地籍 현상 변화도
자료 : 국토지리정보원, 1/5000 지도

(2) 현수 래맥 에너지장의 특성 배경 및 분석 설계

상현중학교에서 동작봉으로 진행되는 래맥 에너지체는 현충원 전체 국 에너지장을 주관하는 主 취기봉의 성격보다는 동작국 내에서 조종 관악산의 정기를 좌우로 공급 전달하는 과협적 입력에너지 특성이 강한 線 에너지 분벽 특성을 지니고 있다. 분벽점(142m)에서 좌출 진행한 래맥 에너지는 이후 1차 청목봉(175.5m)으로 상승 진행하여 취기입체봉을 형성하고 그 에너지를 취집 안정화한 후 2차 청목봉(139.1m) → 3차 청목봉(110.8m)으로 진행하였는데, 3차 청목봉에서 좌출 진행한 래맥 에너지체는 한강 하류 쪽에서 진행 마감하였고 우

출맥은 한강을 逆으로 거스르며 장군 제3묘역 방향으로 진행하였는데, 혈장의 현수 래맥 에너지체는 本 우출맥 중 장군 제3묘역 방향 진행맥으로 선택 설계하였다.

선택 설계의 本 3차 청목봉은 故 김영삼 대통령 묘소의 현수봉으로서, 그중 우출 래맥 에너지체는 완만하게 하강하다가 수차 재취기한 후 묘소로 입력케 되었다.

현수봉에서 묘소로 입력되기까지 총 2회 취기한 점을 미루어 묘소 전단의 입체봉을 제1 현수봉으로, 3차 청목봉을 제2 현수봉으로 특성 분석 설계함이 마땅하였다.

(3) 청목 에너지체 및 그 에너지장의 특성 배경 및 분석 설계

현수봉(3차 청목봉) 이후의 래맥 에너지체는 혈장의 외청목이 되어 총 2회의 입체취기봉을 형성한 후 관리사무소 뒤편에서 마감된다. 그 과정에서 좌우로 분벽 진행하는 부분은 다소의 아쉬움이 있으나, 외청목의 세력이 발로되면서 그 끝자락이 한강을 거수하는 점으로 미루어 혈장 전호의 역할을 충실히 수행하고 있음을 알 수 있다. 또한 청목봉에서 발생된 小지맥은 낮은 고도로 현충천까지 진행되어 혈장의 기운이 설기되는 것을 방지하고 외부로부터 혈을 보호하는 역할을 담당하는 것으로 설계하였다. 다만 묘소의 고도와 비교하여 소지맥의 세력이 낮고 은은하게 진행되기 때문에 혈장의 청목 측 부분으로 불어오는 바람의 간섭에 취약부분은 보완해야 할 요소이므로 추가 보완 설계 및 시공이 반드시 필요하다.

(4) 백금 에너지체 및 그 에너지장의 특성 배경 및 분석 설계

3차 청목봉을 기준으로 2차, 1차 청목봉은 故 김영삼 대통령 묘소의 주맥 에너지체로 설계되기도 하지만, 동시에 1차 백금봉(150m), 2차 백금봉(137.3m)과 함께 혈장의 외백금 역할로도 설계하였다. 동작국 내에서 백금봉의 평균고도는 140m 이상으로 청목 세력에 비해 백금 세력이 상대적으로 강왕한 것은 사실이다.

형세적로 볼 때 각각의 백금 취기봉은 원만 후부하며, 입체봉에서 발출된 백금 지맥 에너지체는 혈장을 성실히 전호, 육성, 응축하여 혈장 백금 에너지장을 견고하게 한다. 이는 1968년 발행된 1/5000 지도에서 자세히 확인할 수 있고 현재 조성되어있는 제3 장군묘역과 봉안식장으로 뻗어 내린 백금 지맥 에너지장을 살펴볼 때 묘소 중심맥의 우측을 전체적으로 관쇄하는 것으로 설계하여도 무방하였다.

(5) 주화 에너지체 및 그 에너지장의 특성 배경 및 분석 설계

2차 백금봉(137.3m)에서 점차 낮게 진행한 래맥 에너지체는 113.2m 고지에서 작은 산정을 형성하는데, 이 봉이 제3차 백금봉이다. 제3차 백금봉에서 분벽 좌출한 래맥 에너지체는 박정희 대통령 묘소의 우측에 위치한 화장실 부근까지 하강 진행 후 다시 고개를 들고 상승하여 현충원 중심부의 장군봉을 일으킨다.

〈그림 9〉 穴場 중심 – 장군봉 동조 에너지장 거리 측정도 1

자료 : 국토지리정보원, 1968년 발행, 1/5000 지도

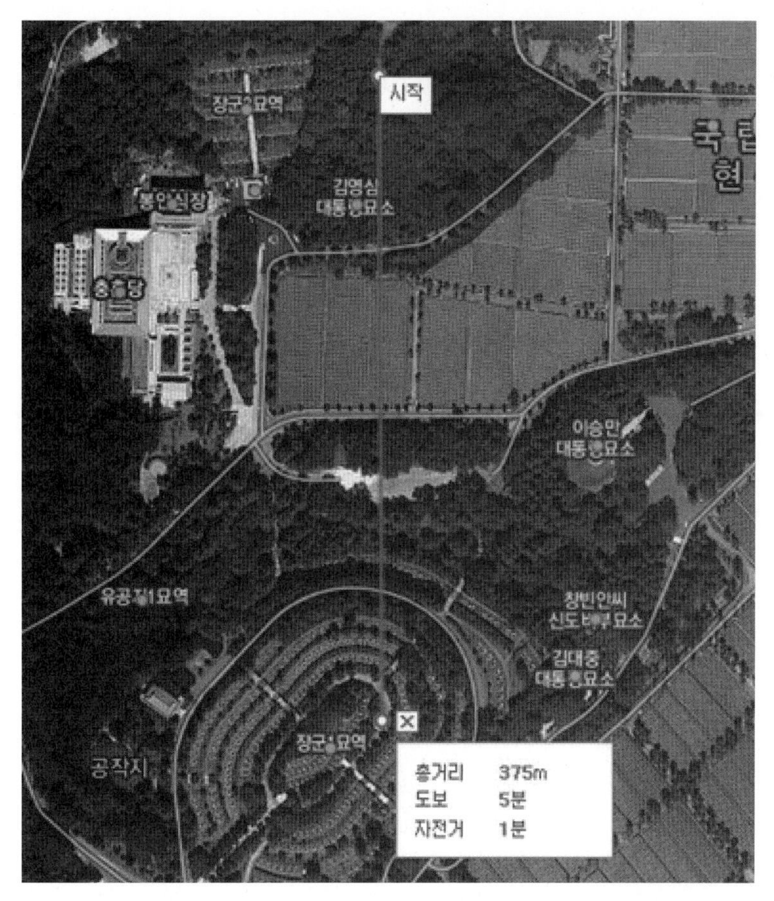

〈그림 10〉 穴場 중심 - 장군봉 동조 에너지장 거리 측정도 2

자료 : Daum 지도 스카이뷰

현재의 장군봉은 1954년 상단부 조성을 시작으로, 장군봉의 둘레를 다듬어 1973년 하단부 조성을 마지막으로 현재는 중심 북동, 남서軸 기준의 타원형 형태로 설계 조성되었다(〈그림 8〉 참고).

원 상태를 파악하기 위해 분석한 1968년 1/5000 지도를 살펴보면 제3차 백금봉에서 진행한 래맥 에너지체는 장군봉을 일으킨 후 그 중심 취기봉에서 여러 갈래의 세부 지맥을 발출시켰음을 정확히 확인할 수 있고, 이를 바탕으로 주화 에너지체 및 그 에너지장의 특성을 세밀히 분석 설계할 수 있었다.

타원형의 장군봉은 故 김영삼 대통령의 주화 에너지체로 혈장 중심에서 약 375m 거리에서 묘소를 강력하게 정면 응축하는 에너지장으로 분석하였고, 혈장 제절 전순부를 재응축하여 혈핵 에너지 설기를 방지함은 물론 돌혈상의 혈장이 충분히 응축 성혈되는 결과로 분석 설계하였다.

동작동 현충원의 전체 국 에너지장은 상현중학교에서 입력된 분벽점을 중심으로 동북방향이 열려 있는 형태로 사실상 주화 에너지체가 존재한다고 볼 수 없다. 이는 지리환경적으로 현충원의 국 에너지장이 지닌 취약한 부분이다. 그러나 묘역으로 진행된 중심맥 에너지체가 장군봉을 향하여 정면 입혈됨으로써 국 에너지장 내에서는 가장 강한 주화 反 에너지체를 확보하는 결과가 되었고 따라서 이를 가장 가까운 주화 에너지체로 설계하였다.

이렇듯 장군봉이 묘소의 주화 에너지체로 선택 설계될 수 있는 이유는 첫째, 3차 백금봉이 입체 취기하여 反 에너지를 공급하였기 때문이며 둘째, 현충원의 우측 백금능선이 묘소를 중심으로 180° 전면을 감싸안은 국 에너지장을 형성하여 묘소의 주화 에너지체가 됨으로써 장군봉의 후면과 백금측을 응축 동조하기 때문이다. 묘소 정면에서 보이는 관악산의 우측 능선들은 순차적으로 입체봉들

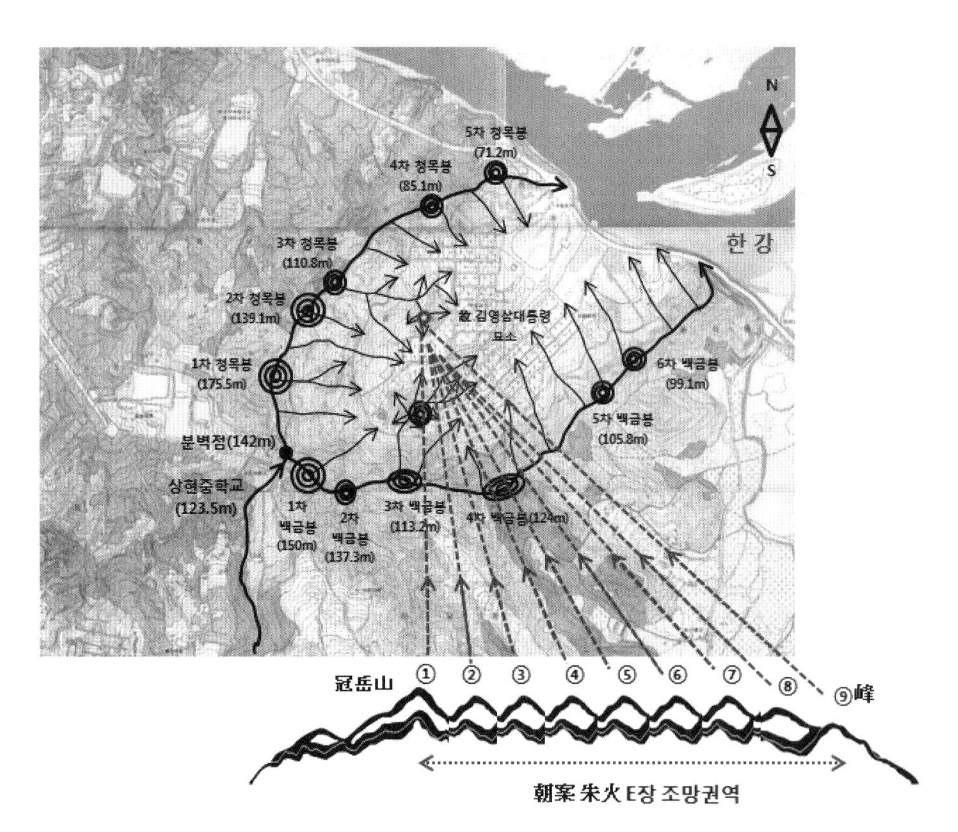

〈그림 11〉 故 김영삼 대통령 묘역 朝案 朱火 反 에너지장 설계도

자료 : 국토지리정보원, 1968년 발행, 1/5000 지도

을 형성하며 방배동 방향으로 진행되는데, 육안으로 조망할 수 있는 관악 입체봉은 총 9봉으로 훌륭한 朝案 응축 주화 에너지를 공급하는 것으로 분석되기 때문에 장군봉을 주화 反 에너지체로 설계함이 타당하다고 보았다.

3) 四神砂 局 에너지장과 穴 에너지장과의 동조 특성 분석 설계

(1) 祖宗 관악산과 혈장 에너지장간 원형 응축 동조 에너지장 분석 설계

사신사 국 에너지장의 특성을 살펴보기 위해 조종 관악산에서 진행한 래맥 에너지체의 이동경로는 위에서 설명한 바와 같고, 이 이동경로에 형성된 입체 취기봉을 기준으로 혈장국으로 합성 동조되는 에너지장의 설계형태는 다음의 그림으로 분석될 수 있다.

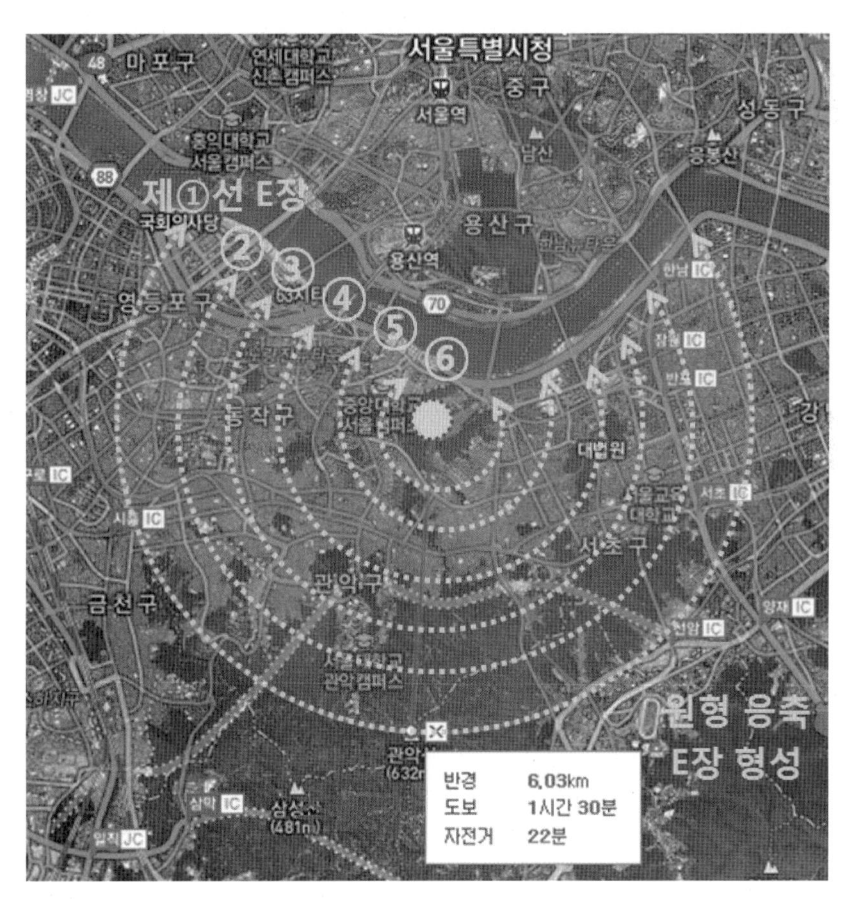

〈그림 12〉 穴場의 원형 응축 동조 에너지장 분포도

자료 : Daum 지도 스카이뷰

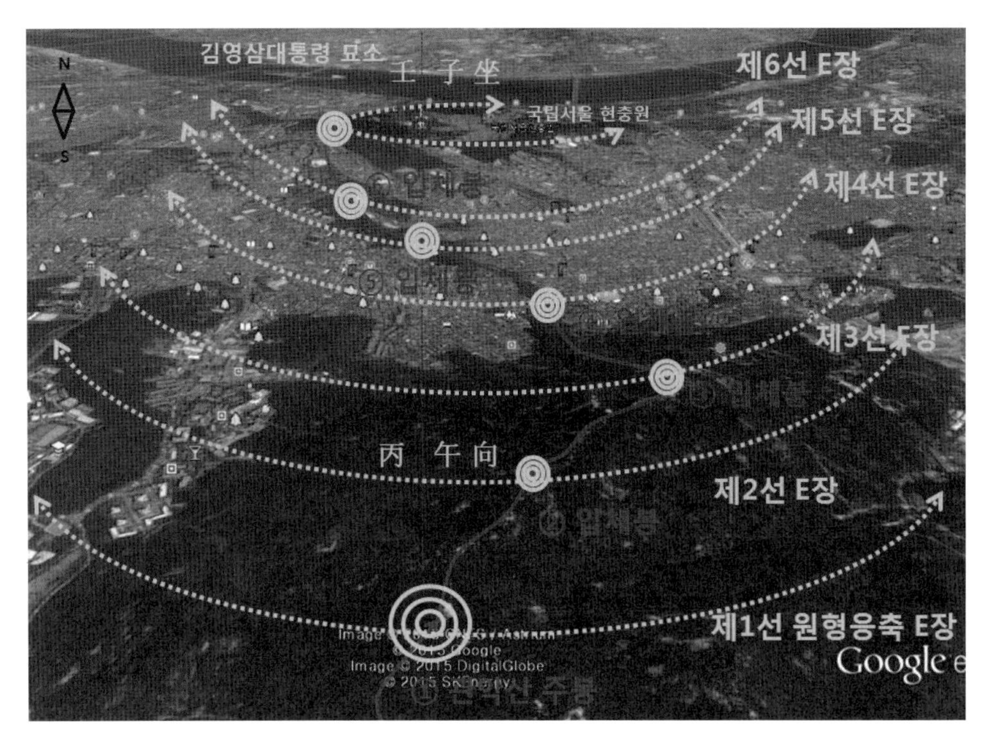

〈그림 13〉 관악산의 穴場 입력 동조 에너지장 분포도

자료 : Google 지도

Daum 지도의 반경 측정기능을 이용하여 살펴본바 故 김영삼 대통령 묘소를 중심으로 관악 祖宗 현수 에너지체는 약 6.03km의 에너지장 거리에 위치한다.

관악산 중심봉에서 좌출 능선은 사당동 → 대방동 방향으로 뻗어 내려가며 현충원의 좌측과 동조 에너지장을 형성하고, 우측 능선은 우면산(293m)으로 진행되기 전 좌출분벽하여 방배역 방향으로 진행되면서 가톨릭대학교 성모병원이 있는 반포천에서 정지 후 현충원의 우측과 동조 에너지장을 형성하였다.

관악 조종산에서 현충원으로, 현충원에서 혈장으로 순차적으로 공급되는 동조 응축 에너지장을 설계 도식화하면, 관악산 최고봉에서 현충원에 공급되는 에너지장을 제1선 원형응축 에너지장으로, 한강을 향해 진행된 입체봉들을 좌우로 연결하여 형성된 에너지장을 최종 제6선까지 설계 표시할 수 있다. 국립서울 현충원의 지세가 공작봉 중심으로 좌우로 날개를 펼치고 알을 품듯이 형성될 수 있는 이유는 관악산 최고봉을 중심으로 형성된 외국세 에너지장이 현충원에 원형 응축 에너지장을 공급하여 관악산 좌우 래맥 에너지장이 동작국을 감싸안고 있기 때문인 것으로 분석하였고, 이에 祖山 응축 동조 에너지장 설계는 위의 분석배경에 따랐다.

(2) 현충원 局 四神砂 에너지장과 혈장 에너지장 간 원형 응축 동조 에너지장 분석 설계

묘소를 중심으로 현수봉과 주화 장군봉까지의 에너지장 거리를 측정한 바에 의하면, 제2 현수봉 → 제1 현수봉의 거리는 340m, 제1 현수봉 → 혈장 50m, 혈장 → 장군봉 375m가 된다. 주기운의 공급처인 제2 현수봉과 혈장을 직선으로 연결할 경우 360m, 혈장과 주화 장군봉의 에너지장 거리는 375m가 되어 제2 현수봉 → 혈장 : 혈장 → 주화 장군봉 에너지장 거리는 거의 1 : 1의 비율로 동조 응축 에너지장을 형성하기에 충분하다고 분석하였다.

높이 측정을 비교할 경우, 제2 현수봉의 높이 110.8m, 제1 현수봉 70m, 장군봉 76.3m로 제1 현수봉과 장군봉은 비교적 균등한 높이로 기봉하였고, 제2 현수봉의 높이는 약 1.3배 이상 높다. 이를 통해 제1 현수봉과 장군봉의 높이, 제2 현수봉과 혈장, 주화 장군봉과 혈장간의 에너지장 거리 비율을 비교하면 상호 균형을 이루고 있음을 알 수 있는 부분이다. 이 수치는 각 봉이 지닌 에너지체의 역량과 세력을 에너지 역학적으로 설계할 수 있는 척도가 된다고 분석 설계하였다.

혈장 및 혈핵 동조 응축 에너지는 현수 에너지체와 주화 에너지체 및 청목 에너지체와 백금 에너지체의 크기, 역량, 상호 거리가 균형, 균등된 비율을 이룰 경우 합성 에너지 동조 응축 작용에 의하여 그 중심점에서 형성되게 되고, 응축 동조 에너지가 합성되어 성혈된 혈장은 반드시 원형 응축 밀도가 가장 강한 혈핵과를 맺는 것으로 확인 분석하였으며 따라서 다음과 같이 설계함이 타당하다고 보았다.

〈그림 14〉
현수봉-혈장-장군봉의 동조 에너지장 거리 측정도 1

자료 : 국토지리정보원, 1968년 발행, 1/5000 지도

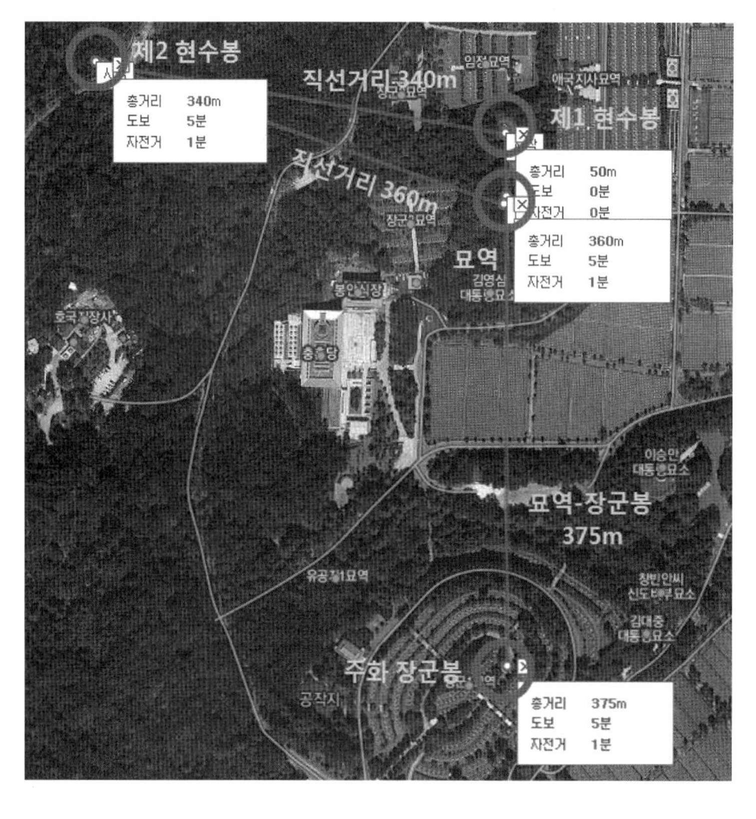

〈그림 15〉
현수봉-혈장-장군봉의 동조 에너지장 거리 측정도 2

자료 : Daum 지도 스카이뷰

〈그림 16〉 현수 원형 응축 동조 에너지장 분석 설계도

자료 : 국토지리정보원, 1968년 발행, 1/5000 지도

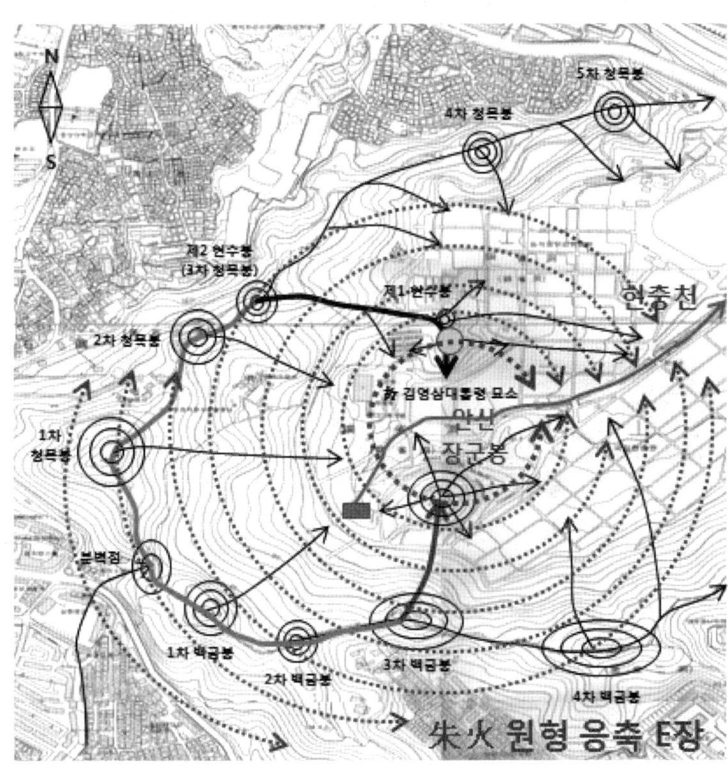

〈그림 17〉 朱火 원형 응축 동조 에너지장 분석 설계도

자료 : 국토지리정보원, 1968년 발행, 1/5000 지도

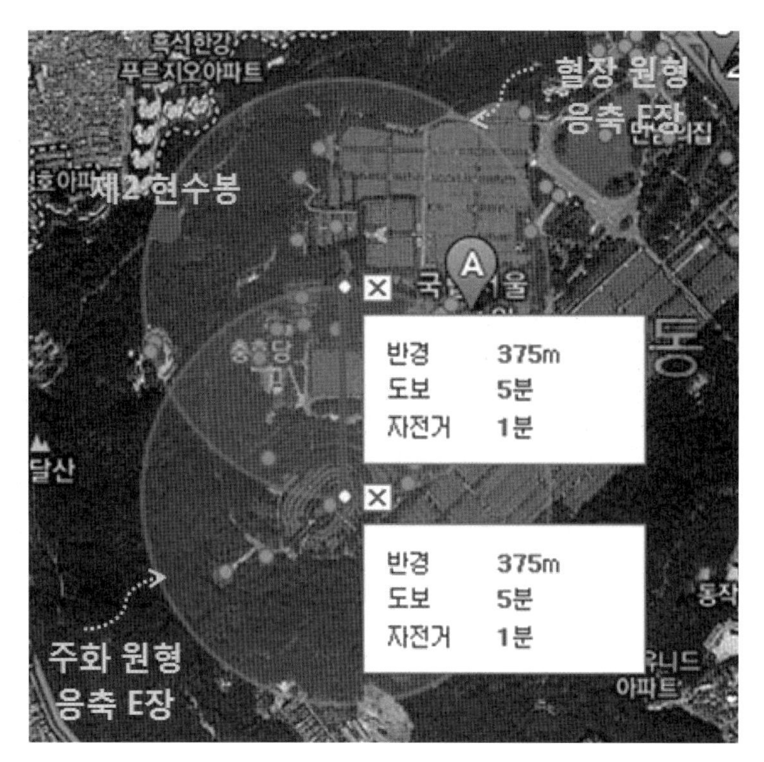

〈그림 18〉 혈장-주화 에너지체 간 동조 에너지장 작용거리 측정도

자료 : Daum 지도 스카이뷰

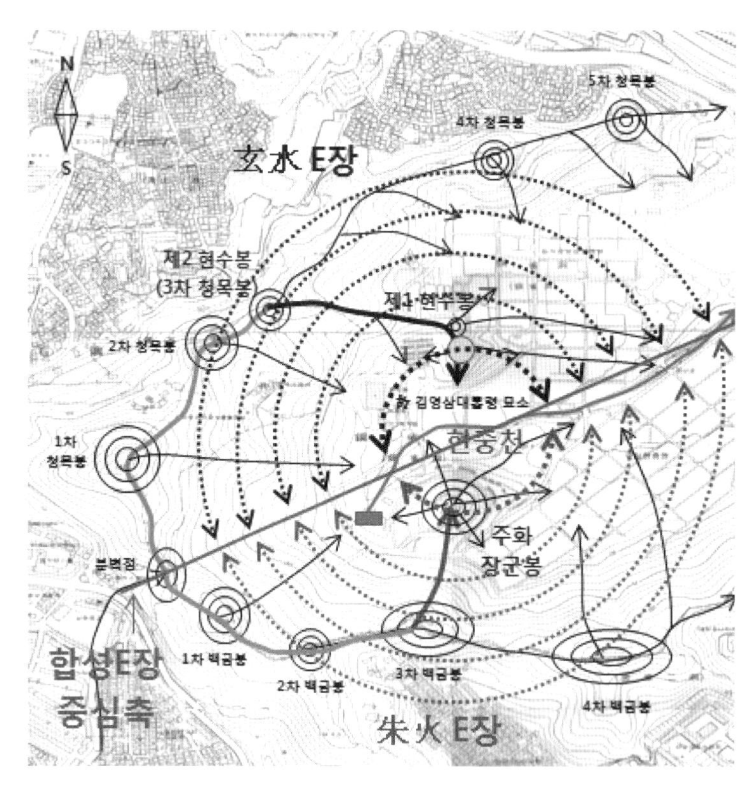

〈그림 19〉 현수-주화 합성 원형 응축 동조 에너지장

자료 : 국토지리정보원, 1968년 발행, 1/5000 지도

현수 에너지체와 주화 에너지체의 역량과 크기는 그 높이와 면적, 혈장을 관쇄한 지맥 에너지체의 길이, 환경 에너지장의 동조 및 간섭에 따라 혈핵 응축 동조장이 달라질 수 있는데, 앞서 측정된 현수봉과 주화봉의 거리와 높이를 우선 재고하여 특성 분석한 결과 혈장의 동조범위는 장군 주화봉의 중심 및 제2 현수봉의 중심과 동조하여 혈장 원형 응축 에너지장을 형성하는 것으로 설계할 수 있었고, 현수 에너지장과 주화 에너지장은 동작국 내에서 상호 합성되어 위의 그림과 같은 에너지장을 혈장으로 공급하는 것으로 분석하였으며, 사신사 국 에너지장 내에서 혈장으로 공급되는 세부 에너지장은 아래의 그림으로 분석하여 설계하였다.

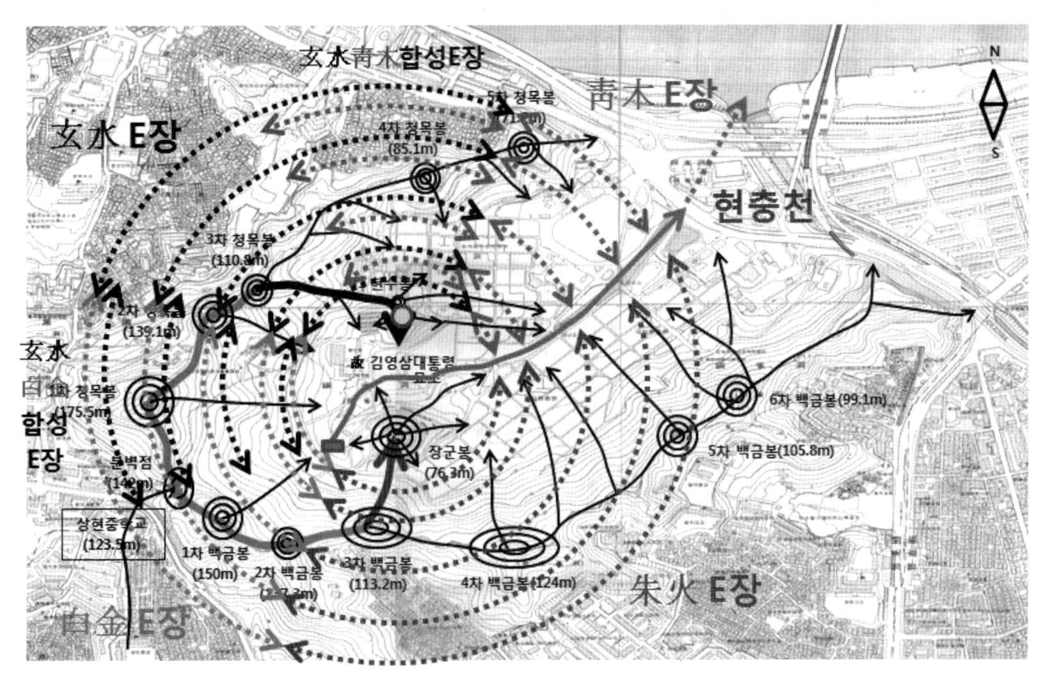

〈그림 20〉 전체 사신사 국세 합성 동조 원형 응축 에너지장 분석도

자료 : 국토지리정보원, 1968년 발행, 1/5000 지도

4) 故 김영삼 대통령 묘소의 혈장 특성 설계 및 분석

(1) 穴 에너지 래맥의 입수 특성 설계 및 분석

〈그림 21〉 故 김영삼 대통령 묘역 입수 래맥 에너지체 특성 설계

자료 : 국토지리정보원, 1968년 발행, 1/5000 지도

상현중학교에서 동작국 방향으로 상승 진행한 래맥 에너지체는 분벽점에서 좌측으로 진행하다가 110.8m 고지의 제2 현수봉(3차 청목봉)에서 입체 에너지체를 형성하였다. 그 후 장군 제3묘역으로 방향을 틀어 동진한 래맥 에너지는 그 진행을 멈추고 입체 취기하면서 그중 우출 중출맥 에너지체가 壬子룡으로 래맥하여 故 김영삼 대통령 묘소로 진행한다. 묘소 전단에서 형성된 취기봉(70m)은 혈장 중심으로 제1 현수봉이 되는데, 이 봉우리를 기준하면 중심 래맥 에너지체는 거의 90°로 左旋 진행한 형태가 되어, 제1 현수봉에서는 子午卯酉 정변역

直 入力 直坐의 성혈의지 특성으로 분석 설계하였다.

(2) 故 김영삼 대통령 묘역 에너지체 분석 설계 및 혈장 세부 조직 설계 분석

입수두뇌로 진입한 入力 에너지체는 한강수와 공작지를 拒水한 래맥으로, 主 성혈의지를 지닌 역량 있는 에너지 및 그 에너지장으로 분석되었다. 혈장 세부 설계 분석도를 참고하면, 중심입력 에너지는 제1 현수봉에서 입수두뇌에 이르기까지 총 3회의 十字泡를 형성하여 좌우를 안정시키며 두텁고 강하게 진행한 것이 특징이고, 성혈 직전 다시 한 번 정변역 십자형 에너지체로 陽突 취기하여 穿心 중출 형태로 에너지를 집중 공급하였다. 입수두뇌 子午卯酉 중심점에서 甲卯 좌출 진행 래맥과 庚酉 우출 진행 래맥은 그 말단에 이르러 좌우로 止脚을 발생시켰는데, 이는 래맥 에너지체의 최종 균형안정을 도모하여 혈장 입수두뇌를

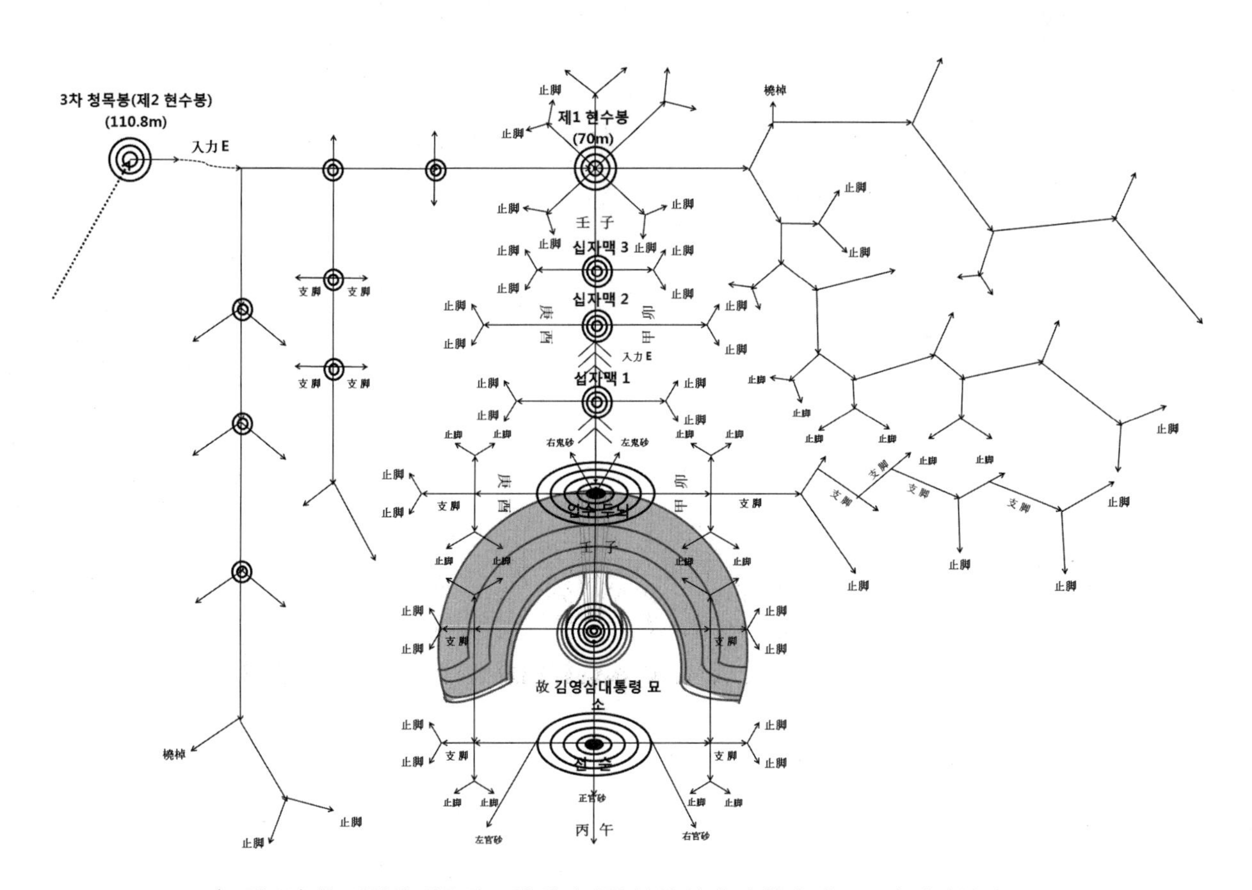

〈그림 22〉 故 김영삼 대통령 묘역 에너지체 분석 설계 및 혈장 세부 조직 설계 분석도 1

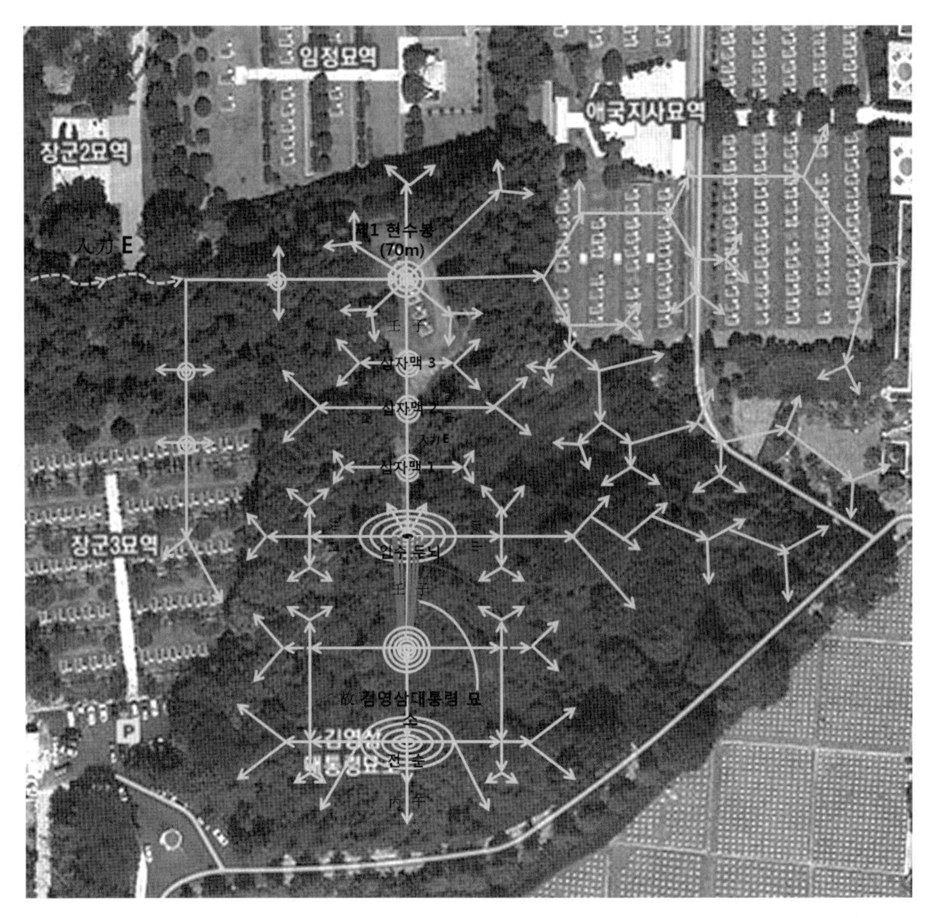

〈그림 23〉 故 김영삼 대통령 묘역 에너지체 분석 설계 및 혈장 세부 조직 설계 분석도 2

자료 : Daum 지도 스카이뷰

재안정하기 위함으로 분석하였다. 그러나 전기한 바와 같이, 외백금에 비해 상대적으로 약한 세력을 형성하고 있는 외청목은 전호 의지는 충만하였으나 육성, 응축의 의무를 완벽히 수행하지 못하였기에 입수 전단 래맥 에너지체의 좌측 부분이 한강에서 불어오는 풍살에 의해 서서히 풍화되고 있음은 다소 안타까운 부분으로 보완 설계시공이 반드시 필요하였다. 그럼에도 제1 玄水봉이 사방으로 지룡맥을 발출하여 청목 에너지를 안정화시킨 것과, 입수두뇌 전단부에서 서서히 기봉하여 입체 취기한 점은 전형적인 陽突穴의 특성을 나타내는 증거로서 중심 에너지체의 역량을 짐작하기에 충분하며 현수봉에서 출력된 지기 에너지를 재안정화하여 그 손실이 최소화되고 있음을 증명하는 것으로 분석하여 그 조직체계를 설계하였다.

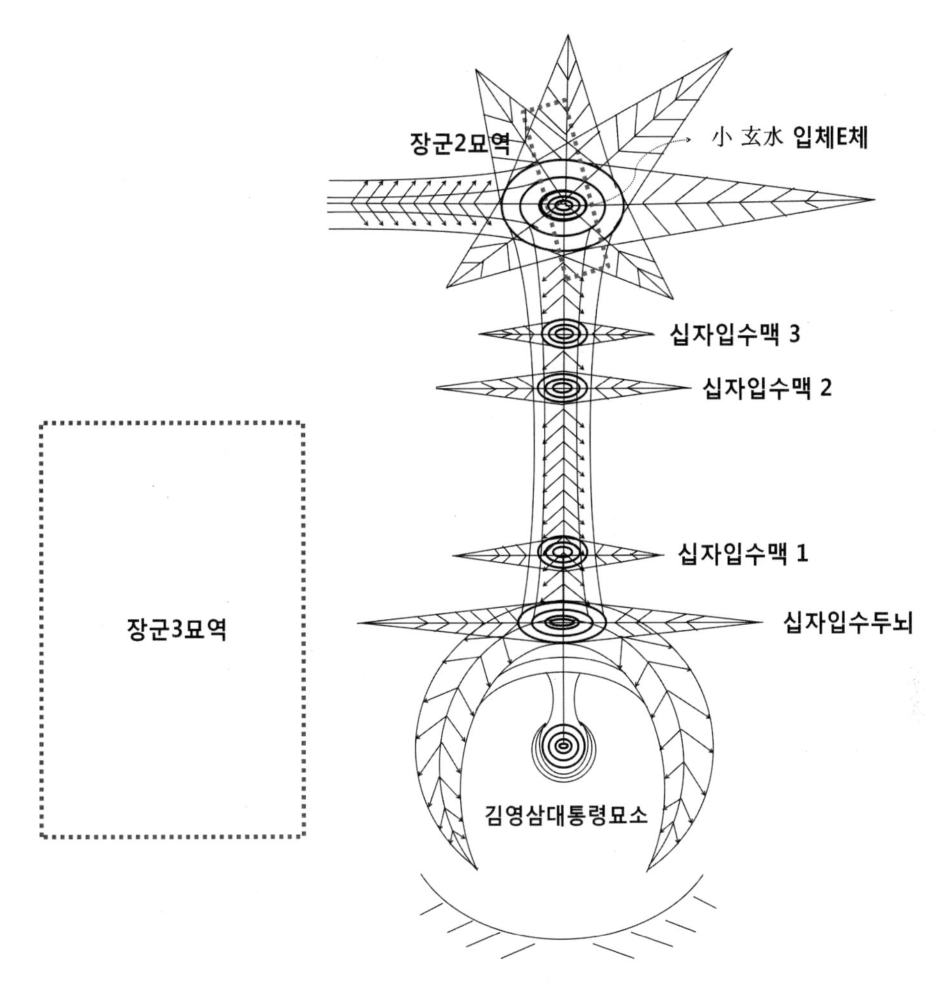

〈그림 24〉 입수 에너지체 및 입혈맥 조직체계 설계 및 분석도

(3) 靑木, 白金 蟬翼砂 설계 및 분석

입수두뇌에서 천심 개장한 좌우출맥은 혈장의 청목 백금사로서의 역할을 담당하는 것으로 분석한다. 백금선익은 청목선익에 비해 그 길이가 단맥으로 마감되었지만 외백금의 에너지장 응축이 강하고, 청목선익은 支脚을 연속적으로 발생시켜 래맥 에너지체를 안정화한 후 혈장을 보호하는 보호사로서 그 역할을 충실히 하는바, 좌우 균등 에너지장을 형성하여 청목・백금 에너지체로서 힘의 균형을 이루고 있다고 분석 설계하였다.

故 김영삼 대통령의 정변역 돌혈 에너지체에서 발견되는 가장 큰 특성 중 하나는 천심 에너지체의 기운이 강하여 혈핵 중심부에서도 좌우 90°로 청목선익사

와 백금선익사가 십자형 에너지체로 가장 강력히 응축 발달된 것으로 분석할 수 있다. 입수두뇌에서 발출된 甲卯 청목선익사의 동조 작용에 의해 청목 세력 안정을 이룬 입혈맥은 故 김영삼 대통령이 안장되어있는 혈 핵심부에서 다시 한 번 입체 취기함으로써 중심 에너지체와 청목 백금 에너지가 회합되어 밝고 정돌한 圓滿形 혈장을 형성하는 데 일조하였고, 陽突 천심 에너지체의 발달로 좌우 十字形 청목 백금사는 낮고 굵게 중출 에너지체를 보호 응축하다가 그 말단에 이르러 좌우 止脚이 발생되면서 안정 정지되어 청목 백금 선익사의 기운을 마감하고 혈핵 에너지체를 안정 응축 동조한다는 것이 가장 큰 특징으로 분석 설계하였다.

(4) 제절전순 에너지체 특성 설계 및 분석

故 김영삼 대통령 묘소의 혈장 제절전순부를 살펴보면 전면 180° 어느 방향에서도 골이 지거나 지맥 에너지체가 손상된 흔적을 찾아볼 수 없다. 이처럼 혈장 제절전순이 두툼하게 발달된 데에는 375m의 근접한 거리에서 丙午向 장군 주화봉이 혈장 전면으로 주화 反 에너지를 공급하여 혈장과 상호 동조 응축하고 있기 때문으로 분석하였다. 장군봉 주화 에너지체는 혈장 전순의 중앙과 좌우로 官 에너지체를 발생시켜 입수두뇌에서 입혈맥으로 직진한 지기 에너지가 설기되

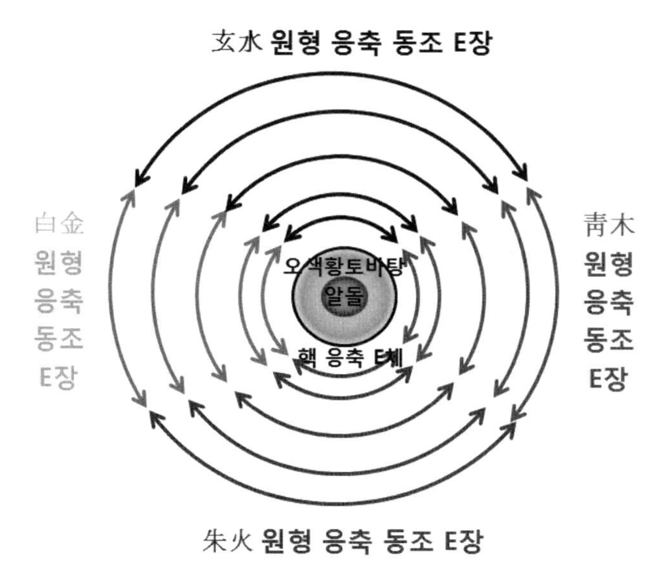

〈그림 25〉 원형 응축 동조 에너지장과 핵 응축 에너지체 형성 원리도

는 것을 방지함과 동시에 그 餘氣를 갈무리하여 제절전순과 혈핵을 강력하게 응축하여 성혈 동조한 것으로 분석 설계하였다.

혈토의 주밀도는 혈장을 조성하는 과정과 내광의 흙을 토출하는 과정에서 발견된 여러 개의 원형 알돌들이 그 증거라 할 수 있다.

알돌은 오색황토의 바탕 속에서 나와 원형에 가까울수록, 색이 선명하고 광택을 띨수록 동조 응축 에너지가 큰 것으로 판단하며, 천체 에너지장 동조를 원칙으로 사신사 원형 응축 동조 에너지장이 작용할 때에만 원형 핵 응축 동조 에너지체가 형성된다. 이에 근거하여 故 김영삼 대통령 묘역의 혈장 조성 공사에서 발견된 원형 길석들은 동작국 내 사신사 에너지체가 상호 조화를 이루어 선미 강건한 혈장을 성혈했음을 증명한 것으로 분석 설계하였다.

5) 玄水- 朱火 에너지장 관계작용 및 물바람 환경 에너지장 특성 설계 및 분석

(1) 玄水-朱火 동조관계 에너지장의 방향 특성 설계 및 분석

玄水-朱火 에너지장의 방향 특성 관계작용은 주산과 혈장 에너지의 흐름과 안정을 위한 응기선 및 응축각을 결정함으로써 주변 에너지장과의 균형에 의해 혈장에 혈핵 에너지를 응축시킨다. 혈장 재혈에 있어서 玄水 - 朱火 에너지장의 방향 특성 관계작용은 중요한 역할을 담당하며 산맥 에너지체에서 이미 결정되어있다고 볼 수 있다. 따라서 혈장으로 입혈되는 산 에너지 및 그 에너지장의 흐름을 명확히 분석 파악하여 neutral point인 혈장 중심 설계 시 입력된 핵 에너지체에서 그 재혈점이 정확히 설정될 수 있도록 각별히 주의를 기울여야 한다.

故 김영삼 대통령 묘소의 래맥 에너지체는 제2 현수봉에서 甲卯로 진행 후 제1 현수봉에서 壬子로 직입력되었다. 제1 현수봉과 혈장을 일직선으로 연결하면 주화 장군봉을 향하고 있음을 분석할 수 있고, 그 중심을 측정한 결과 壬子坐, 丙午向의 좌향선이 설정되어 혈장 재혈 시 이를 선택 설계하였다.

또한 장군봉 뒤로 보이는 관악산 최고봉이 혈장의 朝案 에너지장이 되어 혈장 제절전순부와 혈핵을 응축하는 시작점이 되는 것으로 설계하였고, 이를 회룡고조점으로 분석한 후 이 지점에서부터 조산 및 조안산 에너지체의 응축 동조 에너지장이 상호 합성 융합하는 것으로 설계하였다.

〈그림 26〉 穴場과 玄水, 朱火 동조관계 에너지장의 방향 특성 측정 설계도 1

자료 : 국토지리정보원, 1968년 발행, 1/5000 지도

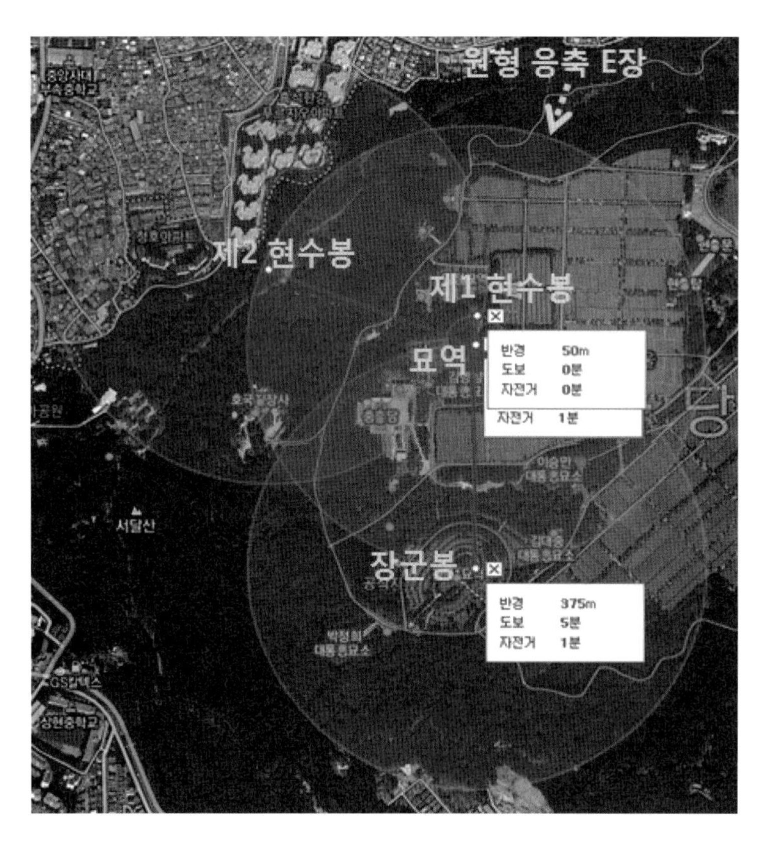

〈그림 27〉 穴場과 玄水, 朱火 동조관계 에너지장의 방향 특성 측정 설계도 2

자료 : Daum 지도 스카이뷰

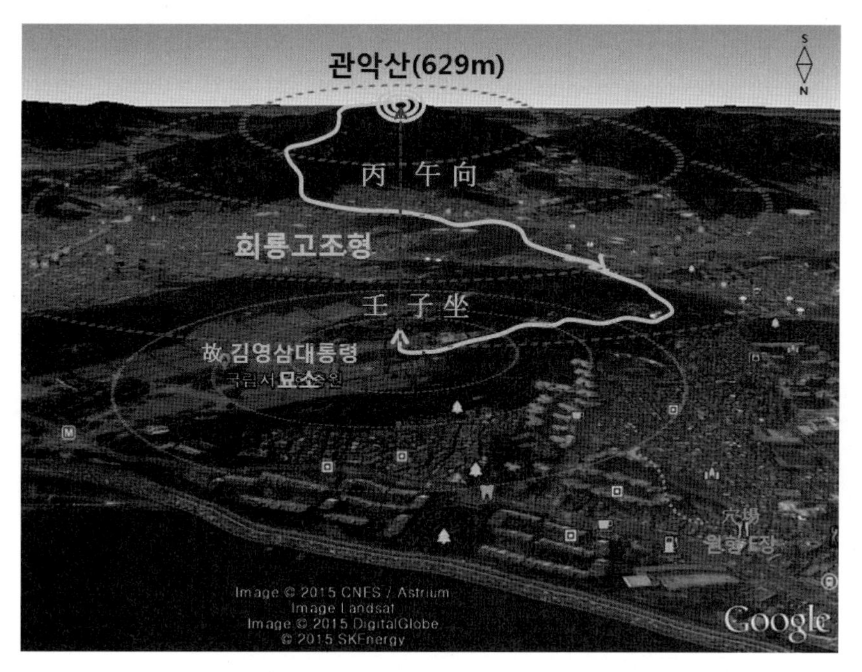

〈그림 28〉 回龍顧祖 특성의 玄-朱 共同 에너지장 구성도

자료 : Google 지도

(2) 물바람 환경 에너지장 특성 설계 및 분석

현충원 내의 물바람 환경 에너지장은 동작국 내의 水 근원지인 공작지에서부터 출발한다. 공작지 물바람 에너지장은 주화 장군봉 전면을 우회하여 현충천을 따라 흐르면서 동작국 내의 에너지를 조윤, 순화하는 중요한 역할을 담당하며, 청목 백금의 끝자락인 현충지에 머물면서 다시 한 번 그 기운을 안정시킨 후 한강과 합수되어 흘러간다. 물론 이때의 한강 수류는 청목 에너지장을 안정 융성케 하는 소중한 에너지원이 되고 있음은 분명하다.

故 김영삼 대통령 묘소의 元辰水는 혈장의 오른쪽에서 왼쪽으로 흐르는 백금수이며, 분벽점에서부터 3차 청목봉까지 뻗어 내린 산 에너지체 간의 작은 골짜기에서 내려오는 네 군데의 물이 護縱水가 되어 혈장으로 수기가 공급된 후 묘소의 전면을 180°로 감아 안는 안정된 吉水로 분석 설계하였다.

또한 주화 장군봉의 세부 산 에너지체는 혈장 전면부로 뻗어내려 현충원의 물바람 에너지장이 본 묘소 쪽으로 진행되도록 도와주었고, 백금측과 전면부에서 안정적으로 환포하는 물바람 에너지장을 그대로 공급받는 것으로 분석하였다.

혈장 백금원진수는 공작지 물바람 에너지장과 차례로 합성되어 현충천으로 흘러가는데, 외청목 외백금에서 완만하게 진행한 산 에너지체들은 혈장 중심에서부터 물바람 에너지장을 拒水하여 전체 물바람 에너지장의 흐름을 조절하는 역할까지 담당한 것으로 분석 설계하였다.

〈그림 29〉 故 김영삼 대통령 묘역의 물바람 동조 환경 에너지장 설계 분석도

자료 : 국토지리정보원, 1968년 발행, 1/5000 지도

〈그림 30〉 故 김영삼 대통령 묘역의 물바람 동조 환경 에너지장 세부 설계 분석도

자료 : Google 지도

6) 혈장 조성 보완 요소

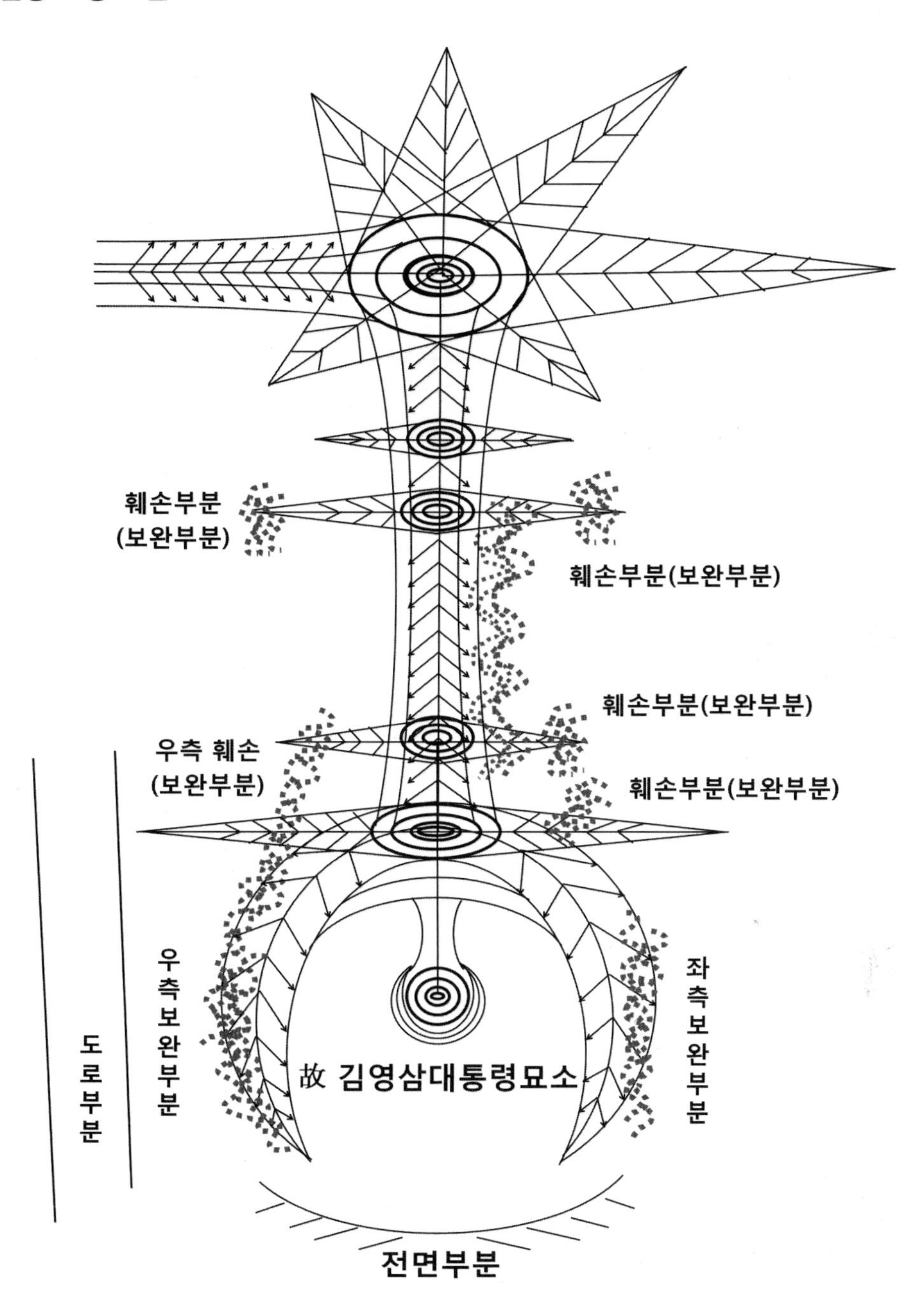

〈그림 31〉 故 김영삼 대통령 묘역 보완 부분 설계도

별첨 1. 故 김영삼 대통령 묘역 계획 설계도

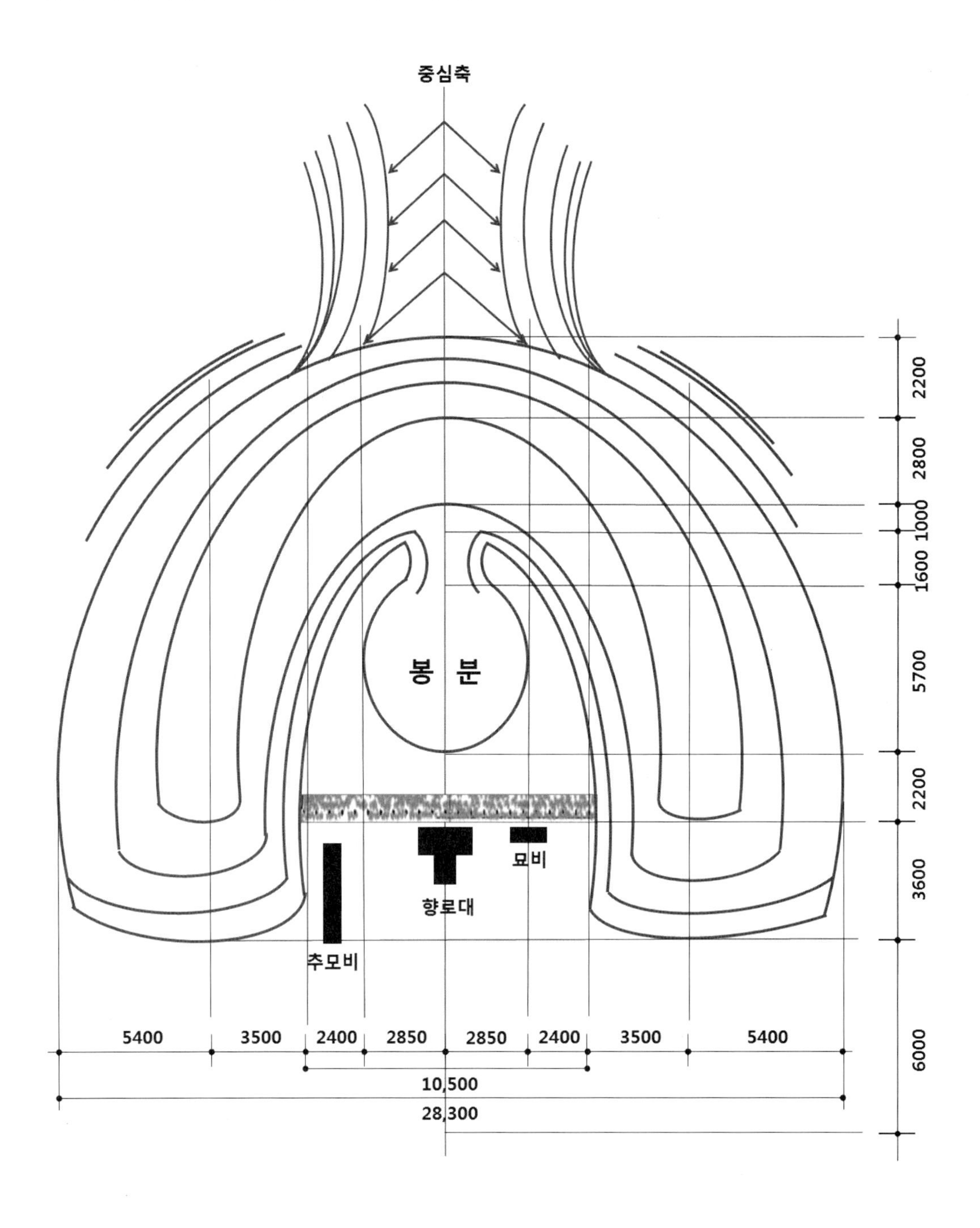

별첨 2. 故 김영삼 대통령 묘역 측단면 설계도

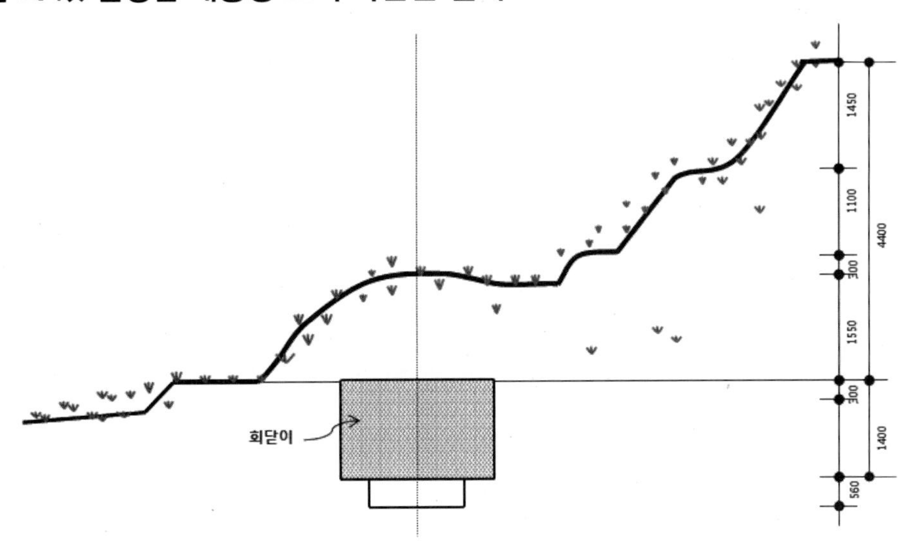

별첨 3. 혈장 재혈도

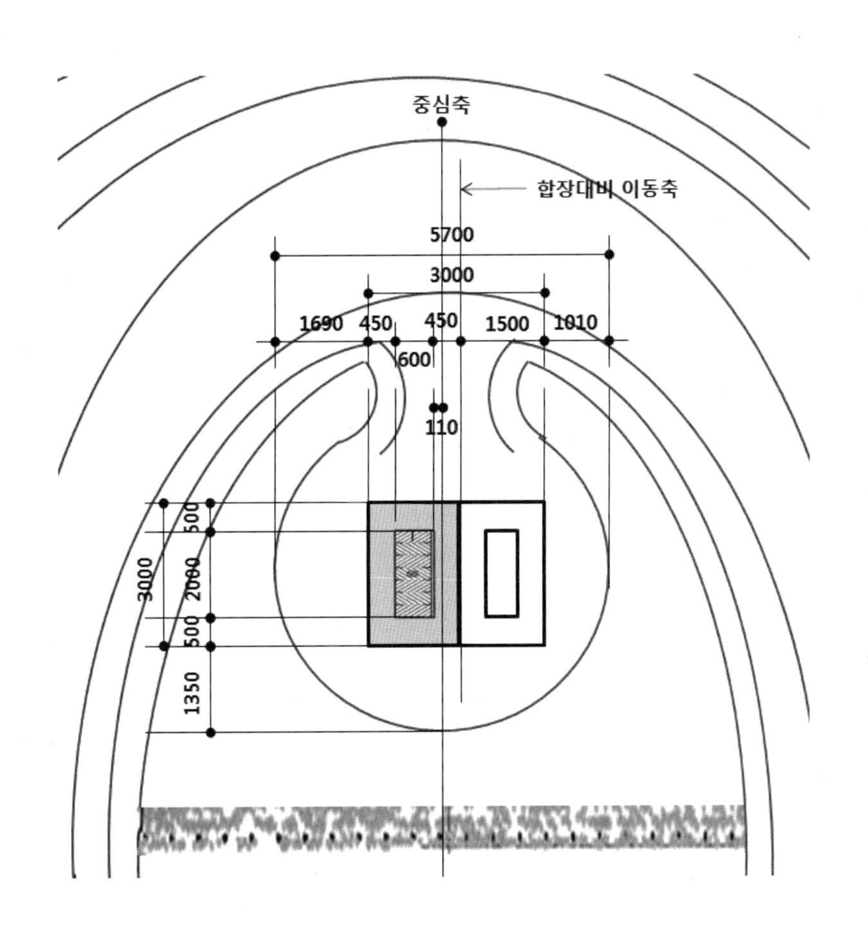

별첨 4. 혈장 재혈 교 단면도

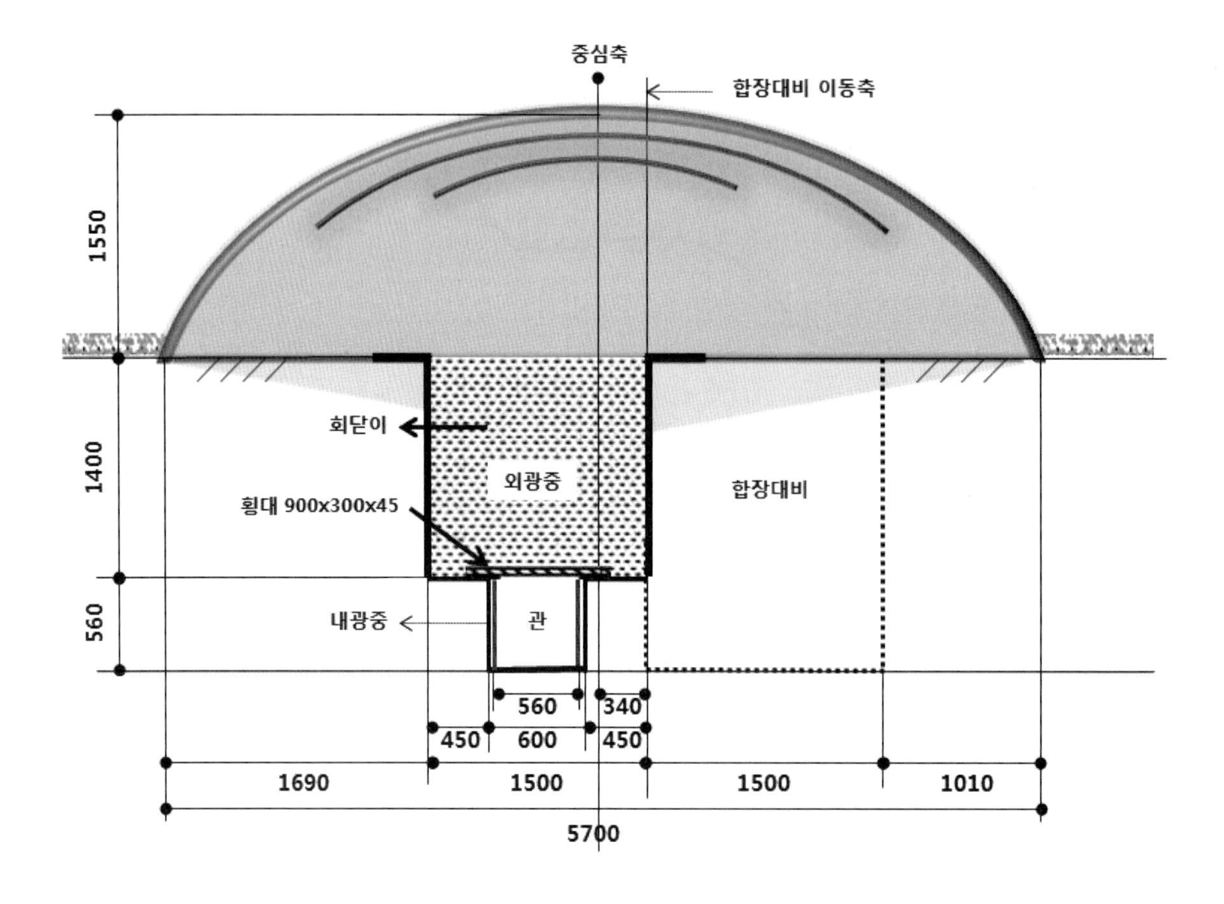